POLITIQUE INTERNATIONALE

ET DÉFENSE AU CANADA
ET AU QUÉBEC

paramètres

Kim Richard Nossal
Stéphane Roussel
Stéphane Paquin

POLITIQUE INTERNATIONALE
ET DÉFENSE AU CANADA
ET AU QUÉBEC

Les Presses de l'Université de Montréal

Catalogage avant publication de Bibliothèque et Archives nationales du Québec et Bibliothèque et Archives Canada

Nossal, Kim Richard, 1952

    Politique internationale et défense au Canada et au Québec

    (Paramètres)

    Traduction et adaptation de la 3ᵉ éd. de : The politics of Canadian foreign policy.

    Comprend des réf. bibliogr.

    ISBN 978-2-7606-2086-5

    1. Canada - Relations extérieures - Administration. 2. Canada - Politique et gouvernement. 3. Sécurité nationale - Canada. 4. Canada - Relations extérieures. I. Roussel, Stéphane, 1964- . II. Paquin, Stéphane, 1973- . III. Titre. IV. Collection.

JZ 1515.N6714 2007   327.71   C2007-941028-6

                                                  C2007-941305-6

Dépôt légal : 3ᵉ trimestre 2007

Bibliothèque et Archives nationales du Québec

© Les Presses de l'Université de Montréal, 2007

Cet ouvrage est une adaptation du livre *Politics of Canadian Foreign Policy*, publié par Pearson Education Canada, Don Mills, Ontario, en 1999.

Les Presses de l'Université de Montréal reconnaissent l'aide financière du gouvernement du Canada par l'entremise du Programme d'aide au développement de l'industrie de l'édition (PADIÉ) pour leurs activités d'édition.

Les Presses de l'Université de Montréal remercient de leur soutien financier le Conseil des Arts du Canada et la Société de développement des entreprises culturelles du Québec (SODEC).

Imprimé au Canada en août 2007

À James G. Eayrs et André Donneur,
qui comptent parmi les pionniers
de l'étude et de l'enseignement de la
politique étrangère canadienne

AVANT-PROPOS

Cet ouvrage est la poursuite de la tâche entreprise par Kim Richard Nossal au début des années 1980, et qui consistait à offrir aux étudiants et à ceux qui désirent comprendre les rouages et le contexte de la politique étrangère canadienne un survol général de cet objet d'étude. L'ouvrage original a fort bien traversé l'épreuve du temps, donnant lieu à deux éditions subséquentes, comportant chaque fois d'importantes mises à jour. Il n'était que temps d'en mettre une version à la disposition d'un public francophone de plus en plus intéressé par l'activité internationale du Canada et du Québec.

Ce livre tient à la fois de la traduction, de la mise à jour et de l'adaptation. Nous avons conservé l'essentiel de la structure originale et les grandes lignes de l'exposé. Toutefois, le contenu a été substantiellement modifié, de manière à atteindre trois objectifs. Le premier est, évidemment, de tenir compte de l'évolution de la politique étrangère canadienne et des changements dans l'environnement au sein duquel cet État évolue – les attentats commis à New York et Washington un matin de septembre 2001 n'étant pas les moindres. Le deuxième est de refondre le texte pour que les thèmes abordés et les exemples utilisés soient le plus près possible de l'expérience particulière des francophones à l'égard de la politique étrangère. Enfin, le troisième est de faire référence à des documents en français, le plus souvent possible tout en respectant les sources consultées lors de la préparation de l'édition originale. Cette dimension du processus d'adaptation est importante, non seulement parce que nous souhaitons que cet ouvrage puisse servir de texte d'introduction au lecteur francophone dont la documentation sur la politique étrangère et de sécurité du Canada lui est peu familière, mais aussi pour rendre justice aux chercheurs qui ont œuvré dans le domaine. Au lecteur de juger si nous avons atteint ces objectifs. Enfin, lorsqu'elle existe, nous avons retracé la traduction officielle des citations figurant dans l'ouvrage original. Toutefois, lorsque la référence à une citation renvoie à une source en anglais, le texte a été traduit par nos soins.

* * *

La deuxième édition en langue anglaise de cet ouvrage a été publiée en 1989, et la troisième en 1997. À chaque fois, le contexte international auquel devaient faire face les dirigeants canadiens différait radicalement. Ainsi, quelques mois après la publication de la deuxième édition, ils devaient s'adapter au plus important bouleversement du système international advenu depuis la Deuxième Guerre mondiale. Au début des années 1990, la plupart des points de repère hérités de la Guerre froide se sont désintégrés, volatilisés ou, à tout le moins, profondément modifiés. Ce processus a débuté en novembre 1989 lorsque le mur de Berlin – sans doute le plus grand symbole de la division entre l'Est et l'Ouest – s'est effondré sans que l'Union soviétique n'intervienne comme elle le fit en Hongrie (1956) et en Tchécoslovaquie (1968). En conséquence, les régimes communistes d'Europe centrale et orientale ont été balayés les uns après les autres, et celui de l'Union soviétique a fini par se saborder en décembre 1991.

Ailleurs dans le monde, les changements se succédaient tout aussi rapidement : l'apartheid était finalement aboli en Afrique du Sud ; le Canada, les États-Unis et le Mexique signaient un accord de libre-échange ; et la Chine, en dépit du massacre de la place Tiananmen, continuait d'affirmer sa présence et son statut de puissance montante. Les transformations ont été aussi évidentes sur le plan institutionnel, alors que les Nations Unies entraient dans une phase d'activité sans précédent, que l'OTAN était forcée de repenser sa raison d'être, que la « diplomatie des sommets » s'intensifiait et que l'Organisation mondiale du commerce (OMC) remplaçait le système commercial du General Agreement on Tariffs and Trade (GATT). C'est ce monde que décrivait l'édition de 1997, à un moment où l'on pouvait croire qu'une nouvelle stabilité s'installait, même si de nombreuses questions demeuraient en suspens : les États-Unis allaient-ils rester seuls encore longtemps au sommet de la pyramide des nations ? Les institutions internationales allaient-elles finalement acquérir suffisamment de maturité pour gérer efficacement des drames comme celui du Rwanda en 1994 ? Les grands blocs économiques allaient-ils se stabiliser avant de s'affronter dans une nouvelle compétition ? La démocratie libérale allait-elle finir par s'imposer comme la seule idéologie finalement viable, et apporter paix, stabilité et prospérité ? Ou le monde allait-il sombrer dans une suite de « chocs des civilisations » ?

La politique étrangère et de défense du Canada a subi les contrecoups des événements internationaux et nationaux. Le maintien de la paix et la gestion des crises se sont substitués à la sécurité européenne et au désarmement comme priorité de la politique de défense. L'opinion publique s'est émue de drames pourtant lointains, comme ceux de l'ex-Yougoslavie, du Rwanda ou du Zaïre. Le long combat contre le déficit, qui s'est engagé à la fin des années 1980, a aussi largement conditionné la réaction canadienne face aux pressions de l'environnement mondial, que ce soit en matière de sécurité, d'aide ou de commerce. Enfin, les débats autour de la question de l'unité nationale, qui ont atteint leur paroxysme lors du référendum d'octobre 1995, ont coloré plusieurs des activités à l'étranger, menées par Ottawa ou Québec.

Puis le monde a de nouveau basculé. Si les attaques perpétrés le 11 septembre 2001 à New York et Washington n'ont pas affecté la structure du système international comme l'avaient fait les événements qui ont suivi l'effondrement du mur de Berlin, ces attentats constituent néanmoins un choc dont quelques années plus tard, on mesure encore mal l'ampleur. Ils constituent ainsi un jalon majeur dans l'évolution des préoccupations des acteurs internationaux et dans la reconfiguration des alliances et des lignes de fracture. La coopération avec les États-Unis en matière de défense, de sécurité et de gestion des frontières est devenue, en quelques jours, la principale priorité du gouvernement. Lutter contre le terrorisme, telle a été la nouvelle formule tant à l'intérieur qu'à l'extérieur du pays. Dès décembre 2001, le Canada se joignait à la coalition qui allait renverser le régime des Talibans en Afghanistan, et se bat pendant de longues années pour stabiliser le pays – au prix de la vie de nombreux militaires canadiens. Les institutions internationales, qui constituent l'un des piliers de la politique étrangère canadienne, sont entrées dans une nouvelle crise lorsque les États-Unis ont attaqué l'Irak sans l'approbation du Conseil de sécurité et malgré l'opposition virulente de la France, de l'Allemagne et de la Russie. Cinq ans après l'effondrement des deux tours du World Trade Center, la situation en Afghanistan, en Irak et au Proche-Orient est toujours aussi instable et les manifestations de violence y sont quotidiennes.

Et pourtant, en dépit de tous ces changements, on peut se demander si la nature de la tâche qui incombe à ceux qui dirigent (et ceux qui étudient) la politique étrangère et de sécurité du Canada a changé du tout au tout. Même si l'environnement s'est transformé, si les priorités ont évolué, si les gouvernements se sont succédé, les tâches des responsables de la politique étrangère canadienne demeurent identiques sur bien des plans. Ces tâches consistent à préserver et à promouvoir les intérêts du Canada dans un milieu international fondamentalement anarchique (c'est-à-dire un système dénué d'autorité centrale capable d'imposer sa volonté aux différents acteurs qui le composent) ; à contenir l'influence des autres États plus puissants, et tout particulièrement des États-Unis ; à protéger la communauté contre les menaces externes ; à répondre le plus adéquatement possible aux pressions et aux demandes souvent simultanées, généralement concurrentes et parfois contradictoires, des diverses composantes de la société canadienne ; et à promouvoir l'identité et l'unité nationales. Ces éléments constituent le noyau de toute politique étrangère, quelle que soit la conjoncture internationale.

LES FONDEMENTS THÉORIQUES

Le but de cet ouvrage n'est pas de construire un cadre théorique pour étudier la politique étrangère canadienne, et l'analyse qui y est proposée n'est pas formellement guidée par une approche théorique explicite, bien qu'elle ne soit pas exempte de toute considération de cette nature. Toute analyse implique un ensemble de choix – ne serait-ce que pour distinguer les facteurs importants des éléments accessoires, les variables significatives des épiphénomènes – qui constituent, en soi, un exercice théorique, sinon idéologique. Il est impossible de se livrer à un tel exercice sans s'appuyer sur un certain nombre de postulats.

L'approche retenue dans cet ouvrage place l'État au centre de l'analyse. La critique de l'étato-centrisme, souvent adressée aux théories traditionnelles en relations internationales, n'a pas lieu d'être ici, car après tout, c'est le comportement international de l'État qui est au cœur de l'étude de la politique étrangère. Toutefois, il ne saurait être question de réduire l'État à un acteur unitaire et rationnel, aux intérêts fixes, comme le font certaines approches systémiques en relations internationales. Au contraire, pour comprendre les décisions et le comportement d'un gouvernement, il faut examiner ses relations non seulement avec les autres gouvernements, mais aussi avec les acteurs nationaux et internationaux, comme la société civile, les entreprises trans-nationales et les organisations non gouvernementales. Comme le rappelle Frédéric Charillon, la politique étrangère est « l'instrument par lequel un État tente de façonner son environnement politique international, [ceci même si] elle n'est plus seulement affaire de relations entre des gouvernements[1] ».

L'influence des travaux sur la prise de décision en politique étrangère est évidente dans l'organisation de cet ouvrage[2]. Celui-ci se penche tant sur les déterminants de la politique étrangère canadienne que sur les processus de prise de décision et le rôle des différents acteurs qui y participent. Par déterminants, on entend généralement les facteurs internes (démographie, tissu économique, type de régime politique, culture, etc.) ou externes à l'État (géographie, puissance des États voisins), qui constituent autant de contraintes dont tous les dirigeants doivent tenir compte, quels que soient leur parti pris idéologique et leur opinion personnelle, et qui ont donc nécessairement un impact sur les grandes orientations politiques d'un État. C'est à l'étude de ces déterminants qu'est consacrée la première partie de cet ouvrage. Quant au processus de prise de décision, il désigne plutôt les différentes étapes qui conduisent à la formulation d'une politique et à sa mise en œuvre, ainsi que les facteurs (institutionnels, culturels, psychologiques et autres) qui peuvent intervenir dans la manière dont les dirigeants sont portés à prendre une décision. Enfin, l'étude des acteurs désigne ici l'identification

---

1. Frédéric CHARILLON (dir.), *Politique étrangère. Nouveaux regards*, Paris, Presses de Sciences Po, 2002, p. 13.
2. Pour un aperçu de l'émergence et du déclin de l'approche de la prise de décision, voir Kim Richard NOSSAL, « Opening up the Black Box : The Decision-Making Approach to International Politics », dans David G. HAGLUND et Michael K. HAWES, *World Politics. Power, Interdependence and Dependence*, Toronto, Harcourt Brace Jovanovich, 1990, p. 531-552.

des intérêts et des pouvoirs qu'un poste apportera à son détenteur. Ainsi, la deuxième partie de cet ouvrage passe en revue les principaux acteurs qui participent à la prise de décision au Canada : le premier ministre, le Cabinet, le ministre des Affaires étrangères et celui de la Défense, la bureaucratie et le Parlement. La troisième partie, quant à elle, porte sur l'impact du système politique fédéral canadien et sur la contribution des provinces, en particulier le Québec.

Le type d'analyse adopté dans cet ouvrage laisse de côté certaines approches parfois utilisées pour l'étude de la politique étrangère. Ainsi, bien qu'on ne puisse analyser la politique d'un État comme le Canada sans faire référence aux questions économiques, l'étude proposée ici ne relève pas du domaine de l'économie politique internationale. De même, elle demeure éloignée des propositions formulées par les théories critiques (comme le postmodernisme), même si ces approches ont le mérite de forcer une réflexion sur la façon dont on conçoit l'étude des relations internationales et dont on construit les ouvrages et les collectifs qui portent sur cet objet. Comme l'a noté Deborah Stienstra, les éditions précédentes de cet ouvrage, comme bon nombre de contributions à l'étude de la politique étrangère canadienne, n'abordent pas la problématique féministe. « Rompre ce silence », pour reprendre ses termes, devrait commencer par une plus grande reconnaissance du rôle des femmes dans la prise de décision en politique étrangère. Une telle étude est désormais plus facile à mener : depuis que Flora MacDonald a occupé le poste de secrétaire d'État aux Affaires extérieures en 1979, de plus en plus de femmes ont pu accéder aux postes de direction dans la conduite de la politique extérieure et de la défense, que ce soit au Québec ou au Canada : Kim Campbell, Louise Fréchette, Monique Landry, Barbara McDougall, Sylvia Ostry, Mary May Simon, Monique Vézina, Peggy Mason, Louise Beaudoin, Thérèse Sevigny, pour ne nommer que les figures les plus connues. Bien d'autres occupent (ou ont occupé) des postes moins en vue au ministère des Affaires étrangères, à la Défense, à l'ACDI ou dans les autres agences fédérales et provinciales chargées de mettre en œuvre les relations extérieures. Mais, comme le souligne Stienstra, nommer simplement les individus ne suffit pas. L'approche féministe consiste en fait à revoir l'ensemble de la perspective et à éliminer les barrières structurelles qui conduisent à gommer systématiquement le point de vue des femmes[3].

L'absence de référence à ces approches est pleinement assumée. Un livre fondé sur une approche d'économie politique, postmoderne ou féministe prendrait, inévitablement, une orientation bien différente : l'analyse serait articulée autour d'une problématique très éloignée de celle qui nous préoccupe ici, et s'appuierait sur des postulats tout autres. Bref, ce ne sont pas des approches que l'on peut simplement ajouter et mêler à une analyse traditionnelle, du moins pas si l'on souhaite leur rendre justice. Au contraire, (re)construire le projet en fonction de ces approches équivaudrait ni plus ni moins à le reprendre à zéro.

L'ÉTAT DE LA RÉFLEXION SUR LA POLITIQUE ÉTRANGÈRE CANADIENNE

C'est une tradition, dans un tel ouvrage, d'indiquer au lecteur quelques lectures supplémentaires qui lui permettent de poursuivre ou d'approfondir sa réflexion. Les spécialistes de la politique extérieure et de sécurité canadienne peuvent, aujourd'hui, s'appuyer sur un vaste corpus documentaire, tant sur le plan des sources primaires que secondaires. Cette richesse découle, en grande partie, de l'intérêt croissant pour cet objet d'étude, et de l'expansion du système universitaire canadien au cours des années 1960. Toutefois, la prédominance de l'anglais pose un très sérieux problème. Par exemple, lorsque Stephen J. Randall et John Herd Thompson compilent une liste des sources pour leur étude sur les relations canado-américaines, ils obtiennent un essai bibliographique de plus de vingt pages, qui traite de plus de 300 documents[4]. De même, David Dewitt et David Leyton-Brown terminent leur ouvrage collectif sur la politique de sécurité du Canada par un appendice d'une cinquantaine de pages qui comprend une excellente bibliographie et

---

3. Parmi les rares travaux qui appliquent une approche féministe à la politique étrangère canadienne, voir Claire Turenne Sjolander, Heather A. Smith et Deborah Stienstra (dir.), *Feminist Perspectives on Canada Foreign Policy*, Toronto, Oxford University Press, 2003.
4. John Herd Thompson et Stephen J. Randall, *Canada and the United States : Ambivalent Allies*, Montréal/Kingston, McGill-Queen's University Press, 1994, p. 351-370.

un survol impressionnant des sources primaires et secondaires[5]. Toutefois, le lecteur qui cherchera des sources en français dans ces études bibliographiques risque d'être déçu, puisque presque aucune n'y figure.

Lorsqu'on aborde la documentation en langue française, force est de constater que le champ est encore largement laissé en friche. Il s'agit d'ailleurs d'une des principales raisons qui nous ont incité à entreprendre la préparation de cet ouvrage. Paul Painchaud a attribué cette lacune au retard qu'a pris le Québec dans l'étude de la science politique, retard qui n'a été partiellement comblé que dans les années 1960. Toutefois, pour un ensemble de raisons, la politique étrangère canadienne ne s'est pas imposée comme l'une des priorités de la science politique québécoise naissante et, au milieu des années 1970, cet objet d'étude était encore marginal[6]. Depuis les années 1980 seulement, les francophones ont su joindre la quantité à la qualité et ont apporté une contribution réellement significative (en ce qui concerne le nombre de publications) à l'étude de la politique étrangère canadienne.

La documentation reflète cet intérêt tardif. Au cours des années 1980, les étudiants pouvaient compter sur les collectifs publiés sous la direction de Paul Painchaud[7]. Dans les années 1990, trois nouveaux ouvrages généraux susceptibles de servir de manuels ou de textes d'introduction au sujet ont été publiés[8]. À la même époque, de nombreux autres textes, portant sur des

---

5. Martin SHADWICK, « Research Guide and Further Reading », dans David B. DEWITT et David LEYTON-BROWN (dir.), *Canada's International Security Policy*, Scarborough, Prentice-Hall, 1995, p. 455-504.
6. Paul PAINCHAUD, « L'étude de la politique étrangère canadienne et des relations internationales du Québec », dans Paul PAINCHAUD (dir.), *Le Canada et le Québec sur la scène internationale*, Québec, CQRI-PUL, 1977, p. 3-27.
7. Paul PAINCHAUD (dir.), *De Mackenzie King à Pierre Trudeau, quarante ans de diplomatie canadienne (1945-1985)*, Québec, Les Presses de l'Université Laval, 1989 ; Paul PAINCHAUD (dir.), *op. cit.*, 1977.
8. Claude BASSET (responsable l'édition française), *La politique étrangère canadienne dans un ordre international en mutation. Une volonté de se démarquer ?*, Québec, CQRI, 1992 ; André DONNEUR et Panayotis SOLDATOS (dir.), *Le Canada à l'ère de l'après-guerre froide et des blocs régionaux : une politique étrangère de transition*, North York, Captus Press, 1993 ; André DONNEUR, *Politique étrangère canadienne*, Montréal, Guérin, 1994.

aspects spécifiques du sujet, ont permis d'apporter des points de vue origi-
naux à l'étude de la politique étrangère canadienne et à certaines de ses dimensions connexes. Qu'il suffise de mentionner ici les travaux d'Albert Legault
et de Michel Fortmann sur la contribution canadienne aux négociations sur
le désarmement[9], ceux de Yves Bélanger et Pierre Fournier[10] sur l'industrie
militaire et sa reconversion, ceux de Christian Deblock et Dorval Brunelle
sur la dynamique du continentalisme, ou encore ceux de Louis Balthazar,
Louis Bélanger et Gordon Mace[11], d'une part, et Stéphane Paquin et de Louise
Beaudoin, de l'autre, sur la politique extérieure du Québec[12]. À la suite des
événements de septembre 2001, de nombreux ouvrages en français ont été
consacrés aux relations canado-américaines[13]. Malgré ces contributions
substantielles, la liste des ouvrages, des chapitres et des articles publiés en
français depuis 1990 tiendrait, à ce jour, en une quinzaine de pages. Plus
encore, une telle liste ne permettrait certainement pas de couvrir toutes les
dimensions du sujet.

En ce qui a trait à l'étude des politiques de défense du Canada, la situation
a longtemps été comparable, sinon pire. Les études de sécurité (auparavant
appelées « études stratégiques ») ne sont apparues au Québec qu'au cours
des années 1970, lorsque les universités francophones se sont graduellement
jointes au programme d'Études militaires et stratégiques du ministère de la

---

9. Albert Legault et Michel Fortmann, *Une diplomatie de l'espoir. Le Canada et le désarmement 1945-1988*, Québec, Les Presses de l'Université Laval-CQRI, 1989.
10. Yves Bélanger (avec la collaboration d'Aude Fleurant et de Céline Métivier),
    L'industrie de défense du Québec : Dynamique et enjeux, Montréal, Méridien, 1996 ;
    Yves Bélanger et Pierre Fournier, *Le Québec militaire. Les dessous de l'industrie mili-
    taire québécoise*, Montréal, Québec/Amérique, 1989.
11. Louis Balthazar, Louis Bélanger et Gordon Mace, *Trente ans de politique exté-
    rieure du Québec (1960-1990)*, Québec, Septentrion/CQRI, 1993.
12. Stéphane Paquin et Louise Beaudoin (dir.), *Histoire des relations internationales
    du Québec*, Montréal, VLB éditeurs, 2006.
13. Par exemple, André Donneur (dir.), *Le Canada, les États-Unis et le monde. La
    marge de manœuvre canadienne*, Québec, Les Presses de l'Université Laval, 2005 ;
    Albert Legault (dir.), *Le Canada dans l'orbite américaine*, Ste-Foy, Les Presses de
    l'Université Laval, 2004 ; Michel Fortmann, Alex Macleod et Stéphane Roussel
    (dir.), *Vers des périmètres de sécurité ? La gestion des espaces continentaux en Amérique
    du Nord et en Europe*, Montréal, Athéna, 2003.

Défense nationale[14]. Trois d'entre elles (Université Laval, Université de Montréal et Université du Québec à Montréal) accueillent des groupes de recherche membres du réseau de la Défense nationale, appelé aujourd'hui Forum sur la sécurité et la défense (FSD). Si cette prolifération des centres de recherche a permis le développement d'une expertise bien réelle dans le domaine de la défense, les chercheurs francophones semblent encore peu attirés par les questions relatives aux politiques de sécurité canadiennes, comme en témoigne le nombre relativement faible d'ouvrages et d'articles publiés sur ce sujet. Une des percées étonnantes s'est cependant produite en histoire militaire, alors que les ouvrages sur l'expérience historique des francophones face à la guerre se multiplient[15].

Cette situation est, nous l'espérons, appelée à changer. Si l'explosion des inscriptions dans les cours de relations internationales et la popularité grandissante des programmes d'études internationales offerts par la plupart des universités québécoises est une indication fiable, il est à prévoir que le bassin de spécialistes francophones en politique étrangère canadienne, et donc la réflexion sur ce sujet, suivra aussi une courbe presque exponentielle. Nous souhaitons que cet ouvrage contribue, à sa façon, à ce phénomène.

Un grand nombre de personnes ont participé à la préparation de cet ouvrage. Sur le plan de la recherche, nous tenons à souligner la contribution d'Anne-Marie Durocher et Louis Blaise Dumais-Lévesque qui ont minutieusement relu le manuscrit et fait de nombreuses suggestions très pertinentes ; celle d'Émilie Potvin et Jean-Sébastien Rioux pour la préparation de certains encadrés ; et celle de Michel Rossignol (de la Bibliothèque du Parlement) et de Douglas Bland (de Queen's University), qui nous ont fourni des précisions importantes. La traduction originale de ce manuscrit a été assurée par

---

14. Sur les premiers pas des études stratégiques au Canada et au Québec, voir Philippe GARIGUE, « La pratique canadienne des études stratégiques », dans Charles-Philippe DAVID (dir.), *Les études stratégiques, approches et concepts*, Montréal, Méridien/CQRI/FEDN, 1989, p. 437-460 et 461-473 ; Rod B. BYERS, « L'état de la recherche sur la paix et des études stratégiques au Canada », *Anthropologie et sociétés*, vol. 7, n° 1, 1983, p. 193-212.
15. Pour une historiographie, voir Jean-Pierre GAGNON, « Dix ans de recherche, dix ans de travail en histoire militaire ! Que peut-on dire de ces dix ans ? », dans *Dix ans d'histoire militaire en français au Québec*, actes du 10ᵉ colloque en histoire militaire, Montréal, Chaire Hector-Fabre, 2005, p. 7-20.

Lydie Vanner, ce qui nous aura grandement facilité le travail d'adaptation subséquent. Dans notre quête de renseignements et d'appuis, nous avons reçu le soutien de plusieurs représentants du gouvernement, dont Mark Whittingham, Martin Benjamin et David Vigneault. Par ailleurs, la réalisation de cet ouvrage n'aurait pas été possible sans le soutien financier du ministère de la Défense nationale et de Patrimoine Canada. Enfin, nous tenons à remercier toute l'équipe des Presses de l'Université de Montréal qui a investi tant de travail dans notre manuscrit.

LISTE DES ABRÉVIATIONS

AANB :   Acte de l'Amérique du Nord britannique
ABM :   Anti-Ballistic Missile (Missile anti-missile balistique)
ACCT :   Agence de coopération culturelle et technique
ACDI :   Agence canadienne de développement international
ACSUS :   Association for Canadian Studies in the United States (Association des études canadiennes aux États-Unis)
AECIC :   Affaires extérieures et Commerce international Canada (terme utilisé pour désigner le ministère de 1989 à 1993)
AIPLF :   Association internationale des parlementaires de langue française
ALCM :   Air-launched cruise missile (Missile de croisière aéroporté)
ALE :   Accord de libre-échange (canado-américain)
ALENA :   Accord de libre-échange nord-américain
AMI :   Accord multilatéral sur les investissements
ANASE :   Association des Nations de l'Asie du Sud-Est
APD :   Aide publique au développement
APEC :   Asia-Pacific Economic Cooperation (Forum de coopération économique Asie-Pacifique)
APRONUC :   Autorité provisoire des Nations Unies au Cambodge
AQOCI :   Association québécoise des organismes de coopération internationale
ARC :   Aviation royale du Canada
AUPELF :   Association des universités partiellement ou entièrement de langue française
BAE :   Bureau de l'aide extérieure

BIRD :	Banque internationale pour la reconstruction et le développement (composante de la Banque mondiale)
BPIEPC :	Bureau de la protection des infrastructures essentielles et de la protection civile
BPM :	Bureau du premier ministre
BQ :	Bloc québécois
CBIIAC :	Canadian Business and Industry International Advisory Committee
CCNA :	Conseil de coopération nord-atlantique
CCND :	Commission canadienne pour le désarmement nucléaire
CE :	Communauté européenne
CEMD :	Chef d'état-major de la Défense
CEQ	Centrale des enseignants du Québec
CFLI	Coalition for Fair Lumber Imports (Coalition pour l'importation équitable du bois)
CIAE :	Conférence interministérielle des Affaires étrangères
CIA :	Central Intelligence Agency
CIRE :	Comité interministériel sur les relations extérieures
CISS :	Canadian Institute of Strategic Studies
CMEC :	Conseil des ministres de l'Éducation du Canada
CND :	Campagne pour le désarmement nucléaire
CNR :	Conseil national de recherche
CONFEJES :	Conférence des ministres de la Jeunesse et des Sports des pays francophones
CONFEMEN :	Conférence des ministres de l'Éducation nationale des pays francophones
CPCAD :	Commission permanente canado-américaine de défense (en anglais, Permanent Joint Board on Defence).
CSCE :	Conférence sur la sécurité et la coopération en Europe (voir OSCE)
CSN :	Confédération des syndicats nationaux
CST :	Centre de la sécurité des télécommunications
CTC :	Congrès du travail du Canada
DEW :	Distant Early Warning Line (Réseau d'alerte avancé)
DRREC :	Documents relatifs aux relations extérieures du Canada
FAO :	Food and Agriculture Organisation (Organisation des Nations Unies pour l'agriculture et l'alimentation)

FC : Forces canadiennes

FIAS : Force internationale d'assistance et de sécurité (en Afghanistan)

FLQ : Front de libération du Québec

FMI : Fonds monétaire international

FORPRONU : Force de protection des Nations Unies (en ex-Yougoslavie)

FSD : Forum sur la sécurité et la défense

FTQ : Fédération des travailleurs du Québec

G7/G8 : Groupe des sept (ou huit) pays les plus industrialisés

GATT : General Agreement on Tariffs and Trade (Accord général sur les tarifs douaniers et le commerce)

GRC : Gendarmerie royale du Canada

ICAI : Institut canadien des Affaires internationales

ICES : Institut canadien des études stratégiques

ICPSI : Institut canadien pour la paix et la sécurité internationales

IDS : Initiative de défense stratégique

IFOR : Implementation Force (Force de mise en œuvre de l'OTAN en Bosnie)

IQHEI : Institut québécois des hautes études internationales

IRPP : Institut de recherche en politiques publiques

ITA : International Trade Administration (Bureau du commerce international des États-Unis)

KFOR : Force de l'OTAN déployée au Kosovo

KGB : Komitet Gossoudarstvennoye Bezopastnosi (Comité de sécurité de l'État)

MAD : Mutual Assured Destruction (Destruction mutuelle assurée)

MAECI : Ministère des Affaires extérieures (puis étrangères) et du Commerce international du Canada

MAI : Ministère des Affaires intergouvernementales (de l'Ontario)

MAIQ : Ministère des Affaires intergouvernementales du Québec

MBFR : Mutual and Balanced Force Reductions (Réductions mutuelles et équilibrées des forces conventionnelles en Europe)

MEI : Ministère de l'Emploi et de l'Immigration

MIC : Ministère de l'Industrie et du Commerce

MICT : Ministère de l'Industrie, du Commerce et de la Technologie (Ontario)

MRI : Ministère des Relations internationales (du Québec)

MTEAI :   Ministère du Trésor, de l'Économie et des Affaires intergou-
              vernementales (Ontario)
NCSM :   Navire canadien de Sa Majesté
NEPAD :   Nouveau partenariat pour le développement de l'Afrique
NORAD :   North American Aerospace Defence (Commandement con-
              joint de la défense aérospatiale de l'Amérique du Nord)
NPD :   Nouveau parti démocratique
NPSIA :   Norman Paterson School of International Affairs
OACI :   Organisation de l'aviation civile internationale
OCDE :   Organisation de coopération et de développement écono-
              miques
OEA :   Organisation des États américains
OIF :   Organisation intergouvernementale de la Francophonie
OIF :   Organisation internationale de la Francophonie
OIT :   Organisation internationale du travail
OLP :   Organisation de libération de la Palestine
OMC :   Organisation mondiale du commerce
OMS :   Organisation mondiale de la santé
ONG :   Organisation non gouvernementale
ONU :   Organisation des Nations Unies
ONUSOM :   Opération des Nations Unies en Somalie
OPANO :   Organisation des pêcheries de l'Atlantique Nord-Ouest
OSCE :   Organisation pour la sécurité et la coopération en Europe
              (ex-CSCE)
OTAN :   Organisation du Traité de l'Atlantique Nord
OTH-B :   Over-the-Horizon Backscatter Radar (Radar transhorizon
              à réflexion troposphérique)
PEN :   Programme énergétique national
PIB :   Produit intérieur brut
PLC :   Parti libéral du Canada
PNB :   Produit national brut
PPC :   Parti progressiste-conservateur
PPP :   Partenariat pour la paix (de l'OTAN)
PQ :   Parti québécois
RCGC :   Réunion des chefs de gouvernement du Commonwealth
RPC :   République populaire de Chine

SALT :	Strategic Arms Limitation Talks (Négociations sur la limitation des armes stratégiques)
SAN :	Système d'alerte du Nord
SCRS :	Service canadien du renseignement de sécurité
SDN :	Société des Nations
SFOR :	Force de stabilisation de l'OTAN en Bosnie-Herzégovine
SRAS :	Syndrome respiratoire aigu sévère
START :	Strategic Armement Reduction Treaty (Traité de réduction des armements stratégiques)
SUCO :	Service universitaire canadien d'outre-mer
UE :	Union européenne
UNESCO :	United Nations Economic, Social and Cultural Organization (Organisation des Nations Unies pour l'éducation, la science et la culture)
UNFICYP :	Force des Nations Unies à Chypre
UNICEF :	United Nations International Children's Emergency Fund (Fonds des Nations Unies pour l'enfance)
UPA :	Union des producteurs agricoles (du Québec)
URSS :	Union des républiques socialistes soviétiques
USCG :	United States Coast Guard (Garde-côtière des États-Unis)
YMCA :	Young Men's Christian Association of Canada
YWCA :	Young Women's Christian Association of Canada
ZLAN :	Zone libre d'armes nucléaires
ZLEA :	Zone de libre-échange des Amériques

INTRODUCTION

L'ANALYSE DE LA POLITIQUE ÉTRANGÈRE CANADIENNE

Pour celui qui l'aborde, la politique étrangère d'un État paraît généralement abstraite et incohérente, tant elle englobe un large éventail de faits et d'événements fugaces, en apparence distincts et fortuits. Les manchettes du jour – quelques colonnes dans les quotidiens, dix petites secondes aux nouvelles télévisées – retiennent brièvement l'attention, suscitent l'intérêt, et parfois même des émotions. Mais elles sont vite oubliées, remplacées par d'autres qui à leur tour sombrent dans l'oubli. La participation du premier ministre au Sommet du G8, l'envoi d'un contingent de Casques bleus dans un pays dont on ignorait le nom jusque-là, ou la signature d'un traité de coopération culturelle avec un État d'Europe centrale ne suscitent que rarement l'intérêt du citoyen moyen. S'y attarder peut donc paraître plutôt inutile. On n'accorde, en général, que peu d'importance aux répercussions à long terme des événements quotidiens, pas plus que l'on ne cherche à établir leur rapport avec le passé. On s'arrête encore moins à considérer ces événements dans une perspective analytique plus vaste, ou à identifier les facteurs qui façonnent les innombrables sujets à l'ordre du jour en politique étrangère.

Cette introduction propose une démarche permettant l'analyse systématique de la politique étrangère et de défense du Canada. Il ne s'agit pas de formuler un modèle élaboré, encore moins une théorie générale sur le sujet. Cette démarche s'inspire des travaux sur la prise de décision et l'étude des facteurs qui déterminent les grandes orientations de la politique étrangère et de défense[1]. Il s'agit ici de passer en revue les principaux éléments d'un cadre d'analyse permettant d'aborder la politique étrangère et de défense canadienne de façon systématique, de trier et de vérifier les observations qui s'y rapportent, et donc d'en mieux comprendre la structure.

QU'EST-CE QUE LA POLITIQUE ÉTRANGÈRE ?
QUEL EST SON RAPPORT À LA POLITIQUE DE DÉFENSE ?

De prime abord, la question semble triviale. Il existe cependant deux principales sources de confusion quant à la définition de ce qu'est la politique étrangère : en premier lieu, l'expression elle-même est sujette à beaucoup d'interprétations qu'il convient d'identifier ; en second lieu, il faut établir quels domaines relèvent de la politique étrangère, et lesquels en sont exclus – point sur lequel les avis sont partagés. La question est d'autant plus pertinente lorsqu'il s'agit de faire la distinction entre politique étrangère et politique de défense, puisque ces deux domaines se rejoignent dans ce qu'il convient d'appeler la « politique de sécurité ».

Don Munton déplorait que le terme « politique étrangère » soit employé de telle manière qu'« il est difficile de savoir s'il réfère à des actions, des buts, des décisions, des objectifs, des stratégies, des intérêts, des orientations, des initiatives, des attitudes, des projets, des engagements, ou quoi encore[2] ». Cette remarque témoigne bien du flou qui entoure la définition de l'objet d'étude :

---

1. Kim Richard NOSSAL, « Opening up the Black Box : The Decision-Making Approach to International Politics », dans David G. HAGLUND et Michael K. HAWES, *World Politics. Power, Interdependence and Dependence*, Toronto, Harcourt Brace Jovanovich, 1990, p. 531-552. La méthode d'analyse proposée ici s'inspire de la « pré-théorie » de la politique étrangère élaborée par James Rosenau bien que datant de quelques années ; elle demeure toujours un instrument utile. James ROSENAU, *The Scientific Study of Foreign Policy*, Londres, Pinter, 1980. Pour un état de la question récent, voir Frédéric CHARILLON (dir.), *Politique étrangère. Nouveaux regards*, Paris, Presses de Sciences Po, 2002, p. 13-29 ; Dario BATTISTELLA, *Théories des relations internationales*, Paris, Presses de Sciences Po, 2006, p. 323-357 ; Vincent LEGRAND, « La prise de décision en politique étrangère », dans Claude ROOSENS, Valérie ROSOUX et Tanguy DE WILDE D'ESTAMAEL (dir.), *La politique étrangère. Le modèle classique à l'épreuve*, Bruxelles, Peter Lang, 2004, p. 79-106.
2. Dun MUNTON, « Comparative Foreign Policy : Fads, Fantaisies, Orthodoxies, Perversities », dans James ROSENAU (dir.), *In Search of Global Patterns*, New York, Free Press, 1976, p. 258.

le terme est effectivement employé à toutes les sauces, par les dirigeants politiques, par les experts qui étudient leur comportement, et par le public en général qui juge les premiers en écoutant les seconds. Il n'existe pas de solution satisfaisante, même si une analyse rigoureuse nécessite une définition claire. Il serait possible d'en proposer une plus précise et de faire abstraction de toutes les autres, mais cela défierait l'usage, voire le sens commun. Il faut donc s'accommoder de cette utilisation multiple du terme dans le langage courant.

Cela dit, il est nécessaire de faire au moins une distinction : le mot « politique » renvoie aux actions, aux objectifs et aux décisions des autorités politiques – soit les gouvernements. Dire que la politique étrangère relève uniquement des gouvernements (et uniquement de ceux qui ont le mandat de mener une politique étrangère), c'est faire une distinction essentielle qui permet d'écarter d'emblée les relations qu'entretiennent avec l'étranger des acteurs non étatiques ou transnationaux, tels que les firmes multinationales ou les organisations non gouvernementales (ONG). Cela ne veut pas dire que leur rôle sur la scène politique internationale soit marginal, qu'ils n'aient aucune incidence significative sur la ligne de conduite des gouvernements à l'étranger, ou qu'ils n'aient pas leurs propres objectifs politiques. Cependant, l'analyse de la politique étrangère est, au sens propre du mot, l'étude du comportement des élus ou des fonctionnaires mandatés pour exercer l'autorité politique souveraine sur un ensemble défini de questions, pour un nombre défini d'individus, dans un territoire défini. C'est pourquoi la politique extérieure des administrations locales est exclue. Les élus municipaux de Montréal peuvent bien déclarer la ville zone libre d'armes nucléaires (ZLAN), comme ce fut le cas en décembre 1986, cette déclaration n'a aucune force ou effet pour la simple raison que les autorités municipales ne sont pas habilitées à statuer sur de tels sujets, même au nom de leurs concitoyens. En cas de conflit entre la législation fédérale et la réglementation municipale, il y a fort à parier que cette dernière serait déclarée *ultra vires* et serait donc renversée par l'autorité légitime, soit le gouvernement fédéral. Par contre, il faut prendre en considération les gouvernements provinciaux, puisqu'en vertu de décisions de tribunaux visant à combler un vide juridique dans la Constitution (qui ne traite pas de politique étrangère), les provinces revendiquent une certaine compétence en matière de relations extérieures.

Au-delà de cette distinction, la définition de la nature des rapports d'un gouvernement avec l'étranger se heurte à une seconde difficulté liée au sens de l'adjectif dans « politique étrangère » : quels champs d'activités doivent être englobés dans ce terme, et lesquels doivent en être exclus ? La difficulté provient du fait que les autres champs d'activités des gouvernements sont définis selon des critères fonctionnels : gestion des pêches et océans, politique sociale, développement industriel, etc. Ces dénominations purement fonctionnelles permettent de différencier les domaines propres à chaque politique, même s'ils finissent inévitablement par se chevaucher. Mais pour ce qui est de la politique étrangère, il est nécessaire d'établir une différenciation géopolitique : la politique étrangère commence là où s'achève la juridiction territoriale de l'État. Selon un dicton répandu aux États-Unis, *La politique s'arrête au bord de l'eau* – une formule qui enjoint d'oublier les différends politiques internes lorsque l'on traite avec l'étranger. Pour Marcel Merle, « la politique étrangère est [...] la partie de l'activité étatique qui est tournée vers le "dehors" », c'est-à-dire qui traite, par opposition à la politique intérieure, des problèmes qui se posent au-delà de la frontière[3] ». Pour beaucoup, cette politique se compare à n'importe quelle autre politique gouvernementale, tant sur le plan des programmes que des mécanismes utilisés par l'État pour atteindre ses objectifs politiques. Ce n'est pas tant « la politique extérieure » que « la politique qui est extérieure », soit l'idée selon laquelle la politique étrangère ne serait qu'un simple prolongement externe de la politique intérieure d'un gouvernement, la projection de ses intérêts au-delà des frontières de l'État. « La politique étrangère n'est pas une chose en soi », déclarait le ministre canadien des Affaires extérieures en 1969, « mais une dimension externe de la politique intérieure[4] ». Selon cette logique, tout aspect

3. Marcel MERLE, *La politique étrangère*, Paris, Économica, 1984, p. 7.
4. Cité dans D. C. THOMPSON et R. F. SWANSON, *Canadian Foreign Policy : Options and Perspectives*, Toronto, McGraw-Hill Ryerson, 1971, p. 9. Une telle conception trouve de lointains échos dans l'histoire de la politique extérieure canadienne, comme nous le verrons au chapitre 2. Certains évoquent une logique inverse, mais pas nécessairement contradictoire. Ainsi, en avril 1996, Lloyd Axworthy parlait de « l'intériorisation de la politique étrangère », au sens où « les événements qui se produisent à l'extérieur du Canada ont un impact à l'intérieur ». Lloyd Axworthy, « Allocution de l'Honorable Lloyd Axworthy, ministre des Affaires étrangères, devant le Comité permanent des Affaires étrangères et du Commerce international », *Déclaration* n° 96/12, 16 avril 1996.

de la politique gouvernementale qui outrepasse sa frontière, relève *ipso facto* de la politique extérieure.

Certains estiment plutôt que la politique étrangère se classe dans une catégorie fonctionnelle et non pas géographique. En d'autres termes, la politique étrangère couvre un domaine bien spécifique, au même titre que les autres domaines fonctionnels où intervient l'État. Hans J. Morgenthau, qui a largement contribué à formuler la version contemporaine de la théorie réaliste en Relations internationales, établit une distinction entre *politique* internationale et *relations* internationales. La première est essentiellement affaire de puissance. Partant de ce principe, un État mène une action *politique* uniquement lorsqu'il manifeste une volonté de conserver ou d'accroître sa puissance. Mais la conduite des relations internationales n'est pas nécessairement politique, puisque plusieurs aspects des relations qu'un gouvernement entretient avec l'étranger n'ont qu'un lointain rapport avec la quête de la puissance: par exemple, la négociation de traités d'extradition, les ententes d'échange de biens et services, l'assistance humanitaire, la promotion de la culture à l'étranger[5]. Une perspective moins réductrice ne se limiterait pas à la seule notion de puissance, mais engloberait tous les éléments associés à ce concept. De ce point de vue, le véritable champ d'action de la politique étrangère relève de la « haute politique » (*high politics*). C'est ce que Rudyard Kipling appelait « le grand jeu » de la politique internationale: mystification, conspiration et, si nécessaire, recours à la violence – tout ce que font les États pour assurer leur domination et leur contrôle dans un environnement caractérisé par l'absence d'autorité centrale. Cette interprétation se trouve renforcée par le constat selon lequel la diminution du niveau de puissance d'un État peut entraîner des conséquences dramatiques: domination, conquête, occupation, ou absorption pure et simple. C'est pourquoi les dirigeants s'engagent dans un jeu d'équilibre des puissances, notamment en scellant des alliances[6]. Et parfois,

5. Hans J. MORGENTHAU, *Politics Among Nations. The Struggle for Power and Peace* (5e éd.), New York, Knopf, 1973, p. 27-28. Sur cette dimension de la réflexion de Morgenthau, voir Jean-François THIBAULT, « Hans J. Morgenthau, le débat entre idéalistes et réalistes et l'horizon politique de la théorie des relations internationales : une interprétation critique », *Études internationales*, vol. 28, n° 3, septembre 1997, en particulier p. 580-582.
6. Kenneth N. WALTZ, *Theory of International Politics*, Reading, McGraw-Hill, 1979, chapitre 9 ; Stephen WALT, *The Origins of Alliances*, Ithaca, Cornell University Press, 1987.

en marge de ces rivalités endémiques, les États parviennent à entrer dans des relations de coopération, ce qui contribue à ériger les rudiments de ce que Hedley Bull a appelé une « société anarchique[7] ». Ainsi, la politique étrangère tourne autour de trois préoccupations centrales associées à la « haute politique » : l'ordre international, la paix et la guerre.

Établir les limites du champ de la politique étrangère sur la base d'un critère tel que la puissance permet de simplifier l'analyse et résoudre certains problèmes, mais pas tous. La dimension militaire est l'un des aspects importants de la puissance – le principal, diront certains[8]. Or, elle relève plus de la « politique de défense » que de la « politique étrangère », ne serait-ce que sur le plan de la délimitation des domaines de compétence des organismes qui en ont la charge. La solution la plus simple à ce problème consiste à assimiler les deux politiques, comme nous le faisons dans cet ouvrage, en gardant à l'esprit les deux considérations suivantes. D'une part, la politique de défense peut (ou devrait), sous certains de ses aspects, être subordonnée à la politique étrangère. Elle constitue un instrument qui vise à réaliser certains objectifs définis dans le cadre plus vaste de la politique étrangère. La pertinence des programmes de défense se mesure donc, en partie, sur la base de leur cohérence avec les autres objectifs de politique étrangère. Cette articulation est cruciale dans certaines sphères d'activité, telles que le désarmement, les alliances ou le maintien de la paix[9]. D'autre part, le domaine de la défense a une dimension intérieure beaucoup plus importante que celle des Affaires étrangères, notamment l'ensemble de missions dites, au Canada, d'« assistance militaire aux autorités civiles » (en cas de désordre civil ou de

---

7. Hedley BULL, *The Anarchical Society : A Study of Order in World Politics*, New York, Columbia University Press, 1977 ; voir aussi Barry BUZAN, « From International System to International Society : Structural Realism and Regime Theory Meet the English School », *International Organization*, vol. 47, n° 3, été 1993, p. 327-352.

8. John MEARSHEIMER, *The Tragedy of Great Power Politics*, New York, W. W. Norton, 2001, chapitre 3.

9. Il s'agit ici d'une problématique très ancienne au Canada. Comparer, par exemple, le texte d'Alasdair MACLAREN, « Le Canada doit concilier sa politique étrangère et sa politique de défense », *Perspectives internationales*, mars-avril 1977, p. 22-26, avec celui de David B. DEWITT, « Défense nationale contre affaires étrangères. Le choc des cultures dans la politique de sécurité internationale du Canada ? », dans Stéphane ROUSSEL (dir.), *Culture stratégique et politique de défense : l'expérience canadienne*, Montréal, Athéna, 2007, p. 132-157.

catastrophe naturelle, par exemple), un aspect du sujet qui ne sera traité que marginalement dans cet ouvrage.

La perspective réaliste, fondée sur le concept de puissance, a été remise en question, surtout depuis le début des années 1970, par ceux qui la considèrent comme démodée, datant de l'époque révolue où les souverains et leurs plénipotentiaires pratiquaient ce que l'on pouvait appeler un « divertissement royal ». Les temps ont changé, les préoccupations aussi, et de nouvelles approches, telles que le transnationalisme, l'institutionnalisme ou le constructivisme, ont été formulées pour rendre compte de phénomènes qui ne relèvent pas uniquement de la sphère de la haute politique. Ainsi, les progrès de la technologie et l'économie libérale ont mené à l'émergence d'une économie globale qui lie intimement les États entre eux, tandis que la révolution des communications a donné naissance au « village global ». Les questions de haute politique ont fait place aux « petites » préoccupations des relations internationales (*low politics*) : répartition des richesses ; échange de biens et services, de capitaux et de connaissances ; protection de l'environnement ; contrôle des problèmes sanitaires ; promotion des normes et valeurs démocratiques libérales, dont les droits de la personne ; sans oublier les communications, la criminalité transfrontalière ou la protection des droits d'auteur. Bref, contrairement à ce que soutiennent les Réalistes, la politique internationale et la politique étrangère ne sont plus une simple question de puissance, et les questions économiques et sociales n'occupent plus une place de second ordre. Comme le note Geoffrey Underhill, les questions économiques et politiques « ne peuvent pas être dissociées de façon significative[10] ». Selon lui, exclure du domaine de la politique étrangère les profondes transformations que subit le système international est à la fois anachronique et signe d'atavisme.

Les chercheurs en politique étrangère peuvent trouver un terrain d'entente entre les réalistes et leurs critiques, ce qui a été fort bien exprimé par deux auteurs britanniques, Steve Smith et Michael Smith. Constatant que le système international actuel a des « priorités variables et difficiles à démêler

---

10. Geoffrey R. D. UNDERHILL, « Conceptualizing the Changing Global Order », dans Richard STUBBS et Geoffrey R. D. UNDERHILL (dir.), *Political Economy and the Changing Global Order*, Toronto, McClelland & Stewart, 1994, p. 18.

sur les questions diplomatiques, militaires, économiques et sociales », ils concluent :

> Dans ces conditions, on doit aborder la politique extérieure en tenant compte de son caractère complexe et paradoxal. Ce domaine politique n'est ni totalement diplomatique et militaire, ni entièrement économique et social ; il n'est pas complètement dominé par « la haute politique » comme l'affirment certains théoriciens, mais il n'est pas non plus profondément influencé par « la basse politique » comme d'autres le prétendent [...] La « politique étrangère » se révèle être maintenant un terme générique pour décrire les tentatives des gouvernements d'influencer ou de contrôler les événements au-delà des frontières de l'État[11].

Ce genre de position modérée paraît tout à fait approprié pour l'étude de la politique étrangère canadienne, puisque les dirigeants ont, de tout temps, été sollicités à la fois par les questions de haute et de basse politique. Ils n'ont jamais pu ignorer les rivalités entre grandes puissances ni les conflits qui ont régulièrement secoué la communauté internationale depuis 1867. Le gouvernement canadien a toujours été préoccupé par les problèmes liés à la paix, à la guerre, et au maintien de l'ordre international. Mais, parce que le Canada est un État marchand dont la population est très éduquée mais divisée linguistiquement, il n'a jamais pu négliger la basse politique, que ce soit sur le plan économique, environnemental, culturel ou social. La politique étrangère canadienne reflète ainsi le lien étroit qui unit l'ordre international et la qualité de vie des Canadiens.

Suivant l'exemple de Steve Smith et Michael Smith, cette étude de la politique étrangère canadienne se concentre tant sur la haute que sur la basse politique. Et, à l'instar de Don Munton, la politique étrangère y est définie de façon très large, et inclut les objectifs du gouvernement canadien à l'étranger, sa position dans le système international, ses relations avec les autres gouvernements, ses décisions et attitudes sur la scène mondiale, ses actions et ses programmes.

---

11. Steve SMITH et Michael SMITH, « The Analytical Background : Approaches to the Study of British Foreign Policy », dans Michael SMITH, Steve SMITH et Brian WHITE (dir.), *British Foreign Policy : Tradition, Change and Transformation*, Londres, Unwin Hyman, 1988, p. 15.

QU'EST-CE QUI DÉTERMINE LA POLITIQUE ÉTRANGÈRE ?

Pour expliquer la politique étrangère d'un État, l'analyste doit non seulement savoir ce qui se passe sur le plan international, mais il doit aussi connaître le contexte sociopolitique interne, ainsi que la nature, la structure et le fonctionnement du gouvernement. « Ceux qui étudient la politique étrangère doivent, par la force des choses, s'intéresser à la politique sous toutes ses formes[12]. » Puisque la politique étrangère d'un État est élaborée à la jonction de trois sphères politiques – internationale, nationale (ou intérieure) et gouvernementale –, il n'est pas possible de l'analyser sans bien connaître chacune de ces sphères.

La sphère internationale

La première sphère qui détermine la politique étrangère est le contexte international, ce que l'on nomme parfois le « milieu externe ». Deux éléments distincts, mais intimement liés, peuvent lui être associés : d'abord l'environnement dans lequel évolue l'État, et ensuite la place qu'il occupe dans cet environnement. Une évaluation du milieu externe présuppose un certain nombre de questions d'ordre général quant à la nature du système international lui-même. Quelle est la nature et la forme de l'organisation politique des unités qui évoluent dans le système : des principautés ? des États ? des empires ? des monarchies ? des démocraties ? des dictatures ? Combien d'États composent le système ? Quelle est leur puissance relative ? Le système est-il unipolaire, bipolaire ou multipolaire ? Quelle est la nature de l'ordre international (anarchique, hiérarchique) ? Quels sont le degré et la nature de la coopération et de l'institutionnalisation au sein du système ? Tous ces facteurs auront une influence considérable sur la politique étrangère d'un État. La polarité du système contribue à structurer l'orientation générale de la politique étrangère, par exemple en déterminant, en partie, les politiques d'alliance. Le niveau de développement des institutions internationales a

---

12. James N. ROSENAU, « Introduction : New Directions and Recurrent Questions in the Comparative Study of Foreign Policy », dans Charles F. HERMANN, Charles W. KEGLEY Jr. et James ROSENAU (dir.), *New Directions in the Study of Foreign Policy*, Boston, Allen and Unwin, 1987, p. 1.

un impact comparable, dans la mesure où un degré élevé d'institutionnalisation facilite la mise en œuvre d'une diplomatie active visant à garantir le maintien de l'ordre international.

L'étude de la place de l'État dans ce système doit englober l'examen de sa situation géographique, de son statut par rapport aux autres États, de ses liens économiques avec l'extérieur, de ses alliances, de ses ressources et de sa puissance. Certaines de ces caractéristiques, qui désignent pourtant des attributs propres à chaque État, sont considérées comme des données « externes », dans la mesure où elles n'ont de sens que lorsqu'elles sont comparées avec celles des autres États. Tous les dirigeants politiques se heurtent à ces données relatives et n'ont que rarement la possibilité de les modifier facilement ou rapidement. Il convient de faire un examen rapide de chacun de ces facteurs.

La localisation de l'État

La plupart des chercheurs en politique étrangère amorcent leurs recherches par l'élément le plus évident, soit la localisation de l'État dans le système international. Le terme « localisation » fait référence non seulement à la situation physique ou géographique d'un État, mais aussi à sa position dans un sens politique plus large. Outre les ressources dont il dispose – telles que les terres arables et les ressources naturelles –, la situation géographique détermine certaines caractéristiques géostratégiques, telles que le nombre d'États voisins, ce qui a un impact sur la sécurité nationale. Il est bien évident qu'un État isolé (ou un État insulaire) adoptera une politique étrangère différente de celui qui a des frontières communes avec de nombreux voisins qui nourrissent des visées expansionnistes. De même, la politique étrangère d'un État dépend de son éloignement ou de sa proximité des axes de rivalité entre grandes puissances. Le voisinage avec une grande puissance peut parfois entraîner bien des complications, comme l'ont appris à leurs dépens les Afghans, les Mexicains, les Polonais, les Irlandais, les Vietnamiens et, bien sûr, les Canadiens.

La « position d'un État » désigne aussi son rang dans la hiérarchie internationale et les effets de ce rang sur les enjeux de la politique étrangère. Une superpuissance comme les États-Unis adopte, inévitablement, des politiques bien différentes de celles d'un petit État comme Singapour. Les États-Unis ont des intérêts, des préoccupations et une influence qui s'étendent sur l'ensemble de la planète, et leur politique étrangère, définie tant en fonction d'objectifs que de moyens, correspond à leur position au sommet de la hiérarchie internationale. Par contre, la politique étrangère de Singapour se concentre en grande partie sur la zone Asie-Pacifique et sur les relations avec ses voisins immédiats et les principales puissances de la région. Il faut aussi prendre en compte les « grandes » puissances régionales – du moins celles qui sont au sommet de la hiérarchie régionale – qui adoptent une politique étrangère bien différente de celle de leurs voisins moins puissants, comme le démontrent les politiques de l'Inde, du Brésil et de l'Afrique du Sud.

La structure économique

Le type de rapport qu'un pays entretient avec l'étranger est fortement influencé par sa situation dans l'économie mondiale, car la structure et la diversité de son tissu économique affectent son potentiel d'autonomie en politique étrangère, et déterminent ses forces et ses faiblesses. Sa situation détermine également les aspects dominants de ses relations commerciales, ses sources de capitaux pour l'investissement et la stabilité de sa monnaie sur les marchés boursiers mondiaux. Un État dont l'économie est peu développée ou qui repose sur une monoculture a des priorités internationales différentes de celui qui bénéficie d'une structure économique mixte relativement forte. La dépendance à l'égard du commerce international, les fluctuations monétaires, les progrès de la technologie, l'accès aux ressources naturelles (aliments, carburant ou matières premières) ou encore le degré de diversification commerciale contribuent largement à structurer la politique étrangère.

La dynamique de groupe et les alignements

La politique étrangère est, par définition, une affaire de « dynamique de groupe », dans la mesure où elle désigne les relations qu'entretient un gouvernement avec ses pairs. Rares sont les États qui font bande à part, les cas de l'Albanie et la Birmanie (qui, au cours de la Guerre froide, ont tenté de maintenir une politique d'autarcie) ou de certains « États parias » mis au ban de la société internationale, comme la Corée du Nord, constituent des exceptions. La dynamique de groupe détermine la façon dont un gouvernement ou une société aborde la communauté internationale, et avec quels membres de cette communauté ils ont des affinités – lequel est perçu comme un « ami », lequel est perçu comme un « ennemi » et lequel est traité avec indifférence. Les « alignements » prennent différentes formes, qui vont de simples rapports purement amicaux entre populations jusqu'aux alliances militaires formelles entre gouvernements. La nature de ces alignements varie en fonction du contexte international. Ainsi, au début de la Guerre froide, alors que les questions stratégiques dominaient les préoccupations internationales de la plupart des gouvernements, le monde se divisait en trois camps : l'Est, dirigé par l'Union soviétique ; l'Ouest, centré autour des États-Unis ; et le groupe flou et hétérogène des « neutres et non-alignés ». Par contre, après la Guerre froide, certains divisaient le monde selon des considérations économiques plutôt que militaires, alors que se dessinaient des blocs régionaux rivaux (Amérique, Europe, Asie-Pacifique). D'autres, à la même époque, découpaient (et découpent encore) le système international sur une base civilisationnelle, à la façon de Samuel Huntington, affirmant que les conflits seraient plus nombreux et plus violents lorsqu'ils opposeraient des communautés appartenant à des civilisations différentes[13]. Depuis le 11 septembre, le gouvernement républicain de George W. Bush tend à concevoir les alignements selon l'attitude des gouvernements étrangers à l'égard du terrorisme.

L'alignement d'un État a une profonde influence sur sa politique étrangère. Si une alliance avec une grande puissance permet de renforcer la sécurité d'un État faible ou vulnérable, elle comporte aussi des obligations qui restreignent son indépendance et son autonomie. La crainte d'être abandonné à un moment critique peut pousser un gouvernement à faire preuve d'une loyauté servile à l'égard de ses alliés. À l'inverse, les alliances peuvent contribuer à entraîner un État dans des conflits dans lesquels il n'a aucun intérêt, dans la mesure où les adversaires de ses alliés deviennent également ses adversaires. C'est ainsi que de nombreux Québécois francophones ont perçu l'engagement du Canada dans les guerres de l'Empire britannique, les deux guerres mondiales et de plusieurs conflits subséquents, comme en Corée (1950-1953) ou en Afghanistan (depuis 2001). Ceci est particulièrement

---

13. Samuel HUNTINGTON, *Le choc des civilisations*, Paris, Odile Jacob, 1997.

vrai lorsqu'il s'agit d'une alliance avec une grande puissance, qui a généralement plus d'ennemis que les puissances secondaires[14]. Enfin, il convient de noter que les alignements et les pactes tendent à résister au changement : une fois engagé dans une alliance, un État peut difficilement rompre son engagement et changer de camp.

Si l'alignement d'un État est plus facilement observable en période de guerre ou de crise internationale, il ne faut pas en conclure qu'il disparaît en temps de paix ou de diminution des tensions entre grandes puissances. Les États continueront toujours à s'aligner sur leurs alliés et à entretenir des rapports de réciprocité et de coopération avec eux. Par exemple, plus de 15 ans après la disparition de l'Union soviétique, l'Organisation du traité de l'Atlantique Nord (OTAN) existe encore et influence toujours la politique des États qui en sont membres.

Les moyens et ressources

L'analyse de la politique étrangère d'un État nécessite également un examen des moyens dont il dispose, moyens définis tant en termes absolus que relatifs. Il s'agit généralement de données quantifiables ayant trait, par exemple, à l'économie (produit intérieur brut [PIB], niveau d'industrialisation, accès aux matières premières, etc.), à la démographie (population, niveau de scolarisation, d'urbanisation, etc.) ou à l'armée (ressources humaines et matérielles disponibles, part du budget consacré à la défense, etc.). Ces données servent souvent à établir le rang d'un État dans la hiérarchie internationale. Nous y reviendrons au chapitre 1.

Il existe d'autres types de ressources, beaucoup plus difficiles à quantifier, mais qui ont néanmoins une grande influence sur la capacité d'un État à agir sur la scène internationale. Il s'agit des ressources morales, telles que la certitude de défendre des causes justes, la conviction idéologique ou religieuse, ou encore la réputation d'un État parmi la communauté internationale.

---

14. Voir, sur ce sujet, Glenn H. SNYDER, « The Security Dilemma in Alliance Politics », *World Politics*, vol. 36, n° 4, juillet 1984, p. 461-495.

La puissance de l'État

Tous ces facteurs – situation géographique, structure économique, dynamique de groupe et moyens – ont une incidence cruciale sur la puissance
de l'État. Le système international est d'abord et avant tout un système *anarchique*; il n'existe aucune puissance souveraine au-dessus des États pour
arbitrer les conflits, à l'exception de vagues dispositions que les États ont théoriquement le loisir de suivre ou d'ignorer. Chaque État cherche à maximiser
ses gains, seul ou en coopération avec d'autres, par le biais d'accords bilatéraux
ou multilatéraux. Seule la puissance permet d'atteindre l'objectif ultime que
poursuivent universellement toutes les unités politiques, fiefs tribaux ou États-
nations, soit leur autonomie politique. Pour comprendre la politique étrangère d'un pays, il faut considérer la puissance comme un déterminant
essentiel de l'atteinte des objectifs secondaires.

La politique intérieure

Certains théoriciens estiment que seule l'étude des facteurs externes (soit la
puissance relative des États) est pertinente pour l'examen de la politique
étrangère. Dans cette perspective, c'est principalement la nature du système
international qui détermine le comportement des États. Le contexte intérieur
dans lequel s'élabore la politique étrangère n'a que peu d'importance. Quel
que soit le régime politique en place, quelle que soit la personnalité ou l'idéologie des décideurs, l'État, considéré comme un acteur rationnel, adoptera
toujours la politique qui lui permettra de maximiser ses gains dans un environnement anarchique.

Kenneth Waltz, qui a largement contribué à élaborer cette théorie
« structuro-réaliste », compare les forces systémiques du système international à celles du marché : les firmes qui y évoluent doivent faire face à des
contraintes structurelles qui orientent leur démarche de façon à assurer
leur survie – celles qui n'adoptent pas un comportement adapté aux circonstances font faillite et disparaissent. Il en est ainsi du système international
et des unités qui y évoluent ; les États qui ne s'adaptent pas aux contraintes du
système international sont appelés à disparaître[15].

---

15. Kenneth N. WALTZ, *op. cit.*, p. 89-91.

Le structuro-réalisme[16] cherche à expliquer la politique internationale sur le plan systémique, c'est-à-dire les interactions des États, considérées dans leur ensemble. Waltz admet que son modèle théorique « explique un petit nombre de choses importantes[17] », et qu'il n'a qu'une utilité limitée pour expliquer l'élaboration de la politique étrangère de chaque État considéré individuellement. Tenter de prédire le comportement d'un État en particulier reviendrait à tenter de prévoir la course exacte d'une feuille tombant d'un arbre à partir de la loi de la gravité. Or, dans ce livre, c'est la trajectoire de la feuille dans sa chute qui nous intéresse, c'est-à-dire le comportement international d'un État en particulier, à un moment précis de son histoire. C'est pour cette raison que nous ne pouvons pas faire l'économie d'une étude de l'impact de la politique intérieure sur la politique étrangère du gouvernement canadien.

Certains auteurs peuvent guider notre réflexion, puisqu'ils défendent, sur cette question, une position diamétralement opposée à celle des structuro-réalistes. C'est notamment le cas des historiens, qui utilisent des modèles empiriques et inductifs. Selon Pierre Milza, les historiens s'entendent pour « considérer la politique intérieure des États comme l'une des principales clés d'explication du jeu international », et il ajoute que « l'Histoire et la science politique [...] sont allées dans le sens du décloisonnement et de l'abandon de ce qui pouvait subsister du dogme hobbesien selon lequel il y aurait une différence de nature entre les "affaires du dehors" et celles du "dedans"[18] ». Les écoles libérales de la politique étrangère ou des relations internationales vont dans le même sens. Pour celles-ci, le type de régime politique, les rapports entre les différentes composantes de l'État, ainsi qu'entre l'État et les

---

16. Pour un survol du courant structuro-réaliste, voir Alex MacLeod, « Émergence d'un paradigme hégémonique », dans Alex MacLeod et Dan O'Meara (dir.), *La théorie des relations internationales depuis la fin de la Guerre froide : contestations et résistances*, Montréal, Athéna, 2007, p. 19-34. Voir aussi Stefano Guzzini et Sten Rynning, « Réalisme et analyse de la politique étrangère », dans Frédéric Charillon (dir.), *op. cit.*, p. 33-64.

17. Kenneth N. Waltz, « A Response to My Critics », dans Robert O. Keohane (dir.), *Neorealism and Its Critics*, New York, Columbia University Press, 1986, p. 329. Voir aussi *Theory of International Politics*, *op. cit.*, p. 60-61 et 121-123.

18. Pierre Milza, « Politique intérieure et politique étrangère », dans René Rémond (dir.), *Pour une histoire politique*, Paris, Seuil, 1996 (1988), p. 316 et 319.

citoyens, sont des éléments déterminants pour comprendre le comportement international d'un État. La théorie de la « paix démocratique », qui vise à rendre compte de l'absence de guerre entre les démocraties libérales, est en partie basée sur ce postulat de la prédominance de l'interne sur l'externe comme déterminant du comportement international de l'État[19].

Enfin, d'autres approches adoptent une position intermédiaire. Contrairement aux structuro-réalistes, les auteurs réalistes « classiques », comme Hans Morgenthau ou Raymond Aron, prétendaient expliquer le comportement individuel des États, mais continuaient de maintenir une séparation très nette entre les facteurs internes et externes, ces derniers étant considérés comme les plus importants. Toutefois, les tenants d'une forme modérée de réalisme, que Gideon Rose a qualifié de « réalisme néoclassique », estiment que, même si les rapports de puissance relative constituent toujours la principale variable à considérer, l'étude de la politique étrangère doit également tenir compte de certains facteurs internes pour expliquer les décisions et les politiques spécifiques[20]. De même, les constructivistes s'appuient sur un ensemble de variables, comme l'identité des communautés étudiées et l'intersubjectivité des acteurs, qui relèvent également tant de la dynamique interne de l'État que de son rapport avec l'environnement international[21].

Parce que nous souhaitons comprendre le comportement d'un État en particulier, nous intégrerons à notre analyse un certain nombre de variables qui relèvent de la politique intérieure : la nature, la composition, et l'origine de la société canadienne, et tout particulièrement les clivages historiques au sein du système politique canadien. Comme nous le verrons, et ce n'est pas surprenant, les frictions entre francophones et anglophones ont, tout au long de l'histoire, profondément affecté la politique étrangère du Canada. Il convient également de tenir compte de la nature du régime politique, soit

---

19. Sur la théorie libérale des relations internationales, voir Stéphane ROUSSEL et Dan O'MEARA, « La constellation diffuse des théories libérales », dans Alex MACLEOD et Dan O'MEARA (dir.), *op. cit.*

20. Gideon ROSE, « Neoclassical Realism and Theories of Foreign Policy », *World Politics*, vol. 51, octobre 1998, p. 144-172.

21. Pour un survol du courant constructiviste, voir Dan O'MEARA, « Le constructivisme, sa place, son rôle, sa contribution et ses débats », dans Alex MACLEOD et Dan O'MEARA (dir.), *op. cit.*, p. 181-206. Voir aussi Alex MACLEOD, « L'approche constructiviste en politique étrangère », dans Frédéric CHARILLON, *op. cit.*, p. 65-89.

une démocratie libérale, et de son impact sur la conduite de la politique étrangère. La notion de « gouvernement responsable » signifie que les dirigeants du Canada doivent rendre des comptes à leurs concitoyens, et que ceux-ci sont en mesure de manifester leur appui ou leur désaccord, non seulement par un mécanisme d'élections périodiques, mais aussi à travers les médias et l'action des groupes de pression. Le processus électoral, tout comme les revendications de la société civile, jouent donc un rôle dans la formulation de la politique étrangère, rôle que nous examinerons au chapitre 3.

Les revendications émanent généralement de deux groupes distincts. D'une part, elles proviennent de l'opinion publique et constituent l'expression non organisée et non coordonnée d'un ensemble d'opinions sur les affaires internationales et les politiques adoptées par le gouvernement canadien. D'autre part, les revendications peuvent provenir de groupes d'intérêts bien organisés qui, eux, vont énoncer des demandes spécifiques. La façon dont le gouvernement reçoit et traite les revendications de ces deux groupes affecte le cours de la politique étrangère.

L'évaluation précise de l'impact de la politique intérieure sur l'élaboration de la politique étrangère du gouvernement canadien dépend largement des postulats sur lesquels se base l'analyse. Il existe trois grandes approches pour l'étude de l'État et des rapports entre gouvernants et gouvernés, et chacune est fondée sur des postulats différents.

La première, l'approche libérale-pluraliste, présume que l'État est une émanation de la société civile, et qu'il doit être au service de cette dernière. Dans cette perspective, le rôle de l'État consiste à recevoir les innombrables revendications des individus et des groupes d'intérêts, à trancher entre des réclamations contradictoires, et à adopter les politiques susceptibles d'être appuyées par le plus grand nombre[22].

La seconde, fondée sur les classes sociales, généralement associée au marxisme, postule que le comportement d'un État démocratique est intimement lié au mode de production capitaliste et aux conflits inhérents entre la classe dominante – ceux qui, dans une société capitaliste, contrôlent les capitaux – et la classe dominée. Certains perçoivent l'État uniquement comme

---

22. La formulation classique de la théorie pluraliste a été le fait de Robert DAHL, *Who Governs ?*, New Haven, Yale University Press, 1961.

l'instrument de pouvoir de la bourgeoisie, dont les décisions favorisent toujours les intérêts des capitalistes. D'autres ont un point de vue plus nuancé et considèrent l'État comme relativement autonome par rapport à ceux qui possèdent et contrôlent les capitaux. Dans cette optique, le principal intérêt de l'État est le maintien à long terme du système capitaliste lui-même, et non l'enrichissement à court terme des capitalistes. Ainsi, l'État cherche à rester aussi autonome que possible pour pouvoir s'interposer dans les luttes de classe, et, ce faisant, adopte souvent des politiques (comme la politique de sécurité sociale) qui ne favorisent pas nécessairement les intérêts à court terme des capitalistes. Mais dans la mesure où de telles politiques préviennent la grogne populaire ou la révolution et assurent au système une légitimité aux yeux des autres classes, elles protègent les capitalistes contre eux-mêmes et servent à long terme les intérêts du système[23].

Le dénominateur commun à ces deux approches tient au fait qu'on ne peut interpréter le comportement de l'État libéral qu'en regard des intérêts de la société. Une troisième approche, dite « étatiste », apporte une vision bien différente. À l'inverse de Winston Churchill, qui prétendait que dans une société démocratique les politiciens et bureaucrates « sont fiers d'être les serviteurs de l'État, et seraient gênés d'en être les maîtres », cette approche présuppose que les dirigeants sont à la fois au service de l'État et en sont les maîtres. L'étatisme se fonde sur l'idée que l'État est constitué d'un ensemble d'hommes et de femmes mandatés pour prendre les décisions au nom du régime politique, et que ces individus ne sont pas de vulgaires automates qui accomplissent mécaniquement ce qu'on leur dit de faire. Au contraire, ils possèdent leur propre conception de l'intérêt national, qui est un mélange de leurs propres intérêts, de ceux de l'institution, du ministère ou de l'agence auxquels ils sont rattachés, et bien sûr de ceux du gouvernement en général. Ils ont sans aucun doute leur idée sur le meilleur moyen d'arriver à leurs fins. De plus, l'étatisme suppose que les préférences politiques adoptées par le gouvernement en général peuvent différer totalement des préoccupations et des préférences exprimées par les individus, les groupes, les organisations et les différentes classes de la société. Enfin, lorsqu'il y a conflit d'intérêts entre préfé-

---

23. Voir Cranford PRATT, « Competing Perspectives on Canadian Development Assistance Policies », *International Journal*, vol. 51, n° 2, printemps 1996, p. 235-258.

rences de l'État et celles de la société, l'État a toute la latitude pour faire passer les siennes en premier[24].

Manifestement, ces approches proposent des visions totalement différentes de l'importance des considérations internes comme explication de la politique étrangère du Canada[25]. L'approche pluraliste postule que les facteurs politiques internes, et en particulier les intérêts, les préférences et les revendications des individus et des groupes, jouent un rôle central dans la formulation et la conduite de la politique étrangère. Une approche fondée sur les classes sociales présuppose plutôt que ce sont les intérêts de la classe dominante ou du système capitaliste en général qui constituent la principale variable explicative. Enfin, le recours à une approche étatiste ne leur attribue que peu d'impact : la politique étrangère s'explique par des sources externes ou gouvernementales, ou les deux à la fois. Le choix de la vision que l'on adopte pour l'analyse est donc important, puisqu'il aura inévitablement un effet sur l'importance accordée aux facteurs intérieurs sur la politique étrangère canadienne.

La dynamique de l'appareil gouvernemental

Les considérations internationales et nationales constituent des paramètres à l'intérieur desquels le gouvernement élabore sa politique étrangère. Mais c'est au sein du gouvernement et par le gouvernement que sont prises les décisions, et celui-ci n'est pas un acteur unitaire ou monolithique, qui pense, agit et s'exprime comme le ferait un individu. Les représentants de l'État, élus et fonctionnaires des nombreux services concernés, peuvent entretenir des conceptions très différentes, sinon contradictoires, de l'intérêt national et des opinions sur la marche à suivre ; et ces opinions divergentes dépendent

---

24. Sur la théorie étatiste, voir Eric A. NORDLINGER, *On the Autonomy of the Democratic State*, Cambridge, Harvard University Press, 1981 ; et Stephen D. KRASNER, *Defending the National Interest : Raw Material Investment and U.S. Foreign Policy*, Princeton, Princeton University Press, 1978.

25. Kim Richard NOSSAL, « Analyzing the Domestic Sources of Canadian Foreign Policy », *International Journal*, vol. 39, n° 1, hiver 1983-1984, p. 1-22 ; Cranford PRATT, « Dominant Class Theory and Canadian Foreign Policy : The Case of the Counter Consensus », *International Journal*, vol. 39, n° 1, hiver 1983-1984, p. 99-135. Pratt revient sur ce débat dans son article de 1996 (*op. cit.*).

largement de la position respective de chacun de ces acteurs dans la structure gouvernementale. Si bien que les décisions prises par le gouvernement ne sont pas toujours conformes à celles que dicterait une approche purement rationnelle. Ces décisions peuvent être résultat d'une dynamique bureaucratique, c'est-à-dire des échanges et compromis entre les représentants de l'État à différents paliers du gouvernement, au cours de la négociation d'un point précis de politique étrangère[26].

Puisque le processus décisionnel affecte le contenu des décisions elles-mêmes, il convient d'examiner dans quel cadre le gouvernement élabore sa politique étrangère et quels sont les facteurs qui, au sein de l'appareil d'État, influencent la prise de décision. Une telle étude doit englober les structures institutionnelles et organisationnelles établies pour la prise de décision, l'organigramme de ces institutions, et les relations politiques au sein même des différents organismes gouvernementaux, et entre eux. Les rapports au sein de l'exécutif (entre membres du Cabinet, entre le Cabinet et la bureaucratie, et entre les ministères et les agences du gouvernement), comme les relations entre l'exécutif et le législatif (Chambre des communes et Sénat), sont importants pour expliquer la politique gouvernementale.

Pour ce qui est du Canada, il faut tenir compte d'un autre aspect dans cette analyse du rôle du gouvernement, soit l'importance du système fédéral sur la conduite de la politique étrangère. La constitution de la plupart des États fédérés ne permettait pas à leurs membres de jouer un rôle d'importance dans les affaires internationales, quoique la situation ait beaucoup changé récemment (notamment en Belgique, en Suisse, en Allemagne, en Autriche, en Espagne et Italie). Au Canada, les textes de la Constitution de 1867 sont muets sur la

---

26. Graham T. ALLISON, « Modèles conceptuels et la crise des missiles de Cuba », dans P. BRAILLARD, *Théories des relations internationales*, Paris, PUF, 1977, p. 172-196. Pour une critique, voir Jonathan BENDOR et Thomas H. HAMMOND, « Rethinking Allison's Models », *American Political Science Review*, vol. 86, n° 2, juin 1992, p. 301-322 ; Nelson MICHAUD « Graham Allison et le paradigme bureaucratique : vingt-cinq ans plus tard est-il encore utile ? », *Études internationales*, vol. 27, n° 4, p. 769-794. Pour une application de ce modèle au cas du Canada, voir Kim Richard NOSSAL, « Allison Throught the (Ottawa) Looking Glass : Bueaucratic Politics and Foreign Policy in a Parlimentary System », *Canadian Public Administration*, vol. 22, hiver 1979, p. 610-626 ; Nelson MICHAUD, « L'étude des politiques de défense : quels problèmes, quelles approches ? », *Globe*, n° 7-8, printemps-automne 1997, p. 189-217.

question, sauf en ce qui concerne l'article 132, et ne précisent pas si c'est le gouvernement fédéral qui a juridiction exclusive en matière de politique étrangère. Par conséquent, il faut se pencher sur la politique entre les différents paliers de gouvernement, et ses effets sur la conduite de la politique étrangère.

Pour revenir à l'appareil gouvernemental, il nous faut aussi accorder une importance particulière à ceux qui prennent véritablement les décisions pour le Canada en matière de politique étrangère, c'est-à-dire le premier ministre, le ministre des Affaires étrangères, le ministre du Commerce international, le ministre de la Défense nationale, le ministre responsable de la coopération et de l'aide internationale, et (le cas échéant) les secrétaires d'État responsables des relations avec des régions particulières, comme l'Asie-Pacifique, l'Amérique latine ou le Moyen-Orient. Tous ces individus exercent leur influence personnelle sur l'orientation de la politique.

Le poids de l'identité et de l'histoire

L'évolution de la politique étrangère canadienne présente un curieux mélange de changement et de continuité. En dépit des changements majeurs intervenus depuis la Confédération, tant au Canada (société, technologie, économie, et rôle de l'État ou des idées) que sur le plan international (distribution de la puissance, avènement et déclin des rivalités entre puissances nucléaires, mondialisation de l'économie, effondrement du monde bipolaire), certains aspects des relations extérieures du Canada sont restés étonnamment stables, parfois même pendant plusieurs générations. Les contraintes découlant des relations que le Canada entretient avec les grandes puissances ont toujours été source de préoccupation pour des dirigeants canadiens soucieux de préserver l'autonomie du pays. Les rapports entre le Canada et les États-Unis au début du XXIe siècle sont tout aussi teintés d'ambivalence que ceux qu'il entretenait avec le Royaume-Uni à la veille de la Deuxième Guerre mondiale. Les Canadiens sont tout aussi réfractaires à investir dans la défense en temps de paix que l'étaient leurs grands-parents entre 1918 et 1939, sinon avant la guerre des Boers de 1899-1902. Et en cette ère de mondialisation des marchés, les Canadiens se préoccupent de commerce international tout autant qu'ils le faisaient à la fin du XIXe siècle.

Cet élément de continuité est particulièrement évident dans la manière dont le Canada gère ses relations avec les États-Unis. Les querelles sur les questions comme la pêche, la coupe de bois, la pollution transfrontalière, la sécurité des frontières, et autres irritants de toutes sortes, ont meublé bien des discussions entre premiers ministres et présidents. Les Canadiens se sont toujours montrés particulièrement préoccupés par les relations commerciales avec les États-Unis. Leurs demandes répétées en vue d'obtenir un meilleur accès aux marchés américains ont toujours été de pair avec leurs craintes des répercussions possibles sur l'autonomie ou l'identité canadienne. C'est un problème qui ne trouvera probablement jamais de solution, même après la signature de l'Accord de libre-échange (ALE) bilatéral avec les États-Unis de 1988, de l'Accord de libre-échange nord-américain (ALENA) de 1993, et des différents accords conclus après les attentats du 11 septembre 2001 pour accroître la sécurité aux frontières.

Ces quelques observations appellent deux remarques. D'une part, elles rappellent combien l'identité nationale est importante pour la formulation de la politique étrangère canadienne. Celle-ci n'est pas seulement affaire d'intérêt ou de souveraineté, mais elle représente aussi un vecteur important dans l'expression de la spécificité canadienne. En effet, la plupart des citoyens n'hésitent pas à clamer que l'une des principales caractéristiques des Canadiens est de ne pas être Américains, et ils attendent de la politique étrangère menée par leur gouvernement qu'elle fasse écho à ce besoin de se distinguer. En ce sens, il est impossible d'étudier la politique étrangère du Canada sans chercher à savoir en quoi elle reflète les valeurs et la culture de cette société, et en quoi elle participe à son tour à la formation d'une identité nationale. Ceci posé, il faut également garder à l'esprit que la politique étrangère est aussi un domaine d'activité où se répercutent les grands clivages nationaux, ce qui dans le cas du Canada, se traduit par la cohabitation parfois difficile entre anglophones et francophones. Les querelles linguistiques et la question nationale au Québec sont donc des facteurs que l'on ne peut négliger.

D'autre part, il faut retenir que l'histoire d'une nation joue toujours un rôle important dans la formulation de sa politique étrangère, même si les responsables politiques – sans parler des analystes – ne semblent pas toujours en être conscients. L'histoire est, en effet, l'un des facteurs les plus importants dans la constitution de la « culture stratégique » d'une communauté[27]. L'héritage du passé continue à influencer, même imperceptiblement, les grandes orientations comme les petites décisions, car nul ne peut nier ou oublier ce qui a été fait et vécu auparavant. Plus encore, les dirigeants tentent souvent d'appliquer aux problèmes auxquels ils doivent faire face les solutions éprouvées de leurs prédécesseurs, même lorsque les circonstances ont changé. Il s'agit là d'une donnée immuable – au même titre que la position géographique ou géostratégique – ou qui ne changera qu'après plusieurs générations. Comme le note Christopher Hill : « Les succès passés d'un État, ses échecs, ses amis et ses ennemis, resteront toujours présents à l'esprit des responsables politiques actuels[28]. » Ainsi, la continuité historique des relations canado-américaines n'est pas vraiment surprenante puisque aucune nation ne peut échapper aux conséquences inexorables de son histoire. « S'accommoder de la présence des États-Unis est, et a toujours été, une des composantes essentielles de la nation canadienne. Elle a fait de nous ce que nous sommes, comme l'insularité a façonné la Grande-Bretagne[29]. »

Puisque la politique étrangère d'un pays est influencée par son passé, l'analyse, dans ce livre, ne se fondera pas sur un fait en particulier comme point de départ aux relations du Canada avec l'étranger – par exemple, l'accession à la souveraineté par le Statut de Westminster de 1931, la fin de la Deuxième Guerre mondiale en 1945, la fin de la Guerre froide en 1989-1991 ou les attentats de septembre 2001. Aucun gouvernement n'a pu faire table rase du passé, pas même le gouvernement du tout nouveau dominion autonome créé par l'Acte de l'Amérique du Nord britannique (AANB), en 1867. En ce temps-là, Sir John A. Macdonald a dû s'accommoder des vestiges du passé, tout comme chacun des premiers ministres depuis. Tout en conservant à l'esprit cette conscience du passé, l'analyse proposée dans cet ouvrage – qui n'est en aucun cas une histoire de la politique étrangère canadienne –

---

27. Stéphane ROUSSEL et David MORIN, « Les multiples incarnations de la culture stratégique et les débats qu'elles suscitent », dans Stéphane ROUSSEL (dir.), *op. cit.*, p. 10-35.

28. Christopher HILL, « The Historical Background : Past and Present in British Foreign Policy », dans Michael SMITH, Steve SMITH et Brian WHITE (dir.), *op. cit.*, p. 33. Voir aussi Dan REITER, *Crucible of Beliefs : Learning, Alliances, and World Wars*, Ithaca, Cornell University Press, 1996.

29. John W. HOLMES, *Life With Uncle : The Canadian-American Relationship*, Toronto, University of Toronto Press, 1981.

se fonde sur une vision très large de l'expérience internationale du Canada, de façon à extraire des exemples historiques qui demeurent pertinents pour la compréhension de la politique étrangère canadienne actuelle et future.

* * *

Le cadre d'analyse décrit sommairement dans cette introduction vise à expliquer les grandes orientations de la politique étrangère canadienne, ainsi que bon nombre des décisions spécifiques que prennent les dirigeants canadiens. Toutefois, il ne prétend pas fournir un guide ou un cadre normatif pour déterminer ce que devraient être ces orientations et décisions, pas plus qu'il ne prétend prédire l'évolution future de la politique étrangère canadienne.

Par ailleurs, nous nous sommes bien gardés de trancher dans le débat sur la primauté d'une dimension (interne ou externe) sur l'autre. À cet égard, il faut garder à l'esprit que, dans un domaine aussi vaste que celui de la politique étrangère, il n'existe pas de facteur qui intervienne de façon constante et qui puisse s'imposer comme l'unique fondement d'une décision ou d'un ensemble de décisions. Tout programme de recherche sur la politique étrangère d'un État doit être multidimensionnel et flexible, puisqu'il arrive rarement que des décisions isolées ou des politiques à long terme trouvent leur fondement dans une seule cause.

Une approche multidimensionnelle recèle évidemment certains risques, comme celui de devoir se référer à des postulats qui se contredisent. Toutefois, ce risque est moindre lorsqu'il s'agit d'une étude qui porte sur un objet relativement bien circonscrit (comme la politique étrangère canadienne), et non pas sur une vaste catégorie d'objets en quête d'explications applicables à toutes ses manifestations (comme la politique étrangère en général). En fait, le chercheur est ici à la frontière de deux modes d'analyse, l'un relevant de l'explication (la recherche de rapport de causalité), l'autre de l'interprétation (qui est fondée sur les perceptions des acteurs étudiés)[30]. Bien que les auteurs de ce manuel soient plus près du premier mode, ils reconnaissent les avantages du second, lequel se prête mieux à des analyses multidimensionnelles.

---

30. Une distinction établie par Martin HOLLIS et Steve SMITH, *Explaining and Understanding International Relations*, Oxford, Clarendon Press, 1990.

PREMIÈRE PARTIE

LE CONTEXTE ET LES DÉTERMINANTS

La politique extérieure est le produit d'un ensemble de conflits d'intérêts, d'objectifs contradictoires, de perceptions divergentes et de multiples recommandations sur la marche à suivre. Cette « alchimie politique » intervient sur deux plans distincts, mais étroitement liés : sur le plan interne (entre les différents acteurs qui interagissent sur l'État ou en son sein) et sur le plan externe (entre gouvernements). Les dirigeants canadiens doivent donc naviguer entre les contraintes et poussées qu'exercent ces deux milieux.

Cette première partie a donc pour objet d'examiner le contexte dans lequel sont élaborées la politique extérieure et la politique de défense du Canada. En d'autres termes, elle vise à définir les paramètres qui définissent la marge de manœuvre des responsables politiques canadiens.

Le chapitre 1 porte sur certaines constantes de la politique étrangère canadienne, c'est-à-dire des facteurs qui structurent le processus de prise de décision, mais sur lesquelles le gouvernement n'a que très peu de prise. Ces constantes se traduisent généralement en matière de contraintes, d'obligations, d'interdictions ou d'opportunités. Le chapitre 1 commence par une analyse de la situation géographique du Canada. La géographie d'un État — les données physiques et géopolitiques — impose des paramètres rigides et presque impossibles à modifier. La section suivante est consacrée à l'étude de la structure économique du Canada. La façon dont l'économie d'un État s'inscrit dans le tissu politico-économique international a, en effet, un impact significatif sur la plupart des aspects de sa politique étrangère. La troisième partie porte sur l'impact des institutions internationales sur la diplomatie et la politique de sécurité du Canada. Enfin, la dernière section est une brève évaluation des ressources sur lesquels peut s'appuyer le gouvernement canadien.

Ces facteurs contribuent à déterminer la position du Canada dans la hiérarchie internationale. Ce qui nous mène à la notion de « puissance », à laquelle est consacré le chapitre 2. Depuis la Deuxième Guerre mondiale (qui marque véritablement l'entrée du Canada sur la scène internationale), les chercheurs, comme les dirigeants politiques et les diplomates, ne sont jamais parvenus à se faire une idée claire de la place du Canada dans la hiérarchie internationale : le Canada est-il une grande, une moyenne ou une petite puissance ? Un tour d'horizon du débat sur la question permet surtout d'établir la futilité de l'application d'une telle forme de taxinomie au cas canadien. Il convient donc d'aborder la question différemment. Par le biais de l'analyse de puissance, nous examinerons les différents mécanismes d'exercice du pouvoir à la disposition des responsables politiques, et, ce faisant, nous ferons une évaluation différente de la puissance canadienne.

Il faut également évaluer l'impact de la politique intérieure sur les relations extérieures du Canada. Les dirigeants politiques sont influencés par les interactions et les luttes d'intérêts entre les acteurs sociaux. Les Canadiens s'intéressent aux questions de politique étrangère et, invariablement, cherchent à faire valoir leurs opinions pour influer sur la politique. Nous étudierons dans le chapitre 3 ces intérêts et l'influence que les acteurs sociaux peuvent exercer sur les questions de politique extérieure, en faisant une distinction entre le *processus* et le *contexte* décisionnel.

Le contexte décisionnel est sans doute celui qui exerce la plus grande influence sur les dirigeants politiques. Ceux-ci subissent tout particulièrement l'effet des idées dominantes — c'est-à-dire l'idée que se font les Canadiens de ce que doit être la politique étrangère de leur pays et de la place que celui-ci devrait occuper dans le monde. Au chapitre 4, nous explorerons plus d'un siècle d'idées dominantes sur la politique extérieure : la politique impérialiste d'avant la Première Guerre mondiale, la politique isolationniste de l'entre-deux-guerres, et l'internationalisme qui prévalait pendant la Guerre froide et le continentalisme qui émerge depuis quelques années.

1

LA POSITION INTERNATIONALE
DU CANADA

En avril 2005, le gouvernement libéral de Paul Martin rendait publique sa
« politique internationale », c'est-à-dire les grandes orientations des politiques canadiennes dans un ensemble de domaines d'activités connexes essentiellement tourné vers l'extérieur : la diplomatie, le commerce, la défense et
l'aide internationale. L'idée centrale qui teinte les cinq documents constituant
cette politique internationale est clairement résumée par le premier ministre :

> Notre sécurité, notre prospérité et notre qualité de vie risquent toutes de subir
> les influences et les effets des transformations globales et des défis qui les accom-
> pagnent – qu'il s'agisse du spectre du terrorisme international ou des menaces
> posées par les maladies virulentes, les changements climatiques et la disparition
> des stocks de poissons[1].

Ce qui frappe, c'est d'abord le côté réactif de cette politique, qui met l'accent
sur la perméabilité du Canada face aux influences venues de l'extérieur. Dans
ce document, la dynamique externe semble plus importante que la dynamique interne du pays. Ce faisant, il rompt avec une idée qui revenait de façon
presque constante dans le discours sur la politique étrangère canadienne.

---

1. GOUVERNEMENT DU CANADA, *Énoncé de politique internationale du Canada. Fierté
   et influence : notre rôle dans le monde : survol*, Ottawa, 19 avril 2005, « Avant-propos
   du premier ministre » (non paginé).

Dix ans plus tôt, en novembre 1994, un comité parlementaire chargé par le nouveau gouvernement libéral de réviser les fondements de la politique étrangère canadienne concluait dans son rapport qu'

> on ne fait guère plus de distinction entre la politique étrangère et la politique intérieure de nos jours, puisque chacune a une incidence sur l'autre. La politique étrangère doit reposer sur de solides assises intérieures. En même temps, ces assises domestiques dépendent de la projection à l'étranger des éléments clés de la vie nationale. [...] En ce sens, la politique extérieure est politique intérieure[2].

Les deux gouvernements précédant celui de Jean Chrétien (excluant les éphémères gouvernements Clark, Turner et Campbell) se sont également livrés à une réflexion en profondeur sur la politique étrangère, et sont parvenus à des conclusions similaires. En 1985, le livre vert sur la politique étrangère du gouvernement Mulroney offrait le constat suivant :

> Nos questions intérieures sont inévitablement liées aux événements internationaux. C'est pourquoi toutes les politiques que nous élaborerons devront tenir compte à la fois des réalités « intérieures » et des réalités « internationale ». Ces deux dimensions constituent en effet des composantes indissociables d'une politique véritablement nationale[3].

De même, en 1970, le Livre blanc produit par le gouvernement de Pierre Elliott Trudeau faisait valoir que la politique extérieure n'était que « l'extension à l'étranger des politiques nationales[4] ».

On peut remonter encore plus loin. En janvier 1948, Lester B. Pearson, alors sous-secrétaire d'État aux Affaires extérieures – le plus haut poste de fonctionnaire du ministère – raisonnait ainsi :

> En fin de compte, la politique intérieure chapeaute tout simplement la politique extérieure. Mettre un couvre-chef pour sortir ne change pas en soi notre nature,

---

2. PARLEMENT DU CANADA, *La politique étrangère du Canada : principes et priorités pour l'avenir* (Rapport du Comité mixte spécial du Sénat et de la Chambre des communes chargé de l'examen de la politique étrangère du Canada), Ottawa, Services des publications, Direction des publications parlementaires, 1994, p. 6.
3. CANADA, SECRÉTAIRE D'ÉTAT AUX AFFAIRES EXTÉRIEURES, *Compétitivité et sécurité : orientations pour les relations extérieures du Canada*, Ottawa, Approvisionnements et Services Canada, 1985, p. 3.
4. CANADA, MINISTÈRE DES AFFAIRES EXTÉRIEURES, *Politique étrangère au service des Canadiens*, Ottawa, 1970, livret principal, p. 9.

notre force et nos qualités. La politique extérieure du Canada, s'il s'agit bien d'une politique canadienne, est en fait largement la conséquence de facteurs internes, dont certains demeurent constants et d'autres sont difficilement modifiables[5].

Pearson faisait écho aux idées d'Oscar Douglas Skelton, le doyen de la Faculté des Arts de l'Université Queen's appelé à occuper, en 1925, les fonctions de sous-secrétaire d'État auprès du premier ministre Mackenzie King. Après avoir assisté à une conférence de Skelton en janvier 1922, King écrit dans son journal qu'il s'agissait d'un « excellent discours, qui démontre que la politique extérieure était l'extension de la politique intérieure[6] ».

Prise au sens propre, cette affirmation ne signifie pas grand-chose. Le gouvernement ne peut tout simplement pas tenter d'atteindre ses objectifs internationaux comme il le ferait sur le plan interne, là où son autorité n'est pas contestée. En politique étrangère, l'autorité d'un gouvernement ne dépasse pas ses frontières et sa capacité d'imposer sa volonté est beaucoup plus aléatoire. Ceci est dû, entre autres, à la nature essentiellement anarchique du système international, où nombre d'États indépendants poursuivent chacun leurs propres objectifs, sans que leurs rapports soient arbitrés ou réglementés par une autorité politique supérieure souveraine. De plus, les phénomènes de transnationalisation et de mondialisation contribuent à réduire le contrôle que peuvent exercer les gouvernements sur les échanges[7]. Il semble maintenant évident que le système international ne peut plus être décrit adéquatement par la seule référence à l'image de l'« état de la nature », imprévisible et brutal, proposée par Thomas Hobbes au XVIᵉ siècle, et encore largement employée par les théoriciens néoréalistes. La « société anarchique », comme le rappelle Hedley Bull, est beaucoup plus ordonnée qu'elle ne le laisse paraître de prime abord[8]. Mais il n'en demeure pas moins que, en fin de compte,

---

5. Lester B. PEARSON, *Words and Occasions*, Toronto, Toronto University Press, 1970, p. 68.
6. Cité dans James EAYRS, *The Art of Possible : Government and Foreign Policy in Canada*, Toronto, University of Toronto Press, 1961, note n° 40.
7. Michael HART, « The End of Trade Policy », dans Fen Osler HAMPSON et Christopher J. MAULE (dir.), *Canada Among Nations 1993-94. Global Jeopardy*, Ottawa, Carleton University Press, 1993, p. 85-105.
8. Hedley BULL, *The Anarchical Society : A Study of Order in World Politics*, New York, Columbia University Press, 1977.

chaque État conserve son libre arbitre : nul n'a l'autorité pour commander, et nul n'est tenu d'obéir.

Identifier ses intérêts et définir ses objectifs – comme peut le faire tout État souverain – est une chose. Mais atteindre ces objectifs en est une autre. Tous les gouvernements découvrent que leur faculté d'atteindre leurs objectifs se heurte rapidement à de sérieux obstacles, en raison non seulement de l'existence des autres États, qui poursuivent également leurs propres intérêts, mais aussi de l'irrésistible phénomène de mondialisation. Les dirigeants canadiens ne peuvent pas façonner un monde idéal, en éludant tout bonnement les réalités de l'économie politique internationale. Leurs objectifs doivent donc toujours être définis en fonction des opportunités. Les moyens adoptés pour atteindre ces objectifs doivent être adaptés à un contexte politique où le succès s'obtient par la puissance et l'influence, et non par l'autorité. Ce chapitre a pour objet d'explorer l'ensemble des contraintes et des pressions exercées par le système international sur la politique extérieure canadienne.

LES CONSTANTES IMPOSÉES PAR LE MILIEU INTERNATIONAL

Pour évoluer dans le système international, les dirigeants canadiens doivent tenir compte de plusieurs facteurs, que R. J. Sutherland a qualifiés de « constantes[9] ». Ce sont des facteurs que les gouvernements sont, en général, incapables de modifier. Il serait cependant plus approprié de considérer ces facteurs comme des « constantes relatives », dans la mesure où, bien qu'étant peu susceptibles de changer, ils ne sont pas complètement immuables et peuvent malgré tout évoluer ou changer de signification. Par exemple, le caractère bipolaire du système international, apparu en 1945, constituait une donnée relativement stable de l'environnement externe, sur laquelle les analystes pouvaient, avec assurance, construire leur prévision, jusqu'à ce que l'effondrement inattendu de l'Union soviétique en 1991 bouleverse cette donnée.

---

9. R.J. SUTHERLAND, « Canada's Long Term Strategic Situation », *International Journal*, vol. 17, été 1962, p. 119-223. Pour une réactualisation de l'analyse de Sutherland, voir Paul BUTEUX, « Sutherland Revisited : Canada's Long-Term Strategic Situation », *Revue canadienne de défense*, vol. 24, n° 1, automne 1994, p. 5-9.

La situation géographique

La situation géographique d'un État est l'une des principales contraintes avec laquelle les responsables de la politique extérieure doivent compter. La géographie ne détermine pas seulement la position stratégique, mais aussi son voisinage, c'est-à-dire les pays avec lesquels un État doit entretenir des relations suivies parce qu'ils partagent des frontières communes.

La menace américaine

De la Confédération (1867) jusqu'au début de la Deuxième Guerre mondiale (1939), le Canada est demeuré à l'écart des axes de rivalité des grandes puissances en Europe. Contrairement aux petits États européens sans cesse menacés par leurs puissants voisins, le Canada n'a pas fait face à de sérieux problèmes de sécurité nationale, ceci en grande partie grâce à l'isolement que lui procurait la géographie. Bien que les États-Unis aient attaqué, à deux reprises, l'Amérique du Nord britannique – pendant la Révolution américaine et la guerre de 1812 –, les relations canado-américaines ont, depuis 1867, été somme toute pacifiques. En 1817, l'Accord Rush-Bagot instaure des mesures limitant le déploiement de navires de guerre sur les Grands Lacs, ce qui constitue l'un des plus anciens traités de contrôle des armements. Au cours des décennies qui suivent, Britanniques et Américains cessent graduellement d'entretenir leurs fortifications, ce qui faire naître l'image de la « frontière sans défense[10] ». La ligne de démarcation entre le Canada et les États-Unis est, encore aujourd'hui, la plus longue frontière démilitarisée du monde.

Les relations avec les États-Unis n'ont cependant pas été exemptes de tension, causées parfois par des querelles sur le tracé des frontières terrestres (entre le Maine et le Nouveau-Brunswick en 1839-1842, entre l'Oregon et la Colombie-Britannique en 1843-1846 et entre le Yukon et l'Alaska en 1903) et maritimes. Mais dans la plupart des cas, les difficultés venaient de facteurs ou de circonstances qui ne relevaient pas directement des rapports entre le Canada et les États-Unis, mais qui étaient plutôt le fait des relations anglo-américaines (comme les crises survenues au cours de la guerre civile

---

10. C. P. STACEY, *La frontière sans défense. Le mythe et la réalité*, Ottawa, Société historique du Canada, 1973.

américaine, en 1861-1863, ou au Venezuela, en 1898) ou encore des activités de groupes « rebelles », tels les Patriotes (1837-1838), les Confédérés (1861-1864) et les Fenians (1866)[11]. Les menaces d'invasion américaine s'estompent à partir du moment où les frontières entre les deux pays sont clairement établies et, surtout, lorsque Britanniques et Américains parviennent à vider la plupart de leurs contentieux lors de la signature du traité de Washington en 1871.

Ainsi, après 1814, une longue paix s'installe entre les deux gouvernements. De nombreux facteurs peuvent expliquer cette situation. L'existence d'une forme d'équilibre des puissances entre les États-Unis et l'Angleterre, dont la puissance navale permet, en théorie, de contrebalancer la supériorité des Américains sur terre, est certainement l'un de ces facteurs. L'établissement d'une situation d'interdépendance économique et la proximité culturelle de deux États anglo-saxons peuvent aussi avoir contribué à réduire les sources de tension. Enfin, la convergence de valeurs politiques – en particulier le fait que les deux États soient des démocraties libérales – a probablement permis aux deux gouvernements de développer une tolérance, une compréhension et une sympathie mutuelle, et donc de les convaincre de renoncer à la guerre comme moyen de résoudre leurs différends. En ce sens, les relations canado-américaines constitueraient une manifestation du phénomène de « paix démocratique » cher aux théoriciens libéraux des Relations internationales[12].

Toutefois, au XIXᵉ siècle, beaucoup d'Américains entretiennent toujours des projets expansionnistes, attitude que reflète parfaitement la réflexion savoureuse d'un éditeur américain de l'époque, John Louis O'Sullivan. C'était, écrit-il en 1845, « l'accomplissement de la destinée manifeste de l'Amérique de s'étendre sur le continent que nous a attribué la Providence, pour permettre en toute liberté le développement de notre nation, qui croît chaque année par millions[13] ». Cette idée fascinante fut pompeusement reprise en

---

11. Sur ces différents épisodes, voir John Herd Thompson et Stephen J. Randall, *Canada and the United States : Ambivalent Allies*, Montréal/Kingston, McGill-Queen's University Press, 2002 (3ᵉ éd.).

12. Pour une revue critique de ces différentes hypothèses, voir Stéphane Roussel, *The North American Democratic Peace : Absence of War and Security Institution-Building in Canada-US Relations, 1867-1958*, Montréal/Kingston, McGill-Queen's University Press – School of Policy Studies, 2004.

13. Cité dans George Brown Tindall et David E. Shi, *America : A Narrative History*, New York, W. W. Norton, 1989, p. 333.

1853 par le *Public Ledger* de Philadelphie, qui publiait ces propos, après la fête de l'Indépendance : les États-Unis sont bornés « à l'est par le soleil levant, à l'ouest par le soleil couchant, au nord par les expéditions arctiques et au sud, aussi loin que cela nous chante[14] ». L'attrait pour le continentalisme a diminué tout au long du XIXe siècle, mais l'idée est tout de même restée. Plusieurs y croient toujours après 1867, mais estiment que l'annexion s'opérera par des moyens pacifiques, à la demande même des citoyens canadiens, las de la tutelle de l'Empire britannique. Ainsi, en 1911, Champ Clark, président de la Chambre des représentants, fait la déclaration suivante : « J'espère voir le jour où le drapeau américain flottera sur chaque pied carré des possessions de l'Amérique du Nord britannique jusqu'au pôle Nord[15]. » L'idée demeure séduisante pour bien des Américains, même encore de nos jours. Pat Buchanan, candidat républicain aux présidentielles de 1996, avait écrit quelques années plus tôt que si le Canada éclatait, les États-Unis devraient ramasser les morceaux : « Il n'y a rien de mal à ce que les Américains rêvent d'une nation qui, d'ici l'an 2000, engloberait les Maritimes et les provinces de l'Ouest (et) les Territoires du Nord-Ouest, jusqu'au pôle Nord. » Manifestement, Buchanan cherchait à provoquer, mais ce genre de réflexion montre à quel point la tendance est enracinée chez les Américains[16].

Si, au XIXe siècle, les gouvernements des États-Unis agissaient à leur guise au sud, force est de constater qu'ils étaient singulièrement prudents avec leurs voisins du nord. La puissance militaire de la Grande-Bretagne et le besoin de conserver de bonnes relations avec Londres expliquent sans doute pourquoi les présidents américains ont renoncé à toute tentative de prendre l'Amérique du Nord britannique par la force. Comparant le règlement du

---

14. Cité dans Charles W. KEGLEY et Eugene R. WITTKOPF *American Foreign Policy Pattern and Process*, New York, St. Martin's Press, 1979, p. 32.

15. Cité dans J. L. GRANATSTEIN, « L'éternelle question du libre-échange entre le Canada et les États-Unis », dans Denis STAIRS et Gilbert R. WINHAM (dir.), *Les dimensions politiques des rapports économiques entre le Canada et les États-Unis*, (*Études*, vol. 29), Ottawa, Commission royale sur l'union économique et les perspectives de développement du Canada, 1986, p. 28.

16. Pat BUCHANAN, cité par le *Toronto Star*, 3 mars 1996. Sur les hauts et les bas de l'attitude des Américains en ce qui a trait aux conséquences de la souveraineté du Québec, notamment sur le sort du reste du Canada, voir Jean-François LISÉE, *Dans l'œil de l'aigle. Washington face au Québec*, Montréal, Boréal, 1990.

différend frontalier en Oregon avec les prétentions américaines sur le Texas qui se trouvent à l'origine de la guerre du Mexique – des événements simultanés –, un sénateur aurait conclu, en 1846 : « Pourquoi la totalité du Texas, et seulement une partie de l'Oregon ? Parce que la Grande-Bretagne est puissante et le Mexique faible[17]. » En quelques occasions, des incidents aux frontières ont risqué de dégénérer en conflit armé, mais il s'est toujours trouvé à Washington des têtes froides pour calmer les plus virulents. Cette volonté de vivre en bon voisinage était, il faut bien le dire, partagée non seulement par les Canadiens, mais aussi par le gouvernement impérial de Londres. Ce dernier n'a d'ailleurs pas hésité à brader les intérêts canadiens pour conserver de bonnes relations avec Washington, en deux occasions au moins, soit lors de la signature du traité de Washington de 1871 et lors du règlement du litige sur le tracé de la frontière de l'Alaska en 1903. Nous y reviendrons au chapitre 2.

L'alliance américaine et le serment de Kingston

De la fin du xviiie jusqu'au milieu du xxe siècle, les guerres entre grandes puissances se sont toujours déroulées loin du Canada. Les Canadiens y ont parfois participé, dans le sillage des troupes britanniques, en raison de leurs liens politiques et culturels avec l'Empire. Des Canadiens ont combattu au Soudan (1884-1885), lors de la guerre des Boers en Afrique du Sud (1899-1901) et, surtout, au cours de la Première Guerre mondiale (1914-1918). Des Québécois catholiques se sont enrôlés volontairement pour servir dans les troupes pontificales en 1868-1870, au cours du processus d'unification de l'Italie. Mais le Canada lui-même n'a jamais été menacé directement. Si ce pays a eu une quelconque importance stratégique pour les grandes puissances de l'époque, c'était en raison de son éloignement géographique, loin du tumulte européen. Sa principale utilité consistait à approvisionner l'Angleterre en soldats, en matériel et en nourriture, à l'abri de toute menace d'attaque directe. En 1938, Mackenzie King remarquait de façon très pragmatique que « le risque d'une attaque contre le Canada est mineur et résiduaire[18] ».

---

17. Cité par Robert Lacour-Gayet, *Histoire des États-Unis,* tome I, Paris, Fayard, 1976, p. 312.
18. Cité dans James Eayrs, « The Foreign Policy of Canada », dans Joseph E. Black et Kenneth W. Thompson (dir.), *Foreign Policy in a World of Change,* New York, Harper & Row, 1963, p. 675.

La position stratégique du Canada change brutalement au début de la Deuxième Guerre mondiale et l'inquiétude ressentie par les dirigeants est palpable. Pendant l'été 1940, les forces allemandes s'emparent en quelques semaines de *Blitzkrieg* (la guerre éclair), de la France, de la Belgique et des Pays-Bas. Le risque d'une invasion de l'Angleterre devient alors très réel, ce qui aurait fait du Canada l'un des derniers pays en guerre contre l'Allemagne nazie. Malgré la sympathie manifestée ouvertement par le président Franklin Delano Roosevelt pour la cause de l'Angleterre et de ses alliés, les États-Unis demeurent, pour l'heure, officiellement neutres. Cette série d'événements entraîne, au Canada, une réévaluation complète des orientations stratégiques.

Dix ans plus tôt, l'établissement de liens étroits de coopération militaire avec les États-Unis aurait été impensable; en 1927, le premier ministre Mackenzie King avait rejeté comme une « fichue absurdité » l'idée que le Canada puisse envoyer un attaché militaire à Washington. Ce n'est qu'à partir de 1938, alors que les risques de guerre en Europe se font de plus en plus sérieux, que débute la coopération de la défense de l'Amérique du Nord. Le président Roosevelt et le premier ministre Mackenzie King posent alors, en quelques mots, les principes fondamentaux de la relation entre les deux pays en ce domaine. Leurs déclarations, qui forment ce que l'on peut appeler le « serment de Kingston »[19], définissent les engagements des deux États l'un vis-à-vis de l'autre.

Ainsi, lors d'une allocution faite à Kingston (Ontario) le 18 août 1938, Roosevelt affirme « que les États-Unis ne sauraient rester indifférents si le Canada devait être menacé » et s'engage donc implicitement à protéger leur voisin en cas d'agression ou de menace d'agression[20]. Du point de vue du président, il s'agit d'une considération de sécurité nationale, dans la mesure où le contrôle du territoire canadien par une puissance étrangère potentiellement hostile constituerait une menace pour les États-Unis. Le premier ministre canadien semble l'avoir fort bien compris, comme l'indique sa réponse au

---

19. Sur cet épisode, voir Stéphane ROUSSEL, « Pearl Harbor et le World Trade Center. Le Canada face aux États-Unis en période de crise », *Études internationales*, vol. 33, n° 4, décembre 2002, p. 667-695 ; David G. HAGLUND et Michel FORTMANN, « Le Canada et la question de la sécurité du territoire : l'exemption de Kingston tient-elle toujours ? », *Revue militaire canadienne*, vol. 3, n° 1, printemps 2002, p. 17-22.
20. Le discours de Roosevelt est reproduit dans Roger Frank SWANSON, *Canadian-American Summit Diplomacy, 1923-1973*, Toronto, McClelland & Stewart, 1975, p. 52-54.

discours de Roosevelt, réponse qui constitue la contrepartie canadienne du serment de Kingston.

> Nous avons, nous aussi, des obligations à titre de bons voisins, et l'une d'elles consiste à veiller, de notre propre initiative, à ce que notre pays soit, aussi efficacement possible, mis à l'abri de toute attaque ou invasion et que, l'occasion survenant, nulle force ennemie ne puisse attaquer les États-Unis par terre, par mer ou par air, en passant par le territoire canadien[21].

Le serment de Kingston a d'importantes conséquences pour le Canada. En premier lieu, il signifie que ce pays bénéficie d'un niveau de sécurité plus élevé qu'il ne pourrait jamais atteindre avec ses seules ressources ou grâce à l'appui d'une puissance européenne. En second lieu, si cette garantie américaine permet aux Canadiens de faire du resquillage (ou *free-riding*) sur le dos de leurs voisins, elle ne les dispense pas de tout effort en matière de défense. La déclaration de Roosevelt peut être interprétée comme contenant une menace implicite. Si les Canadiens se révèlent incapables d'assurer leur propre sécurité, les Américains le feront à leur place – qu'Ottawa le veuille ou non ! Par conséquent, le seuil minimal des ressources que les Canadiens doivent consacrer à la défense correspond à ce que les États-Unis jugent nécessaire. Dans la mesure où les deux gouvernements ne partagent pas systématiquement la même perception de la menace, le seuil fixé par les États-Unis pourrait bien se révéler plus élevé que celui que les Canadiens jugent suffisant. Les Canadiens doivent donc articuler leurs politiques de sécurité non seulement en fonction des menaces dirigées contre eux (si tant est qu'il y en ait), mais aussi de celles qui pèsent sur les États-Unis. Bref, selon le serment de Kingston, les Canadiens doivent désormais accepter la définition de la menace et des moyens de s'en prémunir élaborés par Washington, même s'ils n'y croient pas[22] !

Deux ans plus tard, en août 1940, alors que la France vient de capituler face à l'Allemagne et que l'Angleterre semble sur le point de tomber à son tour, Roosevelt invite King à Ogdensburg, dans l'État de New York. Au terme de cette rencontre, les deux chefs d'État publient un communiqué annonçant

21. W. L. Mackenzie King, citant ses propres paroles, *Débats de la Chambre des communes*, 30 mars 1939, p. 2459.
22. Stéphane Roussel, *op. cit.* (2002), p. 677.

la création d'une institution de défense conjointe, la Commission permanente canado-américaine de défense (CPCAD, mieux connue sous son appellation anglaise *Permanent Joint Board on Defence* [PJBD]). En avril 1941, la Déclaration de Hyde Park pose des règles de coopération entre les deux États pour la production de matériel de guerre[23]. Bien qu'elles ne contiennent aucune disposition formelle d'assistance mutuelle en cas d'agression, ces deux ententes jettent les fondements d'une alliance militaire et politique entre le Canada et les États-Unis.

Les bouleversements stratégiques survenus à cette époque ont, à long terme, des répercussions d'une portée considérable. Le sentiment de sécurité entretenu par les distances faussées des cartes en projection Mercator et l'importance stratégique relativement faible du Canada disparaissent avec l'établissement d'un nouvel équilibre des puissances et l'évolution de la technologie militaire. D'une part, avec l'émergence, après 1945, de deux superpuissances – l'Union soviétique et les États-Unis –, la position géostratégique du Canada prend un nouveau sens : jusque-là isolé des conflagrations entre grandes puissances, voilà qu'il se retrouve coincé entre deux rivaux. D'autre part, les progrès de la technologie militaire – en particulier l'invention des armes nucléaires et le développement de vecteurs à grande portée (bombardiers, puis missiles) – marquent le début d'une nouvelle ère stratégique[24].

Les termes du serment de Kingston continuent de s'appliquer tout au long de la Guerre froide : les États-Unis continuent de protéger le Canada, mais celui-ci doit faire sa part. Dès 1946, les militaires américains commencent à percevoir l'Arctique comme un secteur-clé du système de défense du continent et se mettent à redouter une attaque transpolaire par l'Union soviétique. Dans la décennie qui suit, les États-Unis cherchent à s'assurer que les systèmes de surveillance et d'interception des bombardiers soviétiques soient installés aussi près que possible des frontières de l'URSS, et donc

---

23. Voir, sur ce processus de rapprochement, Galen Roger PERRAS, *Franklin Roosevelt and the Origins of the Canadian-American Security Alliance, 1933-1945*, Westport (CT), Praeger, 1998 ; C. P. STACEY, *Canada and the Age of Conflict. A History of Canadian External Policies* (vol. 2 : *1921-1948 The Mackenzie King Era*), Toronto, University of Toronto Press, 1981 ; Stéphane ROUSSEL, *op. cit.* (2004).

24. Paul LÉTOURNEAU, « Entre les superpuissances : introduction à la problématique géostratégique du Canada », *Cahiers de géographie du Québec*, vol. 34, n° 93, décembre 1990, p. 285-298.

éloignés des centres industriels américains[25]. Pour les aviateurs américains (qui ont l'appui de leurs collègues canadiens), la solution appropriée passe par la mise en place d'un réseau de stations radars et de bases d'avions d'interception tout au long du Nord canadien et américain – ce que le *Financial Post* a appelé « la ligne Maginot de l'ère atomique » –, au grand dam de Mackenzie King[26]. Au cours des années 1950, les exigences américaines vont croissantes, les projets de lignes de radars se succédant, toujours plus élaborés. Mais le Canada n'a ni les ressources ni la volonté d'installer ce type de défense, ce qui place les dirigeants politiques devant un dilemme. D'une part, ni King ni Louis Saint-Laurent, son successeur à partir de 1948, ne sont prêts à puiser dans le Trésor pour financer ce genre de projet. D'autre part, les responsables à Ottawa savent que le Canada doit satisfaire à certaines des exigences formulées par les Américains, de crainte de voir ces derniers entreprendre unilatéralement, dans le Nord canadien, des projets qu'ils jugent essentiels à leur sécurité. En d'autres termes, il s'agit, pour le Canada, autant (sinon plus) d'une question de souveraineté que de sécurité[27]. La solution en fut une de compromis : le Canada paye le tiers des coûts de construction et d'entretien de la Ligne *Pinetree* (en 1951) et la totalité de ceux de la Ligne *Mid-Canada* (en 1954), mais les frais de la Ligne d'alerte avancée (*Distant Early Warning - DEW*, 1954) sont entièrement payés par les États-Unis[28].

La signature, en 1957, de l'Accord NORAD (Commandement conjoint pour la défense aérienne de l'Amérique du Nord - *North American Air Defence*) constitue le point culminant de l'évolution de la coopération canado-américaine en matière de défense. Cette entente marque l'intégration de la défense aérienne de l'Amérique du Nord, dans la mesure où l'ensemble du continent est désormais considéré comme un seul territoire et que les forces aériennes des deux pays sont placées sous un commandement unifié. Même

25. Joseph T. JOCKEL, *No Boundaries Upstairs*, Vancouver, University of British Columbia Press, 1987.
26. *Ibid.*, p. 24 ; W. L. MACKENZIE KING, *Débat de la Chambre des communes*, 12 février 1947, p. 350-353.
27. Shelagh D. GRANT, *Sovereignty or Security. Government Policy in the Canadian North (1936-1950)*, Vancouver, University of British Columbia Press, 1988.
28. Michel FORTMANN, « La politique de défense canadienne », dans Paul PAINCHAUD (dir.), *De Mackenzie King à Pierre Trudeau. Quarante ans de diplomatie canadienne (1945-1985)*, Québec, Presses de l'Université Laval, 1988, p. 479-481.

après le développement des missiles intercontinentaux (lesquels, contrairement aux bombardiers, ne peuvent être interceptés par des avions de chasse), NORAD est demeuré partie intégrante du système de défense nord-américain. Le changement de vocation du système de détection a d'ailleurs été officialisé en 1981, lorsque fut modifié le sens de l'acronyme NORAD, qui devait désormais signifier « Commandement de la défense *aérospatiale* (plutôt qu'aérienne) de l'Amérique du Nord ».

Malgré les critiques dont il a fait l'objet[29], le NORAD a probablement permis de trouver un compromis acceptable pour les deux parties. L'Accord apportait aux Américains la sécurité qu'ils recherchaient, tout en donnant aux Canadiens l'assurance que les États-Unis ne seraient pas tentés de violer leur souveraineté pour assurer leur propre défense. Il a aussi permis de donner une voix au chapitre pour le Canada en matière de défense continentale et a ainsi légitimé la pleine participation canadienne dans une relation fondamentale inégale. Comme le souligne John W. Holmes, « les [institutions canado-américaines] permettent de protéger les intérêts canadiens, au sein d'un continent déséquilibré. Le continentalisme est une force de la nature qui exige que l'on impose ensuite la discipline des institutions et des règlements[30]. » Et surtout, cette stratégie de défense n'a pas eu pour effet d'imposer au Trésor le fardeau financier qu'aurait nécessité un système de détection et d'interception entièrement canadien.

Le NORAD a été renouvelé à plusieurs reprises au cours de la Guerre froide (1968, 1973, 1975, 1980 et 1986), comme nous le verrons au chapitre 9. La création et le fonctionnement du NORAD illustrent bien la dynamique des rapports entre le Canada et les États-Unis en matière de défense. Le Canada n'a guère le choix de coopérer avec son voisin, mais il peut tout au moins tenter d'en gérer les modalités – et donc d'en circonscrire les conséquences négatives, surtout en ce qui a trait aux coûts financiers et à la souveraineté. Paul Létourneau et Michel Fortmann décrivent ces interactions de la façon sui-

---

29. Serge BERNIER, « La perception du NORAD par divers commentateurs du Canada », *Revue internationale d'histoire militaire*, n° 54, 1982, p. 246-272.
30. John W. HOLMES, témoignage devant le Comité de la Chambre des communes sur les Affaires extérieures et la Défense nationale, 10 octobre 1985. L'auteur exprimait une idée similaire en 1970 : John W. HOLMES, « Les institutions internationales et la politique extérieure », *Études internationales*, vol. 1, n° 2, juin 1970, p. 23.

vante : « En face d'un Pentagone qui définit presque unilatéralement la nature de la menace, le Canada essaie essentiellement de limiter les ambitions américaines tout en préservant le caractère amical des échanges[31]. » La crainte de voir les États-Unis suppléer unilatéralement aux carences de la défense du Canada semble si bien ancrée à Ottawa que, même après la fin de la Guerre froide, un document du ministère de la Défense affirmait, en 1992, que « les États-Unis s'attendent également que nous ferons un effort raisonnable pour assurer notre propre défense. Sans quoi ils pourraient avoir des exigences difficilement compatibles avec les notions d'indépendance et de souveraineté canadiennes[32]. »

La fin de la Guerre froide et le 11 septembre 2001

La coopération canado-américaine pour la surveillance de l'espace aérien de l'Amérique du Nord s'est poursuivie après la chute de l'Union soviétique, presque comme si de rien n'était. Le contexte stratégique a pourtant changé radicalement, et cela, en deux temps. Dans un premier temps, la dissolution de l'Union soviétique en 1991 a mené, en l'espace de quelques années, au démantèlement et à la destruction d'un grand nombre d'armes nucléaires, tant en Russie qu'aux États-Unis. Puis, Moscou et Washington en sont venus à l'accord de se « décibler » mutuellement : dès 1994, les armes nucléaires russes et américaines n'étaient plus programmées pour attaquer l'autre. Dans ce contexte, le NORAD a perdu, apparemment, une grande partie de sa raison d'être, et le territoire canadien n'a plus la même importance stratégique — même s'il s'est vu confier de nouvelles responsabilités, comme la lutte contre le trafic de stupéfiants, en 1991. Le système est cependant maintenu par les deux gouvernements pour des raisons de prudence, comme le spécifie le livre blanc sur la Défense de 1994 :

> Alors même que l'on procède à la réduction des opérations à des niveaux appropriés au temps de paix, le gouvernement est, en effet, convaincu qu'il demeure

---

31. Paul LÉTOURNEAU et Michel FORTMANN, « La politique de défense et de sécurité du Canada », dans Paul LÉTOURNEAU et Harold P. KLEPAK (dir.), *Défense et sécurité, onze approches nationales*, Montréal, Méridien/CQRI, 1990, p. 22.
32. MINISTÈRE DE LA DÉFENSE NATIONALE, *La politique de Défense du Canada 1992*, Ottawa, Ministère de la Défense nationale, avril 1992, p. 7.

prudent pour le Canada et les États-Unis de conserver les moyens de reconstituer leurs forces advenant une menace stratégique pour le continent – et donc de disposer d'un minimum de matériel, d'infrastructure et de savoir-faire[33].

La fin de la Guerre froide a pourtant entraîné une réduction de l'importance stratégique du territoire canadien – preuve éloquente qu'un facteur apparemment immuable comme la position géographique d'un pays n'est en aucun cas une constante absolue.

Deux facteurs allaient cependant relancer le débat sur l'avenir du NORAD. D'une part, tout au long des années 1990, les États-Unis continuent de mener des recherches sur un système de défense antimissile, ceci malgré l'abandon, par le gouvernement du président Reagan (1980-1988), de l'Initiative de défense stratégique (IDS), soit un système de défense basé dans l'espace. Poursuivis avec plus ou moins d'entrain sous le gouvernement de Bill Clinton (1992-2000), ces travaux permettent au gouvernement de George W. Bush d'autoriser, en décembre 2002, le déploiement des premiers éléments, basés au sol, du système, ce qui sera effectivement fait en 2004. Dans ce contexte, il fallait déterminer si le NORAD, avec toutes ses capacités de surveillance et de détection, allait faire partie du système de défense antimissile – ce qui, dans les faits, aurait signifié que le Canada y participait aussi.

Dans ce dossier, le gouvernement canadien a tergiversé pendant des années, car la question divisait tant le Cabinet que l'opinion publique – surtout au Québec[34]. Et lorsque vinrent finalement les décisions, elles se révélèrent contradictoires et susceptibles de mécontenter tout le monde. D'une part, le 5 août 2004, les deux gouvernements ont annoncé la formulation d'un amendement à l'entente, lequel « permet au NORAD de rendre sa fonction

---

33. MINISTÈRE DE LA DÉFENSE NATIONALE, *Le livre blanc sur la défense de 1994*, Ottawa, ministère des Approvisionnements et Services Canada, 1994, p. 24.
34. Pour un survol de l'évolution de la position canadienne, voir Philippe LAGASSÉ, « Une participation si nécessaire mais pas forcément une participation : le Canada et la défense contre les missiles », dans André DONNEUR (dir.), *Le Canada, les États-Unis et le monde. La marge de manœuvre canadienne*, Québec, Les Presses de l'Université Laval, 2005, p. 115-149 ; James FERGUSSON, « Voulez-vous jouer avec nous ? La décision sur le bouclier antimissile, le renouvellement du Commandement de la défense aérospatiale de l'Amérique du Nord et l'avenir des relations canado-américaines en matière de défense », *Revue militaire canadienne*, vol. 6, n° 2, été 2005, p. 12-22.

d'alerte antimissile [...] disponible pour les commandements américains chargés de la défense antimissile balistique [35] ». En d'autres mots, le NORAD communiquera des informations au commandant du système antimissile – et donc participera à son fonctionnement. D'autre part, en février 2005, le ministère des Affaires étrangères a affirmé que le Canada ne participerait pas au système, sans cependant remettre en question l'amendement du 5 août. Bref, le Canada ne participe pas officiellement, mais dans les faits, il y participe à travers le NORAD.

L'autre facteur ayant relancé la réflexion sur l'avenir du NORAD est, évidemment, le risque d'une nouvelle attaque terroriste utilisant les mêmes moyens employés par ceux qui ont agi le 11 septembre 2001, c'est-à-dire en précipitant des avions civils détournés vers une cible. Dans les mois qui ont suivi ces événements, le nombre d'avions de patrouille dirigés depuis le NORAD a augmenté considérablement, de manière à pouvoir intercepter des avions que l'on suspecte d'être pilotés par des terroristes[36]. Pour un temps en tout cas, les missions d'interception aériennes sont redevenues prioritaires.

Enfin, ces attentats semblent avoir démontré que les termes du Serment de Kingston sont toujours d'actualité. Ils ont en effet rappelé au gouvernement canadien ses responsabilités en matière de défense et de sécurité de l'Amérique du Nord, notamment celle qui veut que le Canada ne permette pas à des ennemis des États-Unis de se servir de son territoire comme base pour opérer de l'autre côté de la frontière. Ce principe, qui s'appliquait aux forces militaires au cours de la Deuxième Guerre mondiale et de la Guerre froide, s'applique maintenant aux terroristes. C'est dans cette optique que le gouvernement canadien a dû, dans les mois qui ont suivi les attentats de New York et Washington, adopter un certain nombre de lois pour lutter contre le terrorisme[37], augmenter les budgets des différents organismes de sécurité et de défense, et conclure plusieurs accords avec les États-Unis, notamment

---

35. MINISTÈRE DE LA DÉFENSE NATIONALE. « Le Canada et les États-Unis amendent l'accord sur le NORAD », *Communiqué* NR 04.058, 5 août 2004.
36. Joseph T. JOCKEL, « Après les attaques de septembre : quatre questions sur l'avenir du NORAD », *Revue militaire canadienne*, vol. 3, n° 1, printemps 2002, p. 11-16.
37. Il s'agit des projets des Loi C-11 sur l'immigration au Canada et l'asile conféré aux personnes déplacées, persécutées ou en danger (2001), C-16 sur l'enregistrement des organismes de bienfaisance (2001), C-36 sur les mesures antiterroristes (2001) et C-17 sur la sécurité publique (2002).

sur la sécurité aux frontières, créant implicitement ainsi ce que l'on a appelé le « périmètre de sécurité nord-américain[38] ». Depuis avril 2005, les dirigeants politiques préfèrent parler de « communauté de sécurité nord-américaine » qui englobe aussi le Mexique. Mais l'établissement d'une relation de sécurité plus étroite à trois pays demeure encore une possibilité lointaine.

Le voisinage

Bien que les frontières terrestres et maritimes du Canada soient contiguës au territoire de quatre pays (États-Unis, Russie, France, Danemark/Groenland), ce sont les relations avec les États-Unis qui, pour des raisons démographiques, culturelles, économiques et idéologiques évidentes, constituent le centre des préoccupations de la politique étrangère canadienne, au point où celle-ci se résume fondamentalement en une recherche constante de l'équilibre entre le continentalisme et l'internationalisme ou, pour reprendre le titre d'un ouvrage sur le sujet, « entre les États-Unis et le monde[39] ». Même si certains affirment que le Canada est une nation arctique[40], les Canadiens sont, en fait, tournés vers le sud. L'essentiel de la population occupe une mince bande de

---

38. Sur ces mesures et sur la notion de « périmètre », voir Stéphane ROUSSEL, *op. cit.* (2002) ; André DONNEUR, Stéphane ROUSSEL et Valentin CHIRICA, « Les conséquences des événements du 11 septembre sur l'autonomie de la politique étrangère canadienne : les mesures de sécurité et la nouvelle législation antiterroriste », dans Stanislav KIRSCHBAUM (dir.), *Terrorisme et sécurité internationale*, Bruxelles, Bruylant, 2004, p. 171-198.

39. Panayotis SOLDATOS et André P. DONNEUR (dir.), *Le Canada entre les États-Unis et le monde*, North York, Captus Press, 1989. Voir aussi Lloyd AXWORTHY, « Entre mondialisation et multipolarité : pour une politique étrangère du Canada globale et humaine », *Études internationales*, vol. XXVIII, n° 1, mars 1997, p. 107 et 109.

40. Les documents officiels tendent souvent à se servir de cette référence. Ainsi, en 1985, le gouvernement conservateur affirmait, dans son livre vert sur la politique étrangère : « Nous sommes une nation de l'Arctique. Le Grand Nord occupe une place distincte dans notre conscience et notre identité nationale » ; *Compétitivité et sécurité..., op. cit.*, p. 1. Cette idée sera à nouveau exprimée par le Comité spécial chargé de revoir la politique extérieure du Canada, qui affirmera que, en tant que pays arctique, le Canada a une responsabilité particulière dans le développement de cette région. *La politique étrangère du Canada : principes et priorités pour l'avenir, op. cit.*, p. 45-46. En septembre 1998, le ministre Axworthy rendait public un document d'orientation définissant les grandes lignes d'une approche canadienne dans cette région. MINISTÈRE DES AFFAIRES ÉTRANGÈRES, *Vers une politique étrangère canadienne visant le Nord*, Ottawa, 1998.

300 kilomètres le long de la frontière américaine – aussi loin que possible de l'immensité arctique. La société canadienne est, par conséquent, perméable à l'influence de son voisin du sud (culture, médias, société et économie). Les trois quarts des Canadiens parlent la même langue que les Américains, et qui plus est, la majorité écrasante de Canadiens – anglophones et francophones – partage les valeurs libérales qui prédominent en Amérique du Nord. Tous ces facteurs engendrent une homogénéisation sociopolitique qui transcende les barrières linguistiques et nationales propres au Canada. La structure de l'activité économique est aussi axée sur le Sud – en particulier le volume des échanges et des investissements entre le Canada et les États-Unis.

Ces données sur la structure, la nature et la répartition géographique de la société canadienne méritent une certaine attention, ne serait-ce que pour comprendre pourquoi la politique étrangère du Canada a toujours été axée sur les États-Unis. Cette tendance est déjà perceptible dans les années 1770, lorsque les loyalistes, qui fuient la Révolution américaine, émigrent vers le nord. Elle se renforce tout au long du xxe siècle, alors que les États-Unis s'imposent comme la puissance dominante du système mondial, que se propage sa culture et que s'accroît son pouvoir économique. Et elle se confirme au début du xxie siècle, alors que les Canadiens découvrent combien tous les aspects de leur vie sont dépendants de l'ouverture de leur frontière avec les États-Unis.

Tout ceci met en relief une autre particularité de la situation géographique du Canada : son isolement. Malgré les efforts répétés pour renforcer les relations du Canada avec les pays d'Amérique latine (notamment sous les gouvernements Trudeau et Mulroney), ceux-ci ne sont « voisins » que de nom[41]. Mais, même si le commerce et les autres échanges avec l'Amérique centrale et l'Amérique latine se sont développés sur une base régulière depuis 1968, et en dépit du fait que l'Amérique latine a pris de plus en plus d'importance dans l'économie de l'hémisphère Sud, il faut bien admettre que, malgré le potentiel qu'ils recèlent, les liens entre les Canadiens et leurs voi-

---

41. James ROCHLIN, *Discovering the Americas. The Evolution of Canadian Foreign Policy Towards Latin America*, Vancouver, UBC Press, 1994.

sins au sud du Rio Grande demeurent ténus[42]. D'autres efforts ont été faits pour permettre un rapprochement avec les États circumpolaires, les pays scandinaves et la Russie – comme la tenue d'une réunion ministérielle du Conseil de l'Arctique en septembre 1998 –, mais la réalité démographique de la société canadienne limite ces relations à un niveau purement symbolique. Cet isolement présente des inconvénients et des avantages. Contrairement à d'autres petits États vivant à l'ombre d'une grande puissance, le Canada n'a aucun autre voisin pour faire contrepoids au rôle prépondérant des États-Unis. Par contre, les relations canado-américaines sont toujours demeurées exceptionnelles (si bien que, au début du XXe siècle, certains commentateurs utilisaient le terme « exceptionnalisme » pour désigner la dynamique entre les deux États[43]), et bien peu de pays situés dans l'entourage immédiat d'une grande puissance ont pu instaurer cette qualité de relation.

La structure économique

Pendant la plus grande partie de leur histoire, les Canadiens ont pu bénéficier des bienfaits que leur procurait leur position au sein du « triangle nord-atlantique[44] ». Ils pouvaient exporter des matières premières et des produits agricoles, et importer des produits manufacturés, d'abord de l'Angleterre, puis des États-Unis.

Un trait caractéristique de la structure économique du Canada est que, depuis la révocation des Lois sur les grains en 1846 (*Corn Laws*), il n'a jamais été autosuffisant. L'économie canadienne dépend largement, aujourd'hui encore, du commerce avec l'étranger. Environ un tiers du produit national brut (PNB) est généré par les exportations. « La nécessité de commercialiser cet énorme surplus de matières premières doit toujours être la principale préoccupation de la politique extérieure du Canada », écrivait

---

42. David G. HAGLUND, *The North Atlantic Triangle Revisited. Canadian Grand Strategy at Century's End*, Toronto, CIIA, 2000, p. 70-71.

43. Donald BARRY, « The Politics of "Exceptionalism" : Canada and the United States as a Distinctive International Relationship », *Dalhousie Review*, vol. 60, n° 10, printemps 1980, p. 114-137.

44. J. Bartlet BREBNER, *North Atlantic Triangle : The Interplay of Canada, the United States and Great Britain*, New York, 1945. Voir aussi David G. HAGLUND, *op. cit.*

F. R. Scott en 1932[45]. Il en a toujours été ainsi, et il en sera probablement toujours ainsi. Car, comme le déclara Rodney de C. Grey en 1981, la politique étrangère d'un petit pays qui dépend énormément du commerce « devrait être, en majeure partie, une politique de relations commerciales[46] ». Roy MacLaren, ministre du Commerce international dans le premier gouvernement Chrétien, se montre encore plus direct : « [L]a politique extérieure [du Canada] est une politique commerciale[47]. »

La structure du commerce du Canada a évolué d'une façon qui en préoccupait plusieurs. Tout au long du xxᵉ siècle, les échanges commerciaux se sont progressivement étendus vers un seul marché, celui des États-Unis. Les relations commerciales Canada/États-Unis sont ainsi devenues les plus importantes du monde. À la fin des années 1930, seulement 37 % des exportations canadiennes étaient destinées aux États-Unis, et 43 % au marché britannique. En 1950, les États-Unis recevaient 65 % des exportations canadiennes, alors que la part destinée à la Grande-Bretagne avait fondu à 15 %. En 1970, les exportations vers les États-Unis se situaient autour de 70 %, et grimpent jusqu'à 75 % en 1985. En 1993, environ 80 % des exportations étaient destinées aux États-Unis, alors qu'elles se limitaient à 7 % vers l'Europe de l'Ouest[48]. Et au début des années 2000, la part du commerce canadien absorbé par le commerce américain est de l'ordre de 87 % ! Le Canada n'est pas seulement devenu dépendant de son commerce extérieur pour assurer sa prospérité, mais de plus en plus dépendant d'un marché unique pour assurer cette prospérité.

---

45. F. R. SCOTT, « The Permanent Bases of Canadian Foreign Policy », *Foreign Affairs*, vol. 10, 1932, p. 627.
46. Cité dans Richard G. LIPSEY, « Canada and the United States : The Economic Dimension », dans Charles F. DORAN et John H. SIGLER (dir.), *Canada and the United States. Enduring Friendship. Persistent Stress*, Englewood Cliffs (NJ), Prentice-Hall, 1985, p. 81.
47. Andrew COHEN, « Canada in the World : The Return of the National Interest », *Behind the Headlines*, vol. 52, nᵒ 4, été 1995, p. 4.
48. Chiffres tirés de Richard ARTEAU, « Libre-échange et continentalisme : récapitulations », dans Christian DEBLOCK et Richard ARTEAU (dir.), *La politique économique canadienne à l'épreuve du continentalisme*, Montréal, GRETSE-ACFAS, 1988, p. 169-195 ; Christian DEBLOCK et Dorval BRUNELLE, *Le libre-échange par défaut*, Montréal, VLB, 1989, en particulier p. 29-138 ; PARLEMENT DU CANADA, *La politique étrangère du Canada : principes et priorités pour l'avenir, op. cit.*, p. 29.

Quelles sont les conséquences d'une telle structure économique sur la politique extérieure canadienne ? En premier lieu, les intérêts politiques et la sécurité du Canada sont, évidemment, tributaires de ses relations commerciales, comme le faisait valoir Gerald Helleiner devant un comité parlementaire sur la politique extérieure en 1985 :

> La première priorité pour un pays comme le Canada, qui dépend dans une si large mesure de la stabilité et de la prévisibilité du système économique international, doit assurément être la stabilité et l'ordre du système international. [...] Ça devrait être la toute première priorité de la politique étrangère canadienne[49].

Les gouvernements canadiens ont toujours reconnu ce lien entre la paix et la croissance économique. Et cette particularité, plus que toute autre sans doute, explique pourquoi les gouvernements d'Ottawa ont, depuis 1945, été préoccupés par le maintien de la paix internationale et les moyens d'éviter les conflits majeurs.

En second lieu, le fait que les exportations canadiennes se concentrent de plus en plus vers les États-Unis rend Canada extrêmement « vulnérable et sensible[50] ». Washington – comme n'importe quel autre gouvernement – cherche avant tout à protéger et à promouvoir les intérêts de l'État et de la société américaine. L'économie canadienne peut parfois faire les frais des poussées de fièvre protectionnistes américaines, comme ce fut le cas dans les années 1930. Une proposition visant à augmenter substantiellement les tarifs douaniers sur les importations, déposée au Congrès par le sénateur Reed Smoot et le représentant Willis Hawley juste avant le krach de 1929, fut ratifiée

---

49. PARLEMENT DU CANADA, *Indépendance et internationalisme. Rapport du Comité mixte spécial sur les relations extérieures du Canada*, Ottawa, 1986, p. 13.

50. Les termes « vulnérable et sensible » sont employés ici dans le sens que leur donnent Keohane et Nye, c'est-à-dire appliqués à une situation d'interdépendance. Le degré de *sensibilité* est déterminé par *l'ampleur des effets*, sur un État, d'une modification de la relation d'interdépendance, avant que l'État touché ne prenne des mesures pour corriger la situation (par exemple, l'adoption de mesures protectionnistes par l'autre État). La *vulnérabilité* réfère à la capacité de cet État à trouver des solutions de rechange lorsque surviennent ces modifications. Plus ces solutions de rechange sont coûteuses, plus le degré de vulnérabilité est élevé. Robert O. KEOHANE et Joseph S. NYE, *Power and Interdependence. World Politics in Transition*, Toronto, Little Brown, 1977.

par le président Herbert Hoover en juin 1930[51]. Mackenzie King, puis son successeur conservateur Robert B. Bennett, durent, en guise de représailles, augmenter les tarifs douaniers canadiens, ce qui eut pour effet de faire dégringoler les échanges commerciaux entre les deux pays. Les conséquences de cette guerre commerciale, survenue en pleine dépression, furent catastrophiques, tant sur le plan de la production que de l'emploi. Déterminé à éviter un nouveau conflit, le gouvernement Bennett, soutenu par l'opposition libérale, réagira, en 1933, comme l'on fait la plupart des gouvernements canadiens se trouvant dans une telle situation, en cherchant la conclusion d'un accord de libre-échange avec les États-Unis.

Les mesures protectionnistes des Américains ne sont pas toutes dirigées contre le Canada. Car, même en étant le principal partenaire des États-Unis, le Canada ne compte que pour 22 % des échanges commerciaux américains. Par conséquent, les dirigeants américains ont tendance à ignorer le Canada dans leurs tentatives auprès de l'Union européenne et du Japon pour en arriver à des pratiques commerciales plus équitables. Cependant, certaines politiques menées par Washington visent délibérément le Canada, et tout particulièrement les initiatives canadiennes qui peuvent nuire aux intérêts américains.

Le conflit sur la question de la télédiffusion transfrontalière, au cours des années 1970, illustre bien cette tendance des dirigeants américains, surtout au Congrès, de défendre vigoureusement les intérêts américains, quitte à exercer des représailles. En 1976, le gouvernement Trudeau adoptait le projet de loi C-58, lequel visait à amender la Loi de l'impôt sur le revenu pour promouvoir le financement de la télévision canadienne. Désormais, les entreprises canadiennes faisant de la publicité sur les ondes des stations de télévision américaines ne pourraient plus déduire ces dépenses de leurs impôts. Les réseaux de télévision américains, voyant fondre leurs revenus de source canadienne, n'ont pas tardé à faire des pressions sur les membres du Congrès pour obtenir compensation. L'occasion s'est présentée en 1977, alors que le Sénat étudiait une série d'amendements à la loi de l'impôt sur le revenu. L'une des propositions consistait à exclure des déductions admissibles les dépenses encourues lors de congrès ou conférences tenus à l'étranger, ce qui affectait directement l'industrie touristique des Caraïbes, du Mexique et du

---

51. C. P. STACEY, *op. cit.* (1981).

Canada. Un sous-amendement fut alors proposé pour exempter ces pays de la nouvelle législation, lequel fut bloqué par les sénateurs des États touchés par le projet de loi C-58. Entre 1978 et 1980, date à laquelle on parvint enfin à une solution, les pertes encourues par l'industrie touristique canadienne et les organisateurs de congrès s'élevèrent à 200 000 000 $, tandis que les pertes en publicité pour les réseaux de télévisions américains furent estimées à 20 000 000 $[52].

Le commerce du bois d'œuvre offre un autre exemple de représailles américaines. Pendant plus de vingt-cinq ans, les relations canado-américaines ont été empoisonnées par la question des exportations canadiennes de bois de charpente. Grâce à ses prix compétitifs que ne pouvaient égaler les Américains, l'industrie canadienne du bois d'œuvre avait réussi à pénétrer le marché américain et, au début des années 1980, un bon tiers du bois sur le marché des États-Unis provient du Canada. L'industrie américaine du bois d'œuvre n'a pas à demander la protection de Washington, en alléguant qu'elle était défavorisée par les droits de coupe imposés par Ottawa sur le bois de construction. L'argument tenait au fait que ces droits étaient si minimes qu'ils équivalaient, pour les Canadiens, à une subvention à l'exportation. En 1982, les producteurs américains, réunis en un groupe de pression nommé *Coalition for Fair Lumber Imports* (CFLI), adressaient une pétition au Département du Commerce des États-Unis réclamant un droit compensatoire sur les importations canadiennes de bois de construction. La pétition a été rejetée, mais l'industrie est revenue à la charge en mai 1986. La Commission des États-Unis sur le commerce international devait alors statuer que les politiques des provinces canadiennes avaient, en effet, causé grand tort à l'industrie américaine du bois de construction. Le gouvernement Mulroney, convaincu de perdre la cause, parvint à négocier un compromis : il imposerait lui-même une taxe de 15 % sur ses exportations, si l'industrie du bois de construction américaine acceptait de retirer sa pétition, laquelle exigeait des droits compensatoires de 32 %. À l'expiration de cette entente en 1991, la Coalition redoubla d'efforts pour obtenir de nouvelles concessions. Finalement, en

---

52. Donald K. HARPER et Robert L. MONAHAN, « Bill C-58 and the American Congress : The Politics of Retaliation », *Canadian Public Policy*, vol. 4, printemps 1979, p. 184-195 ; Isaiah A. LITVAK et Christopher J. MAULE, « Bill C-58 and the Regulation of Periodical in Canada », *International Journal*, vol. 36, hiver 1980-1981, p. 89.

février 1996, sous la menace d'autres mesures de représailles, le gouvernement Chrétien négocia avec Washington un accord de cinq ans : le Canada acceptait de réduire ses exportations de bois d'œuvre contre une promesse de ne pas intenter de nouvelles poursuites avant mars 2001[53]. Dès l'expiration de l'entente, la CFLI revint à la charge, ce qui incita le Département du commerce à imposer des droits de 19 % au bois en provenance du Canada, d'abord de façon temporaire puis, en mai 2002, de façon permanente. La querelle fut alors portée devant les principales institutions internationales chargées de régir le commerce, comme l'Organisation mondiale du commerce (OMC) et un groupe spécial de l'ALENA. Malgré de nombreuses victoires du Canada, la Coalition ne lâcha pas prise et força le gouvernement américain à continuer d'appliquer des droits compensateurs. Une entente est finalement intervenue en 2006, et pour sept ans, selon laquelle le Canada adopte des droits à l'exportation dont l'importance variera selon plusieurs facteurs, dont le prix du bois. En échange, les États-Unis cesseront de percevoir des droits compensatoires et rembourseront une partie des sommes retenues depuis 2002.

Ainsi, lorsqu'ils estiment que le commerce canadien leur porte préjudice, les Américains cherchent à protéger leurs intérêts, parfois à l'aide de lois américaines pour contester, auprès des tribunaux américains, les politiques et les programmes du Canada. Dans bien des cas, les querelles commerciales découlent des pratiques différentes, dans les deux pays, en matière d'assistance sociale. Par exemple, l'industrie halieutique de la côte est américaine réclamait des droits compensatoires sur les importations de poisson canadien, en faisant valoir que le Canada subventionnait ses pêcheurs par son programme d'assurance-chômage. Dans ce cas, l'Agence du commerce international des États-Unis (ITA) devait estimer que pas moins de 54 programmes canadiens constituaient une forme de subvention et appliqua un droit compensatoire sur les importations de poisson canadien[54]. En d'autres occasions, comme dans le conflit de la télédiffusion transfrontalière, ou encore lors du recul du gouvernement Trudeau sur le Programme énergétique

---

53. David LEYTON-BROWN, « The Political Economy of Canada-U.S. Relations », dans Brian W. TOMLIN et Maureen APPEL MOLOT (dir.), *Canada Among Nations 1986 : Talking Trade*, Toronto, Lorimer, 1987, p. 158-161 ; *The Globe and Mail*, 17 février 1996, p. A1-A2.

54. *Ibid.*, p. 162-163.

national en 1980 et en 1981[55], les Américains n'ont eu qu'à s'appuyer sur le poids de leur économie pour protéger leurs intérêts commerciaux contre ce qu'ils perçoivent comme des pratiques commerciales « injustes » venant du Canada. Depuis 2002, le discours commercial américain s'est enrichi d'une nouvelle dimension, puisque les pratiques perçues comme injustes sont désormais imbriquées dans une logique de « sécurité », ce qui justifie d'autant plus l'usage de mesures draconiennes à l'égard des États qui, aux yeux de Washington, ne se conforment pas aux règles du jeu[56].

La dépendance à l'égard du marché américain va forcer les gouvernements qui se sont succédé à Ottawa à élaborer des politiques propres à réduire la vulnérabilité de l'économie canadienne. À la fin des années 1960 et au début des années 1970, les libéraux optent pour une approche qui doit réduire la dépendance du commerce canadien, en formulant des politiques visant à encourager le développement de nouveaux marchés (Europe, Asie, Amérique latine). Cette politique de diversification commerciale, dite « troisième option[57] » sera complétée par des mesures destinées à renforcer le contrôle, par des intérêts locaux, de certains secteurs de l'économie canadienne largement contrôlés par des firmes étrangères. Le Programme énergétique national mis en place en octobre 1980, par exemple, entre dans cette catégorie d'initiatives.

Au début des années 1980, il apparaît cependant évident que les politiques de diversification commerciale ne peuvent donner les résultats attendus.

---

55. Les fortes pressions exercées par le gouvernement Reagan (de concert avec les provinces et le Parti conservateur du Canada) pour pousser le gouvernement Trudeau à abandonner plusieurs aspects de sa politique de « canadianisation » de l'industrie pétrolière sont décrites dans Michel DUQUETTE, « Politique canadienne de l'énergie et libre-échange ou le sacrifice d'Iphigénie », *Études internationales*, vol. 19, n° 1, mars 1988, p. 5-32.

56. Voir, par exemple, GOUVERNEMENT DES ÉTATS-UNIS, *The National Security Strategy of the United States of America*, Washington, septembre 2002, p. 19.

57. Le terme « troisième option » a été employé par le ministre des Affaires extérieures Mitchell Sharp par opposition à deux autres approches, la première étant le *statu quo*, la seconde, le libre-échange. Mitchell SHARP, « Relations canado-américaines : choix pour l'avenir », *Perspectives internationales*, automne 1972, p. 3-27. Voir Panayotis SOLDATOS, « Les données fondamentales du devenir de la politique étrangère canadienne : essai de synthèse », *Études internationales*, vol. 14, n° 1, mars 1983, p. 5-22.

L'intégration des économies canadienne et américaine, et la dépendance de la première à l'égard de la seconde, sont une « tendance lourde » qu'Ottawa peut difficilement freiner. À la fin des années 1970 et au début des années 1980, le renforcement des pratiques protectionnistes aux États-Unis et ses conséquences dramatiques sur l'économie canadienne scellent l'échec de l'approche par la diversification. Les conservateurs, qui arrivent au pouvoir en 1984, adoptent une approche diamétralement opposée à celle des libéraux. Selon eux, plutôt que de chercher vainement à réduire la dépendance de l'économie canadienne face au marché américain, il vaut mieux tenter de la gérer et d'en réduire les effets néfastes, ce qui, concrètement, signifiait deux choses. D'une part, il faut garantir aux entreprises canadiennes un libre accès au marché américain. D'autre part, il est impératif de limiter la propension du Congrès et du gouvernement américain à imposer des mesures protectionnistes qui, ajoutées les unes aux autres, finissent par devenir insoutenables pour l'économie canadienne. Le gouvernement Mulroney ouvre donc, en 1986, une ronde de négociations qui aboutissent, en janvier 1988, à la signature de l'Accord de libre-échange nord-américain (ALENA). Il sera complété, le 1er janvier 1994, par l'entrée en vigueur d'un accord trilatéral comprenant le Mexique[58]. Au début des années 2000, cependant, le projet de création d'une zone de libre-échange des Amériques (ZLEA) échoue, marquant ainsi un coup d'arrêt dans le processus d'intégration économique régionale.

La vulnérabilité économique du Canada a également des conséquences sur certaines questions de politique étrangère, parfois apparemment éloignées des relations bilatérales canado-américaines. Certaines décisions prises par Ottawa sont, en effet, adoptées en fonction des répercussions possibles sur ces relations bilatérales. La condamnation des violations des droits de la personne à Cuba, l'achat de nouveaux appareils par Air Canada, ou encore la participation canadienne à la guerre en Afghanistan, sont autant de décisions qui tiennent largement compte des relations canado-américaines. Le Canada n'est pas le seul gouvernement à agir ainsi. En fait, tous les États sont forcés d'en arriver là, parce que les intérêts, la puissance et l'influence des

---

58. Emmanuel NYAHOHO, « Politique commerciale canadienne : d'un protectionnisme pragmatique au système de préférence britannique et à l'ALENA », *Études internationales*, vol. 17, n° 4, décembre 1996, p. 795-825.

États-Unis sont omniprésents à l'échelle planétaire. Comme l'exprime si bien l'ambassadeur du Canada à Washington, Charles Ritchie, dans son journal intime, en 1963 : « Ils sont partout, ils se mêlent de tout – un mariage au Népal, une grève en Guinée britannique, sur la plus perdue des îles grecques, dans le havre le plus reculé de Donegal, sur les rives du Limpopo. Les affaires privées et internes de tous les pays intéressent les Américains[59]. » Le gouvernement canadien doit, dans tous ses calculs, tenir compte des intérêts américains. Ignorer cette dimension entraînerait des conséquences très lourdes, sans doute plus lourdes pour le Canada que pour la plupart des autres États. En juillet 1967, le premier ministre Lester B. Pearson devait avoir recours à ce type d'argument pour justifier la position du Canada à l'égard de l'intervention américaine au Viêt-nam :

> Ce n'est pas la considération primordiale pour déterminer notre propre politique, bien sûr, mais nous ne pouvons ignorer le fait qu'un désaccord manifeste avec les États-Unis sur la question du Viêt-nam, désaccord qu'ils percevraient comme injuste ou inamical, aurait comme conséquence immédiate que Washington regarderait d'un œil plus critique certains aspects de notre relation, qui nous profite autant qu'à eux. Ce n'est pas très rassurant, mais, dans le domaine économique, quand votre commerce dépend à 60 % d'un seul pays, vous vous retrouvez dans une position de dépendance considérable[60].

Si Pearson était inquiet d'une possible bévue d'Ottawa, ce n'était pas par crainte de représailles immédiates contre l'économie canadienne. La riposte aurait été plus subtile, selon J. W. Holmes :

> Que cela plaise [aux Canadiens] ou non – et ça ne leur plaît pas –, ils sont vulnérables au mécontentement des Américains. Il y a peu de chances pour que ce mécontentement s'exprime par une action punitive ou de viles représailles ; cela se ferait plutôt ressentir par la disparition soudaine de la bonne volonté des États-Unis, qui jusqu'à maintenant les a retenus de profiter de leur puissance économique et militaire pour faire du tort au Canada[61].

---

59. Charles RITCHIE, *Storm Signals : More Undiplomatic Diairies, 1962-1971*, Toronto, Macmillan, 1983, p. 53.
60. Cité dans John W. HOLMES, *The Better Part of Valour : Essays on Canadian Diplomacy*, Toronto, McClelland and Stewart, 1970, p. 175.
61. *Ibid.*, p. 177-178.

Il n'est donc pas surprenant que les dirigeants canadiens ménagent les susceptibilités des États-Unis, lorsqu'ils doivent réagir ou prendre des initiatives à l'étranger. Les politiques canadiennes, sans être totalement tributaires des humeurs de Washington, ont, en de nombreuses occasions, été élaborées en fonction des risques de détérioration des relations canado-américaines. Le cas de la reconnaissance de la République populaire de Chine (RPC) en est un bon exemple. En 1949, et pendant près de vingt ans, le Canada reconnaît comme seul gouvernement légitime celui de Jiang Jieshi (Tchang Kaï-Chek), réfugié dans l'île de Taiwan, et ce, malgré la victoire des forces communistes de Mao Zedong sur le continent et l'antipathie qu'une grande partie de l'élite politique canadienne éprouvait pour les autorités de Taipei, jugées incapables et corrompues. Ce refus de reconnaître les autorités de Beijing ne peut être associé à une manifestation de haine pour les communistes de Mao, la révolution apparaissant comme légitime aux yeux de bon nombre d'observateurs en raison des conditions économiques et sociales du peuple chinois. Cette attitude découle plutôt d'une volonté de ne pas heurter de front la politique asiatique des États-Unis. Les conséquences à long terme d'une tel « manque de solidarité » ou de loyauté étaient, en effet, jugées beaucoup trop graves par Ottawa, en termes non pas tant économiques que politiques.

Il ne s'agit toutefois pas d'un principe immuable. À de nombreuses reprises, les dirigeants canadiens ont accepté de croiser publiquement le fer avec Washington sur des questions délicates qui vont bien au-delà des rapports bilatéraux, quitte à en subir les conséquences. Ce qu'a fait John Diefenbaker pendant la crise des missiles de Cuba en 1962 ; et également Pierre Trudeau à plusieurs reprises – depuis le bombardement d'Hanoi et d'Haiphong en décembre 1972, jusqu'à l'invasion de Grenade par les troupes américaines en octobre 1983. Il en va de même pour Jean Chrétien, qui a surpris tous les observateurs le 17 mars 2003 en déclarant que le Canada ne se joindrait pas à la coalition menée par les États-Unis contre l'Irak – ceci en dépit des prophètes de malheur qui prédisaient que la vengeance économique des Américains allait être terrible[62]. Enfin, son successeur, Paul Martin, a annoncé,

---

62. Justin MASSIE et Stéphane ROUSSEL, « Le dilemme canadien face à la guerre en Irak, ou l'art d'étirer un élastique sans le rompre », dans Alex MACLEOD (dir.), *Diplomaties en guerre. Sept États face à la crise irakienne*, Montréal, Athéna, 2005, p. 77.

en février 2005, que le Canada ne participerait pas au système américain de défense antimissile.

Si certains gouvernements nouvellement élus se montrent parfois déterminés à améliorer les relations avec les États-Unis, ils finissent généralement par trouver matière à critiquer certains aspects de la politique étrangère américaine. C'est le cas de Lester Pearson, moins de deux ans après son arrivée au pouvoir, qui prononce un réquisitoire incendiaire à l'Université Temple de Philadelphie contre l'intervention américaine au Viêt-nam (traité au chapitre 5). Brian Mulroney aussi, lui qui s'était juré qu'il donnerait toujours aux États-Unis le « bénéfice du doute » et qu'il se montrerait moins critique à l'égard de Washington, doit se distancer du gouvernement Reagan sur un certain nombre de questions, telles que l'aide aux *contras* du Nicaragua, l'interprétation du libellé du Traité sur les missiles antibalistiques (ABM) de 1972, la militarisation de l'espace ou la politique américaine en Afrique du Sud[63]. Paul Martin, qui avait pourtant fait de l'amélioration des relations avec les États-Unis un élément important de son programme, en est finalement venu à critiquer si durement le gouvernement Bush que le 13 décembre 2005, en pleine campagne électorale, l'ambassadeur américain au Canada, David Wilkins, s'est permis de semoncer le chef libéral.

En certaines occasions, le gouvernement canadien peut décider de soutenir certaines initiatives américaines, aussi peu judicieuses qu'elles semblent. Ce fut le cas le 15 avril 1986, lorsque les États-Unis menèrent un raid aérien contre la Libye, en réponse aux attentats terroristes perpétrés en Europe à l'instigation du chef d'État libyen, Mouammar al-Kadhafi. Malgré la remise en question, par les députés libéraux et néo-démocrates, du bien-fondé de ces représailles, le gouvernement Mulroney ne retira pas son appui à Washington. Le premier ministre et son ministre de la Défense, Erik Nielsen, firent valoir qu'ils acceptaient les explications du gouvernement Reagan et considéraient ces attaques aériennes comme une réponse adéquate aux attentats.

Les réserves, bien réelles, qu'entretenaient certains dirigeants et hauts fonctionnaires à l'égard de l'opération américaine n'ont pas été exprimées publiquement. Au moment où le président Reagan autorisait les frappes aériennes

---

63. Adam BROMKE et Kim Richard NOSSAL, « A Turning Point in U.S.-Canadian Relations », *Foreign Affairs*, vol. 66, automne 1987, p. 164-167.

sur la Libye, le Comité des finances du Sénat américain entreprenait ses délibérations sur l'ouverture des négociations sur le libre-échange entre les deux pays. Le 11 avril, plusieurs sénateurs avaient clairement exprimé leur volonté de s'opposer à la tenue d'un vote rapide (procédure dite du *fast-track*) sur l'approbation des négociations. Le 16 avril, ils déposaient une motion mettant un veto au projet. Le vote sur le veto fut reporté trois fois, pendant que, dans les coulisses, se poursuivaient des négociations effrénées entre la Maison-Blanche et le Capitole pour arriver à une obtenir une majorité au comité. Finalement, le 23 avril, le veto fut rejeté, par un vote serré de 10 contre 10 – ce qui obligea le gouvernement Reagan à consentir des compromis aux sénateurs, en échange de leur appui. Compte tenu des circonstances, le gouvernement canadien estimait plus prudent d'appuyer l'attaque américaine contre la Libye, non par servilité, mais bien parce qu'une attitude hésitante, sinon ouvertement critique, aurait pu faire basculer le vote de quelques sénateurs sur la question du libre-échange[64].

Les liens multilatéraux

Le Canada, comme beaucoup d'autres petits États, est un partisan enthousiaste du multilatéralisme, généralement considéré comme plus avantageux et moins dangereux que les relations bilatérales[65]. Il n'est donc pas étonnant de le voir se joindre à de nombreuses institutions et coalitions internationales. Dans la mesure où le multilatéralisme est, depuis la fin de la Deuxième Guerre mondiale, une voie privilégiée par les dirigeants canadiens pour conduire la politique étrangère, et où ce choix impose un certain nombre de contraintes à cette politique, il convient de l'examiner en détail.

La plupart des analystes de ce phénomène font généralement peu de distinction entre les différents types de liens multilatéraux qu'entretient le

---

64. G. Bruce DOERN et Brian M. TOMLIN, *Faith and Fear : The Free Trade Story*, Toronto, Stoddart, 1991, p. 35-39.
65. Allen SENS, « La coopération selon le néoréalisme : la cooptation des petits États d'Europe centrale et de l'Est », *Études internationales*, vol. 26, n° 4, décembre 1995, p. 767 ; Robert ROTHSTEIN, *Alliances and Small Powers*, New York, Columbia University Press, 1968, p. 124-125.

gouvernement canadien[66]. Il existe pourtant de nombreuses typologies, fondées sur des critères très variés, tels l'étendue géographique (les organisations universelles comme l'ONU et les organisations régionales, comme l'OTAN), les buts et les activités (économiques, militaires, politiques, humanitaires, environnementaux, etc.), les structures (organisation formelle ou informelle, permanente ou temporaire) ou les compétences[67]. Nous retiendrons ici une classification basée sur le *degré d'ouverture* de l'institution, car celui-ci a un impact sur la formulation de la politique étrangère. On distingue ainsi les organisations ouvertes (tous les États qui le souhaitent peuvent en faire partie, moyennant des critères minimaux), les organisations conditionnellement ouvertes (tous ceux qui le souhaitent et qui répondent à certains critères plus spécifiques peuvent en faire partie) et les organisations restreintes (qui ne s'adressent qu'à certains États et auxquelles ils n'adhèrent que sur invitation)[68].

Les institutions internationales ont un impact sur la formulation de la politique étrangère des États. Elles prescrivent des normes et des règles de comportement, elles comportent des obligations financières et matérielles, et elles obligent souvent les gouvernements à modifier leurs lois nationales pour les rendre conformes aux principes de l'organisation. Mais chaque institution comporte des obligations particulières et impose des contraintes différentes à ses membres. De façon générale, les organisations ouvertes sont beaucoup moins contraignantes que les organisations restreintes. Par ailleurs, les États membres de ces institutions tirent des bénéfices parfois substantiels de leur participation. Ces bénéfices varient également selon le type d'organisation, mais certains avantages s'appliquent à la plupart d'entre elles : elles constituent une source d'information importante ; elles offrent

---

66. C'est, par exemple, le cas de deux des meilleurs ouvrages sur le sujet : Claire A. CUTLER et Mark W. ZACHER (dir.), *Canadian Foreign Policy and International Economic Regimes*, Vancouver, University of British Columbia Press, 1992 ; Tom KEATING, *Canada and World Order. The Multilateralist Tradition in Canadian Foreign Policy*, Toronto, McClelland & Stewart, 2002.

67. Pour une revue des typologies des institutions internationales, voir Marie-Claude SMOUTS, « L'organisation internationale : nouvel acteur sur la scène mondiale ? », dans Bahgat KORANY (dir.), *Analyse des relations internationales. Approches, concepts et données*, Montréal, Gaëtan Morin, 1987, p. 148-152.

68. Robert O. KEOHANE, « Multilateralism : An Agenda for Research », *International Journal*, vol. 45, n° 4, automne 1990, p. 750-752.

une tribune où les gouvernements peuvent exposer leurs préoccupations et échanger leurs points de vue ; elles peuvent servir à légitimer certaines politiques ; elles facilitent l'établissement de processus de coopération entre les États, et donc réduisent les obstacles aux échanges ; enfin, et surtout, elles permettent aux États d'atteindre collectivement des objectifs impossibles à réaliser individuellement[69].

Les organisations ouvertes

Les Nations Unies constituent le meilleur exemple d'organisation ouverte. Tous les États souverains peuvent en faire partie, à condition qu'ils s'engagent à respecter la Charte des Nations Unies et à verser une contribution financière, soit des critères assez peu contraignants et qui, dans les faits, sont loin d'être toujours respectés. Il en va de même pour les agences spécialisées de l'ONU et bon nombre d'organisations fonctionnelles (c'est-à-dire des institutions dont le champ de compétence se limite à un secteur d'activités précis), telles la Cour internationale de justice, l'Organisation de l'aviation civile internationale (OACI), la Banque internationale pour la reconstruction et le développement (BIRD), l'Organisation internationale du travail (OIT), l'Organisation mondiale de la santé (OMS), ou encore l'Organisation des Nations Unies pour l'alimentation et l'agriculture (FAO). Plusieurs organisations régionales peuvent aussi être considérées comme ouvertes, dans la mesure où tous les États de la région qu'elles couvrent peuvent y adhérer. C'est le cas de l'Organisation pour la sécurité et la coopération en Europe (OSCE), le Forum de coopération économique en Asie-Pacifique (APEC) et l'Organisation des États américains (OEA). D'autres institutions peuvent être qualifiées d'ouvertes, même si elles imposent certains critères d'admission assez précis. L'Organisation internationale de la Francophonie (OIF) est ouverte à tous les États pour peu que la culture nationale ait été

---

69. Stéphane Roussel et Michel Fortmann, « *Eppur, si muove...* Le régime de sécurité européen, les États non belligérants et la guerre en ex-Yougoslavie », dans Michel Fortmann, S. Neil MacFarlane et Stéphane Roussel (dir.), *Tous pour un ou chacun pour soi. Promesses et limites de la coopération régionale en matière de sécurité*, Québec, IQHEI, 1996, p. 237-238.

influencée par la langue française (ce qui explique pourquoi des États tels que la Roumanie et le Viêt-nam en sont membres). Le Commonwealth – qui a pu longtemps être considéré comme une institution conditionnellement ouverte – est devenu une organisation ouverte à tous les États qui prêtent allégeance à la Couronne britannique.

Les organisations ouvertes visent généralement à favoriser la coopération entre leurs membres pour atteindre des buts collectifs, qu'il s'agisse de promouvoir la paix et la stabilité (comme l'ONU et l'OSCE), la prospérité économique (l'APEC), le développement (la FAO) ou encore la culture (l'OIF). Bien que les conditions d'admission et de participation soient peu exigeantes, il peut arriver qu'un État qui ne respecte pas les normes de comportement prescrites ou qui, pour une raison ou une autre, est mis au ban de la société internationale (les États « parias »), soit suspendu ou expulsé. Ce fut, par exemple, le cas de la République fédérale de Yougoslavie, qui a été suspendue de l'OSCE au cours de la guerre en Croatie et en Bosnie, de 1991 à 1995.

Le Canada est membre de presque toutes les organisations universelles, c'est-à-dire celles qui sont ouvertes à tous les États du monde. Deux d'entre elles, l'OACI et le Secrétariat permanent de la Convention des Nations Unies sur la diversité biologique, ont d'ailleurs leur siège à Montréal. Le Canada est également membre de plusieurs organisations régionales ouvertes, telles l'OSCE, l'OEA, l'APEC, ainsi que l'OIF et le Commonwealth. Nous reviendrons sur ces deux dernières institutions au chapitre 6.

Il est difficile de qualifier l'incidence de la participation à ce type d'organisations sur la politique étrangère du Canada. Dans l'ensemble, les représentants canadiens sont enclins à collaborer avec les gouvernements dont le Canada se sent proche, en appuyant leurs initiatives et en défendant leurs points de vue. Quelquefois, ils prennent des initiatives importantes, tentent de rallier les appuis nécessaires et cherchent à convaincre les gouvernements plus réticents. Ce fut, par exemple, le cas lors de la convention d'Ottawa sur les mines antipersonnel, la Convention sur les droits des enfants ou la reconnaissance de la spécificité de la violence faite aux femmes en temps de guerre. Par ailleurs, la participation à ces institutions n'entraîne généralement que des obligations mineures. En général, le gouvernement canadien accepte et appuie la plupart des décisions de ces organisations et les met en pratique, quitte à modifier les lois canadiennes si nécessaire[70]. En quelques occasions cependant, les diplomates canadiens se sont opposés à des mesures qui mettaient en péril la position d'Ottawa sur certaines questions. Ainsi, le Canada émit une « réserve » sur la question de l'extension de la juridiction canadienne dans l'Arctique. Le gouvernement Trudeau avait alors refusé de reconnaître la juridiction de la Cour internationale de justice sur toute demande visant à contrer l'élargissement, par le Canada, d'une zone de prévention contre la pollution, dans les eaux internationales[71]. Enfin, la participation à ces institutions permet aussi au gouvernement canadien de légitimer certaines de ses politiques (internes ou externes), en invoquant une décision ou un principe adopté par l'une ou l'autre de ces organisations.

La participation aux Nations Unies entraîne enfin d'autres types d'obligations, quoique moins formelles. Depuis 1948, le gouvernement canadien a accepté de participer à la quasi-totalité des missions d'observation ou de maintien de la paix parrainées par l'ONU. Rien n'oblige le Canada à répondre positivement à toutes les demandes que lui adresse, en ce sens, l'organisme international. Toutefois, la « tradition » est si bien ancrée dans la politique de sécurité canadienne qu'il est devenu difficile pour le gouvernement de refuser.

Les organisations conditionnellement ouvertes et les coalitions

Certaines institutions sont, théoriquement, ouvertes à tous les États du monde, mais les conditions d'admission sont beaucoup plus strictes, au point où de nombreux candidats ne peuvent (ou ne veulent) s'y conformer. Ce qui les différencie des organisations conditionnellement ouvertes tient au fait que ces institutions n'ont pas seulement pour objectif de promouvoir la coopération entre ses membres, mais aussi (et parfois, surtout) d'empêcher les non-membres de jouir des avantages qui découlent de cette coopération. Ces institutions permettent à un groupe plus ou moins limité d'États partageant un intérêt commun de s'entendre entre eux, sans qu'interfèrent ceux

---

70. Ceci même si, parfois, l'objectif des négociateurs canadiens est de parvenir à un libellé qui soit le plus conforme possible aux lois existantes.
71. John KIRTON et Don MUNTON, « Protecting the Canadian Arctic : The Manhattan Voyages, 1969-1970 », dans Don MUNTON et John KIRTON (dir.), *Canadian Foreign Policy : Selected Cases,* Scarborough, Prentice Hall Canada, p. 205-226.

qui, pour une raison ou une autre, ne sont pas en mesure de participer au processus de coopération, ou qui s'opposent à certains principes véhiculés par l'institution. L'Union européenne (dont le Canada n'est évidemment pas membre) est le meilleur exemple de ce type d'organisation. Les États d'Europe centrale ou du Sud qui posent leur candidature pour y être admis doivent répondre à des critères politiques très sévères. Beaucoup d'organisations économiques répondent aussi à cette définition, comme l'OMC, la Banque mondiale ou le Fonds monétaire international (FMI). Ces institutions imposent à leurs membres des contraintes beaucoup plus importantes que les précédentes. Les gouvernements doivent nécessairement ajuster leurs politiques et la législation en fonction des décisions adoptées au sein de ces institutions. Par exemple, les règles de l'OMC limitent la capacité du gouvernement canadien à imposer des barrières tarifaires aux produits étrangers et à subventionner certains secteurs de son économie. À l'inverse, Ottawa peut invoquer ces mêmes règles pour forcer un autre gouvernement à modifier ses pratiques commerciales.

La plupart des coalitions, c'est-à-dire ces ententes plus ou moins informelles et temporaires entre un certain nombre d'États et constituées pour atteindre un objectif précis, appartiennent aussi à la catégorie des institutions conditionnellement ouvertes. Les coalitions fonctionnent rarement au bénéfice immédiat de ses membres et sont plutôt formées pour convaincre, voire contraindre, un gouvernement non membre à modifier certaines de ses politiques. Si elles regroupent généralement des États qui ont certaines affinités, elles peuvent aussi être composées d'États qui n'en ont guère, mais qui acceptent de mettre temporairement de côté leurs différends pour atteindre un objectif donné. On doit également noter que les coalitions peuvent parfois se créer à l'intérieur des institutions formelles telles que l'ONU, l'OTAN, l'OMC ou l'Organisation de coopération et de développement économique (OCDE). Cela advient lorsque quelques-uns des membres se réunissent temporairement, souvent pour modifier l'institution de l'intérieur et adopter une approche commune face aux autres membres opposés aux réformes proposées.

Le Canada fait partie, ou a déjà fait partie, de bon nombre de ces coalitions. Notamment le Groupe de contact occidental, qui comprenait les États-Unis, l'Angleterre, la France, l'Allemagne et le Canada, et qui était chargé de trouver une solution à l'occupation du Sud-Ouest africain (la future Namibie) par l'Afrique du Sud ; le Groupe des Douze, un groupe de puissances moyennes partageant des valeurs semblables (les *like-minded countries*) qui se concertaient au cours des négociations sur le droit de la mer dans les années 1970[72] ; le Groupe Australie, comprenant 22 États souhaitant un meilleur contrôle international des armes chimiques ; le Groupe des *Like-Minded Countries*, qui, réuni en caucus à l'OCDE, travaillait à réformer les relations Nord-Sud[73] ; et le Groupe de Cairns, créé à l'initiative de l'Australie au début du cycle de l'Uruguay ; dans le cadre des négociations du GATT en vue d'obtenir une plus grande libéralisation du commerce agricole[74].

Certaines coalitions ont un caractère non officiel. Dans les années 1980, Ottawa s'est rallié à la coalition antisoviétique des États de l'Asie-Pacifique, coalition créée *de facto* pour freiner la poussée de l'Union soviétique et de ses alliés, notamment le Viêt-nam, dans la région. Elle rassemblait la République populaire de Chine, les États-Unis, l'Angleterre, la France, l'Australie, le Canada, et les membres de l'Association des nations de l'Asie du Sud-Est (ANASE) : Brunei, l'Indonésie, la Malaisie, les Philippines, Singapour et la Thaïlande. Il s'agissait donc d'un groupe très hétérogène, sans véritable affinité autre qu'une aversion ou une crainte face à l'URSS. En fait, les représentants de ces pays ne se sont jamais rencontrés en groupe. Les pays de l'ANASE se méfiaient tout autant des visées de Beijing que de Moscou ; et les pays occidentaux tels l'Australie, le Canada et les États-Unis n'étaient pas très à l'aise d'avoir à faire front commun avec un pays comme la Chine, ce qui les liait indirectement à ses alliés, les Khmers rouges du régime Pol Pot, responsables des exterminations massives au Cambodge dans les années 1970.

Depuis le début du siècle, le Canada a participé à quatre grandes coalitions militaires *ad hoc* réunissant un grand nombre d'États sans autre véritable intérêt commun que de repousser une agression (à l'exception des opérations

72. Elizabeth RIDDELL-DIXON, *Canada and the International Seabed : Domestic Interests and External Constraints*, Montréal/Kingston, McGill-Queen's University Press, 1989, p. 50-51.
73. Cranford PRATT (dir.), *Middle Power Internationalism. The North South Dimension*, Montréal/Kingston, McGill-Queen's University Press, 1990.
74. Andrew F. COOPER, Richard HIGGOTT et Kim Richard NOSSAL, *Relocating Middle Powers : Australia and Canada in a Changing World Order*, Vancouver, University of British Columbia Press, 1993, chapitre 5.

au Kosovo en 1999 et en Afghanistan depuis 2002, menées dans le cadre de l'Alliance atlantique). En 1914, le Canada s'est joint, à titre de membre de l'Empire britannique, aux Alliés en guerre contre les Empires centraux (Allemagne, Autriche-Hongrie et Empire ottoman). En 1939, il participe, cette fois comme État souverain, à ce qui deviendra, en 1941, la Grande Alliance, réunissant notamment les États-Unis, l'Angleterre et l'Union soviétique en guerre, contre l'Allemagne d'Hitler et ses alliés. En 1950, des soldats canadiens se battent en Corée, aux côtés des troupes provenant d'une trentaine d'autres États, contre les forces nord-coréennes soutenues par l'URSS et la Chine de Mao. Cette coalition, formée à l'instigation des États-Unis (qui ont d'ailleurs fourni la grande majorité des troupes), puisait sa légitimité dans une résolution du Conseil de sécurité de l'ONU – votée en l'absence du représentant soviétique – condamnant l'agression perpétrée contre la Corée du Sud[75].

La coalition mise sur pied par le président George Bush (père), à la suite de l'invasion du Koweït par l'Irak en août 1990, ressemblait beaucoup à celle qui s'est battue en Corée. Plus de trente États ont participé à la coalition, certains ont envoyé des forces terrestres, aériennes ou navales (le Canada, par exemple, y a dépêché des avions CF-18 et trois navires), d'autres ont fourni du matériel médical, une assistance financière ou technique. Tous ces États étaient loin d'entretenir des relations cordiales, mais chacun avait des raisons de s'opposer à l'invasion irakienne[76]. Même si la coalition visait à faire respecter une résolution du Conseil de sécurité, elle s'est constituée à l'initiative des États-Unis, tout comme celle qui a envahi l'Irak en 2003, et à laquelle le Canada a refusé de participer.

Se joindre à une coalition a des conséquences non négligeables sur la marge de manœuvre politique du Canada, et dépend généralement de la composition du groupe, notamment de la présence ou de l'absence d'une grande

---

75. Desmond Morton, *Une histoire militaire du Canada 1608-1991*, Québec, Le Septentrion, 1992.
76. Andrew F. Cooper, Richard A. Higgott et Kim Richard Nossal, « Bound to Follow ? Leadership and Followership in the Gulf Conflict », *Political Science Quarterly*, vol. 106, n° 3, 1991, p. 391-410. Voir aussi Marcel Merle, *La crise du Golfe et le nouvel ordre international*, Paris, Économica, 1991. Pour une revue de la participation canadienne à la guerre du Golfe, voir Jocelyn Coulon, *La dernière croisade. La guerre du Golfe et le rôle caché du Canada*, Montréal, Méridien, 1992.

puissance. Ainsi, le désir d'appuyer les grandes puissances occidentales devait inciter toute une succession de gouvernements canadiens à fermer les yeux sur les violations des droits de la personne en Indonésie[77], à accepter l'invasion et l'occupation de la colonie portugaise du Timor oriental par l'Indonésie[78], et à maintenir une politique de représailles envers le Viêt-nam[79].

Au cours de la deuxième guerre du Golfe (1990-1991)[80], les membres de la coalition formée contre l'Irak ont rapidement réalisé que leur marge de manœuvre se réduisait... à leur décision d'adhérer à cette coalition et au choix du type de contribution qu'ils y apporteraient. Le reste devait, en définitive, être dicté par les États-Unis. La coalition formée en août 1990 pour imposer des sanctions contre l'Irak et dissuader ses dirigeants de lancer une attaque sur l'Arabie saoudite – l'opération *Desert Shield* (Bouclier du désert) – s'est bientôt transformée en une coalition offensive : l'opération Tempête du désert. Cette réorientation des objectifs est principalement le fait des États-Unis. Les petits États, qui s'étaient associés à une opération purement défensive, se retrouvaient coincés dans ce que le président français François Mitterrand devait décrire comme « une logique de guerre ». Même s'ils n'avaient aucune envie de participer à une offensive contre l'Irak, ils n'avaient guère le choix. Le fait de briser la solidarité de la coalition aurait probablement entraîné des conséquences diplomatiques et politiques extrêmement lourdes. À la lumière de ces événements, il n'est pas étonnant qu'aucun membre de la coalition n'ait quitté le mouvement, malgré la décision unilatérale des États-Unis d'en changer le mandat[81]. La plus récente

77. Kim Richard Nossal, « Les droits de la personne et la politique étrangère canadienne : le cas de l'Indonésie », *Études internationales*, vol. 11, n° 2, juin 1980, p. 223-238.
78. On trouve des passages révélateurs de la correspondance entre Ottawa et l'ambassade canadienne en Indonésie dans Sharon Scharfe, *Complicity : Human Rights and Canadian Foreign Policy*, Montréal, Black Rose Books, 1996, p. 147-150.
79. Kim Richard Nossal, *Rain Dancing : Sanctions in Canadian and Australian Foreign Policy*, Toronto, Toronto University Press, 1994, chapitres 2 à 4.
80. La première est celle qui a opposé l'Iran et l'Irak de 1980 à 1988, et la troisième, celle qui a mené à l'invasion de l'Irak par une coalition dirigée par États-Unis en 2003.
81. Andrew F. Cooper et Kim Richard Nossal, « The Middle Powers in the Gulf Coalition : Australia, Canada and the Nordics Compared », dans Andrew Bennett, Joseph Legpold et Danny Unger (dir.), *Friends in Need : Burden-Sharing in the Gulf War*, New York, St. Martin's Press, 1997, p. 269-295.

coalition à laquelle le Canada a participé est la Force internationale d'assistance et de sécurité (FIAS), qui s'est déployée en Afghanistan pour lutter contre le régime taliban en décembre 2001. Au cours de l'été 2003 seulement, à l'insistance d'États comme le Canada, la mission sera placée sous la direction de l'Alliance atlantique.

Par contre, lorsqu'une coalition est composée exclusivement de puissances moyennes ou de petits États, le gouvernement canadien conserve une plus grande marge de manœuvre et se montre moins enclin à subordonner ses préférences politiques à l'intérêt commun du groupe. Ainsi, Ottawa n'a pas hésité à rompre la solidarité du Groupe des *Like-Minded Countries*, en refusant de suivre la ligne réformiste adoptée par la Norvège, les Pays-Bas et la Suède, et en insistant pour que les mesures protectionnistes destinées à protéger les industries canadiennes contre la concurrence des États en développement soient maintenues. Il en fut de même dans le Groupe de Cairns, où le gouvernement canadien a maintenu une position ambivalente sur la question de commerce agricole. D'une part, il défendait les principes de libre-échange dans les secteurs où l'économie canadienne était compétitive et fondée sur l'exportation, comme celui des céréales. D'autre part, il défendait des principes protectionnistes quand il s'agissait de secteurs non compétitifs et dont la production était destinée au marché intérieur, tels ceux des produits laitiers et de l'industrie légère[82].

Les organisations restreintes et les alliances

Les organisations « restreintes » sont des institutions qui ressemblent aux organisations conditionnellement ouvertes, dans la mesure où elles cherchent non seulement à faciliter la coopération entre leurs membres, mais aussi à coordonner leurs actions vis-à-vis des tiers. Mais elles sont encore plus difficiles d'accès que les organisations conditionnellement ouvertes, puisqu'on y adhère uniquement en tant que membre fondateur ou sur invitation. Elles sont aussi encore plus contraignantes et comportent des obligations parfois très lourdes. Elles ont ainsi une profonde influence sur les grandes orientations de la politique étrangère et de sécurité. Enfin, contrairement aux

---

82. Theodore H. COHN, « Canada and the Ongoing Impasse over Agricultural Protection », dans Claire A. CUTLER et Mark W. ZACHER (dir.), *op. cit.* (1993), p. 62-88.

organisations ouvertes et certaines coalitions, elles ne regroupent généralement que des États qui ont non seulement des intérêts communs, mais aussi
de fortes affinités (bien qu'il existe certaines exceptions).

Le Canada est membre de plusieurs de ces « clubs sélects ». Certains ont
une vocation économique, comme l'OCDE. D'autres, comme le G8 (les États-
Unis, le Japon, l'Angleterre, la France, l'Allemagne, l'Italie et le Canada,
auxquels s'est jointe la Russie[83]) ont une double vocation, politique et économique. Nous reparlerons du G8 au chapitre 6. Concentrons-nous, pour l'instant, sur les alliances qui constituent un autre type d'institution restreinte
et ont une vocation militaire et politique. Une alliance est essentiellement
un accord entre un certain nombre d'États de se prêter assistance mutuelle
en cas d'agression. Depuis la Deuxième Guerre mondiale, les alliances tendent
à donner naissance à des structures permanentes complexes, destinées à
mieux coordonner les politiques de sécurité des États membres[84]. Le Canada
est membre d'une seule alliance, l'Organisation du Traité de l'Atlantique
Nord (OTAN) qui est, avec les accords bilatéraux signés avec les États-Unis
(mais qui ne constituent pas une « alliance » au sens strict du terme), l'une
des institutions qui ont le plus fortement orienté sa politique de sécurité
contemporaine.

Le principal bénéfice que retirent les membres d'une alliance est, bien
entendu, une plus grande sécurité. La participation à une alliance pose cependant deux contraintes majeures sur la politique extérieure et la sécurité.
D'une part, en retour de ces avantages (qu'il serait impossible à chaque membre d'obtenir seul, sinon à un prix très élevé), les alliés acceptent d'absorber
une partie des coûts de la défense collective, en mettant à la disposition de

---

83. Au début des années 1990, la Russie a, progressivement, été admise au sein de ce
qu'on appelait le « G7 », si bien que l'expression consacrée devint « G7+1 ». Ce n'est
cependant qu'au Sommet de Cologne (juin 1999) que, à la demande du gouvernement allemand, le terme G8 a été adopté. Néanmoins, la Russie demeure un membre
« à part », puisque ses intérêts et ses politiques sont encore parfois très éloignées de
celles des sept autres membres, comme l'ont démontré les événements au Kosovo
au printemps 1999.
84. Deux ouvrages, consacrés à la dynamique des alliances, sont considérés comme
des classiques : Robert ROTHSTEIN, *op. cit.* (1968) ; Stephen M. WALT, *The Origins of
Alliances*, Ithaca, Cornell University Press, 1987. Voir aussi Jean-Claude ALLAIN,
« Principes et gestion des alliances à l'époque contemporaine », *Documents et enquêtes*,
n° 18 (« Armes et alliances en Europe »), Nantes, Ouest Éditions, 1992, p. 7-26.

l'alliance des ressources financières, des troupes, des bases militaires ou d'autres facilités.

D'autre part, chaque membre s'engage à renoncer à toute action unilatérale ou indépendante, à consulter ses partenaires sur les questions touchant à la défense collective, et à établir ses politiques de sécurité en fonction de celles des autres alliés. Le respect des principes de solidarité et d'unité est essentiel au maintien de la cohésion de l'alliance. Les alliés doivent éviter les divisions qui peuvent miner l'effort collectif et permettre à un adversaire potentiel d'en tirer profit. Ainsi, au cours de la Guerre froide, les alliés occidentaux ont toujours considéré avec méfiance les offensives diplomatiques de l'Union soviétique susceptibles de faire naître des divergences de vues entre eux. C'est pour cette raison que l'Alliance atlantique dispose de mécanismes élaborés de consultation et d'échange d'informations. Toutefois, la qualité de cette concertation demeure tributaire de la distribution de la puissance entre les alliés. Les États-Unis, de loin l'allié le plus puissant et le plus influent de l'OTAN, se sont souvent contentés d'informer (et non pas de « consulter ») leurs alliés de leurs initiatives en matière de sécurité, même lorsque celles-ci pouvaient affecter la sécurité de l'ensemble de l'Alliance. L'évocation du principe de solidarité devient alors un moyen, pour Washington, de s'assurer de l'appui de ses alliés. Plus encore, considérés de fait comme le chef de file de l'OTAN, les États-Unis ont souvent défini unilatéralement les grandes lignes de la politique de l'Alliance. Une telle approche est, bien entendu, impensable pour les alliés plus faibles comme le Canada, qui doivent généralement se contenter d'exprimer leurs points de vue et se rallier aux décisions adoptées par les plus puissants.

Le Canada est un membre fondateur de l'Alliance atlantique, créée le 4 avril 1949 lors de la signature du traité de Washington, et de l'organisation militaire (l'OTAN) qui en découle, mise sur pied en 1951[85]. Tous les gouvernements qui se sont succédé à Ottawa ont été écartelés entre les avantages et les obligations résultant de la participation du Canada à l'Alliance atlantique. Si les Canadiens en ont retiré des bénéfices importants sur les plans

---

85. Greg DONAGHY et Hector MACKENZIE, « Le Canada et la sécurité collective, 1943-1950 : les Nations Unies, le traité de l'Atlantique Nord et la guerre de Corée », *Relations Internationales*, n° 86, été 1996, p. 163-183.

stratégique, économique et politique, ils ont aussi dû accepter les contraintes qu'implique le statut d'allié.

Du point de vue stratégique, le Canada a pu bénéficier, au cours de la Guerre froide, de la stabilité engendrée par cette alliance. La Deuxième Guerre mondiale ayant clairement démontré que la sécurité et la prospérité du Canada étaient intimement liées à celles des États d'Europe occidentale, les Canadiens avaient tout avantage à encourager la formation d'une alliance qui garantirait la stabilité européenne. Deux problèmes se posaient en 1949 : comment dissuader l'Union soviétique, dont les visées expansionnistes semblaient manifestes depuis le coup d'État communiste en Tchécoslovaquie (février 1948), de s'en prendre aux États d'Europe de l'Ouest ? Et comment réintégrer l'Allemagne de l'Ouest dans le giron occidental sans qu'elle pose, à nouveau, une menace pour ses voisins. La solution consistait à obtenir le maintien d'un engagement militaire américain significatif sur le vieux continent. La participation canadienne devait servir d'encouragement à l'égard des Américains et de moyen de renforcer le caractère transatlantique de l'Alliance.

Mais, pour les Canadiens, le pacte devait être bien plus qu'une alliance militaire. La conception qu'ils se faisaient de l'Alliance atlantique se reflète dans le libellé de l'Article II du traité de Washington, inséré à la demande du Canada. Cet article – que l'on surnomme parfois l'« article canadien » – appelle les signataires à renforcer leur coopération dans les domaines politiques et économiques. En fait, les Canadiens espéraient que l'Alliance donnerait lieu à la formation d'une « communauté nord-atlantique[86] ». Malgré l'échec de ce projet, Ottawa a pu tirer certains bénéfices politiques de sa participation à l'OTAN.

En premier lieu, faire partie d'un tel groupe présentait des avantages indéniables[87]. Pour reprendre les mots employés par certains diplomates, il

86. Stéphane ROUSSEL, « L'instant kantien : la contribution canadienne à la création de la "communauté nord-atlantique" (1947-1949) », dans Greg DONAGHY (dir.), *Le Canada et la Guerre froide, 1943-1957*, Ottawa, Ministère des Affaires étrangères et du Commerce international, 1999, p. 119-156.
87. Paul LÉTOURNEAU, « Les motivations originales du Canada lors de la création de l'OTAN (1948-1950) », dans Paul LÉTOURNEAU (dir.), *Le Canada et l'OTAN après 40 ans, 1949-1989*, Québec, Centre québécois de relations internationales, 1992, p. 49-66.

permettait au Canada d'avoir « un siège à la table », c'est-à-dire d'être présent lors des concertations entre alliés, de participer au processus de prise de décision, d'avoir la possibilité de faire valoir son point de vue et d'obtenir des informations difficilement accessibles autrement. Les représentants canadiens ont pu ainsi participer à l'élaboration de la stratégie militaire et politique de l'Alliance tout au long de la Guerre froide, notamment en ce qui concerne les armes nucléaires et les relations avec l'Union soviétique. De plus, le fait d'être membre de l'OTAN consacrait le statut du Canada de « puissance intéressée par la sécurité européenne », et donc son droit d'être consulté et de participer aux discussions touchant aux problèmes de sécurité en Europe. C'est à ce titre que les diplomates canadiens ont pu participer aux travaux de la Conférence sur la sécurité et la coopération en Europe et aux négociations sur le contrôle des armements conventionnels[88].

Au moment de la création de l'OTAN, les diplomates espéraient aussi que cette alliance transatlantique permettrait au Canada d'échapper à l'attraction grandissante des États-Unis. Il s'agissait, dans leur esprit, d'esquiver un dialogue bilatéral exclusif avec les États-Unis en matière de défense. En créant une institution multilatérale comprenant aussi des puissances européennes, les Canadiens souhaitaient éviter de se retrouver seuls face aux Américains lorsque ceux-ci étaient appelés à prendre des décisions qui pouvaient affecter la sécurité du Canada[89]. Il est cependant difficile d'évaluer le succès de cette stratégie de contrepoids à l'influence américaine, en partie parce que Washington a toujours été soucieux de marquer une distinction entre la défense de l'Europe et celle de l'Amérique du Nord.

Si la mise en œuvre des dispositions de l'Article II sur la coopération politique (auxquelles se sont ajoutées en 1956 celles du « Rapport des Trois Sages ») a visiblement servi les intérêts du Canada, les bénéfices économiques sont moins évidents. L'adhésion du Canada à l'OTAN a eu peu d'impact sur ses échanges commerciaux avec les autres pays membres. Les avantages

---

88. Michel FORTMANN, Albert LEGAULT et Stéphane ROUSSEL, « De l'art de s'asseoir à la table. Le Canada et les négociations européennes sur l'*Arms Control* (1972-1986) », dans Paul LÉTOURNEAU (dir.), *op. cit.* (1992), p. 138-191.
89. Stéphane ROUSSEL, Paul LÉTOURNEAU et Roch LEGAULT, « Le Canada et la sécurité européenne (1943-1952) : à la recherche de l'équilibre des puissances », *Revue canadienne de défense*, vol. 23, n° 4, été 1994, p. 23-27 ; vol. 24, n° 1, automne 1994, p. 17-22.

économiques, s'il y en eut, ont été indirects, dans la mesure où l'Alliance permit de maintenir un contexte économique international stable, favorable au commerce.

Les Canadiens étaient bien conscients de ces avantages tout au long de la Guerre froide, comme en témoignent les sondages d'opinion, qui confirmaient leur appui indéfectible à l'adhésion à l'OTAN. L'« atlantisme » est d'ailleurs toujours demeuré une composante importante de l'identité canadienne, tant parmi la population que chez l'élite politique canadienne[90]. Mais la participation à une alliance entraîne aussi des coûts, que ce soit en termes militaires ou politiques. De 1951 à 1991, Ottawa a, en effet, dû se résigner à stationner, en permanence, une part importante des forces terrestres et aériennes du Canada en Europe. Plus encore, cette contribution devait entraîner une « déformation » de la structure des forces canadiennes, dans la mesure où elle obligeait le ministère de la Défense à acquérir des systèmes d'armes tels que des chars ou de l'artillerie lourde, efficaces dans les plaines d'Europe centrale, mais de peu d'utilité pour la défense du territoire canadien. Toutefois, comme l'a exprimé John Halstead, il en coûtait bien moins de stationner des troupes canadiennes en Europe, dans le cadre de l'OTAN, que d'avoir à les renvoyer là-bas pour la troisième fois en un siècle, si un conflit avec l'URSS avait éclaté[91].

La participation à l'OTAN a eu aussi pour conséquence de pousser le gouvernement canadien à prendre certaines décisions controversées. Par exemple, en 1982, le gouvernement Trudeau s'est résigné à accepter que les États-Unis puissent tester leur missile de croisière au-dessus du territoire canadien. Ottawa, pourtant confronté à un mouvement pacifiste bien organisé,

90. Paul Buteux, Michel Fortmann et Pierre Martin, « Canada and the Expansion of NATO : A Study in Elite Attitudes and Public Opinion », dans David G. Haglund (dir.), *Will NATO Go East ? The Debate Over Enlarging the Atlantic Alliance*, Kingston, QCIR, 1996, p. 147-179 ; Kim Richard Nossal, « Un pays européen ? L'histoire de l'atlantisme au Canada », dans *La politique étrangère canadienne dans un ordre international en mutation. Une volonté de se démarquer ?*, Québec, Centre québécois de relations internationales, 1992, p. 131-160.
91. John G. H. Halstead, « Canada and NATO : Looking to the 90's », dans Margaret O. Macmillan et David S. Sorenson (dir.), *Canada and NATO. Uneasy Past, Uncertain Future*, Waterloo, University of Waterloo Press, 1990, p. 151-152.

a pris cette décision en invoquant ses engagements vis-à-vis de ses alliés de l'OTAN et la nécessité de contribuer à la défense commune.

La participation canadienne à l'OTAN a cependant fait naître une tendance très difficilement modifiable par la suite. Pendant la Guerre froide, la contribution militaire à l'Alliance atlantique est devenue une constante ou un élément apparemment immuable de la politique de défense du Canada, au même titre que l'accord NORAD avec les États-Unis. Au cours des années 1960, plusieurs observateurs, qui considéraient l'Alliance comme un instrument de domination américaine, se sont mis à réclamer le retrait du Canada[92]. L'une des premières décisions de Pierre Trudeau, une fois élu, aura ainsi été de rapatrier la moitié des forces canadiennes stationnées en Europe[93]. Cette décision devait provoquer un tollé de protestations dans les capitales européennes (où l'on redoutait que ce geste n'incite les États-Unis à faire de même) et soulever des réserves parmi l'establishment militaire canadien, si bien qu'Ottawa dut, par la suite, adopter une attitude très prudente sur cette question. Le débat sur la neutralité canadienne s'est poursuivi tout au long des années 1980[94], mais ce n'est qu'en 1990-1991 que le gouvernement Mulroney, éprouvant de sérieuses difficultés budgétaires, a finalement annoncé le retrait des Forces canadiennes en Europe. Toutefois, le Canada demeure membre à part entière de l'OTAN et s'engage à mettre des troupes à la disposition de l'Alliance si le besoin s'en fait sentir.

La position ambiguë qui fut celle du gouvernement canadien face aux obligations militaires qu'entraînait sa condition de membre de l'OTAN au cours des vingt dernières années de la Guerre froide illustre bien le problème des petits États engagés dans une alliance. Les alliés plus puissants peuvent parfois exercer des pressions très vives sur les petits États qui tentent de quitter

---

92. Voir, par exemple, le réquisitoire de Kenneth McNaught, « From Colony to Satellite », dans Stephen Clarkson, *An Independent Foreign Policy for Canada*, Toronto, McClelland & Stewart, 1968, p. 173-183 ; ou encore celui de James M. Minifie, *Peacemaker or Powdermonkey : Canada's Role in a Revolutionary World*, Toronto, McClelland & Stewart, 1960.

93. Bruce Thordarson, *Trudeau and Foreign Policy. A Study in Decision-Making*, Toronto, Oxford University Press, 1972.

94. Par exemple, Claude Bergeron, Charles-Philippe David, Michel Fortmann et William George (dir.), *Les choix géopolitiques du Canada. L'enjeu de la neutralité*, Montréal, Méridien, 1988.

une alliance (les interventions soviétiques en Hongrie et en Tchécoslovaquie, en 1956 et 1968, représentent ici des cas extrêmes), parce qu'ils craignent que ce geste n'entraîne d'autres défections. Si la France a pu quitter l'organisation militaire de l'Alliance atlantique en 1966 (tout en prenant bien soin de rester partie au traité de Washington), c'est grâce à sa capacité de résister aux pressions américaines et d'assurer seule l'essentiel de la défense de son territoire et de ses intérêts outre-mer.

L'ouverture du mur de Berlin en novembre 1989, la réunification des deux Allemagnes en octobre 1990, l'effondrement du pacte de Varsovie (l'alliance créée par l'Union soviétique en 1955 pour contrecarrer l'admission de l'Allemagne occidentale à l'OTAN) en juillet 1991, puis l'éclatement de l'URSS en décembre 1991 ont profondément modifié les données de la sécurité européenne. L'Alliance atlantique, privée de sa raison d'être originelle, allait, en moins d'un an et demi (de la Déclaration de Londres en juillet 1990 au Sommet de Rome en novembre 1991) se donner de nouvelles fonctions. Outre la défense collective de ses membres et le maintien des liens transatlantiques, l'OTAN aurait désormais pour tâche de favoriser la coopération avec ses anciens adversaires. La création du Conseil de coopération nord-atlantique en 1991, puis du Partenariat pour la paix en 1994, répondaient à cette préoccupation. Une autre étape importante a été franchie en 1999, lorsque trois anciens membres du pacte de Varsovie – la Hongrie, la Pologne et la République tchèque – ont été admis au sein de l'Alliance. Entre-temps, cette dernière s'est vu confier une nouvelle fonction, soit la gestion des crises en Europe. Cette tâche a pris une importance grandissante au cours des dernières années, alors que l'OTAN a été appelée à rétablir et maintenir la paix en Bosnie, puis au Kosovo. Enfin, en novembre 2002, à l'occasion du Sommet de Prague, les membres de l'Alliance atlantique invitaient sept nouveaux États (la Bulgarie, l'Estonie, la Lettonie, la Lituanie, la Roumanie, la Slovaquie et la Slovénie) à se joindre à eux. Ils donnaient également à l'Organisation un mandat de lutte contre le terrorisme.

Tous ces événements ont, inévitablement, eu un impact sur la politique de sécurité européenne du Canada. Malgré la disparition de la «menace soviétique», l'Alliance est restée l'un des principaux piliers de la politique de défense du Canada. Outre l'importance de maintenir un lien transatlantique solide (qui sert toujours aussi bien les intérêts politiques du Canada), Ottawa a su reconnaître le potentiel de l'institution, tant comme forum de dialogue avec les États d'Europe orientale que comme instrument de gestion des crises et d'instrument de lutte contre le terrorisme[95].

Mais l'évolution de l'Alliance n'a pas épargné au Canada les coûts associés à son statut d'allié. Si, en 1991, le gouvernement Mulroney a décidé de rapatrier les Forces canadiennes stationnées en Europe, les événements se sont chargés de les y ramener. De 1992 à 1995, le Canada a maintenu plus de 2000 soldats en Croatie et en Bosnie, dans le cadre de la FORPRONU. Lorsque l'IFOR (la Force d'interposition, devenue la SFOR en 1996) de l'OTAN a finalement relayé la FORPRONU au lendemain de la conclusion des Accords de Dayton en novembre 1995, le gouvernement canadien a décidé d'y affecter plus de 1000 soldats. Ils y étaient toujours en mars 1999, lorsque l'Alliance a entrepris ses opérations aériennes contre la Serbie, lors du conflit du Kosovo. La vingtaine d'avions canadiens envoyés dans la région à cette occasion effectueront près de 600 sorties de combat. Par la suite, 1 300 militaires canadiens ont été affectés à la KFOR, la force de l'OTAN déployée au Kosovo, au cours de l'été 1999. Enfin, en 2003, le Canada contribuera largement à ce que la force d'intervention en Afghanistan, la FIAS, soit placée sous le commandement de l'Alliance atlantique.

Toutes ces missions ont entraîné des coûts politiques et humains, et ont révélé la position parfois précaire du Canada. Les opérations menées par l'Alliance dans les Balkans ont aussi démontré que la capacité du Canada d'influencer le processus de décision interallié demeure faible. En janvier 1994, le gouvernement canadien s'est opposé en vain au recours aux frappes aériennes contre les Serbes de Bosnie, craignant des représailles contre les Casques bleus engagés sur le terrain[96]. Par ailleurs, les opérations au Kosovo ont placé Ottawa devant une contradiction. Fervent défenseur des Nations Unies et membre élu du Conseil de sécurité (1999-2000), le Canada devait pourtant participer à une opération de maintien de la paix qui n'avait pas

---

95. GOUVERNEMENT DU CANADA, *Énoncé de politique internationale du Canada. Fierté et influence : notre rôle dans le monde : Défense*, Ottawa, 19 avril 2005, p. 28-29.
96. André P. DONNEUR et Stéphane ROUSSEL, « Le Canada : quand l'expertise et la crédibilité ne suffisent plus », dans Alex MACLEOD et Stéphane ROUSSEL (dir.), *Intérêt national et responsabilités internationales : six États face au conflit en ex-Yougoslavie (1991-1995)*, Montréal, Guérin, 1996, p. 155.

reçu l'aval de l'ONU. Quant à la mission en Afghanistan, elle pourrait bien s'avérer l'une des plus coûteuses, en termes de nombre de soldats canadiens tués au combat, depuis la guerre de Corée.

Les ressources de la politique étrangère

Le dernier facteur à considérer pour évaluer la marge de manœuvre de dirigeants canadiens est constitué des ressources dont dispose l'État. Hans Morgenthau et, plus tard, Kenneth Waltz, ont proposé d'évaluer la puissance d'un État à partir des moyens dont il dispose, c'est-à-dire en utilisant des critères tels que le potentiel industriel et économique, la population et la superficie, les ressources naturelles, la capacité militaire, la stabilité politique et le niveau de compétence de la population[97]. D'autres, comme Michael Handel, suggèrent une définition fondée sur des indicateurs tels que la population, la superficie, le PNB (global et par habitant), l'importance des forces armées, les dépenses militaires, de même que les réserves de ressources stratégiques, dont le pétrole, le gaz, le charbon et l'uranium[98].

D'autres auteurs, cherchant à expliquer pourquoi certains petits États parviennent parfois à exercer une influence sans commune mesure avec leur puissance mesurée selon ces critères, ont raffiné ces listes d'indicateurs en y ajoutant certaines ressources plus difficiles à quantifier. Ils estiment que la crédibilité, le savoir-faire, la spécialisation dans des champs d'action bien précis ou encore l'activisme diplomatique sont autant de facteurs qui contribuent à accroître l'influence internationale d'une puissance secondaire[99]. Comme nous le verrons au chapitre suivant, plusieurs de ces critères sont associés aux « puissances moyennes ». Certains auteurs, qui utilisent de tels

---

97. Hans J. MORGENTHAU, *Politics Among Nations. The Struggle for Power and Peace* (5ᵉ éd.), New York, Knopf, 1973, chapitre 9 ; Kenneth N. WALTZ, *Theory of International Politics,* New York, McGraw-Hill, 1979, p. 131.

98. Michael HANDEL, *Weak States in the International System,* Londres, Frank Cass, 1981, p. 25.

99. Par exemple, Erling BJØL, « The Power of the Weak », *Cooperation and Conflict,* vol. 3, 1968 ; Robert O. KEOHANE, « The Big Influence of Small Allies », *Foreign Policy,* vol. 1, nº 2, 1971, p. 161-182 ; Ulf LINDELL et Stefan PERSSON, « The Paradox of Weak States Power and a Research and Literature Overview », *Cooperation and Conflict,* vol. 2, 1986, p. 79-97.

indicateurs, en sont même venus à la conclusion que, sous certains aspects, le Canada peut être considéré comme une « puissance principale » !

Le Canada est une puissance relativement faible si on le compare à d'autres États dans le système international. S'il s'étend sur un territoire bien plus vaste que n'importe quel autre pays (excepté la Russie), et s'il est généreusement pourvu en ressources naturelles, il demeure, avec près de 33 000 000 d'habitants, comparativement peu peuplé. Et même s'il compte parmi les États dont l'économie est bien développée, sa puissance industrielle est limitée . De plus, l'économie canadienne, dans son ensemble, est vulnérable aux fluctuations économiques extérieures. Les Forces canadiennes sont peu importantes, en valeur relative et absolue – 62 000 militaires réguliers en 2006. En dépit d'acquisitions importantes à la fin des années 1980, elles demeurent mal équipées. Ces faiblesses sont difficilement compensées par la qualité de l'entraînement qui permet aux soldats canadiens d'être souvent salués comme parmi les meilleurs du monde.

Comme bien d'autres puissances moyennes, le gouvernement canadien a tenté de surmonter cette faiblesse relative en s'appuyant sur d'autres types de ressources. Ainsi, les diplomates canadiens font parfois preuve d'un grand activisme, par exemple dans les domaines du maintien de la paix ou du contrôle des armements. De même, la crédibilité du Canada joue un rôle important en certaines occasions, comme lorsqu'il est question de promotion de la démocratie ou des droits de la personne. Enfin, le fait que les Canadiens aient développé un savoir-faire technique en certains domaines (comme les télécommunications ou l'hydroélectricité) leur confère parfois une influence inattendue. Ainsi, les compétences des Canadiens dans le domaine du droit international, de la détection sismique et des communications satellite ont pu être mises à profit dans les négociations sur le contrôle des armements[100]. De là à promouvoir l'adoption d'une politique étrangère « spécialisée » dans certaines « niches » – c'est-à-dire qui se concentre dans les secteurs d'activités où le Canada dispose le plus d'avantages comparatifs –, il n'y a

---

100. Albert LEGAULT, Michel FORTMANN, Françoise FÂCHÉ et Jean-François THIBAULT, « La pratique canadienne de l'*arms control* », dans Charles-Philippe DAVID (dir.), *Les études stratégiques, approches et concepts*, Montréal, Méridien, CQRI et FEDN, 1989, p. 477. Voir aussi Albert LEGAULT et Michel FORTMANN, *Une diplomatie de l'espoir. Le Canada et le désarmement 1945-1988*, Québec, PUL/CQRI, 1989.

qu'un pas, que plusieurs commentateurs franchissent explicitement[101]. Ce débat est particulièrement intense en ce qui a trait à la politique de défense. Pour faire face à la réduction du budget de la Défense et pour mieux s'adapter au contexte engendré par la fin de la Guerre froide, quelques analystes ont suggéré, au milieu des années 1990, que les Forces canadiennes se spécialisent dans certains types de missions, telles que le maintien de la paix[102]. Bien que le ministère de la Défense préfère maintenir des forces polyvalentes et aptes à remplir une grande variété d'engagements[103], le débat demeure ouvert.

Dans l'ensemble cependant, le Canada est un État dont les ressources sont limitées. Comme nous le verrons plus loin, cette fragilité relative contribue à définir le type des objectifs que peuvent poursuivre les dirigeants canadiens, l'ampleur des moyens dont ils peuvent disposer pour atteindre ces objectifs, et la nature des relations qu'ils entretiennent avec les autres gouvernements. La lecture que font les dirigeants (comme les analystes) des indicateurs de puissance a aussi un impact déterminant sur la conception qu'ils se font de la place du Canada dans le système international.

* * *

Tous les éléments abordés dans ce chapitre peuvent être considérés comme des « constantes », dans la mesure où ils peuvent être rarement modifiés, même par le gouvernement le plus ambitieux ou le plus déterminé, sinon en faveur de circonstances extraordinaires. Il n'est pas possible de modifier la géographie et la géopolitique du Canada, si bien que tous les gouvernements canadiens doivent se plier aux contraintes qu'elles imposent. Mais ce qui prévaut à une époque donnée ne s'applique pas nécessairement à une autre. Les données géographiques n'ont pas le même sens en 1919, en 1939,

---

101. Andrew COOPER (dir.), *Niche Diplomacy : Middle Powers after the Cold War*, New York, St. Martin's, 1997 ; Evan H. POTTER, « Niche Diplomacy and Canadian Foreign Policy », *International Journal*, vol. 52, n° 1, hiver 1997-97, p. 25-38.

102. *Canada 21. Le Canada et la sécurité commune au XXIᵉ siècle*, Toronto, Centre for International Studies, University of Toronto, 1994 ; Allen SENS, « Canadian Defence Policy After the Cold War : Old Dimensions and New Realities », *Canadian Foreign Policy*, vol. 1, n° 3, automne 1993, p. 7-27.

103. MINISTÈRE DE LA DÉFENSE NATIONALE, *op. cit.* (1994), p. 12-14.

en 1959 et en 1989. La configuration du système international ainsi que les progrès de la technologie ont largement contribué à déterminer l'importance stratégique du territoire canadien. De même, les gouvernements qui se sont succédé à Ottawa ne sont jamais parvenus à remanier la structure économique du pays. Les contraintes imposées par le fédéralisme, la dépendance à l'égard de l'économie américaine ont empêché l'adoption de mesures pouvant réduire la vulnérabilité économique du Canada. La participation aux institutions internationales constitue une autre constante à laquelle un gouvernement canadien peut difficilement échapper, tant les contraintes qui y sont associées sont fortes. Enfin, aucun gouvernement à Ottawa ne peut modifier les fondements de la puissance du Canada, si ce n'est de façon lente et progressive.

Tous ces éléments contribuent à structurer les objectifs de la politique extérieure et de la politique de défense du Canada, comme les stratégies pour les atteindre. Ils limitent considérablement la marge de manœuvre du gouvernement, en déterminant ce qu'il *devrait* faire, quand ce n'est pas ce qu'il *doit* faire et *comment* il le fera. Ces constantes – qu'elles apparaissent comme des contraintes, des obligations ou des opportunités – encadrent la prise de décision, mais elles n'expliquent pas l'aptitude du gouvernement à atteindre les objectifs qu'il se fixe ou à défendre les intérêts internationaux des Canadiens. Cette capacité ne repose pas directement sur les attributs du Canada, mais sur sa *puissance*. Ce qui constitue le thème du chapitre suivant.

2

PUISSANCE ET STATUT : LE RANG ET L'INFLUENCE INTERNATIONALE DU CANADA

La notion de puissance est au cœur de plusieurs théories de la politique étrangère. Les gouvernements doivent, en effet, non seulement faire face à celle des autres États, mais aussi aux limites de la leur. Selon le théoricien américain Hans J. Morgenthau, la puissance est le moyen, pour les États, d'arriver à leurs fins ; dans un environnement anarchique, et donc dépourvu d'autorité pour arbitrer les différends et forcer les États à se plier aux règles, seule la puissance permet d'atteindre des objectifs politiques[1].

Du concept de puissance est dérivée l'expression « grande puissance ». Même si cette notion demeure généralement vague, il est clair, dans l'esprit de la plupart des gens, qu'elle s'applique difficilement à un État comme le Canada. L'idée de puissance a pourtant toujours occupé une position centrale, non seulement dans la pratique de la politique étrangère canadienne, mais aussi dans les réflexions de ceux qui en ont fait leur objet d'étude. Comme le constatait Maureen Molot, les chercheurs se sont laissé obnubiler par la notion de puissance, au point d'en oublier le reste[2]. La polémique entourant ce concept a pris un caractère politique, sinon identitaire : en devisant sur

---

1. Hans J. MORGENTHAU, *Politics Among Nations. The Struggle for Power and Peace* (5ᵉ éd.), New York, Knopf, 1973, p. 27.
2. Maureen MOLOT, « Where Do We, Should We, or Can We Sit ? », *International Journal of Canadian Studies*, n° 1-2, 1990, p. 86.

la notion de puissance moyenne ou de puissance majeure, les Canadiens cherchent en fait à déterminer quelles sont leur place et leur spécificité dans le système international. Cette introspection n'a fait qu'obscurcir le lien, établi par Morgenthau, entre la fin et les moyens.

La première partie de ce chapitre consiste à examiner les différentes évaluations de la puissance du Canada, ainsi que les perceptions divergentes de la place de cet État dans la hiérarchie internationale auxquelles elles ont donné lieu. Ces perceptions ont entraîné la formulation de *théories* (des ensembles de concepts et d'hypothèses à prétention explicative) et de *propositions normatives* (des politiques que devrait suivre le gouvernement) généralement contradictoires[3]. Ces prétendus « théories de la politique étrangère canadienne » se révèlent cependant être plutôt limitées sur le plan analytique. Elles n'en disent pas beaucoup sur l'influence internationale réelle du Canada. Il convient donc de chercher une approche alternative, pour étudier la puissance du Canada et les méthodes auxquelles le gouvernement canadien peut avoir recours pour défendre et promouvoir ses intérêts internationaux. C'est ce que nous ferons dans la deuxième partie de ce chapitre. Enfin, la troisième partie porte sur la mise en œuvre de ces méthodes par le gouvernement canadien, en particulier dans le contexte de ses relations avec les États-Unis.

LES PERCEPTIONS DE LA PUISSANCE DU CANADA

En simplifiant, il est possible d'associer les différentes perceptions du statut international du Canada à trois concepts. Depuis les années 1940, le Canada est traditionnellement considéré comme une puissance moyenne, une image encore largement utilisée aujourd'hui et associée à l'internationalisme. Les notions élaborées plus tard – le Canada perçu comme un satellite et comme une puissance majeure ou principale – constituent en grande partie une réaction à cette notion de puissance moyenne.

---

3. Même si elle date, la meilleure revue des différents modèles en politique étrangère canadienne demeure celle de Michael K. Hawes, *Principal Power, Middle Power, or Satellite ?*, Toronto, York Research Programme in Strategic Studies, 1984.

La « puissance moyenne »

L'émergence du concept (1919-1945)

On estime généralement que c'est au cours de la Première Guerre mondiale que le Canada est devenu membre de la société internationale[4]. La bataille de la crête de Vimy, en avril 1917 – la première grande victoire remportée à l'étranger par des troupes majoritairement canadiennes – aurait annoncé au monde la naissance d'un nouvel État. En fait, l'accouchement a été bien plus long.

Durant l'entre-deux-guerres, l'une des principales préoccupations du gouvernement canadien était d'être reconnu par la communauté internationale comme une « entité indépendante », souveraine et distincte de l'Empire britannique. Ottawa a ainsi insisté pour être représenté distinctement à la Conférence de la paix de 1919, pour être admis à la Société des Nations, pour envoyer des représentants diplomatiques auprès des autres gouvernements, et pour signer ses propres traités internationaux[5]. La question du *rang* international proprement dit ne constituait donc pas encore une interrogation importante. À en juger par les documents d'époque, les représentants canadiens semblaient alors concevoir le système international comme une simple hiérarchie à deux niveaux : au sommet trônaient les grandes puissances, tandis que grouillaient à la base tous les autres États confondus – ce que les universitaires allemands des années 1930 appelaient les *Nichtgrossmachten*, soit littéralement, les « non-grandes puissances ». Loring Christie, alors conseiller au ministère des Affaires extérieures, ne se faisait aucune illusion sur le statut du Canada. Pendant la crise éthiopienne de 1935, il fit valoir que le Canada devait suivre les grandes puissances :

---

4. Pour une réflexion sur ce thème, voir Desmond MORTON, « La guerre d'indépendance du Canada. Une perspective anglophone », dans Roch LEGAULT et Jean LAMARRE (dir.), *La Première Guerre mondiale et le Canada*, Montréal, Méridien, 1999, p. 11-34.
5. Sur l'émergence de la politique étrangère canadienne, voir Jean-Charles BONENFANT, « Le développement du statut international du Canada », dans Paul PAINCHAUD (dir.), *Le Canada et le Québec sur la scène internationale*, Québec, CQRI-PUL, 1977, p. 31-49 ; André P. DONNEUR, *Politique étrangère canadienne*, Montréal, Guérin, 1994, p. 7-13 ; John HILLIKER, *Le ministère des Affaires extérieures du Canada* (vol. 1 : *Les années de formation, 1909-1946*), Québec, Presses de l'Université Laval-Institut d'administration publique du Canada, 1990.

[Si] les grandes puissances ouvrent le bal, vous les suivez ; si elles restent tran-
quilles, vous ne bougez pas ; où qu'elles aillent, vous y allez ; quand elles s'arrêtent,
vous vous arrêtez... La théorie selon laquelle nous avons notre mot à dire n'est
que poudre aux yeux[6].

Les dirigeants canadiens étaient néanmoins sensibles aux questions de
rang et de statut parmi les petites puissances. Ce fut le cas en 1918 lors des
discussions devant mener à la Conférence de la paix : certains alliés, et particulièrement les États-Unis, s'opposaient à ce que le Canada et les autres
dominions ne puissent y envoyer une délégation distincte. Comme ils étaient
déjà membres de l'Empire britannique, ces représentants ne contribueraient
qu'à conférer des votes supplémentaires à l'Angleterre. Cette attitude fit
bondir les premiers ministres de la plupart des dominions, et les incita à
établir des comparaisons, parfois désobligeantes, entre leurs pays et ceux
qu'ils considéraient comme de pâles lueurs dans le firmament international.
L'Australien W. M. Hughes s'indignait de voir son gouvernement écarté
des négociations de paix – après tous les sacrifices humains et financiers
consentis par l'Australie au cours des quatre années de guerre en Europe –
alors que la Suède et la Belgique y participaient. De son côté, le Néo-
Zélandais W. F. Massey considérait, avec amertume, que son pays était
traité sur le même pied que « Cuba, le Honduras, le Guatemala, Haïti,
etc. ». Tous ces commentaires rejoignaient celui du premier ministre
Robert Borden, selon qui « on peut difficilement dire que les Canadiens
auront le sentiment que leur pays est reconnu comme il se doit, s'il est placé
sur un pied d'égalité avec le Siam et le Hedjaz[7] ».

Le même type de raisonnement devait prévaloir lorsque surgirent des
questions portant sur le statut des diplomates canadiens à l'étranger. En
septembre 1919, Christie s'insurgea contre l'idée d'accorder au délégué nouvellement nommé par le Canada à Washington un statut diplomatique
inférieur à celui d'ambassadeur. « Lui donner un rang de ministre résident ou
de chargé d'affaires, écrivait-il, serait lui donner un rang inférieur à celui

---

6. Cité dans J. L. GRANATSTEIN, *The Ottawa Men. The Civil Service Mandarins, 1935-
1957*, Toronto, Oxford University Press, 1982, p. 73.
7. Les citations des différents premiers ministres sont tirées de C. P. STACEY, *Canada
and the Age of Conflict.* vol. 1 : *1867-1921*, Toronto, Macmillan Canada, 1977, p. 244-248 .

des agents diplomatiques de beaucoup d'autres puissances comparativement insignifiantes[8]. »

Le rôle joué par les troupes canadiennes au cours de la Deuxième Guerre
mondiale a contribué à l'évolution de la perception de la position du Canada
dans la hiérarchie internationale, comme si ce que les soldats avaient entamé
à Vimy en 1917 avait été complété par ceux qui combattirent à Dieppe (1942)
et en Normandie (1944). La guerre incita les dirigeants canadiens à redéfi-
nir leurs priorités internationales. Après avoir obtenu d'être traité comme
un État souverain (une qualité que lui avait d'ailleurs conférée, pour l'essentiel, le Statut de Westminster en 1931), Ottawa demandait aux grandes puissances de reconnaître la contribution canadienne à l'effort de guerre – un
effort significatif pour un État peu peuplé et doté de ressources limitées[9] –
en lui permettant d'exprimer ses vues sur certains aspects politiques et économiques de la conduite de la guerre[10]. C'est en des termes semblables à ceux
utilisés par Borden, une génération plus tôt, que King aborda la question
avec le premier ministre britannique, Winston Churchill :

> Vous comprendrez, j'en suis sûr, à quel point il serait difficile pour le Canada,
> après avoir enrôlé près d'un million de personnes dans ses Forces armées et triplé

---

8. Lovell C. Clark (dir.), *Documents relatifs aux relations extérieures du Canada*, vol. 3
   (1919-1925), Ottawa, Ministère des Affaires extérieures, 1970, p. 7. Depuis le Congrès de Vienne (1815), on compte quatre niveaux de représentation diplomatique :
   ambassadeur extraordinaire et plénipotentiaire (dont la mission est reconnue
   comme une ambassade) ; envoyé extraordinaire et ministre plénipotentiaire (qui a la
   charge d'une légation) ; ministre résident ; et chargé d'affaires. Les autres rangs diplomatiques comprennent le haut commissaire, le commissaire, le délégué permanent,
   le représentant permanent, le chef de mission et le chef de délégation.

9. Au cours de la guerre, les forces canadiennes compteront 1 082 703 engagés, dont
   42 000 seront tués ; la Marine sera dotée de plus de 400 bâtiments (dont trois porte-
   avions) tandis que l'ARC aura déployé 88 escadrilles de chasse et de bombardement, dont 48 outre-mer. Chiffres tirés de Jean Pariseau, « L'histoire militaire au
   Canada », dans A. P. Donneur et J. Pariseau (dir.), *Regards sur le système de défense
   du Canada*, Toulouse, Presses de l'Institut d'Études Politiques, 1989, p. 11-37 ; et de
   Desmond Morton, *Une histoire militaire 1608-1991*, Québec, Le Septentrion, 1992.

10. Il convient de noter que les buts de guerre du Canada resteront toujours flous,
    sinon en ce qui a trait à la volonté de mettre en place un ordre international stable.
    Voir Paul Létourneau, « Évaluation canadienne des perspectives ouvertes à l'Alle-
    magne (1943-45) », *Guerres mondiales et conflits contemporains*, n° 157, janvier 1990,
    p. 49-66.

sa dette nationale en vue d'aider à rétablir la paix, d'accepter la parité avec le Salvador ou la République dominicaine[11].

L'Angleterre, la France et les États-Unis commencèrent d'abord par repousser la demande des Canadiens, affirmant que si un État comme le Canada se voyait accorder une voix au chapitre, d'autres alliés revendiqueraient la leur, ce qui compliquerait la direction de l'effort de guerre. Ce à quoi les responsables politiques à Ottawa répliquèrent en invoquant ce que l'on a appelé le « principe de la représentation proportionnelle ». Ce principe, inspiré du fonctionnalisme[12], veut que lorsqu'un petit État a un intérêt et dispose d'une expertise dans un domaine donné (par exemple, dans le cas du Canada, la production de denrées alimentaires et de matières premières), il devrait être considéré comme une grande puissance, et ainsi se voir accorder le droit d'être représenté dans les instances touchant à ce champ d'activité. Accepté avec réticence par les États-Unis et l'Angleterre, ce principe a permis au Canada d'être mieux représenté dans un large éventail de forums, dont ceux traitant de l'aviation civile, de l'énergie atomique et du commerce international.

L'activité internationale du Canada et d'autres pays de même stature (comme l'Australie) a marqué de son empreinte l'organisation du système international de l'après-guerre. La contribution canadienne à l'effort de guerre a également incité bon nombre de Canadiens à revoir leur conception de la place qu'occupait le pays dans la hiérarchie internationale. Ainsi, en 1944, Lionel Gelber écrivait :

> La guerre a eu pour effet de sortir le Canada de son ancien statut pour lui donner une nouvelle envergure. Moins peuplé, et ne possédant pas de colonies, le Canada n'est pas une puissance majeure ou mondiale, comme la Grande-Bretagne, les États-Unis ou la Russie. Mais il n'en demeure pas moins qu'avec ses richesses naturelles et son potentiel humain, on ne peut le considérer comme une petite puissance, au même titre que le Mexique ou la Suède. Le Canada se situe entre les deux, en tant que puissance britannique d'un rang moyen. Par conséquent,

---

11. Cité par James Eayrs, « Le Canada, puissance de premier plan », *Perspectives internationales*, vol. 4, n° 3, mai-juin 1975, p. 22.
12. Sur le fonctionnalisme, voir John W. Holmes, *The Shaping of Peace : Canada and the Search for World Order 1943-1957* (tome 1), Toronto, University of Toronto Press, 1979, p. 29-73 ; et A. J. Miller, « The Functional Principle in Canada's External Relations », *International Journal*, vol. 35, 1980, p. 309-328.

sur le plan international, le Canada doit figurer comme une puissance moyenne[13] [traduction libre].

Les dirigeants canadiens ont graduellement abandonné la conception simpliste d'un monde divisé en deux (les grands et les « non-grands »), au profit d'une hiérarchisation plus subtile. Une déclaration de King à la Chambre des communes, en 1944, traduit bien cette évolution :

> La division du monde entre les grandes puissances et les autres est irréaliste, voire même dangereuse. On appelle les grandes puissances par ce nom, simplement parce qu'elles sont très puissantes. Les autres États sont également puissants et ils ont, par conséquent, la capacité d'utiliser cette puissance pour maintenir la paix[14].

Dès mai 1944, King affirmait que le Canada était une « puissance de taille moyenne », ou encore une « puissance moyenne », et qu'il devait donc bénéficier d'un statut différent de celui des petites puissances. Presque au même moment, Lester Pearson écrivait à propos de l'adhésion du Canada à l'ONU :

> Je crois que le Canada est en train de se tailler une place de chef de file parmi un groupe d'États assez importants pour être nécessaires aux quatre Grands, mais pas assez pour être acceptés comme l'un des leurs. En fait, la position d'un petit parmi les grands ou d'un grand parmi les petits est une position très difficile [...] Les États importants ont la puissance et la responsabilité, mais ils ont aussi la main haute sur tout. Nous, les États intermédiaires, n'obtenons souvent, semble-t-il, que le pire des deux mondes[15].

C'est seulement au début de 1945 qu'Ottawa a adopté, timidement, le terme « puissance moyenne » pour qualifier le rang du Canada. L'apparition de ce nouveau concept n'est pas le fruit d'un quelconque exercice intellectuel abstrait mené par les fonctionnaires du ministère des Affaires extérieures, mais plutôt le résultat d'un calcul politique. Le terme fut tout d'abord utilisé lors des rencontres de Dumbarton Oaks (septembre et octobre 1944), au cours

---

13. Lionel GELBER, « A Greater Canada Among the Nations », *Behind the Headlines* (1944), cité dans Peter C. DOBELL, *Canada's Search for New Roles : Foreign Policy in the Trudeau Era*, Toronto, Oxford University Press, 1969, p. 134.
14. *Débats de la Chambre des communes*, 1944, vol. 6, p. 5909.
15. Cité par James EAYRS, *op. cit.* (1975), p. 21.

desquelles la délégation canadienne émit des objections face au projet de création d'une nouvelle organisation internationale. Le Canada et d'autres États comme l'Australie s'inquiétaient du contrôle que voulaient exercer les grandes puissances sur ce qui allait devenir les Nations Unies, une volonté qui se reflétait dans la composition projetée du Conseil de sécurité : les États-Unis, l'Union soviétique, la Chine, le Royaume-Uni et la France y disposeraient en effet d'un siège permanent et d'un droit de veto.

Lorsque, en janvier 1945, le gouvernement canadien réagit aux propositions de Dumbarton Oaks, il fit valoir que, même si les grandes puissances se devaient de maintenir la paix dans le système international, le projet préliminaire de création des Nations Unies ne tenait pas compte des différences entre les autres États. Ottawa affirmait que l'influence de ces derniers, de même que « leur capacité de sauvegarder la paix, s'échelonnaient de pratiquement zéro à un niveau juste en deçà de celui des grandes puissances[16] ». Ces arguments n'étaient pas suffisants pour faire oublier l'échec de la Société des Nations (SDN), dont le fonctionnement boiteux était précisément attribué au fait que les grandes puissances n'y disposaient pas d'un statut privilégié. Si les Britanniques se montraient plutôt sympathiques à la cause des puissances moyennes, il fut impossible de convaincre les autres grands États de renoncer à leur emprise oligarchique sur le Conseil de sécurité.

Les Canadiens n'abandonnèrent pas pour autant leur croisade pour promouvoir le statut de moyenne puissance. Ce fut le cas en juin 1945, au cours de la Conférence tenue à San Franscisco pour débattre du contenu de la Charte des Nations Unies. Lester B. Pearson, alors ambassadeur du Canada aux États-Unis, prononça un discours en ce sens : « Nous ne voyons pas pourquoi l'égalité souveraine des États, un principe qui doit être accepté en théorie, devrait être modifiée en pratique par le simple fait d'accorder des droits particuliers et des privilèges aux grandes puissances. » Il fit alors la suggestion suivante :

> Puissance et responsabilité devraient être liées ; l'égalité absolue dans toute organisation mondiale serait absolument futile. Aucun pays ne peut être en mesure de

---

16. Cité dans C. P. STACEY, *Canada and the Age of Conflict,* vol. 2 : *1921-1948 - The Mackenzie King Era,* Toronto, University of Toronto Press, 1981, p. 380.

jouer le rôle qui lui revient dans les affaires internationales si son influence n'est pas proportionnelle à ses obligations et à sa puissance. Ceci signifie qu'il faut non seulement arrêter de s'imaginer qu'au Conseil de sécurité, le Salvador et la Russie sont sur un pied d'égalité, mais aussi qu'il faut abandonner l'idée fausse qu'en dehors du groupe des quatre ou cinq grandes puissances, tous les autres États doivent avoir un statut égal[17].

Cette position fut défendue à San Franscisco par des pays comme le Canada et l'Australie, qui demandaient instamment que soit reconnue, à sa juste valeur, la contribution des puissances moyennes à la nouvelle institution[18]. Bien que cette croisade n'ait pas atteint tous ses objectifs, le terme est resté. Le concept de « puissance moyenne » allait désormais servir pour désigner la place du Canada dans le système international.

Les différentes définitions du concept

Mais qu'est-ce qu'une puissance moyenne au juste ? Si la notion est évoquée depuis des siècles[19], elle n'en reste pas moins très difficile à définir. Traditionnellement, les puissances moyennes sont identifiées à partir de l'examen de leurs attributs de puissance définis en termes quantitatifs (population, ressources naturelles, capacités militaires, PNB, etc.). Une puissance moyenne serait donc un État dont les indicateurs de puissance se situent près de la moyenne de l'ensemble des États. Mais cette définition est insatisfaisante en termes analytiques. D'une part, elle est difficilement applicable aux cas particuliers. Par exemple, en quoi l'examen des données démographiques ou économiques permet-il d'expliquer l'influence du Canada dans un dossier comme celui du bannissement des mines antipersonnel ? Comme nous

---

17. Lester B. PEARSON, *Words and Occasions*, Toronto, University of Toronto Press, 1970, p. 63.
18. Sur la diplomatie canadienne à San Francisco, voir John W. HOLMES, *op. cit.* (1979), p. 247-259 ; voir aussi John ENGLISH, « "A Fine Romance" : Canada and the United Nations, 1943-1957 », dans Greg DONAGHY (dir.), *Le Canada et la Guerre froide, 1943-1957*, Ministère des Affaires étrangères et du Commerce international, Ottawa, 1999, p. 73-89.
19. Carsten HOLBRAAD, *Middle Power in International Politics*, Londres, Macmillan, 1984. Pour une revue des définitions récentes, voir Adam CHAPNICK, « The Canadian Middle Power Myth », *International Journal*, vol. 55, n° 2, printemps 2000, p. 188-206.

le verrons plus loin, la puissance n'est pas « fongible ». Ce type de classification présente aussi l'inconvénient de réunir, dans une même catégorie, un groupe d'États qui n'ont, finalement, que peu de chose en commun (Argentine, Australie, Brésil, Belgique, Canada, Inde, Mexique, Suède, etc.[20]).

Une autre approche consiste à identifier les puissances moyennes à partir de leur position géographique. Ainsi, au XIXe siècle, certains auteurs allemands soutenaient que le terme *Mittelmacht* ne s'appliquait pas uniquement à des États de taille et de puissance militaire moyennes, mais aussi à ceux qui se retrouvaient géostratégiquement « au milieu », c'est-à-dire situés entre de grandes puissances rivales et donc contraints de maintenir l'équilibre entre elles. Sans doute pertinentes dans le contexte du XIXe et du début du XXe siècle, les définitions géographiques ont perdu de leur importance avec les progrès de la technologie, progrès qui tendent à réduire les distances. Ces références historiques, quoique souvent vagues et inconscientes, ont certainement inspiré la notion de moyenne puissance qui fit son apparition après la Deuxième Guerre mondiale : il s'agit d'États possédant des attributs de puissance proche de la moyenne des autres États, et géographiquement situés « au milieu ». Les Canadiens, par exemple, se percevaient comme un État-tampon entre l'Union soviétique et les États-Unis[21].

Les définitions fondées sur les attributs matériels ou sur la position géographique ont récemment été laissées de côté au profit de celles fondées sur l'examen des politiques et du comportement international de l'État. Le concept de « puissances moyennes » ne désignerait donc pas un rang intermédiaire

---

20. Bien des États peuvent être qualifiés de « puissance moyenne ». Ainsi, en 1984, Carsten Holbraad, qui utilisait des indicateurs démographiques et économiques, en identifiait dix-huit dont plusieurs, comme la Chine, la France ou le Royaume-Uni, sont parfois perçus comme des « grandes puissances ». Carsten HOLBRAAD, *op. cit.* (1984), p. 90 et 221-223. On peut comparer cette liste avec celle de Bernard WOOD, qui compte 33 États, « Towards North-South Middle Power Coalitions », dans Cranford PRATT (dir.), *Middle Power Internationalism. The North South Dimension*, Montréal/Kingston, McGill-Queen's University Press, 1990. Étudiée à la lumière de tels indicateurs, la Russie de l'après-Guerre froide pourrait bien être classée comme une « puissance moyenne », ce qui en froisserait plusieurs à Moscou...

21. Annette BAKER FOX, *The Politics of Attraction : Four Middle Powers and the United States*, New York, Columbia University Press, 1977, p. 88-91.

dans la hiérarchie des États, mais plutôt un style particulier de politique étrangère[22].

Le « style puissance moyenne » : médiation et gestion des conflits régionaux

Ce furent finalement les définitions fondées sur le « style de politique étrangère » qui finirent par s'imposer au Canada. Ainsi, au cours des années 1950 et 1960, la notion de puissance moyenne finit par désigner le style de politique étrangère que l'on appelle parfois l'internationalisme – et que John W. Holmes a appelé ironiquement le *middlepowermanship*[23]. Le terme *internationalisme* est né d'une volonté d'établir une distinction avec la politique fortement teintée d'isolationnisme pratiquée par le gouvernement canadien jusqu'à la veille de la Deuxième Guerre mondiale. Isolé par la géographie, dans sa « maison à l'épreuve du feu » pour reprendre l'image évoquée par Raoul Dandurand, le représentant canadien à la SDN, en 1924[24], le Canada n'avait pas à se mêler des conflits internationaux, ni à en faire les frais. La Deuxième Guerre mondiale a clairement démontré la futilité d'un tel raisonnement et Ottawa devait, désormais, faire tout en son pouvoir pour atténuer les tensions internationales susceptibles de déclencher un nouveau conflit généralisé. En conséquence, la nouvelle équipe de diplomates arrivée aux Affaires extérieures à la faveur du conflit (notamment Lester Pearson, John W. Holmes et Escott Reid) prônait une politique résolument plus active et

---

22. Paul PAINCHAUD, « Middlepowermanship as an Ideology », dans J. King GORDON (dir.), *Canada's Role as a Middle Power*, Toronto, Institut canadien des affaires internationales, 1966, p. 29-35 ; Andrew F. COOPER, Richard A. HIGGOTT et Kim Richard NOSSAL, *Relocating Middle Powers : Australia and Canada in a Changing World Order*, Vancouver, University of British Columbia Press, 1993, en particulier chap. 1 ; également, David R. BLACK et Heather A. SMITH, « Notable Exceptions ? New and Arrested Directions in Canadian Foreign Policy Literature », *Revue canadienne de science politique*, vol. 26, n° 4, décembre 1993, p. 760-767.

23. John W. HOLMES, « Is there a Future for Middlepowermanship ? », dans J. King GORDON (dir.), *op. cit.*, p. 29-35. Le terme a été forgé satiriquement par Holmes à partir du mot *brinkmanship* (bravade), employé par les représentants américains pour désigner leur attitude face à l'Union soviétique et la Chine.

24. Voir « The Geneva Protocol (Dandurand, 2 October 1924) », dans Walter A. RIDDELL (dir.), *Documents on Canadian Foreign Policy, 1917-1939*, Toronto, Oxford University Press, 1962.

plus interventionniste. Bref, une politique plus internationaliste, sur laquelle nous reviendrons au chapitre 4.

L'un des principaux traits du comportement des puissances moyennes réside dans leur propension à adopter des politiques qui visent à renforcer la stabilité du système international, considérée comme essentielle à leur prospérité et à leur sécurité. Concrètement, cette politique se traduit par une diplomatie très active, l'adoption de rôle de médiateur et de conciliateur, et une participation presque systématique aux opérations multilatérales destinées à assurer la paix. Bien entendu, les puissances moyennes ne sont pas les seules à adopter de tels comportements. Mais elles tendent à le faire de façon plus systématique que les autres catégories d'États[25].

Certains comportements semblent bien ancrés dans la politique étrangère du Canada – ou, du moins, dans la mythologie canadienne. Ainsi, l'un des traits associés au style des puissances moyennes est le rôle d'intermédiaire – fréquemment évoqué sous le terme anglais de *linchpin* – entre des parties, voire des alliés en conflit. L'image, née dans les années 1920, fut reprise au début de la Deuxième Guerre mondiale, alors que Mackenzie King se percevait comme un interprète entre l'Angleterre en guerre et les États-Unis encore neutres[26]. Britanniques et Américains n'avaient certainement pas besoin d'un tel interprète, comme le démontrent les rapports étroits entre Franklin Roosevelt et Winston Churchill ; King n'a donc pu jouer ce rôle qu'en

25. Charles-Philippe DAVID et Stéphane ROUSSEL, *Environnement stratégique et modèles de défense. Une perspective québécoise*, Montréal, Méridien, 1996, p. 91-95 ; Charles-Philippe DAVID et Stéphane ROUSSEL, « Une espèce en voie de disparition ? La politique de puissance moyenne du Canada après la Guerre froide », *International Journal*, vol. 52, n° 1, hiver 1996-1997, p. 39-68. D'autres traits de comportement, tel que l'engagement des puissances moyennes à l'égard des institutions multilatérales, seront abordés au chapitre 4.

26. Gregory A. JOHNSON et David A. LENARCIC, « The Decade of Transition : The North Atlantic Triangle during the 1920s », dans B. J. C. MCKERCHER et Lawrence ARONSEN (dir.), *The North Atlantic Triangle in a Changing World. Anglo-American-Canadian Relations, 1902-1956*, Toronto, University of Toronto Press, 1996, p. 93-94 ; David G. HAGLUND, *The North Atlantic Triangle Revisited. Canadian Grand Strategy at Century's End*, Toronto, CIIA, 2000, p. 34-44 ; Robert BOTHWELL, « Les relations canado-américaines », dans *La politique étrangère canadienne dans un ordre international en mutation. Une volonté de se démarquer ?*, Québec, Centre québécois de relations internationales, 1992, p. 39-41.

de rares occasions, qui se révélèrent d'ailleurs frustrantes et pénibles[27]. En fait, lors des conférences de Québec d'août 1943 et de septembre 1944, Mackenzie King fut proprement tenu à l'écart. Il fut l'hôte des deux conférences, mais n'a participé à aucune. Il s'est donc contenté de se faire photographier avec ses deux collègues, en espérant sans aucun doute que les électeurs canadiens s'y laisseraient prendre[28].

Le problème s'est posé de façon semblable au cours de la Guerre froide. Certaines initiatives, comme la visite de Pearson (alors ministre des Affaires extérieures) à Moscou en octobre 1955[29], avaient pour objet de réduire les tensions entre l'Est et l'Ouest, tensions qui pouvaient mettre en cause la sécurité du Canada. Très modestes à l'origine, ces initiatives devaient rapidement prendre une ampleur démesurée dans le discours sur la politique étrangère. Les Canadiens se mirent bientôt à croire qu'ils servaient de médiateur désintéressé entre les deux superpuissances[30]. Cette image est séduisante, mais sans rapport avec la réalité. Les quelques démarches diplomatiques n'ont eu qu'un impact très limité, si tant est qu'elles en eurent. Les dirigeants canadiens n'ont d'ailleurs jamais perçu leur pays comme étant neutre sur le plan idéologique, et le Canada a toujours été fermement ancré dans le camp occidental. De plus, dès la fin des années 1960, Moscou et Washington avaient appris à se parler directement et n'avaient nul besoin de recourir aux services d'un « honnête courtier ». Même après la fin de la Guerre froide, cette image a persisté. Ainsi, en février 2001, le président Vladimir Poutine demandait aux Canadiens de jouer les intermédiaires entre la Russie et les États-

---

27. King était, en effet, surtout chargé de relayer les propositions les plus explosives, comme celle de Roosevelt qui, en juillet 1940, souhaitait que les navires de la Royal Navy se replient dans des ports américains, de crainte qu'ils ne tombent aux mains des Allemands, ce que Churchill refusa catégoriquement.

28. C. P. STACEY *op. cit.* (1981) p. 334 ; pour un exemple de la façon dont les historiens colportent cette idée voir Paul-André LINTEAU, René DUROCHER, Jean-Claude ROBERT et François RICARD, *Histoire du Québec contemporain. Le Québec depuis 1930*, Montréal, Boréal, 1986, p. 133.

29. Pearson retrace ces événements dans ses mémoires, *Mike : The Memoirs of the Right Honourable Lester B. Pearson. Vol. 2 : 1948-1957*, Toronto, University of Toronto Press, 1973, chap. 9. Voir aussi John ENGLISH, *The Worldly Years : The Life of Lester Pearson, Vol. 2 : 1949-1972*, Toronto, Knopf, 1992.

30. Peyton V. LYON et Brian W. TOMLIN, *Canada as an International Actor*, Toronto, Macmillan, 1979.

Unis dans le dossier épineux du projet de défense antimissile – une demande qu'a sagement déclinée le premier ministre Chrétien. À l'été 2006, l'opinion canadienne reprochait au premier ministre Stephen Harper de défendre une position trop ouvertement pro-Israël lors de la guerre du Liban, ce qui, croyait-on, allait à l'encontre de son « rôle traditionnel » de médiateur.

Si le gouvernement canadien pratiquait la médiation au cours de la Guerre froide, il le faisait surtout à l'intérieur du camp occidental. Certaines initiatives de médiation visaient à désamorcer des conflits entre des membres de l'OTAN (par exemple lors de la crise de Suez en 1956) ; d'autres, la plupart infructueuses, tendaient à réfréner les entreprises américaines qui, selon Ottawa, risquaient de provoquer une nouvelle conflagration mondiale (la guerre de Corée, celle du Viêt-nam ou encore les crises des îles Quemoy et Matsu en 1955[31]) ; enfin, les Canadiens ont tenté de résoudre les désaccords qui survenaient périodiquement au sein du Commonwealth à propos de la discrimination raciale en Afrique australe[32].

L'aspect le plus important de la diplomatie internationaliste du Canada, pendant la Guerre froide, est lié à la gestion des conflits régionaux. Ottawa craignait que les « feux de broussailles périphériques » ne dégénèrent et provoquent l'intervention des grandes puissances, risquant ainsi de devenir l'étincelle qui déclencherait une guerre mondiale. Les Canadiens étaient donc favorables au renforcement des mécanismes internationaux de gestion des conflits – les principaux étant ceux prévus par la Charte de l'ONU. Ottawa

---

31. Sur ces différents épisodes, voir Denis STAIRS, *The Diplomacy of Constraint : Canada, the Korean War and the United States*, Toronto, University of Toronto Press, 1974, en particulier le chap. 4 ; Greg DONAGHY et Hector MACKENZIE, « Le Canada et la sécurité collective, 1943-1950 : les Nations Unies, le traité de l'Atlantique Nord et la guerre de Corée », *Relations Internationales*, n° 86, été 1996, p. 163-183 ; John W. HOLMES et Jean-René LAROCHE, « Le Canada et la Guerre froide », dans Paul PAINCHAUD (dir.), *op. cit.*, 1977, p. 283-291 ; Robert BOTHWELL, « The Further Shore. Canada and Vietnam », *International Journal*, vol. 56, n° 1, hiver 2000-2001, p. 89-114.

32. Voir les deux études de Frank R. HAYES sur le sujet : « South Africa's Departure from the Commonwealth », *International History Review*, vol. 2, juillet 1980, p. 453-484, et « Canada, the Commonwealth and the Rhodesia Issue », dans Kim Richard NOSSAL (dir.), *An Acceptance of Paradox. Essays on Canadian Diplomacy in Honour of John W. Holmes*, Toronto, CIIA, 1982, p. 141-173 ; et David R. BLACK, « La politique du gouvernement Mulroney à l'égard de l'Afrique du Sud : Précurseur de la "sécurité humaine" », *Études internationales*, vol. 31, n° 2, juin 2000, p. 291-310.

en vint tout naturellement à se vouer à la surveillance du respect des cessez-le-feu et à apporter une contribution assidue aux forces internationales de maintien de la paix.

La notion même de « Casques bleus » – des troupes provenant de différents pays mandatés par l'ONU pour s'interposer entre des belligérants – est née d'une initiative canadienne. En pleine crise de Suez (1956), Lester Pearson, alors ministre des Affaires étrangères, cherchait un moyen de permettre un retrait honorable des forces françaises, britanniques et israéliennes engagées contre l'Égypte. L'idée consistait à envoyer un contingent de militaires provenant d'États non impliqués dans le conflit pour superviser la trêve et le retrait des forces étrangères, ce qui devait permettre aux belligérants de négocier dans un climat moins tendu[33]. Même s'il ne s'agit que d'un substitut de fortune aux autres mécanismes prévus par la Charte des Nations Unies – un « ersatz de sécurité collective », pour reprendre le terme de Michel Fortmann[34] –, on peut certainement parler d'une contribution importante à la stabilité du système international de la Guerre froide, contribution d'ailleurs sanctionnée par l'attribution du prix Nobel de la paix à Pearson l'année suivante.

Remise en question et persistance du concept

Utilisée timidement en 1945, la notion de « puissance moyenne » était, en 1975, bien ancrée dans le discours des analystes et des dirigeants canadiens, comme le révéla une étude menée à cette époque[35]. Cette image avait pourtant été remise en question par Pierre Elliott Trudeau, lors de son accession au poste de premier ministre en 1968. La notion de puissance moyenne et le style de politique étrangère qui y était associé étaient, selon lui, dépassés. « Les Canadiens ne devraient pas oublier que nous représentons peut-être la plus grande des petites puissances plutôt que la plus petite des grandes puissances. Et c'est, je pense, un changement radical par rapport à notre mentalité d'il y a

33. Jocelyn COULON, *Les Casques bleus*, Montréal, Fides, 1994, p. 37-52.
34. Michel FORTMANN, « Le Canada et le maintien de la paix », dans André P. DONNEUR et Jean PARISEAU (dir.), *op. cit.* (1989), p. 105.
35. R. B. BYERS, David LEYTON-BROWN et Peyton V. LYON, « The Canadian International Image Study », *International Journal*, vol. 32, n° 3, été 1977, p. 605-607 ; Peyton V. LYON et Brian W. TOMLIN, *op. cit.* (1979), p. 57 et 79-93.

vingt ans[36]. » Cette réévaluation reposait en premier lieu sur une reconnaissance des changements intervenus dans le système international depuis 1945,
et qui affectaient la « puissance » et « l'influence » relatives du Canada :

> La place du Canada dans le monde est aujourd'hui très différente de ce qu'elle
> était dans les années d'après-guerre. Nous étions alors la plus grande des petites
> puissances. [...] Mais aujourd'hui, l'Europe a retrouvé sa vigueur. Le Tiers-Monde
> a pointé à l'horizon [...]. Ce sont là les grandes lignes de la conjoncture interna-
> tionale dans laquelle le Canada se trouve aujourd'hui[37].

Ce constat devait tout d'abord amener le nouveau premier ministre à rejeter le concept de puissance moyenne tel qu'il aurait été défini 20 ans plus tôt :

> Personnellement, j'ai plutôt tendance à ne pas trop exagérer le poids de notre
> influence sur la scène internationale. [...]. Je crois que nous devrions être modestes,
> beaucoup plus modestes que nous l'étions dans la période d'après-guerre, alors
> que l'effondrement de l'Europe contribuait à faire de nous une grande puissance.
> Mais maintenant, nous sommes revenus à notre taille normale et je crois que
> nous devons nous rendre compte que nous disposons de ressources limitées, qu'il
> s'agisse de l'énergie ou [...] des ressources intellectuelles et de la main-d'œuvre[38].

Bien entendu, le rejet par Trudeau du statut de puissance moyenne allait
de pair avec l'internationalisme qui y était associé. Au début de son mandat,
le premier ministre mit l'accent sur la modestie et le réalisme. Dans ces conditions, il n'est pas surprenant que les auteurs du livre blanc sur la politique
extérieure de 1970 aient estimé que le rôle de puissance moyenne du Canada
était appelé à disparaître[39].

Trudeau semble cependant avoir enterré prématurément la notion de
« puissance moyenne ». Sa remise en question ne s'est pas traduite par une
réorientation majeure et le Canada a continué à assumer la plupart des rôles
associés à ce concept, notamment en matière de maintien de la paix[40]. « L'ini-

---

36. Cité dans Bruce THORDARSON, *Trudeau and Foreign Policy. A Study in Decision-Making*, Toronto, Oxford University Press, 1972, p. 69.
37. Extrait d'une note produite par le bureau du premier ministre, citée par James EAYRS, *op. cit.* (1975), p. 24.
38. P. E. TRUDEAU, conférence de presse du 18 décembre 1969, cité dans *Ibid.*, p. 25.
39. CANADA, MINISTÈRE DES AFFAIRES EXTÉRIEURES, *Politique étrangère au service des Canadiens*, Ottawa, 1970, livret principal, p. 7.
40. Sous la direction de Trudeau, le Canada participera à six nouvelles missions de maintien de la paix.

tiative de paix » de Trudeau en 1983-1984 présente des relents très nets de la diplomatie pratiquée par Lester Pearson. Dans un discours prononcé à Guelph (Ontario) en octobre 1983, comme dans son rapport au Parlement en février 1984, le premier ministre fait allusion au rôle capital que devaient jouer les puissances moyennes pour désamorcer les tensions entre superpuissances[41]. Plus encore, le terme « puissance moyenne » est fréquemment employé dans ses *Mémoires politique*, rédigés une dizaine d'années plus tard[42].

Depuis, l'utilisation du terme pour désigner une forme particulière de diplomatie a presque disparu du vocabulaire officiel. De 1984 à 1993, le gouvernement de Brian Mulroney a soigneusement évité toute référence au concept de puissance moyenne pour décrire le Canada ou sa politique étrangère (sans toutefois rejeter le terme internationalisme)[43]. Cela ne l'a cependant pas empêché de poursuivre avec zèle une diplomatie généralement associée au style des puissances moyennes. Les tentatives de Mulroney et de son ministre des Affaires extérieures, Joe Clark, pour régler les différends au sein du Commonwealth sur la question de l'apartheid en Afrique du Sud s'inscrivent dans la tradition de leurs prédécesseurs. Le Canada continue également à participer activement aux opérations de maintien de la paix. C'est à cette époque que des soldats sont déployés pour veiller au retrait des Soviétiques d'Afghanistan et au respect du cessez-le-feu entre l'Iran et l'Irak, qu'ils utilisent leur expertise en matière de supervision de trêve pour

---

41. *Débat de la Chambre des communes*, 1983-1984, 9 février 1984, p. 1211-1216. Sur l'initiative de paix, voir André P. Donneur, « La politique étrangère de Pearson à Trudeau : entre l'internationalisme et le réalisme », dans Yves Bélanger, Dorval Brunelle et al., *L'ère des libéraux, le pouvoir fédéral de 1963 à 1984*, Montréal, Presses de l'Université du Québec, 1988, p. 51-53 ; Pierre E. Trudeau, *Mémoires politiques*, Montréal, Le jour, 1993, p. 297-310.

42. Ivan L. Head et Pierre Elliott Trudeau, *The Canadian Way : Shaping Canada's Foreign Policy 1968-1984*, Toronto, McClelland & Stewart, 1995, p. 310-319.

43. Canada, Secrétaire d'État aux Affaires extérieures, *Compétitivité et sécurité ; orientations pour les relations extérieures du Canada*, Ottawa, Ministre des Approvisionnements et Services Canada, juin 1985 ; Canada, Parlement, *Indépendance et internationalisme. Rapport du Comité mixte spécial sur les relations extérieures du Canada*, Ottawa, Ministre des Approvisionnements et Services Canada, 1986 ; Ministère des Affaires extérieures, *Les relations extérieures du Canada. Réponse du gouvernement du Canada au rapport du Comité mixte spécial du Sénat et de la Chambre des communes*, Ottawa, Ministre des Approvisionnements et Services Canada, 1987.

contribuer au processus de paix en Amérique centrale[44], et qu'ils participent aux missions en Namibie, au Cambodge, en Somalie, dans l'ex-Yougoslavie, au Rwanda et en Haïti[45]. Plus encore, Mulroney et Clark, pourtant des conservateurs, justifiaient leur décision d'envoyer des forces dans le Golfe en 1990-1991 en invoquant la mémoire d'un libéral, Lester B. Pearson[46].

La fin de la Guerre froide n'a pas entraîné la disparition de la diplomatie de puissance moyenne, même si les conditions semblent, sous certains aspects, moins favorables[47]. Les comportements associés à ce concept sont toujours observables dans la politique étrangère et de sécurité d'États tels que le Canada, l'Australie et les pays scandinaves, notamment une diplomatie très active, une volonté de jouer les médiateurs et la formulation de politiques destinées à renforcer la stabilité du système international[48]. Ainsi, l'adoption du concept de « sécurité humaine », étudié au chapitre 4, s'apparente à une tentative de réactualiser l'approche traditionnelle du Canada en matière de gestion des conflits locaux et régionaux.

---

44. CANADA, CHAMBRE DES COMMUNES, *Premier rapport : appui au Groupe des Cinq. Le Canada et le processus de pacification en Amérique centrale*, Ottawa, Ministère des Approvisionnements et Services Canada, 5 juillet 1988. Voir aussi Harold P. KLEPAK (dir.), *Canada and Latin American Security*, Montréal, Méridien, 1993.

45. CANADA, SÉNAT, *Le Canada face au défi du maintien de la paix dans une ère nouvelle. Rapport du Comité sénatorial permament des Affaires étrangères*, Ottawa, Approvisionnements et Services Canada, février 1993 ; Jocelyn COULON, *op. cit.* (1994).

46. Notons cependant que, selon John KIRTON, il s'agissait d'une contribution militaire plus importante que celle d'une « puissance moyenne », « Liberating Kuwait : Canada and the Persian Gulf War », dans Don MUNTON et John KIRTON (dir.), *Canadian Foreign Policy : Selected Cases*, Scarborough, Prentice Hall Canada, p. 392. Kim Richard NOSSAL, « Lester Pearson : Warrior », *Literary Review of Canada*, mai 1994, p. 10-11. Pour une comparaison entre le débat au Canada et en Australie au cours de la guerre du Golfe, voir Kim Richard NOSSAL, « Quantum Leaping : the Gulf debate in Australia and Canada », dans Michael McKINLEY (dir.), *The Gulf War : Critical Perspectives*, Sydney, Allen and Unwin, 1994, p. 48-71.

47. André P. DONNEUR et Stéphane ROUSSEL, « Le Canada : Quand l'expertise et la crédibilité ne suffisent plus », dans Alex MACLEOD et Stéphane ROUSSEL (dir.), *Intérêt national et responsabilités internationales : six États face au conflit en ex-Yougoslavie (1991-1995)*, Montréal, Guérin, 1996, p. 143-160 ; Charles-Philippe DAVID et Stéphane ROUSSEL, *op. cit.*, 1996-1997.

48. Andrew F. COOPER et Kim Richard NOSSAL, « The Middle Powers : Australia, Canada and Nordic Compared », dans Joseph LEGPOLD, Andy BENNETT et Danny UNGER (dir.), *Friends in Need : Burden-Sharing in the Gulf War*, New York, St. Martin's Press, 1996. Voir aussi Adam CHAPNICK, *op. cit.*, p. 202-205.

Par contre, d'autres aspects de la politique étrangère du gouvernement Chrétien semblent marquer une rupture avec l'approche traditionnelle. Ainsi, la participation à l'intervention de l'OTAN au Kosovo (1999) malgré l'absence de mandat des Nations Unies constitue un précédent[49]. Par ailleurs, on constate une tendance à mettre davantage l'accent sur des initiatives bilatérales ou en petits groupes (ce que John Kirton qualifie d'approche « plurilatéraliste[50] ») qu'au sein de vastes coalitions multilatérales.

Le satellite des États-Unis

À la fin des années 1960, certains analystes commencent à remettre en question la pertinence du concept de puissance moyenne, des postulats sur lesquels il est fondé et de la politique qui en découle[51]. Ce questionnement va beaucoup plus loin que le scepticisme exprimé par Trudeau au début de son mandat, lequel ne remettait pas en cause la capacité du Canada à agir de façon autonome. C'est pourtant ce qu'affirment les tenants de l'approche dite de la « dépendance périphérique », qui estiment que le Canada n'est passé du statut de colonie britannique que pour devenir un satellite des États-Unis. L'évolution de ce statut reflète non seulement le déplacement du centre de l'hégémonie mondiale de Londres vers Washington, mais aussi la solidité des liens économiques, idéologiques et culturels qui se sont tissés en Amérique du Nord[52]. Ainsi, le Canada serait passé du statut de colonie à celui d'une nation, pour redevenir une colonie à la faveur de la Deuxième Guerre mondiale. Ce que certains perçoivent comme l'émergence d'une puissance moyenne n'est, pour d'autres, qu'un simple changement de sphère de dépendance, qui confine

---

49. Même les interventions en Corée (1950-1953) et dans le Golfe persique (1990-1991) étaient sanctionnées par une résolution du Conseil de sécurité.
50. John Kirton, « Promoting Plurilateral Partnership : Managing United States-Canada Relations in the Post-Cold War Period », *American Review of Canadian Studies*, vol. 24, n° 4, hiver 1994, p. 453-472. Voir aussi John Kirton, « Une ouverture sur le monde : la nouvelle politique étrangère du gouvernement Chrétien », *Études internationales*, vol. 27, n° 2, juin 1996, p. 257-279.
51. J. L. Granatstein (dir.), *Canadian Foreign Policy since 1945 : Middle Power or Satellite ?*, Toronto, Copp Clark, 1973 (3ᵉ éd.).
52. John Hutcheson, *Dominance and Dependency. Liberalism and National Policies in the North Atlantic Triangle*, Toronto, McClelland & Stewart, 1978, p. 44-45.

le Canada à la périphérie – ou au mieux à la « semi-périphérie » – de l'économie mondiale.

Cette perception a des origines historiques profondes : déjà, en 1920, bien avant que l'on puisse observer clairement le réalignement de la dépendance économique du Canada de l'Angleterre vers les États-Unis, Archibald Mac-Mechan se désolait de voir le pays s'américaniser et devenir un simple « État vassal » des États-Unis. Ces propos furent repris en 1946 par A. R. M. Lower, qui décrivait le Canada comme un « État subordonné », ni plus ni moins qu'un « satellite des États-Unis »[53].

Cette perception s'est développée dans les décennies qui ont suivi la Deuxième Guerre mondiale. Dans un ouvrage publié en 1960, James M. Minifie refusait d'assimiler le Canada à une puissance moyenne investie d'une mission de gardien de la paix internationale. Il soutenait plutôt que « l'association étroite avec les politiques militaires et économiques de l'impérialisme [...] a fait du Canada le glacis de la défense continentale des États-Unis, le larbin du monde occidental, [ce qui] l'a fait passer, en l'espace de trois générations, de l'état de colonie à celui de satellite[54] ».

Le refus de reconnaître le gouvernement de Beijing, la position d'Ottawa sur le Viêt-nam et la manie du gouvernement Pearson de recourir à la « diplomatie tranquille » (une traduction approximative du terme *quiet diplomacy*) pour exprimer les divergences d'opinions avec Washington, sont venus confirmer cette impression[55]. Les appréhensions des Canadiens devant l'étendue de l'emprise américaine ne pouvaient qu'être exacerbées, quand elles n'étaient pas exagérées, en voyant ce qui se passait à l'époque au sud de la frontière, en particulier les émeutes raciales, les manifestations étudiantes, et la violence endémique que semblait générer la société américaine. En outre, le public s'inquiétait de plus en plus du contrôle, par des capitaux américains, de l'économie canadienne, un phénomène déjà dénoncé par la classe politique au cours des années 1950. Les Canadiens redoutaient que cette main-

---

53. Cités dans Philip Resnick, « Canadian Defence Policy and the American Empire », dans Ian Lumsden (dir.), *Close the 49th Parallel etc. The Americanization of Canada,* Toronto, University of Toronto Press, 1970, p. 99.
54. James M. Minifie, *Peacemaker or Powdermonkey : Canada's Role in a Revolutionary World,* Toronto, McClelland & Stewart, 1960, p. 52.
55. Michael K. Hawes, *op. cit.* (1984), p. 22.

mise ne provoque l'américanisation complète de leur pays, avec tous les aspects négatifs associés au mode de vie américain que cela impliquait. Toutes ces craintes trouvaient écho dans des textes souvent enflammés, qui dépassaient le cadre de la politique étrangère[56].

À la fin des années 1960, et au début des années 1970, bien peu d'auteurs, à quelques exceptions près[57], se préoccupaient encore de la place du Canada dans la hiérarchie internationale. Les travaux les plus sérieux ont d'ailleurs été éclipsés par les réquisitoires passionnés qui dominaient le débat. Trop souvent, la subordination du Canada à l'empire informel des États-Unis était considérée comme acquise. Ce postulat a servi de point de départ à de nombreux analystes. Plusieurs ont repris le raisonnement de George Grant, qui prédisait sinistrement que le processus d'homogénéisation culturelle, technologique et socioéconomique, et donc politique, de l'Amérique du Nord entraînerait nécessairement « la disparition du Canada en tant que nation[58] ». Ces chercheurs cherchaient à décrire la nature de la domination impérialiste qui remettait en question l'existence même du Canada. Dans un ouvrage paru en 1970, George Martell écrivait sombrement : « En tant que pays, nous sommes fichus. Notre culture, notre politique, notre économie sont emballées aux États-Unis. Nous sommes maintenant Américains, et je pense qu'il est grand temps qu'on commence à s'y habituer[59]. »

Il est intéressant de noter qu'à peu près au même moment où les chercheurs canadiens dénonçaient la mainmise des États-Unis sur le Canada, leurs collègues américains adoptaient un point de vue très différent. Ils cherchaient notamment à expliquer pourquoi, malgré l'énorme disproportion

---

56. Voir, par exemple, Stephen CLARKSON (dir.), *An Independent Foreign Policy for Canada*, Toronto, McClelland & Stewart, 1968, p. 173-183 ; Walter GORDON, *A Choice for Canada : Independence or Colonial Status*, Toronto, McClelland & Stewart, 1966 ; Dave GODFREY, avec la coll. de Mel WATKINS (dir.), *Gordon to Watkins to You, A Documentary*, Toronto, New Press, 1970.

57. Kenneth McNAUGHT, « From Colony to Satellite », dans Stephen CLARKSON (dir.), *op. cit.* (1968), p. 173-183 ; John W. WARNOCK, *Partner to Behemoth : The Military Policy of a Satellite Canada*, Toronto, New Press, 1970.

58. George GRANT, *Lament for a Nation. The Defeat of Canadian Nationalism*, Montréal/Kingston, McGill-Queen's University Press, 2004 (1965).

59. George MARTELL, « What Can I Do Right Now ? Notes from Point Blank School on the Canadian Dilemma », dans Ian LUMSDEN (dir.), *op. cit.*, p. 291.

de puissance, les conflits entre les deux États ne se résolvaient pas systématiquement à l'avantage de Washington[60]. Là où les Canadiens percevaient
dépendance et homogénéisation, les Américains voyaient interdépendance
et intégration.

La dénonciation à outrance de la domination américaine a eu un impact
sur la classe politique canadienne. Même si Trudeau ne partageait pas nécessairement tous les postulats de l'école de la dépendance, les mesures de diversification commerciale et de « canadianisation de l'économie » adoptées par
son gouvernement au cours des années 1970 et 1980 découlent de ces élans de
nationalisme économique. Dans la même veine, les tentatives avortées de prendre des distances à l'égard de l'OTAN en 1969-1970 témoignaient d'une certaine méfiance à l'endroit d'une institution militaire dominée par les États-
Unis.

Le programme politique du gouvernement Mulroney a insufflé une nouvelle vie à l'image d'un Canada captif de l'orbite impérialiste des États-Unis.
Ainsi, Lawrence Martin affirmait que le bilan politique du gouvernement
conservateur (1984-1993) – la signature de l'Accord de libre-échange avec les
États-Unis, la volonté de déréglementer, la suppression de certains acquis
de l'État-providence, l'adoption d'une politique étrangère nettement plus
belliciste – démontrait que les *border boy politicians* pensaient exclusivement
en termes américains. Selon Martin, les conservateurs ont simplement
« anéanti le rêve canadien[61] ». De même, le titre sarcastique du livre de Marci
McDonald portant sur les relations canado-américaines au cours des années
Mulroney, *Yankee Doodle Dandy,* ne laisse aucun doute sur ce que pense
l'auteur des répercussions de ce qu'elle appelait les courbettes de Mulroney
devant « l'Amérique corporative » et « Bay Street », et son léchage de bottes à
l'endroit de Ronald Reagan, puis de George Bush[62].

---

60. Robert O. KEOHANE et Joseph S. NYE, *Power and Interdependence. World Politics in
Transition,* Toronto, Little Brown, 1977, chap. 7 ; Annette BAKER FOX, Alfred HERO
et Joseph NYE (dir.), *Canada and the United States : Transnational and Transgovern-
mental Relations,* New York, Columbia University Press, 1976.

61. Lawrence MARTIN, *Pledge of Allegiance : The Americanization of Canada in the
Mulroney Years,* Toronto, McClelland & Stewart, 1993, p. 272-273.

62. Marci McDONALD, *Yankee Doodle Dandy,* Toronto, Stoddart, 1995.

Le Canada, puissance majeure

Il existe une troisième façon de qualifier le statut international du Canada. Diamétralement opposée à la précédente, et néanmoins très différente de la notion plus floue, quoique rassurante et gratifiante, de puissance moyenne, la conception de la « puissance majeure » (ou « puissance prépondérante ») s'appuie sur une tout autre interprétation des facteurs de puissance du Canada.

Dans un article publié en 1975, James Eayrs affirmait que trois changements majeurs, survenus dans le système international, avaient modifié le niveau de puissance relative du Canada. Tout d'abord, la place proéminente occupée par les pays producteurs de pétrole, tout particulièrement après le premier choc énergétique de 1973-1974 ; en deuxième lieu, l'importance croissante des ressources naturelles – en particulier les denrées alimentaires et l'énergie ; et enfin, le déclin des États-Unis en tant que puissance dominante du système international, déclin symbolisé par son retrait déshonorant du Viêt-nam en 1973. Ces changements méritaient que l'on reconsidère la position du Canada dans la hiérarchie internationale, puisqu'il s'agit d'un État qui possède, en abondance, les ressources qui confèrent la puissance :

> Péchant presque par égoïsme, le Canada s'est donné tous les moyens, traditionnels et nouveaux, pour obtenir le pouvoir. Il possède la technologie : à lui de déterminer quelle part il lui faut mettre au point lui-même, quelle part il lui faut acheter à l'étranger. Il possède aussi la main-d'œuvre : à lui d'évaluer ses besoins en main-d'œuvre supplémentaire, puis de choisir selon ses propres critères parmi la horde de requérants désireux d'entrer au Canada. Il possède enfin les ressources, animales, végétales et minérales [...] : à lui de déterminer le rythme de leur mise en valeur et de fixer les prix de vente.

Selon lui, tant d'abondance offrait au Canada l'opportunité de devenir une « puissance de premier plan, c'est-à-dire d'occuper une place bien en vue dans la pyramide des nations », à condition qu'il se donne « une politique étrangère qui soit à la hauteur[63] ».

En 1977, la terminologie d'Eayrs fut reprise par les directeurs d'un recueil d'essais intitulé *A Foremost Nation* (*Une nation prédominante*). Norman Hillmer et Garth Stevenson estimaient que le terme « illustre graphiquement

---

63. James EAYRS, *op. cit.* (1975), p. 16, 26 et 27.

les changements rapides qu'ont connus récemment la politique étrangère canadienne en particulier, et le monde en général [...] À tout le moins, le Canada n'est pas une petite nation fragile, la "puissance modeste" dont parlait le premier ministre Trudeau en 1968[64]. »

Deux ans plus tard, Peyton Lyon et Brian Tomlin en venaient à la même conclusion. Leur conclusion était toutefois basée sur des études empiriques. Ils ont identifié une série d'indicateurs permettant de mesurer la puissance relative d'un État, notamment les moyens militaires, économiques, diplomatiques, ainsi que les ressources, et les ont appliqués à plusieurs États : l'Australie, l'Angleterre, le Canada, la Chine, la France, l'Allemagne, le Japon, l'Union soviétique, la Suède et les États-Unis. Si les deux superpuissances arrivaient en tête dans chacune des catégories, le Canada ne se classait pas avec les autres États généralement perçus comme de moyennes puissances – l'Australie et la Suède –, mais avec ceux que l'on considérait comme des « puissances majeures » : la Chine, la Grande-Bretagne, la France, l'Allemagne et le Japon. Dans le bilan final, le Canada arrivait en sixième position dans le système international, devant le Japon et la France. Ainsi, selon Lyon et Tomlin, « le Canada devrait maintenant être considéré comme une puissance majeure[65] ».

En 1983, David Dewitt et John Kirton ont proposé un raisonnement plus sophistiqué pour démontrer que le Canada était ce qu'ils appelaient une « puissance principale ». Selon eux, ce type d'États se distingue de trois manières. Premièrement, il s'agit d'États placés « en tête du classement international ». Deuxièmement, ces États « agissent de leur propre chef », et non pas comme « agents » d'autres gouvernements. Troisièmement, ils jouent « un rôle central dans l'établissement, la définition et le maintien de l'ordre international[66] ».

---

64. Norman HILLMER et Garth STEVENSON (dir.), *A Foremost Nation : Canadian Foreign Policy in a Changing World*, Toronto, McClelland & Stewart, 1977, p. 2.
65. Peyton V. LYON et Brian W. TOMLIN, *op. cit.* (1979), p. 72. Laura NEACK fait un constat semblable : « Empirical Observations on "Middle State" Behavior at the Start of a New International System », *Pacific Focus*, vol. 7, printemps 1992, p. 5-21.
66. David B. DEWITT et John J. KIRTON, *Canada as a Principal Power*, Toronto, John Wiley and Sons, 1983, p. 38.

Le raisonnement de Dewitt et Kirton s'appuyait sur un double constat touchant à l'évolution du système international au cours des années 1970 et au début des années 1980, soit le déclin des superpuissances et la diffusion de la puissance au sein du système. Comme plusieurs autres chercheurs, ils estimaient que, depuis la fin des années 1960, les États-Unis étaient entrés dans une période de déclin. Il n'y avait plus de raison de classer les États en termes dichotomiques – les superpuissances d'un côté, et «le reste» de l'autre. Dans ce contexte, le Canada pouvait bien apparaître comme une étoile montante dans le firmament international. Dewitt et Kirton déclarèrent que le Canada était devenu, après 1968, «une puissance principale en émergence, dans un système international diffus et non hégémonique[67]».

Cette notion de puissance principale est due en grande partie à Allan Gotlieb. En 1979, alors qu'il occupait le poste de sous-secrétaire d'État aux Affaires étrangères, Gotlieb soutenait que le Canada était bien plus qu'une modeste puissance moyenne de l'après-guerre[68]. Huit ans plus tard, devenu ambassadeur du Canada à Washington, il exprimait de nouveau cette idée dans un article publié dans le *Globe and Mail* en octobre 1987 : au beau milieu du débat soulevé par l'Accord de libre-échange qui se négociait alors entre le gouvernement Mulroney et les États-Unis, Gotlieb affirmait que les Canadiens devraient prendre conscience de leur puissance, et croire en leur capacité d'entrer dans un système de libre-échange sans crainte d'être dominés ou assimilés par les États-Unis. Il prétendait que l'image rassurante de la puissance moyenne devrait être réexaminée, que les Canadiens devraient commencer à considérer leur pays d'un autre œil, et à le voir comme les autres États, dont les États-Unis, le voyaient : une «puissance majeure, avec tout ce que ce terme implique comme intérêts et moyens au niveau international». En passant en revue une série d'indices statistiques de performance et de ressources, Gotlieb démontra que le Canada surpassait 150 autres pays. «Toute une puissance moyenne !» concluait-il ironiquement[69].

67. *Ibid.*, p. 40.
68. Allan GOTLIEB, *Canadian Diplomacy in the 1980s : Leadership and Service*, Toronto, Centre for International Studies, University of Toronto, 1979.
69. Allan GOTLIEB, «Canada : A Nation Comes of Age», *Globe and Mail,* 29 octobre 1987, p. A7.

L'un des principaux postulats sur lesquels s'appuyaient les défenseurs du concept de puissance majeure, soit le déclin apparent des États-Unis, a été démenti par les faits. Depuis la fin de la Guerre froide, les États-Unis dominent complètement le système international, au point où certains les ont qualifiés d'hyperpuissance. Il n'en demeure pas moins que d'autres arguments peuvent toujours être invoqués pour attribuer au Canada le titre de puissance « prépondérante » ou « majeure ». Ainsi, la participation du Canada au G8, la performance de son économie, le haut degré d'industrialisation, le niveau d'éducation de la population, ou encore l'importance de la haute technologie, sont autant d'indicateurs qui semblent démontrer qu'il occupe un rang au-dessus de la moyenne dans la hiérarchie internationale.

L'idée, ou du moins sa substance, sont loin d'être disparues. En septembre 2006, le premier ministre Stephen Harper reprenait à son compte, au bénéfice d'un auditoire américain, les arguments évoqués par Eayrs, Dewitt et Kirton, et Gotlieb :

> Le Canada a une économie solide, basée sur les principes durables du marché libre. Nous sommes en tête des pays du G7 pour le rendement économique et fiscal. Et c'est une superpuissance énergétique émergente, le seul producteur stable et en plein essor de cette marchandise rare, dans un monde instable [...] Cette année et la suivante, nous devrions avoir le PIB le plus haut du G7 [sic]. Cela fait 27 trimestres consécutifs que notre compte courant est excédentaire. Au plan actuariel, notre régime de retraite est bon pour les 70 prochaines années. Et nous avons réduit de façon spectaculaire la dette du gouvernement – qui est descendue à 35 % du PIB –, la plus basse du G7 et encore en baisse[70].

La dimension politique : les corollaires normatifs de l'évaluation de la puissance

Les diverses tentatives visant à évaluer la puissance du Canada et à situer sa position dans la hiérarchie internationale aboutissent donc à des conclusions diamétralement opposées : d'un côté, il est considéré comme un vulgaire vassal, enchaîné successivement à deux empires par des liens de dépendance économique et par sa vulnérabilité militaire, constamment soumis à la domi-

---

70. Stephen HARPER, *Discours prononcé devant l'Economic Club de New York*, 20 septembre 2006, New York (NY), <http://www.pm.gc.ca>.

nation étrangère, et éternellement privé des avantages de l'autonomie complète d'une nation souveraine. De l'autre, le Canada est perçu comme une grande puissance en émergence (quoique désigné modestement sous le vocable « puissance prépondérante », comme pour camoufler cette grandeur), ou bien comme une puissance majeure dédaignée par le reste de la communauté internationale, malgré des statistiques impressionnantes. Entre ces deux extrêmes, certains considèrent le Canada comme la plus grande des petites puissances, ou la plus petite des grandes puissances – ou tout simplement comme étant « au milieu ».

Ces divergences de perception sont inévitables, car, en dépit de nombreuses tentatives, il est impossible de quantifier objectivement la puissance d'un État. Toute évaluation est inévitablement subjective et, par essence, politique. Les concepts de puissance majeure, de puissance moyenne ou de satellite, désignent en fait le niveau où les Canadiens – comme les étrangers – situent le Canada dans la hiérarchie internationale. Nous sommes donc ici plus dans le domaine des *perceptions* que de la réalité objective.

Les différents concepts servant à désigner le rang international du Canada ne sont pas neutres ; au contraire, ils ont des conséquences normatives importantes. Ils guident les gestes et les réflexions de ceux qui les emploient, tout comme ils servent souvent des fins politiques. Ceci s'applique, bien entendu, d'abord aux politiciens eux-mêmes et à leurs conseillers. Ceux-ci sont susceptibles d'orienter différemment leurs politiques selon qu'ils épousent l'une ou l'autre de ces conceptions. Par exemple, l'image presque pathétique d'un Canada satellisé par les États-Unis a certainement contribué à convaincre le gouvernement Trudeau d'adopter des politiques économiques visant à réduire la dépendance du Canada à l'égard de ce pays. De même, les dirigeants qui perçoivent le Canada comme une puissance moyenne sont plus enclins à mener une diplomatie très active sur la scène internationale.

Mais les références que font les dirigeants à l'un ou l'autre de ces concepts peuvent tout aussi bien servir à *justifier* leurs politiques ou leur inaction dans certains dossiers. Tout laisse croire, par exemple, que l'empressement de Mackenzie King à nier l'influence internationale du Canada, dans les années 1920 et 1930, reflétait en fait un souci d'éviter tout engagement extérieur qui pourrait mettre en péril l'unité nationale, comme les conservateurs en ont fait la douloureuse expérience en 1918, à la suite de la crise de la conscription.

Selon Don Munton, le recours au concept de puissance moyenne servait bien les intérêts des dirigeants canadiens au cours des années 1940[71]. Comme nous le verrons au chapitre 3, endosser le rôle de puissance moyenne s'est avéré un calcul politique très habile, tant sur le plan extérieur qu'intérieur. Ainsi, le fait de se présenter comme les représentants d'une puissance moyenne conférait aux politiciens et aux fonctionnaires canadiens un statut international – avec une voix au chapitre et un rôle spécifique – qu'ils n'auraient probablement pas eu autrement. De plus, cette image trouvait un écho parmi la population, et peut même avoir été un facteur électoral. Après tout, il y a un côté très réconfortant à être une puissance moyenne, comme l'a fait remarquer Botero, en 1589 :

> Les États de grandeur moyenne [...] ne sont pas exposés à la violence, en raison de leur faiblesse, ni à la convoitise, en raison de leur grandeur ; leurs richesses et leur puissance étant raisonnables, les passions y sont moins violentes, et l'ambition n'y trouve pas assez de prise pour engendrer la provocation, comme dans les grands États[72].

Si la promotion du statut de puissance moyenne a ses avantages sur le plan politique, le fait de le renier a aussi les siens : la remise en question, à la fin des années 1960, du concept de puissance moyenne par Pierre Trudeau est autant – sinon plus – le résultat d'un calcul politique que d'une froide analyse de la puissance relative du Canada. Alors que la politique étrangère de son prédécesseur (et sa formidable réputation) avait été bâtie largement sur ce concept de puissance moyenne, Trudeau optait pour une attitude plus modeste. Cela lui permettait non seulement de se distancier de Lester Pearson, mais aussi de préparer le Canada et ses alliés aux changements d'orientation politique qu'il voulait entreprendre. De même, au milieu des années 1990, Jean Chrétien dépeignit le Canada comme un État trop faible (avec ses 28 000 000 d'habitants) pour se permettre de faire des remontrances à une puissance comme la République populaire de Chine (peuplée de plus d'un milliard d'habitants) sur un thème comme le respect des droits

---

71. Don MUNTON, « Middle Power and Canadian Foreign Policy », communication présentée lors de la réunion de l'Association canadienne de science politique, Montréal, juin 1980.
72. Giovanni Botero, professeur de rhétorique, archevêque de Milan et auteur de *Ragion di Stato* (1589), cité par Carsten HOLBRAAD, *op. cit.* (1984), p. 12.

de la personne[73]. En fait, le premier ministre cherchait à éviter d'avoir à aborder cette question avec les dirigeants chinois, ceci dans l'espoir d'améliorer les relations commerciales sino-canadiennes.

Les partisans du concept de puissance majeure entretiennent aussi des visées politiques. Il est difficile d'être totalement d'accord avec Allan Gotlieb quand il déclare que les Canadiens « seraient fous de laisser les mythes sur notre vulnérabilité obscurcir notre vision et anéantir nos espoirs », et que « nous ferions une erreur aux conséquences historiques, si nous portions un jugement sur les négociations les plus cruciales de notre histoire, sans nous voir nous-mêmes comme les autres nous perçoivent ». Il s'agit, en réalité, d'une rhétorique suscitée par le débat sur le libre-échange, auquel Gotlieb était intimement mêlé en tant qu'ambassadeur du Canada aux États-Unis. De même, le premier ministre Harper, qui évoque l'image de la « superpuissance énergétique », le fait pour convaincre ses interlocuteurs américains qu'ils ont tout à gagner en approfondissant les relations économiques avec le Canada et en laissant la frontière ouverte au commerce.

Les considérations politiques teintent aussi les propos parfois grandiloquents des observateurs étrangers. Un dirigeant russe aurait ainsi affirmé à Lester Pearson, lors de sa visite en URSS en 1955, que les enfants soviétiques apprennent à l'école que le Canada est « l'une des grandes puissances du monde[74] ». De même, des universitaires qui menaient une étude sur l'image du Canada se sont fait répondre, par le directeur d'un institut asiatique de relations internationales, que le Canada était en voie de devenir une superpuissance[75]. De tels propos en disent plus long sur la politesse des interlocuteurs étrangers que sur la puissance réelle du Canada. Dans un monde encore dominé par les susceptibilités nationales, il est toujours risqué, lorsqu'on s'adresse à un ressortissant étranger, d'attribuer à son pays d'origine un rang secondaire. Les Canadiens, qui se décrivent pourtant rarement comme de fervents nationalistes, semblent particulièrement sensibles sur ce point, souvent de crainte d'être assimilés aux Britanniques et aux Américains.

---

73. Vincent MARISSAL, « Équipe Canada en Chine », *La Presse,* 17 février 2001.
74. James EAYRS, *op. cit.* (1975), p. 24.
75. Peyton V. LYON et Brian W. TOMLIN, *op. cit.* (1979), p. 72.

La plupart des étrangers qui ont eu affaire à des Canadiens connaissent cette susceptibilité[76].

Le jugement que portent les observateurs étrangers est aussi utile pour relativiser la portée des évaluations que font les Canadiens de leur propre puissance. Ainsi, il est vrai que l'activité diplomatique du Canada est d'envergure mondiale ; que les représentants canadiens participent à la plupart de réunions auxquelles assistent ceux des grandes puissances ; et que, selon certaines données statistiques, le pays se classe parmi les cinq ou dix États les plus puissants. Mais il n'en demeure pas moins qu'il manque au Canada l'attribut essentiel pour qu'il soit une « puissance majeure » : la reconnaissance, par les autres États, de ce statut. Pour une raison similaire, le concept de satellite, utilisé dans les années 1960 et 1970, ne parvient pas à décrire adéquatement le statut international du Canada. Celui-ci est, bien sûr, aligné sur le bloc occidental et économiquement dépendant des États-Unis, mais aucun gouvernement étranger ne considère le Canada comme un État marginal et dépourvu d'influence – ceci même si certains le trouvent parfois très proche des États-Unis. C'est pourquoi, aux yeux de bien des Canadiens et des autres, le Canada se situe quelque part « au milieu » – aussi vague cette notion soit-elle.

UNE APPROCHE ALTERNATIVE : L'ANALYSE DE LA PUISSANCE

En admettant qu'il soit possible d'établir, une fois pour toutes, un rang qui conviendrait au Canada, que peut-on en déduire à propos de sa puissance ? Bien peu de chose, en fait. Les termes puissance majeure, puissance moyenne et petite puissance posent certains problèmes. Ils constituent non seulement une distorsion du concept de « puissance », mais ils ne permettent pas de déterminer comment les attributs de puissance façonnent la politique étrangère. Pour donner un sens à la notion de puissance, il faut dépasser la question du statut et chercher une méthode d'analyse complémentaire. L'approche

---

76. L'historien britannique John Keegan, invité à la Maison Blanche pour discuter avec Bill Clinton de la teneur du discours que ce dernier devait prononcer lors des cérémonies commémorant le 50ᵉ anniversaire du débarquement de Normandie, conseilla ceci au Président : « Rappelez la contribution canadienne […] Je sais combien les Canadiens se sentent négligés », John KEEGAN, *Warpaths. Travels of a Military Historian in North America*, Toronto, Key Porter Books, 1995, p. 61.

dite de l'« analyse de la puissance » (*power analysis approach*) offre quelques pistes intéressantes.

La nature de la puissance

L'analyse de la puissance tend à éliminer ce que Stanley Hoffmann a appelé l'« insaisissable nature de la puissance[77] ». Cette opération nécessite un retour sur la définition du terme lui-même, qui s'exprime généralement comme un lien entre l'acteur A, l'acteur B, et l'action X[78]. L'exercice et la possession de la puissance sont ainsi définis en des termes neutres : la faculté de A à inciter B à faire (ou à ne pas faire) l'action X. Comme l'a exprimé Robert Dahl : « A exerce sa puissance sur B, dans la mesure où il peut inciter B à faire quelque chose que B n'aurait pas fait autrement[79]. » Pour sa part, Steven Lukes met l'accent sur l'importance des intérêts des acteurs, et l'aspect essentiellement négatif de la puissance : « A exerce sa puissance sur B lorsque A influence B dans un sens contraire aux intérêts de B[80]. »

L'évaluation de la puissance du Canada ne repose donc pas tant sur son rang dans la communauté mondiale, mais plutôt sur la faculté du gouvernement canadien à atteindre ses objectifs internationaux et à protéger ce qu'il considère comme ses intérêts. La puissance du Canada réside dans la capacité d'inciter les autres États à modifier leurs comportements, de façon à ce que ceux-ci soient conformes aux objectifs et intérêts canadiens. Elle peut donc s'exercer de différentes façons : convaincre les États-Unis de promulguer la loi sur la réduction des émissions des gaz responsables des pluies acides ; persuader le gouvernement chinois de faire respecter plus scrupuleusement les droits de propriété intellectuelle ; inciter le gouvernement français à réviser ses politiques de restriction des produits de l'amiante, etc. L'exercice de la puissance consiste aussi à poursuivre ses propres politiques tout en dissua-

---

77. Stanley HOFFMANN, « Notes on the Elusiveness of Modern Power », *International Journal*, vol. 30, n° 2, printemps 1975, p. 184-187.
78. Pour une courte revue des définitions, voir Hugo LOISEAU, « Puissance », dans Alex MACLEOD, Evelyne DUFAULT et F. Guillaume DUFOUR (dir.), *Relations internationales. Théories et concepts*, Montréal, Athéna-CEPES, 2002, p. 140-143.
79. Robert A. DAHL, « The Concept of Power » dans Roderick BELL, David V. EDWARDS et R. Harrison WAGNER (dir.), *Political Power : A Reader in Theory and Research*, New York, Free Press, 1969, p. 80 ; Stanley HOFFMANN, *op. cit.*, p. 188.
80. Steven LUKES, *Power : A Radical View*, Londres, Macmillan, 1974, p. 27.

dant les autres gouvernements d'y faire obstacle. Elle consiste donc, par exemple, à promulguer une loi interdisant la réimpression de magazines américains au Canada sans s'attirer les foudres du Congrès ; ou encore à arraisonner un navire espagnol qui pratique la surpêche dans les eaux internationales, sans subir de représailles de l'Union européenne. Enfin, la puissance réside dans sa capacité de repousser les demandes inopportunes des autres États lorsqu'elles sont jugées contraires aux intérêts canadiens : opposer un refus à l'offre du gouvernement américain de participer au projet de système de défense antimissile ; retirer le contingent canadien stationné en Europe dans le cadre de l'OTAN malgré les pressions des alliés. Bref, l'analyse de la puissance consiste à évaluer la capacité d'un gouvernement à défendre ses intérêts, lorsque ceux-ci entrent en conflit avec ceux des autres États.

La puissance définie en termes relationnels

Trop souvent, l'analyse de la puissance repose sur deux postulats erronés. Le premier consiste à supposer que la possession de certains attributs (des moyens militaires, économiques ou technologiques) est synonyme de puissance[81]. « Nous sommes devant un mystère de taille », disaient Lyon et Tomlin, puisque, d'après leurs calculs statistiques, le Canada devrait être une grande puissance[82]. Toutefois, ce mystère se dissipe si l'on se réfère à ce que David Baldwin qualifie de « paradoxe de la puissance virtuelle[83] ». Le fait de posséder ou d'exercer la puissance n'est pas nécessairement lié à la possession de certains attributs. De même, l'absence de ces mêmes attributs n'est pas nécessairement un indice de faiblesse, comme l'ont découvert à leurs dépens les Américains et les Soviétiques, les premiers au Viêt-nam, les seconds en Afghanistan.

81. Pour des exemples de cette conception, voir William C. Wohlforth, *The Elusive Balance*, Ithaca, Cornell University Press, 1993 ; John Mearsheimer, *The Tragedy of Great Power Politics,* New York, W. W. Norton, 2001.
82. Peyton V. Lyon et Brian W. Tomlin, *op. cit.* (1979), p. 71. Pour un exemple récent d'une telle conception, voir William C. Wohlforth, « The Stability of a Unipolar World », *International Security*, vol. 24, n° 1, été 1999, p. 5-41.
83. Sur le « paradoxe de la puissance virtuelle », voir David A. Baldwin, « Power Analysis and World Politics : New Trends Versus Old Tendencies », *World Politics*, vol. 31, janvier 1979, p. 163.

Le second postulat erroné consiste à assumer que les attributs de puissance sont *fongibles*. La monnaie est, dans la vie quotidienne, la ressource fongible par excellence : on peut la transformer en presque n'importe quel bien ou service – pourvu que l'on en ait assez ! Certains auteurs transposent cette idée aux relations internationales et traitent les attributs de puissance comme s'ils avaient la même caractéristique, c'est-à-dire qu'ils peuvent être aisément convertis en influence, quel que soit l'objet ou la relation en cause. Or, il n'en est rien[84]. Les facteurs qui permettent à l'État A d'exercer une influence sur l'État B dans un domaine donné ne peuvent généralement pas être utilisés pour exercer, avec le même succès, une influence dans un autre domaine ou une autre relation. Des forces armées bien équipées peuvent, par exemple, constituer un moyen efficace pour contrer les ambitions expansionnistes de l'État B, mais elles sont probablement inutiles pour contraindre ce même État à abandonner des politiques protectionnistes, ou encore à persuader l'État C de voter en faveur d'une résolution au Conseil de sécurité des Nations Unies.

Le caractère non fongible des attributs de puissance permet de comprendre pourquoi, malgré des statistiques enviables, le Canada n'est pas une grande puissance. Ainsi, le gouvernement canadien est rarement en mesure de convertir les abondantes richesses naturelles du pays ou le fort taux de scolarisation de la population en influence internationale. Par exemple, les surplus agroalimentaires n'ont été d'aucune utilité lorsque le premier ministre Joe Clark a décidé de déménager l'ambassade canadienne de Tel-Aviv à Jérusalem en 1979. La menace de sanctions économiques brandie par les États arabes, ainsi que les critiques acerbes formulées au Canada, ont forcé le gouvernement à revenir sur sa décision[85]. Les immenses richesses naturelles n'ont été d'aucune utilité pour obtenir la libération des Casques bleus canadiens retenus

---

84. David A. BALDWIN, « Money and Power », *Journal of Politics*, vol. 33, août 1971, p. 578-614 ; Robert O. KEOHANE et Joseph S. NYE, *op. cit.*, en particulier chapitre 2.

85. Ce déménagement aurait constitué une reconnaissance, par le Canada, de la légitimité pour Israël d'avoir choisi cette ville comme capitale. George TAKACH, « Clark and the Jerusalem Embassy Affair : Initiative and Constraint », dans David TARAS et David H. GOLDBERG (dir.), *The Domestic Battleground : Canada and the Arab-Israeli Conflict*, Montréal/Kingston, McGill-Queen's University Press, 1989 ; Charles FLICKER, « Next Year in Jerusalem. Joe Clark and the Jerusalem Embassy Affair », *International Journal*, vol. 58, n° 1, hiver 2002-2003, p. 115-138.

en otage par les forces bosno-serbes en mai 1995. Ainsi, même en addition-
nant tout le potentiel d'une nation, on ne peut prédire si elle est – ou sera –
capable de défendre ou de promouvoir ses intérêts internationaux. Il faut
donc examiner dans quel contexte ces attributs sont utilisés.

L'analyse de la puissance repose sur deux idées maîtresses. Premièrement,
la puissance est une notion relationnelle : elle ne peut être exercée que dans
le cadre d'une relation spécifique. La puissance se traduit donc en *influence*[86].
Deuxièmement, la puissance s'exerce toujours sur une gamme plus ou moins
vaste d'objets ou de *domaines d'action*. Comme le souligne Dahl, tenter d'estimer la puissance d'un acteur « est pratiquement dénué de sens[87] » si la relation
et l'objet en cause ne sont pas spécifiés. Il est donc impossible de déterminer si l'État A est puissant si l'on ne précise pas sur qui et en regard de quoi
s'exerce la puissance[88]. De même, mentionner l'un sans l'autre revient à
nier la nature complexe et souvent paradoxale de l'exercice de la puissance[89],
nature qui permet à l'État A d'exercer une influence sur l'État B dans certains domaines, et à l'État B d'influencer l'État A dans d'autres domaines.
Pour évaluer la puissance du Canada, il est donc essentiel de spécifier les
principaux domaines et relations où elle devra s'exercer. Compte tenu de la
situation géographique du Canada, de ses caractéristiques décrites au chapitre 1, et de la place prépondérante des États-Unis dans le système international, la politique étrangère canadienne est d'abord élaborée en regard de
son voisin du sud. Les considérations de prospérité, de souveraineté et de
sécurité, qui figurent presque toujours au premier rang des priorités du gouvernement canadien, sont largement déterminées par ses relations avec les
États-Unis. C'est donc d'abord et avant tout dans ce contexte que l'on doit
examiner les moyens – les attributs de puissance – dont dispose Ottawa pour
gérer ces rapports au mieux de ses intérêts.

---

86. Voir André-J. BÉLANGER et Vincent LEMIEUX, *Introduction à l'analyse politique*,
    Montréal, Presses de l'Université de Montréal, 1996, en particulier p. 29-39.
87. Robert A. DAHL, *Modern Political Analysis*, Englewood Cliffs, Prentice-Hall, 1984
    (4ᵉ éd.), p. 27.
88. Harold SPROUT et Margaret SPROUT, *Foundations of International Politics*, New York,
    D. Van Nostrand, 1962, p. 136-177.
89. David BALDWIN, « Interdependence and Power : A Conceptual Analysis », *Interna-
    tional Organization*, vol. 34, automne 1980, p. 497.

LA MISE EN ŒUVRE DES ATTRIBUTS DE PUISSANCE

Les attributs de puissance n'ont, en eux-mêmes, aucune signification. Ceux qui les possèdent doivent savoir comment s'en servir pour qu'ils se traduisent en influence. Comme le rappelle Kalevi J. Holsti, l'énumération des différentes méthodes visant à transformer la puissance en influence est un exercice ancien. Déjà, au IIIe siècle avant Jésus-Christ, Kautilîya, un théoricien hindou, avait identifié quatre techniques distinctes servant à exercer une influence sur les autres États : *sama* (la conciliation), *dana* (les présents ou les encouragements), *bheda* (la dissension ou la subversion) et *danda* (le châtiment)[90]. La liste des techniques contemporaines est passablement plus élaborée, mais la substance de ces méthodes demeure la même. La puissance, en relations internationales, s'exerce par des moyens variés, des plus pacifiques – et moins chers – aux plus violents – généralement plus onéreux. La liste comprend la *persuasion* (A utilise la discussion ou les supplications pour amener B à endosser ses opinions, sa position ou sa ligne de conduite), les *incitations* (se faire offrir ou donner des présents), la *coercition* (menacer l'autre de le priver de quelque chose d'essentiel), les *sanctions* non violentes (priver l'autre de choses essentielles, sans avoir recours à la force), et le *recours à la force* (laquelle technique peut être utilisée dans un but dissuasif ou coercitif)[91]. Ce sont là les techniques actives et clairement observables. D'autres le sont moins, comme dans le cas où l'acteur A peut imposer son point de vue à l'acteur B, par le simple fait que B sait que A est plus puissant. B est incité à calquer son attitude sur ce qu'il croit être la volonté de A, sans avoir reçu de message explicite de la part de ce dernier[92]. Cette « règle de la réaction anticipée » vient compliquer considérablement l'évaluation de la puissance, puisque c'est la possession des attributs de puissance par A – plutôt que l'intention ou la mise en œuvre de ces attributs – qui détermine le comportement de B.

90. Kalevi J. HOLSTI, *International Politics. A Framework for Analysis*, Englewood Cliffs, Prentice-Hall, 1983, p. 155-157. Certains textes de Kautilîya figurent dans Gérard CHALIAND, *Anthologie de la stratégie, des origines au nucléaire*, Paris, Laffont, 1990, p. 407-452.
91. Steven LUKES, *op. cit.*, p. 17-18 et 32 ; voir aussi Thomas SCHELLING, *Arms and Influence*, New Haven, Yale University Press, 1966.
92. Jack H. NAGEL, *The Descriptive Analysis of Power*, New Haven, Yale University Press, 1975, p. 16.

L'éventail des techniques dont dispose le gouvernement canadien pour exercer sa puissance est cependant limité, et ceci, en raison de quatre facteurs intimement liés : le manque de moyen, le manque de volonté, l'identité du principal partenaire du Canada (les États-Unis), ainsi que la nature des objectifs internationaux que poursuit le Canada.

Le recours à la force et ses limites

Dans les rapports humains, le recours à la force est souvent l'arbitre suprême, l'élément qui détermine l'issue d'un conflit. Ceci semble particulièrement vrai en relations internationales, puisque les rapports entre les acteurs ne sont pas soumis à une autorité centrale capable d'imposer la règle du droit. Historiquement, de très nombreux conflits n'ont trouvé de solution qu'à travers l'usage de la force. C'est pourquoi la puissance est souvent assimilée à cette capacité de recourir à la force. Toutefois, dans l'ensemble, la force ne représente un instrument efficace que dans quelques cas, et ceci, uniquement pour quelques États. Les grandes puissances, ou les États devant une menace immédiate, doivent établir leurs calculs en fonction de leur puissance militaire relative. En de telles circonstances, il est pertinent – et même nécessaire – de comparer les effectifs et l'armement (qu'il s'agisse de pièces d'artillerie, de cuirassés ou de missiles de croisière), d'évaluer les facteurs intangibles comme la détermination et le moral, et de faire une estimation des ressources démographiques, économiques et naturelles disponibles. Pour la plupart des autres États, le recours à la force armée ne peut être considéré comme un instrument efficace de politique étrangère. C'est le cas du Canada – à l'exception de quelques circonstances non négligeables.

INFLUENCE ET MAINTIEN DE L'ORDRE INTERNATIONAL : LES INTERVENTIONS MILITAIRES CANADIENNES À L'ÉTRANGER

Le Canada est souvent perçu comme un « État non militarisé », un « paisible royaume » qui consacre peu de ressources à ses forces armées[93]. Ce n'est pas

---

93. Rod. B. BYERS, « The Canadian Military and the Use of Force : End of an Era ? », *International Journal*, vol. 30, n° 2, printemps 1975, p. 289-290.

par hasard que les Canadiens ont adopté une telle attitude, mais plutôt en raison de circonstances historiques : il y a maintenant près de deux cents ans, c'est-à-dire en 1812-1814, que le territoire canadien n'a pas été directement menacé d'invasion. En fait, il faut remonter à 1759 pour découvrir un cas d'occupation militaire étrangère prolongée, avec les terribles conséquences qu'elle entraîne – et encore, cette « occupation » n'est, aujourd'hui, perçue comme telle que par les descendants des colons français. Il n'y a pas, dans l'histoire canadienne, d'événement traumatisant qui soit équivalent de la défaite française de 1940 ou de l'attaque-surprise contre la base américaine de Pearl Harbor en 1941. Selon Desmond Morton, « ceux qui ont prêché en faveur d'un renforcement du niveau de préparation militaire ont toujours souffert d'un manque de crédibilité, parce que cette négligence n'a jamais été le prélude à une invasion ou à un désastre[94] ».

Ce « paisible royaume » est néanmoins entré huit fois en guerre depuis le début du xxᵉ siècle comme l'indique le tableau suivant. Ces opérations ont coûté la vie à plus de 100 000 Canadiens, tandis que des centaines de milliers d'autres sont revenus blessés, mutilés ou profondément traumatisés.

Les Forces canadiennes (FC) ont aussi participé à de nombreuses reprises aux missions de maintien de la paix des Nations Unies[95]. Pendant la Guerre froide, les Canadiens ont rarement utilisé leurs armes (même si certains ont essuyé des coups de feu ; plus de 80 Casques bleus ont été tués en mission entre 1947 et 1993). Après la Guerre froide, l'apparition des missions de maintien de la paix dites de « deuxième génération » (qui visent non plus seulement à *maintenir* la paix, mais aussi à la *rétablir* et à la *consolider*) a changé la nature des tâches des Casques bleus, les obligeant parfois à se servir de leurs armes. Au cours des opérations des Nations Unies en Somalie (ONUSOM), des contingents de plusieurs États furent déployés pour mettre un terme à la guerre civile qui déchirait le pays. Des combats éclatèrent entre ces troupes et les

94. Desmond MORTON, « Defending the Indefensible : Some Historical Perspectives on Canadian Defence 1867-1967 », *International Journal*, vol. 42, nº 4, automne 1987, p. 628.
95. Jocelyn COULON, *Les Casques bleus*, Montréal, Fides, 1994 ; voir aussi Jocelyn COULON (dir.), *Guide du maintien de la paix*, Montréal, Athéna, publication annuelle depuis 2003.

LE CANADA, UN ÉTAT BELLIQUEUX ?
1899-2006[*]

GUERRE	NOMBRE DE SOLDATS TUÉS
Guerre des Boers (1899-1901)	270
Première Guerre mondiale (1914-1918)	60 661
Intervention en Russie (1918-1919)	6
Deuxième Guerre mondiale (1939-1945)	42 042
Guerre de Corée (1950-1953)	312
Guerre du Golfe persique (1990-1991)	0
Guerre du Kosovo (1999)	0
Afghanistan (depuis 2002)	66 (juillet 2007)

[*] Ne sont pas incluses les missions de maintien de la paix ni la participation volontaire de certains individus à la guerre civile espagnole (1937-1939).

Somaliens, faisant plusieurs victimes parmi les forces internationales et la population locale. Les membres du Régiment aéroporté canadien comptent parmi ceux qui ont utilisé leurs armes au cours de la mission, allant même jusqu'à torturer et assassiner un adolescent somalien. Cet épisode compte parmi les pages les plus sombres de la participation canadienne aux missions de maintien de la paix et a eu de profondes répercussions tant parmi la population canadienne qu'au sein des forces armées.

Toutes les opérations de maintien de la paix, comme toutes les guerres auxquelles a participé le Canada, ont été menées dans un *cadre multilatéral*: l'Empire britannique, les alliances *ad hoc* de 1914-1918 et 1939-1945, l'ONU et l'OTAN. Il s'agit d'un élément contextuel fondamental, car il met en relief le rôle que jouent les Forces canadiennes en tant qu'instrument de politique étrangère.

Contrairement aux grandes puissances, le gouvernement canadien ne se sert pas de ses troupes pour promouvoir ou défendre *directement* ses intérêts internationaux, par exemple en envahissant et en occupant des territoires étrangers, comme la France et l'Angleterre en Égypte (1956), l'URSS en Afghanistan (1979), ou les États-Unis en Irak (2003). Elles servent plutôt à apporter une contribution – souvent symbolique, il est vrai – aux institutions qui visent à assurer le maintien de l'ordre international, et donc, indirectement, la sécurité du Canada : l'OTAN, les ententes conclues avec les États-Unis pour la défense de l'Amérique du Nord, les Nations Unies, et quelques autres coalitions *ad hoc,* comme celle qui a opéré au Koweït en 1991 et en Afghanistan 10 ans plus tard. Comment expliquer cet attachement au maintien de l'ordre international, attachement qui mène souvent les soldats canadiens à opérer dans des régions lointaines, où le Canada semble n'avoir aucun intérêt particulier ?

L'intérêt que portent les dirigeants canadiens au maintien de l'ordre international s'explique d'abord par le fait que le Canada est un État marchand, dont la prospérité dépend largement du commerce extérieur. Comme la bonne marche des échanges est largement tributaire d'un environnement stable, les Canadiens ont tout intérêt à renforcer les mécanismes qui garantissent cette stabilité.

La deuxième raison pouvant expliquer les engagements militaires internationaux du Canada (du moins depuis 1945) est celle de l'exemple à donner, surtout aux États-Unis. Ceux-ci sont les seuls à disposer des ressources nécessaires pour maintenir l'ordre international. En contribuant, même de façon symbolique, aux coalitions internationales, les Canadiens cherchent à éviter de donner des munitions aux partisans de politiques isolationnistes ou unilatéralistes aux États-Unis. Bon nombre de politiciens américains tendent, en effet, à utiliser l'argument selon lequel les États-Unis doivent abandonner le rôle de gendarme du système international, ou encore agir selon leurs seuls intérêts, parce qu'ils sont les seuls à porter le fardeau du maintien de l'ordre international. Ce raisonnement a notamment servi à justifier la présence militaire du Canada en Europe dans le cadre de l'OTAN de 1950 à 1991.

La troisième motivation réside dans le désir d'accroître l'influence internationale du Canada et de lui conférer une voix dans certains forums de négociation internationaux. Pour reprendre la formule consacrée, les Forces canadiennes constituent un « laissez-passer » qui permet au gouvernement de « s'asseoir à la table ». Par exemple, c'est parce qu'il entretenait des troupes en Europe (dans le cadre de l'OTAN) que le Canada est devenu membre de la Conférence sur la sécurité et la coopération en Europe (CSCE) et qu'il a pu participer aux négociations sur la réduction des forces conventionnelles dans cette région[96].

Le rapport ambigu entre « contribution militaire » et « influence internationale »

Si les Forces canadiennes contribuent parfois à assurer, au gouvernement canadien, une « place à la table de négociation », la nature du lien entre l'importance de la contribution militaire et le degré d'influence dont disposent les diplomates canadiens qui siègent à cette table n'est pas clairement établi. La plupart des auteurs tiennent cependant pour acquis qu'il existe un lien direct entre les deux, et, sur la base de ce postulat, formulent des critiques acerbes contre l'attitude parfois timorée d'Ottawa en ce qui a trait aux dépenses militaires.

Le gouvernement canadien a, en effet, pris l'habitude – gênante pour un État qui n'a jamais assuré sa sécurité autrement qu'en collaboration avec d'autres partenaires – de ne débloquer des crédits significatifs pour la défense qu'en temps de guerre, ce qui aurait pour effet de ternir sa réputation parmi ses alliés. Dans les années 1980, le Canada a été accusé de « faiblesse morale » pour avoir « évité de faire sa juste part pour la défense de l'Ouest », et, « profité de la situation aux dépens des États-Unis et de ses alliés européens »[97]. Ces conclusions de Jockel et Sokolsky reflétaient bien la frustration de plusieurs gouvernements alliés qui constataient, année après année, le même phénomène. Des 16 États membres que comptait alors l'OTAN, le Canada se classait, au chapitre des dépenses militaires par habitant, au 13e ou 14e rang, c'est-à-dire à peine mieux que le Luxembourg (un pays de 422 000 habitants) et l'Islande (qui n'entretient pas de forces armées) ! Avec la fin de la Guerre froide, ce type de débat a perdu de son acuité, mais le gouvernement Mulroney a quand même trouvé le moyen de provoquer la colère de ses alliés européens en annonçant, unilatéralement, qu'il rapatriait le contingent sta-

---

96. Michel FORTMANN, Albert LEGAULT et Stéphane ROUSSEL, « De l'art de s'asseoir à la table. Le Canada et les négociations européennes sur l'*Arms Control* (1972-1986) », dans Paul LÉTOURNEAU (dir.), *Le Canada et l'OTAN après quarante ans*, Québec, CQRI, 1992, p. 138-191.
97. Joseph T. JOCKEL et Joel J. SOKOLSKY, *Canada and Collective Security: Odd Man Out*, New York, Praeger, 1986.

tionné en Europe[98]. Au début des années 2000, le Canada subissait encore les remontrances de l'OTAN et des États-Unis pour qu'il augmente ses dépenses militaires[99]. Paul Cellucci, ambassadeur des États-Unis au Canada de 2001 à 2005, affirme d'ailleurs que la seule directive qu'il ait reçue de Washington au moment où il fut nommé a été d'inciter les Canadiens à augmenter leurs dépenses militaires[100].

Néanmoins, la relation entre « contribution militaire » et « influence internationale » est sujette à caution. Les efforts pour résoudre le conflit en ex-Yougoslavie (1991-1995) illustrent bien les limites de l'influence internationale du Canada. Celui-ci a, en effet, largement participé à ces efforts, puisqu'il comptait parmi les États qui ont le plus contribué aux forces de maintien de la paix de l'ONU dans la région. Pourtant, au sommet de janvier 1994, le premier ministre Chrétien s'est vainement opposé à la décision de l'OTAN de recourir aux frappes aériennes contre les Serbes de Bosnie. Appuyé uniquement par les Grecs, Chrétien estimait que de telles opérations mettraient en péril la sécurité des Casques bleus canadiens déployés en Bosnie. Dans les mois qui suivirent, une série d'événements allaient pousser l'Alliance à passer du verbe aux actes : en février 1994, un tir de mortier, attribué aux Serbes, fit 68 victimes dans un marché de Sarajevo. L'Alliance servit alors un premier ultimatum aux assiégeants. Le pas suivant fut franchi en avril, lorsque des appareils de l'OTAN bombardèrent les forces serbes qui encerclaient la ville de Gorazde. Enfin, en mai 1995, l'Alliance lançait une nouvelle offensive aérienne pour forcer le déblocage des négociations. À chaque fois, le gouvernement canadien a manifesté des réserves, mais a finalement dû s'incliner, y

98. Kim Richard NOSSAL, « Succumbing to the Dumbbell : Canadian Perspectives on NATO in the 1990s », dans Barbara McDOUGALL, Kim Richard NOSSAL, Alex MORRISON et Joseph T. JOCKEL, *Canada and NATO : The Forgotten Ally ?*, Washington, Brassey's (U.S.), 1992, p. 17-32 ; Stéphane ROUSSEL, « Amère Amérique... L'OTAN et l'intérêt national du Canada », *Revue canadienne de défense*, vol. 22, n° 4, février 1993, p. 35-42.
99. Par exemple, Mario FONTAINE, « L'Ambassadeur des É-U invite Ottawa à augmenter ses dépenses militaires », *La Presse*, 12 janvier 1999 ; Jeff SALLOT, « NATO Head Hits Canada on Defence Spending », *The Globe and Mail*, 2 novembre 1999 ; George ROBERTSON, « NATO to Canada : Pay the Price », *The Globe and Mail*, 10 décembre 1999 ; Bruce CHEADLE, « Les États-Unis souhaitent une hausse du budget militaire... canadien », *Le Devoir*, 4 septembre 2002.
100. Paul CELLUCCI , *Unquiet Diplomacy*, Toronto, Key Porter, 2005, p. 75.

compris en mai 1995, lorsque les Serbes ont pris en otages environ 350 Casques bleus, dont plusieurs Canadiens. Les dirigeants canadiens ont également pu mesurer les limites de leur influence lors de la formation du Groupe de Contact en avril 1994, dont ils furent exclus[101]. Bref, le fait d'avoir déployé une force relativement importante sur le terrain ne semble pas avoir donné plus de poids au gouvernement canadien dans le processus de prise de décision multilatéral.

Le rôle des forces armées au pays

Les Forces canadiennes ont aussi pour mission d'assurer la protection de la souveraineté territoriale et de venir en aide aux autorités civiles. À trois reprises, le Canada a menacé de recourir à la force lors de conflits sur les pêches – contre la France en 1988 dans le golfe du Saint-Laurent, contre les États-Unis en 1989[102], puis contre l'Espagne (et, par extension, contre l'Union européenne) en mars 1995 dans le « nez » et la « queue » des Grands Bancs de Terre-Neuve. Dans le dernier cas, un navire de la Marine canadienne a tiré des coups de semonce en direction d'un chalutier espagnol, l'*Estai*, avant de l'arraisonner. La tension est montée d'un cran lorsque les autorités espagnoles ont envoyé, à leur tour, un bâtiment de combat dans la zone de litige. Cependant, les protagonistes ont finalement réglé le conflit par voie de négociations[103].

Les Forces canadiennes ont également pour mission d'assurer la protection de la souveraineté du Canada dans les eaux arctiques[104]. C'était apparemment dans ce but que le gouvernement Trudeau fit l'acquisition d'avions de patrouille à long rayon d'action au milieu des années 1970[105], et que le gou-

---

101. André P. DONNEUR et Stéphane ROUSSEL, *op. cit.* (1996). Voir aussi Charles LÉTOURNEAU, *L'influence canadienne à travers les opérations de paix, 1956 à 2005*, mémoire de maîtrise, Université du Québec à Montréal, mai 2006.

102. L'incident opposant le bateau de pêche américain *Concordia* et le NCSM *Saguenay* est relaté dans CANADA, CHAMBRE DES COMMUNES, *La souveraineté maritime. Rapport du Comité permanent de la Défense nationale et des Affaires des anciens combattants*, Ottawa, Approvisionnements et Services Canada, 1990, p. 55-56.

103. Donald BARRY, « The Canada-European Union Turbot War », *International Journal*, vol. 53, n° 2, printemps 1998, p. 252-284.

104. Ron PURVER, « The Arctic in Canadian Security Policy, 1945 to the Present », dans David B. DEWITT et David LEYTON-BROWN (dir.), *Canada's International Security Policy*, Scarborough, Prentice-Hall Canada, 1995, p. 81-110.

105. Michael TUCKER, *Canadian Foreign Policy. Contemporary Issues and Themes*, Toronto, McGraw-Hill Ryerson, 1980.

vernement Mulroney évoqua la possibilité, en 1987, d'acheter un brise-glace et une flottille de sous-marins à propulsion nucléaire. Même si ces derniers étaient initialement destinés à la lutte anti-sous-marine dans l'Atlantique, le gouvernement justifia cette dépense par la nécessité de surveiller les mouvements des submersibles étrangers dans l'Arctique, et d'assurer les prétentions territoriales du Canada dans ce secteur[106]. Personne n'était cependant en mesure d'expliquer en quoi un sous-marin serait plus efficace qu'un navire de surface pour remplir cette tâche, et ce projet, qui aurait coûté plus de 10 milliards de dollars, fut annulé à cause de la lutte contre le déficit des dépenses publiques.

Le débat sur la protection de la souveraineté canadienne dans l'Arctique a été relancé, au début des années 2000, par le phénomène de réchauffement de la planète, qui entraîne une réduction annuelle de la calotte polaire, et donc qui augmente (en théorie) la saison de navigation dans le Passage du Nord-Ouest. Ceci pourrait permettre l'exploitation de ressources pétrolières et diamantifères, ainsi que d'accroître le nombre de navires passant par cette route. Non seulement les motifs des autres gouvernements à contester la souveraineté canadienne s'en trouveraient-ils renforcés, mais cela obligerait le gouvernement canadien à assurer toute une série de services, comme l'aide à la navigation, la recherche et sauvetage, la protection de l'environnement et l'application des lois. Les chercheurs ne s'entendent cependant pas sur les conséquences politiques et militaires de ce phénomène environnemental[107].

---

106. MINISTÈRE DE LA DÉFENSE NATIONALE, *Défis et engagements. Une politique de défense pour le Canada*, Ottawa, Approvisionnement et Services Canada, 1987, p. 23-24 et 52-55. Nathaniel French CALDWELL Jr., « La souveraineté du Canada et le programme de sous-marins nucléaires », *Défense nationale*, vol. 47, n° 3, mars 1991, p. 83-91.
107. Voir, par exemple, Franklyn GRIFFITHS, « The Shipping News. Canada's Arctic Sovereignty not on Thinning Ice », *International Journal*, vol. 53, n° 2, printemps 2003, p. 257-282 ; Rob HUEBERT, « The Shipping News Part II. How Canada's Arctic Sovereignty Is on Thinning Ice », *International Journal*, vol. 58, n° 3, été 2003, p. 295-308 ; Franklyn GRIFFITHS, « Pathetic Fallacy : That Canada's Arctic Sovereignty Is on Thinning Ice », *La politique étrangère du Canada*, vol. 11, n° 3, printemps 2004, p. 1-15. Voir aussi Andrea CHARRON, « Le Passage du Nord-Ouest », *Revue militaire canadienne*, vol. 6, n° 4, hiver 2005-2006, p. 41-48.

Les forces armées ont aussi pour fonction de porter assistance aux autorités civiles lorsque celles-ci en font la demande. Le gouvernement canadien a eu recours aux forces armées en un certain nombre d'occasions, que ce soit pour mater des émeutes dans les prisons, pour se substituer à des corps policiers en grève (comme à Montréal en 1969), pour rechercher des personnes perdues en mer ou en forêt, et pour lutter contre les effets des désastres naturels (comme les inondations au Saguenay en 1996 et au Manitoba en 1997, ou encore lors de la Crise du verglas dans la région de Montréal en janvier 1998)[108].

Mais les Forces canadiennes sont parfois appelées à jouer le rôle plus controversé de « gardien de l'ordre » dans des situations socialement et politiquement tendues. En avril 1918, des soldats ont ouvert le feu sur la foule pour réprimer les émeutes de la conscription à Québec, tuant quatre personnes (voir les chapitres 3 et 4). Dans les années 1910-1920, les troupes sont fréquemment intervenues pour briser des grèves (comme à Winnipeg en 1919). En 1970, le gouvernement Trudeau a dépêché des troupes à Montréal en réaction à la vague de terrorisme déclenchée par le FLQ. Aujourd'hui encore, la pertinence de cette décision – et la réalité de la « situation d'insurrection appréhendée » – soulèvent des interrogations[109]. À l'inverse, la retenue et la discipline dont ont fait preuve les soldats appelés à la rescousse de la Sûreté du Québec (totalement dépassée par les événements) lors de la Crise d'Oka[110] en juillet 1990 leur ont valu de nombreux éloges.

---

108. Charles-Philippe DAVID et Stéphane ROUSSEL, *op. cit.* (1996), p. 176-184 ; Desmond MORTON, « "No More Disagreeable or Onerous Duty" : Canadian and Military Aid to the Civil Power, Past, Present and Future », dans David B. DEWITT et David LEYTON-BROWN (dir.), *op. cit.*, p. 129-152.

109. Officiellement, les troupes auraient été dépêchées à la demande du maire de Montréal, Jean Drapeau. Le FLQ ne comptait en fait qu'une poignée de membres peu expérimentés en matière de terrorisme. Les dirigeants souverainistes, René Lévesque en tête, se sont empressés de condamner ces méthodes violentes. Rétrospectivement, il semble que le gouvernement fédéral cherchait à déstabiliser l'ensemble du mouvement souverainiste. La *Loi sur les mesures de guerre*, invoquée alors par Ottawa, a été remplacée, en 1988, par la *Loi sur les mesures d'urgence*. Sur la Crise d'octobre, voir Marc LAURENDEAU, *Les Québécois violents : la violence politique, 1962-1972*, Montréal, Boréal, 1990 (3ᵉ éd.).

110. Le 11 juillet 1990, la Sûreté du Québec mena une opération visant à démanteler une barricade érigée par des représentants de la communauté Mohawk, pour protester contre l'agrandissement d'un terrain de golf sur des terres qu'ils considéraient comme

Les FC assument donc un certain nombre de tâches essentielles, mais elles n'ont pas – et n'ont jamais eu – la mission première que l'on attribue généralement aux armées, c'est-à-dire de promouvoir, *directement* et *unilatéralement*, les intérêts nationaux par l'usage de la force. Si les Forces canadiennes ont souvent combattu aux côtés de leurs alliés, on imagine difficilement Ottawa se servir de ces troupes pour menacer, de sa propre initiative, un autre État (mis à part quelques conflits de pêche) !

Les sanctions

Les gouvernements qui ne veulent ou ne peuvent recourir à la force disposent d'autres moyens pour tenter d'infléchir les politiques des États avec lesquels ils sont en conflit d'intérêts ou avec lesquels ils ont des divergences d'opinions. Parmi ces approches figurent les sanctions. Jusqu'à la fin des années 1970, les gouvernements qui se sont succédé à Ottawa entretenaient des réserves quant à l'usage des sanctions internationales. En octobre 1935, Mackenzie King fut atterré d'apprendre que le représentant du Canada à la Société des Nations, W. A. Riddell, avait de sa propre initiative demandé que des sanctions soient imposées à l'Italie, qui venait d'envahir l'Éthiopie. Pire encore, les délégués faisaient référence aux mesures d'embargo sur le pétrole, proposées par Riddell, en les qualifiant de « sanctions canadiennes ». Riddell avait agi sans instruction du gouvernement, et King, qui craignait les retombées possibles tant sur le plan intérieur que sur le plan international, dut le désavouer publiquement[111]. Au début de la Guerre froide, le gouvernement canadien conservait les mêmes réticences. Ottawa a ainsi refusé d'imiter les États-Unis et d'imposer des sanctions économiques contre la

---

111. sacrées. L'opération se solda par la mort d'un policier et l'érection de nouvelles barricades, en particulier sur le pont Mercier, l'une des principales voies d'accès à l'île de Montréal. Aidés par des sympathisants, les *Warriors* mohawks purent soutenir un long siège au cours duquel les autorités québécoises durent faire appel aux forces armées. Sur les opérations des FC, voir Jocelyn COULON, *En première ligne. Grandeurs et misères du système militaire canadien*, Montréal, Le jour, 1991, chap. 2 ; Armand ROY, « Opération Salon », *Revue canadienne de défense*, vol. 20, n° 5, avril 1991, p. 15-19.

111. C. P. STACEY, *op. cit.* (1981), p. 180-188.

République populaire de Chine (dans les années 1950) ou contre Cuba (dans les années 1960 et 1970).

Ce n'est pas par cupidité que le Canada a longtemps hésité à mettre en œuvre des sanctions économiques. Il est vrai qu'Ottawa préfère ne pas mêler politique et commerce international. Le Canada a intérêt, en tant que nation commerçante, à limiter les entraves aux échanges commerciaux. Mais en règle générale, le manque d'empressement d'Ottawa à recourir aux sanctions vient du fait que le gouvernement juge ces mesures inappropriées. Ainsi, il a indiqué qu'il considérait comme une erreur l'exclusion économique de la Chine imposée par les États-Unis, et ceci longtemps avant que ne s'ouvre, au début des années 1960, le très lucratif marché chinois du blé (voir chapitre 3). Les réticences du Canada envers les sanctions économiques étaient alors en fait suscitées par la conviction qu'elles étaient inefficaces comme instrument de politique étrangère. Cette position n'est d'ailleurs pas dénuée de fondements. Aujourd'hui encore, les analystes et les théoriciens des relations internationales débattent de l'efficacité de telles mesures[112].

En quelques occasions cependant, le gouvernement canadien a accepté de recourir aux sanctions, généralement lorsqu'elles sont adoptées dans un cadre multilatéral. Ainsi, à la fin des années 1940, le Canada a participé à l'embargo sur les produits considérés comme ayant une valeur « stratégique » décrété par les pays occidentaux contre l'Union soviétique ; il a aussi imposé les sanctions adoptées par les Nations Unies contre la Rhodésie, après la déclaration unilatérale d'indépendance du régime de Ian Smith en 1965 ; et il a participé à toute une série de mesures décrétées par l'ONU contre l'Afrique du Sud au cours des années 1960. Il existe cependant quelques cas où le Canada a agi de façon unilatérale. Ainsi, en 1974, le gouvernement Trudeau a imposé des sanctions contre New Delhi pour protester contre les essais nucléaires indiens ; et le gouvernement Clark a agi de même contre

---

112. Voir notamment David A. BALDWIN, « The Sanctions Debate and the Logic of Choice », *International Security*, vol. 24, n° 1, hiver 1999-2000, p. 80-107 ; Robert A. PAPE, « Why Economics Sanctions Do Not Work », *International Security*, vol. 22, n° 2, automne 1997, p. 90-136 ; Robert A. PAPE, « Why Economics Sanctions *Still* Do Not Work », *International Security*, vol. 23, n° 1, été 1998, p. 66-77 ; Daniel W. DREZNER, « Bargaining, Enforcement, and Multilateral Sanctions : When is Cooperation Counterproductive ? », *International Organization*, vol. 54, n° 1, hiver 2000, p. 73-102.

l'Argentine en 1979, pour protester contre les violations des droits de la personne perpétrées par la junte militaire.

À la fin des années 1970, la position du gouvernement canadien changeait radicalement. Les sanctions (à caractère économique, politique ou culturel) vont désormais être couramment utilisées. En 1979, Ottawa adopte des mesures contre le Viêt-nam, qui vient d'envahir le Cambodge ; contre l'Iran, à la suite de la prise de l'ambassade des États-Unis à Téhéran ; et contre l'Union soviétique, après l'invasion de l'Afghanistan. Le rythme s'est maintenu dans les années suivantes : en 1981, des sanctions sont prises contre Varsovie et Moscou, après l'imposition de la loi martiale en Pologne ; en 1982, c'est à nouveau le tour de l'Argentine, à la suite de l'occupation des îles Malvinas/Falkland ; en 1983, encore contre l'Union soviétique, dont les avions de chasse viennent d'abattre un appareil des lignes aériennes coréennes ; en 1984, contre l'Afrique du Sud, dans le cadre des politiques de lutte contre l'apartheid[113] ; contre la Chine, après le massacre de la place Tiananmen en juin 1989 ; contre l'Irak, après l'invasion du Koweït en août 1990 ; contre l'ex-Yougoslavie, plongée dans la guerre civile en 1991-1992 ; et contre Haïti, lorsque les militaires renversèrent le gouvernement de Jean-Bertrand Aristide en 1991[114]. Au cours de cette période, le gouvernement canadien a, à maintes occasions, suspendu ses programmes d'aide internationale comme mesure punitive. Ce fut le cas pour l'Afghanistan, Cuba, El Salvador, les îles Fidji, le Guatemala, l'Indonésie, la Libye, le Pérou, le Surinam, le Sri Lanka et l'Ouganda[115].

Cette période a aussi été marquée par une tendance généralisée à recourir aux sanctions à appliquer aux manifestations sportives. Le gouvernement canadien n'y a pas échappé, lors du conflit sur la représentation de Taiwan aux Jeux olympiques de Montréal en 1976, ou encore lors du boycottage des Jeux

113. David R. BLACK, *op. cit.* (2000).
114. Kim Richard NOSSAL, *Rain Dancing : Sanctions in Canadian and Australian Foreign Policy*, Toronto, Toronto University Press, 1994.
115. T. A. KEENLEYSIDE, « Development Assistance », dans Robert O. MATTHEWS et Cranford PRATT (dir.), *Human Rights in Canadian Foreign Policy*, Montréal/Kingston, McGill-Queen's University Press, 1988, p. 187-208.

olympiques de Moscou en 1980 en représailles à l'invasion de l'Afghanistan par l'URSS[116].

Ainsi, depuis 1970, les sanctions sont devenues un moyen fréquemment utilisé par le Canada. Il faut cependant souligner le caractère subjectif de cet instrument, qui est utilisé comme mesure de rétorsion à la suite de ce qui est perçu comme un méfait[117]. Elles sont rarement employées contre un État considéré comme un « ami » – même si celui-ci se comporte aussi mal que les autres États. Par exemple, le Canada n'a jamais considéré imposer des sanctions contre les États-Unis lors de l'invasion de la Grenade en octobre 1983, ou lorsque les forces américaines ont envahi Panama pour renverser le gouvernement, s'emparer de son président, Manuel Noriega, et – dans un exercice d'extraterritorialité – le ramener aux États-Unis pour subir son procès devant une cour de justice américaine. Il n'en était pas question non plus en 2003, lorsque la coalition dirigée par les États-Unis a envahi l'Irak sans mandat explicite des Nations Unies[118].

Dans certains cas cependant, des mesures très subtiles peuvent être adoptées contre un gouvernement allié. Ainsi, on raconte que, dans les semaines qui suivirent la destruction du *Rainbow Warrior* par des agents des services secrets français en 1986, les réceptions données par le corps diplomatique français ont soudainement été boudées par leurs collègues des autres gouvernements. On dit aussi que, lors de certains conflits de pêche entre la France et le Canada, les avions canadiens décollaient systématiquement de Paris avec quelques heures de retard... Mais il s'agit presque toujours de mesures bénignes et très discrètes. Le caractère subjectif des sanctions n'est que l'un des nombreux problèmes éthiques[119] que pose cet instrument diplomatique.

116. Donald MACINTOSH et Micheal HAWES (avec la coll. de Donna GREENHORN et David BLACK), *Sport in Canadian Diplomacy*, Montréal/Kingston, McGill-Queen's University Press, 1994.
117. Kim Richard NOSSAL, « International Sanctions as International Punishment », *International Organization*, vol. 43, n° 2, printemps 1989, p. 301-322.
118. Voir Jocelyn COULON, *L'agression. Les États-Unis, l'Irak et le monde*, Montréal, Athéna, 2004.
119. Sur les problèmes d'éthique posés par les sanctions, voir Joy GORDON, « A Peaceful, Silent, Deadly Remedy : The Ethics of Economic Sanctions », *Ethic and International Affairs*, 1999, p. 123-142.

La coercition

Le recours aux menaces est un moyen diplomatique connu des dirigeants canadiens, mais ils l'utilisent très rarement, sauf dans les cas où les États cibles sont suffisamment dépendants du Canada pour qu'elles soient efficaces. Comme nous le verrons au chapitre 11, à la fin des années 1960, le gouvernement fédéral a contraint, quoique avec difficulté les États francophones africains à limiter leurs relations directes avec le Québec, au moment où ce dernier cherchait à obtenir une plus grande visibilité internationale. Cette mesure fut appliquée sans trop de subtilité, en rappelant aux États africains que le Québec pourrait difficilement offrir les mêmes programmes d'assistance au développement que le gouvernement fédéral[120].

Compte tenu de sa situation géographique et de sa structure économique, la politique étrangère du Canada vise rarement les États qui sont aussi vulnérables mais plutôt les États-Unis. Dans leurs relations avec les Américains, les Canadiens doivent tenir compte de la différence de puissance considérable qui sépare les deux pays. Si Ottawa brandit des menaces contre Washington, et si elles ne réussissent pas à dissuader ou à persuader les États-Unis, le Canada devra s'attendre à en subir les conséquences. En effet, lorsque les menaces ne donnent aucun résultat, il n'y a que deux options : les retirer ou passer aux actes. Dans le contexte des relations canado-américaines, l'une et l'autre sont tout aussi dangereuses. Si le gouvernement américain refuse de plier et que le Canada ne met pas ses menaces à exécution, il perd toute crédibilité. Si le gouvernement canadien va de l'avant et cause de réels préjudices aux intérêts américains, il pourrait bien encourir de douloureuses représailles. La notion d'interdépendance, souvent employée pour décrire la dynamique des rapports canado-américains ne signifie pas que les deux États soient mutuellement dépendants, le degré de vulnérabilité et de sensibilité (voir le chapitre 1, note 52) de chacun variant selon le domaine d'activité considéré. Lorsque l'on considère *globalement* ces rapports, force est

---

120. Lyne Sauvageau et Gordon Mace, « Les relations extérieures du Québec avec l'Afrique et le Moyen-Orient », dans Louis Balthazar, Louis Bélanger et Gordon Mace (dir.), *Trente ans de politique extérieure du Québec (1960-1990)*, Québec, Septentrion-CQRI, 1993, p. 257-259. Voir aussi Robin S. Gendron, « Educational Aid for French Africa and the Canada-Quebec Dispute Over Foreign Policy in the 1960s », *International Journal*, vol. 56, n° 1, hiver 2000-2001, p. 34.

de constater que le Canada dépend bel et bien – et largement – des États-Unis pour assurer sa sécurité et sa prospérité. Et non l'inverse.

Le gouvernement canadien doit donc soigneusement évaluer les coûts que peut entraîner l'adoption de mesures de coercition contre son puissant voisin. Ottawa est très conscient que les États-Unis ont la capacité d'absorber n'importe quelle perte que le Canada tenterait de leur faire subir ; et, pire encore, qu'ils sont en mesure d'infliger au Canada des pertes encore plus lourdes en guise de représailles. Plus les enjeux pour les intérêts américains seront élevés, plus Washington sera enclin à utiliser des mesures contraignantes pour protéger ses intérêts. Comme le démontrent les péripéties du Programme énergétique national (PEN) instauré par le gouvernement Trudeau en 1980, le climat amical qui règne habituellement entre les deux pays peut facilement – et rapidement – être remplacé par des rapports plutôt rudes. Le choix des moyens qui permettent au Canada d'atteindre ses objectifs est donc, dans le contexte des relations canado-américaines, inévitablement soumis à la règle de la réaction anticipée. Les méthodes qui risquent de provoquer des représailles coûteuses, comme la coercition, ne s'appliquent donc pas dans le cas d'un État aussi puissant.

Pourtant, il faut nuancer cette idée et ne pas surestimer la capacité des États-Unis à contraindre le Canada. En février et mars 2003, nombreux étaient ceux qui craignaient que l'attitude critique du Canada face à la volonté manifeste du gouvernement américain d'en finir avec le régime irakien de Saddam Hussein ne lui attire des représailles. Pourtant, celles-ci se font toujours attendre.

Encouragements et incitations

L'usage de la force, les menaces, les sanctions ou la coercition constituent les différentes manifestations que l'on assimile au « bâton » en relations internationales. La catégorie « encouragements et incitations » désigne plutôt l'ensemble des moyens qui constituent la « carotte » : échange de bons procédés, réorientation des politiques pour les rendre conformes aux intérêts d'un autre gouvernement, promesses d'assistance, cadeaux ou encore pots-de-vin.

Offrir des « présents » pour s'attirer les bonnes grâces d'un autre gouvernement n'est pas une approche qui peut être employée couramment par le Canada, quoique la méthode ait parfois été utile en certaines occasions. Elle a été utilisée en 1976, pour assurer la conclusion d'un accord économique avec la Communauté européenne (CE). Conformément aux termes de la « troisième option » (voir le chapitre 1), le gouvernement Trudeau cherchait à établir un lien contractuel avec la CE. Les Européens ont saisi l'occasion pour rappeler aux Canadiens l'importance qu'ils accordaient aux questions de défense et, plus spécifiquement, au renforcement de la contribution militaire canadienne à l'OTAN, contribution qui ne cessait de décliner depuis une quinzaine d'années. Le « présent » offert par le gouvernement Trudeau aux Européens prit alors la forme d'une commande de 128 chars *Léopard I* de fabrication allemande destinés à remplacer les vieux *Centurions* du contingent canadien stationné en Europe[121].

Les politiques d'encouragement peuvent aussi parfois s'avérer bien utiles pour convaincre des petits États en guerre d'entrer dans un processus de négociation. Des gouvernements peuvent ainsi persuader des belligérants de cesser les combats ou de conclure un accord de paix en échange d'une promesse d'aide à la reconstruction ou d'un appui politique. De même, cette méthode est parfois employée pour inciter des gouvernements à se plier aux normes de respect des droits de la personne. La Communauté européenne (puis l'Union européenne) a utilisé plusieurs fois ce stratagème – avec un succès limité, il faut l'admettre – au cours de la guerre en ex-Yougoslavie (1991-1995). Le Canada y a parfois aussi eu recours, mais généralement dans un cadre multilatéral.

Néanmoins, comme la coercition, les encouragements ne sont pas très utiles dans les relations avec les États-Unis. S'il faut plus de moyens financiers pour soudoyer un riche qu'un pauvre, il faut aussi plus de ressources que le Canada n'en possède pour acheter la collaboration d'un pays comme celui-là. Au cours des négociations sur l'accord de libre-échange qui eurent lieu en 1986 et 1987, les deux pays en vinrent bien à quelques compromis,

---

121. J. L GRANATSTEIN et Robert BOTHWELL, *Pirouette. Pierre Trudeau and Canadian Foreign Policy*, Toronto, University of Toronto Press, 1990, p. 158-177 et 253-256 ; Charles PENTLAND, « L'option européenne du Canada dans les années '80 », *Études internationales*, vol. 14, n° 1, mars 1983, p. 47.

mais comme Doern et Tomlin l'ont démontré, étant donné les capacités et les objectifs des deux parties, le Canada pouvait difficilement pousser les États-Unis à prendre des mesures favorables aux intérêts canadiens[122]. Une telle asymétrie se répercute forcément dans la capacité de négocier. Le gouvernement Mulroney cherchait à garantir aux entreprises canadiennes l'accès au marché américain. Le gouvernement de Ronald Reagan, à qui l'on demandait d'abandonner ses pratiques protectionnistes à l'égard du Canada, ne ressentait pas la même urgence d'ouvrir davantage le marché canadien aux produits et services américains. Et de fait, comme Washington continuait à appliquer des mesures protectionnistes sur les produits canadiens pendant les négociations, les diplomates canadiens ont dû abandonner leur demande – et se replier en présentant ces mesures comme preuve qu'un accord de libre-échange était nécessaire ! Par la suite, le Canada a dû faire d'autres concessions importantes dans le domaine des investissements étrangers et de l'énergie pour en arriver à une entente.

La politique des « encouragements » présente aussi certaines faiblesses : les actions destinées à s'attirer les faveurs d'un autre État peuvent bien ne pas être perçues comme telles. Au début de 1982, le gouvernement Trudeau a accepté que certains essais du nouveau missile de croisière américain soient effectués au-dessus du Canada. L'un des motifs derrière cette décision – qui allait à l'encontre des politiques de contrôle des armements du Canada et qui devait soulever la colère parmi la population canadienne – consistait à amadouer le gouvernement Reagan, irrité par l'adoption du Programme énergétique national au lendemain des élections générales de 1980. Si l'on se fie aux réactions de Washington, le message n'a pas été perçu comme tel, et le Canada ne semble pas avoir retiré grand-chose de ce geste de bonne volonté.

De même, en février 1996, le gouvernement Clinton n'a fait aucun lien entre la politique du Canada envers Haïti et le projet de loi Helms-Burton, qui visait à pénaliser les sociétés étrangères (y compris les sociétés canadiennes) faisant affaire à Cuba. Lorsque les troupes canadiennes ont pris le commandement des forces de maintien de la paix en Haïti, certains considéraient ce

---

122. G. Bruce DOERN et Brian W. TOMLIN, *Faith and Fear: The Free Trade Story*, Toronto, Stoddart, 1991.

geste comme une faveur envers Washington : le maintien de la paix commençait à devenir impopulaire aux États-Unis, et le président tenait à ramener au pays les troupes américaines stationnées en Haïti avant que ne débutent les élections présidentielles. Et pourtant, au moment même où le Canada acceptait de prendre le commandement de la mission en Haïti, le gouvernement de Bill Clinton cessait de s'opposer au projet de loi Helms-Burton[123]. Art Eggleton, alors ministre du Commerce international, exprimait ainsi sa frustration : « Il ne fait aucun doute que les États-Unis s'attendaient à ce que nous les relevions de leurs obligations en Haïti, et je pense qu'ils devraient prendre en considération notre volonté d'entretenir des rapports de bon voisinage quand ils s'apprêtent à faire ce qu'ils font (avec la loi Helms-Burton)[124]. »

La persuasion

Compte tenu des capacités limitées du gouvernement canadien, de sa vulnérabilité, et de l'importance de ses relations avec les États-Unis, le recours à la persuasion est sans doute l'approche la plus appropriée pour lui permettre d'atteindre ses objectifs internationaux. En relations internationales, l'art de convaincre un autre gouvernement de modifier ses positions ou ses politiques est appelé « diplomatie ». Les dossiers pour lesquels Ottawa devra user de persuasion sont aussi nombreux que diversifiés : convaincre le gouvernement britannique d'adopter des sanctions économiques contre l'Afrique du Sud, tout en tentant, au même moment, d'inciter Londres à abandonner un projet visant à étiqueter les fourrures en provenance du Canada pour dissuader les acheteurs ; persuader les membres du Congrès américain d'adopter un amendement à une loi sur le commerce dommageable pour les producteurs canadiens ; trouver des appuis, à l'Assemblée générale des Nations Unies, pour faire changer le libellé d'une résolution sur la non-prolifération nucléaire ; insister auprès d'un pays connu pour violer les droits de la personne pour qu'il libère tel ou tel prisonnier politique, etc.

---

123. La destruction, par des chasseurs de l'armée de l'air cubaine, de deux Cessnas appartenant à un groupe d'émigrés cubains anti-Castro de Miami, avait en effet placé le gouvernement Clinton dans une position difficile dans le dossier des relations avec La Havane.
124. Cité dans le *Globe and Mail*, 2 mars 1996.

Pour un État comme le Canada, un service extérieur prestigieux et jouissant d'une excellente réputation n'est pas qu'une simple composante de l'appareil d'État, mais probablement une des ressources les plus précieuses[125]. C'est une formidable source d'influence, comme en témoignent les états de service de la diplomatie canadienne dans les dix années qui ont suivi la Deuxième Guerre mondiale, période qualifiée « d'âge d'or de la diplomatie canadienne ». Il faut bien sûr reconnaître qu'une bonne partie de ces éloges relèvent plutôt du mythe. Mais, comme tous les mythes, celui-ci n'est pas dépourvu de tout fondement : entre 1946 et 1957, le gouvernement a réussi à atteindre la plupart de ses objectifs et à protéger les intérêts canadiens, tout particulièrement dans ses rapports avec les États-Unis. Les raisons de ce succès sont nombreuses. Sans doute, le fait que les dirigeants canadiens de l'époque ont été conscients des limites de ce qu'ils pouvaient accomplir, et qu'ils ont modelé leurs objectifs de politique étrangère en conséquence, y est pour beaucoup. Et on peut aussi attribuer ce succès à l'habileté diplomatique des deux ministres des Affaires extérieures, Louis Saint-Laurent (1946-1948) et Lester B. Pearson (1948-1957), aux hauts fonctionnaires du ministère (tels qu'Escott Reid, Norman Robertson ou Hume Wrong) et à l'appui donné à la diplomatie par les dirigeants politiques canadiens (Saint-Laurent devint premier ministre en 1948 ; Pearson, ministre des Affaires extérieures au même moment).

En comparaison, les années 1970 ont été une époque de frustration et de contrariétés[126]. Si la plupart des initiatives du gouvernement Trudeau ont échoué, ce n'est pas seulement parce que l'environnement international était différent de celui des années 1950 et que les objectifs étaient parfois définis sans tenir compte des rapports de puissance, mais aussi parce que la pratique de la diplomatie a périclité après 1968. Comme nous le verrons au chapitre 8, tout au long des années 1970, la diplomatie a été publiquement dénigrée par le premier ministre et ses principaux conseillers. Contrairement aux politiciens des années 1950, Trudeau sous-estimait l'importance du corps diplo-

---

125. John W. HOLMES, *Canada : A Middle Aged Power*, Toronto, McClelland and Stewart, 1976 ; Ulf LINDELL et Stefan PERSSON, « The Paradox of Weak States Power and a Research and Litterature Overview », *Cooperation and Conflict*, vol. 2, 1986, p. 88.
126. Michael TUCKER, *op. cit.* ; André P. DONNEUR, *op. cit.* (1988).

matique dans l'évaluation des ressources de l'État et son importance pour convaincre les autres gouvernements de respecter les intérêts du Canada.

Malgré ces déconfitures, la persuasion demeure la principale, sinon la seule technique à la disposition d'un pays comme le Canada. Au cours des années 1990, un nouveau concept a fait son apparition dans le vocabulaire de la politique étrangère canadienne : celui de *soft power*, que l'on traduit par « puissance douce », « pouvoir souple » ou encore « capacité de ralliement[127] », ce dernier terme étant probablement celui qui rend le mieux l'esprit du concept original. On peut le comprendre comme la capacité de certains gouvernements, tel celui du Canada, d'exercer une influence en ayant de bonnes idées, en utilisant à fond les moyens modernes de communications pour les faire connaître, et en prêchant par l'exemple. Le concept, fondé sur les travaux du théoricien américain Joseph Nye[128], a surtout été utilisé par Lloyd Axworthy, ministre des Affaires étrangères de 1996 à 2000, qui le considérait comme un moyen privilégié pour mettre en œuvre sa politique de « sécurité humaine » (étudiée au chapitre 4). Le concept a cependant fait l'objet de critiques virulentes[129]. Le recours à la force armée pour faire cesser les exactions contre la population albanaise du Kosovo en 1999 a, par ailleurs, démontré que même la meilleure diplomatie ne parvient pas toujours à remplacer les manifestations de « puissance brute »[130].

LES RELATIONS DE PUISSANCE ENTRE LE CANADA ET LES ÉTATS-UNIS

Les relations avec les États-Unis sont naturellement devenues une préoccupation centrale de la politique étrangère canadienne, au point où elles se

---

127. Selon le terme utilisé dans Alex MACLEOD, Evelyne DUFAULT et F. Guillaume DUFOUR, *op. cit.*, p. 194.
128. Notamment Joseph NYE, *Bound to lead : the Changing Nature of American Power*, New York, Basic Books, 1990.
129. Kim Richard NOSSAL, « Foreign Policy for Wimps », *Ottawa Citizen*, 23 avril 1998, p. A19 ; Kim Richard NOSSAL, « Pinchpenny Diplomacy. The Decline of "Good International Citizenship" in Canadian Foreign Policy », *International Journal*, vol. 54, nᵒ 1, hiver 1998-1999, p. 28-47. Voir aussi la réponse du ministre : Lloyd AXWORTHY, « Why Soft Power Is the Right Policy for Canada », *Ottawa Citizen*, 25 avril 1998, p. B6.
130. Voir, à ce sujet, Wayne NELLES, « Canada's Human Security Agenda in Kosovo and Beyond. Military Intervention versus Conflict Prevention », *International Journal*, vol. 52, nᵒ 3, été 2002, en particulier p. 462.

résument fondamentalement en une recherche constante d'un équilibre « entre les États-Unis et le monde ». Nous avons aussi vu que la plupart des méthodes pour transformer les attributs de puissance en influence ne sont que d'une utilité limitée dans les rapports avec les États-Unis. L'usage de la force est exclu, tout comme les sanctions; la coercition est un jeu dangereux, quand on a affaire à un État qui dispose d'une grande capacité de représailles, et qui ne s'en priverait pas si on l'y poussait un peu trop. Le recours aux encouragements serait, par nature, plus susceptible de donner des résultats, mais là encore, l'asymétrie entre les deux États est trop grande pour que cette méthode puisse être utilisée régulièrement. Bref, la persuasion semble être le moyen le plus efficace – sinon le seul – dont dispose le Canada.

Les Canadiens portent souvent un regard cynique et sévère à l'endroit des relations qu'entretient Ottawa avec Washington. L'image selon laquelle le Canada n'est qu'une excroissance des États-Unis, ou encore que le premier ministre canadien est le « chien de poche » du président américain, est presque systématiquement évoquée dès qu'une divergence survient, ou que Washington demande à Ottawa d'adopter une mesure impopulaire – comme la participation canadienne à la guerre du Golfe, en 1990-1991. Cette image est-elle justifiée? Comment évaluer la capacité du Canada de se dissocier de la politique américaine ou, mieux encore, de l'influencer?

Comme l'ont mis en évidence les tenants de l'approche de la « dépendance périphérique » (selon lesquels le Canada est un « satellite des États-Unis »), il est vrai que le Canada doit compter avec certains désavantages : son économie est dépendante du commerce avec les États-Unis, ses activités militaires encadrées par des institutions souvent dominées par les États-Unis (l'OTAN et les accords bilatéraux) et sa culture perméable à l'influence de celle des États-Unis. Dans un tel contexte, il n'est pas étonnant que l'on perçoive l'influence canadienne comme minimale ou inexistante.

Toutefois, il faut apporter des nuances à ce portrait des relations canado-américaines. Si l'on compare ces rapports avec n'importe quelles autres relations entre une grande puissance et un voisin beaucoup plus faible, il faut admettre que les Canadiens s'en tirent relativement bien ! Comme l'ont démontré plusieurs auteurs, le Canada n'est pas systématiquement perdant dans ses négociations avec les États-Unis[131].

L'évaluation des rapports de puissance entre le Canada et les États-Unis donne donc lieu à l'expression de points de vue contradictoires, certains très cyniques et pessimistes, d'autres plus rassurants et optimistes[132]. L'examen de quelques cas de figure illustrant ces deux points de vue est révélatrice.

Les limites de l'influence canadienne à Washington

En dépit des qualités certaines de son service extérieur, le Canada éprouve parfois de grandes difficultés à faire valoir son point de vue à Washington. Même les diplomates les plus habiles ne parviennent pas à obtenir la moindre concession du gouvernement américain sur certains enjeux. Deux exemples illustreront les limites de l'influence du Canada à Washington.

La question des pluies acides, qui a empoisonné les relations canado-américaines pendant une quinzaine d'années, en est une bonne illustration. Au cours des années 1980, quatre premiers ministres canadiens (Joe Clark, Pierre Trudeau, John Turner et Brian Mulroney) ont tenté de secouer l'inertie du gouvernement américain face à ce problème. Compte tenu de l'importance des intérêts politiques et économiques (en particulier ceux de l'industrie du charbon et de l'acier) mis en cause par l'adoption de mesures efficaces pour lutter contre les pluies acides, les États-Unis étaient peu enclins à accéder aux demandes du Canada. Le gouvernement Trudeau utilisa différents types d'arguments : l'exposé rationnel et scientifique des conséquences, la « diplomatie tranquille », les protestations véhémentes et les supplications. Les libéraux arrivèrent à un point de frustration tel qu'ils utilisèrent ce que l'on peut assimiler à de la propagande pour convaincre les Américains de changer d'attitude : les malheureux touristes américains en visite au Canada recevaient des prospectus qui accusaient leur pays de polluer l'environne-

---

131. Robert O. KEOHANE et Joseph S. NYE, *op. cit.*, en particulier chapitre 7 ; Stéphane ROUSSEL, *The North American Democratic Peace*, Montréal/Kingston, McGill-Queen's University Press, 2004.
132. Stéphane ROUSSEL, « Canada-U.S. Relations : Time for Cassandra ? », *American Review of Canadian Studies*, vol. 30, n° 2, été 2000, p. 135-157.

ment canadien et leur recommandaient vivement de faire pression, dès leur retour au pays, sur leur gouvernement !

Avec l'arrivée au pouvoir de Brian Mulroney et des conservateurs, les relations canado-américaines ont évolué de façon remarquable, tant dans le ton que dans l'esprit – ce qui eut des effets positifs dans un premier temps. Mulroney réussit ainsi à obtenir ce que Trudeau n'avait pu avoir : la reconnaissance par Ronald Reagan, au Sommet de Québec de 1985, de la responsabilité conjointe du Canada et des États-Unis dans la protection de l'environnement. Mais, par la suite, ni le président, ni le Congrès, ne se sont attaqués sérieusement aux causes des pluies acides. Les conservateurs essayèrent alors d'élaborer de nouvelles approches, mais se heurtèrent à la même inertie que leurs prédécesseurs. Finalement, tout comme les libéraux, le gouvernement Mulroney devait opter pour la diplomatie publique, teintée de propos acerbes. C'est dans ce contexte que Tom McMillan, le ministre conservateur de l'Environnement, rejeta un rapport du gouvernement américain qui prétendait que les dommages causés par les pluies acides n'étaient pas prouvés, en le qualifiant de « science vaudou[133] ». Au cours de l'été 1988, les touristes américains furent à nouveau la cible d'une campagne d'information canadienne plutôt agressive.

Comme dans bien des cas semblables, il fallut attendre la relève de la garde à Washington pour que les choses évoluent dans le sens souhaité par Ottawa. En 1992, le leader de la majorité au Sénat, Robert Byrd, de Virginie – un État producteur de charbon –, fut remplacé par le sénateur George Mitchell, du Maine – un État affecté par les pluies acides. De plus, les membres du Congrès en provenance des États du Sud, eux aussi durement atteints par la pollution grandissante en provenance du Mexique, changèrent leur fusil d'épaule ; et enfin, George Bush fut élu président à la place de Reagan[134].

---

133. Don MUNTON, « Conflict Over Common Property : Canada-U.S. Environmental Issues », dans Maureen Appel MOLOT et Brian W. TOMLIN (dir.), *Canada Among Nations 1987. A World of Conflict*, Toronto, James Lorimer, 1988, p. 178-197. Il s'agit d'un clin d'œil aux critiques, généralisées aux États-Unis à l'égard des politiques économiques du gouvernement de Ronald Reagan, que les Américains appelaient « la politique économique vaudou ».

134. Don MUNTON, « Reducing Acid Rain, 1980 », dans Don MUNTON et John KIRTON (dir.), *Canadian Foreign Policy : Selected Cases*, Scarborough, Prentice-Hall Canada, 1992, p. 376-378.

Le deuxième exemple porte sur la capacité de rétorsion des États-Unis. Le 15 août 1971, le président Richard Nixon annonçait, sans consultation préalable, un ensemble de mesures destinées à soulager le déficit commercial croissant des États-Unis, incluant notamment une surtaxe de 10 % sur les importations. Toutes ces mesures touchaient directement le Canada. Le gouvernement de Pierre Trudeau présumait que le gouvernement Nixon les avait établies sans tenir compte du Canada et de ses liens économiques étroits avec les États-Unis, comme cela s'était produit en 1963, 1966 et 1968. Chaque fois, des fonctionnaires canadiens étaient allés à Washington pour demander que le Canada soit exempté de ces mesures. C'est avec surprise qu'ils découvrent que, non seulement il n'y avait pas d'exemption, mais que les mesures en question visaient tout particulièrement le Canada! John Connally, le secrétaire d'État au Trésor, devait confirmer à Jean-Luc Pepin, ministre canadien de l'Industrie et du Commerce, que ces mesures étaient destinées « à ébranler le monde. Et ça, mon vieux, ça veut dire vous aussi! » Manifestement, l'ex-gouverneur du Texas ne se préoccupait pas des sensibilités canadiennes[135]...

Les Américains affirment de nouveau leur toute-puissance après l'investiture de Ronald Reagan, en janvier 1981. En 1980, le gouvernement Trudeau avait mis en place le Programme énergétique national, destiné à renforcer le contrôle de l'État sur l'économie canadienne. Ottawa n'avait pas pris la peine d'informer Washington des mesures envisagées, dont beaucoup auraient un effet défavorable sur les intérêts américains, si bien que le gouvernement du président Carter les accueillit avec « amertume et indignation ».

Mais ceci n'est rien en comparaison de la réaction des fonctionnaires qui accompagnent Reagan à la Maison-Blanche et qui sont qualifiés de « cow-boys de Californie » par les hauts fonctionnaires canadiens. Durant toute l'année 1981 et une bonne partie de 1982, les « cow-boys » utilisèrent toute une panoplie de tactiques pour forcer le gouvernement Trudeau à revenir sur

---

135. Voir le compte rendu de Peter DOBELL dans *Canada in World Affairs*, vol. 17 : *1971-1973*, Toronto, CIIA, 1985, p. 13-29. Voir aussi Osvaldo CROCI, « L'ami américain. L'image de la "relation particulière" et le processus de prise de décision au Canada pendant la crise monétaire de 1971 », *Études internationales*, vol. 30, n° 3, septembre 1999, p. 493-519 ; Bruce MUIRHEAD, « From Special Relationship to Third Option : Canada, the U.S., and the Nixon Shock », *The American Review of Canadian Studies*, vol. 34, n° 3, automne 2004, p. 439-462.

plusieurs éléments de son programme économique. Comme l'a démontré Stephen Clarkson[136], les pressions étaient incessantes, souvent brutales. Par exemple, un fonctionnaire américain exposa dans ses grandes lignes un plan destiné à déstabiliser les bastions du Parti libéral, soit l'Ontario et le Québec, en « laissant courir le bruit à Wall Street que le Canada n'est pas un endroit où investir ». On espérait ainsi faire chuter le cours du dollar canadien, augmenter l'inflation et diminuer le niveau de vie au Canada. Il n'est donc pas étonnant que les pressions aient fini par atteindre leur objectif !

De nombreux autres exemples, qui vont de la démarcation de la frontière de l'Alaska en 1903 jusqu'à la querelle du bois d'œuvre (qui a duré plus de 25 ans, de 1982 à 2006), pourraient être ajoutés à cette liste. Considérés indépendamment du contexte général des relations canado-américaines, ces exemples suffiraient à déprimer le plus pro-Américains des Canadiens. Néanmoins, il importe d'apporter d'importantes nuances à ce tableau.

Les facteurs d'influence

Bien que frappants, ces événements sont, d'un point de vue historique, loin d'être représentatifs. De façon générale, les États-Unis ont évité de compromettre les relations entre les deux pays, relations qui reposent sur des liens d'amitié très étroits. Ceux-ci sont fondés, d'une part, sur des intérêts convergents et des valeurs communes, et, d'autre part, sur les liens économiques et culturels qui unissent profondément les deux sociétés. Mais la préservation de cette relation amicale repose aussi sur des considérations intéressées. Les États-Unis ont tout avantage à ne pas porter atteinte à une relation devenue tout à fait prévisible et peu susceptible de nuire aux intérêts américains. Par conséquent, le gouvernement américain est peu enclin, sauf en de rares exceptions, à s'engager dans une épreuve de force avec le Canada. Ainsi, le gouvernement canadien dispose, malgré une grande différence de puissance, d'une certaine marge de manœuvre pour protéger ses intérêts.

---

136. Stephen CLARKSON, *Canada and the Reagan Challenge. Crisis and Adjustment*, Toronto, Lorimer, 1985, p. 23-49. Christina McCALL et Stephen CLARKSON, *Trudeau and Our Times*, vol. 2: *The Heroic Delusion*, Toronto, McClelland & Stewart, 1994, p. 196-197 et 215-216.

Sur le plan tactique, le Canada ne manque pas d'atouts pour gérer ses relations avec les États-Unis. En premier lieu, Ottawa peut tirer avantage du fait qu'aux yeux des dirigeants américains, le Canada est insignifiant. La politique étrangère des États-Unis a une vocation mondiale, et les décideurs à Washington peuvent rarement se payer le luxe de consacrer beaucoup de temps et d'énergie à leurs voisins du Nord, d'autant que ces derniers sont peu turbulents. Les relations canado-américaines occupent donc rarement une position élevée dans l'ordre des priorités internationales de Washington[137]. C'est évidemment une arme à double tranchant, qui peut servir les intérêts du Canada lorsque certaines politiques établies par Ottawa, susceptibles d'engendrer des réactions négatives à Washington, passent inaperçues. Mais cela peut se révéler problématique si Ottawa a besoin d'une intervention du président et que l'attention de ce dernier est constamment accaparée par d'autres problèmes.

En second lieu, les dirigeants américains sont soumis à d'énormes contraintes dans leurs relations avec le Canada. Ils sont rarement en mesure de mobiliser les immenses moyens théoriquement à leur disposition pour faire pression sur le gouvernement canadien. Le caractère essentiellement pluraliste du système politique américain et le comportement parfois erratique du gouvernement résultant de ce pluralisme constituent à la fois un inconvénient et une source d'opportunité pour les dirigeants canadiens. La séparation des pouvoirs, qui favorise souvent le Congrès au détriment de la présidence, a souvent un impact direct sur la prise de décision en politique étrangère et, par conséquent, sur les rapports qu'entretiennent les États-Unis avec le monde extérieur[138]. L'Europe porte encore le poids de l'héritage laissé en 1919 par les divergences entre le président et le Sénat; le refus de ce dernier de ratifier le traité de Versailles, est probablement l'une des causes indirectes de la Deuxième Guerre mondiale. Tous les partenaires commerciaux des États-Unis ont dû, à un moment ou à un autre, composer avec les tendances parfois

137. Edelgard MAHANT et Graeme S. MOUNT, *Invisible and Inaudible in Washington : American Policies toward Canada*, Vancouver, UBC Press, 1999.
138. Kim Richard NOSSAL, « The Imperial Congress : The Separation of Powers and Canadian-American Relations », *International Journal*, vol. 44, n° 4, automne 1989, p. 863-883 ; sur le fonctionnement du système politique des États-Unis, voir Edmond ORBAN et Michel FORTMANN (dir.), *Le système politique américain. Mécanismes et décisions*, Montréal, Presses de l'Université de Montréal, 1994 (2ᵉ éd.).

schizophréniques de Washington, tendances qui se manifestent lorsqu'il y a désaccord sur la philosophie qui doit guider la politique étrangère ou la politique commerciale (par exemple, lorsque la présidence est en faveur du libre-échange et que le Congrès est plutôt protectionniste). Les Canadiens en ont fait amèrement l'expérience en 1979, lorsqu'Ottawa est enfin parvenu à conclure, avec le Département d'État, un traité sur les pêcheries dans l'Atlantique – pour le voir ensuite rejeté par le Sénat. Cet échec a provoqué l'exaspération de John Holmes, qui écrivit à ce sujet : « Les États-Unis sont de plus en plus incapables d'entretenir une relation rationnelle avec n'importe quel pays étranger, puisque l'administration fédérale est ligotée par un Congrès ergoteur, qui fait ce qu'il veut et qui ne respecte même pas les engagements internationaux[139]. »

D'un autre côté, ce fonctionnement chaotique peut servir les intérêts du Canada. La pluralité du système américain ne permet pas la concertation nécessaire pour que Washington puisse adopter systématiquement la ligne dure envers le Canada. Même si un certain nombre d'Américains, à l'intérieur comme à l'extérieur de l'appareil gouvernemental, font pression pour que soient adoptées des mesures plus strictes contre le Canada sur un sujet ou un autre, il s'en trouve toujours d'autres dont les intérêts coïncident avec ceux du Canada[140]. C'est, par exemple, le cas dans la querelle qui a opposé, de 1982 à 2006, les deux gouvernements sur la question du bois d'œuvre. Au milieu des années 1980, alors que les représentants de l'industrie et leurs partisans au Congrès protestaient vigoureusement contre la concurrence canadienne (qui offrait des produits similaires à meilleur marché), le gouvernement Mulroney parvint à s'assurer l'appui de l'industrie américaine de la construction, qui bénéficiait de cette baisse des prix, et de leurs sympathisants au Congrès. Dix ans plus tôt, le gouvernement Trudeau avait utilisé une tactique semblable pour faire échec au projet de détournement de la rivière Garrison dans le Dakota du Nord. Le projet, qui consistait à irriguer les terres arides du nord et du sud-ouest de l'État en pompant les eaux du Mississippi, risquait de provoquer un désastre environnemental au Mani-

139. John W. HOLMES, *Life With Uncle : The Canadian-American Relationship*, Toronto, University of Toronto Press, 1981.
140. Allan E. GOTLIEB, *"I'll be with You in a Minute, Mr Ambassador". The Education of a Canadian Diplomat in Washington*, Toronto, Toronto University Press, 1991.

toba, puisque les eaux ainsi détournées s'écouleraient désormais vers le Nord, dans la rivière Rouge et la rivière Souris. Ottawa a travaillé en étroite collaboration avec divers sympathisants américains, incluant le président Jimmy Carter, pour bloquer le projet. Bien entendu, ces Américains avaient leurs propres raisons pour s'opposer au détournement de la Garrison, dont bien peu concernaient la protection de l'environnement canadien, mais l'essentiel était que leurs intérêts coïncidaient avec ceux du Canada, et qu'ils soutenaient ce dernier[141].

* * *

Rares, très rares, sont les États qui peuvent ignorer les contraintes imposées par les rapports de puissance et passer outre au dicton selon lequel *La politique est l'art du possible*. Ceux-là doivent vivre en autarcie, coupés de toute relation avec la communauté internationale. Si, en vertu de quelques circonstances historiques, certains États ont pu vivre ainsi, ce n'est plus possible dans le monde contemporain. Plus personne ne se permet le luxe de l'autarcie et tous doivent se soumettre à un réseau complexe de relations transfrontalières. En tentant d'atteindre leurs objectifs internationaux, les États se heurtent bien souvent aux dures réalités des relations de puissance. Aussi puissant soit-il, aucun État ne peut garantir que ses actions seront conformes à ses préférences. Il en est ainsi pour le Canada : le gouvernement canadien ne peut pas faire exactement ce qui lui plaît. Pour être efficace – en d'autres mots, pour atteindre ses objectifs –, la politique étrangère doit être fondée sur une évaluation minutieuse de ce qui peut effectivement être réalisé.

C'est pourquoi la question des ressources présente une importance considérable. Les rapports de puissance les plus importants pour le Canada sont ceux qu'il entretient avec les États-Unis, non seulement en raison des impératifs imposés par leur proximité et leur structure économique, mais aussi à cause de leur position en tant que puissance dominante du système

---

141. Kim Richard Nossal, « The Unmaking of Garrison : United States Politics and the Management of Canadian-American Boundary Waters », *Behind the Headlines*, vol. 37, décembre 1978 ; Kim Richard Nossal, « Le Congrès américain et la Commission mixte internationale », *Perspectives internationales*, novembre-décembre 1978, p. 15-19.

international actuel. Lorsqu'on observe cette relation spécifique, l'utilité d'une approche telle que « l'analyse de la puissance » devient évidente, surtout si on la compare aux approches visant à déterminer le statut international du Canada. L'image du Canada qui se dégage de cette analyse n'est certainement pas celle d'une « puissance de premier plan », mais plutôt celle d'un État qui doit composer avec une distribution très asymétrique de la puissance sur le continent nord-américain. Cette approche permet non seulement de mesurer l'importance des disparités de moyens entre les deux États, mais aussi l'importance de la stratégie et la nécessité d'un calcul judicieux pour tirer le maximum d'avantages des attributs de puissance dont dispose le Canada et des méthodes pour les transformer en influence.

Même s'il existe une très grande asymétrie entre les États-Unis et le Canada, ce dernier n'est pas dépourvu de ce que les analystes qualifient « d'attributs de puissance ». Cette disparité ne le relègue pas au rang des faibles, condamnés à plier systématiquement devant ceux qui disposent de grandes ressources économiques et militaires. Elle ne fait que montrer comment « un peu d'esprit et de petits moyens peuvent accomplir des merveilles, là où l'on ne peut faire usage de la force[142] ».

---

142. Annette BAKER Fox et William T. R. Fox, « Domestic Capabilities and Canadian Foreign Policy », *International Journal*, vol. 39, n° 1, hiver 1983-1984.

3
LA SOCIÉTÉ CIVILE
ET LA POLITIQUE ÉTRANGÈRE

Pour les auteurs appartenant à l'école néoréaliste des relations internationales, les grandes orientations en politique étrangère sont essentiellement fonction de l'environnement externe d'un État et de la puissance relative dont celui-ci dispose. Mais, pour la plupart des auteurs qui analysent la politique étrangère, le comportement des dirigeants est aussi largement déterminé par l'environnement interne de leur État. Ces théoriciens accordent donc une grande importance aux variables liées à la politique intérieure et aux relations entre le gouvernement et les citoyens.

Ce constat n'est pas nouveau : il y a plus de 2 000 ans, Sun Tzu affirmait que le développement de relations extérieures fructueuses reposait sur un rapport « harmonieux » entre le peuple et son souverain. À la même époque, Périclès, un général athénien, subissait les conséquences du mécontentement populaire suscité par les déboires de la guerre du Péloponnèse. Les préceptes taoïstes de Sun Tzu en matière de stratégie et le récit que fait Thucydide de la guerre entre les cités grecques de l'Antiquité évoquent donc la même idée : les relations entre gouvernants et gouvernés affectent la conduite des affaires de l'État, y compris dans ses rapports avec l'étranger.

Les rapports entre l'État et la société civile semblent particulièrement importants pour comprendre la dynamique d'un système politique démocratique comme celui du Canada, dans la mesure où ses relations sont régies par les normes et les principes du libéralisme. Ceux-ci comprennent notamment le respect des droits individuels, le consentement des citoyens à être gouvernés, la souveraineté du peuple, l'existence d'institutions représentatives qui garantissent l'imputabilité des dirigeants, la primauté de la constitution et de la règle de droit. Les préceptes du libéralisme supposent que le comportement du gouvernement devrait être déterminé par les préférences et les intérêts des groupes et des individus qui composent la société civile. Ceci s'applique aussi à la politique étrangère.

Ce chapitre vise à déterminer comment, et dans quelle mesure, ces individus et ces groupes (communautés culturelles, syndicats, entreprises, médias, etc.) façonnent la politique extérieure canadienne. Il convient donc de passer en revue les intérêts et les activités de quelques-uns de ces groupes, puis d'examiner comment ceux-ci peuvent influencer les décisions politiques.

LES INTÉRÊTS DE LA SOCIÉTÉ CIVILE

L'idée selon laquelle la politique intérieure a un effet déterminant sur la conduite de la politique étrangère est surtout associée à la théorie libérale[1]. Celle-ci présuppose que tous les individus tentent de maximiser leurs préférences et leurs intérêts, c'est-à-dire tout « ce qui est désirable pour l'acteur[2] ». Ceci ne signifie pas pour autant que tous ces individus vont s'engager dans une activité politique pour défendre leurs intérêts. En fait, la plupart sont passifs. Certains sont persuadés que leurs intérêts sont plus ou moins bien servis par le système politique en place, et beaucoup de ceux qui estiment que leurs intérêts ne sont pas adéquatement représentés ne se lancent pas dans l'action politique pour essayer de changer cette situation. D'autres pré-

---

1. En fait, la grande majorité des théoriciens reconnaît l'importance des jeux politiques et des divergences internes pour expliquer l'action internationale de l'État, même s'ils divergent sur le degré de cette importance. Sur la théorie libérale des relations internationales, voir Dario BATTISTELLA, *Théories des relations internationales*, Paris, Presses de Sciences Po, 2006 (2ᵉ éd.), p. 155-186 ; Stéphane ROUSSEL et Dan O'MEARA, « La constellation diffuse des théories libérales », dans Alex MACLEOD et Dan O'MEARA (dir.), *Contestations et résistances : la théorie des relations internationales depuis la fin de la Guerre froide*, Montréal, 2007, p. 89-110. Pour un exemple de modèle qui considère qu'il s'agit d'une variable secondaire, voir Gideon ROSE, « Neoclassical Realism and Theories of Foreign Policy », *World Politics*, vol. 51, n° 1, octobre 1998, p. 144-172.
2. André-J. BÉLANGER et Vincent LEMIEUX, *Introduction à l'analyse politique*, Montréal, Presses de l'Université de Montréal, 1996, p. 41.

tendent que la maximisation de leurs intérêts passe justement par un non-engagement dans les activités à caractère politique. Ce faible niveau d'engagement n'est pas dû à un manque de volonté de la part des citoyens, mais plutôt à un manque de moyens, et au sentiment d'impuissance qui en découle (« mon engagement ne ferait aucune différence »)[3].

Intérêts et action politique

Bon nombre d'individus refusent cependant de se cantonner dans l'inaction et n'hésitent pas à se lancer dans des activités politiques s'ils ont le sentiment que leurs intérêts ne sont pas défendus de façon adéquate. Comment y parviennent-ils? Puisque l'action individuelle est peu susceptible de donner des résultats, ces personnes ont tendance à s'identifier, s'associer et s'organiser avec d'autres qui partagent leurs intérêts et leurs valeurs, ou qui ont des intérêts complémentaires. Les groupes ainsi constitués chercheront ensuite des appuis ailleurs dans la société, et tout particulièrement au sein de l'État, en utilisant certains moyens pour exprimer leurs revendications.

Les concepts d'intérêts et de préférence soulèvent un grand nombre de questions. D'abord, la notion d'intérêt est presque systématiquement associée à l'idée de rationalité, puisqu'elle désigne la capacité de l'acteur de faire des calculs coûts-bénéfices pour maximiser cet intérêt. Ensuite, pour certains, la constitution des intérêts et des préférences est plutôt une affaire individuelle, et peut être le fruit d'innombrables facteurs qui vont de la psychologie à la condition économique. D'autres diront que les intérêts et préférences sont innés et fixes. Par exemple, l'appartenance à une classe sociale, à un genre ou à un groupe ethnique ou linguistique détermine les intérêts d'un individu, même si celui-ci n'en est pas pleinement conscient. S'il n'est pas possible de trancher dans ce débat, il faut néanmoins reconnaître que les groupes

---

3. Les citoyens doivent aussi surmonter ce que l'on appelle le « dilemme de l'action collective ». Celui-ci constitue un obstacle à l'action politique : pourquoi un acteur rationnel gaspillerait-il son temps et ses énergies en se joignant à un mouvement de revendication si d'autres le font déjà et que sa propre participation n'apporterait à peu près rien de plus ? Le dilemme réside bien entendu dans le fait que si tous les individus faisaient le même calcul, il n'existerait pas de mouvement de masse. Voir Mancur OLSON, *Logique de l'action collective*, Paris, Presses universitaires de France, 1978 (1965). Voir aussi André-J. BÉLANGER et Vincent LEMIEUX, *op. cit.*, p. 224-227.

ont, comme les individus, des intérêts. Dans certains cas, ces intérêts sont explicites et clairement identifiables, tels ceux pour la défense ou la promotion desquels se sont justement constitués des groupes de pression. Dans d'autres cas cependant, on attribue à un groupe des intérêts communs, mais en fait ce groupe formé pour une tout autre raison (par exemple, la citoyenneté, l'ethnie, le genre, la langue ou encore la religion). Ainsi, il serait périlleux d'affirmer que tous les Canadiens ont intérêt à ce que la frontière avec les États-Unis reste ouverte, ou encore que le maintien de bonnes relations avec la France est une préférence partagée par tous les Québécois. Il faut donc utiliser avec prudence cette notion d'intérêt commun.

Enfin, les intérêts peuvent être de différentes natures, selon qu'ils sont concrets ou symboliques. Les intérêts qui touchent directement au bien-être physique ou matériel des individus sont des intérêts concrets, alors que ceux qui relèvent des valeurs, des idées ou des croyances sont symboliques. Il ne faut pas minimiser l'importance de la charge émotive des intérêts symboliques, car, bien entendu, ceux-ci sont directement affectés par les choix politiques du gouvernement. Cette distinction est importante, car la nature des intérêts en jeu aura un effet non seulement sur le niveau et la nature de l'activité politique, mais aussi sur l'impact qu'aura cette activité sur les dirigeants.

Malgré toutes ces nuances et mises en garde, les préceptes libéraux constituent un point de départ intéressant, puisqu'ils orientent l'analyse autour de deux questions fondamentales : quels sont les intérêts des diverses composantes de la société civile ? Et comment celles-ci peuvent-elles promouvoir ou protéger ces intérêts ? Les réponses à ces questions permettent d'évaluer comment et jusqu'à quel point les citoyens canadiens parviennent à influencer les décisions de leur gouvernement en matière de politique étrangère et de défense.

L'éventail des intérêts des Canadiens

Il faut commencer par se demander jusqu'à quel point les citoyens canadiens sont intéressés par les questions de politique étrangère et de défense. Si certains se sentent directement concernés, il est difficile d'évaluer quel pourcentage n'éprouve aucun intérêt pour la politique étrangère de leur pays. En général, on présume que les Canadiens sont peu intéressés par les relations internationales – une opinion davantage basée plus sur l'intuition que sur des observations solides –, qu'ils sont coupés du monde extérieur, repliés sur eux-mêmes et plutôt préoccupés par les problèmes intérieurs. « Le public a démontré peu d'intérêt pour le conflit – ou alors en restant dans l'expectative », disait un mémorandum du ministère des Affaires extérieures adressé au premier ministre Mackenzie King en octobre 1935, lors de la conquête de l'Abyssinie (l'actuelle Éthiopie) par l'Italie. « Les gens s'intéressent énormément plus à l'Alberta qu'à l'Abyssinie[4]. » Quarante et un ans plus tard, cette perception demeurait inchangée ; le conservateur Claude Wagner, critique de l'opposition en matière d'affaires extérieures, déclara à la Chambre des communes en 1976 : « Les Canadiens s'intéressent plus aux questions pratiques, à l'inflation et au chômage, qu'à la politique étrangère[5]. » L'une des conséquences de cette attitude est le peu d'empressement de la population à réclamer une augmentation des budgets des ministères des Affaires étrangères et de la Défense, ainsi que de l'Agence canadienne de développement international (ACDI). De même, il est relativement rare que des élections se gagnent ou se perdent sur des questions de politique étrangère ou de défense.

Curieusement, les sondages d'opinion indiquent le contraire. Quand on leur demande s'ils éprouvent de l'intérêt pour le rôle de leur pays sur la scène internationale, les Canadiens sont généralement enclins à exprimer un haut niveau d'intérêt, comme le démontre un sondage CROP effectué en 1992 pour le compte du ministère de la Défense nationale[6]. Les sondages réalisés tout au long des années 1980 arrivent à des résultats semblables, ce qui a amené un haut responsable du ministère des Affaires extérieures à conclure que « l'image qui s'en dégage est celle d'une société dans laquelle une vaste majorité exprime un intérêt pour les événements internationaux [...] et

---

4. Cité dans Donald PAGE, « The Institute's "Popular Arm" : The League of Nations Society in Canada », *International Journal*, vol. 33, n° 1, hiver 1977-1978, p. 59.
5. CANADA, Chambre des communes, *Débats de la Chambre des communes*, 30e législature, 2e session, vol. 1, 21 octobre 1976, p. 303.
6. J. S. FINAN et S. B. FLEMMING, « Public Attitudes Toward Defence and Security in Canada », dans David B. DEWITT et David LEYTON-BROWN (dir.), *Canada's International Security Policy*, Scarborough, Prentice-Hall, 1995, p. 296.

s'attend à ce que le gouvernement s'active pour trouver des solutions aux problèmes internationaux[7] ». De même, la crainte selon laquelle la population canadienne aurait pu, à la suite de la fin de la Guerre froide, retirer son appui aux principes internationalistes qui guidaient la politique étrangère depuis 1945, s'est avérée dénuée de fondement[8].

Il est raisonnable de croire que la population canadienne s'intéresse à toute une variété de sujets qui relèvent des relations internationales et de la politique étrangère, même si elle ne considère pas toujours qu'il s'agit de priorités ni que ce sont les premiers postes de dépenses dans lesquels le gouvernement devrait investir. En fait, ces intérêts deviennent surtout apparents lorsque des crises les remettent en question. Il est possible d'identifier trois types principaux d'intérêts fondés sur les liens ethniques, les préoccupations individualistes (ou « égoïstes ») touchant au bien-être matériel et physique, ou l'empathie pour les moins fortunés ou les victimes de conflits ou de catastrophes[9].

---

7. P. H. CHAPMAN, « The Canadian Public and Foreign Policy », *International Perspective*, janvier-février 1986, p. 14 ; INSTITUT NORD-SUD, *Review '87/Outlook '88*, Ottawa, Institut Nord-Sud, p. 2.

8. Michel FORTMANN, « L'atlantisme et le repli identitaire nord-américain. Faut-il craindre une vague isolationniste aux États-Unis et au Canada ? », *Les premières conférences stratégiques annuelles de l'IRIS*, Paris, La documentation française, 1996, p. 87-96 ; Michel FORTMANN et Pierre MARTIN, « The End of Internationalism ? Public Opinion and Canada's Foreign Commitments in the 1990s », communication présentée à la *Conference on Internationalism and Retrenchment in Canadian Foreign Policy*, Canadian Committee of the International Institute for Strategic Studies, Toronto, 24-25 avril 1998.

9. Elizabeth Riddell-Dixon propose une typologie différente des intérêts et des groupes qui se sont constitués pour les défendre et les promouvoir. Elle établit une distinction entre les intérêts économiques et non économiques, et subdivise les groupes sur une base fonctionnelle. Elle identifie ainsi cinq sous-catégories économiques, soit le milieu des affaires, de l'agriculture, du travail, les associations professionnelles et les consommateurs. Sous la rubrique « non économique », elle range les anciens combattants et les militaires, les groupes de femmes, les groupes religieux, les communautés ethniques, les citoyens et les « groupes spéciaux », Elizabeth RIDDELL-DIXON, *The Domestic Mosaic : Domestic Groups and Canadian Foreign Policy*, Toronto, Canadian Institute of International Affairs, 1985.

Les intérêts ethniques

Le Canada, comme l'Australie, la Nouvelle-Zélande, l'Afrique du Sud et les États-Unis, est un amalgame sociopolitique relativement récent, composé d'immigrants et de colons qui ont forgé un système politique inspiré de la tradition occidentale (plutôt que de s'intégrer aux communautés politiques déjà existantes des peuples autochtones). La société canadienne a été façonnée par des vagues successives d'immigrants – les tout premiers étant français et anglais – qui fondèrent des établissements de fortune à la fin du XVIᵉ et au début du XVIIᵉ siècle. Entre 1600 et 1800, lorsque tous les établissements nord-américains à l'est du Mississippi furent soumis, par la force, à la Couronne britannique (à l'exception des îles Saint-Pierre-et-Miquelon), l'immigration en provenance de France et des Pays-Bas se réduisit substantiellement. Si la communauté canadienne-française, relativement importante au moment de la Conquête, s'est accrue graduellement par la suite, c'est essentiellement grâce à un fort taux de natalité. La communauté anglophone, par contre, a connu une expansion très rapide, alimentée par les vagues d'immigrants en provenance des îles britanniques.

Au moment de la Confédération, la composition ethnique de la nation était sensiblement homogène ; au premier recensement de 1871, 60 % des 3 485 761 citoyens du nouveau Dominion ont déclaré être originaires du Royaume-Uni (le groupe le plus important provenant d'Irlande) ; 31 % étaient des Canadiens français ; le dernier groupe ethnique représentatif étant formés des Allemands (6 %)[10]. Les différents courants d'immigration du siècle suivant ont quelque peu modifié les origines ethniques de la population, sans pour autant remettre en question la prédominance de ce que l'on appelle les « deux solitudes ». Au flot continu d'immigrants en provenance du Royaume-Uni s'ajoutèrent les Asiatiques, venus travailler sur le chemin de fer transcontinental ; puis les immigrants en provenance d'Europe centrale, de l'Europe du Nord et de l'Est, et qui ont contribué à la colonisation des Prairies au cours des premières décennies du XXᵉ siècle ; et aussi un certain nombre d'Américains.

---

10. Chiffres tirés de C. P. STACEY, *Canada and the Age of Conflict. Vol. I : 1867-1921*, Toronto, Macmillan Canada, 1977, p. 4-5.

Les sources d'immigration se diversifient encore plus après la Deuxième Guerre mondiale, en raison des nombreux déplacements de population causés par ce conflit et le début de la Guerre froide. Fin 1960, avec l'assouplissement des procédures d'immigration, la diversité ethnique s'intensifie encore : les immigrants viennent des Caraïbes, d'Afrique, du Moyen-Orient, du sous-continent indien et d'Asie orientale. Les crises politiques internationales de l'après-guerre ont aussi un effet sur l'immigration au Canada : la répression de l'insurrection hongroise par l'Union soviétique en 1956 ; l'intervention soviétique en Tchécoslovaquie en 1968 ; l'expulsion des Ougandais d'origine asiatique par le président autoproclamé Idi Amin Dada, en 1972 ; et l'expulsion par le Viêt-nam des Hoas (les Vietnamiens d'origine chinoise), en 1978 et 1979 ; sans oublier les milliers d'Américains venus se réfugier au Canada pendant la guerre du Viêt-nam, à la fin des années 1960, pour échapper à la conscription ou après avoir déserté. D'autres émigrent au Canada pour fuir l'agitation ou l'incertitude politiques de leur pays natal ; ils arrivent d'Afrique du Sud, tout particulièrement à la fin des années 1970 et au début des années 1980 ; des pays d'Amérique centrale, en proie à l'oppression et à la guerre civile ; du Chili, à la suite du renversement du gouvernement Allende en 1973 ; d'Haïti, dirigé par la main de fer des Duvalier jusqu'en 1986 ; et de Hong-Kong, au cours des années 1980 et 1990, surtout après le massacre de la place Tiananmen, en juin 1989.

Le clivage traditionnel entre anglophones et francophones, ainsi que la diversité ethnique résultant des vagues successives d'immigration, vont tous deux avoir un impact sur la politique extérieure du Canada.

La dualité historique

Les Canadiens français et les Canadiens anglais ont toujours eu une vision du monde différente et des conceptions divergentes sur le rôle international de leur pays. En conséquence, chacun tend à faire valoir ses intérêts en la matière en fonction de son appartenance à l'une ou l'autre des communautés linguistiques : les Canadiens d'origine britannique se préoccupent du sort de l'Empire britannique, auquel ils s'identifient, et de leur terre natale, l'Angleterre, que les tribuns politiques qualifient de « mère patrie » dans leur discours[11]. Les Canadiens français, au contraire, sont peu attachés à l'Angleterre, encore moins à l'Empire britannique, et ne perçoivent pas la France comme leur mère patrie, puisqu'ils considèrent que cette dernière les a abandonnés. Leur attitude au cours de la Première Guerre mondiale est donc plus conditionnée par des considérations de politique intérieure, et en particulier par leurs rapports avec le Canada anglais (par exemple, le tristement célèbre « règlement 17 » qui restreint l'enseignement du français dans les écoles ontariennes), que par des facteurs internationaux[12].

De plus, ni l'une ni l'autre des communautés ne considère comme légitime la vision du monde de l'autre. Dans un contexte de tensions nourries par les divisions entre « impérialistes » et « nationalistes » (exposées au chapitre 4), les Canadiens anglais ont vite fait de qualifier de « trahison » le fait que certains de leurs compatriotes francophones refusent de participer aux guerres qui ne concernent pas directement les intérêts canadiens. Ces perpétuelles divergences d'opinions entre les deux collectivités marqueront la politique étrangère canadienne de façon profonde et virulente pendant près d'un demi-siècle, des premiers pas du Canada sur la scène internationale au cours la guerre de Boers jusqu'à la fin de la Deuxième Guerre mondiale.

Le point culminant de ces tensions entre les communautés francophone et anglophone survient lors de la crise de la conscription de 1917-1918, un événement qui ne trouve d'équivalent que dans la pendaison de Louis Riel, 30 ans plus tôt. Contrairement à une croyance répandue, les Québécois (y compris les « nationalistes ») ne s'opposent pas alors à la participation du Canada à la Grande Guerre – pourvu que les individus appelés sous les armes soient des volontaires – et appuient les mesures destinées à défendre le territoire du Canada. Ils refusent cependant d'être enrôlés de force pour se battre sur le théâtre européen, contrairement à leurs compatriotes anglophones qui jugent les mesures de conscription à la fois légitimes et essentielles. Plusieurs francophones en âge de porter les armes fuient les patrouilles de recrutement tandis que l'opposition politique s'organise. Des émeutes éclatent à

11. On peut le constater dans les débats à la Chambre des communes lors de la déclaration de guerre à l'Allemagne en 1914, ou la signature du traité de Versailles en 1919. Voir C. P. STACEY, *op. cit.* (1977), p. 288-294.
12. Gérard FILTEAU, *Le Québec, le Canada et la guerre 1914-1918*, Montréal, Éd. de l'Aurore, 1977, p. 19-25.

Montréal et à Québec, et le lundi de Pâques 1918, les troupes tirent sur la foule, tuant 4 passants et blessant des dizaines de manifestants[13].

Ces événements mettent à si rude épreuve l'unité nationale que le premier ministre King (qui va diriger le pays pendant près de 22 ans, entre 1921 et 1948) cherchera toujours à éviter de se retrouver dans la même position que Robert Borden, le malheureux premier ministre conservateur qui dirigea le Canada au cours de la Première Guerre mondiale. Cette préoccupation explique d'ailleurs en partie l'attitude isolationniste d'Ottawa au cours de l'entre-deux-guerres (voir le chapitre suivant). King ne peut cependant se soustraire aux exigences imposées par la Deuxième Guerre mondiale et doit demander à la population de le libérer de la promesse – faite pour permettre aux libéraux du Québec de défaire Duplessis lors des élections provinciales de 1939 – de ne pas imposer de conscription. Le plébiscite qui a lieu en 1942 permet de mesurer l'ampleur du fossé qui sépare alors les deux communautés. Alors que 80 % du Canada anglais accepte les demandes du gouvernement fédéral, 85 % des Québécois francophones s'y opposent[14]. Ce n'est toutefois qu'en 1944 que King se résoudra à appliquer cette mesure, alors que la bataille de Normandie dévore les hommes à un rythme alarmant. La victoire intervient toutefois avant que les choses ne dégénèrent au pays et à peine 12 908 conscrits sont partis vers l'Europe[15].

À la fin de la Deuxième Guerre seulement, ces dissensions commencent à s'estomper. En 1949, le nouveau premier ministre Louis Saint-Laurent doit cependant mener une « croisade » pour convaincre la population, en particulier celle du Québec toujours méfiante à l'égard des engagements militaires

---

13. *Ibid.*, p. 158-163 ; Voir Robert COMEAU, « L'opposition à la conscription au Québec », dans Roch LEGAULT et Jean LAMARRE (dir.), *La Première Guerre mondiale et le Canada*, Montréal, Méridien, 1999, p. 91-109.

14. Paul-André LINTEAU, René DUROCHER, Jean-Claude ROBERT et François RICARD, *Histoire du Québec contemporain. Le Québec depuis 1930*, Montréal, Boréal, 1986, p. 138. Pour l'ensemble du Canada, 2 943 514 « oui » contre 1 643 006 « non », tandis qu'au Québec, le résultat fut de 993 663 « non » (essentiellement parmi les francophones) contre 376 188 « oui » ; chiffres tirés de C. P. STACEY, *Armes, hommes et gouvernements. Les politiques de guerre du Canada, 1939-1945*, Ottawa, Ministère de la Défense nationale, 1970, p. 441.

15. Chiffres tirés de C. P. STACEY, *op. cit.* (1970), p. 525 et 527. De ce nombre, 313 conscrits furent blessés et 69 tués.

internationaux, de soutenir l'adhésion du Canada à l'Alliance atlantique[16]. Ce clivage réapparaît par la suite, quoique de façon plus ou moins prononcée, au cours de la guerre de Corée (1950-1953), de la guerre du Golfe (1991) et de l'Afghanistan (depuis 2001). Seules l'intervention de l'OTAN en ex-Yougoslavie en 1999 et les missions de maintien de la paix semblent avoir recueilli un appui similaire au Canada anglais et au Québec[17].

Le Canada cosmopolite du xxe siècle

Le taux d'immigration élevé a modifié la composition ethnique initiale de la société canadienne. Certains chercheurs estiment d'ailleurs que la décroissance de la fraction de la population d'origine ouest-européenne pourrait se traduire par un désintérêt graduel de l'opinion publique pour les liens établis avec cette région, et donc signifier, à plus ou moins court terme, la « fin de l'atlantisme » au Canada. Si cette idée semble erronée[18], il n'en demeure pas moins que les transformations du tissu socioculturel de la population canadienne ont un impact direct sur la conduite de la politique étrangère.

À l'instar des immigrants anglais qui les ont précédés, beaucoup de Néo-Canadiens définissent en termes ethniques leurs intérêts à l'égard de la politique étrangère. Ces intérêts sont variés : la plupart du temps, les groupes ethniques se montrent particulièrement concernés par le maintien de bonnes relations entre leur pays d'adoption et leur pays natal, et ils ont souvent des objectifs d'ordre pratique, comme la négociation d'ententes commer-

---

16. C. P. Stacey, *Canada and the Age of Conflict. A History of Canadian External Policies (vol. 2 : 1921-1948 The Mackenzie King Era)*, Toronto, University of Toronto Press, 1981, p. 416-417.

17. James Ian Gow, « Les Québécois, la guerre et la paix, 1945-1960 », *Revue canadienne de science politique*, vol. 3, n° 1, mars 1970, p. 88-122. Voir aussi Stéphane Roussel et Jean-Christophe Boucher, « From Anti-Militarism to Internationalism ? The Evolution of Quebec's Public Opinion Regarding the Use of Military Force », communication présentée à la réunion de la *Middle Atlantic and New England Council for Canadian Studies* (MANECCS) Montréal, 21-24 septembre 2006.

18. Paul Buteux, Michel Fortmann et Pierre Martin, « Canada and the Expansion of NATO : A Study in Élite Attitudes and Public Opinion », dans David G. Haglund (dir.), *Will NATO Go East ? The Debate Over Enlarging the Atlantic Alliance*, Kingston, QCIR, 1996, p. 147-179 ; David G. Haglund, *The North Atlantic Triangle Revisited. Canadian Grand Strategy at Century's End*, Toronto, CIIA, 2000, p. 74-75.

ciales ou l'établissement de vols directs entre les deux pays. Mais il arrive aussi que ces intérêts soient de nature politique. Par exemple, le comité Canada-Israël – une coalition regroupant le Congrès juif canadien, le B'nai B'rith et la Fédération sioniste canadienne – a pour principal objectif d'inciter le gouvernement du Canada à considérer avec sympathie les positions défendues par Israël, en particulier en ce qui a trait au conflit au Moyen-Orient. Bien entendu, la Fédération arabe canadienne ou *l'Arab Palestine Association* cherchent tout le contraire[19].

Pour cette raison, le conflit au Proche-Orient a toujours constitué un guêpier pour le gouvernement canadien. La controverse suscitée par la participation de représentants de l'Organisation pour la libération de la Palestine (OLP) à une conférence de l'ONU sur la prévention du crime devant avoir lieu à Toronto (1975), ou celle entourant le déménagement avorté de l'ambassade canadienne de Tel-Aviv à Jérusalem (1979), illustrent bien cette difficulté. Plus récemment, au cours de l'été 2006, le gouvernement conservateur de Stephen Harper a, à son tour, été vivement critiqué pour avoir trop ostensiblement appuyé le gouvernement israélien dont les troupes avaient bombardé le Liban.

Certaines communautés sont propulsées dans l'arène politique canadienne à la suite d'événements dramatiques survenus dans leur pays d'origine. Ce fut le cas pour de nombreux Canadiens d'origine chinoise et des milliers de Chinois venus au Canada avec un visa étudiant, qui ne pouvaient rester indifférents devant le massacre de la place Tiananmen (4 juin 1989). Des associations bien établies, tels la Federation of Chinese Canadians et le Chinese Canadian National Council, se sont jointes à des groupes *ad hoc* formés un peu partout au Canada. Toutes ces associations ont organisé des manifestations dans la plupart des grandes villes canadiennes. Un groupe d'étudiants chinois de Montréal a même utilisé une forme de résistance tout à fait originale : lorsque le gouvernement chinois a mis en place une tribune téléphonique pour inciter les gens à dénoncer les manifestants, les étudiants de Montréal ont occupé la tribune 24 heures sur 24. La facture de téléphone de

19. David Taras et David H. Goldberg (dir.), *The Domestic Battleground : Canada and the Arab-Israeli Conflict*, Montréal/Kingston, McGill-Queen's University Press, 1989 ; David H. Goldberg, *Foreign Policy and Ethnic Interest Groups : American and Canadian Jews Lobby for Israel*, Westport, Greenwood Press, 1990.

l'opération, probablement faramineuse, fut réglée par un homme d'affaires chinois[20]. De même, lorsque des appareils canadiens participèrent aux opérations de l'OTAN contre les troupes de la République fédérale de Yougoslavie en 1999, la communauté serbo-canadienne se mobilisa pour dénoncer l'« agression » commise par l'Alliance atlantique.

Les communautés ethniques du Canada connaissent parfois des dissensions internes, qui sont le reflet des clivages politiques de leur pays d'origine : en décembre 1982, à son arrivée à Ottawa, le président du Pakistan, Zia ul-Haq, fut accueilli par des manifestants d'origine pakistanaise, dont certains brandissaient des pancartes de bienvenue, et d'autres – comme le Council of Concerned Pakistanis Abroad – protestaient bruyamment contre la violation des droits de la personne par le régime d'Islamabad[21]. Ce fut aussi le cas lors de la visite au Canada du premier ministre chinois Li Peng, en octobre 1995 ; des petites annonces furent alors publiées dans les journaux lui reprochant son rôle dans le massacre de la place Tiananmen, alors que d'autres Canadiens d'origine chinoise assistaient volontiers aux réceptions données en son honneur.

Dans certains cas, les intérêts de politique étrangère exprimés par les communautés ethniques seront centrés sur un inextinguible désir d'indépendance pour leur terre d'origine. Tel fut le cas de bien des membres des communautés arménienne, balte, palestinienne, sikhe, tamoule et ukrainienne, qui ont fait pression sur Ottawa pour que le gouvernement tienne compte de leurs demandes dans la conduite de ses relations avec « l'occupant ». La plupart de ces démarches furent vaines, ce qui n'est guère surprenant, dans la mesure où le gouvernement canadien ne peut cautionner des causes séparatistes pour ne pas donner de munitions au mouvement souverainiste québécois. Pierre Elliott Trudeau fut probablement un champion de cette politique de négation. Il fit d'ailleurs scandale lorsque, interrogé sur la politique du Canada envers le Biafra (un État ayant fait sécession du Nigeria alors plongé dans la guerre civile), il répondit sarcastiquement : « C'est où, le Biafra ? » Ce que pratiquement tous les journalistes ont taxé

---

20. Kim Richard NOSSAL, *Rain Dancing: Sanctions in Canadian and Australian Foreign Policy*, Toronto, Toronto University Press, 1994, chap. 8.
21. Elizabeth RIDDELL-DIXON, *op. cit.* (1985).

d'indifférence pour la situation désespérée des Biafrais était, en fait, une façon, pour le premier ministre, d'exprimer son mépris pour les causes séparatistes[22].

Pendant la Guerre froide, les Canadiens d'origine ukrainienne ont vainement tenté d'inciter Ottawa à reconnaître l'Ukraine comme un pays « occupé » par l'Union soviétique, au même titre que les États baltes (Estonie, Lettonie et Lituanie)[23]. Le gouvernement canadien a en effet maintenu que l'Ukraine était partie intégrante de l'Union soviétique, et ce, jusqu'en août 1991. Après le putsch contre Mikhaïl Gorbatchev, le premier ministre Brian Mulroney allait modifier d'un seul coup la position du Canada. Après avoir déclaré vouloir respecter « la volonté librement exprimée du peuple ukrainien », Mulroney promit que si celui-ci se prononçait en faveur de l'indépendance lors du référendum prévu pour le 1er décembre 1991, le Canada allait aussitôt reconnaître le nouvel État, ce qu'il a effectivement fait, avant de s'empresser d'ouvrir une ambassade à Kiev[24].

Les activités de certains représentants des communautés ethniques pour défendre la cause politique de leur pays d'origine peuvent parfois prendre une forme violente. En fait, depuis les actes terroristes du Front de libération du Québec (FLQ) au cours des années 1960, les seuls attentats ou assassinats politiques perpétrés au Canada sont imputables à des indépendantistes arméniens ou sikhs. Ainsi, en 1982, des terroristes arméniens s'en sont pris, à deux reprises, à des diplomates turcs en poste à Ottawa, un fut blessé et un autre tué, puis un attentat contre l'ambassade turque, en mars 1985, a entraîné la mort d'une sentinelle canadienne.

---

22. Trudeau admet d'ailleurs, dans ses *Mémoires politiques* portant sur la politique étrangère, que ce sarcasme était plutôt « futile » (*unhelpful*). Ivan L. HEAD et Pierre Elliott TRUDEAU, *The Canadian Way: Shaping Canada's Foreign Policy 1968-1984*, Toronto, McClelland & Stewart, 1995, p. 103 ; J. L. GRANATSTEIN et Robert BOTHWELL, *Pirouette. Pierre Trudeau and Canadian Foreign Policy*, Toronto, University of Toronto Press, 1990, p. 277.

23. Samuel J. NESDOLY, « Changing Perspectives: The Ukranian-Canadian Role in Canadian Soviet Relations », dans Aloysius BALAWYDER (dir.), *Canadian-Soviet Relations, 1939-1980*, Oakville, Mosaic Press, 1981, p. 107-127.

24. Kim Richard NOSSAL, « The Politics of Circumspection: Canadian Policy Towards the Soviet Union », *International Journal of Canadian Studies*, vol. 9, printemps 1994, p. 27-45.

C'est en juin 1985 qu'ont été commis les pires actes de terrorisme étranger qu'ait connus le Canada. Dans les deux cas, les attentats contre des avions ont été perpétrés par les partisans de la création d'un État sikh indépendant. Le 23 juin, un avion des lignes aériennes Canadien Pacifique en provenance de Vancouver atterrit à l'aéroport Narita de Tokyo, avec à son bord une bombe cachée dans une valise enregistrée à l'escale de Bombay. La bombe explose dans l'aéroport, tuant deux bagagistes. À peu près au même moment, le vol Air India 182, qui assure la liaison entre Toronto et Londres (après avoir embarqué des passagers en provenance de Vancouver), explose au-dessus de l'océan Atlantique. Les 329 passagers, dont 278 Canadiens, sont tués. L'explosion de l'avion laisse peu de traces, mais les preuves recueillies sur les lieux de l'attentat de Narita permettent de retracer trois suspects, dont l'un au Canada. Les tribunaux ne sont cependant jamais parvenus à établir la culpabilité des accusés.

Le Canada semble aussi parfois servir de sanctuaire ou de base d'opérations à des terroristes étrangers. En décembre 1999, un ressortissant algérien, Ahmed Ressam, est arrêté à la frontière américaine en possession d'une bonne quantité de matériel servant à fabriquer des explosifs. L'affaire, qui devait beaucoup inquiéter les autorités américaines – déjà rongées par la crainte de voir des terroristes profiter des fêtes du nouvel an pour commettre un attentat – mène à l'arrestation de plusieurs autres Algériens qui vivent dans la région de Montréal. En mai 2006, une douzaine de personnes issues de la communauté musulmane sont arrêtées à Toronto dans le cadre d'une opération antiterroriste.

Il arrive parfois que des membres de communautés ethniques, contraints à l'exil pour cause de bouleversements politiques, tentent de miner les relations entre le Canada et leur pays d'origine. Ce fut le cas pour beaucoup d'Ukrainiens vivant au Canada qui, pendant plus de cinquante ans, ont tenu à ce qu'Ottawa conserve une attitude ferme vis-à-vis de l'URSS, puisque de bonnes relations avec Moscou auraient sous-entendu la reconnaissance, par le Canada, de la légitimité de l'« occupation » soviétique en Europe de l'Est[25]. Pour leur part, les Canadiens d'origine vietnamienne, expulsés de force de leur pays à la fin des années 1970, se sont montrés satisfaits de la

---

25. Samuel J. NESDOLY, *op. cit.*, p. 116.

ligne politique adoptée par le gouvernement canadien envers Hanoi, après l'invasion du Cambodge en décembre 1978[26]. Les Canadiens d'origine haïtienne établis à Montréal ont aussi pressé Ottawa d'imposer des sanctions contre le régime militaire qui a renversé Jean-Bertrand Aristide. Et un grand nombre de Canadiens appartenant à la communauté chinoise, révoltés par le massacre de la place Tiananmen en 1989, se sont opposés à la normalisation des relations sino-canadiennes souhaitée par le gouvernement de Jean Chrétien après 1993.

Les intérêts individuels

Les intérêts dits « individuels » ou « égoïstes » désignent les préoccupations d'un individu ou d'un groupe pour son propre bien-être matériel et physique. Dans le contexte de cet ouvrage, ces intérêts désignent essentiellement le bien-être économique et la sécurité individuelle – le fait, pour un individu membre d'une collectivité, d'être protégé contre toute menace provenant de l'extérieur de cette communauté, qu'il s'agisse d'une diminution de son bien-être matériel, d'une agression physique, ou encore d'une atteinte à des valeurs personnelles.

Les intérêts matériels et économiques

Les individus, naturellement soucieux de préserver leur bien-être matériel, cherchent à protéger et à élargir les sources de leur richesse, qu'il s'agisse de la rentabilité de leurs capitaux ou du maintien de leur emploi. Comme nous l'avons souligné au chapitre 1, la prospérité de la société canadienne repose en grande partie sur les exportations. Le gouvernement est donc, dans la poursuite de sa politique étrangère, soumis aux pressions de nombreux individus et de groupes (professionnels, corporatifs, organisationnels) qui cherchent à maximiser leurs intérêts économiques. Ceux-ci sont très larges, variés, et même parfois contradictoires. L'examen des intérêts de trois de ces groupes parmi les plus importants – le milieu des affaires, les syndicats et les producteurs agricoles – permettra d'illustrer cette diversité[27].

---

26. Kim Richard NOSSAL, *Rain Dancing...*, *op. cit.* (1994), chap. 3 et 4.
27. Elizabeth RIDDELL-DIXON, *op. cit.*, (1985).

Les intérêts de ceux qui possèdent ou contrôlent des entreprises commerciales au Canada sont presque toujours multinationaux. Ceci est particulièrement flagrant en ce qui concerne les filiales de firmes américaines, européennes ou japonaises installées au Canada. C'est aussi le cas pour bon nombre de compagnies canadiennes qui ont des filiales à l'étranger. La protection et la promotion de ces intérêts relèvent principalement des entreprises elles-mêmes et des associations regroupant des firmes œuvrant dans un même secteur d'activité. Les sociétés, leurs actionnaires et leurs dirigeants sont affectés par ce qui se passe sur la scène internationale ou par les changements de politique des gouvernements, et cherchent donc à maximiser leurs intérêts en intervenant directement auprès de l'État. L'objectif de ces interventions peut varier considérablement. Certaines d'entre elles visent à sécuriser et à stabiliser l'environnement économique global dans lequel évoluent ces firmes. Par exemple, au cours des années 1980 et 1990, plusieurs entreprises et associations ont milité en faveur de la conclusion d'un accord de libre-échange avec les États-Unis, puis de son élargissement aux États latino-américains. D'autres interventions ont un caractère plus spécifique, comme celles du lobby d'une société cherchant à s'assurer que les produits qu'elle exporte sont effectivement couverts par ce traité de libre-échange.

Les associations sectorielles sont très actives au Canada et suivent de près l'évolution de la politique étrangère et de la politique de défense qui les concerne, qu'il s'agisse de l'acquisition de matériel militaire, des politiques commerciales, des tarifs douaniers sur les importations, de l'aide à l'exportation des ressources naturelles et des produits manufacturés, ou d'autres sujets connexes tels que les normes industrielles internationales, les politiques sur l'emploi, la protection de l'environnement et l'aide au développement international.

Les associations dont le but est de promouvoir les intérêts du milieu des affaires en général, et non ceux d'une industrie ou d'un secteur en particulier, sont d'une importance considérable. Le Conseil canadien des chefs d'entreprise et le Canadian Business and Industry International Advisory Committee (CBIIAC) en sont de bons exemples. Fondé en 1977, le CBIIAC représente, auprès du gouvernement, les intérêts internationaux du milieu des affaires, et regroupe un certain nombre d'associations influentes telles que la Chambre de commerce canadienne et l'Association canadienne des manufacturiers. D'autres organisations ont des intérêts uniquement régionaux ; comme la Canadian Association-Latin America ou encore le Comité canadien du Conseil économique de la zone Asie-Pacifique. Il existe aussi des groupes sectoriels – comme l'Alliance des manufacturiers et des exportateurs du Canada et la Canadian Importers Association, ou encore l'Association canadienne des industries de défense[28]. Ces associations sont bien pourvues grâce à leurs adhérents, fortement institutionnalisées et solidement ancrées dans le paysage politique[29].

Les représentants du milieu des affaires s'unissent parfois pour réagir à des événements ponctuels. En 1987 et 1988, en plein débat sur le traité de libre-échange, un certain nombre d'entreprises et de gens d'affaires ont constitué une coalition pro-libre-échange. La Canadian Alliance for Trade and Job Opportunities a recruté Peter Lougheed et Donald Macdonald comme présidents, deux personnalités publiques bien en vue. Lougheed, un progressiste-conservateur, premier ministre de l'Alberta jusqu'en novembre 1985, était connu pour ses convictions libre-échangistes. Macdonald, quant à lui, avait été ministre dans le gouvernement libéral. Il devait d'ailleurs quitter cette formation après que John Turner, le successeur de Pierre Trudeau et chef du Parti lors des élections de 1984, se fut opposé à la signature d'un accord de libre-échange avec les États-Unis. Il fut bientôt nommé président de la Commission royale sur l'union économique et les perspectives de développement du Canada, dont le rapport final, déposé en septembre 1985, épousait clairement des convictions libre-échangistes. Il passa alors huit mois à sillonner le pays pour donner des conférences en faveur de l'entente, rendant ainsi un service inestimable au premier ministre Mulroney (qui le récompensa en août 1988 en le nommant à un poste diplomatique, à Londres).

Depuis la fin des années 1990, l'un des sujets de préoccupation de la communauté des affaires canadienne est le maintien de la fluidité des échanges

---

28. Bien qu'en décroissance marquée depuis la fin de la Guerre froide, l'industrie de la défense occupe toujours une place importante dans l'économie canadienne, Yves BÉLANGER (avec la collaboration d'Aude FLEURANT), « Intégration continentale et base industrielle de défense : retour sur le dilemme canadien », dans Albert LEGAULT (dir.), *Le Canada dans l'orbite américaine*, Québec, PUL, 2004, p. 127-152.
29. John KIRTON et Blair DIMOCK, « Domestic Access to Government in the Canadian Foreign Policy Process, 1968-1982 », *International Journal*, vol. 39, hiver 1983-1984, p. 95.

entre le Canada et les États-Unis. Elle a ainsi appuyé les réformes entreprises par le gouvernement Chrétien à partir de 1995 pour réduire les goulots d'étranglement, lors du passage des transporteurs aux frontières[30]. Toutefois, après les attentats de septembre 2001 et le choc causé par les importants embouteillages aux frontières dans les semaines qui ont suivi, les associations de gens d'affaires ont multiplié les représentations et les études pour inciter le gouvernement à mettre en place des mesures de sécurité destinées à la fois à rassurer les dirigeants américains et à assurer la libre circulation des biens et des personnes.

Les syndicats ont aussi des intérêts en politique étrangère, d'abord définis en fonction du bien-être de leurs membres. Contrairement à ce que l'on trouve dans d'autres États (par exemple, en Australie), où les syndicats se prononcent sur un vaste éventail de sujets relevant de la politique étrangère, les centrales canadiennes interviennent principalement pour défendre des intérêts locaux (protection de l'emploi et des industries, accès aux marchés étrangers) et internationaux (promotion du syndicalisme, établissement de normes internationales du travail et avancement de la paix, du désarmement et de la justice sociale).

Les syndicats n'hésitent pas à dénoncer les initiatives qui peuvent aller à l'encontre des intérêts de leurs membres, en particulier dans les domaines commerciaux et tarifaires, et ce, même quand ces intérêts contredisent les valeurs internationales dont ils font par ailleurs la promotion. Les politiques de libéralisation des marchés, qui peuvent parfois entraîner des rajustements difficiles dans les secteurs en perte de vitesse ou peu compétitifs, constituent souvent une cible privilégiée pour les organisations syndicales[31]. Par exemple,

---

30. Sur les réformes des systèmes frontaliers avant l'automne 2001, voir Christopher SANDS, « Fading Power or Rising Power : 11 September and Lessons from the Section 110 Experience », dans Norman HILLMER et Maureen APPEL MOLOT (dir.), *Canada Among Nations 2002 : A Fading Power*, Don Mills (On.), Oxford University Press, 2002, p. 49-74 ; Stéphane ROUSSÈL, « Pearl Harbor et le World Trade Center. Le Canada face aux États-Unis en période de crise », *Études internationales*, vol. 33, nº 4, décembre 2002, p. 680-685.
31. Sur la formation de coalitions nationales en fonction d'enjeux commerciaux, voir James E. ALT et Michael GILLIGAN, « The Political Economy of Trading States : Factor Specificity, Collective Action Problems, and Domestic Political Institutions », *Journal of Political Philosophy*, vol. 2, nº 2, 1994, p. 165-192.

le Congrès du travail du Canada (CTC) plaida pour le maintien de tarifs douaniers et de quotas pour juguler l'importation massive de textiles et de chaussures en provenance des États du Sud ; le Congrès tenta de nuancer le caractère protectionniste de sa position en prétextant que ces produits étaient fabriqués par une main-d'œuvre sous-payée, et qu'en accepter l'importation équivalait à encourager l'exploitation des travailleurs du Tiers-Monde. Par ailleurs, craignant qu'une ouverture des marchés ne fasse croître le taux de chômage, surtout chez les travailleurs des filiales étrangères de l'industrie manufacturière, le CTC s'opposa dès le début au projet de libre-échange, allant même jusqu'à rejeter l'offre de participer à un groupe de discussion consultatif sur la question.

Les syndicats canadiens considèrent aussi généralement avec méfiance les accords multilatéraux qui peuvent avoir un effet sur les programmes sociaux et les subventions aux secteurs en difficulté. Ainsi, à la fin des années 1990, bon nombre de centrales ont émis des réserves face aux positions défendues par la délégation canadienne lors des négociations avortées sur l'Accord multilatéral sur les investissements (AMI) et celles menées dans le cadre de l'Organisation mondiale du commerce (OMC).

Enfin, les syndicats interviennent aussi fréquemment sur des sujets qui touchent à la politique de défense et de sécurité. D'une part, certaines de ces organisations, très liées aux mouvements sociaux et communautaires – c'est le cas des trois grandes centrales québécoises, soit la Centrale des enseignants du Québec (CEQ – devenue aujourd'hui le Centre des syndicats du Québec), la Fédération des travailleurs du Québec (FTQ) et la Confédération des syndicats nationaux (CSN) –, se sont jointes aux mouvements pacifistes au cours des années 1980[32]. La CEQ, en particulier, a joué un rôle important dans les efforts de mobilisation de l'opinion publique contre la participation canadienne à la guerre du Golfe en 1991[33]. D'autre part, les syndicats gardent, comme leurs vis-à-vis du monde des affaires, un œil sur les programmes d'acquisition de

---

32. Jean-Guy Vaillancourt, « Deux nouveaux mouvements sociaux québécois : le mouvement pour la paix et le mouvement vert », dans Gérard Daigle et Guy Rocher (dir.), *Le Québec en jeu, comprendre les grands défis*, Montréal, Presses de l'Université de Montréal, 1992, p. 791-807.
33. Jocelyn Coulon, *La dernière croisade. La guerre du Golfe et le rôle caché du Canada*, Montréal, Méridien, 1992, p. 106-107.

matériel de défense, dont dépendent un certain nombre (décroissant, il est vrai) d'emplois au Canada. Ils ont, à ce propos, pris l'initiative dans la réflexion sur la reconversion de cette industrie, initiative rendue nécessaire à la fois par la fin de la Guerre froide et les prises de position pacifistes de ces organisations[34].

Le secteur agricole constitue un autre groupe dont les intérêts sont intimement liés à certaines dimensions de la politique étrangère. Il englobe les entreprises agroalimentaires, les propriétaires de fermes familiales et les travailleurs agricoles. Les producteurs agricoles ont des intérêts qui relèvent à la fois des micro et des macroaspects de la politique commerciale du Canada – et tout particulièrement lorsque celle-ci favorise les exportations ou qu'elle limite les importations. Mais, en raison de la diversité de l'industrie agricole canadienne, les intérêts des producteurs ne sont pas uniformes.

Les producteurs agricoles canadiens peuvent être divisés en deux groupes distincts : d'un côté, ceux dont les produits sont compétitifs sur le plan international – le grain et le bœuf –, soit, principalement, les producteurs de l'Ouest, qui sont en faveur d'une plus grande libéralisation des marchés internationaux ; et de l'autre, les producteurs laitiers et maraîchers – concentrés en Ontario et au Québec – qui ne sont pas aussi compétitifs et dont les prix élevés sont maintenus par les commissions de mise en marché et par des contrôles protectionnistes sur les importations à meilleur marché.

Dans ces conditions, il était presque inévitable que le traité de libre-échange Canada/États-Unis divise ces deux groupes[35]. La Canadian Cattlemen's Association (qui représente les intérêts de 100 000 producteurs bovins) et les producteurs de céréales de l'Ouest accueillirent l'accord avec enthousiasme,

---

34. Sur la reconversion de l'industrie militaire et le rôle des syndicats, voir les travaux d'Yves BÉLANGER, *op. cit.* (1996 et 2000) ; « La reconversion des entreprises militaires : quel rôle pour l'État et comment le Canada peut-il aborder la question ? », *Revue canadienne de science politique*, vol. 30, n° 4, décembre 1997, p. 697-709 ; ainsi que *Le Québec militaire. Les dessous de l'industrie militaire québécoise*, Montréal, Québec/Amérique, 1989 (avec Pierre FOURNIER).

35. Bruce W. WILKINSON et M. Shabany GHAZVINI, « Agriculture in a Free Trade Agreement », dans Maureen APPEL MOLOT et Brian W. TOMLIN (dir.), *Canada Among Nations 1985 : The Conservative Agenda*, Toronto, Lorimer, 1986, p. 194-196. Pour une perspective historique plus large des relations canado-américaines dans le domaine de l'agroalimentaire, voir Gregory P. MARCHILDON, « Canadian-American Agricultural Relations : A Brief History », *American Review of Canadian Studies*, vol. 28, n° 3, automne 1998, p. 233-251.

car il était pour eux synonyme d'expansion et d'une plus grande ouverture sur le plan international. Les aviculteurs sont soulagés de voir que l'entente ne compromettait pas leurs privilèges. Les producteurs de fruits et de légumes de la Colombie-Britannique et de l'Ontario s'inquiétèrent de leur survie, menacée par l'affluence des produits américains. L'industrie agroalimentaire exprima, elle aussi, ses inquiétudes quant à sa compétitivité face à la concurrence[36]. Les viticulteurs, l'industrie vinicole et d'autres associations comme l'Union des producteurs agricoles (UPA) du Québec s'opposèrent carrément au traité.

Les hauts et les bas des relations entre grandes puissances ont souvent eu un impact sur les intérêts des producteurs de céréales. Au début des années 1960, la structure des exportations de céréales canadiennes s'est graduellement modifiée, sous l'impulsion du gouvernement conservateur de John Diefenbaker. En dépit d'un discours farouchement anticommuniste[37] et de son opposition notoire, depuis les années 1950, aux ventes de denrées alimentaires à des États communistes, le premier ministre annonça, en février 1961, que son gouvernement avait signé une ouverture de crédit avec la République populaire de Chine pour l'achat de céréales canadiennes. La Chine était alors plongée dans le chaos causé par « le Grand Bond en avant » – la politique économique de Mao Zedong visant à accélérer l'industrialisation du pays – et par trois récoltes désastreuses successives. Alors qu'elles n'étaient que de 8 700 000 $ en 1960, les exportations vers la Chine sont passées à 125 400 000 $ en 1961 et à 147 400 000 $ en 1962[38]. À la même époque, d'autres pays communistes commencèrent aussi à acheter des céréales du Canada : de 1963 à 1979, environ 20 % de la production céréalière annuelle canadienne était

---

36. Theodore H. Cohn, « Canada and the Ongoing Impasse Over Agricultural Protection », dans Claire A. Cutler et Mark W. Zacher (dir.), *Canadian Foreign Policy and International Economic Regimes*, Vancouver, University of British Columbia Press, 1992, p. 75.

37. John G. Diefenbaker, *One Canada : Memoirs of the Right Honourable John G. Diefenbaker (vol. 2 : The Years of Achievement, 1956 to 1962)*, Toronto, Macmillan, 1976, p. 108-110.

38. Patrick Kyba, « Alvin Hamilton and Sino-Canadian Relations », dans Paul M. Evans et B. Michael Frolic (dir.), *Reluctant Adversaries : Canada and the People's Republic of China, 1949-1970*, Toronto, University of Toronto Press, 1991, p. 169 ; Peter Strusberg, *Diefenbaker : Leadership Gained*, Toronto, University of Toronto Press, 1965, p. 134-139.

exportée vers l'Union soviétique et les pays d'Europe de l'Est[39]. À la fin des années 1970, le Canada avait conquis une part si importante du marché international des céréales que les autres grands producteurs comme l'Argentine, l'Australie, et même les États-Unis, ne pouvaient lui faire concurrence.

Les intérêts des fermiers canadiens dépendent énormément de l'état des relations entre les grandes puissances. Cette ouverture du Canada sur le marché chinois avait été rendue possible par les relations hostiles entre Beijing et Washington, et par l'aversion du gouvernement de Canberra pour le régime communiste de la République populaire de Chine. Mais sitôt que les relations avec la Chine se furent normalisées (au cours des années 1970), les États-Unis et l'Australie redevinrent des concurrents féroces sur le marché chinois. Dans le même ordre d'idées, la détérioration des relations Est-Ouest, à la fin des années 1970, incita les gouvernements occidentaux à utiliser les exportations de céréales comme moyen de pression. Le premier ministre Joe Clark – un autre conservateur – tenta d'enrayer toute augmentation des exportations de céréales vers l'Union soviétique en participant à l'embargo proposé par le président Jimmy Carter en janvier 1980, peu après l'invasion de l'Afghanistan par l'URSS. Heureusement pour les producteurs de céréales canadiens, l'embargo a fait long feu, puisque les Américains, les Australiens et les Canadiens réalisèrent que l'Argentine en profitait pour décupler ses exportations à destination de l'URSS. De plus, les Canadiens étaient conscients que les États-Unis essayaient de détourner vers la Chine les céréales originellement destinées à l'URSS. Fin 1980, l'Australie et le Canada avaient renoncé à l'embargo, et Ronald Reagan, qui avait promis aux fermiers américains d'y mettre fin, fut élu président. Dès son arrivée au pouvoir, l'embargo fut levé[40].

Les intérêts des producteurs de céréales ont aussi été affectés par les sanctions économiques contre des pays moins puissants, comme ce fut le cas

---

39. Carl C. McMillan, « Canada's Postwar Economic Relations with the USSR - An Appraisal », dans Aloysius Balawyder (dir.), *op. cit.*, p. 145, tableau 4.
40. Robert L. Paarlberg, « The 1980-81 US Grain Embargo : Consequences for the Participants », dans David Leyton-Brown (dir.), *The Utility of International Economic Sanctions*, Londres, Croom Helm, 1987 ; John Kirton, « Economic Sanctions and Alliance Consultations : Canada, the United States and the Strains of 1979-1982 », dans *ibid.*

après l'invasion du Koweït par l'Irak en août 1990. Le gouvernement canadien n'était pas très enthousiaste à l'idée d'appliquer un embargo sur les céréales, en plus des autres sanctions déjà envisagées contre Bagdad. Cette mesure signifiait la perte d'un marché très lucratif : pour les huit premiers mois de 1990, les exportations de blé et d'orge vers l'Irak représentaient à elles seules 10 % des exportations canadiennes. Si bien que, lorsque le Conseil de Sécurité demanda d'ajouter les exportations de céréales aux sanctions, les responsables canadiens purent se féliciter secrètement du fait que d'énormes cargaisons de céréales à destination de l'Irak étaient déjà au large, et impossibles à rappeler au port[41].

Les intérêts de sécurité

La seconde catégorie d'intérêts « égoïstes » qu'il convient d'aborder ici touche au désir que cultive chaque individu d'assurer sa sécurité contre les risques de violence physique.

Depuis la fin des années 1980, la définition de la notion de « sécurité » fait l'objet d'un débat très animé parmi les chercheurs en relations internationales. Définie de façon traditionnelle, l'étude proprement dite de la sécurité désigne essentiellement l'examen des activités militaires des États et les questions qui y sont directement liées (les causes des guerres, le contrôle des armements, la stratégie militaire, etc.)[42]. Avec la diminution des conflits interétatiques et la multiplication des guerres civiles, qui comptent pour la majorité des conflits survenus depuis 1990, plusieurs chercheurs ont proposé d'élargir la notion de sécurité, pour y inclure une variété de menaces qui peuvent mettre en péril la sécurité physique des individus : les problèmes environnementaux, les violations massives des droits de la personne, la criminalité transfrontalière, etc. Certains chercheurs, associés aux théories dites « critiques », poussent le raisonnement plus loin : la « sécurité » doit

---

41. Kim Richard Nossal, *Rain Dancing..., op. cit.*, p. 199-200.
42. Pour une réflexion sur la notion de sécurité « traditionnelle » en relations internationales, voir Barry Buzan, *People, States and Fear. An Agenda for International Studies in the Post-Cold War Era*, Boulder, Lynne Rienner, 1991 ; David G. Haglund, « Changing Concepts and Trends in International Security », dans David B. Dewitt et David Leyton-Brown (dir.), *Canada's International Security Policy*, Scarborough, Prentice-Hall, 1995, p. 31-50.

englober tout ce qui constitue une entrave au développement du potentiel de l'individu (son « émancipation »). Paradoxalement, le principal obstacle à ce processus d'émancipation est, selon eux, l'État qui, en vertu du principe de non-ingérence – lié à la notion de souveraineté –, peut menacer impunément ses citoyens[43].

Les préoccupations de sécurité exprimées par les représentants de la société civile canadienne ont évolué de façon semblable. Au cours de l'essentiel de leur histoire, les inquiétudes des citoyens suscitées par des menaces pour leur sécurité physique provenant de l'extérieur – lorsqu'ils les exprimaient – concernaient essentiellement le problème de la guerre et de la paix. Ce n'est que récemment que la société et le gouvernement canadiens ont commencé à élargir le spectre des « menaces ».

Comme nous l'avons mentionné brièvement au chapitre précédent, la population canadienne s'est rarement sentie menacée par une agression militaire. La dernière tentative d'invasion étrangère sérieuse remonte à 1812 et, à la fin du XIXe siècle, la possibilité d'une nouvelle agression en provenance des États-Unis était de moins en moins plausible. En dépit de la propagande utilisée par le gouvernement fédéral au cours des deux guerres mondiales[44], bien peu de citoyens canadiens redoutaient autre chose que les incursions épisodiques des *U-boats* allemands dans les eaux du Saint-Laurent.

La société canadienne n'est cependant pas immunisée contre la peur et l'horreur de la guerre. Les citoyens canadiens ont parfois fait part de leurs craintes à leur gouvernement et tenté d'influencer les politiques étrangères et de défense en ce sens. De façon générale, deux catégories d'intervenants (hormis les militaires, les représentants de l'industrie de la défense et les

---

43. Sur les études « critiques » de sécurité, Alex MACLEOD (dir.), *Approches critiques de la sécurité. Une perspective canadienne,* Paris, Cultures & Conflits–L'Harmattan, 2004.

44. On ne peut que sourire aujourd'hui en contemplant une affiche de recrutement proclamant « Canadiens, c'est le moment d'agir. N'attendez pas que les Boches viennent mettre tout à feu et à sang au Canada » et montrant une femme et un enfant abattus par des soldats allemands... visiblement dans la rue principale d'un village québécois. Affiche reproduite dans Paul-André LINTEAU, René DUROCHER et Jean-Claude ROBERT, *Histoire du Québec contemporain. De la Confédération à la crise,* Montréal, Boréal Express, 1979, p. 596.

syndicats) se sont, chacun à sa façon, posés en porte-parole de la société canadienne en matière de défense et de sécurité : les groupes pacifistes et les membres de la «communauté des études de sécurité», c'est-à-dire les experts,
universitaires et journalistes spécialisés dans les questions de sécurité.

Les mouvements canadiens pour la paix ont évolué de façon sinueuse,
au gré des conflits internationaux, des tensions entre les grandes puissances
et des courants intellectuels qui ont balayé le monde occidental. Comme
presque partout ailleurs en Occident, la Première Guerre mondiale a trau-
matisé bon nombre de Canadiens, traumatisme qui s'est traduit, pendant
toute la période de l'entre-deux-guerres, par l'émergence d'un mouvement
pacifiste[45]. J. S. Woodsworth et Agnès Macphail ont plaidé à la Chambre
des communes en faveur de ce sentiment pacifiste, en demandant l'abolition du ministère de la Défense nationale et en s'attaquant à l'embrigade-
ment des enfants dans les «bataillons scolaires» (les cadets) financés à
même les fonds de ce ministère, bataillons qui, selon Macphail, créaient
« un esprit de fanfaronnade militaire caractéristique du soldat de parade[46] ».
L'Association de la Société des Nations du Canada (League of Nations
Society) travailla à l'avancement de la cause pacifiste en organisant tout un
éventail d'activités visant à l'éducation du public, en parrainant des conféren-
ciers, en distribuant des tracts et des affiches, allant même jusqu'à s'assurer
que soient obligatoirement enseignés les préceptes de la Société dans les
écoles secondaires de tout le pays – à l'exception de l'Ontario et du Québec, où
les commissions scolaires locales devaient approuver l'utilisation du matériel didactique de l'Association[47]. On conseilla au gouvernement d'Ottawa
de se conformer au pacte Briand-Kellogg d'août 1928, pacte par lequel 57 États
déclaraient renoncer à la guerre comme instrument de politique étrangère[48]. Les conférences sur le désarmement mondial du début des années
1930 gagnèrent la faveur du public. Et, lors de débats à l'Université McGill et

---

45. Pour un aperçu du phénomène pacifiste à cette époque, voir James EAYRS, *In Defence
of Canada* (t. 1 *From the Great War to the Great Depression*), Toronto, University of
Toronto Press, 1964, p. 104-109.

46. *Débat de la Chambre des communes, 1926-1927*, 9 avril 1927, p. 2193. Voir aussi James
EAYRS, *op. cit.* (1964), p. 306.

47. Donald PAGE, *op. cit.* (1977-1978), p. 49.

48. C. P. STACEY, *op. cit.* (1981), p. 97-103.

à l'Université de Toronto, les étudiants se prononcèrent aussi en faveur du pacifisme, comme leurs confrères d'Oxford[49].

L'apparition des armes nucléaires, après 1945, a fait naître un nouveau sentiment d'insécurité. Certains estimaient que l'équilibre de la terreur et la logique de la destruction mutuelle assurée (désignée par l'acronyme anglais MAD – Mutual Assured Destruction) garantissaient la sécurité, puisque chacun des belligérants devait savoir que, s'il recourait aux armes nucléaires, il serait annihilé comme son adversaire[50]. Pour d'autres, ces armes n'offraient aucune garantie. Au contraire, elles tendaient à les priver de sécurité, en faisant planer une menace constante sur l'ensemble de la planète. En fait, cette logique est truffée de paradoxes : la guerre nucléaire étant hors de question, le recours à de telles armes devient impossible ; par conséquent, en stocker est plutôt illogique, ce qu'a très bien exprimé Margaret Laurence en 1983 : « Pourquoi continuer à accumuler des armes nucléaires ? Il y a bien longtemps qu'elles ont cessé d'être "dissuasives", si elles ne l'ont jamais été ; leur simple existence constitue une menace monstrueuse[51]. » Beaucoup redoutaient qu'une guerre nucléaire ne soit déclenchée accidentellement, à la suite d'une défaillance technique ou d'un conflit local. Enfin, certains étaient convaincus que la logique de la dissuasion ne pourrait pas durer infiniment. En définitive, seule l'élimination des armes nucléaires pourrait garantir la sécurité des citoyens.

Pendant la Guerre froide, ce sentiment d'insécurité a amené bon nombre de gens, au Canada et ailleurs, à faire pression pour que se produise un changement fondamental dans la manière d'assurer leur sécurité. Trois grandes vagues de pacifisme ont déferlé sur le Canada : la première s'étend de la fin de 1950 jusqu'en 1963, date de la signature des premiers accords de contrôle des armements ; la deuxième a lieu dans les années 1960, stimulée par la guerre du Viêt-nam ; enfin, la troisième, qui dure de 1979 à 1986, suit la crise des euromissiles et la relance de la course aux armements par le gou-

---

49. James EAYRS, *op. cit.* (1964), p. 110-111.
50. Sur la logique de la dissuasion, voir Albert LEGAULT et Georges LINDSEY, *Le feu nucléaire*, Paris, Seuil, 1973 ; voir également les extraits des « classiques » d'Arnold WOLFERS et d'Albert WOHLSTETTER reproduits dans Gérard CHALIAND (dir.), *Anthologie de la stratégie, des origines au nucléaire*, Paris, Laffont, 1990, p. 1286-1297 et 1304-1310.
51. Margaret LAURENCE, « Foreword », dans Ernie REGHER et Simon ROSENBLUM (dir.), *Canada and the Nuclear Arms Race*, Toronto, James Lorimer, 1983, p. xi.

vernement Reagan[52]. Tout au début de la Guerre froide, il existait au Canada quatre organisations pacifistes : la Commission canadienne pour le contrôle des risques de radiations (devenue plus tard la Commission canadienne pour le désarmement nucléaire [CCND]) et la Campagne des universités unies pour le désarmement nucléaire – deux organisations créées en 1959 à la suite de la Campagne pour le désarmement nucléaire (CND) en Angleterre – ; la Voix des femmes, créée en 1960 ; et l'Institut canadien de recherche pour la paix, constitué en 1961. Ces organisations ont tenté de persuader le gouvernement Diefenbaker de renoncer à équiper d'ogives nucléaires certains systèmes de défense achetés des États-Unis (les missiles sol-sol *Honest John*, les missiles sol-air *Bomarc* et les avions de combat CF-104 *Starfighter*).

La deuxième vague, celle de la fin des années 1960 et du début des années 1970, est un prolongement du mouvement contestataire qui balaie l'Occident à cette époque. Sous certains aspects, le pacifisme de l'époque puise aux mêmes sources intellectuelles que les tenants de l'approche de la « dépendance périphérique » (qui, comme nous l'avons vu au chapitre 2, soutiennent que le Canada n'est qu'un « satellite » des États-Unis). Les armes nucléaires ne sont plus les seules cibles des groupes pacifistes, qui remettent aussi en question la pertinence de la participation canadienne à l'OTAN et au NORAD, perçus comme des institutions qui contribuent à assujettir le Canada à l'impérialisme américain[53]. Au Québec, ce mouvement a une profonde influence sur le projet souverainiste qui, jusqu'à la veille du référendum de 1980, défend des positions résolument neutralistes[54].

---

52. Jean-Guy VAILLANCOURT, *op. cit.* (1992) ; Jean-Guy VAILLANCOURT, « Le mouvement de la paix face à la neutralité canadienne », dans Claude BERGERON, Charles-Philippe DAVID, Michel FORTMANN et William GEORGE (dir.), *Les choix géopolitiques du Canada. L'enjeu de la neutralité*, Montréal, Méridien, 1988, p. 243-264.
53. Kenneth MCNAUGHT, « From Colony to Satellite », dans Stephen CLARKSON (dir.), *An Independent Foreign Policy for Canada*, Toronto, McClelland & Stewart, 1968, p. 173-183 ; Philip RESNICK, « Canadian Defence Policy and the American Empire », dans Ian LUMSDEN (dir.), *Close the 49th Parallel, etc. The Americanization of Canada*, Toronto, University of Toronto Press, 1970, p. 93-115 ; Lewis HERTZMAN, John WARNOCK et Thomas HOCKIN, *Alliances and Illusions. Canada and the NATO-NORAD Question*, Edmonton, M. G. Hurtig Ltd., 1969.
54. Stéphane ROUSSEL (avec la coll. de Chantal ROBICHAUD), « L'élargissement virtuel : un Québec souverain face à l'OTAN (1968-1995) », *Les cahiers d'histoire*, vol. 20, n° 2, hiver 2001, p. 147-193.

La troisième vague pacifiste s'amorce en Europe en 1979 avec l'annonce du projet américain de déploiement de missiles à portée intermédiaire. Il faut cependant attendre 1982 et 1983 pour qu'elle frappe le Canada, à la faveur du débat sur les essais du nouveau missile de croisière, que l'*US Air Force* désirait tester au-dessus du territoire canadien. En mars 1983, les inquiétudes redoublèrent, lorsque le président Reagan délaissa les missiles de croisière pour l'Initiative de défense stratégique (IDS). Cette période fut marquée par des discours enflammés, des manifestations, de gigantesques marches pour la paix (bien plus qu'au début des années 1960), et par la mobilisation intense de groupes de défense et de coalitions de citoyens en faveur de la paix, comme l'Alliance canadienne pour la paix, le Centre de ressources sur la non-violence, les Artistes pour la Paix, le *Project Ploughshares* et la Science pour la Paix. C'est également à cette époque que refont surface les propositions visant à faire du Canada un pays neutre[55].

Les mouvements pacifistes ont perdu de leur popularité avec la fin de la Guerre froide, en grande partie en raison de l'atténuation de la menace nucléaire. Toutefois, ils ressurgissent de façon épisodique, lorsque le gouvernement canadien prend une position impopulaire face à un conflit international. Ainsi, à la mi-février 2003, 150 000 Québécois sont descendus dans les rues de Montréal pour manifester leur opposition à l'éventuelle participation du Canada à la guerre que s'apprêtaient à déclencher les États-Unis et le Royaume-Uni contre l'Irak[56]. À une bien moindre échelle, au cours de l'été 2006, plusieurs manifestations sont organisées pour protester contre les bombardements israéliens au Liban, et contre l'appui du premier ministre Stephen Harper à ces opérations. Au début août, l'une de ces manifesta-

---

55. Bien qu'on ne puisse l'associer à aucun groupe pacifiste en particulier, l'un des principaux tenants de ce projet était le chroniqueur Gwynne Dyer. Il écrivit, en collaboration avec Tina Viljoen, une série télévisée intitulée « La défense du Canada » (1986), dans laquelle il proposait l'adoption d'une politique de neutralité comparable à celle de la Finlande. Voir Gwynne DYER, « The Possibility of Canadian Neutrality », dans *The True North Strong & Free*, Vancouver, Soules, 1987, p. 123-132. Pour un aperçu du débat sur la neutralité au Canada au cours des années 1980, voir Claude BERGERON, Charles-Philippe DAVID, Michel FORTMANN et William GEORGE (dir.), *op. cit.* (1988).

56. Claireandrée CAUCHY, « La plus grosse manifestation de l'histoire du Québec », *Le Devoir*, 17 février 2003, p. A1

tions, à laquelle participent plusieurs députés québécois, suscite la controverse en raison de la présence de sympathisants du Hezbollah, le groupe terroriste contre qui les opérations israéliennes étaient dirigées. Certains commentateurs du Canada anglais y lisent un appui des Québécois au terrorisme, ce qui suscitera de vives réactions au Québec[57].

Il convient de noter que les différents mouvements pacifistes sont loin de former un ensemble homogène. Selon Elizabeth Riddell-Dixon, on comptait plus de 250 groupes pacifistes dans les seules régions de Toronto et Vancouver au milieu des années 1980[58]. Et comme le souligne Jean-Guy Vaillancourt, ce mouvement était

> un vaste réseau très diversifié et passablement décentralisé de groupes nationaux, régionaux et locaux [...] Chaque groupe qui fait partie de ce mouvement centre son attention sur des facettes différentes des questions de paix, de contrôle des armements et de désarmement, selon les préoccupations régionales ou politiques des individus qui sont membres de ces groupes[59].

Ces derniers sont également hétérogènes sur le plan idéologique. Certains d'entre eux adoptaient des positions pro-Soviétiques, proches « du marxisme soviétique brejnévien, à savoir l'opposition à la guerre des étoiles, à la militarisation de l'Arctique et à la collusion entre le Canada et les États-Unis ». D'autres, non alignés et de loin les plus nombreux et les plus visibles, « s'inspiraient plutôt du groupe européen pour le désarmement nucléaire END et des verts européens »[60].

Bien que l'évolution des systèmes d'armes ait souvent contribué à cristalliser les revendications des groupes pacifistes autour de certains enjeux (les euromissiles, l'initiative de défense stratégique, les essais du missile de croisière, le système de défense antimissile), elle ne constitue pas le principal

---

57. Don MacPherson, « It's safe to support terrorists again », *The Gazette*, 8 août 2006, p. A-19 ; Barbara Kay, « The Rise of Quebecistan », *National Post*, 9 août 2006, p. A18 ; Andre Pratte, « The Myth of "Quebecistan" : Counterpoint », *National Post*, 16 août 2006, p. A14 ; Yves Boisvert, « Writer's "Quebecistan" label a cheap shot ; Anti-Semitic current in province no worse than rest of Canada », 20 août 2006, *The Toronto Star*, p. A17.
58. Elizabeth Riddell-Dixon, *op. cit.* (1985), p. 59.
59. Jean-Guy Vaillancourt, *op. cit.* (1988), p. 254.
60. Jean-Guy Vaillancourt, *op. cit.* (1992), p. 795. La typologie proposée par l'auteur s'applique essentiellement aux mouvements québécois.

facteur expliquant les phases d'activisme et de déclin du mouvement. Les fluctuations dans le degré d'insécurité de la population, qui alimentent le militantisme pacifiste, semblent plutôt liées à deux autres facteurs, soit la perméabilité de la société canadienne aux idées venues d'ailleurs en Occident, et l'alternance des périodes de tension et de détente entre les grandes puissances.

Les inquiétudes exprimées par la population canadienne en ce qui a trait à la sécurité sont rarement nées de préoccupations touchant spécifiquement le Canada ; les campagnes contre la nucléarisation des Forces canadiennes au début des années 1960 ou contre les essais du missile de croisière font ici exception. Elles semblent plutôt participer d'un mouvement plus large, apparu dans d'autres sociétés occidentales. Les mouvements contestataires canadiens se sont généralement créés à la suite de croisades semblables en Europe de l'Ouest (la campagne contre la bombe atomique de la fin des années 1950, celle contre les euromissiles du début des années 1980, ou encore contre l'invasion de l'Irak en 2003) ou aux États-Unis (les manifestations contre la guerre du Viêt-nam dans les années 1960, ou le débat lancé par la problématique de l'hiver nucléaire dans les années 1980[61]).

Le second facteur est lié à la recrudescence périodique des tensions entre les grandes puissances, et à la crainte qu'elles ont fait naître parmi la population. Entre la fin des années 1950 et le début des années 1960, les épreuves de force entre Nikita Khrouchtchev et les gouvernements Eisenhower et Kennedy (l'incident du U-2, la construction du mur de Berlin, et surtout, la crise des missiles de Cuba) ont entretenu la peur d'un affrontement nucléaire entre l'Union soviétique et les États-Unis. De même, les percées soviétiques en Asie du Sud-Est, en Afrique et en Afghanistan à la fin des années 1970 ont mené à la relance de la Guerre froide et de la course aux armements en 1980-1986. Les tensions qui en ont résulté expliquent en grande partie la réémergence du mouvement pacifiste à cette époque.

---

61. La notion d'hiver nucléaire doit une partie de sa notoriété à la popularité personnelle de l'un des cinq scientifiques américains qui l'a formulée, l'astronome Carl Sagan, auteur de nombreux ouvrages et d'une série télévisée, *Cosmos*, largement diffusée au début des années 1980. Sur le concept d'hiver nucléaire, voir Carl SAGAN et Richard TURCO, *L'hiver nucléaire*, Paris, Seuil, 1991.

Le mouvement, pratiquement disparu avec la fin de la Guerre froide, devait resurgir brièvement dans les semaines précédant le début de la guerre du Golfe, en janvier 1991, sous forme de veillées silencieuses à la chandelle et de manifestations publiques ponctuées de slogans provenant des États-Unis – « pas de sang pour le pétrole » – et du refrain de la chanson de John Lennon *Give Peace a Chance*. Toutefois, le mouvement, parfois divisé, perdit rapidement de sa vigueur[62]. À la veille de l'opération Tempête du Désert, même l'opposition libérale à la Chambre des communes, après plusieurs cafouillages et valses-hésitations, devait appuyer le recours à la force, par solidarité pour les troupes canadiennes engagées dans les combats. « Nous sommes en guerre et nous devons être unis parce que des Canadiens se battent actuellement », déclara sans trop d'élégance Jean Chrétien, alors chef de l'opposition[63]. Il est significatif de constater que, près de dix ans plus tard, la participation canadienne aux opérations de l'Alliance atlantique au Kosovo n'a suscité à peu près aucune opposition sérieuse, ni parmi la population ni parmi l'élite politique[64].

L'autre groupe émanant de la société civile et concerné par la sécurité physique du Canada est constitué de la « communauté des études de sécurité ». Il existe un grand nombre d'organisations non gouvernementales vouées à la recherche et à la diffusion d'information touchant aux questions de sécurité nationale et internationale. Certaines sont nées d'une initiative gouvernementale, tel l'Institut canadien pour la paix et la sécurité internationales (ICPSI), créé en 1984, puis dissous en 1992 ; d'autres sont le fruit d'une collaboration entre les universités et le gouvernement, comme les centres de recherche universitaires financés par le Forum sur la sécurité et la défense (FSD) du ministère de la Défense nationale ; enfin, quelques-uns ont été créés par des particuliers (quoique bénéficiant parfois aussi d'un soutien ponctuel des gouvernements fédéraux et provinciaux), parfois dans un cadre uni-

---

62. Jocelyn COULON, *op. cit.*, p. 106-107 ; Charlotte GRAY, « Le Canada et la guerre : joutes intestines », *Paix et sécurité*, vol. 6, n° 3, automne 1991, p. 8-9.

63. CANADA, CHAMBRE DES COMMUNES, *Débats*, 34ᵉ législature, 2ᵉ session, vol. 13, 16 janvier 1991, p. 17166. Voir aussi Jocelyn COULON, *op. cit.*, p. 89-100.

64. Kim Richard NOSSAL et Stéphane ROUSSEL, « Canada and the Kosovo War : the Happy Follower », dans Pierre MARTIN et Mark BRAWLEY (dir.), *Alliance Politics, Kosovo, and NATO's War : Allied Force or Forced Allies ?*, New York, Palgrave, 2000, p. 181-199.

versitaire, comme le Centre for International Studies – Peace and Conflict Studies Program de l'Université de Toronto, parfois hors des institutions d'enseignement, comme l'Institut canadien d'études stratégiques (ICES, mieux connu sous son appellation anglaise Canadian Institute for Strategic Studies – CISS), le Centre canadien international Lester B. Pearson en formation pour le maintien de la paix, ou le Conseil atlantique du Canada.

Si la communauté canadienne des études de sécurité est relativement bien développée et bien intégrée[65], il n'en va pas de même pour celle qui se consacre à l'étude des politiques étrangères en général. Le réseau des chercheurs en ce domaine demeure embryonnaire et très hétérogène[66], malgré l'existence d'institutions établies de longue date, comme l'Institut canadien des Affaires internationales (ICAI) et l'Institut québécois des hautes études internationales (IQHEI), et en dépit de la création, en 1994, du Centre canadien pour le développement de la politique étrangère, dont l'un des mandats était précisément de stimuler la formation d'un tel réseau. Le Centre a cependant été dissous en 2004.

Comme les mouvements pacifistes, la plupart des institutions composant la communauté des études de sécurité sont apparues dans les périodes de tension ou d'incertitude internationales (par exemple, l'ICPSI a été créé à la suite de « l'initiative de paix » du premier ministre Trudeau en 1983), alors que le gouvernement et la population ressentaient un besoin de disposer de sources d'information diversifiées sur les questions de sécurité. C'est d'ailleurs encore aujourd'hui leur principale fonction, bien que la plupart des institutions consacrent une grande partie de leurs activités à la recherche théorique. Leur rôle consiste aussi à informer le public sur les enjeux de la sécurité. Ces centres d'expertise, qui constituent des *think tanks* auxquels peuvent se référer le gouvernement et les médias, exercent certainement une influence indirecte sur la formulation des politiques étrangère et de défense,

---

65. Paul BUTEUX, « L'état de la discipline. Strategic and Security Studies », *Bulletin de l'Association canadienne de science politique,* janvier 1994, p. 78-81.
66. Jane BOULDEN, « Independent Policy Research and the Canadian Foreign Policy Community », *International Journal,* vol. 54, n° 4, automne 1999, p. 625-647 ; NORMAN PATERSON SCHOOL OF INTERNATIONAL AFFAIRS, « The State of Canada's Foreign Policy Research Capacity. Summary Report », *Policy Options Paper,* Centre canadien pour le développement de la politique étrangère, 1996, p. 10.

mais la nature et l'importance de cette influence sont difficiles à mesurer. Même s'ils proposent souvent des orientations politiques, ils ne constituent pas des « groupes de pression » au même sens que les mouvements pacifistes, puisqu'ils ne sont pas voués à la défense d'intérêts spécifiques.

En 1994, les États-Unis et la Russie ont cessé de se prendre mutuellement pour cible, et ont entamé un programme à long terme, dans le cadre des traités START I et II, pour démanteler et réduire leurs arsenaux nucléaires. Malgré les sombres prédictions de quelques Cassandre (les John Mearsheimer, Samuel Huntington ou Benjamin Barber[67]), le spectre d'une nouvelle guerre à grande échelle semble exorcisé. Cette évolution a eu un effet non seulement sur les mouvements pacifistes – qui a perdu une grande partie de sa vitalité – et sur la communauté des études de sécurité – longtemps déstabilisée et forcée d'entrer dans un processus d'introspection[68] –, mais aussi sur l'attitude de l'ensemble de la population canadienne. À l'instar de ce que l'on a pu observer dans d'autres pays occidentaux, les craintes de la population canadienne devaient s'estomper, comme le démontrent les sondages d'opinion menés dans les années qui ont suivi la fin de la Guerre froide[69].

Il est vrai que les attentats commis aux États-Unis en automne 2001 ont fait renaître la crainte de voir le territoire canadien devenir une cible, mais la peur ne semble pas aussi viscérale que celle qu'inspirait la possibilité d'une guerre nucléaire. Cette crainte est suffisante pour que la population accepte les mesures de sécurité prises par le gouvernement depuis, mais le terrorisme ne sème pas les mêmes inquiétudes au Canada qu'aux États-Unis, et les Canadiens conservent un sens critique. Ainsi, la participation des Forces canadiennes à la guerre en Afghanistan, souvent présentée comme la principale contribution du Canada à la lutte armée contre le terrorisme, soulève des questions et ne recueille pas un appui inconditionnel parmi la population. Visiblement, pour bien des citoyens, la prévention du

67. John J. MEARSHEIMER, « Back to the Future. Instability in Europe After the Cold War », *International Security*, été 1990, vol. 15, n° 1, p. 5-56 ; Samuel HUNTINGTON, Le Choc des civilisations, Paris, Odile Jacob, 1997 ; Benjamin BARBER, *Djihad versus McWorld*, Paris, Desclée de Brouwer, 1996.
68. Myriam GERVAIS et Stéphane ROUSSEL, « De la sécurité de l'État à celle de l'individu : l'évolution du concept de sécurité au Canada (1990-1996) », *Études internationales*, vol. 29, n° 1, mars 1998, p. 25-52.
69. J. S. FINAN et S. B. FLEMMING, *op. cit.* (1995), p. 295-298.

terrorisme passe plus par des mesures de justice sociale et de lutte contre la pauvreté que par l'usage de la force armée – ce qui semble donc être un prolongement de la notion de « sécurité humaine ». De ce point de vue, les préoccupations de sécurité émanant de la société civile semblent désormais être autant de nature « altruiste » qu'« égoïste », au sens où les Canadiens tendent à s'intéresser à la sécurité des autres populations.

Les intérêts altruistes

Au cours de l'histoire, les Canadiens ont toujours manifesté de l'intérêt pour les conditions de vie des populations des autres pays. La tendance des groupes ethniques à se préoccuper de ce qui se passe dans leur pays d'origine, exposée plus haut, en est une manifestation. Il convient maintenant d'examiner l'intérêt que portent les citoyens canadiens au sort des autres populations, intérêt qui ne repose sur aucun lien ethnique ni sur aucune possibilité de gain matériel. Les intérêts « altruistes », tout comme les intérêts « égoïstes », peuvent être divisés en deux grandes catégories, soit ceux qui ont rapport au bien-être matériel des individus, et ceux qui se rapportent à leur sécurité. Ces intérêts se manifestent principalement par un activisme dans des domaines tels que le développement international et la promotion des droits de la personne.

Le développement international

L'intérêt pour le développement international est en grande partie lié au fait que la population canadienne reconnaît son statut de bien nanti[70]. Face à la souffrance humaine dans d'autres parties du monde – faim, malnutrition ou maladie – et, dans l'ensemble relativement bien nourris et en bonne santé par rapport au reste de l'humanité, les Canadiens sont généralement enclins à apporter leur soutien pour essayer d'améliorer les conditions de vie des habitants des pays défavorisés[71].

---

70. John W. Holmes, *Canada: A Middle Aged Power*, Toronto, McClelland & Stewart, 1976, p. 61.
71. Voir David M. Morrison, *Aid and Ebb Tide: A History of CIDA Canadian Development Assistance*, Waterloo, Wilfrid Laurier University Press, 1998; Cranford Pratt (dir.), *Canadian Assistance Development Policies: An Appraisal*, Montréal/Kingston, McGill-Queen's University Press, 1994.

Mais il ne faudrait pas exagérer le caractère désintéressé de cet altruisme. Ainsi, d'une part, Jean-Philippe Thérien et Alain Noël ont démontré qu'il existe un lien étroit entre les politiques d'aide au développement du Canada et les institutions de l'État-providence, et que les à-coups de cette assistance sont fonction des fluctuations dans l'appui à cet État-providence[72]. D'autre part, les Canadiens, comme tous les humains, ne sont pas altruistes dans le vrai sens du terme, excepté lorsqu'il s'agit d'un parent. La plupart vont être touchés par la souffrance humaine et éprouver une réelle sympathie pour les victimes, mais ne passeront pas à l'action pour autant. Les images d'estomacs hypertrophiés et d'yeux recouverts de mouches des enfants réfugiés dans un camp du désert soudanais, de corps mutilés dans une église du Rwanda, ou encore de Bosniaques enfermés dans un camp de concentration serbe, disparaissent trop facilement de la mémoire (ou dérangent trop) pour que l'on s'y arrête. Tout cela finit par se résumer à un geste symbolique, ou à l'inaction totale.

Néanmoins, bon nombre de Canadiens tiennent à exprimer leur empathie, souvent de manière passive, en se contentant d'accorder leur appui aux programmes d'aide au développement international du gouvernement dans les sondages. Parfois, l'altruisme s'exprime très souvent de façon active, à en juger par le nombre impressionnant d'organisations non gouvernementales (ONG), de groupes de pression en faveur du développement international et d'individus qui donnent temps et argent pour soulager la souffrance des défavorisés ailleurs dans le monde. Certaines ONG se consacrent uniquement au développement. Elles sont la plupart du temps constituées de bénévoles, comme le Service universitaire canadien outre-mer (SUCO), Inter Pares, Oxfam Canada et Oxfam Québec, le Fonds des Nations Unies pour l'enfance (UNICEF Canada), la Fondation Paul Gérin-Lajoie, Vision mondiale Canada ou le Young Men's Christian Association of Canada (YMCA).

On doit ajouter à cette liste les nombreuses autres institutions qui, comme les Églises, ont créé des organisations consacrées à l'aide au développement : l'organisation catholique Développement et Paix ; le Primate's World Relief

---

72. Jean-Philippe THÉRIEN et Alain NOËL, « Welfare Institutions and Foreign Aid : Domestic Foundations of Canadian Foreign Policy », *Revue canadienne de science politique*, vol. 27, n° 3, septembre 1994, p. 529-558.

and Development Fund of Anglican Church, le Service international de développement de l'Église presbytérienne du Canada et le Comité central mennonite[73]. Quelques associations féminines ont aussi créé leur propre programme de développement : la Young Women's Christian Association of Canada (YWCA Canada), le Conseil national des femmes, la Fédération canadienne des clubs de femmes de carrières commerciales et professionnelles, et Match, une association féminine qui finance directement le développement de projets initiés et exécutés par les femmes du Tiers Monde[74]. Cette prolifération d'organisations a été regroupée sous des institutions parapluie, dont le Conseil des Églises protestantes canadiennes et la Conférence canadienne des évêques catholiques. De leur côté, le Conseil canadien pour la coopération internationale et son homologue québécois, l'Association québécoise des organismes de coopération internationale (AQOCI), chapeautent les organismes bénévoles.

Enfin, depuis quelques années, le monde des affaires est également mis à contribution, notamment grâce aux programmes de partenariats gouvernement-ONG-secteur privé. Des entreprises canadiennes, dont l'expertise est utile pour développer les structures économiques des États les plus pauvres, sont ainsi mises à contribution[75]. Par exemple, certaines institutions financières, comme Desjardins international, ont mis en place des programmes de « microcrédit » destinés à aider les petits entrepreneurs des pays en développement.

L'expression des intérêts empathiques peut prendre d'autres formes. L'une des manifestations de solidarité internationale les plus spectaculaires s'est produite en 1984, lors de la famine en Éthiopie. Le monde entier découvrit l'ampleur et l'horreur de cette famine par les reportages télévisés et l'effet, au

---

73. Elizabeth RIDDELL-DIXON, *op. cit.* (1985), p. 37-42 ; Robert MATTHEWS, « The Churches and Foreign Policy », *International Perspectives*, janvier-février 1983, p. 18-21.

74. Elizabeth RIDDELL-DIXON, *op. cit.* (1985), p. 35-37.

75. Sur le partenariat gouvernement-ONG-entreprises, voir Andrea MARTINEZ, « Du rôle des affaires dans la politique canadienne d'aide au développement : le cas des télécommunications », *Études internationales*, vol. 25, n° 2, juin 1994, p. 259-293 ; Martin RUDNER, « Le Canada et le monde en développement : l'aide et le commerce dans le cadre de la nouvelle politique étrangère canadienne », *Études internationales*, vol. 27, n° 2, juin 1996, p. 381-395.

Canada et ailleurs, fut sans précédent. Certaines initiatives privées, comme la chanson *Tears Are not Enough* qui rejoignit *We Are the World* au palmarès, eurent un grand retentissement. Mais l'essentiel de l'aide vint de la population, lorsque des organisations se constituèrent un peu partout pour recevoir des dons en argent et en nourriture. Devant cet afflux sans précédent, les ONG et le gouvernement furent contraints d'emboîter le pas. Début novembre 1984, Joe Clark, alors ministre des Affaires étrangères, allouait 50 000 000 $ à un fonds spécial pour l'Afrique destiné à égaler les dons privés. Les dons affluant sans discontinuer, le 13 février 1985, Clark se voyait dans l'obligation de verser 15 000 000 $ de plus. En fait, les dons recueillis étaient de 300 % supérieurs à la contribution du gouvernement[76]. On peut observer des mouvements de solidarité semblables lorsque se produisent des catastrophes naturelles à l'étranger, comme lors du terrible tsunami qui devait dévaster les côtes de nombreux pays asiatiques en décembre 2004. Cette fois encore, l'aide offerte par les gouvernements fédéral et provinciaux fut rapidement dépassée par celle de la population. Dans de telles circonstances, l'initiative vient non seulement des organismes d'aide comme la Croix-Rouge ou Oxfam, mais aussi des représentants les communautés ethniques provenant de la région touchée.

La guerre au Kosovo en 1999 a vu l'émergence d'une nouvelle forme d'expression de solidarité. Fin mars, des dizaines de milliers de Kosovars d'origine albanaise fuyaient la répression serbe, accélérée par les bombardements de l'OTAN. Devant l'impossibilité pour les États limitrophes (Albanie, Macédoine) de recevoir un tel flot de réfugiés, les gouvernements occidentaux, dont celui du Canada, acceptèrent, parfois avec réticences[77], d'en accueillir un certain nombre. Le gouvernement canadien reçut alors des centaines d'offres provenant d'organismes communautaires, de familles et d'individus disposés à héberger des réfugiés chez eux ! La brièveté du séjour de la plupart des Kosovars n'a cependant pas permis de donner suite à toutes ces offres.

---

76. *International Canada*, octobre-novembre 1984, p. 5-7 ; avril-mai 1985, p. 15.
77. Pour plusieurs représentants des gouvernements et des organisations internationales, le déplacement des réfugiés kosovars loin de leurs terres risquait simplement d'avaliser la politique d'épuration ethnique du gouvernement serbe.

Ici aussi, il faut rester prudent, et considérer ces cas spécifiques comme des idiosyncrasies provoquées par des facteurs extérieurs particuliers, car les Canadiens ne manifestent pas toujours autant de zèle. La souffrance humaine ailleurs dans le monde peut laisser indifférent, surtout si l'attention de la population est accaparée par d'autres problèmes. Ce fut le cas lors de la famine de 1991 dans les pays de la corne de l'Afrique, et tout particulièrement au Soudan et en Somalie. Portée à son paroxysme par la sécheresse et la guerre civile qui faisait rage, cette famine a fait des milliers de victimes, et pourtant elle ne suscita pas de mouvement d'aide collectif, comme cela s'était produit sept ans plus tôt pour l'Éthiopie. De même, le cas pathétique du Darfour (Soudan) où la population locale est soumise à une forme inavouée de géno-cide depuis 2003, ne suscite qu'une réaction mitigée, probablement en rai-son d'un sentiment d'impuissance, malgré les appels et les mises en garde répétés des organismes humanitaires.

Les droits de la personne

Les citoyens canadiens sont sensibles aux violations des droits de la per-sonne ailleurs dans le monde. Comme c'est le cas pour le développement international, cet intérêt n'est ni constant ni généralisé, mais il est bien réel et il s'est manifesté à plusieurs reprises depuis que le Canada a fait ses pre-miers pas sur la scène internationale. Ainsi, au début du XXe siècle, le traite-ment réservé aux Boers par les troupes britanniques a fait naître des protestations dans tout le Canada[78], tout comme les atrocités commises par les Turcs envers les Arméniens après 1915[79], et la répression sanglante des nationalistes coréens par les Japonais en 1919. En outre, de nombreux Cana-diens ont exprimé leur crainte face à l'expansionnisme des puissances de l'Axe dans les années 1930 ; ils ont protesté contre le massacre des Éthio-piens par l'envahisseur italien, contre les exactions commises par les forces japonaises en Chine en 1937, et aussi contre le traitement réservé aux Juifs en Allemagne nazie dans les années 1930. Ces campagnes de protestation ont

78. Robert J. PAGE (dir.), *Imperialism and Canada, 1895-1903*, Toronto, Holt, Rinehardt and Winston of Canada, 1972 ; Joseph LEVITT (dir.), *Henri Bourassa on Imperialism and Biculturalism, 1900-1918*, Toronto, Copp Clark Publishing, 1970, p. 35-43.
79. C. P. STACEY, *op. cit.* (1977), p. 258.

eu peu d'effet sur l'attitude du gouvernement – malgré les appels au boycottage commercial, le Canada a continué et même augmenté ses ventes de métaux stratégiques au Japon à la fin des années 1930, et pendant une bonne partie de 1941[80] –, mais elles sont instructives. Elles illustrent à la fois l'expression d'une sympathie pour d'autres populations victimes de persécution, et le dilemme qui va hanter périodiquement les défenseurs des droits de la personne, c'est-à-dire le choix entre les intérêts commerciaux et la défense des opprimés.

Avant 1945, l'intérêt des Canadiens pour le bien-être d'autrui était suscité non pas lorsque les droits des citoyens étaient spoliés par leur propre gouvernement, mais lorsqu'ils étaient victimes de l'agression d'une puissance étrangère[81]. En général, la population canadienne acceptait implicitement la primauté du principe de la souveraineté – ce qui se passe à l'intérieur d'un État souverain, incluant la manière dont le gouvernement traite ses propres ressortissants, ne regarde que cet État.

La Deuxième Guerre mondiale a changé ce rapport au principe de la souveraineté. La reconnaissance, par les Nations Unies, du caractère universel des droits de la personne (enchâssés dans la Déclaration universelle des droits de l'Homme adoptée en 1948) et les révélations sur le traitement inhumain réservé aux Juifs et à d'autres ressortissants européens dans les camps d'extermination nazis ont eu un impact direct sur l'attitude de la population en ce domaine. Depuis, la société canadienne est beaucoup plus sensible à la façon dont les autres gouvernements traitent leurs citoyens et elle s'est mobilisée à plusieurs reprises pour dénoncer certains des abus les plus criants. Et c'est en grande partie grâce aux pressions de l'opinion publique que les droits de la personne occupent, depuis le début des années 1970, une place significative dans l'ordre des priorités du gouvernement canadien[82].

---

80. H. F. ANGUS, *Canada and the Far East, 1940-1953*, Toronto, University of Toronto Press, 1953, p. 12.

81. Cette remarque ne s'applique cependant pas à certaines communautés ethniques qui, comme les Canadiens d'origine ukrainienne à la fin des années 1930, ont fait régulièrement campagne pour dénoncer le traitement de leurs compatriotes par leur gouvernement.

82. Pour un survol de la problématique des droits de la personne dans la politique étrangère canadienne, Leslie E. NORTON, « L'incidence de la violation flagrante et systématique des droits de la personne sur les relations bilatérales du Canada », *Études internationales*, vol. 24, n° 4, décembre 1993, p. 787-811.

Il n'en reste pas moins que l'intérêt du public se manifeste de façon épisodique et non systématique. Certains cas de violation ne font qu'effleurer les consciences. Tel fut le cas pour l'Afrique du Sud : pendant les 40 années d'apartheid pratiqué dans ce pays, l'intérêt des Canadiens atteignait des sommets en temps de crise – le massacre de Sharpeville en mars 1960, la révolte de Soweto en juin 1976, et l'agitation des *townships* qui débuta au printemps austral de 1984 – pour ensuite disparaître[83].

Certaines violations des droits de la personne attirent l'attention, alors que d'autres passent presque inaperçues. Ainsi, pendant la nuit du 4 juin 1989, la répression sanglante du mouvement pour la démocratisation à Beijing a mobilisé la communauté internationale et a déclenché un mouvement massif de protestation, y compris au Canada[84]. Par contre, le génocide perpétré par les Khmers rouges au Cambodge au milieu des années 1970, qui a fait environ 3 000 000 de morts, n'a suscité que peu d'intérêt.

Quels facteurs peuvent expliquer l'attention que suscite un cas et l'indifférence qu'en inspire un autre ? Comme le sont les intérêts « égoïstes » de sécurité, ces fluctuations sont peut-être dues à l'état des relations internationales (notamment l'absence de problème qui touche plus directement la population canadienne) et aux mouvements d'opinion dans d'autres pays occidentaux (les dénonciations faites ailleurs ont un impact au Canada). Mais deux autres facteurs peuvent aussi jouer un rôle : le passé de l'accusé et l'activisme des ONG.

L'attention du public est, en général, mobilisée lorsqu'un événement auquel est mêlé le violateur – la visite d'un chef d'État ou une éruption de violence – rafraîchit la mémoire de la population et fournit une tribune aux critiques. Dans les années 1970, le Canada est resté pratiquement silencieux sur les violations des droits de la personne par le gouvernement du général

---

83. David BLACK, « La politique du gouvernement Mulroney à l'égard de l'Afrique du Sud : précurseur de la sécurité humaine durable », *Études internationales*, vol. 31, n° 2, juin 2000, p. 291-310 ; aussi Linda FREEMAN, *The Ambiguous Champion : Canada and South Africa in the Trudeau and Mulroney Years*, Toronto, University of Toronto Press, 1997.
84. Sur la réaction du Canada face au massacre de la place Tiananmen, voir Kim Richard NOSSAL, *Rain Dancing...*, op. cit. (1994), chap. 8 ; Leslie E. NORTON, op. cit. (1993), p. 808-810 ; Paul GECELOVSKY et T. A. KEENLEYSIDE, « Canada's International Human Right Policy in Practice : Tiananmen Square », *International Journal*, vol. 50, n° 3, été 1995, p. 564-593.

Suharto, et ce, même si Amnistie internationale et le Congrès américain avaient dénoncé Djakarta comme l'un des pires gouvernements à cet égard, et que l'Indonésie avait entrepris une campagne de répression au Timor oriental après avoir envahi l'île en décembre 1975. La visite prévue du premier ministre Pierre Trudeau en Indonésie, en janvier 1983, déclencha un tollé de critiques publiques dirigées à la fois contre le régime Suharto et la politique du Canada[85]. Quelque 15 ans plus tard, en novembre 1997, l'histoire devait se répéter : invité à Vancouver lors du Sommet de l'APEC (le Forum de coopération économique du Pacifique), le président indonésien fut hué par des étudiants, lesquels furent brutalement dispersés par la police. L'image d'un agent aspergeant copieusement les manifestants (et un cadreur de Radio-Canada !) de poivre de Cayenne a poursuivi le gouvernement Chrétien pendant plusieurs années.

Les événements tragiques au Rwanda en avril et mai 1994 (alors que près de 800 000 Tutsis et Hutus modérés ont été massacrés) n'ont pas, au moment même de leur déroulement, suscité de mouvement spontané parmi la population canadienne, peut-être plus en raison d'un sentiment d'impuissance et d'incompréhension que par indifférence. Mais cet épisode est revenu hanter périodiquement l'opinion publique, en partie parce que le commandant des forces des Nations Unies alors en poste au Rwanda, le général Roméo Dallaire, était un Canadien, et que de nombreux coopérants canadiens ont œuvré dans ce pays. Si bien qu'à l'automne 1996, lorsque les signes précurseurs d'une nouvelle flambée de violence apparurent, le gouvernement canadien se sentit dans l'obligation de prendre l'initiative et de proposer l'envoi d'une force internationale. Dans le même ordre d'idées, il est possible que l'appui significatif de la population canadienne aux bombardements de l'OTAN en ex-Yougoslavie au printemps 1999 soit lié au souvenir des exactions commises par les forces serbes en Bosnie quelques années plus tôt, exactions parfois perpétrées sous les yeux de soldats canadiens[86].

---

85. Kim Richard Nossal, « Les droits de la personne et la politique étrangère canadienne : le cas de l'Indonésie », *Études internationales*, vol. 11, n° 2, juin 1980, p. 223-238 ; Leslie E. Norton, *op. cit.* (1993), p. 808-810.

86. Plusieurs commentaires émis par les parlementaires et les éditorialistes pour justifier leur appui aux opérations de l'Alliance atlantique faisaient, en effet, référence au comportement passé du président serbe Slobodan Milosevic. Voir Kim Richard Nossal et Stéphane Roussel, *op. cit.* (2000).

Ce survol permet dans une certaine mesure d'évaluer la diversité de ces intérêts et des circonstances dans lesquelles ils peuvent s'exprimer. Il convient maintenant d'examiner comment l'expression de ces intérêts affecte la politique extérieure.

L'INFLUENCE DE LA SOCIÉTÉ CIVILE SUR LES DÉCISIONS GOUVERNEMENTALES

La politique étrangère et, *a fortiori*, la politique de défense, ont longtemps été considérées comme des chasses gardées de l'État, au sujet desquels la société civile n'avait pas son mot à dire et à peu près rien à faire. Depuis le début des années 1970, cette situation a évolué, d'abord lentement, lorsque le gouvernement s'est mis à consulter les experts et les représentants des ONG sur des questions très spécifiques. Puis les choses se sont accélérées au milieu des années 1990, lorsque les acteurs privés se sont mis à participer à la mise en œuvre de la politique étrangère. L'apogée de cette évolution semble être le processus d'Ottawa qui, en décembre 1997, a permis la conclusion du Traité d'interdiction des mines antipersonnel. Celui-ci résulte en effet d'une action concertée des gouvernements et d'une très vaste coalition d'ONG[87].

La démocratisation de la politique étrangère

La participation croissante d'acteurs non gouvernementaux soulève un certain nombre de questions et a provoqué, au cours des dernières années, un débat sur le phénomène qu'il est convenu d'appeler la « démocratisation de la politique étrangère ». Ce débat est né des accusations portées par les députés libéraux contre le gouvernement conservateur entre 1988 et 1993. Selon l'opposition, le gouvernement avait la fâcheuse habitude de prendre ses décisions derrière « des portes closes » et de ne pas consulter la population sur les questions de politique étrangère. Parvenus au pouvoir, les libéraux ont tenté de combler ce qu'ils considéraient comme un « déficit démocratique » en mettant en place une série de mécanismes de consultation.

Selon certains, la participation de la société civile à la formulation et à la mise en œuvre de la politique extérieure est à la fois souhaitable et inévitable,

---

87. Maxwell A. CAMERON, « Democratization of Foreign Policy : The Ottawa Process as a Model », *Canadian Foreign Policy*, vol. 5, n° 3, printemps 1998, p. 147-165.

pour plusieurs raisons : la revitalisation des institutions politiques, l'inclusion des acteurs non gouvernementaux qui jouent déjà un rôle important dans les relations internationales, le renforcement de la cohésion sociale et l'atténuation des aspects négatifs de la mondialisation[88].

Selon d'autres chercheurs, la démocratisation de la politique étrangère pose des problèmes. Pour certains, elle ne profite qu'à une minorité et le processus risque de mettre le gouvernement à la merci de groupes spécifiques dont les intérêts ne coïncident pas avec ceux de la majorité de la population[89]. À l'inverse, d'autres craignent que les représentants de la société civile soient cooptés par le gouvernement et qu'ils ne servent plus qu'à légitimer l'ordre politique que celui-ci représente[90]. Enfin, on peut soutenir que la participation des parlementaires – qui sont censés représenter les intérêts de leurs commettants – assure déjà le caractère démocratique de la prise de décision.

Sans chercher à s'aventurer plus avant dans ce débat, il convient de voir comment, dans l'état actuel des choses, la société civile peut tenter de faire valoir ses intérêts auprès du gouvernement. Dans un système politique comme celui du Canada, les individus et les groupes peuvent influencer la politique étrangère de deux façons. D'une part, les représentants de la société civile peuvent chercher à structurer *l'environnement* de la prise de décision, en posant des balises à l'intérieur desquelles le gouvernement doit opérer. Il s'agit donc, pour reprendre la terminologie proposée par Denis Stairs[91], de déter-

---

88. Tim DRAIMIN et Betty PLEWES, « Civil Society and the Democratization of Foreign Policy », dans Maxwell A. CAMERON et Maureen Appel MOLOT (dir.), *Canada Among Nations 1995. Democracy and Foreign Policy*, Ottawa, Carleton University Press, 1995, p. 63-82.

89. Kim Richard NOSSAL, « The Democratization of Canadian Foreign Policy : The Elusive Ideal », dans Maxwell A. CAMERON et Maureen Appel MOLOT (dir.), *op. cit.* (1995), p. 63-82 ; voir aussi Maxwell A. CAMERON, *op. cit.* (1998), p. 150-151.

90. Mark NEUFELD, « Democratization in/of Canadian Foreign Policy : Critical Reflections », *Studies in Political Economy*, vol. 58, printemps 1999, p. 97-119.

91. Denis STAIRS, « Public Opinion and External Affairs : Reflections on the Domestication of Canadian Foreign Policy », *International Journal*, vol. 33, hiver 1977-1978, p. 130-138. Stairs ordonne ses catégories de façon différente de celle employée ici. À ce propos, il convient de noter que le découpage des différentes étapes de la prise de décision, de même que la terminologie utilisée pour les désigner, peut varier grandement d'un auteur à l'autre. Voir, par exemple, Pierre MULLER, *Les politiques publiques*, Paris, Presses universitaires de France, 1994.

miner la définition de l'ordre du jour et l'ordre des priorités (*agenda setting*) et de spécifier les paramètres de ce qui est considéré comme des options acceptables (*parameter setting*). Il s'agit des formes les plus anciennes et peut-être les plus efficaces d'exercer une influence sur la politique étrangère. D'autre part, les acteurs non gouvernementaux peuvent aussi tenter d'influencer le *processus* de prise de décision proprement dit. Il s'agit, plus précisément, d'influencer soit les décisions spécifiques et les orientations politiques qu'adopte le gouvernement en matière de politique étrangère (*policy setting*), soit la *gestion* de ces politiques (*administration setting*).

Cette distinction entre le processus et l'environnement de la prise de décision est évidemment artificielle. En réalité, ni les dirigeants politiques ni les acteurs provenant de la société civile ne pensent en ces termes. Cette distinction analytique permet cependant d'explorer les différentes façons dont la société civile peut exercer une influence sur la politique étrangère et la politique de défense, et permet aussi d'évaluer avec plus de précision l'impact de la société sur le contenu de ces politiques.

Dans les pages qui suivent, nous examinerons d'abord comment les acteurs émanant de la société civile peuvent exercer une influence sur l'agenda gouvernemental en politique étrangère. Puis nous verrons pourquoi leur rôle est plus limité lorsqu'il s'agit de déterminer le contenu et la gestion de politiques spécifiques. L'étude des limites et des paramètres que la société impose à ses dirigeants fera l'objet du chapitre suivant.

L'environnement de la prise de décision

La définition de l'ordre du jour est l'étape au cours de laquelle sont déterminés les questions et les problèmes jugés suffisamment importants pour requérir l'attention du gouvernement. Pour paraphraser Karl Marx, l'État peut décider de son propre ordre du jour, mais il ne peut le faire entièrement à son gré. Même si les dirigeants arrivent au pouvoir avec, dans leur mallette, de grands projets ou des préoccupations bien précises qui devraient, selon eux, constituer des priorités, ils doivent inévitablement composer avec une série de facteurs qu'ils ne contrôlent pas.

Les événements extérieurs occupent, évidemment, une place prépondérante dans la définition de l'ordre du jour. Certains sont prévisibles, car la diplomatie a son propre cycle saisonnier. Les sommets auxquels participe le premier ministre du Canada sont fixés d'avance : le sommet du G8 (annuel) ; la conférence annuelle des chefs de gouvernement de pays membres du Forum de coopération économique du Pacifique (APEC) ; les rencontres biennales des chefs de gouvernement du Commonwealth ; et les sommets de la francophonie (tous les deux ans). Les rencontres des ministres de la Défense des pays membres de l'OTAN ont généralement lieu en décembre, tandis que celles des ministres des Affaires étrangères ont lieu au printemps. En automne, le premier ministre ou le ministre des Affaires étrangères participe habituellement à la session annuelle de l'Assemblée générale de l'ONU, à New York, tandis que le ministre des Finances se rend à Washington pour la rencontre annuelle du Fonds monétaire international (FMI). Certaines rencontres nécessitent une longue préparation, en particulier lorsque le Canada est le pays hôte du sommet du G8 une fois tous les sept ans (à Montebello en 1981, à Toronto en 1988, à Halifax en 1995 et à Kananaskis en 2002).

À l'inverse, des événements extérieurs imprévisibles peuvent subitement bousculer l'ordre du jour des gouvernements : l'invasion d'un État par un autre, l'assassinat d'un dirigeant étranger, un attentat terroriste, la destruction d'un avion de ligne, l'explosion d'un obus de mortier sur un marché public, l'imposition soudaine de tarifs douaniers ou l'exécution d'un militant des droits de la personne. Ainsi, à son arrivée au pouvoir, le gouvernement Harper se serait bien passé d'avoir à traiter de certaines questions épineuses de politique étrangère. Mais il ne pouvait se soustraire aux nombreux sujets qui se sont imposés à l'ordre du jour après janvier 2006, comme la détérioration de la situation en Afghanistan ou les bombardements israéliens au Liban.

Mais l'ordre du jour peut aussi être déterminé par certains représentants de la société civile. Leur capacité à attirer l'attention du gouvernement sur un problème spécifique et à l'obliger à agir dépend généralement du degré d'appui dont ils jouissent parmi la population. Or, susciter un tel appui n'est pas toujours une tâche facile. La cause défendue doit, de préférence, être conforme aux valeurs de la société et suffisamment intéressante pour faire la manchette dans les médias. Et les chances d'être entendu par le gouvernement sont encore plus grandes si les revendications peuvent se greffer (parfois de façon artificielle, il est vrai) à quelques priorités déjà existantes.

Tous les groupes de pression évoqués plus haut sont susceptibles d'inscrire leurs préoccupations à l'ordre du jour. Par exemple, une cause soutenue par un groupe ethnique peut être mise à l'ordre du jour lorsque le gouvernement est disposé à y répondre, comme ce fut le cas pour les communautés haïtiennes, de Hong-Kong, du Sri Lanka et de l'ex-Yougoslavie, qui ont milité pour que soient pris en considération les problèmes affectant leur pays d'origine.

L'importance acquise subitement par les relations avec Haïti dans l'ordre du jour du gouvernement Chrétien, en février 1996, s'explique principalement par la tenue d'une élection partielle dans la circonscription de Papineau–St-Michel, qui regroupe la plus forte concentration d'électeurs d'origine haïtienne au Canada. La lutte serrée entre le candidat souverainiste du Bloc québécois, Daniel Turp, et Pierre Pettigrew, que Jean Chrétien avait nommé ministre d'État à la coopération internationale avant même qu'il n'obtienne un siège à la Chambre des communes, contribua à donner une importance subite aux relations canado-haïtiennes[92]. Par contre, dix ans plus tard, les querelles politiques en Haïti devaient revenir hanter Pettigrew, devenu ministre des Affaires étrangères dans le Cabinet de Paul Martin, lors des élections de janvier 2006, et ont certainement contribué à lui faire perdre son siège.

La façon dont les médias présentent un problème détermine largement le degré d'attention qu'y porte l'opinion publique. Les choix des rédacteurs de journaux et des producteurs d'émissions quant aux sujets « d'importance » reposent, d'une part, sur une volonté de refléter ce qui est important, et, d'autre part, sur une estimation de ce que leurs lecteurs ou leurs auditeurs voudront savoir. Ce procédé aura toujours de possibles répercussions politiques, puisque les individus ont tendance à attacher beaucoup d'importance aux informations que leur donnent les médias.

Le rôle des médias dans la présentation des nouvelles a un impact sur la politique étrangère, particulièrement en ce qui a trait aux questions mises à l'ordre du jour[93]. Comme le note Denis Stairs, si les médias n'ont pas une influence importante sur le fond en politique étrangère, ils ont « un impact

92. *Globe and Mail*, 5 mars 1996.
93. B. E. BURTON, W. C. SUTHERLAND et T. A. KEENLEYSIDE, « The Press and Canadian Foreign Policy : A Re-Examination Ten Years On », *Canadian Foreign Policy*, vol. 3, automne 1995, p. 51-69 ; T. A. KEENLEYSIDE, B. E. BURTON et W. C. SUTHERLAND, « The Press and Canadian Foreign Policy », *International Journal*, vol. 41, hiver 1985-1986, p. 189-220. Sur l'impact des médias dans le processus de mise à l'agenda dans l'opinion publique, voir Shanto LYENGAR et Donald R. KINDER, *News That Matters. Television and American Opinion*, Chicago, University of Chicago Press, 1987.

très significatif sur les activités quotidiennes » des dirigeants[94]. Ceux-ci sont sensibles aux sujets qui font la manchette des journaux comme *Le Devoir* ou le *Globe and Mail*, ou des médias électroniques, sachant très bien que ces questions sont susceptibles d'être soulevées à la Chambre des communes pendant la période de questions, ou encore lors d'une conférence de presse. Les fonctionnaires le sont tout autant, car les politiciens se tournent vers eux pour obtenir une réponse adéquate, et parce que le traitement que font les médias de la performance du Canada dans un dossier donné constitue souvent une évaluation implicite de leur propre performance.

Les militaires, habitués à régler leurs problèmes internes loin des regards des civils, comptent peut-être parmi ceux qui, au gouvernement, entretiennent le plus de méfiance à l'égard des médias. Ils ont ainsi été pris de court lorsque les révélations concernant le comportement répréhensible de certains soldats en Somalie ont, en 1995-1996, attiré l'attention des médias sur certaines pratiques douteuses au sein de l'establishment militaire (carriérisme à outrance, sexisme, rites d'initiation dégradants, etc.). Cette série de crises a obligé le ministère de la Défense à revoir la nature de ses relations avec les représentants des médias et à faire preuve de plus de transparence[95].

Enfin, il arrive de plus en plus fréquemment que le gouvernement incite lui-même la société civile à lui faire part de ses préoccupations et à lui suggérer des sujets qui pourront être inscrits à l'ordre du jour. Traditionnellement, de telles consultations s'effectuaient dans le cadre des travaux réguliers des comités parlementaires sur les Affaires étrangères ou sur la Défense nationale. De temps à autre – généralement à l'arrivée au pouvoir d'un nouveau gouvernement, lorsque celui-ci tente d'imprimer une nouvelle marque dans la politique étrangère ou de défense en publiant un livre blanc –, des consultations itinérantes beaucoup plus vastes sont organisées. Nous y reviendrons au chapitre 9 consacré au rôle du Parlement. Pendant quelques années, dans la foulée du débat sur la démocratisation de la politique étrangère, le

---

94. Denis STAIRS, « The Press and Foreign Policy in Canada », *International Journal*, vol. 31, printemps 1976, p. 238.
95. Voir Denis STAIRS, « The Media and the Military in Canada », *International Journal*, vol. 53, n° 3, été 1998, p. 544-553. On trouvera les rapports et les études de la commission d'enquête chargée de cette affaire sur le site <http://www.dnd.ca/somalia/somaliaf.htm>.

gouvernement Chrétien parrainait, chaque année, les consultations extra-parlementaires du Forum sur les relations internationales du Canada. Si la première réunion, tenue en 1994, a eu une portée générale, les suivantes ont porté sur un thème d'intérêt immédiat pour le ministre des Affaires étrangères[96]. Ces rencontres servaient non seulement à recueillir des opinions, mais aussi à inciter les organismes privés (en particulier les ONG) à participer davantage au processus de formulation de la politique étrangère. À partir de 1998, le ministère de la Défense nationale s'est aussi mis à tenir de telles consultations thématiques, bien que de façon plus discrète. En 2003, le ministre Bill Graham s'est lancé dans une vaste consultation pancanadienne intitulée *Un dialogue sur la politique étrangère canadienne*[97]. Le rapport qui en découla fut cependant presque oublié lorsque Paul Martin remplaça Jean Chrétien quelques mois après sa parution. Dans le même ordre d'idées, en février 1996, Lloyd Axworthy proposa une discussion publique sur Internet à propos du commandement de la mission des Nations Unies en Haïti. La pratique est devenue courante et, aujourd'hui, la population est régulièrement conviée à faire valoir ses vues sur le site du Ministère[98].

Ces consultations présentent, en théorie du moins, plusieurs avantages. Elles offrent une tribune supplémentaire aux représentants de la société civile et attirent l'attention sur des sujets qui, autrement, resteraient dans l'ombre. Par ailleurs, elles constituent une occasion de formuler des idées, des concepts ou des projets qui pourront peut-être être repris par le gouvernement. Par exemple, la notion de « sécurité humaine », qui était le maître mot du ministre Lloyd Axworthy, a été formulée pour la première fois lors du Forum national de 1994[99]. De même, le ministre reconnaît avoir puisé plusieurs idées dans les rapports émanant des forums subséquents[100].

---

96. Par exemple, en 1999, le forum portait sur la participation du Canada au Conseil de sécurité de l'ONU ; en 1998, il portait sur les relations circumpolaires, tandis qu'en 1997, il traitait de l'Asie-Pacifique.
97. MINISTÈRE DES AFFAIRES ÉTRANGÈRES ET COMMERCE INTERNATIONAL, *Un dialogue sur la politique étrangère. Rapport à la population canadienne*, Ottawa, juin 2003.
98. Par exemple, en 2007, la discussion virtuelle portait sur la promotion de la démocratie.
99. Myriam GERVAIS et Stéphane ROUSSEL, *op. cit.* (1998), p. 45-46.
100. Steven LEE, « Beyond Consultations : Public Contributions to Making Foreign Policy », dans Fen Osler HAMPSON et Maureen Appel MOLOT (dir.), *Canada Among Nations 1998. Leadership and Dialogue*, Ottawa, Carleton University Press, 1998, p. 65.

Mais il faut évaluer avec prudence l'utilité réelle de ces tentatives faites par les gouvernements pour mettre en place des mécanismes pouvant donner au processus politique l'apparence d'une consultation à grande échelle avec les représentants de la société civile. Ces mécanismes font, somme toute, bien peu pour démocratiser la politique étrangère[101]. Ils sont destinés à l'élite, et non aux masses. Ils constituent une excellente occasion de lancer des idées, mais on peut difficilement dire qu'ils s'adressent réellement au plus grand nombre. Les organisateurs de ces événements ont d'ailleurs parfois bien des difficultés à recruter des participants en dehors du cercle de certains habitués, en grande majorité des universitaires.

Lorsque les organisateurs parviennent tant bien que mal à réunir un groupe hétérogène – qui devrait comprendre idéalement non seulement des universitaires et des fonctionnaires, mais aussi des représentants des ONG, des communautés ethniques et groupes communautaires, des journalistes, des députés et de simples citoyens parlant en leur propre nom –, c'est pour se heurter à un autre problème : l'extrême diversité des opinions. Dans de telles conditions, rédiger un rapport à la fois cohérent, représentatif des idées exprimées, qui va au-delà des platitudes et qui constitue le plus grand dénominateur commun entre les participants est un tour de force. Mais pour les représentants du gouvernement, c'est un résultat idéal, puisqu'ils sont toujours en mesure de découvrir, dans cette cacophonie d'opinions, une voix qui justifie leurs politiques. Ce qu'a exprimé avec franchise le sous-ministre aux Affaires extérieures, De Montigny Marchand, en 1983 :

> Nous pouvons écouter et nous pouvons nous adapter ; nous pouvons même, jusqu'à un certain point, accepter certaines contradictions, mais nous ne pouvons pas nous soustraire au besoin d'une politique qui est la synthèse cohérente des intérêts et des priorités nationales [...] Il vient parfois un moment où le gouvernement doit exercer son leadership en devançant l'opinion publique[102].

En outre, si on peut estimer que le recours à Internet pour les débats publics est un moyen démocratique innovateur, il ne faut pas en exagérer la portée ;

---

101. Ces arguments sont présentés en détail dans Kim Richard NOSSAL, *op. cit.* (1995).
102. De Montigny MARCHAND, « Foreign Policy and Public Interest », *International Perspectives*, juillet-août 1983, p. 9.

bien peu de gens prennent le temps de consulter les pages Web du ministère des Affaires étrangères ou de la Défense et d'écrire au ministre.

Si elles présentent quelques avantages, ces consultations semblent plutôt légitimer les initiatives gouvernementales et leur donner un vernis « démocratique » que permettre aux représentants de la société civile de faire inscrire leurs préoccupations à l'ordre du jour. Il est cependant difficile de déterminer à qui incombe la responsabilité de ce résultat : aux formules de consultation retenues par le gouvernement ou à la population qui ne saisit pas les occasions de s'exprimer qui lui sont offertes.

Le processus de prise de décision

Les acteurs provenant de la société civile peuvent, en principe, influencer la gestion et la mise en œuvre de la politique étrangère, comme c'est le cas dans certains domaines de politique intérieure. L'autogestion des corps médicaux (le Collège des médecins) et légaux (le Barreau) est un bon exemple de gestion de la politique officielle par des associations privées.

La gestion des politiques

Une des formes de gestion de la politique étrangère consiste à inviter les acteurs non gouvernementaux à participer aux négociations internationales. Depuis les années 1970, le gouvernement a souvent invité les représentants des groupes et des industries affectées par le résultat de négociations à se joindre aux délégations canadiennes, et à participer à certaines discussions (notamment sur les pêches, l'exploitation minière des grands fonds, les tarifs douaniers, le traité bannissant les mines antipersonnel, la protection de l'environnement ou encore le respect des droits de la personne). Toutefois, ces invitations ne sont pas automatiques et ces groupes sont en général exclus des négociations, surtout quand elles relèvent de la politique de sécurité et de défense.

Les acteurs non gouvernementaux peuvent participer à la mise en œuvre de certains aspects périphériques de la politique étrangère, principalement dans le domaine des services, tels que les sondages d'opinion ou l'organisation de conférences. Longtemps, le gouvernement a requis les services du Centre parlementaire sur les Affaires extérieures et le Commerce extérieur pour assurer le personnel et les services de recherche attachés aux comités parlementaires chargés de la politique étrangère et de défense (voir le chapitre 9). Le Centre parlementaire était un centre privé fondé par un ancien fonctionnaire du MAECI.

Les ONG ont traditionnellement joué un rôle plus direct dans la mise en œuvre de la politique étrangère. Dans le cas de l'aide au développement, il n'est pas rare de voir les ONG coopérer étroitement avec l'ACDI sur la mise en œuvre d'un projet, comme ce fut le cas pour le Secours d'urgence à l'Afrique, administré par des ONG. Au cours des années 1980, les organisations non gouvernementales ont élargi leur champ d'activités et ont été de plus en plus fréquemment mises à contribution pour la gestion des politiques dans des domaines tels que l'environnement ou les droits de la personne. Elles ont ainsi participé à la préparation de la réunion d'experts sur les droits de la personne tenue à Ottawa en 1985 dans le cadre de la CSCE. Mais, comme nous l'avons signalé, c'est avec le Traité d'interdiction des mines antipersonnel que les ONG ont connu leur heure de gloire, alors qu'elles ont été appelées à participer à toutes les étapes qui ont mené à la conclusion de l'accord[103].

En une occasion au moins, le gouvernement a fait appel au secteur privé pour gérer ses relations avec un État étranger. Après avoir reconnu la République populaire de Chine, le Canada ne pouvait plus entretenir de relations formelles avec Taiwan. Mais comme les échanges commerciaux avec la Chine nationaliste se faisaient de plus en plus importants, le gouvernement canadien conclut, en 1986, une entente avec la Chambre de commerce du Canada pour ouvrir et gérer un bureau canadien du commerce dans la capitale taiwanaise, Taipei. Sans en avoir le nom, ce bureau n'en est pas moins une mission diplomatique, avec des représentants du service extérieur venus appuyer ceux de la Chambre de commerce dans leur mission[104].

---

103. Sur le processus d'Ottawa, voir Maxwell A. CAMERON, Robert J. LAWSON et Brian TOMLIN, dir., *To Walk Without Fear : The Global Movement to Ban Landmines*, Toronto, Oxford University Press, 1998. Voir aussi Adam CHAPNICK, « The Ottawa Process Revisited », *International Journal*, vol. 58, n° 3, été 2003, p. 281-293.
104. Paul M. EVANS, « Canada and Taiwan : A Forty-Year Survey », *Transactions of the Royal Society of Canada*, série 1, vol. 1, 1990, p. 165-188.

Ces exemples de gestion de politique par des acteurs non gouvernementaux sont plutôt des exceptions à la règle, car, dans la plupart des domaines de la politique étrangère, le gouvernement canadien a conservé pour lui seul la gestion de ses politiques et de ses programmes. Ceux-ci sont confiés à une bureaucratie professionnelle, que les représentants de la société civile ne peuvent infiltrer facilement.

Selon Denis Stairs, cette exclusion est en partie due au secret qui a toujours entouré la mise en œuvre de la politique étrangère. Le mystère qui plane sur les délibérations du Cabinet et le statut confidentiel des communications en provenance des autres gouvernements ne permettent pas facilement la délégation des tâches de gestion à des acteurs non gouvernementaux. La nature de l'art de gouverner un État y est aussi pour beaucoup : les mécanismes de la diplomatie et de la négociation, qui sont au cœur des activités internationales d'un État, ne permettent pas de séparer la prise de décision de la mise en œuvre des politiques. Dans le domaine des affaires étrangères, la gestion et l'orientation d'une politique sont, à proprement parler, un tout.

L'orientation et le contenu des politiques

Hormis quelques rares exceptions, les tentatives visant à inciter le gouvernement à adopter une position donnée ou à modifier une décision déjà prise sont généralement infructueuses. C'est ce qu'apprirent les membres des différents groupes qui militaient en faveur de l'adoption d'une politique plus musclée à l'égard du Japon en 1937 en raison des crimes commis au cours de la guerre contre la Chine. Le gouvernement de Mackenzie King avait de nombreuses raisons de ne pas laisser le Canada s'enfoncer dans le conflit en Extrême-Orient – ni dans aucun autre conflit d'ailleurs, comme nous le verrons au chapitre suivant. King n'avait non plus aucun intérêt à croiser le fer avec les entreprises canadiennes qui, elles, souhaitaient maintenir leurs relations commerciales très fructueuses avec le Japon. Le premier ministre résista à la pression populaire, et opta pour l'inaction sous prétexte que le Canada ne devait pas prendre position en faveur de l'un ou l'autre des belligérants dans ce conflit. Il ajouta que, si son « gouvernement était [...] soucieux du bien-être des femmes et des enfants d'Extrême-Orient, d'Espagne ou de toute

autre partie du monde, [il] est surtout soucieux du bien-être de la population canadienne[105] ».

Le débat entourant les essais du missile de croisière, au début des années
1980, est une autre illustration de cette capacité de résistance du gouvernement. En 1982, le gouvernement Trudeau annonçait qu'il entendait autoriser l'armée de l'air américaine à tester le système de guidage interne des
missiles de croisière aéroportés au-dessus du territoire canadien. Le gouvernement se trouva bientôt en butte à une série de pressions destinées à le
faire changer d'avis : au cours de l'automne 1982 et du printemps 1983, de
grands rassemblements populaires s'organisèrent (à Vancouver seulement,
65 000 personnes, menées par le maire, défilèrent dans les rues de la ville) ;
les pétitions et les lettres de protestations affluaient à Ottawa ; un camp de la
paix fut érigé sur la colline du Parlement ; groupes pacifistes, scientifiques,
prélats, chefs syndicaux, universitaires et écrivains notoires se rallièrent au
mouvement ; les sondages confirmaient que la majorité des Canadiens s'opposaient aux essais[106]. Le député libéral Paul McRae exprima ouvertement ses
inquiétudes quant aux retombées possibles du mouvement contestataire :
« Est-ce qu'on peut douter que les Canadiens jugeront sévèrement les politiciens qui ne montrent aucun sérieux pour le contrôle des armes nucléaires[107] ? »
(Fait intéressant, McRae ne s'est pas représenté comme candidat aux élections de 1984, préférant attendre celles de 1988.)

Malgré tout, le gouvernement maintint le cap. Le 9 mai 1983, le premier
ministre Trudeau fit paraître une lettre ouverte aux Canadiens, dans laquelle
il expliquait sa décision[108]. Le 14 juin, le gouvernement profitait de sa majorité en chambre pour battre, par 213 voix contre 34, une motion déposée par
le Nouveau Parti démocratique dénonçant les essais[109]. La décision sans

105. CANADA, CHAMBRE DES COMMUNES, *Débats*, session 1938, vol. 1, 11 février 1938,
p. 391.
106. Adam BROMKE et Kim Richard NOSSAL, « Tensions in Canada's Foreign Policy »,
Foreign Affairs, vol. 62, hiver 1983-1984, p. 341.
107. CANADA, CHAMBRE DES COMMUNES, *Débats*, 32e législature, 1re session, vol. 23,
2 mai 1983, p. 25043.
108. MINISTÈRE DES AFFAIRES EXTÉRIEURES, *Déclarations et Discours*, vol. 83, no 8,
9 mai 1983.
109. CANADA, CHAMBRE DES COMMUNES, Débats, 32e législature, 1re session, vol. 23,
14 juin 1983, p. 26315-26329 et 26343-26363,

appel fut annoncée au moment où elle était le plus susceptible de passer inaperçue, un vendredi soir de juillet, après la suspension des travaux du Parlement pour les vacances d'été. Et les premiers tests débutèrent en mars 1984. Ainsi, malgré des pressions énormes et des tentatives de justification maladroites et confuses, le gouvernement arriva à ses fins sans subir trop de dommages[110].

Le débat sur les essais du missile de croisière démontre comment et pourquoi le gouvernement peut écarter les tentatives de la société civile visant à déterminer le contenu et l'orientation des politiques. Tout d'abord, le gouvernement peut s'offrir le luxe d'entendre ce qu'il veut entendre sur les questions controversées de politique étrangère, en sachant que, en presque toute circonstance, la population canadienne s'exprime rarement d'une seule voix. Et les sondages – comme les consultations évoquées plus haut – lui donnent généralement raison.

La sanction électorale ?

Les élections sont généralement considérées, dans un système démocratique, comme le principal moyen de pression que peut utiliser la population pour forcer ses dirigeants politiques à se plier à sa volonté. On estime donc que les politiciens gardent toujours un œil sur les sondages et effectuent leurs calculs politiques en fonction du prochain scrutin. Plus l'échéance électorale se rapproche, plus ils sont à l'écoute de leurs électeurs. Ce principe, qui semble évident, n'est pas toujours suivi, en particulier lorsqu'il s'agit de décisions de politique étrangère.

Les questions précises de politique étrangère se prêtent, en effet, plutôt mal à des représailles de la part de l'électorat. L'impact sur l'électorat d'une décision spécifique (par exemple, accepter de signer un accord plus ou moins avantageux avec les États-Unis à propos du commerce du bois d'œuvre) sera probablement très diffus et ne sera pas géographiquement concentré. Dans un système parlementaire britannique comme celui du Canada, une opposition très diffuse de la population n'est pas problématique, car seul le

---

110. Sur les péripéties entourant cette décision et les arguments utilisés par le gouvernement, voir Jocelyn COULON, *En première ligne. Grandeurs et misères du système militaire canadien*, Montréal, Le jour, 1991, chap. 9.

nombre de votes dans chaque comté détermine le résultat, non le nombre total de voix à l'échelle nationale. À l'inverse, l'opposition à une décision concernant une région en particulier, comme un moratoire sur les pêches ou la fermeture d'une base militaire, est plus susceptible d'être concentrée géographiquement et de créer un problème électoral régional, sinon national.

De façon générale, en temps de paix, la politique étrangère est rarement un enjeu électoral. Quelques élections cependant ont été marquées par de tels débats, en particulier celles de 1891, de 1911, 1935, 1963 et 1988. Toutes, à l'exception de celle de 1963, ont tourné autour de la question des rapports commerciaux avec les États-Unis. Il s'agit en fait d'un sujet qui, avec les clivages linguistiques et la dualité État-providence–laissez-faire, constitue régulièrement un enjeu électoral[111]. Ils ont en commun de soulever un aspect fondamental de ce qui constitue l'identité canadienne. Lorsqu'ils s'imposent comme enjeux électoraux, ces trois sujets sont rarement isolés et ont plutôt tendance à se superposer dans les débats.

On estime généralement que les problèmes de politique étrangère ont joué un rôle décisif dans le résultat d'au moins trois des cinq élections où ils ont été soulevés (1911, 1963 et 1988). Néanmoins, il convient d'apporter certaines nuances qui illustrent comment les questions de politique étrangère ne peuvent être totalement isolées des autres facteurs et enjeux.

L'élection générale de 1911 est habituellement interprétée comme la répudiation de la politique de libre-échange, ou de réciprocité comme on l'appelait à cette époque, menée par le gouvernement libéral de Sir Wilfrid Laurier. Mais le vote de 1911 constitue plus qu'un simple rejet du traité de réciprocité négocié avec les États-Unis. La politique de Laurier sur la contribution du Canada à la marine britannique et, de façon plus générale, la participation canadienne aux guerres de l'Empire (deux autres problèmes de politique extérieure) étaient aussi en jeu. On peut certainement interpréter le résultat de l'élection de 1911 comme une simple combinaison de ces enjeux, ce qu'a fait Mackenzie King en déclarant que la défaite était le résultat « d'une alliance contre nature entre les nationalistes (québécois) et les *Tories* des autres pro-

---

111. Richard JOHNSTON, André BLAIS, Henry E. BRADY et Jean CRÊTE, *Letting the People Decide. Dynamics of a Canadian Election*, Montréal/Kingston, McGill-Queen's University Press, 1992, p. 6-7.

vinces[112] ». Mais ces enjeux étaient aussi intimement liés à des divergences de points de vue qui correspondaient aux clivages linguistiques.

Le chef du Nouveau Parti démocratique (NPD), Tommy Douglas, a décrit l'élection de 1963 comme un référendum sur les armes nucléaires[113] et la chute du gouvernement conservateur est souvent perçue comme un désaveu de sa politique sur ce sujet. En fait, la défaite de Diefenbaker n'était pas simplement liée à son refus d'armer les missiles *Honest John* et *Bomarc* et les avions *Starfighter* d'ogives nucléaires. D'autres facteurs, dont l'effritement de ses appuis à l'intérieur même du Cabinet, l'état de l'économie et la détérioration de son leadership ont contribué à son échec.

Le thème du libre-échange a largement dominé les débats au cours de la campagne de 1988, au point où la plupart des autres sujets ont été écartés. Mais il ne constitue pas le seul facteur expliquant la victoire de Brian Mulroney. L'électorat ne semble pas avoir été très fixé sur cette question, jusqu'à la veille du scrutin. Même si, pour des raisons stratégiques, les principaux partis ont évité d'aborder le thème de la réintégration du Québec dans le giron constitutionnel (l'accord du lac Meech ayant été signé un peu plus d'un an plus tôt), les clivages linguistiques et la personnalité des chefs ont aussi joué un rôle[114].

De façon générale, la politique étrangère n'offre pas de bonnes munitions pour les joutes électorales. Le premier ministre Paul Martin l'a appris lors de la campagne de l'hiver 2005-2006, lorsqu'il s'est mis à critiquer certaines politiques du gouvernement George W. Bush et à chercher à y associer le chef conservateur Stephen Harper. Cette tactique, qui visait à effaroucher les électeurs et à les détourner des conservateurs, n'a pas permis au chef libéral de faire de gains significatifs dans les sondages – mais elle lui a par ailleurs attiré les foudres de l'ambassadeur américain à Ottawa.

* * *

Pour des fins de clarté, nous avons établi une distinction entre le *processus* et l'*environnement* de la prise de décision. L'influence de la société civile

---

112. Cité dans C. P. STACEY, *op. cit.* (1977), p. 147.
113. Peyton V. LYON, *Canada in World Affairs*, vol. 12, *1961-1963*, Toronto, Oxford University Press, 1968, p. 199. L'auteur décrit bien la chute du gouvernement Diefenbaker le 4 février 1963 (p. 176-222).
114. Richard JOHNSTON, André BLAIS, Henry E. BRADY et Jean CRÊTE, *op. cit.* (1992).

sur le processus est relativement faible. Les individus et les groupes de pression peuvent déployer une grande activité pour tenter d'influencer le contenu des politiques spécifiques adoptées par le gouvernement, mais, en fin de compte, leur influence réelle demeure marginale. Ils ont un peu plus de latitude en ce qui a trait à la gestion et à la mise en œuvre de ces mêmes politiques – et il s'agit là d'un phénomène relativement récent, encore difficile à mesurer. Mais même sur ce plan, l'État conserve l'essentiel de ses prérogatives : la mise en œuvre des politiques est d'abord le fait de la bureaucratie ou des représentants élus. Bref, en ce qui a trait au processus de prise de décision en politique étrangère, l'État, au Canada, est relativement autonome. Le contenu de la politique étrangère reflète ce que les dirigeants définissent comme étant les intérêts nationaux, plutôt que les intérêts d'un groupe ou d'une classe en particulier.

L'État n'exerce pas le même contrôle sur l'environnement de la prise de décision. Ce chapitre nous a permis de démontrer comment et en quelles circonstances les acteurs provenant de la société civile peuvent déterminer le contenu de l'ordre du jour gouvernemental. Mais l'influence de la société civile est perceptible sur un autre plan, celui de la définition des paramètres. Il s'agit d'une dimension plus diffuse de l'environnement de la prise de décision, et qui désigne en fait la frontière entre ce qui, en politique étrangère, est acceptable et ce qui ne l'est pas. Elle détermine les limites de ce que les dirigeants peuvent faire, ce qui revient à circonscrire l'éventail des options et des possibilités. Sur ce plan, l'État doit se conformer à ce que l'on peut appeler des choix de société ou des valeurs fondamentales. Les contraintes qu'elles imposent sont essentiellement négatives par nature : elles servent plus à écarter certaines options qu'à déterminer comment le gouvernement doit agir dans une situation donnée. En outre, les paramètres établis par la société sont très larges, et il est peu probable que les représentants du gouvernement s'entendent unanimement pour établir une politique qui transgresse ces paramètres.

C'est sans doute sur ce plan que la société civile a le plus d'influence potentielle sur la conduite de la politique extérieure d'un État. Le prochain chapitre est consacré à un examen de ces paramètres. Il vise à démontrer comment la société civile définit les limites d'une politique acceptable et à quel point ces paramètres ont influencé la politique étrangère canadienne tout au long du xxe siècle.

4
LES IDÉES DOMINANTES EN POLITIQUE ÉTRANGÈRE

L'influence de la société civile sur la conduite de la politique étrangère est surtout perceptible dans la définition des paramètres qui spécifient les limites de ce qui est acceptable. Ce chapitre est consacré à l'impact de certaines idées dans ce processus de définition de ces paramètres. Chaque époque est, en effet, marquée par des courants d'idées qui dominent toute la réflexion sur la politique étrangère et la place de l'État dans le monde. Cet ensemble de postulats, de valeurs, d'idéaux, de métaphores et de concepts sera désigné ici sous le terme général d'«idées dominantes».

IDÉES, CULTURE ET RELATIONS INTERNATIONALES

Dans chaque société prédominent des préférences, des valeurs et des croyances partagées par la majorité. Ces idées varient d'une époque à l'autre. Ainsi, la pratique de l'esclavage, dénoncée dans l'Europe de la première moitié du XIXe siècle, était, à la même époque, considérée comme parfaitement légitime dans le sud des États-Unis. Mais près de 150 ans après la fin de la guerre de Sécession, un politicien sensé de Richmond n'aurait jamais idée de chercher à se faire élire en prônant des idées esclavagistes! Les idées semblent donc parfois déterminer ce qui est légitime et illégitime, ce qui est juste et injuste, ce qui est acceptable et inacceptable. Une société développe de tels corpus doctrinaux pour tous les types de rapports sociaux : entre les parents et les enfants, les vendeurs et les acheteurs ou encore le gouvernement et les citoyens. Évidemment, cela peut s'appliquer aux relations internationales, c'est-à-dire aux liens qu'entretient une société avec les autres communautés. Le postulat central ici est que les idées dominantes contribuent à déterminer les choix que font les dirigeants.

Au cours des 50 dernières années, les théoriciens des relations internationales ont laissé peu de place aux variables qui relèvent du monde des idées. Les postulats matérialistes et rationalistes (qui teintent les réflexions des réalistes, des néoréalistes, des néolibéraux ou des néomarxistes), amalgamés aux principes méthodologiques positivistes (n'est scientifique que ce qui est observable, quantifiable et mesurable), expliquent cette marginalisation des variables «idéationnelles». Celles-ci sont considérées comme fixes et déterminées par l'environnement matériel. Par exemple, les réalistes estiment que les États sont guidés uniquement par la quête de puissance et que les valeurs des dirigeants doivent s'effacer devant les froids calculs rationnels permettant d'atteindre cet objectif. Tout autre choix est perçu comme irrationnel et donc contre-productif, sinon dangereux.

La popularité croissante des théories constructivistes et critiques a cependant réanimé l'intérêt pour les variables relevant du monde des idées. Depuis le milieu des années 1990, la documentation abonde en recherches qui portent sur des objets tels que le discours, les normes, les liens identitaires, les métaphores, les doctrines, les perceptions, les connaissances, les croyances, les valeurs, l'éthique, la morale, ou encore les expériences passées. Après s'être longtemps concentrés sur l'environnement matériel dans lequel évoluent les acteurs, les chercheurs en relations internationales redécouvrent l'importance des facteurs intellectuels et socioculturels. Ainsi, la notion de culture, longtemps négligée, est revenue en force dans l'étude de la politique étrangère et des relations internationales[1].

---

1. Voir, par exemple, Yosef LAPID et Friedrich KRATOCHWIL (dir.), *The Return of Culture and Identity in IR Theory*, Boulder, Lynne Rienner, 1996 ; Peter J. KATZENSTEIN (dir.), *The Culture of National Security : Norms and Identity in World Politics*, New York, Columbia, 1996 ; Michael C. DESH, « Culture Clash : Assessing the Importance of Ideas in Security Studies », *International Security*, vol. 23, n° 1, été 1998, p. 141-170. Pour un survol, Dario BATTISTELLA, *Théories des relations internationales*, Paris, Presses de Sciences Po, 2006, p. 283-317 ; Alex MACLEOD, « L'approche constructiviste de la politique étrangère », dans Frédéric CHARILLON (dir.), *Politique étrangère. Nouveaux regards*, Paris, Presses de Science Po, 2002, p. 65-89.

La notion d'idée dominante[2] est proche de celle de culture politique, appliquée au contexte de la prise de décision. Une culture politique, ou encore une culture stratégique, est un système d'idées (croyances, perceptions du passé, analogies, métaphores et symboles) qui constitue un tout plus ou moins cohérent et logique, qui structure la façon dont les acteurs perçoivent le monde et déterminent leurs préférences. L'une des définitions les plus couramment utilisées veut que la culture stratégique agisse comme un sélecteur, qui incite les acteurs à éliminer les options qui ne cadrent pas avec cet ensemble, et à croire que les seules politiques viables sont celles qui sont cohérentes avec leur système de pensée[3]. Une culture est, par définition, largement répandue à travers la société et peut perdurer sur une très longue période. Par exemple, on peut parler de la « culture stratégique américaine » de la Guerre froide, formée autour de concepts tels que la dissuasion et le « syndrome de Pearl Harbor », culture qu'acceptaient inconditionnellement presque tous les militaires et la majorité des politiciens occidentaux. Évidemment, les pacifistes, qui adhèrent à un tout autre système de pensée, étaient considérés, au mieux, comme de doux rêveurs, au pire, comme de dangereux irresponsables, tant leurs idées de renonciation à la guerre et aux armements étaient étrangères à la culture stratégique dominante.

Ce chapitre n'a pas pour objet d'analyser la culture politique nationale au Canada, comme le fait Denis Stairs[4], ni d'évaluer dans quelle mesure cette notion plus vaste de culture affecte la conduite extérieure d'un État. Il ne vise pas non plus à identifier les caractéristiques d'une culture stratégique ou d'une grande stratégie canadienne[5]. Il ne prétend pas non plus démontrer l'attachement des Canadiens à l'idéologie libérale, ni l'effet que celle-ci a eu sur

---

2. G. Bruce DOERN et Richard W. PHIDD, *Canadian Public Policy : Ideas, Structure and Process*, Toronto, Methuen, 1983, p. 54-59.

3. Voir Stéphane ROUSSEL et David MORIN, « Les multiples incarnations de la culture stratégique et les débats qu'elles suscitent », dans Stéphane ROUSSEL (dir.), *Culture stratégique et politique de défense : l'expérience canadienne*, Montréal, Athéna, 2007, p. 17-42.

4. Denis STAIRS, « The Political Culture of Canadian Foreign Policy », *Revue canadienne de science politique*, vol. 15, n° 4, décembre 1982, p. 667-690.

5. Pour des exemples de telles tentatives, voir David G. HAGLUND, *The North Atlantic Triangle Revisited. Canadian Grand Strategy at Century's End*, Toronto, CIIA, 2000 ; voir aussi les auteurs réunis dans Stéphane ROUSSEL (dir.), *op. cit.*

les politiques du gouvernement[6]. Il s'agit plutôt de se concentrer sur les idées dominantes qui ont trait à la façon dont les Canadiens perçoivent les relations qu'entretient leur pays avec le reste du monde.

L'étude des idées dominantes pose cependant plusieurs difficultés. La première tient au fait que les idées dominantes sont, par nature, intangibles. En fait, elles demeurent la plupart du temps à l'état latent, et même si l'on peut prétendre qu'elles existent, il est difficile de démontrer cette existence, pour la simple raison qu'elles sont rarement remises en question, et donc rarement exprimées. Par exemple, les sondages d'opinion démontrent que la majorité de la population se déclare en faveur de l'appartenance du Canada aux Nations Unies. Par contre, l'appui à cette dimension de la politique étrangère canadienne se manifeste rarement de manière spontanée, à moins d'être provoqué par la question d'un sondeur. Pour en éprouver la vitalité, le gouvernement devrait proposer que le Canada se retire de l'ONU – ce qu'il n'a, bien entendu, jamais tenté de faire – ce qui permettrait de mesurer la réaction des citoyens.

La deuxième difficulté réside dans une caractéristique apparemment contradictoire des idées dominantes : celles-ci tendent évidemment à persister dans le temps, mais elles ne sont pas pour autant statiques ou immuables. Les idées sont effectivement persistantes. Ainsi, les croyances, les métaphores ou les doctrines qui sont associées à une vision du monde tendent à survivre aux conditions qui les ont fait naître. Même si elles ne paraissent plus toujours aussi bien adaptées, elles continuent à exercer une influence, généralement jusqu'à ce qu'une crise ou une transformation majeure dans l'environnement interne ou externe fasse émerger une véritable alternative. Ainsi, nous l'avons vu au chapitre 2, Pierre Elliott Trudeau peut bien avoir annoncé, en 1968, la mort de la politique de puissance moyenne – et donc de l'internationalisme –, celle-ci est demeurée vivante, en grande partie parce que les conditions

---

6. Par exemple, à propos de l'impact des valeurs démocratiques libérales sur la façon dont les dirigeants canadiens concevaient l'Alliance atlantique lors de sa création, voir Stéphane ROUSSEL, « L'instant kantien : la contribution canadienne à la création de la "communauté nord-atlantique", Ottawa, (1947-1949) », dans Greg DONAGHY (dir.), *Le Canada et la Guerre froide, 1943-1957*, Ministère des Affaires étrangères et du Commerce international, 1999, p. 119-156.

n'étaient pas mûres pour permettre l'émergence d'une nouvelle idée dominante.

Mais ce caractère persistant ne signifie pas que les idées soient immuables. Au contraire, elles évoluent et sont parfois remplacées par des idées très différentes. Cette évolution peut se faire de façon lente et imperceptible, alors que des visions du monde dominantes sont graduellement réinterprétées par les dirigeants politiques, ou encore soumises aux critiques des commentateurs. Elles évoluent aussi au rythme de la société, dont les valeurs ou la composition évoluent. Mais les idées dominantes peuvent aussi changer de façon plus rapide, à la suite de bouleversements brutaux et dramatiques au pays et dans le système international, comme une guerre ou l'effondrement d'une grande puissance. Ainsi, un ensemble d'idées qui dominent la politique étrangère d'un État peut se révéler inapproprié pour guider le gouvernement dans un environnement radicalement différent, et donc commander l'émergence d'une nouvelle vision. Cette propension au changement peut expliquer pourquoi des dirigeants se trouvant dans à une situation semblable, mais survenant à des époques différentes, peuvent adopter des comportements opposés.

Si les facteurs socioculturels, politiques et économiques internes jouent un rôle important dans ce processus évolutif, les éléments externes semblent avoir une influence prépondérante. Ainsi, ce sont les bouleversements engendrés par chacune des deux guerres mondiales, ainsi que par la fin de la Guerre froide, qui expliquent la remise en question d'idées anciennes et l'émergence de nouvelles. Tous ces événements ont été autant d'occasions de réévaluer la place du Canada dans le monde et de tirer les leçons de l'influence que peut exercer le pays sur son environnement. L'organisation de ce chapitre reflète bien l'importance des facteurs externes, puisque l'on peut associer chaque idée dominante à une période spécifique dans l'évolution du système international : l'entre-deux-guerres, la Guerre froide et l'après-Guerre froide.

Toutefois, les idées n'apparaissent et ne disparaissent pas d'un coup ; elles suivent plutôt un long cycle d'émergence, de prédominance et de déclin, si bien que deux d'entre elles peuvent coexister, l'une en phase de déclin, l'autre en émergence. L'imperceptibilité de ce cycle, combinée à l'état le plus souvent latent des idées dominantes, complique sérieusement, surtout en période d'ascension et de déclin, l'observation, la tâche des chercheurs désireux d'établir une distinction claire entre différents discours. Ainsi, une idée que l'on croyait disparue pourrait subitement se manifester à nouveau, si sa phase de déclin n'était pas terminée. Comme nous le verrons plus loin, le gouvernement de Louis Saint-Laurent découvrit au lendemain de la crise de Suez (1956) que l'attachement affectif à l'Angleterre était encore bien ancré au Canada anglais. De même, il est impossible, pour ceux qui notent l'émergence d'une idée, de déterminer si elle deviendra effectivement dominante.

Enfin, une troisième difficulté réside dans le sens à donner au terme « dominante », qui désigne un constat selon lequel une idée est largement répandue parmi l'élite politique et la population. Ceci ne signifie pas pour autant qu'elle recueille l'unanimité. Il y a toujours eu et il y aura toujours – heureusement – des voix dissidentes qui s'élèvent pour critiquer ou remettre en question ces idées dominantes, et parfois pour proposer des solutions de rechange. Par exemple, le mouvement pacifiste canadien a souvent posé un regard critique sur certaines politiques associées à l'internationalisme, comme la participation à l'OTAN. En fait, chacune de ces idées a engendré son contraire, et c'est le choc entre les idées dominantes et leur antithèse qui rend le processus politique dynamique.

Les idées dominantes étudiées ici concernent essentiellement les éléments sur lesquels le gouvernement devrait s'appuyer pour conduire les relations du Canada avec le reste du monde. Trois ensembles de valeurs, de croyances et de principes opérationnels peuvent mériter le titre d'idées dominantes au XX\ siècle. Tout d'abord, l'*impérialisme*, largement répandu avant la Première Guerre mondiale, est un mélange d'attachement sentimental, économique et juridique à l'Empire britannique. Ensuite, l'*isolationnisme*, qui s'impose après la Première Guerre mondiale, suppose que les intérêts nationaux sont mieux servis par une politique de non-engagement ou de repli, qui consiste à éviter toute obligation internationale. Ce concept est généralement associé aux politiques adoptées par les États-Unis pendant l'entre-deux-guerres, mais l'isolationnisme pratiqué par le Canada présente certains traits distinctifs. Enfin, l'*internationalisme*, l'antithèse de l'idée précédente, repose sur le postulat selon lequel les intérêts de l'État sont mieux servis quand celui-ci joue un rôle actif à l'étranger, et tout particulièrement lorsqu'il contribue à l'établissement et au maintien de l'ordre international – ce qui signifie accepter plus de responsabilités et d'engagements. L'internationalisme a largement teinté la politique du Canada tout au long de la Guerre froide, et a même su s'adapter au nouvel environnement créé par la disparition des régimes socialistes d'Europe de l'Est en 1989-1991. La fin de la Guerre froide a certainement permis l'émergence de nouvelles idées, comme le concept de sécurité humaine ou les projets régionalistes, mais le véritable rival de l'internationalisme semble aujourd'hui être le continentalisme. Celui-ci, qui a pris corps au cours du débat sur le libre-échange dans la seconde moitié des années 1980, est, selon certains, le guide le plus sûr dans le contexte créé par les attentats du 11 septembre 2001.

RÉSUMÉ DES QUATRE PRINCIPALES IDÉES DOMINANTES

A. IMPÉRIALISME

Postulats
- Le Canada est membre de l'Empire britannique.
- Les Canadiens (anglais) appartiennent à la même civilisation que les Britanniques.
- La sécurité du Canada est assurée par son appartenance à l'Empire.

Aspects normatifs
- Le Canada doit contribuer aux guerres menées par l'Empire.
- Le Canada doit soutenir l'Empire.
- Le Canada doit éviter les engagements internationaux qui risquent d'affaiblir ses liens avec l'Empire.

B. ISOLATIONNISME

Postulats
- Le Canada est un État indépendant.
- Les engagements internationaux risquent de contraindre le Canada à participer à des guerres outre-mer contre son gré.
- Le Canada et les États-Unis ne poursuivent pas le même type de politique que les États européens.

Aspects normatifs
- Le Canada doit rester à l'écart des conflits internationaux.
- Le Canada doit refuser les engagements contraignants.
- La politique étrangère ne doit pas mettre en péril l'unité nationale.
- Le Canada doit se démarquer de l'Angleterre.

C. INTERNATIONALISME

Postulats
- Les valeurs libérales doivent guider l'action politique internationale.
- Le Canada est une puissance moyenne qui a des intérêts internationaux à promouvoir.

- Le Canada est membre de grands ensembles, comme l'Occident, ou même citoyen du monde.
- Promotion des valeurs libérales : démocratie, justice sociale, paix, égalité.

Aspects normatifs
- Responsabilité.
- Contribution aux institutions internationales multilatérales.
- Diplomatie très active.
- Primauté du droit international.
- Rôle de médiateur, de *bridge-builder*, de champion du maintien de la paix.
- Affirmation de l'indépendance et du caractère distinctif du Canada et recherche d'un contrepoids aux États-Unis.

D. CONTINENTALISME

Postulats
- Le Canada est une puissance majeure (ou prépondérante).
- Les États-Unis sont, sur presque tous les plans, le principal partenaire du Canada.
- La prospérité du Canada passe par le maintien de l'accès au marché américain.

Aspects normatifs
- Mettre en place des institutions permettant de gérer le commerce avec les États-Unis.
- Éviter que d'éventuelles faiblesses du Canada ne mettent en péril la sécurité des États-Unis.
- Le Canada doit soutenir les engagements internationaux des États-Unis.

L'IMPÉRIALISME

Les grands empires, en tant que modèles d'organisation politique rassemblant sous l'autorité d'une métropole des nations diversifiées tant sur le plan culturel que géographique, ont graduellement disparu au cours du XXᵉ siècle, alors que s'affirmait le principe d'autodétermination des peuples. Cependant, au XIXᵉ siècle, ce modèle, largement répandu, était perçu comme légitime. Beaucoup, à cette époque, estimaient que ce type de gouvernement pouvait répondre à la fois aux principes d'autodétermination et de maintien d'une unité politique centralisée ayant autorité par-delà les limites des continents et des nations, et agissant comme un bloc monolithique dans la conduite des relations avec les autres autorités souveraines.

Au XIXᵉ siècle, l'impérialisme était l'élément central de la relation entre le Canada et l'Angleterre. Le premier n'était qu'une composante d'une organisation politique et économique plus vaste au centre de laquelle se trouvait la seconde. Il avait toute latitude pour se gouverner lui-même en matière de politique intérieure, mais, sur le plan extérieur, il était – en théorie, mais pas toujours en pratique – soumis à l'autorité du gouvernement impérial de Londres. L'allégeance politique formelle était donc toujours double : la loyauté au Canada en tant que communauté politique distincte allait de pair avec la loyauté à la Couronne et à l'Empire.

Comme nous l'avons vu au chapitre 3, pour beaucoup de Canadiens, la loyauté à l'Empire allait bien au-delà de cette allégeance juridique à la Couronne. C'était aussi une question de sentiment – un attachement au pays natal, que les Canadiens d'origine britannique aimaient qualifier de « mère patrie ». Cependant, cette fierté, cet amour pour l'Angleterre et pour tout ce qui était britannique n'étaient pas simplement une affaire de patriotisme, puisque ceux qui montraient tant d'attachement à l'Empire se révélaient parfois être aussi d'ardents nationalistes canadiens[7]. L'impérialisme était plutôt un «amour de l'Empire» (avec un E majuscule), un attachement affectif aux formes différentes : l'esprit évangéliste associé au « fardeau de l'homme blanc » de Rudyard Kipling ; une loyauté au peuple anglo-saxon, souvent exprimée de façon ouvertement raciste, notamment à l'endroit des Canadiens français ; un attachement à l'idéologie politique et aux institutions britanniques, souvent en réaction aux valeurs dominantes aux États-Unis[8] ; ou encore un sentiment militariste et belliciste, dans la tradition populaire du chauvinisme britannique, teinté de la fierté d'appartenir à une communauté puissante et si étendue que le soleil ne s'y couchait jamais. En fait, c'était à la fois un mélange de tous ces éléments, sans en être aucun en particulier.

---

7. Carl BERGER, *The Sense of Power. Studies in the Ideas of Canadian Imperialism 1867-1914*, Toronto, University of Toronto Press, 1970, p. 259-265 ; voir aussi John W. HOLMES, « Nationalism in Canadian Foreign Policy », dans Peter RUSSELL (dir.), *Nationalism in Canada*, Toronto, McGraw-Hill Ryerson, 1966, p. 203-206.
8. S. F. WISE et Robert Craig BROWN, *Canada Views the United States. Nineteenth-Century Political Attitudes*, Seattle, University of Washington Press, 1967 ; voir aussi Carl BERGER, *op. cit.*, (1970).

L'impérialisme, en tant qu'idée dominante de la politique étrangère canadienne, a connu une ascension rapide, pour atteindre son apogée au moment de la guerre des Boers, en Afrique du Sud (1899-1901). Pourtant, en 1885, l'idée n'était pas encore suffisamment ancrée pour forcer les décideurs politiques à s'y soumettre. Lorsque le gouvernement britannique dut affronter l'insurrection du Mahdi du Soudan, les colonies australiennes offrirent aussitôt d'envoyer leurs propres contingents. Mais Sir John A. Macdonald ne se sentit nullement obligé de se joindre à la réaction émotive suscitée par la mort du général Charles Gordon « Pacha » à Khartoum. Il écrivit au haut-commissaire représentant le Canada à Londres qu'il n'enverrait pas de troupes au Soudan : « Nous sacrifierions donc nos hommes et notre argent pour tirer Gladstone et compagnie de l'abîme où ils se sont enfoncés par leur propre imbécillité[9]. » Toutefois, quelque 400 Canadiens, dont plusieurs bûcherons francophones et amérindiens des environs de Montréal, furent finalement autorisés à servir dans la flottille qui remonta le cours du Nil en 1885.

Quatorze ans plus tard, lors de la guerre des Boers, Laurier ne put adopter une telle attitude. À cette époque, le sentiment au Canada anglais s'était durci, fouetté par les grands journaux et intoxiqué par ce que John W. Holmes a qualifié d'« hallucinations du jubilé de l'impérialisme[10] ». Le projet d'institutionnalisation de l'Empire commençait à faire son chemin, stimulé par l'euphorie entourant les célébrations du 60ᵉ anniversaire du règne de la reine Victoria en 1897. Dans l'esprit de l'Imperial Federation League et de ses successeurs – la British Empire League et le Round Table Movement –, l'Empire pouvait être transformé en une fédération multinationale fondée sur les principes démocratiques libéraux et l'instauration d'un gouvernement responsable. Ces organisations proposèrent d'établir un gouvernement représentatif élu par les sujets de Sa Majesté outre-mer, ayant autorité pour prendre des décisions pour l'Empire dans son ensemble, mais responsables devant l'Empire tout entier[11]. Une telle idée était vouée à s'embourber dans les contradictions

---

9.   Cité dans Desmond MORTON, *Une histoire militaire du Canada 1608-1991*, Montréal, Septentrion, 1992, p. 163 ; et dans George F. G. STANLEY, *Nos soldats. L'histoire militaire du Canada de 1604 à nos jours*, Montréal, Éd. de l'Homme, 1980, p. 369.

10. John W. HOLMES, *op. cit.* (1966), p. 206.

11. Carl BERGER, *op. cit.* (1970), p. 120-127 ; James EAYRS, « The Round Table Movement in Canada, 1909-1920 », dans Carl BERGER *et al.*, *op. cit.* (1969), p. 61-80.

inhérentes à l'arrangement impérial, les Britanniques n'étant guère enthousiastes à l'idée de partager l'autorité politique avec une quelconque colonie autonome, et encore moins avec des peuples qui n'avaient rien de britanniques et qui étaient communément considérés comme incapables de se gouverner.

Sur le plan économique, le lien avec la métropole britannique a longtemps signifié que les produits canadiens pouvaient facilement être écoulés sur les marchés à l'intérieur des limites de l'Empire, protégés de la concurrence des autres États par des mesures protectionnistes. Toutefois, au milieu du XIXᵉ siècle, l'abandon des politiques mercantilistes par les Britanniques et leur conversion au libre-échange devaient priver les Canadiens de ce marché privilégié[12]. Dès cette époque, le commerce entre le Canada et les États-Unis se mit à croître au détriment de celui avec l'Angleterre. Ainsi, en termes économiques, l'impérialisme n'avait alors plus la signification ni les conséquences que l'on pourrait croire.

Cependant, sur le plan politique et militaire, l'impérialisme était porteur d'un certain nombre de postulats et de principes normatifs. Ainsi, l'appartenance du Canada à l'Empire a longtemps été le principal garant de la sécurité canadienne. Il est possible d'affirmer, même si cela est contesté[13], que c'est grâce à la puissance militaire britannique que le Canada n'a pas été absorbé par les États-Unis. Toutefois, cette garantie de sécurité comporte une contrepartie : si l'Empire protège le Canada, les Canadiens doivent aussi contribuer à la défense de l'Empire. C'est ainsi qu'ils seront aspirés dans la guerre des Boers (1899-1901) et la Première Guerre mondiale, et qu'ils seront appelés à constituer une marine destinée essentiellement à appuyer la Royal Navy (1904-1910). Enfin, l'impérialisme signifiait que les Canadiens devaient s'abstenir de toute initiative qui devait mettre en péril les liens privilégiés avec l'Angleterre. Par exemple, en 1940, alors que tout indiquait que l'Angleterre allait succomber sous les coups de l'armée allemande, le premier ministre Mackenzie King devait s'entendre avec le président américain Franklin D.

---

12. Sur les politiques commerciales du Canada au temps de l'Empire, voir Michael HART, *A Trading Nation. Canadian Trade Policy from Colonialism to Globalization*, Vancouver, UBC Press, 2002, p. 25-44.

13. Stéphane ROUSSEL, *The North American Democratic Peace : Absence of War and Security Institution-Building in Canada-US Relations, 1867-1958*, Montréal/Kingston, McGill-Queen's University Press/School of Policy Studies, 2004, p. 111-117.

Roosevelt pour créer la première institution de défense bilatérale canado-américaine. Malgré l'urgence de la situation, il n'en fallut pas plus pour que les conservateurs dénoncent l'entente, car elle signifiait que la sécurité du Canada allait désormais être liée à celle des États-Unis, et non plus à celle de l'Empire[14].

Au tournant du xxe siècle, le sentiment impérialiste, alors à son zénith, commence à se heurter à deux obstacles. Tout d'abord, cette idée était fondamentalement incompatible avec la dualité politique canadienne. S'il était relativement facile aux Canadiens d'origine britannique de s'accommoder du paradoxe de la double allégeance, celle-ci ne convenait pas à l'ensemble de la société canadienne, déjà divisée par des querelles linguistiques, raciales et religieuses. L'impérialisme n'éveillait que peu d'échos chez les Canadiens français, comme l'exprimait Bourassa en 1917.

> Les Canadiens français sont loyaux envers la Grande-Bretagne et ont de l'amitié pour la France ; mais ils ne reconnaissent à aucun de ces pays ce qui, dans d'autres pays, est considéré comme le devoir national fondamental : l'obligation de prendre les armes et de se battre [...]. Le seul problème avec les Canadiens français est qu'ils sont les seuls vrais Canadiens « sans trait d'union ». Les Canadiens d'origine britannique, sous l'emprise de l'impérialisme britannique, sont devenus plutôt perturbés dans leur allégeance [...] Les Canadiens français sont restés, et veulent rester, exclusivement des Canadiens[15].

Ceci ne signifiait pas pour autant que les élites canadiennes françaises rejetaient catégoriquement l'appartenance à l'Empire, ni la fidélité que cela impliquait. En fait, il est clair que ces élites locales, et tout particulièrement l'Église catholique, ont joué un rôle clé dans le maintien de l'allégeance à l'Angleterre. « La loyauté pour les enfants de l'Église du Christ n'est pas affaire de sentiment, écrivait l'archevêque de Québec aux fidèles de Montréal en 1900, c'est un devoir sérieux et strict de la conscience, dérivé d'un principe sacré. » Écrivant ces mots au moment de la guerre des Boërs, Mgr Bégin se sentit obligé d'ajouter : « Il serait impossible de trouver [...] une succession d'hommes, qui ont démontré plus de loyauté que les évêques, [et] le clergé

---

14. J. L GRANATSTEIN, « The Conservative Party and the Ogdensburg Agreement », *International Journal*, vol. 22, n° 1, hiver 1966-1967, p. 73-76.
15. H. Bourassa, cité dans Joseph LEVITT (dir.), *Henri Bourassa on Imperialism and Biculturalism, 1900-1918*, Toronto, Copp Clark, 1970, p. 174 [la citation originale est en anglais].

du Québec[16]. » Mais, comme le laissait entendre Bourassa, de tels mots étaient dictés par des sentiments bien différents à l'égard de l'Empire ; en fait, il s'agissait beaucoup plus de protéger un ordre social et politique qui permettait la mainmise du clergé sur la société canadienne française.

L'impérialisme recélait une seconde contradiction : l'adhésion à l'Empire se heurtait au désir de constituer un gouvernement autonome, désir partagé tant par les anglophones que les francophones. De manière formelle, ni le gouvernement ni le peuple n'avaient leur mot à dire dans la décision la plus importante que puisse prendre une communauté : celle d'entrer en guerre. En 1912, Bourassa s'adressait au Canadian Club en ces termes : « Les sept millions de Canadiens ont moins de poids dans les décisions de l'Empire, légalement et dans les faits, qu'un simple balayeur de rue de Liverpool. [...] [Lui], au moins, a le privilège de voter pour ou contre l'administration de cet Empire[17]. »

Aussi longtemps que l'Empire – et par conséquent le Canada – était en paix, ces contradictions ne posaient pas de problème. Mais en temps de guerre, elles éclataient au grand jour. La guerre des Boers fut la première occasion d'observer l'attitude des Canadiens lorsque vint le temps de contribuer effectivement à la défense de l'Empire – même si les intérêts en jeu étaient si lointains qu'ils n'affectaient en rien le Canada. Mais ces événements furent surtout l'occasion de démontrer le poids des contradictions que faisait naître l'impérialisme.

En 1899, le gouvernement de Sir Wilfrid Laurier autorisa à contrecœur l'envoi de volontaires en Afrique du Sud, en réponse à une demande d'aide implicite du gouvernement impérial de Londres[18]. Les esprits étaient surchauffés : au Canada anglais, le chauvinisme était porté à son paroxysme et les jeunes gens se pressaient aux centres de recrutement pour se porter volontaires. Comme l'a démontré Carman Miller, cette ferveur a été fouettée par

---

16. Mgr Bégin, cité par Robert J. D. PAGE (dir.), *Imperialism and Canada, 1895-1903*, Toronto, Holt, Rinehart and Winston, 1972. La citation originale est en anglais. Voir aussi, sur l'attitude du clergé québécois lors de la Première Guerre mondiale, René DUROCHER, « Henri Bourassa, les évêques et la guerre de 1914-1918 », dans Jean-Yves GRAVEL (dir.), *Le Québec et la guerre*, Montréal, Boréal, 1974, p. 47-75.

17. Cité dans Joseph LEVITT, *op. cit.*, p. 64.

18. Desmond MORTON, *Une histoire militaire du Canada 1608-1991*, Montréal, Septentrion, 1992, p. 168-174.

une campagne de presse bien orchestrée dans les journaux anglophones, qui regorgeaient d'articles enthousiastes et pompeux exhortant à l'action[19]. John Willison, l'éditeur du *Globe*, un journal libéral, signifia à Laurier que le choix du gouvernement était simple : « Soit envoyer des troupes, soit perdre le pouvoir[20]. » Henri Bourassa, alors député, osa critiquer la politique belliciste du gouvernement britannique en Afrique du Sud, ce qui lui valut d'être hué au Parlement et qualifié de traître par la presse[21]. Les Canadiens français réagirent avec colère, en tenant des manifestations violentes dans les rues et en profanant symboliquement l'Union Jack. Malheureusement pour le gouvernement canadien, cet épisode ne constituait qu'une répétition sans envergure en comparaison de ce qui devait se passer une quinzaine d'années plus tard, au cours de la Première Guerre mondiale, et qui allait précipiter la phase de déclin de l'impérialisme au Canada.

L'attachement sentimental à l'Empire britannique explique, en partie, la volonté des Canadiens d'entrer en guerre en août 1914. Il est vrai que ce fut le roi, conseillé par ses ministres à Londres, et non pas Ottawa, qui déclara la guerre à l'Allemagne. Comme l'avait dit Bourassa, le Canada n'avait pas voix au chapitre. Lorsque l'Angleterre entra en guerre, l'Empire tout entier, *ipso facto*, entra en guerre. Mais la grande majorité des Canadiens anglais ne se souciaient pas de ce genre de subtilité, et, eurent-ils été consultés, le résultat aurait été le même : ils se seraient rangés du côté de la mère patrie – contrairement aux Canadiens français qui ne voyaient pas d'intérêt à participer à cette guerre européenne.

---

19. Carman MILLER, *Painting the Map in Red : Canada and the South African War, 1899-1902*, Montréal/Kingston, McGill-Queen's University Press, 1993. Des extraits des journaux de l'époque sont reproduits dans Robert J. D. PAGE, *Imperialism and Canada, 1895-1903*, Toronto, Holt, Rinehart and Winston, 1972, p. 61-91.

20. Cité dans C. P. STACEY, *Canada and the Age of Conflict. A History of Canadian External Policies (vol. I : 1867-1921)*, Toronto, Macmillan Canada, 1977, p. 59-60.

21. Voir James I. W. CORCORAN, « Henri Bourassa et la guerre sud-africaine », *Revue d'histoire de l'Amérique française*, vol. 19, n° 3, décembre 1965, p. 414-442 ; voir les citations de Bourassa dans Robert LACOUR-GAYET, *Histoire du Canada*, Paris, Fayard, 1979, p. 458. C'est à l'occasion d'une discussion avec Bourassa sur ce sujet que Laurier eu cette réplique devenue le célèbre : Bourassa : « Avez vous pris en considération l'opinion de la province de Québec ? » Laurier : « La province de Québec n'a pas d'opinion, elle n'a que des sentiments. »

Cette guerre était sans précédent. Au bout de quelques mois, les adversaires occupaient une ligne de tranchées qui s'étendait de la Suisse à la Manche, s'échangeant autant d'obus que la production de munitions le leur permettait, et lançant de nombreuses offensives afin d'arriver à percer les lignes ennemies – sans grand résultat, mais au prix de pertes catastrophiques. Le problème, pour les Dominions, venait de ce que Londres leur demandait de contribuer à l'effort de guerre en fournissant hommes et argent, sans toutefois leur permettre de se prononcer sur la conduite des opérations, ce que David Lloyd George, le premier ministre britannique, devait reconnaître en décembre 1916 : « Les Dominions ont fait d'énormes sacrifices, mais nous n'avons tenu aucune conférence avec eux, ni sur les buts de la guerre, ni sur la façon de la mener. Ils peuvent difficilement avoir l'impression qu'ils ont été consultés[22]. » Plus la liste des victimes s'allongeait, plus l'enthousiasme de la fin de l'été 1914 s'évanouissait – ce que Robert Borden et son gouvernement de coalition unioniste devaient admettre en observant le résultat des élections de décembre 1917 : les unionistes avaient gagné les élections par une nette majorité, mais le vote populaire, surtout parmi les civils, montra des secteurs de dissension significatifs en Ontario, au Québec et dans les Maritimes.

La nature et la durée de cette guerre eurent une autre conséquence. À la fin de 1916, la guerre de tranchées avait décimé les effectifs de volontaires. Borden devait faire un choix entre réduire la contribution canadienne en s'en tenant à l'envoi de volontaires ou la maintenir en imposant la conscription. Les Canadiens français, dans l'ensemble, partageaient peu l'émotion qui avait suscité l'enrôlement volontaire au Canada anglais et sentaient leurs intérêts sérieusement menacés à l'idée d'être forcés d'aller combattre pour la cause des Anglais. Les conservateurs firent les frais de leur colère aux élections de décembre 1917 – une colère qui continua à se manifester dans de nombreuses élections subséquentes, jusqu'à la fin des années 1950[23]. Ces

---

22. Cité dans Donald G. CREIGHTON, *Canada's First Century*, Toronto, Macmillan, 1970, p. 145.
23. Paul-André LINTEAU, René DUROCHER et Jean-Claude ROBERT, *Histoire du Québec contemporain. De la Confédération à la crise*, Montréal, Boréal Express, 1979, p. 597-598. À l'exception de l'élection de 1930, seule une poignée de députés conservateurs (de 2 à 9, selon les scrutins) parviendront à obtenir un siège au Québec entre 1918 et 1958. Ce n'est qu'avec Diefenbaker qu'une vague conservatrice déferlera sur la province et permettra l'élection de 50 députés.

intérêts divergents et sectaires provoquèrent des flambées de violence (particulièrement au Québec, au cours de la fin de semaine de Pâques 1918), et un long ressentiment. Ainsi, en plus de mettre à rude épreuve les relations entre l'Empire et le Dominion, la guerre révéla les profonds clivages qui existaient à l'intérieur du pays.

Les tensions engendrées par la guerre entraînèrent le déclin de l'impérialisme et l'émergence de l'isolationnisme, qui constitue un autre ensemble d'idées sur la nature des relations que devrait entretenir le Canada avec l'étranger. Mais avant d'en arriver là, il convient de s'arrêter sur l'autonomisme, que l'on distinguait de l'idée d'indépendance qui semblait inappropriée dans le contexte canadien. L'autonomisme correspondait plutôt à un désir de contrôler tous les aspects de la politique du pays, tant à l'intérieur qu'à l'extérieur, et constituait donc le prolongement naturel de l'autonomie en matière de politique intérieure obtenue avec la Confédération de 1867. Si cette idée semblait peu convaincante avant 1914, le désastre de la guerre devait la rendre très populaire. Au sein même du gouvernement, Borden insista pour que le Canada ait son mot à dire dans la conduite de la guerre, qu'il ait une représentation distincte à la Conférence de la paix, et qu'il dispose de sa propre délégation à la Société des Nations. Que de telles initiatives n'aient pas attiré les foudres des impérialistes témoigne bien de la transition en cours à cette époque.

En fait, ce furent les demandes formulées par les gouvernements des Dominions – en particulier celles du Canada et de l'Afrique du Sud – pendant et après la Grande Guerre qui menèrent à la transformation de l'Empire en Commonwealth. En effet, la souveraineté *de facto* des Dominions entrait en contradiction avec la subordination constitutionnelle *de jure* que supposait le lien impérial. Une série de conférences aboutit, en 1926 à l'adoption du rapport du comité des relations interimpériales, présidé par le comte de Balfour. Selon ce texte, les Dominions

> sont des communautés autonomes dans l'Empire britannique, d'un statut égal, aucune n'étant subordonnée à l'autre sous aucun aspect de leurs affaires intérieures ou extérieures, bien qu'elles soient unies par une allégeance commune à la Cou-

ronne et librement associées comme membres de la communauté des nations britanniques[24].

L'essentiel du rapport du comité Balfour fut enchâssé dans le Statut de Westminster de 1931, qui mettait officiellement fin au lien impérial.

Il faut cependant noter que l'autonomisme grandissant des années 1920 n'a pas fait subitement disparaître les sentiments qui avaient attisé l'enthousiasme pour la guerre en 1914. Le sentiment impérialiste persistait, en particulier en Colombie-Britannique, dans le sud de l'Ontario et dans les Maritimes. Les quotidiens se faisaient l'écho de ces idées et contribuaient ainsi à leur diffusion[25]. Ainsi, à la fin des années 1930, les sentiments d'attachement à l'Angleterre étaient encore très vifs en dépit de la liberté constitutionnelle consacrée par le Statut de Westminster. Pour la majorité des Canadiens, le soutien à l'Angleterre pendant la Deuxième Guerre mondiale allait de soi. Comme l'ont fait remarquer J. L. Granatstein et Robert Bothwell, ce soutien « relevait avant tout d'un devoir moral et, éventuellement d'un devoir politique, s'il en était un. [...] Une fois acquise, l'autonomie devenait comme le libre arbitre : elle ne servait qu'à mettre en valeur la vertu du choix. » Et les auteurs rappellent la célèbre boutade de Stephen Leacock, qui écrivait en juin 1939 :

> Si vous demandez à un Canadien : « Devez-vous entrer en guerre si la Grande-Bretagne entre en guerre ? », il va vous répondre sans hésiter : « Bien sûr que non. » Si vous lui demandez ensuite : « Entrerez-vous en guerre si la Grande-Bretagne entre en guerre ? », il va répondre : « Bien sûr que oui. » Et si vous lui demandez pourquoi, il répondra, d'un air songeur : « Bien, vous savez, parce qu'il le faut »[26].

On peut mesurer la persistance de l'attachement des Canadiens à l'Angleterre, bien qu'il se soit atténué, lors de la crise de Suez de 1956. Après la

---

24. Cité dans Jean-Charles BONENFANT, « Le développement du statut international du Canada », dans Paul PAINCHAUD (dir.), *Le Canada et le Québec sur la scène internationale*, Québec, Presses de l'Université Laval/CQRI, 1977, p. 42.

25. Donald PAGE, « The Institute's "Popular" Arm : The League of Nations Society in Canada », *International Journal*, vol. 33, hiver 1977-1978, p. 39-40 ; C. P. STACEY, *Canada and the Age of Conflict. A History of Canadian External Policies* (vol. II : 1921-1948 *The Mackenzie King Era*), Toronto, University of Toronto Press, 1981, p. 186.

26. Leacock, cité dans J. L. GRANATSTEIN et Robert BOTHWELL, « "A Self-Evident Duty" : Canadian Foreign Policy, 1935-1939 », dans Jack L. GRANATSTEIN (dir.), *Canadian Foreign Policy. Historical Readings*, Toronto, Copp Clark Pitman, 1986, p. 125.

nationalisation du canal de Suez par le président Gamel Abdel Nasser, en juillet, Israël lança une offensive contre l'Égypte le 29 octobre. Deux jours plus tard, les Britanniques et les Français menèrent des attaques conjointes, ce qui jeta un froid entre Washington et ses deux plus grands alliés européens, et consterna Ottawa[27]. Pearson tenta de négocier une solution de compromis à l'ONU et finit par obtenir l'adoption de résolutions qui permirent à la Force d'urgence des Nations Unies (FUNU I) de s'interposer entre les belligérants. Au cours d'un débat d'urgence à la Chambre des communes, Saint-Laurent se déclara « scandalisé » par ceux qu'il appelait sarcastiquement « les *surhommes* de l'Europe », tandis que Pearson rappelait que le Canada n'était pas « un enfant de chœur colonial qui court en tous sens en criant : *Ready, aye, ready*[28] ».

Le choix des mots et le ton sarcastique de Pearson ne sont pas innocents. L'expression *Ready, aye, ready* (souvent traduite en français par « Prêts, oui, prêts », elle perd l'essentiel de sa saveur...) était utilisée depuis longtemps pour exprimer le soutien à l'Empire. L'expression fut popularisée par Arthur Meighen en 1922. Le gouvernement libéral de Mackenzie King avait refusé de promettre un appui aux Britanniques alors engagés dans la crise de Tchanak en Turquie, et Meighen, le chef de l'opposition conservatrice, avait critiqué l'attitude de King en affirmant que « lorsque le message est arrivé de l'Angleterre, le Canada aurait dû répondre : *Ready, aye, ready !* Nous sommes avec vous[29] », ce qu'allaient lui reprocher bien des gens. L'expression fut par la suite associée à la tendance des conservateurs à placer les intérêts de l'Angleterre et de l'Empire au-dessus de ceux du Canada, même si les libéraux l'utilisaient eux-mêmes depuis longtemps. Les mots employés par Meighen en 1922 étaient pratiquement identiques à ceux utilisés en août 1914 par Laurier, alors qu'il était chef de l'opposition libérale, et qu'il exprima son appui à la

---

27. Sur la crise de Suez, voir Robert W. REFORD, « Peacekeeping at Suez, 1956 », dans Don MUNTON et John KIRTON (dir.), *Canadian Foreign Policy : Selected Cases*, Scarborough, Prentice Hall Canada, 1992, p. 58-77 ; John W. HOLMES, *The Shaping of Peace : Canada and the Search for World Order 1943-1957*, tome 2, Toronto, University of Toronto Press, 1982, p. 348-370.

28. Cité dans James Eayrs, *Canada in the World Affairs*, vol. 9 : *October 1955 to June 1957*, Toronto, Oxford University Press, 1959, p. 188.

29. Cité dans C. P. STACEY, *op. cit.* (1977), p. 30.

déclaration de guerre faite à l'Allemagne : « Le Canada, rejeton de la vieille Angleterre, entend la défendre dans cette formidable lutte. Nous répondrons aussitôt à l'appel par la formule classique usitée en Angleterre :*"Ready, Aye, Ready"*[30]. » En fait, Laurier s'était fait l'écho de Sir George E. Foster, un parlementaire conservateur qui avait employé l'expression en janvier 1896[31]. Mais lorsque Pearson reprit ces mots en 1956, il les utilisait de façon péjorative, visaient directement les conservateurs et tous ceux qui voulaient définir la politique canadienne en fonction des intérêts britanniques.

Le refus du gouvernement Saint-Laurent de venir en aide à l'Angleterre lors de la crise de Suez – contrairement à l'Australie et à la Nouvelle-Zélande – gênait certains Canadiens anglais. Le *Globe and Mail* fit paraître une série d'éditoriaux dénonçant cette décision. Le député conservateur et futur ministre des Affaires extérieures sous le gouvernement Diefenbaker, Howard Green, attaqua Saint-Laurent pour avoir critiqué « nos deux mères patries », et avoir « poignardé dans le dos nos meilleurs amis[32] ». Même le vénérable Arthur Meighen reprit brièvement du service pour donner une version actualisée de son célèbre discours de 1922[33]. Quant à John Diefenbaker, il se servit de cet incident pour marquer des points durant la campagne électorale de 1957, particulièrement en Ontario et dans les Maritimes.

La crise de Suez devait être l'ultime sursaut de l'impérialisme au Canada, et pour la dernière fois, la question de « l'appui à l'Angleterre » allait constituer un enjeu de la politique étrangère. Un vague sentiment probritannique devait persister, mais, en 1960, les relations avec Londres avaient perdu de leur intensité. Si bien que, lorsque Brian Mulroney croisa le fer avec Margaret Thatcher à propos des sanctions à appliquer contre l'Afrique du Sud au milieu

---

30. CHAMBRE DES COMMUNES, *Débats*, 4ᵉ session, 12ᵉ législature (session spéciale), 19 août 1914, p. 10.

31. « C'est le droit et le devoir de l'Angleterre, et de chacune de ses colonies d'être prêtes, oui, prêtes, et en même temps fermes dans leur sentiment de loyauté et de dévouement à l'Empire en général », CHAMBRE DES COMMUNES, *Débats*, 6ᵉ session, 7ᵉ législature, 16 janvier 1896, p. 157.

32. Dans Peter STURSBERG (dir.), *Lester Pearson and the American Dilemma*, Toronto, Doubleday, 1980, p. 156-157.

33. Voir James EAYRS, *op. cit.* (1959), p. 188, note n° 50.

des années 1980, il n'y eut aucune réaction positive envers l'Angleterre. L'impérialisme s'était bel et bien éteint.

L'ISOLATIONNISME

L'autonomisme n'a jamais été reconnu comme une idée dominante, car il a rapidement perdu sa raison d'être, victime de son propre succès. Avec la promulgation du Statut de Westminster, le Canada a acquis les principaux attributs juridiques de la souveraineté[34]. Il ne restait plus qu'à les exercer en élaborant une politique autonome. C'est dans ce contexte que s'impose l'isolationnisme, la seconde idée dominante dans l'évolution de la politique étrangère canadienne.

L'isolationnisme pratiqué par le Canada durant l'entre-deux-guerres s'inspire, sous certains aspects, du concept formulé aux États-Unis. Depuis 1789, l'isolationnisme était un principe solidement ancré dans la conduite de la politique étrangère américaine. Il consistait essentiellement à éviter de se mêler de ce qui se passait en Europe et à ne jamais contracter d'alliance. Il ne s'agissait pas tant de se replier en Amérique du Nord, mais de se tenir loin des rivalités entre grandes puissances européennes et des guerres qui en résultaient. En ce sens, l'isolationnisme n'a jamais empêché les États-Unis d'intervenir dans d'autres régions, notamment en Amérique latine, dans les Caraïbes ou en Asie ; il était surtout teinté d'une forte dose d'unilatéralisme. L'isolationnisme mettait en pratique l'avertissement donné par George Washington aux Américains dans son discours d'adieu en 1796 et consistait à éviter, comme le disait Thomas Jefferson, « de s'empêtrer dans des alliances », lesquelles ne manqueraient pas de plonger la jeune république dans le maelström des relations internationales, et de la dépouiller de sa toute nouvelle indépendance[35]. Ainsi, même s'ils étaient entrés en guerre en 1917, les Américains étaient vite revenus à leur attitude traditionnelle. En 1919-1920, le Sénat refusait de ratifier le traité de Versailles et empêchait ainsi les États-Unis de devenir membres de la SDN.

---

34. Jean-Charles BONENFANT, *op. cit.*
35. Alexander de CONDE, *Entangling Alliance*, Durham, Duke University Press, 1958.

L'isolationnisme qui se manifesta au Canada entre 1919 et 1939 présentait des points communs avec les idées en vogue aux États-Unis, malgré des fondements différents[36]. Il n'existait pas, à proprement parler, de tradition isolationniste au Canada, même si, avant la guerre, certains cultivaient des opinions semblables à celles des Américains à l'égard de la politique de puissance menée par les gouvernements européens[37]. Ainsi, après la Première Guerre mondiale, l'isolationnisme représentait encore quelque chose de nouveau dans la vie politique canadienne. Et, alors que les Américains refusaient en 1919 d'adhérer à la Société des Nations, le Canada insistait pour en être membre[38].

Cette conversion des Canadiens est directement liée à leur participation à la guerre. Bien que les pertes subies par les troupes canadiennes et américaines furent moins importantes que celles des États européens[39], elles étaient suffisamment lourdes pour frapper les esprits les plus endurcis. Les États-Unis déplorèrent plus de 90 000 morts en un an et demi de combat. Toutes proportions gardées, le Canada, qui combattait depuis 1914, subit des pertes neuf fois plus élevées. En 1916, la population du Canada se situait à environ 8 000 000 d'individus. De ce nombre, plus de 619 000 furent enrôlés, dont 446 000 volontaires. Et des 425 000 qui furent envoyés en Europe, 230 000 furent inscrits sur la liste des victimes, soit un quart des hommes en âge de servir. De ce nombre, 60 661, soit près de 0,8 % de la population, furent

36. Sur les traits de l'isolationnisme canadien, voir David G. HAGLUND, « Le Canada dans l'entre-deux-guerres », *Études internationales*, vol. 31, n° 4, décembre 2000, p. 727-743 ; David G. HAGLUND, « Are *We* the Isolationists ? », *International Journal*, vol. 58, n° 1, hiver 2002-2003, p. 1-23 ; Robert BOTHWELL, « The Canadian Isolationist Tradition », *International Journal*, vol. 54, n° 1, hiver 1998-1999, p. 76-88 ; Gregory A. JOHNSON et David A. LENARCIC, « The Decade of Transition : The North Atlantic Triangle during the 1920s » et Brian J. C. MCKERCHER, « World Power and Isolationism », dans B. J. C. MCKERCHER et Lawrence ARONSEN (dir.), *The North Atlantic Triangle in a Changing World. Anglo-American-Canadian Relations, 1902-1956*, Toronto, University of Toronto Press, 1996, p. 81-109 et 110-146.
37. Sir Wilfrid Laurier et Henri Bourassa, pourtant adversaires politiques, avaient coutume de faire référence à l'Europe comme un « tourbillon du militarisme » ; cités dans Desmond MORTON, *op. cit.* (1992), p. 183.
38. David G. HAGLUND, *op. cit.* (2002-2003), p. 9-10 ; HAGLUND, *op. cit.* (2000), p. 737-738.
39. John KEEGAN, *The First World War*, Toronto, Key Porter Books, 1998, p. 6.

tués au combat. Et parmi les survivants, 34 000 durent recevoir des membres artificiels, tandis que 60 000 eurent droit à des pensions d'invalidité[40].

Ce carnage devait inciter les Canadiens à ressentir à leur tour ce qu'était le fondement de l'isolationnisme américain : une aversion profonde pour la politique européenne. Cette similitude apparaît clairement dans le discours de certains politiciens, comme celui du député québécois C. G. « Chubby » Power, qui déclara, lors d'un débat sur le traité de Versailles, en septembre 1919 :

> Notre attitude d'ici à un siècle doit être celle-là même dictée par George Washington aux États-Unis pour la gouverne de ses compatriotes : renoncer entièrement à toute immixtion dans les affaires de l'Europe [...] Je crois que le peuple canadien approuverait cette ligne de conduite, c'est-à-dire de laisser l'Europe être l'arbitre de ses propres destinées, pendant que nous, en Canada, consacrant nos forces à nos propres affaires, entreprendrons paisiblement notre développement[41].

Le ton pouvait parfois être brutal ; en 1920, à la toute première conférence de la Société des Nations, le représentant du Canada, N. W. Rowell, fulminait contre les Européens :

> C'est la politique européenne, la diplomatie européenne, l'ambition européenne, qui ont plongé le monde dans un bain de sang. 50 000 Canadiens gisant sous la terre de France et des Flandres, voilà le prix que le Canada a payé à la diplomatie européenne, pour tenter de résoudre les problèmes européens[42].

Le mécontentement se concentra en grande partie sur la Société des Nations, à Genève. Ce sentiment trouvait sa source dans les dispositions sur la sécurité collective, et en particulier l'article X de la Convention, qui stipulait que :

> Les membres de la Société s'engagent à respecter et à maintenir, contre toute agression extérieure, l'intégrité territoriale et l'indépendance politique de tous

---

40. Chiffres tirés de C. P. STACEY, *op. cit.* (1977), p. 192 et 235 ; et de Desmond MORTON, *Canada at War : A Military and Political History,* Toronto, Butterworths, 1981, p. 82 et 86.
41. CHAMBRE DES COMMUNES, *Débats,* 3ᵉ session, 13ᵉ législature, 11 septembre 1919, p. 234.
42. Cité dans James EAYRS, « "A Low Dishonest Decade" : Aspects of Canadian External Policy, 1931-1939 », dans Hugh L. KEENLEYSIDE *et al., The Growth of Canadian Policies in External Affairs,* Durham, Duke University Press, 1960, p. 61.

les membres de la Société. En cas d'agression, de menace ou de danger d'agression, le Conseil avisera par quels moyens assurer l'exécution de cette obligation.

Afin que la sécurité collective puisse fonctionner, l'article X entraînait comme recours ultime l'obligation de déclarer la guerre à tout agresseur, ce qui était considéré par plusieurs comme le meilleur moyen de replonger le Canada dans la tourmente – une crainte que résuma le député libéral C. A. Gauvreau : « Je vois dans cette Société des Nations [...] une source de troubles, de complications et de menaces internationales d'autant plus à craindre, qu'à l'heure actuelle, il y a en Europe trop de blessures que le temps ne pourra jamais cicatriser[43]. » Pendant le débat sur le traité de Versailles, plus d'un orateur reprit le thème soulevé par Lucien Cannon : « Je ne tiens pas à ce que l'Angleterre gouverne ce pays, mais j'aimerais mieux encore être gouverné par l'Angleterre que par Genève[44]. » Le lendemain, un autre député libéral, Rodolphe Lemieux, affirmait qu'« en matière militaire, nous sommes gouvernés d'ici même à Ottawa et non pas par Londres ; nous ne voulons pas que Genève nous gouverne[45] ».

Loin des zones de conflit, les Nord-Américains percevaient les dispositions de la Société des Nations sur la sécurité collective comme une assurance fonctionnant au seul profit des Européens. Ce qui fut exprimé sous forme de métaphore par le sénateur Raoul Dandurand, lorsqu'il représentait le Canada à l'assemblée de la SDN, en 1924 : « Dans cette association d'assurance mutuelle contre le feu, les risques assumés par les différents États ne sont pas égaux. Nous habitons dans une maison à l'épreuve du feu, bien loin des matériaux inflammables[46]. » S'il n'y avait que peu de chances que les Européens soient appelés au secours du Canada, les Canadiens, eux, avaient toutes les raisons de croire qu'ils pourraient être forcés de retourner se battre en Europe.

Les Nord-Américains – et c'est là un autre facteur qui explique pourquoi l'isolationnisme faisait de plus en plus d'adeptes des deux côtés de la fron-

---

43. CHAMBRE DES COMMUNES, *Débats*, 3ᵉ session, 13ᵉ législature, 9 septembre 1919, p. 149.
44. *Ibid.*, p. 143.
45. CHAMBRE DES COMMUNES, *Débats*, 3ᵉ session, 13ᵉ législature, 10 septembre 1919, p. 160.
46. Voir « The Geneva Protocol (Dandurand, 2 October 1924) », dans Walter A. RIDDELL (dir.), *Documents on Canadian Foreign Policy, 1917-1939*, Toronto, Oxford University Press, 1962.

tière – avaient renoncé depuis longtemps à l'usage de la force dans leurs relations mutuelles[47]. La période qui précède et suit immédiatement la Première Guerre mondiale marque l'apogée de ce que l'on a appelé le « nord-américanisme » ou encore « l'exceptionnalisme », cette impression, que cultivaient certains Nord-Américains, d'être différents des Européens, en particulier en ce qui a trait à la résolution des conflits[48]. Cependant, le fait de se distancier des problèmes de l'Europe ne devait pas s'accompagner, pour les Canadiens, d'un rapprochement politique avec les États-Unis.

L'isolationnisme canadien se distinguait de celui des États-Unis par le fait que cette politique visait à préserver l'ordre politique intérieur et l'unité nationale, que la crise de la conscription de 1917-1918 avait mis à dure épreuve. L'isolationnisme était un sentiment peut-être plus naturel pour les Canadiens français, compte tenu de leur indifférence à l'égard de l'impérialisme. P. B. Waite a démontré que l'éloignement affectif de la France a amené les francophones à se définir en tant que peuple nord-américain, et non comme peuple européen. « Laissons l'Europe à ses heurts d'idées, à ses chocs de régimes, à ses querelles racistes », disait l'éditorial du journal *Le Devoir* en 1938. « Enracinons-nous au sol d'Amérique[49]. » Comme l'écrivait Léon Mercier Gouin, un avocat québécois, en 1937 :

> Les Canadiens français sont favorables à l'isolement sous une forme ou une autre [...] Partant de ce principe, nous ne voulons pas que le Canada devienne une des polices du monde. *Charité bien ordonnée commence par soi-même*, dit le proverbe, et nous en avons bien assez avec nos problèmes intérieurs[50].

L'isolationnisme opiniâtre des francophones était patent dans leur attitude face à l'éventualité d'une guerre européenne. « Notre mot d'ordre est net »,

---

47. Stéphane ROUSSEL, *op. cit.* (2004) ; Sean M. SHORE, « No Fences Make Good Neighbors : The Development of the Canadian-American Security Community, 1871-1940 », dans Emanuel ADLER et Michael BARNETT (dir.), *Security Communities*, Cambridge, Cambridge University Press, 1998, p. 333-367.

48. Donald BARRY, « The Politics of "Exceptionalism" : Canada and the United States as a Distinctive International Relationship », *Dalhousie Review*, vol. 60, n° 10, printemps 1980, p. 114-137.

49. Cité dans P. B. WAITE, « French-Canadian Isolationism and English Canada : An Elliptical Foreign Policy, 1935-1939 », *Journal of Canadian Studies*, vol. 18, n° 2, été 1983, p. 141.

50. Cité dans Robert BOTHWELL et Norman HILLMER (dir.), *The In-Between Time : Canadian External Policy in the 1930s*, Toronto, Copp Clark, 1975, p. 20.

affirmait l'*Action nationale*, un journal nationaliste, après l'invasion de l'Éthiopie par l'Italie en 1935. « Pas un homme, pas un sou, pas un fusil, pas une car-
touche pour les guerres de l'Angleterre[51]. » Ainsi, la politique suivie par le
gouvernement canadien visait, en partie, à éviter de rouvrir les blessures de
1917 et de renvoyer dos à dos les deux principales communautés linguistiques
du pays. À ce peu d'affinité avec l'impérialisme s'ajoutait un autre facteur plus
diffus et encore matière à controverse aujourd'hui, mais qui pourrait expliquer les réserves de certains face aux engagements en Europe : la sympathie
que pouvait entretenir une partie de l'élite québécoise à l'égard du régime de
Mussolini, que les accords du Latran (1929) avaient réconcilié avec le Vatican.

L'isolationnisme canadien était aussi différent de celui des Américains
sur un autre plan : il servait à bien marquer l'identité canadienne, en approfondissant et en marquant l'autonomie, récemment acquise, du Canada par
rapport à l'Angleterre. En fait, à Londres, durant les années 1920 et 1930,
plusieurs iront même jusqu'à douter que le Canada se porte au secours des
Britanniques si un nouveau conflit devait éclater en Europe[52]. Ce désir de
renforcer l'autonomie explique l'une des différences entre le Canada et les
États-Unis, et qui semble être une contradiction dans la politique canadienne,
c'est-à-dire le maintien de son adhésion à la SDN. En effet, ni le gouvernement ni la population, tout isolationnistes qu'ils fussent, ne remettaient en
question cette adhésion. Lorsqu'en 1934, un sénateur conservateur déposa
une motion proposant le retrait du Canada de la Société, il fut désavoué par
le premier ministre Bennett. Aucun membre du Sénat ne se prononça en
faveur de la proposition, et la motion fut rejetée haut la main[53]. L'explication de cette apparente contradiction réside dans le fait que les dirigeants
canadiens considéraient la participation à la SDN comme un précieux
symbole de l'autonomie canadienne.

À la fin des années 1930, la montée du nazisme, la remilitarisation de
l'Allemagne et la politique irrédentiste d'Adolf Hitler laissaient entrevoir
l'éclatement d'une nouvelle guerre. Frank Underhill, professeur à l'Université
de Toronto, pouvait bien continuer à prêcher l'isolationnisme, en écrivant

---

51. Cité dans P. B. WAITE, *op. cit.* (1983), p. 136.
52. *Ibid.* ; Brian J. C. McKERCHER, *op. cit.* (1996).
53. C. P. STACEY, *op. cit.* (1981), p. 164-165.

qu'en réponse aux rumeurs d'une guerre européenne, les Canadiens devraient « comme Ulysse et ses compagnons, s'éloigner des sirènes euro- péennes, les oreilles bouchées avec nos déclarations de revenu[54] ». Mais la population, tant anglophone que francophone, ne pouvait plus rester indiffé- rente face à la menace que représentaient les ambitions nazies. Elle sem- blait déchirée entre son désir de se tenir loin de la guerre, sa crainte de l'Allemagne et ses sentiments pour l'Angleterre. O. D. Skelton, le sous- secrétaire d'État aux Affaires extérieures, présenta ainsi son analyse de l'opinion publique, au début de 1939 :

> Il est indubitable, au regard des vingt dernières années, que les sentiments nationalistes et pacifistes se sont développés rapidement au Canada, et que les sentiments impérialistes et bellicistes ont décliné. Il est probable que ceux qui étaient opposés à la participation aux guerres britanniques constituent mainte- nant l'immense majorité au Canada. Mais il est clair également que la minorité impérialiste pèse plus lourd, en dépit de son nombre, parce qu'elle détient une plus grande part de richesses, d'influence, d'assurance et de postes dans la fonc- tion publique ; la majorité des hommes occupant actuellement des hautes fonc- tions, dans les affaires ou au gouvernement, se sont formé une opinion à une époque où les idées impériales et coloniales étaient dominantes[55].

Il avait cependant tort en ce qui concerne l'opinion de la majorité. Lorsque les troupes allemandes entrèrent en Pologne le 1er septembre 1939, l'immense majorité des Canadiens oublia aussitôt tout sentiment isolationniste. Le Par- lement fut convoqué et déclara officiellement la guerre à l'Allemagne – une déclaration distincte, que le roi George VI annonça consciencieusement le 10 septembre, une semaine après celle de l'Angleterre[56]. Ce vote du Parlement indique que le pays s'engageait dans cette guerre de façon relativement unie. Le chef de la Fédération coopérative du Commonwealth (CCF), J. S. Woodsworth, d'orientation plutôt pacifiste, avait fait objection, mais il fut

---

54. R. A. MACKAY et E. B. ROGERS, *Canada Looks Abroad*, Toronto, Oxford University Press, 1938, p. 164-165.
55. Cité dans Norman HILLMER, « The Anglo-Canadian Neurosis : The Case of O. D. Skelton », dans Peter LYON (dir.), *Britain and Canada : Survey of a Changing Relation- ship*, Londres, Frank Cass, 1976, p. 77-78.
56. Le Canada devait aussi déclarer la guerre au Japon de façon tout à fait distincte de l'Angleterre. En fait, en raison d'un curieux jeu de circonstances et de date, le Canada fut le premier État occidental à entrer légalement en guerre avec le Japon, avant même les États-Unis et l'Angleterre, C. P. Stacey, *op. cit.* (1981), p. 322.

le seul dans son parti. Seuls trois nationalistes québécois exprimèrent leur dissidence : la promesse du gouvernement, le 9 septembre, de ne pas recourir à la conscription avait certainement contribué à étouffer les dernières réticences des parlementaires québécois. Les Québécois manifestèrent peu d'enthousiasme pour la guerre (encore qu'ils se soient enrôlés en plus grand nombre qu'en 1914-1918), et si la décision d'envoyer 16 000 conscrits en Europe en automne 1944 souleva bien des passions, elle ne devait pas donner lieu à des affrontements violents, comme en 1918. Il faut cependant noter que la guerre suscitait aussi un enthousiasme mitigé au Canada anglais. Les souvenirs du conflit précédent étaient encore trop présents pour voir renaître le zèle chauvin de 1914.

Les engagements contractés par le Canada entre 1945 et 1949, et la poursuite d'une politique internationaliste durant toute la Guerre froide, semblent indiquer que la Deuxième Guerre mondiale a entraîné la fin de l'isolationnisme. Mais, comme l'illustrent les soubresauts de l'impérialisme jusque dans les années 1950, les idées agonisent parfois longtemps avant de disparaître. Au cours des années 1990, l'absence de point de repère clair, l'incertitude provoquée par la fin de la Guerre froide, ainsi que la lutte à finir contre le déficit des finances publiques semblaient avoir créé un climat propice à la réapparition des idées isolationnistes. Le fait que le Canada pouvait à nouveau être considéré comme une « maison à l'épreuve du feu », la réduction des effectifs des Forces canadiennes et la diminution des missions internationales, ainsi que l'adoption, par les États-Unis, d'une attitude parfois teintée d'unilatéralisme, ont amené plusieurs auteurs à évoquer un possible retour de cette politique au Canada[57]. Le spectre était d'autant plus difficile à conjurer que personne ne semblait professer ouvertement une telle approche. Ce sont

---

57. Michel FORTMANN, « L'atlantisme et le repli identitaire nord-américain. Faut-il craindre une vague isolationniste aux États-Unis et au Canada ? », *Les premières conférences stratégiques annuelles de l'IRIS*, Paris, La documentation française, 1996, p. 87-96 ; Joseph T. JOCKEL et Joel J. SOKOLSKY, « Dandurand Revisited : Rethinking Canada's Defence Policy in an Unstable World », *International Journal*, vol. 48, n° 2, printemps 1993, p. 380-401 ; Jean-François RIOUX et Robin HAY, « Canadian Foreign Policy : From Internationalism to Isolationism », *International Journal*, vol. 54, n° 1, hiver 1998-1999, p. 57-75 ; Douglas Alan ROSS, « Canada and the World at Risk : Depression, War, and Isolationism for the 21st Century ? », *International Journal*, vol. 52, n° 1, hiver 1996-1997, p. 1-24.

plutôt les propositions d'engagements sélectifs ou de nouvelles diminutions du budget du ministère de la Défense nationale[58], ainsi que l'attitude de l'opinion publique[59], qui ont engendré de telles craintes.

En réalité, les choses n'étaient pas aussi claires qu'on pouvait le croire. En 1996, la population canadienne, encore choquée par le génocide de 1994 au Rwanda, n'aurait pas toléré que le gouvernement canadien reste les bras croisés alors que s'accumulaient les signes avant-coureurs d'une reprise de la violence dans cette région. De même, l'appui de l'opinion publique à la participation du Canada aux opérations de l'OTAN au Kosovo au printemps 1999 indique que la population n'est pas isolationniste, surtout lorsqu'elle doit faire face à des événements aussi bouleversants que ceux qui se sont déroulés en Afrique des Grands Lacs ou dans les Balkans.

L'INTERNATIONALISME

L'internationalisme est, sous bien des aspects, l'antithèse de l'isolationnisme. Ce dernier, qui s'apparente à une attitude de repli sur soi pour éviter à un pays d'être aspiré dans des conflits outre-mer, préconise le rejet de tout engagement formel visant à maintenir l'ordre international. Il se traduit donc par une forme d'hostilité ou de méfiance face aux institutions internationales. L'internationalisme, à l'inverse, est un corpus doctrinal qui suppose une attitude active face aux conflits internationaux et un engagement déterminé dans les organisations chargées de maintenir la paix.

Le cataclysme provoqué par la Deuxième Guerre mondiale, moins d'une génération après la guerre qui devait être « la dernière des dernières », a transformé les perceptions des Canadiens sur la nature des liens que leur État doit entretenir avec le reste du monde. Entre 1939 et 1945, plus de 42 000 Canadiens sont morts au combat. Mais l'effet de ce nouveau choc sur les dirigeants et

---

58. Par exemple, *Canada 21. Le Canada et la sécurité commune au XXIe siècle*, Toronto, Centre for International Studies - University of Toronto, 1994.
59. Pierre MARTIN et Michel FORTMANN, « Canadian Public Opinion and Peacekeeping in a Turbulent World », *International Journal*, vol. 50, n° 2, printemps 1995, p. 370-400 ; J. S. FINAN et S. B. FLEMMING, « Public Attitudes Toward Defence and Security in Canada », dans David B. DEWITT et David LEYTON-BROWN (dir.), *Canada's International Security Policy*, Scarborough, Prentice-Hall, 1995, p. 295.

la population fut aux antipodes de celui qu'avait entraîné la Première Guerre mondiale. Loin de faire naître une attitude de repli, la guerre devait pousser les Canadiens à s'engager activement sur la scène internationale.

Les idées internationalistes s'appuient à la fois sur un calcul stratégique et un engagement moral. D'une part, elles reposent sur le postulat selon lequel la paix est indivisible, au sens où le sort individuel des États et celui de l'ensemble du système international sont étroitement liés. Le déclenchement d'une guerre dans une contrée lointaine peut dégénérer en un conflit mondial. L'éloignement géographique ou l'isolement politique ne sont plus suffisants pour rester à l'abri des conséquences des conflits ou des rivalités entre les grandes puissances. Les progrès de la technologie et l'interdépendance économique croissante des sociétés ont rendu illusoires, sinon dangereuses, les velléités de repli sur soi. Bref, la notion de « maison à l'épreuve du feu » est périmée. D'autre part, les dirigeants canadiens de l'époque étaient sincèrement préoccupés par le problème de la guerre et de la paix. Les horreurs et les destructions engendrées par la Deuxième Guerre mondiale, ainsi que les atrocités perpétrées au nom d'idéologies totalitaires, ont ancré chez plusieurs d'entre eux des préoccupations éthiques touchant à l'application, sur le plan international, de principes comme la justice, la démocratie ou la liberté. L'internationalisme découle donc de cette volonté de contribuer à l'édification d'un monde plus pacifique et plus juste.

L'émergence de l'internationalisme est étroitement liée à la formulation du concept de « puissance moyenne » vu au chapitre 2, dont il reprend la logique. En fait, cette approche correspond au programme politique d'un État qui a des intérêts internationaux importants, mais non la capacité de les promouvoir avec ses seules ressources.

L'internationalisme est caractérisé par cinq éléments. Premièrement, il met l'accent sur la notion de *responsabilité* ; chaque État ayant intérêt à éviter la guerre se doit de jouer un rôle constructif dans la gestion des conflits qui surgissent inévitablement dans le système international. Deuxièmement, le *multilatéralisme* lui est essentiel afin que soient désamorcés des conflits qui pourraient dégénérer en un affrontement armé. Les États doivent être prêts à renoncer aux avantages de l'unilatéralisme au profit de l'établissement et du maintien d'un ordre international. Troisièmement, la participation aux *institutions internationales* est un principe cardinal, puisqu'elles favorisent

les rapports multilatéraux et découragent les actions unilatérales. Quatriè-
mement, cet appui aux institutions doit se concrétiser par des *engagements
formels* permettant l'utilisation des ressources de chaque État au profit du
système international dans son ensemble – ce qui constitue un héritage direct
du fonctionnalisme évoqué au chapitre 2. Enfin, cinquièmement, la stabilité du système mondial passe aussi par le *renforcement* et le *respect du droit
international*[60].

L'internationalisme est parfois qualifié de libéral pour deux raisons. Tout
d'abord, cette approche a été initialement formulée et mise en œuvre par
des gouvernements libéraux (en particulier celui de Louis Saint-Laurent).
Ensuite, l'internationalisme s'inspire du libéralisme politique. Non seulement est-il fondé sur des valeurs libérales (telles que la paix, la liberté, la justice et la démocratie), mais les moyens pour en faire la promotion sont aussi
inspirés de cette philosophie politique : primauté du droit, renforcement des
institutions comme mécanisme de gouvernance et de gestion des conflits,
promotion du développement et des échanges économiques. Comme il s'agit
de valeurs importantes aux yeux de la majorité des Canadiens, les politiques
associées à l'internationalisme font plus facilement consensus.

L'internationalisme et l'isolationnisme remplissent aussi une fonction commune, soit la promotion, tant sur le plan national qu'international, de l'identité canadienne. D'une part, comme les valeurs libérales sur lesquelles se
fondent les idées internationalistes reflètent une vision idéaliste des relations
internationales, elles permettent au Canada de se distinguer des grandes
puissances qui préfèrent une approche plus « réaliste ». Les Canadiens peuvent ainsi prétendre mener une politique distincte de celle des États-Unis et
assumer des rôles que ceux-ci ne peuvent ou ne veulent pas jouer, comme
celui de médiateur ou de champion du maintien de la paix. D'autre part, la
logique multilatéraliste et institutionnaliste devait permettre au Canada
d'éviter un dialogue en tête-à-tête avec les États-Unis, et ainsi d'échapper à

---

60. L'internationalisme est souvent défini comme une forme d'activisme international,
avec ou sans référence à la notion de responsabilité. Voir Eugene R. WITTKOPF,
Charles W. KEGLEY Jr. et James M. SCOTT, *American Foreign Policy : Pattern and
Process*, 6ᵉ édition, Belmont (CA), Thomson Wadsworth, 2003, p. 256-257 ; David B.
DEWITT et John J. KIRTON, *Canada as a Principal Power*, Toronto, John Wiley & Sons,
1983, p. 48-57.

leur trop grande influence. Cette idée de contrepoids a largement motivé le désir des Canadiens de participer aux organisations internationales[61]. En ce sens, l'internationalisme peut être perçu comme une expression de l'identité canadienne[62].

Il convient enfin de noter que cette approche est liée à une autre orientation fondamentale adoptée par le gouvernement canadien, soit son appartenance au camp occidental. De ce point de vue, l'internationalisme pratiqué par les Canadiens se distingue de celui d'un État neutre, comme la Suède. Cette approche a été adoptée dans le contexte des rivalités entre les superpuissances, rivalités qui ont émergé avant même la fin de la Deuxième Guerre mondiale. L'alignement de la politique de sécurité du Canada sur celle des États-Unis et des États d'Europe de l'Ouest, ainsi que l'engagement des Canadiens dans les institutions multilatérales du camp occidental, sont donc autant de manifestations de l'internationalisme.

Selon Donald Creighton, la guerre a suscité une « révolution diplomatique » au Canada[63]. L'expansion rapide des effectifs du gouvernement engendrée par la guerre a permis à plusieurs nouvelles figures, parmi lesquelles de nombreux jeunes récemment diplômés, d'y diffuser des idées nouvelles. C'est ainsi qu'un certain nombre d'« anticonformistes » firent leur entrée au sein du ministère des Affaires extérieures et dans le Cabinet de Mackenzie King, dont les plus connus étaient Louis Saint-Laurent (nommé ministre des Affaires extérieures en 1946, il devait par la suite devenir chef du Parti libéral en 1948) et Lester B. Pearson (nommé sous-secrétaire d'État aux Affaires extérieures en 1946, il en devint le ministre en 1948). D'autres diplomates, comme Dana Wilgress, Norman Robertson, Hume Wrong et Escott Reid, ont con-

61. Sur le concept de contrepoids, voir David G. HAGLUND et Stéphane ROUSSEL, « Escott Reid, the North Atlantic Treaty, and Canadian Strategic Culture », dans Greg DONAGHY et Stéphane ROUSSEL (dir.), *Escott Reid, Diplomat & Scholar*, Montréal/Kingston, McGill-Queen's University Press, p. 44-66.
62. Stéphane ROUSSEL et Chantal ROBICHAUD, « L'État post-moderne par excellence ? Internationalisme et promotion de l'identité internationale du Canada », *Études internationales*, vol. 35, n° 1, mars 2004, p. 149-170.
63. D'après le titre du chapitre 7 de son ouvrage *The Forked Road : Canada 1939-1957*, Toronto, McClelland & Stewart, 1976. Selon John W. Holmes, « le mot "révolution" [...] est peut-être exagéré. Il s'agissait plus d'un changement de volonté que de politique ». John W. HOLMES, *The Shaping of Peace : Canada and the Search for World Order 1943-1957*, tome 1, Toronto, University of Toronto Press, 1979, p. 4.

tribué, parfois de façon significative, à la reformulation de la politique étrangère canadienne[64].

Saint-Laurent, Pearson et Reid étaient des internationalistes déclarés. Pearson avait fait son service à Londres et à Genève, à la fin des années 1930, d'où il avait suivi « avec impatience » les politiques prudentes de King pendant l'entre-deux-guerres[65]. En novembre 1938, Pearson remettait en question ses propres convictions isolationnistes. Dans une lettre adressée aux Affaires extérieures, il s'interrogeait :

> Est-ce qu'une isolation totale face aux événements qui se déroulent en Europe (si la chose était possible) nous mettrait à l'abri des conséquences d'une défaite britannique ? Et, même si cela se pouvait, pourrions-nous rester là à ne rien faire, à simplement contempler le triomphe du nazisme ? Quand je suis tenté d'être cynique et isolationniste, il me suffit de penser à Hitler en train de vociférer dans un micro, aux femmes et aux enfants juifs qui gisent dans des fossés, à la frontière de la Pologne[66].

Dès le début de 1942, Pearson plaidait publiquement en faveur de l'abandon de l'isolationnisme :

> En 1919, nous ne souhaitions que revenir en arrière. Nous savons maintenant où cela a mené. Nous devons maintenant garder nos yeux fixés sur ce qu'il y a en avant. [...] Cette fois-ci, nous devons, pour construire et faire régner la paix, maintenir l'esprit et la forme de la coopération internationale que nous sommes en train de forger dans les flammes de la guerre[67].

Les préceptes internationalistes de Pearson – responsabilité, multilatéralisme, engagement et institutions internationales – découlaient de « ses préoccupations concernant la résolution pacifique des conflits[68] ».

---

64. Sur les principaux hauts fonctionnaires en poste à cette époque, voir J. L. GRANATSTEIN *The Ottawa Men. The Civil Service Mandarins, 1935-1957*, Toronto, Oxford University Press, 1982.

65. Lester B. PEARSON, « Forty Years On : Reflections on Our Foreign Policy », *International Journal*, vol. 22, été 1967, p. 357.

66. John ENGLISH, *Shadow of Heaven : The Life of Lester Pearson. Vol. I 1897-1948*, Toronto, Lester & Orpen Dennys, 1989, p. 201-202.

67. Lester B. PEARSON, *Words and Occasions*, Toronto, University of Toronto Press, 1970, p. 55.

68. Denis STAIRS, « Present in Moderation : Lester Pearson and the Craft of Diplomacy », *International Journal*, vol. 29, n° 1, hiver 1973-1974, p. 145.

Louis Saint-Laurent en était tout aussi convaincu. En octobre 1945, lors des débats sur la Charte des Nations Unies, il déclara : « [L]e Canada est prêt à assumer tous les risques que comporte l'adhésion à cette organisation ; parce que l'autre risque, celui de ne pas avoir d'organisation internationale, serait d'une telle conséquence que l'on n'ose même pas l'envisager[69]. » Quatre mois après que King lui eut confié le portefeuille des Affaires extérieures, Saint-Laurent fit un discours qui, aujourd'hui encore, est considéré comme l'expression la plus achevée de l'internationalisme canadien d'après-guerre. Dans le cadre de la conférence Gray, tenue à l'Université de Toronto en janvier 1947, il exposa les cinq principes sur lesquels devrait être fondée la politique étrangère du Canada : le maintien de l'unité nationale, la liberté politique, le respect de la règle du droit dans les relations internationales, l'observation des valeurs de la civilisation chrétienne, et l'acceptation de la responsabilité internationale[70].

Les transformations de la politique canadienne au cours des cinq années suivant la guerre n'étaient pas moins significatives que les changements d'attitude. L'internationalisme a donné lieu, en pratique, à des initiatives qui auraient été impensables une génération plus tôt : un soutien sans réserve, en 1945, à la création d'une nouvelle organisation destinée à maintenir la paix mondiale ; la poursuite, en temps de paix, de la coopération établie avec les États-Unis pendant la guerre en matière de sécurité (rendue formelle par une déclaration conjointe en 1947) ; la participation à la guerre de Corée (1950) ; un appui pour l'idée d'un Commonwealth multiracial après l'indépendance de l'Inde, du Pakistan et du Ceylan (maintenant le Sri Lanka) après 1947 ; et un soutien enthousiaste à la création, en 1949, d'une alliance qui devait, pour la première fois, entraîner le stationnement de troupes canadiennes à l'étranger en temps de paix[71].

Il est important de noter que l'internationalisme de l'après-guerre ne résultait pas de pressions de l'opinion publique. Si ce fut une révolution,

69. Dale C. THOMPSON, *Louis St-Laurent : Canadian*, Toronto, Macmillan, 1967, p. 176.
70. Louis SAINT-LAURENT, « The Foundation of Canadian Policy in World Affairs », Toronto (Gray Foundation Lectureship), 13 janvier 1947, *Statements and Speeches*, vol. 47, n° 2.
71. Sur ces différents événements, voir John W. HOLMES et Jean-René LAROCHE, « Le Canada et la Guerre froide », dans Paul PAINCHAUD (dir.), *op. cit.* (1977), p. 275-302 ; John HOLMES, *op. cit.* (1982).

elle fut déclenchée d'en haut, par les dirigeants eux-mêmes. Non seulement la vaste majorité d'entre eux ne s'y opposèrent pas, mais ils en étaient bien souvent à l'origine. Par exemple, Escott Reid, un haut fonctionnaire des Affaires extérieures, déploya un zèle impressionnant lors des différentes rencontres qui menèrent à la rédaction de la Charte des Nations Unies. Il fut aussi l'un des premiers à proposer la création d'une alliance des pays occidentaux (ce qui allait devenir, en 1949, l'Alliance atlantique) et il fut en grande partie, avec Pearson, à l'origine de l'Article II du traité de Washington, article qui prévoit le renforcement de la coopération non militaire entre les États membres. Les rares dirigeants qui s'accrochaient encore aux idées à saveur isolationniste, comme le premier ministre Mackenzie King, durent céder devant l'enthousiasme de la nouvelle génération[72]. Par ailleurs, Saint-Laurent et ses collègues multiplièrent les interventions publiques pour convaincre la population du bien-fondé de ces engagements internationaux.

Leurs efforts portèrent fruit. Les obligations contractées conformément aux principes de l'internationalisme devaient susciter peu d'opposition. Seuls cinq députés, tous du Québec, votèrent contre la Charte des Nations Unies en 1945. Il n'y eut que deux votes contre le Traité de l'Atlantique Nord – encore une fois, provenant du Québec, où le souvenir de la crise de la conscription de 1942-1944 nourrissait encore la méfiance face aux engagements militaires internationaux. En 1950, la participation canadienne à la guerre de Corée ne suscita pas de division comparable à celle survenue 10 ans plus tôt. Les journaux anglophones appuyaient totalement la participation du Canada ; on reprochait même au gouvernement de ne pas en faire assez. Au départ, la presse francophone ne se prononça pas sur le sujet, déchirée qu'elle était par ce que Denis Stairs a appelé les contraintes hybrides exercées par « un conflit entre la préférence traditionnelle pour l'isolationnisme et l'hostilité au communisme[73] ». Lorsque Saint-Laurent annonça au mois d'août l'intention

72. J. L. GRANATSTEIN, *op. cit.* (1982). Voir aussi Escott REID, *Time of Fear and Hope : The Making of North Atlantic Treaty 1947-1949*, Toronto, McClelland and Stewart, 1977, Greg DONAGHY et Stéphane ROUSSEL (dir.).

73. Denis STAIRS, *The Diplomacy of Constraint : Canada, the Korean War and the United States*, Toronto, University of Toronto Press, 1974, p. 58.

du gouvernement d'envoyer un contingent en Corée, seuls *Le Devoir* et le *Montréal Matin* se déclarèrent opposés à la participation canadienne[74].

L'internationalisme, écrivait John Holmes, « était pratiquement une religion, dans les dix premières années suivant la Deuxième Guerre mondiale[75] ». Et ce dogme devait maintenir son emprise très longtemps. Le Canada participera à la plupart des missions de maintien de la paix organisées par les Nations Unies au cours de la Guerre froide. Les dirigeants canadiens initieront plusieurs tentatives pour résoudre des conflits.

La ferveur de cette première décennie s'atténuera cependant, au fur et à mesure que diminuera le nombre d'occasions pour le Canada de mettre en pratique la diplomatie de « puissance moyenne ». Le monde des années 1960 n'était plus celui du début des années 1950. Le processus de décolonisation avait fait naître de nouveaux foyers de tensions, compliquant la tâche des Nations Unies. Celles-ci devaient d'ailleurs accumuler les échecs, que ce soit au Congo, au Viêt-nam ou au Proche-Orient. L'Europe se relevait du désastre de la guerre, entraînant ainsi une redéfinition des rapports à l'intérieur de l'Alliance atlantique : acteur central lors de la création de l'OTAN, le Canada devenait un allié marginal, dépourvu de toute influence. L'avènement de la Chine, en tant que puissance autonome, menaçait de transformer l'équilibre mondial. Avec la Détente, les tensions entre les États-Unis et l'Union soviétique s'amenuisaient, limitant ainsi les occasions pour les dirigeants canadiens de se poser en médiateurs. Si la « ferveur internationaliste » devait se mesurer à l'aune des activités de maintien de la paix et de médiation, on aurait pu croire, à la fin des années 1960, que les Canadiens étaient sur le point de « défroquer[76] » !

Le coup de grâce sembla venir de Pierre Trudeau, qui s'élevait contre l'orthodoxie internationaliste. « Vient le temps du renouveau », pouvait-on lire dans le document d'orientation publié par son gouvernement en

---

74. Sur l'attitude de la presse et de la population québécoise face aux engagements militaires internationaux, voir James Ian Gow, « Les Québécois, la guerre et la paix, 1945-1960 », *Revue canadienne de science politique*, vol. 3, n° 1, mars 1970, p. 88-122.

75. John HOLMES, *op. cit.* (1982), p. 119 .

76. André P. DONNEUR, « La politique étrangère de Pearson à Trudeau : entre l'internationalisme et le réalisme », dans Yves BÉLANGER et Dorval BRUNELLE (dir.), *L'ère des libéraux. Le pouvoir fédéral de 1963 à 1984*, Montréal, PUQ, 1988, p. 37-53.

1970[77]. Ce document remettait en question bien des applications traditionnelles de l'internationalisme, et notamment la pertinence des forces de paix onusiennes, le rôle du Canada dans les affaires internationales, et même son adhésion à l'OTAN. Cependant, les institutions créées entre 1945 et 1950, en particulier les Nations Unies et l'Alliance atlantique, devaient rester au cœur de la politique étrangère canadienne. De même, les politiques internationalistes, comme la participation aux missions de maintien de la paix, l'aide au développement, les initiatives pour le respect des droits de la personne et les efforts en matière de contrôle des armements, demeuraient populaires[78]. Et malgré toutes ses critiques à l'endroit de l'internationalisme à la fin des années 1960, Trudeau n'en a jamais complètement abandonné les principes de base et a fait son ultime tournée internationale, en 1983 et 1984, dans le cadre d'une « initiative de paix » que son prédécesseur n'aurait pas reniée. L'appui du public aux institutions multilatérales n'a pas fléchi pendant plus d'une génération, de l'« internationalisme pearsonien » des années 1950 jusqu'à l'« internationalisme constructif » (appelé aussi « nouvel internationalisme ») du gouvernement Mulroney, à la fin des années 1980[79].

Le Nouveau Parti démocratique (NPD) et le Parti québécois (PQ) ont tenté, eux aussi, de désavouer la politique internationaliste d'après-guerre, et ont adopté, à la fin des années 1960, une politique de neutralité, chaque parti inscrivant le retrait de l'OTAN et de NORAD à son programme politique. Le fait que de telles propositions n'aient jamais rallié la majorité de la population est la preuve de la persistance et la dominance de l'idée internationaliste. De fait, le NPD ne réussit jamais à surmonter les obstacles soulevés par la promotion d'une neutralité que 85 % des Canadiens rejetaient. L'aile parle-

77. GOUVERNEMENT DU CANADA, SECRÉTAIRE D'ÉTAT AUX AFFAIRES EXTÉRIEURES, *Politique étrangère au service des Canadiens*, Ottawa, Infomation Canada, 1970, p. 8.
78. Sur les droits de la personne, voir Robert O. MATTHEWS et Cranford PRATT (dir.), *Human Rights in Canadian Foreign Policy*, Montréal/Kingston, McGill-Queen's University Press, 1988 ; sur le contrôle des armements, voir Albert LEGAULT et Michel FORTMANN, *Une diplomatie de l'espoir. Le Canada et le désarmement 1945-1988*, Québec, PUL/CQRI, 1989.
79. PARLEMENT DU CANADA, *Indépendance et internationalisme. Rapport du Comité mixte spécial sur les relations extérieures du Canada*, Ottawa, 1986, p. 149-152. Voir aussi Joe CLARK, « Canada's New Internationalism », dans John W. HOLMES et John KIRTON (dir.), *Canada and the New Internationalism*, Toronto, CIIA, 1988.

mentaire a proposé d'adoucir cet article du programme du Parti (en particulier à la veille des élections de 1988, au moment où le NPD semblait avoir le vent dans les voiles), mais elle s'est toujours heurtée au refus de la base militante[80]. Le PQ a mieux réussi la réorientation. Entre 1977 et 1979, les dirigeants ont entrepris un long et prudent virage pour convaincre les militants de renoncer aux positions neutralistes qui figuraient dans le programme du PQ depuis 1969[81]. En fait, le projet de politique étrangère pour un Québec indépendant était ironiquement très « pearsonien » : alignement militaire sur l'Ouest, incluant la participation à l'OTAN et au NORAD ; adhésion aux Nations Unies, à la francophonie, et même au Commonwealth ; et activisme diplomatique.

Ainsi, en dépit de toutes ces « morts annoncées », les principes associés à l'internationalisme ont continué de s'imposer aux dirigeants, parfois bien malgré eux. Si l'expression a presque disparu du vocabulaire des gouvernements Chrétien, Martin et Harper, les principes de base (responsabilité, multilatéralisme, engagement et institutions internationales) teintent toujours la politique étrangère canadienne. Certains cherchent dans les années marquant l'apogée de l'internationalisme (la période 1945-1957, appelée parfois « l'âge d'or de la politique étrangère canadienne ») une inspiration pour guider les relations internationales du Canada[82], un peu comme si, pour reprendre le titre d'un ouvrage dirigé par John Holmes, « il n'y avait pas d'autre voie[83] ».

RÉGIONALISME ET SÉCURITÉ HUMAINE : LES IDÉES EN MOUVANCE DE L'APRÈS-GUERRE FROIDE

Lorsque des bouleversements politiques nationaux ou internationaux majeurs se produisent, il est normal de s'attendre à ce qu'une idée dominante soit

80. Kim Richard NOSSAL, « Tous pour un, un pour tous ! », *Paix et sécurité*, vol. 4, n° 1, p. 4-5.
81. Stéphane ROUSSEL (avec la coll. de Chantal ROBICHAUD), « L'élargissement virtuel : un Québec souverain face à l'OTAN (1968-1995) », *Les cahiers d'histoire*, vol. 20, n° 2, hiver 2001, p. 147-193.
82. Andrew COHEN, *While Canada Slept. How We Lost our Place in the World*, Toronto, McClelland & Stewart, 2003.
83. John W. HOLMES (dir.), *No Other Way. Canada and International Security Institutions*, Toronto, University of Toronto Press, 1986.

remplacée par une autre, mieux adaptée à ce nouvel environnement. Ainsi, c'est en raison du traumatisme causé par la Première Guerre mondiale que l'isolationnisme est apparu et c'est à la faveur des transformations engendrées par l'autre guerre mondiale qu'est né l'internationalisme.

En 1991, la fin de la Guerre froide semblait commander une réévaluation de fond des grandes orientations de la politique étrangère canadienne et l'émergence d'une nouvelle idée dominante. L'internationalisme et le concept de puissance moyenne, formulés dans le contexte d'un monde bipolaire qui disparaissait, ne semblaient plus constituer des guides aussi sûrs. Pourtant, ce n'est pas ce qui s'est produit. De la fin de la Guerre froide jusqu'aux attentats du 11 septembre (et même au-delà), la politique étrangère canadienne semble avoir cherché ses grandes orientations.

Sous certains aspects, l'internationalisme était encore bien présent dans la politique canadienne d'après-Guerre froide. Par exemple, Brian Mulroney salua avec enthousiasme ce qui s'annonçait être une nouvelle ère de relations russo-américaines, marquée par la coopération des superpuissances lors de la guerre du Golfe de 1990-1991 et appuya de façon inconditionnelle les initiatives plus musclées des États-Unis dans les années subséquentes. En fait, bon nombre des initiatives diplomatiques des conservateurs s'inséraient nettement dans la tradition d'une diplomatie internationaliste de moyenne puissance, notamment en matière de gestion des conflits régionaux et de contrôle des armements[84]. Sur le plan conceptuel, la notion de « sécurité coopérative », énoncée par Joe Clark en septembre 1990[85], apparaît comme une tentative d'adaptation des principes fondamentaux de l'internationalisme

---

84. Andrew F. COOPER, Richard HIGGOTT et Kim Richard NOSSAL, *Relocating Middle Powers: Australia and Canada in a Changing World Order*, Vancouver, University of British Columbia Press, 1993 ; Michel FORTMANN et Manon TESSIER, « Le maintien de la paix et les conservateurs : une nouvelle approche ? », *Études internationales*, vol. 31, n° 2, juin 2000, p. 311-327.

85. AFFAIRES EXTÉRIEURES ET COMMERCE EXTÉRIEUR CANADA, « Notes pour une allocution du secrétaire d'État aux Affaires extérieures, le très honorable Joe Clark, à la quarante-cinquième session de l'Assemblée générale des Nations Unies », *Déclaration*, vol. 90, n° 55, 26 septembre 1990 ; Kim Richard NOSSAL, « Seeing Things ? The Adornment of "Security" in Canada and Australia », *Australian Journal of International Affairs*, vol. 49, n° 1, mai 1995, p. 33-47.

(responsabilité et multilatéralisme) au nouvel environnement mondial[86]. Et nous avons vu, au chapitre 2, que la politique étrangère du gouvernement Chrétien présentait aussi des traits qui s'apparentaient à la diplomatie de puissance moyenne. Le Canada a continué à participer à toute une variété d'institutions internationales et a contribué aux forces de l'ONU et de l'OTAN en Bosnie, puis au Kosovo et au Timor oriental.

Mais les politiques de ces gouvernements présentaient aussi des éléments de rupture par rapport aux fondements de l'internationalisme. Le gouvernement Mulroney a ainsi rapatrié les Forces canadiennes cantonnées en Allemagne depuis 1951 dans le cadre de l'OTAN[87] et a rappelé, en septembre 1993, les Casques bleus stationnés à Chypre, mettant ainsi fin à une longue participation à la force des Nations Unies à Chypre (UNFICYP). Le gouvernement Chrétien a maintenu la contribution du Canada aux forces de maintien de la paix, mais sans manifester l'enthousiasme de ses prédécesseurs. Il se montra plutôt prudent et méfiant lorsque les alliés de l'OTAN décidèrent de recourir aux frappes aériennes en Bosnie en 1994. Et même si le Canada a participé aux forces de maintien de la paix de l'OTAN en Bosnie (l'IFOR, puis la SFOR) pour mettre en œuvre les accords de Dayton de novembre 1995, cela n'a pas été sans se faire prier ; en fin de compte, il n'y affecta qu'un millier de soldats (plutôt que les 4 000 envisagés au départ)[88].

Bien souvent, il est difficile d'associer de façon catégorique une politique ou un gouvernement à une idée dominante. De 1991 à 2001, cet exercice l'était encore plus. Premièrement, il n'y a pas eu, en 1991, de cataclysme comparable à ceux de 1914 ou 1939. La Guerre froide prit fin presque sans heurt, avec l'ouverture du mur de Berlin (novembre 1989), la chute des régimes

86. Myriam GERVAIS et Stéphane ROUSSEL, « De la sécurité de l'État à celle de l'individu : l'évolution du concept de sécurité au Canada (1990-1996) », *Études internationales*, vol. 29, n° 1, mars 1998, p. 38-39.

87. Kim Richard NOSSAL, « Un pays européen ? L'histoire de l'atlantisme au Canada », dans *La politique étrangère canadienne dans un ordre international en mutation. Une volonté de se démarquer ?*, Québec, CQRI, 1992, p. 131-160 ; Stéphane ROUSSEL, « Amère Amérique... L'OTAN et l'intérêt national du Canada », *Revue canadienne de défense*, vol. 22, n° 4, février 1993, p. 35-42.

88. André P. DONNEUR et Stéphane ROUSSEL, « Le Canada : quand l'expertise et la crédibilité ne suffisent plus », dans Alex MACLEOD et Stéphane ROUSSEL (dir.), *Intérêt national et responsabilités internationales : six États face au conflit en ex-Yougoslavie (1991-1995)*, Montréal, Guérin, 1996, p. 143-160.

prosoviétiques d'Europe de l'Est, puis la dissolution de l'URSS (décembre 1991). Ces événements n'ont pas provoqué, contrairement à ce que l'on pourrait croire, de transformations radicales ou de prise de conscience dans la société canadienne d'une quelconque urgence de réviser les fondements des relations avec l'étranger. Deuxièmement, les données fondamentales de l'environnement international et des menaces qu'il génère sont restées floues, du moins jusqu'en 2001. Comme l'affirmait le *Livre blanc sur la Défense de 1994*, c'est l'incertitude qui constituait la principale caractéristique des relations internationales de cette époque[89]. Enfin, troisièmement, la politique étrangère et la politique de défense ont en grande partie était subordonnées à la lutte contre le déficit des finances du gouvernement fédéral, ce qui limitait les ressources pouvant être investies dans les engagements internationaux.

Pourtant, au cours de cette période d'incertitude, deux idées se sont profilées dans le paysage intellectuel de la politique étrangère canadienne et semblaient de bonnes candidates au titre « d'idées dominantes » de l'après-Guerre froide : le régionalisme et la sécurité humaine. Elles méritent quelques mots, puisqu'elles reviennent périodiquement dans le discours sur la politique étrangère.

Le *régionalisme* est apparu dans le vocabulaire des observateurs de la politique étrangère canadienne au milieu des années 1980[90]. Cette idée est fondée sur le postulat de la primauté de la région comme niveau d'analyse de la politique étrangère, par opposition à une perspective *mondiale* ou *globale*. Chaque région du globe présente des spécificités, que ce soit sur le plan politique (les liens particuliers qui unissent les États qui s'y trouvent, la dynamique des conflits, les rapports de force), institutionnel (les organisations de sécurité et les ententes économiques conclues à l'échelle de la région) ou culturel et historique. Ces particularités sont considérées comme suffisamment marquées pour supplanter les caractéristiques de chacun des États ou communautés qui composent la région, ce qui permet de considérer celle-ci comme un tout. Il faut donc tenir compte de ces particularités, tant dans le processus de formulation et de mise en œuvre de la politique étrangère

---

89. MINISTÈRE DE LA DÉFENSE NATIONALE, *Le livre blanc sur la Défense de 1994*, Ottawa, Ministère des Approvisionnements et Services Canada, 1994, p. 3.
90. Voir, par exemple, Guy GOSSELIN (dir.), *La politique étrangère du Canada : approches bilatérales et régionale*, Québec, CQRI, 1984.

que dans l'étude de cette politique. Le régionalisme se distingue ainsi des approches bilatérales et globales.

La popularité du régionalisme (tant comme guide pour la pratique de la politique étrangère que comme méthode d'analyse) est intimement liée au développement des institutions qui chapeautent les processus d'intégration régionale, en particulier en Europe. À la fin des années 1950 et au début des années 1960, les progrès dans l'intégration européenne ont attiré l'attention sur les spécificités de cette région. De même, ce sont des progrès similaires non seulement en Europe (avec les traités de Maastricht, d'Amsterdam ou de Nice), mais aussi en de la zone Asie-Pacifique (l'institutionnalisation du Forum de coopération économique Asie-Pacifique, l'APEC, au cours des années 1990) et, bien entendu, en Amérique (la signature des deux traités de libre-échange en 1988 et 1993) qui ont relancé l'intérêt pour le régionalisme. Au tournant des années 1990, on pouvait avoir l'impression que le monde se réorganisait autour de trois ou quatre grands blocs économiques régionaux[91].

Il ne fait aucun doute que, depuis 1985, la population et le gouvernement canadiens ont été affectés par cette mouvance, mais pour se heurter immédiatement à un problème de taille. Le Canada, pour reprendre les mots de Herman Kahn, « est une puissance régionale sans région[92] ». Si les Canadiens doivent cibler une région, laquelle choisir ? Traditionnellement, le Canada a entretenu des relations étroites avec son voisin du sud et avec l'Europe. On peut interpréter le projet de création d'une « communauté nord-atlantique » défendu par Saint-Laurent, Pearson et Reid en 1947-1949 comme une forme de régionalisme européen, tout comme la signature de l'Accord de libre-échange canado-américain sous Mulroney peut être considérée comme l'expression

---

91. Pour des exemples de cette vague d'études régionales, voir Louise FAWCETT et Andrew HURRELL (dir.), *Regionalism in World Politics. Regional Organization and International Order*, Oxford, Oxford University Press, 1995 ; Frank PETITEVILLE, « Les processus d'intégration régionale, vecteurs de recomposition du système international ? », *Études internationales*, vol. 28, n° 3, septembre 1997, p. 511-533 ; Jean-François THIBAULT, « Le nouveau régionalisme : Un défi pour la théorie des relations internationales », *Continentalisation*, Cahier de recherche n° 95-5, Montréal, UQAM, septembre 1995 ; pour un point de vue plus sceptique, Kenneth WALTZ, « The Emerging Structure of International Politics », *International Security*, vol. 18, n° 2, automne 1993, p. 44-79.

92. Cité dans Peter C. DOBBELL, *Canada's Search for New Roles. Foreign Policy in the Trudeau Era*, Toronto, Oxford University Press, 1972, p. 4.

d'un régionalisme nord-américain. Mais le nouveau régionalisme est, implicitement, une remise en question de ces axes traditionnels, comme si ceux-ci n'avaient plus rien de nouveau à offrir et que le développement des relations politiques et, surtout, commerciales du Canada devait passer par la découverte de nouveaux horizons. Plus encore, l'établissement de rapports avec les régions autres que l'Amérique du Nord est souvent perçu comme une façon de diversifier les relations du Canada, et donc d'échapper à un partenariat trop étroit avec les États-Unis. C'est une forme de lassitude vis-à-vis de l'Europe et des États-Unis qui serait à l'origine de ce que David Haglund a appelé le « *jamboree* géopolitique », la pléthore de propositions pour identifier et mettre en valeur ces nouveaux eldorados[93]. Si l'Afrique, l'Europe orientale ou la zone circumpolaire ont épisodiquement attiré l'attention, c'est surtout vers l'Amérique latine et l'Asie que se sont tournés les regards.

Pour reprendre les mots de Michael Hart, le Canada devait se découvrir, à partir du milieu des années 1980, une vocation en tant que nation des Amériques : « Au fil des ans, les Canadiens se faisaient un devoir de [...] chercher à être une nation européenne, une nation du littoral atlantique, une nation du Pacifique, et même une nation arctique – tout, sauf ce que nous sommes, une nation des Amériques[94]. »

Ce regain d'attention pour les Amériques s'est manifesté dans un certain nombre de domaines. Il était surtout associé au postulat selon lequel l'appartenance à un bloc commercial régional ne peut être que profitable à un État marchand comme le Canada. Ce postulat a fait naître un intérêt, au moins jusqu'en 2001, pour la création d'une zone de libre-échange appliqué dans les deux hémisphères[95]. Sur le plan politique, ce phénomène s'est traduit par l'adhésion à l'Organisation des États américains (OEA) en 1989[96], ainsi que

93. David G. HAGLUND, *op. cit.* (2000), p. 52-75.
94. Michael HART, « Canada Discovers its Vocation as a Nation of the Americas », dans Fen Osler HAMPSON et Christopher J. MAULE (dir.), *Canada Among Nations 1990-91. After the Cold War*, Ottawa, Carleton University Press, 1991, p. 111.
95. Sur la dynamique d'intégration dans les Amériques et la place du Canada dans ce processus, voir les nombreux travaux de Christian DEBLOCK et Dorval BRUNELLE, notamment le numéro spécial de la revue *Études internationales* faisant le bilan de la réflexion sur « le projet des Amériques » (vol. 32, n° 4, décembre 2001).
96. Gordon MACE, « L'adhésion du Canada à l'OÉA : la primauté des facteurs externes », *Études internationales*, vol. 31, n° 2, juin 2000, p. 291-310.

par les initiatives touchant au respect des droits de la personne et au développement des institutions démocratiques[97].

L'Asie-Pacifique a fait l'objet d'un engouement semblable. Au début des années 1990, le gouvernement Mulroney a tenté de resserrer les liens politiques avec les États de la région, en particulier à travers les institutions multilatérales, l'Association des nations de l'Asie du Sud-Est (ANASE) et l'APEC. Comme on peut s'y attendre, l'intérêt premier est d'ordre commercial, puisqu'il s'agit de profiter de la manne que constitue ce marché apparemment en perpétuelle croissance. Mais il est plus étonnant de constater que les questions de sécurité retiennent aussi, à l'occasion, l'attention du gouvernement. Ainsi, en 1990, Joe Clark a créé, sur le modèle de la CSCE en Europe, le « Dialogue sur la sécurité coopérative dans le Pacifique du Nord », sans grand succès toutefois. Le gouvernement Chrétien a poursuivi les efforts des conservateurs, et a voulu souligner l'intérêt porté à cette région en décrétant que l'année 1997 était celle de l'Asie-Pacifique, marquée notamment par la tenue du Sommet de l'APEC à Vancouver.

Malgré des efforts soutenus, le bilan exact du régionalisme demeure mitigé. En dépit de quelques percées épisodiques, le commerce avec ces régions cibles n'a augmenté que de façon marginale, et s'est avéré très vulnérable à certains chocs financiers, comme la crise du peso (en 1994-1995) ou la crise asiatique (en 1998). Rien ne semble pouvoir freiner l'approfondissement des échanges avec les États-Unis, et ces initiatives économiques régionales pourraient bien aboutir au même résultat que les tentatives de diversification entreprises par le gouvernement Trudeau en 1972. De même, les propositions visant à renforcer les liens institutionnels n'ont jamais donné de résultats probants. Tout ceci crée donc parfois l'impression que les liens établis avec ces régions sont artificiels.

Par ailleurs, le régionalisme, à l'inverse de l'impérialisme ou de l'internationalisme, n'a jamais donné lieu à la formulation de principes clairs. Ses

---

97. Guy GOSSELIN, Gordon MACE et Louis BÉLANGER, « La sécurité coopérative régionale dans les Amériques : le cas des institutions démocratiques », dans Michel FORTMANN, S. Neil MACFARLANE et Stéphane ROUSSEL (dir.), *Tous pour un ou chacun pour soi. Promesses et limites de la coopération régionale en matière de sécurité*, Québec, IQHEI, 1996, p. 337-359.

postulats demeurent flous et changeants, si bien qu'il est quelquefois difficile de percevoir, dans toutes ces initiatives, l'expression d'une « idée dominante » bien circonscrite. Ceci d'autant plus que les tendances au régionalisme que manifeste la politique étrangère et de sécurité du Canada s'inscrivent souvent dans un cadre multilatéral plus large. Le Canada s'est peut-être découvert une vocation panaméricaine, mais les Canadiens et leur gouvernement continuent à maintenir toute une série de liens dans d'autres parties du globe et dans le réseau mondial des organisations internationales, qui dépassent le cadre des régions.

L'autre « candidat » au titre d'idée dominante d'après-Guerre froide est le concept de sécurité humaine. Cette notion apparaît pour la première fois dans le rapport du Comité mixte spécial chargé de l'examen de la politique étrangère du Canada, puis est reprise dans l'énoncé de politique de février 1995[98]. La sécurité humaine est le rejeton d'une série de concepts élaborés dans les dernières années de la Guerre froide : sécurité globale, sécurité commune et sécurité coopérative. Ceux-ci avaient en commun le fait de mettre l'accent sur une vaste gamme de menaces (non seulement militaires, mais aussi environnementales, sociopolitiques et économiques) dont la gestion nécessite une action concertée de la part des gouvernements et, parfois, des acteurs non gouvernementaux.

> Selon la définition donnée par un document du ministère des Affaires étrangères, la sécurité humaine signifie la protection des individus contre les menaces, qu'elles s'accompagnent ou non de violence. Il s'agit d'une situation ou d'un état se caractérisant par l'absence d'atteinte aux droits fondamentaux des personnes, à leur sécurité, voire à leur vie[99].

La principale rupture par rapport aux concepts qui ont précédé la sécurité humaine tient au fait qu'il ne s'agit plus seulement d'assurer la sécurité de l'État mais aussi celle de l'individu et de la société civile. Depuis le XVIIᵉ siècle, donc depuis l'apparition de l'État moderne, la sécurité des citoyens était assimilée à

---

98. PARLEMENT DU CANADA, *La politique étrangère du Canada : principes et priorités pour l'avenir*, Ottawa, Services des publications, Direction des publications parlementaires, 1994, p. 11 ; GOUVERNEMENT DU CANADA, *Le Canada dans le monde. Énoncé du gouvernement*, Ottawa, Gouvernement du Canada, 1995, p. 29.
99. MINISTÈRE DES AFFAIRES ÉTRANGÈRES ET COMMERCE INTERNATIONAL, *La sécurité humaine : la sécurité des individus dans un monde en mutation*, Ottawa, avril 1999, p. 5.

celle de l'État. Mais la plupart des menaces qui préoccupent les gouvernements et la population depuis la fin de la Guerre froide (problèmes environnementaux, criminalité transfrontalière, immigration illégale, terrorisme, violations massives des droits de la personne) visent plus directement la population que l'appareil gouvernemental.

La sécurité humaine ne fait, en grande partie, que donner un sens nouveau à des activités que menait déjà, souvent depuis longtemps, le gouvernement canadien : prévention des conflits, maintien de la paix, aide humanitaire, reconstruction des infrastructures économiques et sociales, aide au processus de démocratisation ou encore protection des droits de la personne. Au mieux, il élargit quelque peu le spectre et l'ampleur de ces activités, comme la lutte contre les mines antipersonnel et les armes légères. La sécurité humaine constitue aussi une remise en question de la domination de l'État, au sens où la formulation et la mise en œuvre de politiques de sécurité humaine laissent nécessairement beaucoup de place aux acteurs non étatiques, comme les ONG. Le processus d'Ottawa sur les mines antipersonnel en est un bon exemple.

Mais l'État n'est pas exclu du cercle des acteurs visés par cette politique. D'une part, les menaces que tentent de circonscrire la sécurité humaine peuvent, si elles franchissent un certain niveau, mener à la déstabilisation d'un État, voire d'une région entière. D'autre part, l'une des principales sources de certaines de ces menaces est souvent l'État lui-même : « Lorsqu'un État est agressif à l'étranger, répressif à l'intérieur, ou trop faible pour gouverner efficacement, il menace la sécurité de la population[100]. » En d'autres termes, la mise en œuvre de ce concept exige des actions contre certains gouvernements (par exemple, contre celui de Belgrade, qui menaçait la sécurité des citoyens albanais du Kosovo) ou dans des zones où il y a absence d'autorité gouvernementale. Poussée à son extrême, cette logique signifie la négation d'un ordre international basé sur la souveraineté des États (une conséquence que le discours officiel sur la sécurité humaine cherche à minimiser, tant ses implications sont importantes[101]).

---

100. MINISTÈRE DES AFFAIRES ÉTRANGÈRES..., *op. cit.* (1999), p. 6.
101. Paul HEINBECKER, « La sécurité humaine : enjeux inéluctables », *Revue militaire canadienne*, vol. 1, n° 1, printemps 2000, p. 11-16.

La sécurité humaine est certainement une tentative louable pour ajuster la politique du Canada aux nouvelles réalités d'après-Guerre froide. Pour reprendre le langage de certains théoriciens des relations internationales, elle pourrait constituer un premier exemple de politique « postmoderne » ou « postwestphalienne », c'est-à-dire de mesures adaptées à un environnement international qui n'est plus fondé sur la souveraineté des États. Elle vise à répondre à des préoccupations bien réelles de la population, elle est conforme aux valeurs fondamentales de la société civile et elle s'appuie sur la crédibilité et l'expertise que le gouvernement a acquis dans plusieurs domaines (défense des droits de la personne, maintien de la paix, contrôle des armements, aide au développement) au cours des décennies précédentes.

Mais cela en fait-il pour autant la base d'une nouvelle idée dominante en politique étrangère ? Il est encore trop tôt pour dire s'il ne s'agit que d'une mode qui ne survivra pas à son principal promoteur, le ministre Lloyd Axworthy (qui a démissionné à l'automne 2000), ou si les principes qui s'y rattachent marqueront, de façon durable, la politique étrangère et de sécurité du Canada. Dans son énoncé de politique internationale publié en avril 2005, le gouvernement Martin fait de la promotion de la sécurité humaine l'une de ses priorités pour l'édification d'un « monde plus sûr[102] ». De même, plusieurs chercheurs continuent de faire référence au concept[103].

Le gouvernement Harper semble ambivalent face à ce concept, hésitant visiblement à s'en débarrasser, mais peu soucieux d'en faire une promotion aussi active que ses prédécesseurs. Si la notion de sécurité humaine est là pour rester, bien des problèmes et des contradictions subsistent encore, comme l'ont signalé les nombreuses critiques qui ont accueilli la formulation de ce

---

102. GOUVERNEMENT DU CANADA, *Fierté et influence : notre rôle dans le monde* (*Énoncé de politique internationale du Canada*), Ottawa, 19 avril 2005. Voir en particulier le fascicule sur la diplomatie, p. 14-15

103. Par exemple, Prosper BERNARD Jr., « Canada and Human Security : From the Axworthy Doctrine to Middle Power Internationalism », *The American Review of Canada Studies*, vol. 36, n° 2, été 2006, p. 233-261 ; Jutta BRUNNEE et Stephen TOOPE, « Canada and the Use of Force : Reclaiming Human Security », *International Journal*, vol. 59, n° 2, printemps 2004, p. 247-260 ; Kyle GRAYSON, « Promoting Responsibility and Accountability : Human Security and Canadian Corporate Conduct », *International Journal*, vol. 61, n° 2, printemps 2006, p. 479-494.

concept et de son corollaire, le *soft power*[104]. Plus encore, comme son nom l'indique, cette notion n'est d'aucun secours pour guider la politique dans l'autre champ de préoccupation principale de la population canadienne, soit l'économie.

LE CONTINENTALISME COMME IDÉE DOMINANTE ?

Le rival le plus sérieux de l'internationalisme est sans doute le continenta-lisme. Les deux ensembles d'idées ne sont peut-être pas aussi différents que l'étaient l'isolationnisme et l'internationalisme, mais il n'en demeure pas moins qu'ils reposent sur des visions du monde bien distinctes et que l'ordre des priorités politiques qui en découle est très différent.

On peut hésiter à ranger le continentalisme parmi les « idées dominantes » en politique étrangère canadienne, en grande partie parce qu'il a d'abord constitué une orientation pour la politique commerciale. L'origine du con-tinentalisme se trouve en effet dans les projets d'intégration économique entre le Canada et les États-Unis. La version contemporaine apparaît dans les années 1980, lorsqu'un nombre croissant d'auteurs commencent à remet-tre en question les postulats qui ont, jusque-là, guidé la politique étrangère canadienne, notamment le recours aux institutions multilatérales et l'adop-tion, surtout sous le gouvernement Trudeau, de mesures protectionnistes destinées à « canadianiser » l'économie[105]. La principale conclusion de cette

---

104. Voir, par exemple, Fen HAMPSON et Dean OLIVER, « Pulpit Diplomacy : A Critical Assessment of the Axworthy Doctrine », *International Journal*, vol. 53, n° 3, été 1998, p. 379-406 ; Kim Richard NOSSAL, « Pinchpenny Diplomacy. The Decline of "Good International Citizenship" in Canadian Foreign Policy », *International Journal*, vol. 54, n° 1, hiver 1998-1999, p. 28-47 ; Dean OLIVER, « Human Security and Canadian Foreign Policy », dans David RUDD, Jim HANSON et Jessica BLITT (dir.), *Advance or Retreat ? Canadian Defence in the 21st Century*, Toronto, CISS, 2000, p. 5-14. Le concept de *soft power* vient de Joseph NYE, *Bound to lead : The Changing Nature of American Power*, New York, Basic Books, 1990.

105. Sur l'évolution des idées continentalistes avant 1985, voir Richard ARTEAU, « Libre-échange et continentalisme : récapitulations », dans Christian DEBLOCK et Richard ARTEAU (dir.), *La politique économique canadienne à l'épreuve du continentalisme*, Montréal, GRETSE-ACFAS, 1988, p. 169-195 ; Louis BALTHAZAR, « Les relations canado-américaines : nationalisme et continentalisme », *Études internationales*, vol. 14, n° 1, mars 1983, p. 23-37 ; Michael K. HAWES, *Principal Power, Middle Power, or*

réflexion est que, face à l'intégration croissante des économies canadienne et américaine, il valait mieux tenter de gérer ce phénomène en adoptant une politique de libre-échange (et donc de maximiser les bénéfices) et en créant des institutions chargées de veiller à son fonctionnement, plutôt que de résister sans obtenir d'autres résultats que de froisser le partenaire américain. Ces idées sont directement à l'origine des accords de libre-échange bilatéral et trilatéral nord-américain signés par le gouvernement Mulroney en 1988 et 1992.

Par extension, le terme peut avoir une application beaucoup plus large. Ainsi, il peut servir à désigner l'ensemble des politiques visant à encourager et à gérer l'intégration avec les États-Unis. Il peut donc s'appliquer à un domaine comme la défense, où le processus d'intégration a débuté en 1940. Mais il correspond aussi à toute une conception de la politique étrangère, aux ramifications très vastes et très différentes de celles de l'internationalisme.

Cette conception repose tout d'abord sur le constat selon lequel la relation extérieure la plus importante pour le Canada est, de loin, celle qu'il entretient avec les États-Unis. Ceci est vrai sur le plan commercial, puisque ces derniers sont le point de chute d'une proportion déjà énorme (environ 87 %) et toujours grandissante des exportations canadiennes. Mais c'est également vrai dans tous les autres domaines d'activité du gouvernement canadien. Il importe donc de conserver de bonnes relations avec ce voisin. Toutefois, le continentalisme va plus loin, en fondant son évaluation des rapports canado-américains sur les autres types de liens qui unissent les deux sociétés, notamment leur proximité culturelle, idéologique et linguistique. Ces liens peuvent servir à expliquer non seulement l'absence de guerre entre les deux États depuis près de 200 ans, mais aussi la stabilité de leur relation et le fait que les querelles de personnalité ou les différends dans des secteurs bien précis ne dégénèrent pas en affrontements ouverts.

Il n'est pas étonnant que les intervenants que l'on peut associer le plus étroitement à ce courant soient issus du monde des affaires, dont la prospérité dépend largement de l'accès, pour les produits canadiens, au vaste marché

---

1. *Satellite ?*, Toronto, York Research Programme in Strategic Studies, 1984, p. 27-32 ; Panayotis SOLDATOS, « La revanche d'une logique régionale continentaliste : le libre-échange canado-américain », dans P. SOLDATOS et André P. DONNEUR, *Le Canada entre les États-Unis et le monde*, Captus Press, 1989, p. 115-143.

américain. Les plus ardents défenseurs des projets d'intégration se retrouvent donc parmi les économistes et les représentants des chambres de commerce. Mais depuis 1985, les idées continentalistes sont aussi largement répandues dans la classe politique gravitant autour du Parti conservateur. Ce fut (en partie du moins) le cas du gouvernement de Brian Mulroney, du Parti de la réforme, ainsi que du gouvernement de Steven Harper.

Le continentalisme ne doit pas être confondu avec le régionalisme, même si le projet d'intégration au centre de cette approche est de nature régionale. En fait, la plupart des idées que l'on peut associer au régionalisme sont précisément des tentatives pour trouver une alternative à une trop grande intégration canado-américaine.

Les continentalistes estiment généralement qu'un partenariat étroit avec les États-Unis est non seulement profitable, mais aussi bénin, au sens où il ne constitue pas une menace à la souveraineté et à l'identité canadiennes. Cette vision va donc à l'encontre des conceptions plus nationalistes de la politique étrangère, comme l'internationalisme. Cette attitude dénote probablement une grande confiance dans la capacité des entreprises canadiennes à faire face à la concurrence américaine, ainsi que dans l'affirmation de l'identité canadienne. En ce sens, les idées continentalistes peuvent être associées à l'image du Canada comme « puissance majeure » (exposée au chapitre 2), selon laquelle le Canada est suffisamment fort pour résister à l'influence des États-Unis et défendre ses propres intérêts. Il s'agit cependant là d'une des faiblesses du discours continentaliste, car ses défenseurs, trop souvent obnubilés par des priorités d'ordre commercial, parviennent rarement à rassurer ceux qui, parmi leurs interlocuteurs, craignent de voir l'identité canadienne emportée au profit des États-Unis.

Les craintes concernant l'identité canadienne sont aussi renforcées par les politiques que dicte l'impératif de conserver de bonnes relations avec les États-Unis qui est au cœur de cette vision. Bien souvent, cet impératif semble conduire à une attitude qui ressemble à une « super loyauté » à l'égard des États-Unis dans des domaines autres que ceux relevant de l'économie. Ainsi, le désir de ménager les susceptibilités de Washington peut conduire les tenants du continentalisme à accepter d'importantes concessions dans le domaine de la sécurité ou de la défense, et à appuyer des initiatives américaines mal perçues par la majorité de la population canadienne.

Si la signature des deux traités de libre-échange a marqué le premier triomphe des idées continentalistes contemporaines, les attentats survenus à New York et Washington en 2001 ont certainement contribué à les renforcer, en particulier à travers ce qu'il est convenu d'appeler « l'effet 12 septembre ». En effet, l'une des premières conséquences de ces attaques aura été un brusque renforcement de la sécurité aux frontières, ce qui s'est traduit par la formation d'un immense goulot d'étranglement dans le commerce entre les deux pays. Le gouvernement libéral de Jean Chrétien, déjà engagé dans un processus de réforme de la frontière avec les États-Unis depuis 1995, a réagi rapidement, en concluant deux ententes majeures avec Washington dès décembre 2001, soit l'Entente de coopération sur la sécurité des frontières et le contrôle de la migration régionale et le Plan d'action pour la création d'une frontière intelligente Canada–États-Unis. Pour plusieurs cependant, ces mesures sont insuffisantes. L'une des leçons que tirent les continentalistes est qu'il faut que le processus d'intégration franchisse une nouvelle étape, de manière à réduire les risques que l'effet « 12 septembre » se répète[106].

C'est ainsi que vont naître ce que l'on appelle les « grandes idées » (*big ideas*) et le concept de périmètre de sécurité. Les grandes idées sont des projets qui consistent à demander aux États-Unis d'approfondir l'intégration économique, que ce soit par la création d'une union douanière, d'un marché commun ou d'une union monétaire. En échange, le Canada accepterait de renforcer ses mesures de sécurité et, surtout, de les harmoniser avec celles en vigueur aux États-Unis. Ces grandes idées seront surtout le fait d'économistes[107]. Le périmètre de sécurité désigne plus particulièrement cette idée d'harmonisation des mesures en vigueur aux frontières. Il s'agit essentiellement d'adopter des standards et des procédures communes s'appliquant aux personnes et marchandises venant de l'extérieur de l'Amérique du Nord de manière à permettre une réduction des contrôles entre le Canada et les États-Unis. Si ce concept a

---

106. Stéphane ROUSSEL, « Pearl Harbor et le World Trade Center. Le Canada face aux États-Unis en période de crise », *Études internationales*, vol. 33, n° 4, décembre 2002, p. 667-695.

107. Voir le numéro thématique de la revue *Option politique* d'avril 2003 (vol. 24, n° 4) et en particulier l'article de Daniel SCHWANEN, « Let's Not Cut Corners : Unbundling the Canada-US Relationship », p. 12-19. Voir aussi Wendy DOBSON, « Shaping the Future of the North American Economic Space. A Framework for Action », *C.D. Howe Institute Commentary*, n° 162, avril 2002.

d'abord été formulé par des fonctionnaires canadiens, il est devenu, en 2001-2002, un élément clef du discours des deux ambassadeurs qui ont représenté les États-Unis au cours de cette période. Par contre, le gouvernement de Jean Chrétien a rapidement pris ses distances face à cette notion de périmètre de sécurité, au point de bannir complètement le terme du vocabulaire officiel[108]. De plus, les promoteurs des deux concepts se sont, bien entendu, attiré les foudres des auteurs plus méfiants face au processus d'intégration avec les États-Unis, que ce soit sur le plan économique ou celui de la sécurité[109].

Le débat entourant les propositions de nature continentaliste soulève en fait une question délicate, de nature existentielle, dans la mesure où elle touche à l'identité du Canada. Il s'agit de la question de l'antiaméricanisme, qui revient épisodiquement en politique étrangère canadienne. Cette attitude est, en fait, un attribut fondamental d'un autre système de pensée incontournable en politique étrangère : le nationalisme. Celui-ci implique l'existence d'un rapport d'altérité face aux autres sociétés (ce qui fait la distinction entre « eux » et « nous »), rapport qui se transforme parfois en méfiance ou en hostilité. Les Canadiens n'en ont pas été exempts, même si on l'attribue plus facilement aux Québécois[110]. Bien qu'il soit de mise pour les nationalistes

---

108. Stéphane ROUSSEL, *op. cit.* (2002). Voir aussi Stéphane ROUSSEL, « Sécurité, souveraineté ou prospérité ? Le Canada et le périmètre de sécurité nord-américain », *Options politiques*, vol. 23, n° 3, avril 2002, p. 19-26 ; Stéphane ROUSSEL, « The Blueprint of Fortress North America », dans David RUDD et Nicholas FURNEAUX (dir.), *Fortress North America ? What "Continental Security" Means for Canada* », Toronto, CISS, 2002, p. 12-19.

109. Par exemple, Stephen CLARKSON, *Locked in the Continental Ranks : Redrawing the American Perimeter after September 11th*, Ottawa, Centre canadien de politiques alternatives, février 2002 ; Daniel DRACHE, *L'illusion continentale. Sécurité et nord-américanité*, Montréal, Athéna Éditions, 2007 ; Jennifer WELSH, *At Home in the World : Canada's Global Vision for the 21st Century*, Toronto, Harper Collins, 2004.

110. Certains font des distinctions entre le nationalisme civique, le nationalisme ethnique et l'ultranationalisme. Les Canadiens et les Québécois se rangent probablement dans la première catégorie, même si certains aiment bien classer les souverainistes québécois dans la seconde (voir, par exemple, l'argumentaire de l'historien américain James M. McPHERSON, *Is Blood Thicker than Water ?*, Toronto, Vintage Canada, 1998). Quant à l'ultranationalisme, qui a une connotation très négative, on le réserve aux extrémistes, tels que le Russe Vladimir Jerynovsky ou le Serbe Slobodan Milosevic.

canadiens de se déclarer pro-Canadiens plutôt qu'anti-Américains[111], il n'en demeure pas moins que l'existence du Canada est la négation même du projet national américain amorcé dans les années 1770. Le Canada est le résultat d'un acte antiaméricaniste – celui de tous ceux qui ont refusé de rallier les autres Nord-Américains qui voulaient fonder une nouvelle république, séparée de l'Empire britannique. À la limite, on pourrait dire que la politique étrangère est un acte perpétuel d'antiaméricanisme, puisque son principal objectif est de préserver l'identité et de veiller aux intérêts d'une entité politique distincte sur le continent nord-américain.

* * *

L'impérialisme, l'isolationnisme, l'internationalisme et le continentalisme ont dominé le débat public sur la politique étrangère pendant presque tout le xxᵉ siècle. Ces systèmes de pensée agissent comme des contraintes sur les dirigeants, en fixant les paramètres de leurs décisions et en réduisant l'éventail des options possibles. Les dirigeants peuvent difficilement aller à l'encontre des idées solidement ancrées dans la société, sinon en prenant des risques considérables : le gouvernement Laurier n'aurait pu rester indifférent lors de la guerre des Boers, pas plus que, près d'un siècle plus tard, le gouvernement Chrétien n'aurait pu fermer les yeux devant la violence dont étaient victimes les Kosovars d'origine albanaise.

La transition d'une idée dominante à une autre ne se fait pas d'une façon nette et précise. Certaines idées dominantes présentent parfois des traits communs avec celles qui les ont précédées, même si les fondements en sont différents. Il faut nécessairement du recul pour identifier une idée dominante et les observateurs contemporains sont les plus mal placés pour se prononcer. Une idée en émergence constitue-t-elle un feu de paille ou marque-t-elle une rupture réelle avec le passé ? L'interprétation diamétralement opposée que deux des auteurs de cet ouvrage ont fait de la sécurité humaine illustre bien

---

111. Voir Kim Richard Nossal, « Le nationalisme économique et l'intégration continentale : hypothèses, arguments et causes », dans Denis Stairs et Gilbert R. Winham (dir.), *Les dimensions politiques des rapports économiques entre le Canada et les États-Unis* (Études, vol. 29), Ottawa, Commission royale sur l'union économique et les perspectives de développement du Canada, 1986 ; voir aussi J. L. Granatstein, *Yankee Go Home ? Canadian and Anti-Americanism*, Toronto, Harper Collins, 1996.

cette difficulté[112]. Celle-ci est d'autant plus réelle que deux systèmes de pensée peuvent bien coexister sans que les contradictions soient trop apparentes. Par exemple, le gouvernement Mulroney a mené une politique d'inspiration nettement continentaliste en signant un traité de libre-échange avec les États-Unis, mais ses relations avec le reste du monde semblaient bien plus marquées par le sceau de l'internationalisme – un terme qu'il a d'ailleurs repris à son compte. On retrouve la même ambivalence dans l'*Énoncé de politique internationale* publié par le gouvernement Martin en 2005.

En guise de conclusion, il y a lieu de faire deux observations quant à l'impact des idées dominantes sur les rapports entre les dirigeants et la société civile. Tout d'abord, les idées dominantes dans la société et celles qui prévalent au sein de l'appareil d'État ne coïncident pas nécessairement. Alors que l'isolationnisme du début des années 1920 est un bon exemple d'une telle coïncidence, il arrive que le gouvernement devance l'opinion publique, comme ce fut le cas pour l'autonomisme qui a prévalu pendant la Première Guerre mondiale et au début des années 1920. En d'autres temps, les dirigeants peuvent traîner de l'arrière ; Mackenzie King (contrairement à son ministre Saint-Laurent) était resté si marqué par la crise de la conscription qu'en mars 1948, au moment de s'engager dans les négociations qui devaient mener à la conclusion de l'Alliance atlantique, il était rongé par la crainte que cela ne mène à une nouvelle conscription. « J'en transpirais d'anxiété », devait-il admettre[113]. Ensuite, les représentants du gouvernement peuvent parfois se faire les promoteurs d'une nouvelle idée, et utilisent leur autorité pour asseoir la légitimité de certains concepts au détriment des autres. Ce qui fut le cas pour l'autonomisme de Borden et de King, l'internationalisme de

---

112. Pour Kim Richard Nossal, la sécurité humaine (comme les autres concepts de sécurité qui l'ont précédé) n'est qu'une forme d'enjolivement du concept de sécurité traditionnel, donc un changement purement cosmétique. À l'inverse, Stéphane Roussel et Myriam Gervais y perçoivent une rupture conceptuelle très nette avec le passé. Voir Kim Richard Nossal, (1995) ; Kim Richard Nossal, « Foreign Policy for Wimps », *Ottawa Citizen*, 23 avril 1998, p. A19 ; Myriam Gervais et Stéphane Roussel, *op. cit.* Le concept est analysé sous plusieurs angles dans Roland Paris, « Human Security : Paradigm Shift of Hot Air ? », *International Security*, vol. 26, n° 2, automne 2001, p. 87-102.

113. Cité dans James Eayrs, *In Defence of Canada*, tome 4 : *Growing Up Allied*, Toronto, University of Toronto Press, 1980, p. 38 .

Saint-Laurent et de Pearson, ou encore la sécurité humaine de Lloyd Axworthy. Mais leur succès dépend largement de la réceptivité de la population. Pour être bien reçue, une idée nouvelle doit, à tout le moins, être en harmonie avec les valeurs fondamentales, l'expérience récente et les préoccupations de la société. Ceci explique peut-être la difficulté du continentalisme à faire consensus et à s'imposer comme idée dominante : cette vision du monde se heurte au besoin qu'éprouvent les Canadiens de renforcer leur identité nationale et de se distinguer des États-Unis – alors que le continentalisme semble précisément faire l'inverse. De même, cette harmonie avec les valeurs dominantes dans la société pourrait bien expliquer la longévité de l'internationalisme qui, encore aujourd'hui et peut-être par défaut, constitue le système de pensée dominant en politique étrangère canadienne.

DEUXIÈME PARTIE

LES ACTEURS ET LE PROCESSUS

La première partie de cet ouvrage a été consacrée à l'examen des contraintes, internes et externes, qui pèsent sur les dirigeants et structurent leurs décisions en politique étrangère. On ne doit pas en conclure pour autant que les individus qui dirigent l'appareil d'État ne disposent d'aucune marge de manœuvre. Au contraire, malgré les contraintes que leur impose l'environnement, ils bénéficient, grâce aux pouvoirs que leur confèrent leurs fonctions, d'une capacité d'orienter la politique étrangère.

La deuxième partie sera consacrée à ceux qui occupent ces fonctions. Il s'agit essentiellement des membres du Cabinet, incluant le premier ministre, le ministre des Affaires étrangères, celui de la Défense et les autres ministres concernés, les fonctionnaires, le Parlement et les gouvernements provinciaux. Cet examen permettra non seulement d'étudier les fondements des pouvoirs associés à ces fonctions, mais aussi d'examiner une autre sorte de contrainte : celle qu'exercent les institutions politiques. Nous pourrons ainsi constater que, en raison de la distribution des responsabilités et des pouvoirs, chacun de ces acteurs peut exercer une contrainte ou une influence sur les autres.

De 1912 à 1946, la *Loi sur le ministère des Affaires extérieures* stipulait que « le membre du Conseil privé occupant la fonction reconnue de premier ministre est le secrétaire d'État pour les Affaires extérieures[1] ». Le premier ministre avait donc, de fait, un contrôle direct sur la politique étrangère. Cependant, malgré la dissociation des deux fonctions en 1946, le poste de premier ministre confère toujours à son détenteur un rôle central en ce domaine, en particulier grâce au pouvoir de nommer les ministres, les hauts fonctionnaires et les représentants à l'étranger. Le lecteur pourra mesurer l'importance de ce personnage en examinant la façon dont six premiers ministres

---

1. Cité dans John HILLIKER, *Le ministère des Affaires extérieures du Canada* (vol. 1 : *Les années de formation, 1909-1946*), Québec, Presses de l'Université Laval/Institut d'administration publique du Canada, 1990, p. 66 ; voir aussi le vol. 2 : *L'essor, 1946-1968*, p. 5.

ont mené la politique étrangère, soit Robert L. Borden, William L. Mackenzie King, Pierre Elliott Trudeau, Brian Mulroney, Jean Chrétien et Paul Martin.

Le premier ministre tire aussi son influence d'un phénomène qui ne cesse de prendre de l'ampleur depuis la Seconde Guerre mondiale, soit les conférences au sommet. Ce type de diplomatie s'est développé rapidement depuis les années 1960, une époque où les chefs de gouvernement n'avaient que des rencontres épisodiques avec leurs vis-à-vis étrangers. En fait, les seuls sommets auxquels ils assistaient régulièrement étaient ceux du Commonwealth. Près de cinquante ans plus tard, la liste s'est considérablement allongée et comprend notamment les sommets du G7/G8, de la Francophonie et de l'APEC, en plus d'autres réunions multilatérales et bilatérales ponctuelles, en particulier avec le président des États-Unis. Cette forme de diplomatie fait l'objet du chapitre 6.

Le chapitre 7 est consacré aux ministres dont les fonctions touchent à l'élaboration de la politique étrangère et de défense, dont les plus importants sont évidemment le secrétaire d'État aux Affaires étrangères et le ministère de la Défense. Mais, au fil des gouvernements, d'autres portefeuilles ont été créés, au gré des priorités. Parmi les étapes les plus importantes de l'évolution de la distribution des tâches au sein du Cabinet, il convient de s'arrêter sur la création d'un ministère distinct pour le Commerce international et pour la Coopération internationale, et sur la nomination de secrétaires d'État responsables des relations avec des régions spécifiques.

C'est en 1909 que fut créé le ministère des Affaires extérieures et donc, tout naturellement, qu'est apparue une bureaucratie chargée de mettre en œuvre les décisions du gouvernement en ce domaine. Le nombre de fonctionnaires affectés à ce ministère a grossi au fur et à mesure que le dominion se libérait de la tutelle du gouvernement impérial de Londres et que le gouvernement élargissait l'étendue et la portée de ses activités internationales. Le chapitre 8 expose l'évolution de ce qui, en 1993, est devenu le ministère des Affaires étrangères et du Commerce international, ainsi que du ministère de la Défense nationale. Il est aussi consacré à l'influence de la bureaucratie sur l'élaboration de la politique étrangère et de sécurité.

Le Parlement constitue un autre acteur politique qui, théoriquement, devrait avoir une influence toute-puissante sur l'élaboration des politiques. Pourtant, les députés (y compris ceux qui, bien que du parti au pouvoir, n'ont pas la chance d'être ministres) ont rarement un impact significatif sur le processus politique. Le rôle du Sénat et de la Chambre des communes est décrit au chapitre 9, comme l'est celui des comités permanents créés par les deux chambres. Ce chapitre examine également le système des partis politiques et leur impact sur la politique étrangère.

5

LE PREMIER MINISTRE ET LA POLITIQUE ÉTRANGÈRE

Qui prend les décisions en matière de politique étrangère au Canada ? Pour répondre simplement à cette question, on dira que la conduite de la politique étrangère est la prérogative de la Couronne. Toutefois, ce principe a des origines et des ramifications complexes, qui tiennent, d'une part, à la nature du système international contemporain et, d'autre part, à l'évolution des institutions politiques canadiennes.

Que la conduite des affaires étrangères du Canada incombe à la Couronne est une des conséquences du principe de souveraineté, autour duquel s'articulent aujourd'hui encore les relations entre États. L'idée – et l'exercice – de la souveraineté signifient qu'il n'y a qu'une seule autorité politique suprême pour chacune des communautés qui composent le système international. Dans le système monarchique, qui constituait la principale forme d'organisation politique lorsque cette doctrine a vu le jour dans l'Europe des XVIIe et XVIIIe siècles, un seul individu était investi de l'autorité suprême : le souverain[1]. Par conséquent, c'était la Couronne qui conduisait les relations avec les autres entités souveraines, qui envoyait des ambassadeurs, négociait les traités et déclarait la guerre. Si, dès le XVIIe siècle, le pouvoir absolu du souverain commence à s'éroder au profit d'un gouvernement représentatif, la

---

1. Sur la notion de souveraineté, voir Gérard MAIRET, *Le principe de la souveraineté. Histoire et fondements du pouvoir moderne*, Paris, Gallimard, 1997.

Couronne a conservé ses prérogatives sur les affaires extérieures, en dépit des acquis des assemblées législatives. Le phénomène s'est d'abord manifesté en Angleterre, puis s'est répandu dans la plupart des pays d'Europe occidentale à la faveur des révolutions libérales.

Ces structures héritées du Royaume-Uni ont été reproduites au Canada pendant les 60 et quelques années de lente évolution vers le statut d'État indépendant (1867-1931). Le chef d'État du Canada – en l'occurrence, la reine ou le roi d'Angleterre, représenté au pays par le gouverneur général – est donc investi par la Constitution de l'autorité formelle pour prendre toutes les décisions qui déterminent les grandes orientations de la politique étrangère. Comme il le fait en Angleterre, le souverain se réserve le privilège de négocier et ratifier les traités avec les autres puissances étrangères, de mener les relations diplomatiques, et de déclarer la guerre. Ce privilège est cependant devenu purement symbolique et doit être interprété en regard de l'évolution du système parlementaire canadien. En Angleterre et au Canada, le pouvoir décisionnel, en politique étrangère comme dans les autres domaines, n'est plus exercé par le souverain.

Les symboles continuent de teinter tout le protocole de la politique étrangère. Le Cabinet détermine les objectifs à atteindre et les moyens d'y parvenir, mais les décisions sont prises au nom de la Couronne. De même, les diplomates canadiens sont envoyés à l'étranger à titre de représentants de Sa Majesté Elizabeth II, Reine du Canada. Conformément aux règles diplomatiques, seuls les souverains nomment des ambassadeurs auprès des autres souverains, chaque diplomate devant présenter officiellement ses lettres de créance faisant foi de son statut. Ceci pose évidemment un problème dans le cas des relations entre gouvernements qui ont le souverain britannique pour chef d'État (comme l'Australie, l'Angleterre, le Canada, la Jamaïque ou la Nouvelle-Zélande). La Reine se retrouverait, en effet, dans la situation incongrue où elle devrait se présenter à elle-même les lettres de créance. C'est pourquoi ces États se font représenter dans les capitales des autres pays membres du Commonwealth par des hauts-commissaires (plutôt que des ambassadeurs), un titre qui date de l'époque où l'Empire britannique allait devenir le Commonwealth. Ces diplomates représentent le gouvernement, et non le souverain[2].

Mais aussi anachroniques que puissent paraître ces réminiscences du statut colonial du Canada, elles expliquent pourquoi l'élaboration de la politique étrangère relève essentiellement de l'exécutif, pourquoi le législatif et le judiciaire ne jouent qu'un rôle secondaire, et pourquoi toute étude sur la politique étrangère doit d'abord se concentrer sur le Cabinet, et en particulier sur le petit groupe des ministres directement concernés. Selon le cas, ce cercle restreint comprend le ministre des Affaires étrangères, celui des Finances, du Commerce international, de la Défense, de la Francophonie, de la Sécurité publique et parfois certains secrétaires d'État aux responsabilités spécifiques. Mais pour les questions importantes, le premier ministre a généralement le dernier mot.

LA PRÉÉMINENCE DU PREMIER MINISTRE

Selon la tradition parlementaire britannique, le premier ministre, en tant que membre d'un gouvernement collégial, n'est que le *primus inter pares*, le premier entre les égaux. Mais en fait, il occupe une position prépondérante dans le processus politique. La liberté d'action du premier ministre peut être restreinte par plusieurs facteurs, tels que la loi et les dispositions constitutionnelles, ainsi que certaines conventions (comme celles qui régissent la constitution du Cabinet), mais il n'en demeure pas moins que, à l'intérieur de ces paramètres, ses pouvoirs sont considérables[3]. C'est ce qui explique pourquoi les individus qui ont occupé ce poste pendant un certain temps ont marqué de leur empreinte la politique étrangère de leur époque.

Une telle influence découle en premier lieu des fonctions politiques qui reviennent au premier ministre. Il est le chef du gouvernement et son principal

---

2. Sur l'évolution des constitutions au sein du Commonwealth et sur les relations qu'entretiennent les États qui en sont membres, voir Jean-Claude REDONNET, *Le Commonwealth. Politiques, coopération et développement anglophones*, Paris, Presses universitaires de France, 1998, p. 74-81 et 128 ; Henri GRIMAL, *Histoire du Commonwealth britannique*, Paris, PUF (« Que sais-je ? » n° 334), 1971.

3. Pour un examen plus approfondi des fondements de la « suprématie du premier ministre », voir Donald J. SAVOIE, *Governing from the Centre*, Toronto, University of Toronto Press, 1999 ; André Bernard, *La vie politique au Québec et au Canada*, Montréal, Presses de l'Université du Québec, 1997, p. 409-414.

porte-parole, tant à l'intérieur qu'à l'extérieur du Parlement, il préside le Cabinet et le caucus parlementaire, et il est le chef de son parti. Il est aussi investi du pouvoir de nomination des ministres, des hauts fonctionnaires et des représentants diplomatiques – un pouvoir étudié dans la dernière partie de ce chapitre. Bref, c'est d'abord le caractère central de la fonction qui lui confère une telle autorité.

En second lieu, la concentration du pouvoir entre les mains du premier ministre a été renforcée par un phénomène associé à la durée des mandats, la plupart ayant été soit très brefs, soit très longs. Charles Tupper, Arthur Meighen, Joe Clark, John Turner et Kim Campbell ne sont restés en poste que quelques mois, tandis que John A. Macdonald, Wilfrid Laurier, W. L. Mackenzie King, Pierre Elliott Trudeau ont occupé cette fonction plus de 10 ans. Jean Chrétien a eu le temps de célébrer sa décennie à la tête du gouvernement canadien à la toute veille de son départ, tandis que Robert L. Borden, Louis Saint-Laurent et Brian Mulroney ont occupé le siège de premier ministre pendant neuf ans. Des mandats aussi longs ont eu un impact considérable sur les pouvoirs rattachés à cette fonction, leur titulaire ayant un solide contrôle sur le Cabinet, le caucus des députés, et le parti. Ce n'est donc pas un hasard si les politologues et les historiens utilisent souvent un découpage historique de la politique étrangère ou de la politique de défense qui correspond à la durée des mandats des premiers ministres[4].

Lorsqu'il entre en fonction, un nouveau premier ministre doit assumer tout un éventail de responsabilités qui le propulsent dans l'arène internationale. Il lui faut notamment assister aux rencontres au sommet et recevoir les dignitaires étrangers en visite au Canada, et ces tâches ne peuvent être déléguées à des subalternes – sinon au risque de causer un incident diplomatique. D'ailleurs, tous les premiers ministres savent fort bien que le fait d'être vu en compagnie d'autres chefs d'État (et surtout des dirigeants des grandes puissances) peut générer des retombées politiques positives. C'est pourquoi tous ceux qui ont occupé cette fonction plus que quelques mois ont

---

4. Voir, par exemple, Michel FORTMANN, « La politique de défense canadienne », dans Paul PAINCHAUD (dir.), *De Mackenzie King à Pierre Trudeau, quarante ans de diplomatie canadienne (1945-1985)*, Québec, Presses de l'Université Laval, 1988, p. 471-523 ; et John HILLIKER, *op. cit.*

été actifs sur la scène internationale, parfois avec des résultats mitigés, il faut l'admettre.

Pour mieux comprendre la nature de l'influence du premier ministre sur la politique étrangère, le passage de cinq parmi ceux qui ont occupé le plus longtemps la fonction sera étudié dans les pages qui suivent. À cette liste s'ajoute un survol du mandat, beaucoup plus bref, de Paul Martin, puisque celui-ci a été particulièrement actif en matière de politique étrangère.

Robert L. Borden (1911-1920)

Avant même qu'il ne soit élu premier ministre en 1911, Robert Borden avait déjà clairement laissé entendre qu'il pensait que les dominions comme le Canada devraient avoir voix au chapitre dans la politique de l'Empire.

> En supposant que le Canada décide de contribuer à la défense de l'Empire dans son ensemble, doit-il le faire sans que nous ayons voix dans les conseils impériaux touchant les décisions à prendre pour la paix ou la guerre dans les diverses parties de l'Empire ? Cela ne me paraît guère juste et je ne pense pas que le peuple canadien y consentirait volontiers[5].

Devenu premier ministre, Borden ne tarda pas à manifester son intérêt pour la politique étrangère, en supprimant le poste de secrétaire d'État aux Affaires extérieures et en assumant lui-même ces fonctions.

Ce n'est que quatre ans plus tard, lors de la Première Guerre mondiale, que Sir Robert Borden (qui avait été anobli en juin 1914) eut l'occasion de faire valoir ses convictions autonomistes. Des querelles successives, et notamment le fait que les Britanniques aient commandé du matériel de guerre aux États-Unis plutôt qu'au Canada, incitèrent Borden à adopter une ligne dure envers l'Angleterre. Lors d'un séjour à Londres destiné à obtenir plus d'information sur l'effort de guerre, il se plaignit d'être ballotté « à gauche et à droite » par les fonctionnaires. Exaspéré, il avertit Andrew Bonar Law, le secrétaire britannique aux Colonies, que si on ne lui donnait pas l'information « que je suis en droit de recevoir en tant que premier ministre du Canada, je

---

5. CHAMBRE DES COMMUNES, *Débats*, 3e session, 11e législature, 1910-1911, vol. 1, 24 novembre 1910, p. 237-238. Sur l'attitude de Borden avant 1911, voir John HILLIKER, *op. cit.*, p. 65-66.

ne conseillerai pas à mes compatriotes de faire plus d'efforts pour gagner la guerre[6] ». Le gouvernement britannique s'empressa alors de dépêcher David Lloyd George, le ministre britannique des Munitions, pour apaiser Borden.

Toutefois, le gouvernement britannique continua à prendre les décisions de façon unilatérale et à demander périodiquement aux dominions de fournir encore plus d'hommes pour combler les pertes alarmantes. De son côté, Borden réclamait avec insistance le droit de participer aux délibérations sur la conduite de la guerre, et il se fit répondre par Bonar Law, à la fin de 1915, qu'il n'existait aucune circonstance où « ceci pourrait être mis en pratique ». La réponse du premier ministre fut cinglante :

> On peut difficilement s'attendre à ce que nous envoyions de 400 000 à 500 000 hommes au combat, et que nous acceptions tout bonnement de n'avoir pas plus notre mot à dire ou pas plus de considération que si nous n'étions que de vulgaires automates. Quiconque s'y attendrait entretient de fâcheuses illusions, voire même dangereuses. Est-ce que cette guerre est menée par le Royaume-Uni uniquement, ou est-ce une guerre menée par l'Empire tout entier[7] ?

Ainsi, en 1918, les exigences du conflit avaient conduit Borden à adopter une attitude plus distante face à Londres et à réclamer une plus grande autonomie. En décembre, il écrivait dans son journal intime : « Je commence à penser qu'au bout du compte, et peut-être plus tôt qu'on le pense, le Canada devra assumer son autonomie complète[8]. » Borden s'est ainsi ouvertement opposé au gouvernement britannique lors de l'intervention des puissances occidentales en Sibérie, puis exigea que le Canada ait une représentation distincte à la Conférence de paix et à la Société des Nations.

L'attitude de Borden a profondément marqué l'évolution subséquente de la politique étrangère canadienne. Sa ténacité a pavé la voie à l'obtention, pour le Canada, du statut d'État indépendant. Mais toute médaille a son revers. Cette ténacité devint de l'entêtement lorsque, obnubilé par le désir d'obtenir

---

6. Cité dans Gaddis SMITH, « Canadian External Affairs During World War I », dans Hugh L. KEENLEYSIDE et al., *The Growth of Canadian Policies in External Affairs*, Durham, Duke University Press, 1960, p. 41.

7. Cité dans C. P. STACEY, *Canada and the Age of Conflict. A History of Canadian External Policies (vol. 1 : 1867-1921)*, Toronto, Macmillan Canada, 1977, p. 192.

8. Cité dans Gaddis SMITH, *op. cit.*, p. 57.

des compensations politiques pour les sacrifices consentis par les soldats canadiens, il ne sut pas reconnaître les périls que la participation toujours grandissante du pays à la guerre faisait courir à l'unité nationale. Ainsi, pour certains, l'autre grand héritage qu'a légué Borden en matière de politique étrangère est lié à la crise de la conscription, aux séquelles politiques qu'elle a laissées et aux conséquences qu'elle aura sur l'attitude du gouvernement au cours des décennies tumultueuses qui suivront. Le premier ministre avait pourtant été mis en garde : en mai 1917, un an avant que ne se produise l'émeute de Québec, il notait dans son journal que deux de ses députés québécois l'avaient prévenu que la conscription « les tuerait politiquement, lui et son parti, pour vingt-cinq ans[9] ». En fait, les conservateurs fédéraux ont été pratiquement rayés du paysage politique québécois pour une quarantaine d'années !

William Lyon Mackenzie King (1921-1926, 1926-1930 et 1935-1948)

W. L. Mackenzie King est le premier ministre qui a le plus longtemps détenu cette fonction, soit 7 828 jours ou près de 22 ans. Il mena, à titre de chef du Parti libéral, sept luttes électorales et n'en perdit qu'une seule, celle de 1930[10].

Son pragmatisme explique sans doute sa longévité. Bien conscient des maladresses de Borden, il a toujours pris soin d'éviter que les nombreux clivages sociolinguistiques ne provoquent des divisions susceptibles d'écarter son parti du pouvoir. Pour cette raison, King s'est montré extrêmement prudent en politique étrangère. Cette attitude se traduisit souvent par une profonde méfiance à l'égard des engagements militaires à l'étranger et le conduisit à tergiverser ou à s'opposer aux demandes en ce sens.

---

9. C. P. STACEY, *op. cit.* (1977), p. 218.
10. King gagna les élections de 1925 mais, à la tête d'un gouvernement minoritaire, il fut battu en Chambre en juin 1926. Le gouverneur général, Lord Byng, décida de demander au chef conservateur, Arthur Meighen, de former un gouvernement, qui fut à son tour renversé. King remporta haut la main les élections qui suivirent en septembre. Meighen avait occupé le poste de premier ministre pendant trois mois. C'est d'ailleurs la seconde fois que le chef conservateur devenait chef du gouvernement sans passer par une élection générale puisqu'en 1920, il avait simplement succédé à Robert Borden et avait dirigé le pays pendant 15 mois.

Dès son arrivée au pouvoir, il repousse toute tentative d'adhérer à une politique commune aux membres de l'Empire et reprend l'attitude autonomiste de Borden. L'unité impériale fut mise à rude épreuve lors de la crise de Tchanak (ou Chanak) en 1922. Le 15 septembre, le gouvernement impérial demanda aux dominions de fournir des troupes pour protéger la péninsule de Gallipoli de la « mainmise impitoyable » des nationalistes turcs. La réponse de King fut très laconique : il envoya un télégramme à Londres spécifiant que « l'opinion publique au Canada exigerait l'autorisation préalable du Parlement avant d'envoyer un contingent[11] ». Il ne revint pas sur sa décision, malgré les demandes répétées des Britanniques. La formulation d'une politique commune fut définitivement écartée lors de la conférence impériale d'octobre et novembre 1923, au cours de laquelle King affirma que chaque dominion devait lui-même conduire ses relations avec l'étranger. Les Britanniques ne s'y opposèrent pas, car, s'ils ne pouvaient plus décider d'une politique commune pour l'Empire dans son ensemble, ils préféraient encore « un système par lequel la Grande-Bretagne mènerait sa propre politique étrangère, tandis que les dominions poursuivraient la leur[12] ».

La politique de prudence de King consista aussi à limiter les obligations du Canada envers la Société des Nations, tout particulièrement à la fin des années 1930, lorsqu'il adopta à l'égard de l'Allemagne une politique d'apaisement semblable à celle de l'Angleterre et de la France[13]. Pendant toute la période de l'entre-deux-guerres, King devait s'en tenir au même argument : une éventuelle participation du Canada à des opérations militaires décidées par la Société des Nations devrait être approuvée au préalable par le Parle-

---

11. Jean-Charles BONENFANT, « Le développement du statut international du Canada », dans Paul PAINCHAUD (dir.), *Le Canada et le Québec sur la scène internationale*, Québec, Presses de l'Université Laval/CQRI, 1977, p. 38. Cet épisode est raconté en détail dans John HILLIKER, *op. cit*, p. 103-104, et dans C. P. STACEY, *Canada and the Age of Conflict. A History of Canadian External Policies (vol.* 1 : 1921-1948 *The Mackenzie King Era)*, Toronto, University of Toronto Press, 1981, p. 17-31.

12. Cité dans C. P. STACEY, *op. cit.* (1981), p. 71.

13. Pour des évaluations diamétralement opposées de cette politique, voir James EAYRS, « "A Low Dishonest Decade" : Aspects of Canadian External Policy, 1931-1939 », dans Hugh L. KEENLEYSIDE *et al.*, *op. cit.*, p. 59-80 ; et J. L. GRANATSTEIN et Robert BOTHWELL, « Canadian Foreign Policy, 1939-1953 », dans J. L. GRANATSTEIN (dir.) *Canadian Foreign Policy. Historical Readings*, Toronto, Copp Clark Pitman Ltd, 1986, p. 125-144.

ment[14]. Si la formule « le Parlement décidera » était politiquement très habile, elle était discutable du point de vue constitutionnel, puisque ce n'était pas la Chambre des communes, mais bien l'exécutif, qui était habilité à prendre de telles décisions. King avait encore à l'esprit le prix qu'avaient dû payer les conservateurs pour leur entêtement à imposer la conscription et tenait à éviter la résurgence des divisions engendrées par la guerre. La leçon était claire : il fallait se tenir à l'écart des conflits qui exigeraient le recours à une telle mesure. En 1944, il tenait encore le même discours : si le gouvernement devait imposer la conscription pour envoyer des troupes outre-mer, disait-il, « le Parti libéral serait réduit à néant non seulement dans l'immédiat, mais pour bien des années à venir[15] ».

La Deuxième Guerre mondiale a peut-être effacé, chez la plupart des hauts fonctionnaires canadiens, toute idée isolationniste. Mais même si King était parvenu à traverser deux crises successives engendrées par la conscription (1942 et 1944) – en partie grâce à l'un des slogans dont il avait le génie : « La conscription si nécessaire, mais pas nécessairement la conscription » –, il ne s'est jamais départi de sa méfiance à l'égard des engagements militaires internationaux. En 1948, le premier ministre était loin de partager l'enthousiasme de son ministre Louis Saint-Laurent pour la création d'une nouvelle alliance, dirigée cette fois contre l'Union soviétique. En janvier, lorsque le premier ministre britannique Ernest Bevin invita officiellement le Canada à participer aux pourparlers qui allaient mener à la création de l'Alliance atlantique, il fallut toute la force de persuasion de Lester Pearson, alors soussecrétaire d'État aux Affaires extérieures, pour le convaincre de ne pas répondre à l'invitation par un refus catégorique. « Ce fut l'une des pires luttes que j'ai eues à mener », devait-il confier au sous-secrétaire d'État adjoint Escott Reid[16].

Dans un ouvrage consacré à « l'ère Mackenzie King », l'historien C. P. Stacey souligne le poids politique prépondérant du premier ministre. La politique canadienne des années 1920 et 1930 était, selon lui, « essentiellement la

---

14. Voir Richard VEATCH, *Canada and the League of Nations*, Toronto, University of Toronto Press, 1975.

15. Cité dans C. P. STACEY, *Armes, hommes et gouvernements. Les politiques de guerre du Canada*, 1939-1945, Ottawa, Ministère de la Défense nationale, 1970, p. 491.

16. Cité dans Escott REID, « The Birth of the North Atlantic Alliance », *International Journal*, vol. 22, n° 3, été 1967, p. 428.

politique individuelle de celui qui occupait le poste (de premier ministre), et ceci était d'autant plus flagrant dans le domaine de la politique extérieure[17] ». Cette remarque est confirmée par les déclarations de plusieurs témoins. Parmi ceux-ci, Lester Pearson (il sera élu premier ministre en 1963), qui écrivait à un collègue après avoir assisté aux rencontres du Comité de guerre du Cabinet : « Il est particulièrement édifiant de voir l'ascendant et la domination complète de M. King sur ses collègues[18]. »

Pierre Elliott Trudeau (1968-1979 et 1980-1984)

Lorsque Pierre Elliott Trudeau prit la tête du Parti libéral en avril 1968, il était déterminé à donner un nouveau rôle international au Canada. À peine un mois plus tard, il annonçait un « réexamen en profondeur » de la politique étrangère[19]. Trudeau critiquait ouvertement les politiques en vigueur et, quoi qu'il en dise dans ses mémoires de politique étrangère[20], il attaquait tout particulièrement celles de son prédécesseur, Lester Pearson. Tout d'abord, soutenait-il, la politique étrangère canadienne ne s'était pas adaptée aux changements intervenus dans l'environnement externe. Les politiques conçues pour gérer les frictions d'un monde bipolaire rigide – l'adhésion à l'OTAN et au NORAD – n'avaient plus leur raison d'être, surtout avec la réduction des tensions et l'émergence d'un monde qui semblait se diriger vers une forme de multipolarité, comme pouvait le laisser croire le renforcement de l'Europe, du Japon et de la Chine. Pour Trudeau, la politique étrangère était trop assujettie à la politique de défense. Ensuite, la quête de la paix et de la stabilité mondiale – qui se traduisait par un attachement aux Nations Unies et aux missions de maintien de la paix – poussait les dirigeants à se laisser guider plus par les engagements internationaux du Canada que par les préoccupations immédiates de la population, notamment la dépendance économique du pays à l'égard des États-Unis. Le nouveau premier ministre récusait, en

---

17. C. P. STACEY, *op. cit.* (1981), p. ix.
18. Cité dans James EAYRS, *In Defence of Canada* (t. 3 *Peacemaking and Deterrence*), Toronto, University of Toronto Press, 1972, p. 7.
19. André P. DONNEUR, *Politique étrangère canadienne*, Montréal, Guérin, 1994, p. 35-36.
20. Ivan L. HEAD et Pierre Elliott TRUDEAU, *The Canadian Way : Shaping Canada's Foreign Policy 1968-1984*, Toronto, McClelland & Stewart, 1995, p. 7.

particulier, la « diplomatie de puissance moyenne » pratiquée par Ottawa depuis les années 1950. En un mot, il estimait que l'on avait perdu de vue les « intérêts nationaux » du Canada. Enfin, il considérait que le ministre des Affaires extérieures et ses fonctionnaires occupaient une place trop importante dans l'élaboration de la politique étrangère, et ce, au détriment des autres ministères qui devaient pourtant légitimement avoir voix au chapitre.

Sa première cible, dans les jours qui suivirent son arrivée au pouvoir (20 avril 1968), fut la participation militaire du Canada à l'OTAN, qui symbolisait à la fois la diplomatie internationaliste de Saint-Laurent et Pearson, la dépendance militaire à l'égard des États-Unis (qui dominaient l'Alliance atlantique) et la prépondérance de la politique de défense sur la politique étrangère. Fin avril, il annonçait le rapatriement de 5 000 des 10 000 militaires canadiens en poste en Europe depuis 1950. Puis, il se mit en devoir de remanier le processus et la substance de la politique étrangère du Canada. Celle-ci fut soumise au même processus « rationnel » de prise de décision que Trudeau introduisit pour l'ensemble du processus politique[21]. Qui plus est, la substance même de la politique devait aussi changer, à la suite de la publication en 1970 d'un document d'orientation sur la politique extérieure – qui était essentiellement le reflet des réflexions du premier ministre. Son titre, *Politique étrangère au service des Canadiens*, en disait long sur les changements envisagés[22]. Le document préconisait une définition plus stricte de l'intérêt national. Qualifié par Peyton Lyon de « doctrine Trudeau », le document donnait priorité à la croissance économique, à la protection de l'environnement, à la défense de la souveraineté, et au renforcement de relations commerciales susceptibles de réduire la domination des États-Unis sur l'économie du

---

21. Le texte classique à cet égard est celui de Bruce THORDARSON, *Trudeau and Foreign Policy. A Study in Decision-Making*, Toronto, Oxford University Press, 1972. Voir aussi André P. DONNEUR, « La politique étrangère de Pearson à Trudeau : entre l'internationalisme et le réalisme », dans Yves BÉLANGER et Dorval BRUNEL (dir.), *L'ère des libéraux. Le pouvoir fédéral de 1963 à 1984*, Montréal, PUQ, 1988, p. 42-46. Pour un aperçu du modèle « rationel », voir G. Bruce DOERN et Peter AUCOIN (dir.), *The Structure of Policy Making in Canada*, Toronto, McMillan, 1971. Pour une critique, voir Garth STEVENSON, « L'élaboration de la politique étrangère canadienne », dans Paul PAINCHAUD (dir.), *Le Canada et le Québec sur la scène internationale*, Québec, Presses de l'Université Laval/CQRI, 1977, p. 51-79.

22. GOUVERNEMENT DU CANADA, SECRÉTAIRE D'ÉTAT AUX AFFAIRES EXTÉRIEURES, *Politique étrangère au service des Canadiens*, Ottawa, Infomation Canada, 1970.

Canada[23]. Le livre blanc sur la défense de 1971 allait dans le même sens, puisqu'il inversait les priorités du Canada en ce domaine, faisant passer l'Alliance atlantique et les missions de maintien de la paix après la défense du territoire national et celle du continent nord-américain, cette dernière parce qu'elle constituait une extension de la protection du pays[24].

Après avoir ainsi défini sa vision de la politique étrangère, Trudeau passa le reste de son long mandat à ignorer, contredire ou changer le sens des principes exposés dans *Politique étrangère au service des Canadiens* en 1970. En 1984, il avait fini par reconnaître les avantages de l'alignement du Canada sur les États-Unis en matière de défense, l'utilité du maintien de la paix et de l'Alliance atlantique, et les bénéfices de l'activisme diplomatique. Malgré son désir de « laisser sa marque[25] » en politique étrangère, Trudeau a repris graduellement plusieurs éléments de l'internationalisme pearsonien. Le premier ministre en arriva même à jouer un rôle digne de son prédécesseur, comme le démontre son « initiative de paix » de l'hiver 1983-1984.

De 1968 à 1984, la politique étrangère du Canada a été à l'image de l'individu qui dirigeait le pays : ponctuée de coups d'éclat et de revirements, teintée de nationalisme et d'esprit d'indépendance et, parfois, irrévérencieuse – que l'on se rappelle la célèbre photo où l'on voit le premier ministre exécuter une pirouette dans le dos de la reine d'Angleterre ! De la période Trudeau, on se souvient surtout de ses relations tendues avec certains présidents américains, comme Nixon ou Reagan, et de ses pieds de nez aux politiques de Washington, notamment en ce qui a trait aux rapports avec les États communistes comme la Chine ou Cuba. Elle aura été marquée par la poursuite d'idéaux (comme la protection des droits de la personne et de l'environnement, ou encore la recherche d'une plus grande justice sociale), d'une volonté de réforme et de nombreux échecs (notamment en ce qui a

---

23. Peyton V. LYON, « The Trudeau Doctrine », *International Journal*, vol. 26, n° 1, hiver 1970-1971, p. 19-43.
24. GOUVERNEMENT DU CANADA, MINISTÈRE DE LA DÉFENSE NATIONALE, *La Défense dans les années 1970*, Ottawa, Information Canada, 1971 ; voir aussi Yves BÉLANGER et Pierre FOURNIER, « Pacifisme et militarisme ; illusions et réalités de la politique de défense du Canada », dans Yves BÉLANGER et Dorval BRUNEL *et al.*, *op. cit.*, p. 61-67 ; Michel FORTMANN, *op. cit.* (1988), p. 504-515.
25. Christina McCALL et Stephen CLARKSON, *Trudeau* (t. 2 : *L'illusion héroïque*), Montréal, Boréal, 1995, p. 313.

trait aux relations économiques avec les États-Unis). Les nombreuses initiatives internationales du premier ministre, quoique sporadiques, témoignent de ses convictions personnelles, qui lui permirent de déterminer un certain nombre d'objectifs, même s'il n'a pu obtenir les résultats espérés.

L'étude de la période Trudeau permet en fait de mesurer l'influence de l'individu qui occupe le poste de premier ministre sur la politique étrangère, mais aussi de mesurer les limites de son pouvoir. D'une part, Trudeau a indiscutablement façonné la politique étrangère du Canada, dans la forme et, jusqu'à un certain point, dans son contenu. Cette influence s'est surtout manifestée dans l'expression d'un certain nombre d'idées visant à rompre avec le passé et par des initiatives ponctuelles. Toutefois, il est visiblement difficile pour le premier ministre de modifier les grandes orientations de la politique étrangère. Il doit d'abord se plier aux contraintes structurelles qui pèsent sur le pays, sur les plans économique et géographique. Ainsi, malgré des efforts considérables, Trudeau n'est jamais parvenu à infléchir la structure du commerce extérieur du Canada, puisque la part des exportations destinées au marché américain n'a cessé de croître sous son règne. Le premier ministre doit aussi compter avec la résistance de ceux qui, dans l'appareil d'État, s'opposent au changement. Par exemple, le désir de rapatrier les Forces canadiennes stationnées en Europe et de réduire l'importance de l'OTAN dans l'ordre des priorités de la Défense s'est heurté à la mauvaise volonté, sinon à l'opposition ouverte, de nombreux diplomates et militaires[26].

Brian Mulroney (1984-1993)

Les cuisants échecs qui ont marqué la politique de Pierre Elliott Trudeau, notamment celui de la « troisième option » qui visait à renverser la tendance à la continentalisation de l'économie canadienne, semblent paradoxalement avoir pavé la voie à ce qui sera sans doute le plus grand triomphe de son successeur : le libre-échange avec les États-Unis.

---

26. Sur cet épisode, voir Michel FORTMANN et Martin LAROSE, « Une contre-culture stratégique en émergence ? Pierre Elliott Trudeau, les intellectuels canadiens et la révision de la politique de défense libérale à l'égard de l'OTAN (1968-1969) », dans Stéphane ROUSSEL (dir.), *Culture stratégique et politique de défense : l'expérience canadienne*, Montréal, Athéna, 2007, p. 148-181.

Brian Mulroney prend le pouvoir le 17 septembre 1984 avec, lui aussi, la détermination de changer la politique étrangère héritée de son prédécesseur, et en particulier les relations canado-américaines. Entre 1980 et 1984, les relations entre les deux pays s'étaient passablement détériorées en raison d'une série de litiges, en particulier l'élaboration du Programme national de l'énergie, le problème des pluies acides et des divergences de vues sur les questions de sécurité internationale.

Après son élection à la tête du Parti conservateur, en 1983, Mulroney s'était engagé à « remettre à neuf » les relations avec les États-Unis. En 1983 et 1984, à titre de chef de l'opposition, il adopta une position ouvertement proaméricaine et antisoviétique, qui ne pouvait que plaire au président Reagan. Lorsqu'en septembre 1983 un Boeing des lignes aériennes coréennes fut abattu par des chasseurs soviétiques, Trudeau qualifia l'acte d'accident ; Mulroney parla d'un « meurtre de sang-froid ». Puis, lorsque les États-Unis envahirent l'île de Grenade en octobre 1983, les conservateurs se distancièrent de l'attitude critique du gouvernement Trudeau. Dans ses déclarations publiques, Mulroney commença à évoquer le thème qui allait dominer sa campagne électorale de 1984 : le Canada, sous le Parti conservateur, serait un « meilleur allié, un super allié » des « quatre alliés traditionnels » du Canada, soit les États-Unis, la Grande-Bretagne, la France et Israël[27]. Un gouvernement conservateur cesserait de se montrer aussi critique envers la politique des États-Unis, et laisserait à Washington le bénéfice du doute. Il s'engageait aussi à augmenter le budget de la Défense pour freiner la détérioration des capacités de combat des Forces canadiennes, qui souffraient encore de la période de disette que furent les années 1960 et 1970. Enfin, il entendait tenir un langage beaucoup plus ferme à l'endroit de l'Union soviétique.

Parvenu au pouvoir, Mulroney a imprimé sa marque non seulement sur le processus de prise de décision, mais aussi sur la substance de la politique[28].

---

27. Le Canada n'a jamais été formellement l'allié d'Israël, mais on peut présumer que cet ajout pour le moins curieux à la liste visait à courtiser l'électorat d'origine juive.
28. Voir Nelson MICHAUD et Kim Richard NOSSAL, « Les nouveaux espaces de la politique étrangère canadienne (1984-1993) », *Études internationales*, vol. 31, n° 2, juin 2000, p. 241-252 ; voir aussi John KIRTON, « The Foreign Policy Decision Process », dans Maureen Appel MOLOT et Brian W. TOMLIN (dir.), *Canada Among Nations 1985 : The Conservative Agenda*, Toronto, Lorimer, 1986, p. 25-45.

Le nouveau premier ministre a rapidement abandonné la plupart de ses idées préconçues, et souvent à l'emporte-pièce, sur la politique étrangère. Pendant ses neuf années à la tête du pays, Mulroney ne fut pas aussi proaméricain ou antisoviétique que ne l'auraient laissé présager ses prises de position alors qu'il était chef de l'opposition – et comme les libéraux tenteront de le faire croire par la suite. Dans ses relations avec l'Union soviétique, il s'est efforcé de maintenir un ton mesuré. S'il rappelait au gouvernement soviétique ses obligations en matière de droits de la personne et se montrait sceptique sur les réformes amorcées par Mikhaïl Gorbatchev, il est cependant parvenu à établir des relations de plus en plus cordiales avec Moscou, surtout après la désintégration de l'URSS en 1991[29].

Quant aux rapports avec les États-Unis, Mulroney fut loin d'être le « super allié » qu'il avait promis en 1983, même s'il fut souvent accusé de n'être que le laquais du président américain[30] – une étiquette qui devait le poursuivre même après son retrait de la vie politique, en 1993. Il est vrai que, pendant ses neuf années au pouvoir, il a fortement appuyé plusieurs initiatives des États-Unis, notamment le bombardement de la Libye (1986), l'invasion de Panama (1989) et le recours à la force contre l'Irak (1990-1991).

Pourtant, il est juste d'affirmer que c'est dans le domaine des relations avec les États-Unis que Mulroney a laissé son empreinte la plus profonde. Près de 15 ans après son départ de la vie politique, bien des gens (surtout au Canada anglais) lui en veulent encore d'être parvenu à conclure deux accords de libre-échange avec Washington. Il a certainement fallu une bonne dose de conviction pour résister aux incessantes attaques dont a fait l'objet ce projet et pour se présenter, en 1988, devant un électorat profondément divisé sur la question. Toutefois, force est de reconnaître que ces deux traités constituent un héritage durable de l'époque de Brian Mulroney, héritage que son successeur, Jean Chrétien, n'osera pas toucher, allant même jusqu'à ratifier le traité

---

29. Voir Kim Richard Nossal, « The Politics of Circumspection : Canadian Policy Towards the Soviet Union », *International Journal of Canadian Studies*, vol. 9, printemps 1994, p. 27-45 ; André P. Donneur, *op. cit.* (1994), p. 113-114.
30. Le terme fut souvent utilisé lors de la guerre du Golfe. Voir Kim Richard Nossal, « Quantum Leaping : the Gulf Debate in Australia and Canada », dans Michael McKinley (dir.), *The Gulf War : Critical Perspectives*, Sydney, Allen & Unwin, 1994, p. 48-71.

conclu par les conservateurs en 1992. Ni Trudeau ni Chrétien ne sont parvenus, en politique étrangère, à créer des accords aussi importants.

La signature de ces deux traités commerciaux ne fait pas pour autant de Mulroney le « laquais » du président américain. Son gouvernement s'est aussi distancié de Washington sur un certain nombre de questions importantes, notamment sur les politiques envers l'Amérique centrale, le Moyen-Orient, l'Asie du Sud-Est, et l'Afrique du Sud. Dans le cas de Cuba, en particulier, le gouvernement Mulroney s'est montré bien plus acharné que ses prédécesseurs dans son opposition à la politique américaine. Il a promulgué la *Loi sur les mesures extraterritoriales étrangères,* en 1984 – une loi sans précédent –, qui interdisait aux entreprises faisant affaire au Canada de se conformer aux tentatives des États-Unis destinées à déstabiliser le gouvernement de Fidel Castro[31].

Mulroney ne fut pas non plus un « super allié » sur le plan militaire. Il refusa, entre autres, de reconnaître la légitimité et la pertinence de l'Initiative de défense stratégique (IDS), c'est-à-dire de ce projet de défense antimissile en partie basé dans l'espace. Lorsque le gouvernement Reagan invita ses alliés à participer à l'IDS, le gouvernement conservateur lui opposa, en septembre 1985, une fin de non-recevoir polie[32]. Et bien que son gouvernement ait prévu, dans son *Livre blanc sur la Défense* de 1987, l'achat d'un grand nombre de nouveaux systèmes d'armement, Mulroney a, en définitive, présidé à une réduction substantielle du budget du ministère de la Défense et à la réduction progressive de la participation canadienne à l'OTAN. Au moment de sa démission en 1993, les troupes canadiennes stationnées en Allemagne avaient été presque entièrement rapatriées, au grand dam des alliés européens[33]. Par

---

31. Maxwell A. CAMERON, « Canada and Latin America », dans Fen Osler HAMPSON, et Christopher J. MAULE (dir.), *Canada Among Nations* 1990-91. *After the Cold War*, Ottawa, Carleton University Press, 1991, p. 111.

32. Adam BROMKE et Kim Richard NOSSAL, « A Turning Point in Canada-United States Relations », *Foreign Affairs*, vol. 66, automne 1987, p. 150-169.

33. Sur cette question, consulter Kim Richard NOSSAL, « Succumbing to the Dumbbell : Canadian Perspectives on NATO in the 1990s », dans Barbara McDOUGALL, Kim Richard NOSSAL, Alex MORRISON, Joseph T. JOCKEL, *Canada and NATO : The Forgotten Ally ?*, Washington, Brassey's (U.S.), 1992, p. 17-32 ; Kim Richard NOSSAL, « Un pays européen ? L'histoire de l'atlantisme au Canada », dans *La politique étrangère cana-*

un ironique retour des choses, Mulroney, profitant de la fin de la Guerre froide, aura réussi là où Pierre Trudeau avait échoué 25 ans plus tôt !

La question de l'Afrique du Sud est sans doute l'exemple le plus frappant de l'impact personnel de Mulroney sur la politique étrangère. Jusqu'aux violentes émeutes qui éclatèrent dans les *townships* au cours du printemps austral de 1984, le premier ministre n'avait pas fait grand cas du régime d'apartheid qui sévissait en République sud-africaine. Il s'était contenté de poursuivre la politique du gouvernement Trudeau, qui consistait à éviter les sanctions contre le gouvernement sud-africain[34]. Mais lorsque celui-ci décréta l'état d'urgence en 1985, Mulroney fit aussitôt voter des sanctions contre Pretoria, ce qui allait tout à fait à l'encontre de la position adoptée par les Américains et les Britanniques[35].

Mulroney était convaincu que la fin de la Guerre froide ouvrait de vastes horizons pour la diplomatie canadienne[36]. C'est pourquoi il chercha constamment à renforcer le rôle des Nations Unies, qu'il considérait, à l'instar de Pearson, comme un cadre et un vecteur idéal pour la mise en œuvre des politiques canadiennes de sécurité. Il a ainsi chaudement appuyé la création de la coalition multinationale formée pour libérer le Koweït de l'occupation irakienne en 1990-1991[37], et présenta, en février 1991, un plan global

---

34. *dienne dans un ordre international en mutation. Une volonté de se démarquer ?*, Québec, CQRI, 1992, p. 131-160 ; et Stéphane ROUSSEL, « Amère Amérique... L'OTAN et l'intérêt national du Canada », *Revue canadienne de défense*, vol. 22, n° 4, février 1993, p. 35-42.

34. T. A. KEENLEYSIDE, « Canada-South Africa Commercial Relations, 1977-1982 : Business as Usual ? », *Canadian Journal of African Studies*, vol. 17, 1983, p. 449-467.

35. Sur la politique sud-africaine du Canada sous le gouvernement conservateur, voir David R. BLACK, « La politique du gouvernement Mulroney à l'égard de l'Afrique du Sud : précurseur de la "sécurité humaine" », *Études internationales*, vol. 31, n° 2, juin 2000, p. 291-310 ; Kim Richard NOSSAL, *Rain Dancing : Sanctions in Canadian and Australian Foreign Policy*, Toronto, University of Toronto Press, 1994, chap. 5.

36. Pour une évaluation critique de cette affirmation, voir Charles-Philippe DAVID et Stéphane ROUSSEL, « Une espèce en voie de disparition ? La politique de puissance moyenne du Canada après la Guerre froide », *International Journal*, vol. 52, n° 1, hiver 1996-1997, p. 39-68.

37. Kim Richard NOSSAL, *op. cit.* (1994), chap. 9.

destiné « à instaurer une paix durable dans la région du golfe Persique[38] ». Et c'est à l'automne de cette même année qu'il devait lancer son initiative de la « bonne gouvernance », qui consistait à encourager le respect, par les autres États, de valeurs comme la démocratie, les droits de la personne, la lutte à la pauvreté et le développement de l'économie de marché[39]. Enfin, en un certain nombre d'occasions, Mulroney s'est prononcé en faveur de l'intervention armée dans le cadre des missions des Nations Unies. Ce fut le cas notamment lors de son dernier voyage officiel en Europe, en mai 1993, lorsqu'il affirma que « le Canada était disposé, dans le cas [du conflit en Bosnie], à appuyer une intervention plus énergique si les efforts de maintien de la paix des courageux soldats de l'ONU ne parvenaient pas à assurer la sécurité de cette région[40] ».

Au cours des neuf années passées à la tête du gouvernement, Mulroney, comme la plupart de ses prédécesseurs, a démontré son désir et sa capacité d'influencer la politique étrangère. À l'instar de Trudeau, il a accédé au pouvoir avec des idées bien arrêtées en ce domaine, et a voulu y apporter des changements[41]. Et l'on peut s'étonner que certains, comme Andrew Cohen[42], aient accusé Mulroney de « mener sa propre politique étrangère ». À ce propos,

---

38. GOUVERNEMENT DU CANADA, « Le gouvernement du Canada dévoile des propositions pour l'après-guerre », *Communiqué*, n° 31, 8 février 1991 ; AFFAIRES EXTÉRIEURES ET COMMERCE EXTÉRIEUR CANADA, *Planification de l'après-guerre*, Ottawa, 13 février 1991.
39. AFFAIRES EXTÉRIEURES ET COMMERCE EXTÉRIEUR CANADA, *Thèmes et priorités de la politique étrangère* (mise à jour 1991-1992), Ottawa, Groupe de la planification des politiques, décembre 1991, p. 12-13 ; voir aussi Paul GECELOVSKY et Tom KEATING, « Liberal Internationalism for Conservatives : The Good Governance Initiatives », dans Nelson MICHAUD et Kim Richard NOSSAL (dir.), *Diplomatic Departures, The Conservative Era in Canadian Foreign Policy*, 1984-93, Vancouver, UBC Press, 2001, p. 194-207 ; Gerald J. SCHMITZ, « Human Rights, Democratization, and International Conflict », dans Fen Osler HAMPSON et Christopher J. MAULE (dir.), *Canada Among Nations 1992-1993. A New World Order ?*, Ottawa, Carleton University Press, 1992, p. 235-255.
40. CABINET DU PREMIER MINISTRE, « Notes pour une allocution du premier ministre Brian Mulroney, Chambre de commerce Canada–Royaume-Uni », Londres, 12 mai 1993.
41. Kim Richard NOSSAL, « Political Leadership and Foreign Policy : Trudeau and Mulroney », dans Leslie A. PAL et David M. TARAS (dir.), *op. cit.* (1988), p. 117-118.
42. Andrew COHEN, « The Diplomats Make a Come-Back », *The Globe and Mail*, 19 novembre 1994, p. D1 et D2.

Barbara McDougall, ministre des Affaires extérieures sous Mulroney, note avec justesse que :

> [p]ersonne ne devrait être surpris – ou offusqué – que le premier ministre Mulroney ait façonné la politique étrangère de son gouvernement. C'est ce que font tous les chefs de gouvernement. François Mitterrand, Boris Eltsine, Mikhaïl Gorbatchev, Margaret Thatcher, Anouar el-Sadate, Menahem Begin – est-ce que quelqu'un pense honnêtement que leur vision des choses [...] est le fruit de bureaucrates[43] ?

Jean Chrétien (1993-2003)

L'attitude adoptée par Jean Chrétien, qui prend le pouvoir en automne 1993, est tout à fait conforme au scénario maintenant bien rodé. À titre de chef de l'opposition officielle, il n'avait pas ménagé les politiques formulées par le gouvernement conservateur, de la participation canadienne à la guerre du Golfe jusqu'à l'achat de nouveaux hélicoptères de patrouille maritime pour les Forces canadiennes. Devenu à son tour chef du gouvernement, il chercha immédiatement à se démarquer de son prédécesseur.

Mulroney avait d'abord été cloué au pilori pour avoir trop recherché la compagnie des présidents américains. Jean Chrétien, voulant éviter à tout prix de projeter la même image[44], a adopté une approche plus réservée et discrète. Au tout début, il n'a rencontré Bill Clinton que dans le contexte de réunions multilatérales, donc en compagnie d'autres chefs d'État plutôt qu'en tête-à-tête : à l'occasion du Sommet de l'APEC à Seattle (novembre 1993) et de celui de l'OTAN (janvier 1994), lors du cinquantenaire du débarquement de Normandie (juin), ou encore au sommet du G7 (juillet). C'est seulement en février 1995, soit 15 mois après l'arrivée de Chrétien au pouvoir, que s'est tenue la première rencontre bilatérale entre les deux dirigeants, à l'occasion de la visite de Bill Clinton au Canada. Et ce n'est qu'en 1997 que le premier ministre lui a rendu la politesse en allant le rencontrer aux États-Unis. Toutefois, comme nous le verrons au prochain chapitre, Chrétien a réussi à

---

43. Barbara McDOUGALL, « How We Handled Foreign Policy », *The Globe and Mail*, 9 décembre 1994.
44. Fen Osler HAMPSON et Maureen Appel MOLOT, « Does the 49th Parallel Matter Any More », dans Maureen Appel MOLOT et Fen Osler HAMPSON (dir.), *Canada Among Nations 2000. Vanishing Borders*, Ottawa, Carleton University Press, 2000, p. 18.

établir d'excellentes relations avec son homologue américain. Lui qui est parvenu au pouvoir en tenant un langage très virulent à l'égard des États-Unis s'est révélé être un partenaire très loyal de Bill Clinton. Les relations avec les États-Unis devaient cependant se dégrader de façon spectaculaire avec le successeur de Clinton, le président George W. Bush.

Jean Chrétien souhaitait aussi se distancier du style de Mulroney. Ce dernier avait été accusé de mener une politique étrangère « en Cadillac », cherchant à égaler le président américain au point de faire réaménager, au coût de 35 000 000 $, un Airbus 310 pour ses déplacements officiels – l'équivalent canadien de l'*Air Force One* du président américain[45]. Le nouveau premier ministre, lui, se plaisait à affirmer qu'il conduisait la politique étrangère « en Chevrolet » ; il fit vendre l'Airbus, et effectua ses déplacements de façon plus modeste.

Chrétien ne souhaitait pas seulement transformer le style de politique étrangère du Canada ; il voulait aussi « démocratiser » le processus qui entoure la prise de décision – une réforme plus ou moins couronnée de succès que nous avons déjà évoquée au chapitre 3. De plus, il estimait que le Canada devait jouer un rôle plus modeste sur le plan international et a adopté un ton critique vis-à-vis des politiques interventionnistes du gouvernement précédent (par exemple, à propos de la participation canadienne à la force multilatérale déployée en Bosnie). Chrétien opta également pour la modération sur la question des droits de la personne, et, contrairement aux conservateurs, il évita de faire des pressions sur la Chine à ce sujet[46]. Et finalement, il se concentra sur le développement des relations économiques, en organisant des missions commerciales, notamment en Asie et en Amérique latine.

Jean Chrétien a, entre 1993 et 2003, contribué à façonner la politique étrangère canadienne. Il est intervenu personnellement à plusieurs reprises pour faire avancer certains dossiers, comme la création (avortée) d'une mission

---

45. Stevie CAMERON, *On the Take : Crime, Corruption and Greed in the Mulroney Years*, Toronto, Macfarlane Walter & Ross, 1994, p. 387-388.
46. Pour une revue critique de la politique du gouvernement Chrétien à l'égard de la Chine, voir Jeremy T. PALTIEL, « Negotiating Human Rights with China », dans Maxwell A. CAMERON et Maureen Appel MOLOT (dir.), *Canada Among Nations 1995. Democracy and Foreign Policy*, Ottawa, Carleton University Press, 1995, p. 172-182.

de maintien de la paix au Rwanda en décembre 1996, ou encore pour faire débloquer certains dossiers épineux entre le Canada et les États-Unis[47]. Mais son héritage est peut-être plus diffus que celui de Mulroney ou Trudeau. La grande force de ce premier ministre aura été, en politique étrangère comme dans les autres domaines, le pragmatisme dans la gestion des dossiers épineux. Comme le constate Donald Savoie, il « a eu très peu d'influence sur la position du Canada dans le monde. En gros, sa stratégie en ce domaine était d'en avoir aucune[48]. » Le plus difficile des dossiers qu'il eut à gérer a aussi donné lieu au geste le plus spectaculaire de ses trois mandats à la tête du gouvernement, soit le refus, en mars 2003, de rejoindre la coalition menée par les États-Unis pour abattre le régime de Saddam Hussein en Irak. Chrétien n'était pas de ceux qui apprécient les grandes constructions intellectuelles et les projets élaborés de réforme. Lorsqu'il quitte le pouvoir en décembre 2003, il ne laisse derrière lui à peu près aucune institution significative en politique étrangère, sauf peut-être la réforme de la frontière (entamée en 1995 et accélérée après les attentats du 11 septembre 2001) et le partenariat pour le développement de l'Afrique (NEPAD) qu'il pilota lors du Sommet du G8 à Kananaskis en 2002.

Paul Martin (2003-2006)

Le successeur de Jean Chrétien, Paul Martin, n'a pas eu un mandat aussi long que la plupart des premiers ministres. Il a succédé à Chrétien en décembre 2003, mais, porté à la tête d'un gouvernement minoritaire en juin 2004, il a dû quitter son poste après une défaite électorale face aux conservateurs de Stephen Harper en janvier 2006. Toutefois, son passage a été marqué par une activité intense en matière de politique étrangère et de sécurité.

Contrairement à son prédécesseur, le premier ministre Martin a témoigné un intérêt marqué pour la politique étrangère. Tant au long de la longue course à la direction du Parti libéral qu'après son accession au pouvoir, il a fréquemment abordé le sujet, si bien que les attentes à son égard étaient grandes[49].

---

47. Voir Stéphane ROUSSEL, « Canada-U.S. Relations : Time for Cassandra ? », *American Review of Canadian Studies*, vol. 30, n° 3, automne 2000, p. 135-157.
48. Donald J. SAVOIE, « Chrétien : la politique, une question de pouvoir », *Options politiques*, vol. 24, n° 6, juin-juillet 2003, p. 85.

Dès la formation de son premier Cabinet, le 12 décembre 2003, le nouveau premier ministre innove en créant le ministère de la Sécurité publique et de la Protection civile, qui combine les responsabilités confiées jusque-là au solliciteur général et au Bureau de la Protection des infrastructures essentielles et de la protection civile (BPIEPC). Il réunit sept agences, dont la Gendarmerie royale du Canada, l'Agence des services frontaliers et le Service canadien du renseignement de sécurité (SCRS). Sous certains aspects, ce ministère rappelle, à une plus petite échelle, l'organisation du Department of Homeland Security créé aux États-Unis par le président Bush en 2001. En avril 2004, le ministère élabore la première « politique de sécurité nationale du Canada »[50].

Une autre contribution significative du gouvernement Martin aura été la formulation de la *Politique internationale du Canada* en avril 2005. Le document innove puisqu'il constitue l'équivalent de quatre énoncés de politique et porte respectivement sur la politique étrangère, la défense, le commerce international et l'aide au développement. Il s'agit d'une tentative d'intégrer les grandes orientations des activités des principaux ministères et organismes chargés de conduire, sur une base quotidienne, les relations du Canada avec le reste du monde. Parmi les mesures annoncées figurait la réorganisation de la structure de commandement des Forces canadiennes, et notamment la création du Commandement Canada, parfois décrit comme l'équivalent du Northern Command formé aux États-Unis en 2002. Le gouvernement Martin ne survivra pas assez longtemps pour mettre en œuvre les grandes orientations décrites dans ce document, mais 10 ans après la publication des précédents livres blancs sur la défense (1994) et sur les affaires étrangères (1995), il avait le mérite de clarifier la réflexion sur ces activités, ceci d'autant plus que le gouvernement Harper ne semblait pas pressé de livrer sa propre vision des relations extérieures du Canada.

---

49. Comme en témoignent les « mémos au premier ministre » publiés dans *Options politiques* (vol. 25, n° 1, janvier 2004) et *International Journal* (vol. 53, n° 4, automne 2003).

50. Julie AUGER et Stéphane ROUSSEL (avec la coll. de Jean-François RANCOURT), « Le ministère de la Sécurité publique et de la Protection civile. Un *Department of Homeland Security* canadien ? », *Le maintien de la paix*, n° 69, septembre 2004.

Ancien ministre des Finances, Martin semble avoir poursuivi deux priorités. La première est de maintenir la prospérité et la compétitivité économiques du Canada. Il cherchait en particulier à minimiser, pour l'économie canadienne, les chocs créés par des événements comme des attentats terroristes, des pandémies ou des crises financières dans les économies émergentes. Il a ainsi proposé la création d'un nouveau forum réunissant les chefs d'État des 20 pays les plus importants sur le plan économique[51]. La seconde aura été de rétablir de bonnes relations avec les États-Unis, relations qui avaient été sérieusement malmenées au cours des dernières années du gouvernement Chrétien. Dans les faits cependant, le premier ministre a effectué sur cette question un revirement complet. Alors qu'il avait donné une place prépondérante à l'amélioration des rapports avec Washington lorsqu'il était candidat à la direction du Parti libéral en 2003, il chercha, au cours de la campagne de l'hiver 2005-2006, à rallier l'électorat plus nationaliste en dépeignant son adversaire conservateur comme un émule du président George W. Bush et en se livrant à de virulentes critiques des politiques américaines.

Le passage de Paul Martin au poste de premier ministre indique comment un individu intéressé par les questions internationales peut, en un laps de temps assez bref, faire sa marque en politique étrangère, ceci en lui insufflant de nouvelles idées. De ce point de vue, il rappelle les premières années des gouvernements de Louis Saint-Laurent et de Pierre Elliott Trudeau. Toutefois, cet épisode illustre aussi que les idées, aussi bonnes ou originales soient-elles, sont rarement suffisantes pour changer les choses de façon durable. Empêtré dans le scandale des commandites, le premier ministre Martin aura eu, à la fin de son règne, peu de temps à consacrer aux questions internationales, et donc pour mettre en œuvre l'ordre du jour qu'il s'était fixé. Enfin, les campagnes de 2004[52] et surtout de 2005-2006 ont démontré que même une

---

51. Paul MARTIN, « Verbatim – Une politique qui rendra sa place au Canada sur la scène internationale », *Options politiques,* vol. 25, n° 6, juin-juillet 2004, p. 5-8.
52. La campagne de 2004 a donné lieu à une décision curieuse. L'équipe de Martin, cherchant visiblement à capitaliser sur l'intérêt des Canadiens pour les questions internationales, a consacré l'un des cinq spots publicitaires du Parti libéral en anglais à la place du Canada dans le monde. Par contre, la campagne publicitaire destinée aux auditeurs francophones ne comportait que quatre messages, celui sur la politique étrangère ayant disparu – un peu comme si l'on jugeait que cet auditoire ne s'intéressait pas à ce sujet.

grande activité sur le plan international ne se traduit pas, tant s'en faut, par des bénéfices sur le plan électoral.

LE POUVOIR DE NOMINATION

La première responsabilité d'un premier ministre est de constituer un gouvernement : nommer les membres du Cabinet et le greffier du Conseil privé, ce dernier poste étant le plus élevé de la fonction publique fédérale. De concert avec le greffier, le premier ministre nomme les sous-ministres pour chaque ministère, les conseillers des principaux organismes, dont le Cabinet du premier ministre et le Conseil privé, les responsables des agences, des commissions et des comités fédéraux, ainsi que les ambassadeurs. Cette prérogative lui permet d'imposer ses préférences politiques à tous les autres membres du gouvernement[53].

Les choix du premier ministre ont un impact décisif sur le fonctionnement de l'appareil d'État, les grandes orientations des politiques et la prise de décision, tant sur les plans intérieur qu'extérieur. En nommant les responsables de la politique étrangère, le premier ministre doit avoir à l'esprit un certain nombre de considérations. D'une part, des postes tels que ceux de ministre des Affaires étrangères ou, dans une moindre mesure, de la Défense, qui sont très prestigieux et confèrent une certaine visibilité à leur détenteur, sont nécessairement convoités. Le premier ministre doit donc tenir compte des susceptibilités des plus anciens et des plus influents parmi les membres de son caucus de députés. Il doit aussi veiller, dans la constitution du Cabinet, à maintenir un équilibre dans la représentation des différentes régions du pays, et éventuellement donner un poste qui offre une grande visibilité aux députés venant de régions où le parti au pouvoir est faible ou sous-représenté.

D'autre part, le premier ministre doit aussi choisir des gens compétents, en fonction de la direction qu'il veut imprimer aux affaires étrangères. Ce choix contribue, en effet, à déterminer le type d'avis que recevra le gouvernement, l'efficacité et l'ardeur des ministres et des fonctionnaires chargés de formuler et de mettre en œuvre la politique étrangère, la qualité des rela-

---

53. André BERNARD, *op. cit.*, p. 414-426 et 438-443.

tions entre les élus et les hauts fonctionnaires, la loyauté de ceux-ci, et la stature de la représentation des intérêts canadiens à l'étranger. Le titulaire est donc souvent choisi non seulement en fonction de son expérience, mais aussi des idées qu'il a exprimées dans le passé. Le problème, cependant, est que les deux types de considérations (politique et compétence) sont parfois contradictoires et donnent lieu à des choix qui étonnent les observateurs.

Au début des années 1920, Mackenzie King a fait appel au professeur O. D. Skelton, doyen de la Faculté des arts de l'Université Queen's. Quatre ans plus tard, King le nomma sous-secrétaire d'État aux Affaires extérieures, un poste que Skelton conservera jusqu'à sa mort en 1941. Cette nomination et quelques autres ont contribué à remodeler la bureaucratie et l'appareil d'État pendant l'entre-deux-guerres[54]. Isolationniste et méfiant face à l'Angleterre[55] – des traits qui équilibraient et complétaient ceux de King –, Skelton a imprimé une nouvelle direction à la politique étrangère pendant cette période. Il eut aussi une influence à long terme sur la conduite des affaires de l'État. Il a imposé le principe, assez peu répandu à l'époque, selon lequel la nomination à un poste dans la fonction publique ne devrait pas dépendre de la loyauté d'un individu envers le parti au pouvoir, mais strictement de ses mérites. Pendant ses 16 années de service, Skelton est parvenu à réaliser son désir de créer un ministère composé de professionnels : il a institué un examen d'entrée, et comme le ministère prenait de plus en plus d'expansion, il a engagé un groupe de jeunes experts, jetant ainsi les fondements de ce qui allait permettre au Canada de prendre une part active à la politique internationale après la Deuxième Guerre mondiale.

De même, la nomination par Louis Saint-Laurent de Lester Pearson au poste de ministre des Affaires extérieures en 1948, a permis la transformation de la politique étrangère d'après-guerre. Au moment de sa nomination, Pearson était haut fonctionnaire aux Affaires extérieures. Il écrivit plus tard : « C'était comme être promu de directeur général à président de [...] "Affaires

---

54. John HILLIKER, *op. cit.* (1990) ; J. L. GRANATSTEIN, *The Ottawa Men. The Civil Service Mandarins*, 1935-1957, Toronto, Oxford University Press, 1982.

55. Voir, à ce sujet, Norman HILLMER, « The Anglo-Canadian Neurosis : The Case of O. D. Skelton », dans Peter LYON (dir.), *Britain and Canada : Survey of a Changing Relationship*, Londres, Frank Cass, 1976, p. 61-84.

extérieures ltée"[56]. » Ce transfert d'un poste bureaucratique à une fonction politique indique que, dans les années 1950, le premier ministre et ses hauts fonctionnaires entretenaient de très bonnes relations et travaillaient en étroite collaboration. Le savoir-faire diplomatique de Pearson, acquis et peaufiné durant son long apprentissage au ministère, lui permit de poursuivre une diplomatie de marque tout au long des années 1950 – période qualifiée depuis d'« âge d'or » de la diplomatie canadienne.

La nomination de Michael Pitfield, qui contribua à réorganiser le ministère des Affaires extérieures au début des années 1980, est un autre exemple de l'influence que confère le pouvoir de nomination du premier ministre. Trudeau avait été si impressionné par le travail de Pitfield au Conseil privé, au début des années 1970, qu'il le nomma greffier en janvier 1975. Remercié de ses services en 1979 par Joe Clark, Pitfield revint au gouvernement au lendemain de la réélection de Trudeau en 1980, toujours à titre de greffier du Conseil privé, un poste qu'il devait occuper pendant six ans, avant d'être nommé au Sénat. Cette période coïncide avec une restructuration majeure de l'appareil d'État[57], dont l'élément le plus radical est certainement la fusion du ministère de l'Industrie et du Commerce avec celui des Affaires extérieures. Pitfield a joué un rôle clef dans ce processus. D'une part, il semble avoir été l'architecte de ces transformations, dans la mesure où elles étaient en grande partie basées sur ses idées. Les théories organisationnelles de Pitfield, ainsi que sa lecture de la nature des relations internationales de la fin des années 1970 et du début des années 1980, ont profondément influencé sa conception de ce que devaient être les structures administratives appropriées pour la conduite des relations avec l'étranger. D'autre part, il a su obtenir les appuis politiques nécessaires à ces réformes. Sa relation personnelle avec le premier

56. Lester B. PEARSON, *Mike : The Memoirs of the Right Honourable Lester B. Pearson*, vol. 2 : 1948-1957, Toronto, University of Toronto Press, 1973, p. 4.
57. Pour une évaluation critique, voir Christina McCALL-NEWMAN, « Michael Pitfield and the Politics of Mismanagement », *Saturday Night*, octobre 1992, p. 24-44. Pitfield a exposé ses idées sur l'organisation de l'appareil gouvernemental dans « The Shape of Government in the 1980s : Techniques and Instruments for Policy Formulation at the Federal Level », dans Thomas A. HOCKIN (dir.), *Apex of Power : The Prime Minister and Political Leadership in Canada*, Scarborough, Prentice-Hall Canada, 1977 (2e éd.), p. 54-63.

ministre lui a notamment permis de bénéficier de l'aval du Cabinet, tandis que son titre de greffier du Conseil privé lui a conféré l'autorité nécessaire pour triompher des résistances qu'ont inévitablement suscitées de tels bouleversements au sein des deux ministères en cause et, ainsi, lui permettre d'édifier un « nouveau » ministère des Affaires extérieures[58].

À partir du milieu des années 1980, la nomination des ministres des Affaires étrangères paraît obéir à l'une ou l'autre des préoccupations suivantes. D'un côté, plusieurs individus nommés à ce poste semblent l'avoir été pour des raisons de politique intérieure, notamment pour plaire à l'électorat québécois. D'autre part, elle a permis au premier ministre d'imprimer une orientation générale à la politique étrangère, notamment en ce qui a trait aux relations avec les États-Unis. Le choix entre un partisan de l'internationalisme ou du continentalisme est, sur ce plan, une indication assez claire du type de rapport que le premier ministre voudrait établir avec Washington.

Les nominations effectuées par Brian Mulroney lors de son arrivée au pouvoir en 1984 en étonnèrent plusieurs et contribuèrent à imprimer à la politique étrangère une direction bien différente de celle à laquelle on s'attendait, compte tenu des opinions qu'il exprimait à titre de chef de l'opposition. Plutôt que de confier la direction des Affaires étrangères à des individus associés à la droite du Parti conservateur (comme Sinclair Stevens, qui était critique aux Affaires extérieures avant les élections), Mulroney préféra s'entourer de collaborateurs aux visées internationalistes, comme Joe Clark, qu'il avait battu lors de la course à l'investiture du parti un an plus tôt. Plusieurs autres de ses proches collaborateurs et représentants à l'étranger, tels Derek Burney (chef de Cabinet), Stephen Lewis (à l'ONU), Bernard Wood (émissaire personnel du premier ministre), Douglas Roche (ambassadeur au désarmement) ou Roy McMurty (haut-commissaire à Londres), étaient loin de représenter l'aile droite du Parti conservateur. Celle-ci dut se contenter du portefeuille de la Défense, qui fut confié, en 1985-1986, à Robert Coates, puis à Erik Nielsen. Ainsi, au bout de quelques années, les principaux partisans de la ligne dure avaient quitté le Cabinet Mulroney. Les postes clés étant

---

58. Voir John Kirton, « Elaboration and Management of Canadian Foreign Policy », dans Paul Painchaud (dir.), *De Mackenzie King à Pierre Trudeau, quarante ans de diplomatie canadienne (1945-1985)*, Québec, Presses de l'Université Laval, 1988, p. 74-75.

tous occupés par des modérés, il n'est pas étonnant que, à la fin des années 1980, la politique étrangère ait retrouvé des allures très traditionnelles.

Lorsque les libéraux ont remporté les élections d'octobre 1993, tous s'attendaient à ce que le portefeuille des Affaires extérieures revienne à Lloyd Axworthy – le député libéral de la circonscription de Winnipeg-Centre-Sud et critique de l'opposition en matière de politique étrangère depuis l'accession de Chrétien à la tête du parti, en juin 1990. Cette nomination aurait eu un impact considérable sur la politique étrangère, compte tenu de son nationalisme et de son antiaméricanisme affiché[59].

Mais, au lendemain des élections, Chrétien confia plutôt la direction de la politique étrangère à André Ouellet, député de Papineau–Saint-Michel. Il s'agit d'un choix étonnant, puisque Ouellet n'avait aucune expérience en la matière, même s'il était député depuis 1967, et s'il avait déjà occupé des fonctions relativement peu importantes au sein du Cabinet. Selon Andrew Cohen, il s'agissait purement d'une nomination politique : « Le gouvernement avait besoin d'un Québécois francophone bien en vue et doté d'un portefeuille de haute responsabilité pour se faire la main en vue d'un éventuel référendum[60]. » En fait, Ouellet en vint à passer tellement de temps à s'occuper de relations avec le Québec que, dans l'édifice Pearson, les fonctionnaires l'avaient surnommé « Monsieur cinq pour cent », une fine allusion au temps qu'il consacrait à son ministère. Le sobriquet était certainement injustifié, mais il reflète à quel point Ouellet n'était, pas plus que le premier ministre, emballé par les relations internationales. Une fois passé le référendum (octobre 1995), Ouellet quittait la vie politique.

Axworthy hérita alors du ministère des Affaires étrangères et du Commerce international, poste qu'il occupera jusqu'à l'automne 2000. Sous sa

---

59. Voir, par exemple, ses commentaires sur le continentalisme et la mondialisation dans Lloyd AxWORTHY, « Canadian Foreign Policy : A Liberal Party Perspective », *Canadian Foreign Policy*, vol. 1, n° 1, hiver 1992-1993, p. 7-16. Axworthy est aussi l'auteur de la dimension internationale de la plate-forme électorale du Parti libéral publiée avant les élections de 1993 ; PARTI LIBÉRAL DU CANADA, *Pour la création d'emplois, Pour la relance économique (Le plan d'action libéral pour le Canada)*, Ottawa, 1993, chap. 8.
60. Andrew COHEN, « Canada in the World : The Return of the National Interest », *Behind the Headlines*, vol. 52, n° 4, été 1995, p. 4.

direction, la politique étrangère redevint plus active, mais aussi plus critique. Les concepts de sécurité humaine et de *soft power* ont – à défaut d'avoir fait l'unanimité parmi les commentateurs – eu le mérite d'insuffler un peu d'audace et d'originalité au ministère. Tout au long de son mandat, Axworthy a conservé une méfiance à l'égard des États-Unis, comme en témoignent ses réticences manifestes face à une éventuelle participation canadienne au projet américain de défense antimissile qui revenait périodiquement dans l'actualité[61]. Mais il a dû adoucir certaines de ses idées. Que l'on compare, par exemple, sa défense de la contribution canadienne aux opérations de l'OTAN au Kosovo (1999) avec ses attaques virulentes contre les politiques des conservateurs lors de la guerre du Golfe (1990-1991), alors qu'il siégeait dans l'opposition[62]. Axworthy a probablement incarné le type même du ministre qui allie expérience, passion et conviction.

À l'inverse, la nomination de John Manley après le départ d'Axworthy en octobre 2000 est plutôt le signal d'un retour à une politique plus modérée face aux États-Unis, au moment où les relations avec ces derniers redevenaient clairement une priorité. Le choix s'est rétrospectivement révélé très judicieux, puisque c'est Manley qui aura à gérer la crise déclenchée par les attentats du 11 septembre 2001. Dans le même ordre d'idées, la nomination inattendue de Bill Graham (un professeur de droit international qui n'avait jamais siégé au Cabinet), en janvier 2002, marquait sans doute une volonté de retrouver une certaine distance face aux États-Unis. Imprégné d'idées internationalistes rappelant celles d'Axworthy, plus affable et moins bouillant, Graham était aussi un choix heureux. La nomination d'un internationaliste ne devait cependant pas avoir de grandes conséquences sur les relations avec Washington, puisque ce dossier restait entre les mains de Manley, devenu alors vice-premier ministre.

---

61. Au point où un haut fonctionnaire américain, exaspéré par les critiques plus ou moins dissimulées du ministre face au projet BMD, en est venu à le désigner personnellement, contre toutes les règles de la diplomatie, comme le principal obstacle à la participation canadienne. Sur l'attitude d'Axworthy à l'égard des États-Unis, voir Stéphane ROUSSEL, *op. cit.* (2000).
62. Kim Richard NOSSAL et Stéphane ROUSSEL, « Canada and the Kosovo War : the Happy Follower », dans Pierre MARTIN et Mark BRAWLEY (dir.), *Allied Force or Forced Allies ? Alliance Politics. Kosovo and NATO's War*, New York, Palgrave, 2000, p. 181-199.

Même s'il avait depuis longtemps exprimé un grand intérêt pour les relations internationales, Pierre Pettigrew, ministre des Affaires étrangères sous Paul Martin, semble d'abord avoir obéi à des considérations de politique intérieure. Non seulement Pettigrew avait accordé son appui à Martin contre les rivaux de ce dernier lors de la course à la direction du Parti libéral (dont John Manley), mais il était l'un des députés les plus en vue au Québec, à un moment où bon nombre d'autres Québécois très connus quittaient la vie politique (comme Martin Cauchon) ou devenaient indésirables (comme Stéphane Dion). Dans ce cas, le choix s'est sans doute avéré moins heureux, puisque Pettigrew accumulera les difficultés. Accusé de passer trop de temps à l'étranger, éclaboussé par le « scandale des commandites » et incapable de justifier sa politique face à Haïti (un pays d'où venait bon nombre de ses commettants), il sera battu aux élections de janvier 2006. Bill Graham, son prédécesseur, héritera, dans le Cabinet Martin, du poste de ministre de la Défense.

Finalement, la nomination de Peter MacKay par Stephen Harper en février 2006 semble répondre à trois considérations. Tout d'abord, MacKay, qui avait été chef du Parti conservateur en 2003-2004 jusqu'à la fusion du parti avec l'Alliance canadienne, se devait d'occuper un poste important. Ensuite, il représente une région du pays, la Nouvelle-Écosse, où les conservateurs, en dépit de solides appuis, ont éprouvé des difficultés lors des élections de 2004 et 2006. Enfin, ses idées en ce qui a trait aux relations avec les États-Unis reflètent celles de Harper.

* * *

Tous les premiers ministres semblent vouloir marquer la politique étrangère de leur empreinte – même si telle n'est pas leur intention en arrivant au pouvoir, ou s'ils ne manifestent que peu d'intérêt pour le sujet. Lorsqu'ils entrent en fonction, la plupart des premiers ministres se montrent critiques à l'égard de la politique étrangère de leur prédécesseur – sauf, peut-être, lorsque ce dernier appartient au même parti politique. Ainsi, Saint-Laurent, Trudeau et Martin devaient se montrer très prudents dans leurs critiques de King, Pearson et Chrétien, même s'ils choisissaient de prendre leurs distances. Par contre, Diefenbaker, Pearson, Mulroney et Chrétien n'ont pas hésité à décrier les politiques de leurs prédécesseurs, qui appartenaient tous à des partis adverses. Les pouvoirs associés à la fonction de premier ministre permettent à celui qui la détient de modifier, parfois radicalement, les grandes orientations de la politique étrangère, et de nommer sa propre équipe de ministres et de hauts fonctionnaires pour effectuer les changements nécessaires.

Mais outre l'autorité dont il dispose, un autre facteur contribue à propulser le premier ministre dans les hautes sphères des relations internationales, un facteur qui a inévitablement des répercussions sur la politique extérieure : il s'agit de la diplomatie au sommet, qui fait l'objet du prochain chapitre.

6

LE PREMIER MINISTRE
ET LA DIPLOMATIE AU SOMMET

La gestion courante des relations d'un État avec les gouvernements étrangers est généralement laissée aux diplomates et aux fonctionnaires du ministère des Affaires étrangères. Ces professionnels de la diplomatie jouent donc le rôle de représentants ou d'intermédiaires entre les chefs d'État ou de gouvernement. Mais en certaines occasions, ces derniers préfèrent traiter directement entre eux. Ce type de relations, que l'on appelle la « diplomatie au sommet[1] », ne cesse de prendre de l'importance depuis une cinquantaine d'années, et contribue à renforcer la position du premier ministre dans la direction de la politique étrangère.

La tenue de sommets n'est pas un phénomène nouveau dans les relations internationales ; au cours de l'histoire, les chefs des États ont toujours cherché à négocier directement entre eux, et tout particulièrement à la fin d'un conflit majeur. C'est à la suite d'une réunion de monarques, de princes et de leurs plénipotentiaires, à Vienne, au cours de l'hiver 1814-1815, que s'est installée une paix durable en Europe au XIXᵉ siècle. Et à Versailles, en 1919, après la Première Guerre mondiale, les chefs de gouvernement se sont réunis pour tenter de trouver une solution définitive au problème de la guerre. De même, les rencontres de Winston Churchill, Franklin Delano Roosevelt et Joseph Staline à Yalta, puis à Potsdam, ont servi à jeter les fondations d'un nouvel

---

1. Pour un examen de ce type de diplomatie, voir Philippe CHRESTIA, « Les sommets internationaux », *Études internationales*, vol. 31, n° 3, septembre 2000, p. 443-474.

ordre international au lendemain de la Deuxième Guerre mondiale. C'est à cette époque que le terme « sommet » fut employé pour la première fois pour décrire ce genre de diplomatie[2]. Pratique très ancienne, ce type de rencontre demeurait cependant, jusque-là, un événement extraordinaire. Mais depuis 1945, les sommets sont devenus un phénomène courant.

Le Canada n'a pas échappé à cette tendance, et son premier ministre s'est rapidement retrouvé aspiré dans la spirale des sommets. L'une des photos les plus célèbres dans l'histoire de la politique étrangère canadienne a été prise à la Conférence de Québec, en août 1943 (à ne pas confondre avec celle de septembre 1944) ; on y voit Mackenzie King, assis entre Roosevelt et Churchill. En fait, King n'était que l'hôte de la rencontre et n'a pas contribué aux décisions prises à cette occasion[3]. Depuis, les choses ont changé et le gouvernement canadien ne se contente plus d'un rôle de faire-valoir. La participation aux rencontres multilatérales avec d'autres chefs d'État et de gouvernement s'inscrit dans la tradition internationaliste du Canada et constitue une occasion d'exercer une influence internationale.

Certaines rencontres n'ont lieu qu'une seule fois, comme la réunion des trois chefs de gouvernements nord-américains à Waco (Texas) en mars 2005 à l'occasion de la signature du Partenariat pour la sécurité et la prospérité, ou encore le Sommet du Millénaire, à l'ONU, en septembre 2000. D'autres, considérées à l'origine comme des événements sans lendemain, donnent naissance à un nouveau cycle de réunions. Ainsi, en 1975, la signature de l'Acte final d'Helsinki par 33 dirigeants d'États européens et nord-américains ne devait pas donner lieu à un processus d'institutionnalisation. Pourtant, aujourd'hui encore, les dirigeants des États membres de l'Orga-

---

2. Ainsi, le communiqué émis à la suite de la rencontre entre Churchill et Roosevelt à Québec en 1943 soulignait qu'il était « indispensable que l'unité complète des moyens, buts et méthodes dans la direction de la guerre soit maintenue au sommet » ; cité dans Roger Frank SWANSON, *Canadian-American Summit Diplomacy*, 1923-1973, Toronto, McClelland & Stewart, 1975, p. 2.
3. Cinquante ans plus tard, en 2003, la commémoration de cet événement devait engendrer une petite controverse. Le gouvernement du Québec a, à cette occasion, inauguré les bustes du président américain et du premier ministre britannique, oubliant celui de Mackenzie King. Le geste a suscité l'ire du gouvernement canadien. Québec a alors justifié sa décision en rappelant que, sauf accueillir ses visiteurs et poser pour les photographes, la contribution de King fut marginale.

nisation pour la sécurité et la coopération en Europe (OSCE), une descendante directe de la Conférence d'Helsinki, se réunissent toujours de façon régulière. Ce fut aussi le cas du Sommet des Amériques, tenu à Miami en décembre 1994 à l'invitation du président Clinton, qui souhaitait faire progresser les discussions sur le libre-échange. Un second sommet fut organisé à Santiago (Chili) en avril 1998, puis un autre à Québec en 2001. D'autres rencontres, telles les réunions des chefs de gouvernement des pays membres de l'Alliance atlantique, sont convoquées pour des raisons bien précises, comme ce fut le cas pour le Sommet de l'OTAN tenu à Bruxelles en janvier 1994, qui devait marquer l'annonce du Partenariat pour la paix et la décision de recourir à la force contre les Serbes de Bosnie.

Certains sommets reviennent régulièrement : celui du G8 (qui réunit les huit pays occidentaux les plus industrialisés du monde) et de l'APEC (le Forum sur la Coopération économique de la zone Asie-Pacifique) sont annuels. Les rencontres des chefs de gouvernement du Commonwealth et la Conférence des chefs d'État de la Francophonie se tiennent tous les deux ans.

En plus de ces conférences multilatérales, le premier ministre doit aussi consacrer beaucoup de temps aux rencontres bilatérales avec des chefs d'État étrangers – le plus important étant évidemment le président des États-Unis.

LES SOMMETS DES PAYS LES PLUS INDUSTRIALISÉS (G8)

Le sommet le plus important auquel le premier ministre est invité est celui du Groupe des huit (G8) – réunissant les huit pays les plus industrialisés du monde – qui se tient chaque année. La première rencontre eut lieu au château de Rambouillet, en France, en novembre 1975 et visait à préparer la Conférence sur la coopération économique internationale entre les pays du Nord et du Sud, prévue pour le mois de décembre à Paris. L'idée sous-jacente était en fait d'établir une meilleure coordination de leurs politiques économiques et monétaires après l'effondrement du système de Bretton Woods en 1971, au moment même où les échanges internationaux entraient dans une phase de croissance soutenue. Comme Robert Wolfe l'a écrit : « Le "système" semblait s'être écroulé en 1971, et la première tâche du Sommet était d'essayer de réparer les pots cassés[4]. »

Les chefs de gouvernement des cinq pays les plus industrialisés furent invités à cette première réunion, soit les États-Unis, le Japon, la République fédérale d'Allemagne, l'Angleterre et la France. Le Canada ne le fut pas. Le gouvernement français, qui avait fait les invitations, s'opposait fermement à la participation d'Ottawa, en invoquant deux raisons : d'une part, selon lui, l'économie canadienne constituait une simple excroissance de celle des États-Unis et, par conséquent, n'avait pas besoin d'avoir une représentation distincte ; d'autre part, si le Canada était invité, d'autres gouvernements, comme celui de l'Italie, insisteraient pour l'être aussi, ce qui compliquerait les discussions. Le gouvernement canadien ressentait amèrement cette exclusion, mais ni les protestations ni les efforts diplomatiques pour décrocher l'invitation ne firent fléchir le président Giscard d'Estaing.

Ottawa n'en resta pas là et redoubla d'efforts pour être invité au sommet suivant, qui devait être organisé par les États-Unis en 1976 à Porto Rico. Cette fois, c'était le président Gerald Ford qui lançait les invitations, et il en fit parvenir une à Trudeau, en dépit des objections de la France. L'année suivante, en 1977, le Canada fut invité au Sommet de Londres – sans avoir besoin de justifier sa présence[5]. Depuis, le Canada est considéré comme un membre permanent du G7, et a été l'hôte de quatre de ces rencontres : à Montebello (Québec) en 1981, à Toronto en 1988, à Halifax en juin 1995, puis à Kananaskis (Alberta) en 2002.

Il convient cependant de noter que, selon certains, les Français n'avaient pas tout à fait tort. En 1988, Christian Deblock et Dorval Brunelle, qui ont étudié la première décennie de participation canadienne au G7, tiraient la conclusion suivante :

Depuis son entrée dans le Groupe des Sept en 1976 jusqu'en 1984 – et même après, puisque rien n'a changé à ce chapitre avec l'arrivée des conservateurs au pouvoir [...], bien au contraire –, la gestion de l'économie au Canada a été progressivement

4. Robert Wolfe, « Should Canada Stay in Group of Seven ? », *La politique étrangère du Canada*, vol. 3, n° 1, printemps 1995, p. 49.
5. Alex Inglis, « Economic Summitry Reaches Time of Testing in London », *International Perspectives*, septembre-octobre 1977, p. 33.

ajustée sur la stratégie américaine, avec le résultat que le pays est passé d'une direction à dominante nationaliste entre 1971 et 1981-1982, à une approche continentale axée sur l'imitation du modèle américain, en attendant la mise en place d'une éventuelle intégration économique à la suite de la signature d'un accord de libre-échange canado-américain[6].

Depuis Porto Rico en 1976, le G7 s'est institutionnalisé, même s'il n'en est pas encore au point d'établir une structure permanente avec un secrétaire général et une bureaucratie, comme c'est le cas pour les autres organisations internationales. Certains aspects des sommets sont réglés d'avance, comme la désignation du lieu de rencontre. Dès le début, il a été convenu que les sommets se tiendraient, selon le principe de rotation, dans chaque pays membre, et seraient présidés par le pays hôte. En 2003, les Sommets du G7 entamaient leur cinquième cycle de rotations.

LES SOMMETS DU G7/G8 *

Rambouillet (France), 1975
Porto Rico (États-Unis), 1976
Londres (Royaume-Uni), 1977
Bonn (Allemagne fédérale), 1978
Tokyo (Japon), 1979
Venise (Italie), 1980
Montebello (Canada), 1981
Versailles (France), 1982
Williamsburg (États-Unis), 1983
Londres (Royaume-Uni), 1984
Bonn (Allemagne fédérale), 1985
Tokyo (Japon), 1986
Venise (Italie), 1987
Toronto (Canada), 1988
Paris (France), 1989
Houston (États-Unis), 1990
Londres (Royaume-Uni), 1991
Munich (Allemagne), 1992
Tokyo (Japon), 1993
Naples (Italie), 1994
Halifax (Canada), 1995
Lyon (France), 1996
Denver (États-Unis), 1997
Birmingham (Royaume-Uni), 1998
Cologne (Allemagne), 1999
Kyushu-Okinawa (Japon), 2000
Gênes (Italie), 2001
Kanaskakis (Canada), 2002
Évian (France), 2003
Sea Island (États-Unis), 2004
Gleaneagles (Royaume-Uni), 2005
Saint-Petersbourg (Russie), 2006
Heiligendamm (Allemagne), 2007

* Voir le site Web <www.g8.gc.ca>.

6. Dorval BRUNEL et Christian DEBLOCK, « L'économie politique du fédéralisme canadien, de 1963 à 1984 », dans Yves BÉLANGER, Dorval BRUNEL *et al.*, *L'ère des libéraux. Le pouvoir fédéral de 1963 à 1984*, Montréal, PUQ, 1988, p. 189-190.

Chaque chef d'État du G7 délègue un représentant chargé de préparer le sommet. Ces représentants surnommés « sherpas » (un jeu de mots subtil faisant allusion à un autre type de sommet) effectuent une longue préparation et négocient les questions qui seront (ou ne seront pas) portées à l'ordre du jour, et vont même jusqu'à travailler à l'ébauche du communiqué final des mois avant la tenue de l'événement proprement dit. Les sherpas proviennent de différents ministères, mais ils ont tous un lien avec les Affaires étrangères. Par exemple, la représentante de Brian Mulroney aux Sommets de Bonn, Tokyo, Venise et Toronto, Sylvia Ostry, était ambassadrice du Canada dans les négociations commerciales multilatérales. De 1990 à 1992, le représentant de Mulroney était Derek Burney, l'ambassadeur du Canada à Washington. Reid Morden, le sous-secrétaire d'État aux Affaires extérieures, fut le sherpa de Kim Campbell au Sommet de Tokyo (1993), puis de Jean Chrétien au Sommet de Naples (1994). Pour le Sommet d'Halifax en 1995, Chrétien avait retenu les services de Louise Fréchette, alors sous-ministre adjointe aux Finances, après avoir été représentante permanente du Canada aux Nations Unies. Lors du Sommet de Saint-Petersbourg (2006), le sherpa de Stephen Harper était V. Peter Harder, sous-ministre aux Affaires étrangères.

À l'origine, le G7 se consacrait principalement aux problèmes économiques mondiaux, aux questions énergétiques, et aux relations Nord-Sud. Les discussions ne se limitaient pas uniquement à ces questions, puisque les participants en profitaient aussi pour aborder les questions politiques et les problèmes de sécurité[7]. Au Sommet de 1978 à Bonn, la question de la piraterie aérienne figurait à l'ordre du jour ; le G7 décida de suspendre les vols réguliers à destination des États qui refuseraient d'extrader ou de poursuivre les pirates de l'air. Lors du Sommet de Venise, en 1980, l'invasion de l'Afghanistan par les Soviétiques occasionna des débats qui révélaient l'étendue des dissensions de l'Ouest face à l'URSS. En juin 1987, toujours à Venise, il fut question de sanctions économiques contre l'Afrique du Sud.

Le changement dans la nature des sujets traités est particulièrement évident depuis la fin des années 1980. Ainsi, les problèmes de sécurité engendrés par la fin de la Guerre froide, ou encore la criminalité transfrontalière, ont périodiquement été portés à l'ordre du jour. Par exemple, les conflits dans

---

7. Philippe CHRESTIA, *op. cit.*, p. 460-461.

les Balkans ont souvent fait l'objet d'une déclaration dans le communiqué final des rencontres tenues au cours des années 1990. Ainsi, celui de mai 1999 a évidemment laissé une place importante à la guerre au Kosovo, qui battait alors son plein[8]. On y discute parfois même de santé et d'environnement, comme ce fut le cas en 1997, lorsque les participants ont évoqué la lutte contre les maladies infectieuses et la gestion des forêts[9], et en 2007 à propos du réchauffement climatique. Après 2001, les questions liées à la lutte contre le terrorisme sont devenues une référence presque incontournable.

Après des années de tergiversations, les Sept se sont enfin décidés à inviter la Russie, d'abord uniquement lorsque les discussions portaient sur des questions politiques, puis comme membre (bien qu'elle ne participe pas à la réunion des ministres des finances). Cette évolution s'est traduite par la transformation du G7 en G8 à partir du Sommet de Denver en 1997. C'est ainsi que la Russie s'est insérée dans le cycle des rotations et a été invitée à organiser un premier sommet en 2006.

Pour un premier ministre canadien, la participation à un sommet offre autant d'ouvertures qu'elle comporte de limites. Elle lui permet de participer à des discussions de haut niveau qui portent sur un vaste éventail de thèmes économiques et politiques, et procure une arène idéale pour tenter d'influencer le comportement des grandes puissances. Trudeau, Mulroney et Chrétien ont tenté de profiter de ces occasions pour promouvoir des idées et des projets importants pour le gouvernement canadien, mais avec des résultats inégaux. L'entente sur la piraterie aérienne est en grande partie l'œuvre de Trudeau, et fut adoptée à l'unanimité grâce à l'appui du premier ministre japonais. Par contre, lors du Sommet de Montebello de 1981, le premier ministre canadien n'a pas réussi à centrer l'attention sur les rapports Nord-Sud, ni à rallier l'appui des autres membres pour lancer de nouvelles initiatives en ce domaine. Au Sommet de Venise de 1987, Mulroney a tenté, sans succès, d'insérer une référence au problème de l'apartheid dans le communiqué final. En 2002, lors du Sommet de Kananaskis (le premier à se tenir depuis

---

8. MINISTÈRE DES AFFAIRES ÉTRANGÈRES ET DU COMMERCE INTERNATIONAL, « M. Axworthy assistera à Bonn à la conférence des ministres des Affaires étrangères du G8 sur le Kosovo », *Communiqué*, n° 98, 5 mai 1999.
9. Manon TESSIER, « Chronique des relations extérieures du Canada et du Québec », *Études internationales*, vol. 28, n° 3, septembre 1997, p. 597.

les attentats du 11 septembre), Jean Chrétien parvint à éviter que les questions de sécurité et de lutte au terrorisme n'accaparent toute l'attention et à faire adopter un plan de développement pour l'Afrique connu sous le nom de Nouveau Partenariat pour le développement de l'Afrique (NEPAD).

La participation au sommet impose néanmoins des obligations qui limitent la liberté d'action, obligations que l'on retrouve d'ailleurs dans la plupart des institutions « restreintes » évoquées au chapitre 1. Comme dans toutes les autres institutions multilatérales, chaque participant doit contribuer à l'atteinte des objectifs qui ont fait consensus durant le sommet – car, même si elles n'ont pas force de loi, les décisions du G8 ont une influence considérable sur les politiques nationales. Le Sommet de Bonn (1985) fut consacré en grande partie à la réduction des déficits publics, afin de relancer l'économie mondiale. Moins d'un mois après son retour au Canada, Trudeau annonçait des réductions budgétaires de 3 700 000 000 $ dans tous les programmes gouvernementaux[10]. Comme l'a fait remarquer un responsable des Affaires extérieures, les « communiqués servaient "d'encouragements mutuels" pour aider les chefs d'État à résister aux pressions dans leur propre pays[11] ». Selon « Si » Taylor, les sommets du G7 sont ainsi devenus un instrument diplomatique particulièrement utile pour le Canada. Les dirigeants, et surtout le premier ministre, ont l'occasion de participer à une forme de gouvernance du système international depuis la tribune du « forum multilatéral le plus exclusif du monde entier[12] ».

LES SOMMETS DU COMMONWEALTH

Le Commonwealth est une institution qui regroupe d'anciens territoires de l'Empire britannique devenus autonomes. Les « conférences des chefs de gouvernement du Commonwealth » (RCGC) ont lieu une fois tous les deux ans dans les capitales des États membres. Ces rencontres permettent à leurs dirigeants d'échanger sur des questions politiques, dans l'intimité et en toute

---

10. *International Canada*, juillet-août 1978, p. 159-162.
11. Allan GOTLIEB, alors sous-secrétaire d'État aux Affaires extérieures, cité dans *International Canada*, avril 1981, p. 87-88.
12. J. H. TAYLOR, « Preparing the Halifax Summit : Reflections on Past Summits », *Canadian Foreign Policy*, vol. 3, n° 1, printemps 1995, p. 46.

simplicité : pas de discours destinés à la galerie ou aux médias, pas de votes formels. En ce sens, cette institution n'est pas un organe décisionnel, mais plutôt un forum de concertation et d'échange de points de vue. La tradition veut que les sujets débattus dans les réunions ne soient pas révélés au public. Bien entendu, les dirigeants et leurs représentants donnent des conférences de presse, pendant et après les rencontres, ce qui permet d'avoir un bon aperçu des discussions. Officiellement cependant, les décisions sont prises à l'unanimité et ne sont divulguées que dans un communiqué final.

Le Sommet du Commonwealth est la plus ancienne réunion de ce genre à laquelle est invité le premier ministre. Ses origines remontent aux beaux jours de l'Empire. Depuis la fin du XIXe siècle, les rencontres ont changé petit à petit de nom et de vocation, à la suite des transformations propres à chacun des pays membres ou de celles qui intervenaient entre eux. Les toutes premières réunions étaient décousues et peu prometteuses : la première conférence coloniale fut organisée en 1887, pour discuter de la défense impériale, du télégraphe et des services postaux, ce que l'on pouvait difficilement qualifier de « diplomatie au sommet ». La conférence était présidée par le secrétaire aux Colonies, et non le premier ministre britannique. C'était loin d'être une rencontre entre égaux, la Grande-Bretagne y étant le seul pays souverain, et le Canada le seul dominion autonome[13].

Néanmoins, l'idée de réunir les représentants des différentes parties de l'Empire persista, surtout chez les impérialistes britanniques résolus à instaurer des mécanismes institutionnels destinés à établir une politique étrangère commune pour tout l'Empire. La conférence de 1887 ne fut donc que la première d'une série de réunions (1894, 1897, 1902 et 1907). À partir de 1907, les conférences coloniales devinrent des « conférences impériales », pour refléter l'accession des nouvelles colonies au statut autonome de dominions, soit l'Australie en 1901, et la Nouvelle-Zélande en 1907. Il fut aussi convenu que ce serait le premier ministre britannique qui présiderait les conférences, et non le secrétaire aux Colonies.

---

13. John HILLIKER, *Le ministère des Affaires extérieures du Canada* (vol. 1 : *Les années de formation*, 1909-1946), Québec, Presses de l'Université Laval/Institut d'administration publique du Canada, 1990, p. 20-21 ; C. P. STACEY, *Canada and the Age of Conflict. A History of Canadian External Policies* (*vol.* 1 : 1867-1921), Toronto, Macmillan Canada, 1977, p. 44-46.

Il est ironique de constater que ces efforts visant à renforcer l'unité de l'Empire entraîneront en fait sa transformation, et ceci, dans un sens bien différent de ce que souhaitaient les impérialistes britanniques. Après la Première Guerre mondiale, les premiers ministres des dominions profitèrent des conférences pour aborder les dimensions constitutionnelles et politiques de leurs relations avec Londres : ils résistèrent aux pressions continuelles des Britanniques pour conserver le contrôle de leur défense, et demandèrent la fin de la tutelle anglaise sur leur politique extérieure, enterrant ainsi l'idée d'une politique impériale commune à ces deux domaines. Comme nous l'avons vu, ce fut à la conférence de 1926 que les premiers ministres se sont entendus sur l'autonomie des dominions en matière de politique extérieure, ouvrant ainsi la voie au Statut de Westminster (1931) – et donc à ce qui allait devenir le Commonwealth actuel[14].

Avec l'expansion du Commonwealth, les conférences impériales se transformèrent, dans les années 1940, en « conférences des premiers ministres », dont la première fut tenue en 1944. Lors de la rencontre de janvier 1951, deux des sept dominions qui avaient participé à la dernière grande conférence impériale de 1937 – Terre-Neuve et l'Irlande – n'y participaient plus. Le club s'était néanmoins élargi, en accueillant les États nouvellement indépendants du sous-continent indien (Inde, Pakistan et Ceylan – comme se nommait alors l'actuel Sri Lanka), ce qui mettait un terme à la communauté des dominions « blancs ». Les changements ne sont pas seulement de nature raciale, mais aussi constitutionnelle. Le nouveau gouvernement indien, désireux de rompre avec l'Empire britannique des Indes, au sens symbolique et littéral, voulait devenir une république – et ne voulait plus, avec les autres États, « être uni par allégeance commune à la Couronne », comme le spécifiait le Statut de Westminster. New Delhi voulait cependant maintenir l'association avec le Commonwealth, ce qui fut rendu possible après des négociations, en 1948 et 1949, qui devaient aboutir à la « formule de Londres » : les membres du Commonwealth acceptaient l'adhésion de l'Inde à la condition que, sans

---

14. Sur la transformation de l'Empire en Commonwealth, voir Henri GRIMAL, *Histoire du Commonwealth britannique*, Paris, PUF, 1971, p. 88-93 ; et Jean-Claude REDONNET, *Le Commonwealth. Politiques, coopération et développement anglophones*, Paris, Presses universitaires de France, 1998, p. 7-41. Sur le rôle du Canada, voir André P. DONNEUR, *Politique étrangère canadienne*, Montréal, Guérin, 1994, p. 63-64.

pour autant créer un lien officiel avec la Couronne, celle-ci reconnaisse le souverain britannique « en tant que symbole de l'association volontaire des nations indépendantes membres du Commonwealth, et, à ce titre, comme étant à la tête du Commonwealth[15] ».

L'admission, au sein du Commonwealth, d'une nation ni républicaine ni composée d'une population de race blanche était la prémisse de l'expansion rapide de cette institution, surtout dans le contexte de la vague de décolonisation des années 1950 et 1960. À partir de 1957, de nombreux pays africains, antillais et asiatiques vont adhérer à cette organisation, si bien qu'en 2006, ils seront 53 membres[16] répartis sur tous les continents, gouvernés par différents systèmes politiques. En 1999, le Sommet de Durban devait accueillir 47 chefs de gouvernement – un record dans l'histoire du Commonwealth. La diversité des titres des participants a cependant obligé l'institution à modifier son appellation. C'est ainsi que, en 1971, le Sommet de Singapour a été rebaptisé « Rencontre des chefs d'État et de gouvernement du Commonwealth ». La réunion se tient tous les deux ans, généralement en décembre.

Jusqu'en 1971, les sommets se tenaient traditionnellement à Londres, et seul celui de 1966, tenu en partie à Lagos au Nigeria, faisait exception. En 1971, les participants au Sommet de Singapour s'entendent pour adopter le principe de rotation, selon lequel les rencontres doivent se tenir dans différentes régions du monde. Depuis, la liste s'établit comme suit :

Ottawa (Canada), 1973	Harare (Zimbabwe), 1991
Kingston (Jamaïque), 1975	Nicosie (Chypre), 1993
Londres (Royaume-Uni), 1977	Auckland (Nouvelle-Zélande), 1995
Lusaka (Zambie), 1979	Édimbourg (Royaume-Uni), 1997
Melbourne (Australie), 1981	Durban (Afrique du Sud), 1999
New Delhi (Inde), 1983	Brisbane (Australie), 2001
Nassau (Bahamas), 1985	Abuja (Nigeria), 2003
Vancouver (Canada), 1987	La Valette (Malte), 2005
Kuala Lumpur (Malaisie), 1989	Kampala (Ouganda), 2007

---

15. Pour un compte-rendu détaillé du rôle joué par le Canada dans le maintien de la participation indienne au Commonwealth, voir James EAYRS, *In Defence of Canada*, (Tome 3 : *Peacemaking and Deterrence*), Toronto, University of Toronto Press, 1972, p. 236-256 ; André P. DONNEUR, *op. cit.* (1994), p. 65-66.
16. En 2003, le Zimbabwe a quitté le Commonwealth, qui comptait alors 54 membres.

De Borden à Chrétien, les premiers ministres canadiens ont tenté de profiter de ces rencontres et de l'autorité que leur conférait leur statut pour s'engager dans des négociations internationales, sans se sentir contraints par le Cabinet, le Parlement ou les fonctionnaires. Cette tendance était plus prononcée avant 1946, lorsque le premier ministre cumulait les fonctions de secrétaire d'État aux Affaires extérieures. À la conférence impériale de 1921, Arthur Meighen s'opposa fermement à la reconduction de l'alliance anglo-japonaise, que favorisaient Londres et les dominions du Pacifique, mais qui faisait grincer bien des dents aux États-Unis. Meighen s'était prononcé à l'insu du Cabinet, sur l'avis du conseiller juridique du ministère des Affaires extérieures, Loring Christie. Cette opposition provoqua la division au sein du Commonwealth et la conférence finit par adopter un compromis boiteux sur la question[17].

Meighen n'est pas un cas isolé. Les premiers ministres qui lui ont succédé ont tous cherché à utiliser les conférences du Commonwealth pour promouvoir leurs intérêts politiques, ne serait-ce qu'en participant activement aux débats. Lors de la conférence impériale de 1926, King a contribué, grâce à une diplomatie improvisée, mais pleine de tact et de pragmatisme, à faire avaliser l'indépendance du Canada et des autres dominions autonomes. À l'inverse, lors de la conférence impériale sur l'économie, à Ottawa, en 1932, R. B. Bennett fut si grossier et agressif à l'égard de la délégation britannique que le cours des négociations commerciales anglo-canadiennes en fut affecté. Et à la conférence de 1937, King agaça au plus haut point ses confrères, en épluchant le communiqué final pour en supprimer tout ce qui pourrait rappeler un engagement envers le système de sécurité collective de la Société des Nations.

L'attitude des dirigeants canadiens au cours des réunions du Commonwealth a changé après la Deuxième Guerre mondiale. En fait, c'est d'abord au sein de cette organisation que le Canada a acquis sa réputation de médiateur, une image encore fortement associée à la politique extérieure cana-

---

17. Sur ce sujet, voir C. P. STACEY, *op. cit.* (1977), p. 321, 340-348 ; James EAYRS, *The Art of the Possible : Government and Foreign Policy in Canada*, Toronto, University of Toronto Press, 1960 ; et James EAYRS, *In Defence of Canada* (Tome 1 : *From the Great War to the Great Depression*), Toronto, University of Toronto Press, 1964.

dienne. Les premiers ministres canadiens y ont proposé des initiatives qui ont contribué à atténuer les divisions entre participants et à éviter qu'elles ne dégénèrent en ruptures irréparables. La domination de la minorité blanche, en Afrique du Sud, a toujours été une question qui a déchiré le Commonwealth, depuis les brouilles de la fin des années 1950 – qui ont mené au départ de l'Afrique du Sud en 1961 – jusqu'à sa réadmission, le 1er juin 1994, après l'élection de Nelson Mandela à la tête d'un gouvernement multiracial[18].

Soucieux de préserver une institution internationale considérée comme très utile et unique en son genre (nous y reviendrons plus loin), les premiers ministres canadiens ont constamment travaillé à ce que le racisme institutionnalisé en Rhodésie (l'actuel Zimbabwe) et en Afrique du Sud ne conduise pas à l'éclatement du Commonwealth. John Diefenbaker a joué, lors du Sommet de 1961, un rôle central dans les discussions sur le sort à réserver à l'Afrique du Sud, en proposant un compromis susceptible de réduire le fossé qui se creusait entre les membres afro-asiatiques, d'une part, et l'Angleterre, l'Australie et la Nouvelle-Zélande, de l'autre[19]. De même, Pearson joua de diplomatie pour arriver à trouver un terrain d'entente entre Londres et les États d'Afrique noire en ce qui concernait la Rhodésie, à la suite de la proclamation unilatérale de l'indépendance par Ian Smith, en 1965[20]. Dès son arrivée au pouvoir, Trudeau, qui avait pourtant affiché un profond scepticisme à l'égard de la diplomatie pearsonienne, eut l'occasion de s'y initier lors de la conférence du Commonwealth à Singapour en 1971, quand les participants soulevèrent la question des ventes d'armes à l'Afrique du Sud par

---

18. Voir Tom KEATING, *Canada and World Order. The Multilateralist Tradition in Canadian Foreign Policy*, Toronto, McClelland & Stewart, 1993, p. 179-182 ; David R. BLACK, « La politique du gouvernement Mulroney à l'égard de l'Afrique du Sud : Précurseur de la "sécurité humaine" », *Études internationales*, vol. 31, n° 2, juin 2000, p. 291-310.

19. Frank R. HAYES, « South Africa's Departure from the Commonwealth, 1960-1961 », *International Historical Review*, vol. 2, juillet 1980, p. 453-484.

20. Arthur E. BLANCHETTE, *Canadian Foreign Policy* 1955-1965 : *Selected Speeches and Documents*, Ottawa, McClelland & Stewart, 1977, p. 302-308 ; Frank R. HAYES, « Canada, The Commonwealth, and the Rhodesia Issue », dans Kim Richard NOSSAL (dir.), *An Acceptance of Paradox. Essays on Canadian Diplomacy in Honour of John W. Holmes*, Toronto, CIIA, 1982, p. 141-173.

l'Angleterre[21]. Brian Mulroney a poursuivi cette tradition au cours des années 1980 : après de nouvelles émeutes et explosions de violence en Afrique du Sud, au printemps austral 1984, la question de l'apartheid est revenue au premier rang des préoccupations lors des Sommets de Nassau en 1985, et de Vancouver en 1987, ce qui valut à Mulroney de sérieux accrochages avec Margaret Thatcher, qui s'opposait à des sanctions contre l'Afrique du Sud[22]. Au Sommet d'Harare en 1991, l'apartheid était en voie d'être aboli et les membres du Commonwealth commencèrent à lever les sanctions contre l'Afrique du Sud. En 1995, au Sommet d'Auckland, l'Afrique du Sud était revenue au sein du Commonwealth.

Les rencontres des chefs d'État et de gouvernement du Commonwealth offrent aussi au premier ministre l'occasion de faire preuve d'initiative sur d'autres questions. Trudeau y amorça deux initiatives diplomatiques : à Melbourne en 1981, il tenta de convertir les autres membres à sa diplomatie Nord-Sud[23] et à l'automne 1983 à New Delhi, il lançait son « initiative de paix » visant à réduire les tensions Est-Ouest attisées, en septembre de cette même année, par la destruction du vol 007 des lignes aériennes coréennes par des chasseurs soviétiques[24].

Les rencontres du Commonwealth ne traitent que rarement de questions que l'on peut considérer comme cruciales pour le Canada. Mais les premiers ministres jugent ces rencontres suffisamment importantes pour

---

21. Clarence REDEKOP, « Trudeau at Singapore : The Commonwealth and Arms Sales to South Africa », dans Kim Richard NOSSAL (dir.), *op. cit.* (1982), p. 174-195 ; Trudeau évoque cet épisode dans ses Mémoires de politique étrangère : Ivan L. HEAD et Pierre Elliott TRUDEAU, *The Canadian Way : Shaping Canada's Foreign Policy 1968-1984*, Toronto, McClelland & Stewart, 1995, p. 105-107.

22. David R. BLACK, *op. cit.* ; Dan O'MEARA, « L'apartheid assiégé : la réaction du Canada », *Paix et sécurité*, vol. 1, n° 2, été 1986, p. 2-3.

23. Pour les détails de cette initiative, voir Kim Richard NOSSAL, « Personal Diplomacy and National Behaviour : Trudeau's North-South Initiative », *Dalhousie Review*, vol. 62, été 1982, p. 278-291.

24. Sur « l'initiative de paix » de Trudeau, voir André P. DONNEUR, « La politique étrangère de Pearson à Trudeau : entre l'internationalisme et le réalisme », dans Yves BÉLANGER et Dorval BRUNEL *et al.*, *op. cit.*, p. 51-53 ; J. L. GRANATSTEIN et Robert BOTHWELL, *Pirouette. Pierre Trudeau and Canadian Foreign Policy*, Toronto, University of Toronto Press, 1990, p. 363-376 (les pages 371-376 ont été traduites en français et publiées sous le titre « Le dernier "hourra" de Pierre Trudeau », *Paix et sécurité*, vol. 5, n° 3, automne 1990, p. 10-11) ; Ivan L. HEAD et Pierre Elliott TRUDEAU, *op. cit.* (1995), p. 292-309.

organiser leur emploi du temps en conséquence. En fait, seuls deux premiers ministres canadiens, Kim Campbell et Paul Martin, se sont abstenus de participer à un sommet du Commonwealth, parce qu'ils étaient accaparés par une campagne électorale, respectivement en 1993 et en 2005-2006.

Pour les premiers ministres, les conférences du Commonwealth semblent avoir constitué bien plus qu'une simple occasion de rencontres. Tous reconnaissent l'importance de cette organisation pour le maintien de l'ordre international. Comme l'a exprimé Tom Keating, le Commonwealth est l'une de ces institutions multilatérales qui contribuent à « préserver l'habitude de la consultation et de la coopération internationales », laquelle est essentielle pour préserver et promouvoir les intérêts du Canada[25]. En raison des principes sur lesquels il repose et de la diversité des États qui le constituent, il offre une tribune et un forum de négociation et permet ainsi aux gouvernements d'échanger leurs vues et de tenter de trouver un terrain d'entente sur des questions parfois délicates, en particulier celles des relations Nord-Sud.

LA FRANCOPHONIE

En 1880, le géographe français Onésime Reclus invente le terme « francophonie » afin de définir un ensemble de personnes qui utilisent la langue française dans leurs interactions, mais il faudra attendre février 1986 pour que se tienne le premier Sommet de la Francophonie à Paris[26]. Cette rencontre des chefs d'État et de gouvernement des pays ayant le français en partage réunissait 41 chefs d'État ou de gouvernement. L'expression « ayant le français en partage » est un critère suffisamment souple pour permettre à l'institution d'accueillir des États tels que la Roumanie, le Viêt-nam et l'Égypte.

L'idée n'était pas nouvelle : dès la fin des années 1950, il était déjà question d'organiser une telle rencontre. Mais les dirigeants français – à commencer par Charles de Gaulle, puis les présidents qui lui ont succédé – ne voyaient pas l'utilité de créer un équivalent francophone au Commonwealth. Paris se satisfaisait de ses relations bilatérales avec ses anciennes colonies, de façon

25. Tom KEATING, *op. cit.* (1993), p. 246.
26. Xavier DENIAU, *La Francophonie*, Paris, Presses universitaires de France, 2001.

à ce que « la puissance et l'influence de la France soient employées avec un maximum de résultats[27] ».

Ces rencontres étaient également souhaitées depuis plusieurs années par les présidents Léopold Sédar Senghor (Sénégal), Habib Bourguiba (Tunisie) et Hamani Diori (Niger). Ces derniers voulaient regrouper les anciennes colonies françaises dans un forum afin de maintenir des liens avec l'ancienne métropole sur les plans culturel et linguistique[28]. L'histoire de la francophonie trouve ainsi sa source dans les conférences et institutions qui, depuis les années 1960, réunissent des ministres et autres représentants des pays d'expression française. Dès 1960, la Conférence des ministres de l'Éducation nationale des pays francophones (CONFEMEN) sera mise sur pied[29]. En 1961, l'Association des universités partiellement ou entièrement de langue française (AUPELF) sera créée à Montréal. L'Association internationale des parlementaires de langue française (AIPLF) sera formée en 1967, alors que la Conférence des ministres de la Jeunesse et des Sports des pays francophones (CONFEJES) sera créée en 1969.

Si la mise sur pied de ces institutions n'a pas fait la manchette, la fondation en mars 1970 du premier organisme intergouvernemental de la francophonie, l'Agence de coopération culturelle et technique (ACCT), subira les contrecoups de la crise politique canadienne qui, depuis la Révolution tranquille au Québec, prend un sens nouveau[30]. Si, au début des années 1960, le gouvernement fédéral appuie modérément les actions internationales de la province de Québec sur la scène internationale, son attitude commence à changer à la suite de la formulation de la doctrine Gérin-Lajoie en 1965 qui affirme la volonté du gouvernement du Québec de devenir un acteur inter-

27. Cité par John KIRTON, « Shaping the Global Order : Canada and the Francophonie and Commonwealth Summit of 1987 », *Behind the Headlines*, n° 44, juin 1987, p. 4.
28. Stéphane PAQUIN, « La relation triangulaire Québec-Ottawa-Paris et l'avènement de l'Organisation internationale de la Francophonie (1965-2005) », *Guerres mondiales et conflits contemporains*, n° 223, 2006, p. 157-181.
29. Ces initiatives ne sont pas les premières dans le monde francophone. Déjà en 1950, avait été mise sur pied l'Union internationale des journalistes et de la presse de langue française.
30. René DUROCHER, « L'ouverture du Québec sur le monde extérieur, 1960-1966 », dans Robert COMEAU (dir.), *Jean Lesage et l'éveil d'une nation. Les débuts de la Révolution tranquille*, Sillery, Presses de l'Université du Québec, 1989, p. 108 et suivantes.

national dans ses champs de compétence. L'élection de Pierre Trudeau en 1968 radicalisera encore plus la position fédérale. Trudeau pensait que la politique étrangère du Canada devait servir l'intérêt national des Canadiens et tout particulièrement être au service de l'unité nationale. Le problème Québec-Canada et la création de l'ACCT étaient si complexes qu'ils exaspéraient plusieurs chefs d'État africains. Le ministre sénégalais de la Coopération alla même jusqu'à menacer d'écarter le Canada du projet : « Il n'est pas acceptable que ce soit un État fédératif à majorité anglophone qui nous empêche de créer une agence francophone. À la rigueur, nous nous passerons d'eux[31]. » L'arrivée du pouvoir du Parti québécois en 1976 et le durcissement qui s'ensuivit dans les relations fédérales-provinciales rendaient encore plus difficile la mise sur pied de sommets de la francophonie[32].

En juin 1982, cependant, le nouveau président français François Mitterrand, élu en 1981, réaffirme son intérêt pour la création d'une institution de la francophonie. Il déclare ainsi en conférence de presse que ses conseillers allaient

> faire des propositions qui feront que la francophonie et les institutions tendant à défendre la langue française seront mises en place d'ici peu, y compris l'institution disons francophone, qui a buté sur des problèmes propres au Canada et au Québec, vous le savez l'idée, chère à M. Senghor, qui m'est chère aussi[33].

En janvier 1983, Régis Debray, conseiller du président Mitterrand pour les affaires culturelles et le Tiers-Monde, est chargé du dossier. Debray rencontre Pierre Elliott Trudeau à Ottawa, ainsi que le vice-premier ministre du Québec, Jacques-Yvan Morin, à Québec. Le compromis que propose Debray est de diviser un futur sommet en deux volets. Une première réunion regrouperait uniquement les chefs d'État alors que le second volet, de nature plus technique, pourrait associer les chefs de gouvernement comme ceux des provinces canadiennes. Selon Debray, cette solution pouvait intéresser le Québec,

31. Louis Sabourin, « Ottawa et Québec dans l'Agence : une coopération à inventer », *Perspectives internationales*, janvier-février 1972, p. 20.

32. Louise Beaudoin, « Origines et développement du rôle international du gouvernement du Québec sur la scène internationale », dans Paul Painchaud (dir.), *Le Canada et le Québec sur la scène internationale*, Sainte-Foy, Presse de l'Université du Québec, p. 441-470 ; Dale C. Thompson, *De Gaulle et le Québec*, Saint-Laurent, Éditions du Trécarré, 1990 ; et André Patry, *Le Québec dans le monde*, Montréal, Leméac, 1980.

33. Cité dans Claude Morin, *L'art de l'impossible. La diplomatie québécoise depuis 1960*, Montréal, Boréal, 1987, p. 440.

les autres provinces canadiennes, mais également la Wallonie par exemple. Pour le Québec, cette proposition était inacceptable, car elle abaissait son statut d'État francophone en le mettant au même niveau que les autres provinces canadiennes. Ainsi, le projet s'effondra lorsque le gouvernement du Parti québécois se lança dans un lobby intensif, à Paris, pour être reconnu comme participant à part entière. Le Québec était déjà gouvernement participant à l'ACCT et réclamait un statut comparable.

Après son élection en septembre 1984, Mulroney chercha à rompre avec l'attitude des libéraux fédéraux. Lors de la visite du premier ministre français à Ottawa et à Québec en novembre 1984, aucun des incidents qui avaient marqué les relations France-Québec-Canada dans le passé ne se produisit. Le nouveau premier ministre du Canada affirme alors, ce qui marque une rupture avec le discours de son prédécesseur, qu'il ne voyait rien de mal aux relations directes et privilégiées entre la France et le Québec. Mulroney relance également l'idée d'un sommet.

Le 7 novembre 1985, l'entente Mulroney-Johnson sur la participation du Québec à la Conférence des chefs d'État et de gouvernement des pays ayant en commun l'usage du français est conclue. Cet accord concernant la francophonie prévoit que le Québec ne sera pas présent directement, mais qu'il sera représenté sous la désignation de Canada-Québec. Dans cette entente, Ottawa et Québec ont convenu que le sommet serait divisé en deux parties, l'une consacrée à la situation politique et économique mondiale, réservée aux interventions du gouvernement fédéral, et l'autre aux questions de coopération et de développement, qui concernent alors également le gouvernement du Québec et du Nouveau-Brunswick. Il faut cependant souligner qu'avec le temps la distinction entre les parties des sommets est devenue moins évidente.

Soulignons cependant que le comportement de Robert Bourassa lors du Sommet de Versailles permettra au Québec de jouer, dès le départ, un rôle plus important que ne le prévoyait l'accord initial. Comme le souligne Gil Rémillard, ministre des Relations internationales sous Bourassa :

> L'idée nous est venue de créer un rôle de rapporteur à ce Sommet et de proposer que ce soit le premier ministre Bourassa qui l'occupe. Pour justifier ce choix, nous nous sommes dit que l'on pourrait établir une règle à l'effet que le rapporteur serait le chef d'État du gouvernement qui devait être l'hôte du prochain Sommet.

Nous pouvions ainsi réussir un doublé ; d'une part, le premier ministre du Québec pouvait s'exprimer au Sommet à un moment particulièrement important, et sur tous les sujets, pas simplement de culture, d'éducation et de développement ; d'autre part, nous nous assurions d'être les hôtes du deuxième Sommet que nous voulions tenir à Québec deux ans plus tard[34].

Depuis, les représentants du gouvernement fédéral, du Québec et du Nouveau-Brunswick se consultent régulièrement. Puisque les sommets fonctionnent par consensus, le Québec n'a jamais formellement voté contre une position canadienne, puisqu'il n'a pas de vote distinct. Le représentant du Québec, qui a cependant le droit de s'exprimer sur tous les sujets, peut, lorsqu'il s'agit d'une question relevant des champs de compétence provinciaux, marquer sa dissension. Lors du Sommet de Bucarest en 2006, un désaccord important est survenu à la suite de la formulation d'une résolution égyptienne portant sur le Liban alors aux prises avec les bombardements israéliens dirigés contre le Hezbollah. Cette résolution évoquait « la tragédie dont a été victime la population » du Liban et appelait « à la cessation totale des hostilités et au retour au calme ». Si l'Égypte bénéficiait du soutien d'une majorité de participants, dont la France, le premier ministre Harper, soutenu par la Suisse, a fortement réagi contre cette résolution dont le texte ne reconnaissait pas l'existence de victimes civiles du côté israélien. Le premier ministre du Québec, dont la position était plus proche de celle de la France, a servi d'intermédiaire et a proposé une suspension des délibérations lorsque le ton est monté trop haut. Si la résolution avait été soumise au vote, le Québec aurait tenté de convaincre Ottawa de s'abstenir.

Comme le souligne le journaliste Christian Rioux : « Le président Chirac, qui a dévoilé toute l'affaire en conférence de presse, a décrit l'affrontement en des termes forts : "Honnêtement, il y avait une très très très grande majorité qui y était favorable. Le Canada y était hostile." Il a donc fallu trouver une solution qui "ne permette à personne de perdre la face" ». Lors de la conférence de presse finale, la froideur du président Chirac envers Stephen Harper était évidente alors que le président français n'a pas ménagé ses bons mots à l'égard du premier ministre Jean Charest, qui avait participé à

---

34. Cité dans Stéphane PAQUIN (dir.), *Les relations internationales du Québec depuis la doctrine Gérin-Lajoie : le prolongement externe des compétences internes*, Ste-Foy, Presses de l'Université Laval, p. 258-259.

l'élaboration du compromis final avec le ministre français des Affaires étrangères, Philippe Douste-Blazy[35].

LES SOMMETS DE LA FRANCOPHONIE *

Versailles (France), 1986	Hanoi (Viêt-nam), 1997
Québec (Canada), 1987	Moncton (Canada), 1999
Dakar (Sénégal), 1989	Beyrouth (Liban), 2002
Paris (France), 1991	Ouagadougou (Burkina Faso), 2004
Grande Baie (île Maurice), 1993	
Cotonou (Bénin), 1995	Bucarest (Roumanie), 2006
	Québec (Canada), 2008

* Voir le site Web <www.sommet-francophonie.org>.

Comme les sommets du Commonwealth, ceux de la Francophonie permettent aux premiers ministres d'exprimer leurs préoccupations en matière de politique étrangère devant les chefs de gouvernement de nombreux États. Brian Mulroney s'est servi de ces sommets pour faire valoir ses préoccupations concernant les droits de la personne et la protection de l'environnement, soulevant la question pour la première fois à Dakar en 1989. Jean Chrétien a suivi la voie tracée par Mulroney, laquelle consistait à renforcer le caractère politique de la francophonie. Les représentants canadiens étaient persuadés que cette organisation aurait pu jouer un rôle plus actif pour éviter le génocide au Rwanda, en 1994, mais c'est la transformation de l'ACCT en Agence de la Francophonie qui retint l'attention au cours du Sommet de 1995. Les débats firent éclater aussi les dissensions entre, d'une part, la France et le Canada – qui voulaient que soit adoptée une position ferme sur les violations des droits de la personne au Nigeria et, d'autre part, les États d'Afrique occidentale, qui ne voulaient pas risquer d'envenimer leurs relations avec le Nigeria, un acteur important dans cette région.

De plus en plus, dans les Sommets de la Francophonie, on aborde des enjeux qui seront à l'ordre du jour dans d'autres institutions internationales. Au 5ᵉ Sommet de la Francophonie, tenu à l'île Maurice en 1993, les chefs d'État et de gouvernement adoptaient une résolution appuyant la notion d'exception

---

35. Christian RIOUX, « Sommet de la Francophonie : Harper provoque un coup de théatre », *Le Devoir*, 1ᵉʳ octobre 2006.

culturelle dans le cadre des négociations du GATT. Lors du Sommet de Beyrouth en 2002, la question de la diversité culturelle devint un élément important de l'ordre du jour. Il faut se rappeler que l'Organisation internationale de la Francophonie regroupe aujourd'hui 55 États et gouvernements membres et 13 observateurs. Ces pays représentent environ le quart des votes à l'ONU, le tiers des votes à l'Organisation mondiale du commerce, deux pays membres du G8 et un veto au Conseil de sécurité de l'ONU.

Depuis le premier Sommet de la Francophonie à Paris en 1986, les chefs d'État et de gouvernement se rencontrent tous les deux ans. L'organisation s'est dotée d'un secrétaire général (le premier a été Boutros Boutros Ghali, ancien secrétaire général de l'ONU), d'un secrétariat général et d'une charte. L'ACCT a ainsi été remplacée par l' Agence de la Francophonie, en 1995, puis la conférence ministérielle de Bucarest (1998) a adopté l'appellation d'Organisation internationale de la Francophonie (OIF). Son siège est situé à Paris et s'appuie sur quatre opérateurs : l'Agence universitaire de la Francophonie (AUF), TV5, l'Université Senghor et l'Association internationale des maires francophones (AIMF). Elle compte également sur le soutien d'une assemblée consultative, l'Assemblée parlementaire de la Francophonie (APF). L'OIF collabore avec plusieurs autres organisations internationales, dont l'ONU, le Commonwealth, la Ligue arabe et l'Union africaine.

Organisation essentiellement technique à l'origine, l'OIF prend un caractère de plus en plus politique en s'intéressant aux droits de la personne, au maintien de la paix et à la démocratisation (notamment dans les pays d'Afrique), à la surveillance d'élection, à la culture et à la mondialisation. Le Québec est toujours considéré comme un pays membre, mais sous l'appellation Canada-Québec, aux côtés du Canada et du Canada–Nouveau-Brunswick. Le seul État non souverain représenté sans le truchement d'un gouvernement central est la Communauté française de Belgique.

PRÉSIDENTS ET PREMIERS MINISTRES

Les relations avec les États-Unis constituent, nous l'avons déjà souligné, l'axe le plus important de la politique étrangère canadienne. En conséquence, le premier ministre doit inévitablement conserver des relations étroites avec le président américain. Depuis la brève rencontre à Washington en novembre 1927, entre Mackenzie King et Calvin Coolidge, les premiers ministres se sont toujours efforcés d'établir des relations personnelles avec leur homologue américain. Ainsi, depuis les années 1930, à l'exception de P. E. Trudeau et de John Turner[36], tous les premiers ministres ont rencontré le président des États-Unis dans les six mois suivant leur entrée en fonction. De même, chaque président américain, de Franklin Roosevelt à Bill Clinton, a rencontré le premier ministre canadien peu de temps après son investiture. La fréquence des sommets multilatéraux auxquels participent les deux chefs de gouvernement favorise l'établissement de tels contacts. Ainsi, Bill Clinton a rencontré trois premiers ministres différents dans l'année qui a suivi son investiture, en 1993 : Mulroney en avril, lors du Sommet russo-américain de Vancouver organisé par le premier ministre ; puis Kim Campbell en juillet, au Sommet du G7, à Tokyo ; et enfin Jean Chrétien au Sommet de l'APEC à Seattle en décembre. Chrétien semble particulièrement priser ces contacts établis dans le cadre de sommets multilatéraux, surtout au cours de son premier mandat (1993-1997). Soucieux de se démarquer du « style Mulroney », il cherchait à éviter de donner l'impression d'être trop lié à son homologue américain, ce qui ne l'a pas empêché de développer une excellente relation avec Bill Clinton. Par ailleurs, Paul Martin a pu rencontrer George W. Bush en janvier 2004, quelques semaines à peine après avoir remplacé Jean Chrétien, lors du Sommet des Amériques, avant d'être invité à la Maison Blanche en avril suivant.

Les rencontres entre dirigeants canadiens et américains ont eu lieu dans des circonstances très diverses : sommets multilatéraux, cérémonies officielles ou séances de travail bilatérales. Les réunions avec le président américain ne se tiennent pas sur une base régulière ; elles ont lieu au besoin ou lorsque l'occasion se présente. Toutefois, Mulroney a bien tenté d'institutionnaliser les sommets bilatéraux. La première rencontre avec Reagan, appelée le « Sommet irlandais », eut lieu à Québec, le 18 mars 1985, jour de la Saint-Patrick. Par la suite, et pendant toute la durée du mandat de Mulroney, une rencontre semblable devait se tenir en mars ou en avril de chaque année.

---

36. En 1968, Trudeau n'a pas rencontré Lyndon B. Johnson, même si leur mandat se sont chevauchés pendant un peu moins d'un an ; il n'y a pas eu non plus de rencontre, en 1984, entre John Turner et Ronald Reagan.

Certaines de ces rencontres peuvent être intentionnellement cérémonieuses : la signature d'un accord bilatéral, l'inauguration d'un parc ou d'un pont, etc. Toutes les occasions sont bonnes pour souligner par des discours ampoulés l'excellence des relations entre les deux pays. Presque inévitablement, les participants feront référence à l'ampleur des échanges ou au maintien de la « plus longue frontière démilitarisée du monde », considérée comme le symbole de la relation pacifique entre les deux pays. Après plus d'une centaine de rencontres au cours du XXᵉ siècle, les rédacteurs de discours ont bien du mal à se renouveler pour éviter les clichés éculés sur l'amitié canado-américaine (clichés néanmoins nécessaires, car ils démontrent publiquement que la relation – une des plus complexes du monde – continue d'être harmonieuse). Ils assurent les Canadiens que les Américains sont toujours aussi peu enclins à leur servir le traitement que les grandes puissances réservent traditionnellement à leurs voisins plus faibles[37].

Les rencontres peuvent aussi se tenir dans un contexte informel. Louis Saint-Laurent et Dwight Eisenhower tinrent une réunion en jouant au golf, ce qui fit dire au premier ministre plus tard :

> Une partie de golf est sans doute le meilleur moyen d'avoir une conférence internationale, parce que vous descendez assez souvent de la voiturette, seulement pour quelques minutes, mais juste assez longtemps pour réfléchir à ce qui vient d'être dit [...] et pour réfléchir à ce qui va être dit quand vous allez remonter dans la voiture[38].

Jean Chrétien ne réfuterait certainement pas cette remarque, lui qui a passé l'essentiel de ses tête-à-tête avec Bill Clinton sur un parcours de golf. De même, Mulroney a rencontré George Bush, en 1990, à sa résidence d'été, à Kennebunkport, dans le Maine. Le président devait par la suite qualifier la rencontre en ces termes : « Lui et Mila [...] sont venus avec les enfants. C'était tout à fait informel. Pas de *Marines* ou de Police montée [...]. C'était très

---

37. Voir Stéphane ROUSSEL, *The North American Democratic Peace : Absence of War and Security Institution-Building in Canada-US Relations,* 1867-1958, Montréal/Kingston, McGill-Queen's University Press/Queen's University School of Policy Studies, 2004.
38. Cité dans Roger Frank SWANSON, *op. cit.* (1975), p. 197.

agréable ; nous nous sommes bien amusés. Et nous pouvions discuter et nous parler franchement[39]. »

Les rencontres entre président et premier ministre permettent de résoudre des problèmes que l'on ne pourrait régler à un autre niveau, et de prendre des décisions qui marquent parfois un changement radical dans les relations entre les deux États. Avant la Deuxième Guerre mondiale, il n'existait aucun lien de coopération formel en matière de défense entre le Canada et les États-Unis. Jusque-là, seule l'Angleterre avait été garante de la sécurité du Canada. Mais à l'été 1940, le Royaume-Uni est aux abois et semble sur le point d'être envahi par les troupes allemandes. Mackenzie King dut se tourner vers les États-Unis, donc vers le président Franklin Roosevelt, avec qui il entretenait une relation d'amitié et de confiance. Les deux hommes se sont rencontrés dans la petite ville d'Ogdensburg, dans l'État de New York, les 17 et 18 août. Sans cérémonie aucune, ils devaient s'entendre pour créer la Commission mixte permanente canado-américaine de défense (connue sous le sigle anglais PJBD, soit *Permanent Joint Board on Defence)*. Cette rencontre très informelle marque en fait un tournant dans l'évolution de la politique de défense du Canada, puisqu'elle signifie que celui-ci comptera désormais plus sur les États-Unis que sur l'Angleterre pour assurer sa sécurité[40]. L'année suivante, alors que le passage à l'économie de guerre commence à faire sentir ses effets et que le Canada enregistre un déficit croissant dans sa balance commerciale, King rencontre à nouveau Roosevelt à la résidence présidentielle de Hyde Park. Les États-Unis accepteront d'acheter du Canada de l'équipement militaire pour l'aider à réduire son déficit[41]. Cette décision devait signifier, à terme, l'intégration de l'industrie de la défense du Canada à celle des États-Unis. Tant l'Accord d'Ogdensburg que la Déclaration de Hyde Park

---

39. Cité dans Lawrence MARTIN, *Pledge of Allegiance : The Americanization of Canada in the Mulroney Years*, Toronto, McClelland & Stewart, 1993.
40. Voir J. L. GRANATSTEIN, « Mackenzie King and Canada at Ogdensburg, August 1940 », dans Joel J. SOKOLSKY et Joseph T. JOCKEL (dir.), *Fifty Years of Canada-United States Defense Cooperation*, Lewiston, Edwin Mellen Press, 1993.
41. C. P. STACEY, *Armes, hommes et gouvernements. Les politiques de guerre du Canada*, 1939-1945, Ottawa, ministère de la Défense nationale, 1970, p. 538 ; Robert D. CUFF et J. L. GRANATSTEIN, « The Hyde Park Declaration, 1941 : Origins and Significance », dans *Ties That Bind : Canadian-American Relations in War-Time from the Great War to the Cold War*, Toronto, Hakkert, 1975.

témoignent de la capacité des premiers ministres à engager le pays dans une toute nouvelle direction par une simple rencontre, parfois informelle, avec le président des États-Unis.

Trudeau a eu recours, avec succès, à cette approche pour contrer le projet de détournement de la rivière Garrison dans le Dakota du Nord, projet qui avait envenimé les relations avec les gouvernements Nixon et Ford. Trudeau aborda directement la question avec Jimmy Carter en février 1977, lequel accepta d'ajouter la Garrison à sa « liste noire » de projets hydrauliques, ce qui résolut le problème – du moins temporairement, puisque le Congrès était beaucoup plus réticent à abandonner le projet[42].

La rencontre de Mulroney avec Reagan, en mars 1987, illustre sans doute le mieux la façon dont un premier ministre peut se servir d'un sommet pour régler un contentieux. À cette époque, le Canada et les États-Unis se querellaient sur le statut juridique du Passage du Nord-Ouest dans l'Arctique. La dispute avait été exacerbée par la traversée du brise-glace américain *Polar Sea* au cours de l'été 1985, traversée entreprise sans l'autorisation d'Ottawa. Le Canada revendiquait alors la souveraineté sur les eaux de l'Arctique comprises dans les limites territoriales canadiennes. Les États-Unis considéraient plutôt que ce passage constituait, en vertu du droit international, un détroit international et donc qu'il ne tombait pas sous juridiction canadienne. Washington voulait à tout prix éviter de créer un précédent, qui aurait pu inciter d'autres États à revendiquer le contrôle de détroits internationaux situés dans les limites de leurs eaux territoriales. Tous les intervenants américains – dont le Département d'État, le Pentagone, la Marine et la Garde-côte – étaient fortement opposés à toute concession quelle qu'elle soit. Les négociations entre les deux parties se retrouvèrent rapidement dans l'impasse[43].

---

42. Kim Richard NOSSAL, « The Unmaking of Garrison : United States Politics and the Management of Canadian-American Boundary Waters », *Behind the Headlines*, vol. 37, décembre 1978 ; Kim Richard NOSSAL, « Le Congrès américain et la Commission mixte internationale », *Perspectives internationales*, novembre-décembre 1978, p. 15-19.

43. Voir à ce sujet Charles DORAN, « Souveraineté et sécurité : deux réalités différentes », *Paix et sécurité*, vol. 2, n° 3, automne 1987 ; Michel FRÉDÉRICK, « La politique arctique des États-Unis et le cas de la souveraineté du Canada », *Études internationales*, vol. 19, n° 4, décembre 1988, p. 673-691.

344 ◆ LES ACTEURS ET LE PROCESSUS

En avril 1987, Reagan vint à Ottawa pour le troisième « Sommet irlandais ». Mulroney lui expliqua alors la position du Canada sur l'Arctique à l'aide d'un globe terrestre. Aux dires des témoins, Reagan était tout étonné d'apprendre que la plupart des îles de l'Arctique étaient en permanence sous les glaces et donc reliées entre elles – ce qui servait de fondement aux revendications canadiennes[44]. Au déjeuner, il s'adressa à ses adjoints : « Je veux en faire plus pour le premier ministre, ici [...] au sujet du Passage du Nord-Ouest. » Ceux-ci s'empressèrent aussitôt de rectifier le discours qu'il devait prononcer au Parlement l'après-midi même[45]. Tout en redoutant un éventuel précédent, les Américains finirent par signer un accord stipulant que la traversée du Passage du Nord-Ouest par leurs navires ne s'effectuerait qu'avec l'autorisation expresse du gouvernement canadien, une concession majeure qui fut entérinée par l'Accord de coopération dans l'Arctique, le 11 janvier 1988. C'est donc, selon les termes d'Allan Gotlieb, alors ambassadeur du Canada aux États-Unis, grâce à la diplomatie personnelle de Mulroney que le Canada a obtenu cette « importante concession »[46].

De même, en 1999, Jean Chrétien et Bill Clinton sont intervenus personnellement pour relancer les discussions sur plusieurs dossiers qui risquaient d'envenimer les rapports entre les deux gouvernements, notamment la mise en œuvre des dispositions de la loi Helms-Burton, le renouvellement du Traité sur le saumon du Pacifique, le conflit du bois d'œuvre ou encore du projet de loi C-55 sur l'accès, pour les magazines américains, au marché canadien[47].

Mais, comme le fait remarquer Roger Frank Swanson, cette approche est à double tranchant, car, si les négociations au sommet ne donnent pas les résul-

---

44. En réalité, les aspects techniques du problème sont autrement plus complexes. Voir Michel FRÉDÉRICK, *op. cit.* et Donat PHARAND, « Les problèmes de droit international de l'Arctique », *Études internationales*, vol. 20, n° 1, mars 1989, p. 131-164.
45. Pour un compte rendu de la rencontre, voir Christopher KIRKEY, « Smoothing Troubled Waters : The 1988 Canada-United States Arctic Cooperation Agreement », *International Journal*, vol. 50, n° 2, printemps 1995, p. 412-413. Pour une analyse de l'Accord de 1988, voir Donat PHARAND, *op. cit.*, p. 158-159.
46. Allan E. GOTLIEB, *"I'll be with You in a Minute, Mr. Ambassador". The Education of a Canadian Diplomat in Washington*, Toronto, University of Toronto Press, 1991, p. 114.
47. Stéphane ROUSSEL, « Canada-U.S. Relations : Time for Cassandra ? », *American Review of Canadian Studies*, vol. 30, n° 3, automne 2000, p. 135-157.

tats espérés, « il n'y a plus d'autre autorité politique supérieure à invoquer[48] »,
ce qui est trop souvent le cas. La rencontre Trudeau/Reagan, en septembre 1981,
devait aplanir les problèmes et tensions générés par le Programme national de
l'énergie instauré par le Canada. Les négociations s'embourbèrent rapidement.
Et si Mulroney avait réussi à faire bouger Reagan sur la question des pluies
acides lors de leur rencontre en 1985, ils furent l'un et l'autre incapables d'en
arriver à une entente par la suite. Ce fut seulement après que Bush (père) ait
succédé à Reagan, en janvier 1989, qu'une entente put être conclue.

Certaines amitiés entre présidents et premiers ministres sont passées à
l'histoire. Celle qui unissait King et Roosevelt[49] ne s'est jamais démentie,
tout comme la complicité qui liait Mulroney à Ronald Reagan, puis à George
Bush qui lui succéda. Par contre, la cordialité des rapports personnels entre
Bill Clinton et Jean Chrétien avait de quoi étonner. Les libéraux s'étaient fait
élire en tenant un discours très critique à l'endroit de l'attitude de Mulroney
face aux États-Unis, attitude jugée servile et trop déférente. Chrétien a donc
mis son point d'honneur à conserver ses distances face au président américain, ce qui signifiait éviter de se montrer en public avec lui. Voilà pourquoi
il mit fin à la pratique des sommets annuels instaurée par Mulroney, pourquoi Clinton ne fut pas reçu en visite officielle avant février 1995, et pourquoi
l'essentiel des rencontres entre les deux hommes eut lieu à l'occasion de sommets multilatéraux. Pourtant, une solide relation de confiance semble s'être
établie entre eux. Ils ont eu de très fréquentes conversations téléphoniques
(à l'abri des journalistes) et leurs rares rencontres se sont avérées très pro-
ductives, l'un et l'autre n'hésitant pas à se rendre de menus services. Par
exemple, Clinton s'est certainement attiré les faveurs de Chrétien lorsque,
prenant la parole lors de la Conférence sur le fédéralisme tenue à Mont-
Tremblant en 1999, le président a implicitement critiqué le projet de souveraineté du Québec[50].

48. Roger Frank SWANSON, *op. cit.* (1975), p. 14.
49. Sur les relations entre les deux hommes, voir Galen Roger PERRAS, *Franklin Roosevelt and the Origins of the Canadian-American Security Alliance, 1933-1945*, Westport, Praeger, 1998.
50. Stéphane ROUSSEL, *op. cit.* (2000) ; Graham FRASER, « Liberal Continuities : Jean Chrétien's Foreign Policy, 1993-2003 », dans David CARMENT, Fen Osler HAMPSON et Norman HILLMER (dir.), *Canada Among Nations 2004. Setting Priorities Straight*, Montréal/Kingston, McGill-Queen's University Press, 2005, p. 175.

Certaines inimitiés sont aussi célèbres dans l'histoire des relations canado-américaines. Elles méritent que l'on s'y arrête, ne serait-ce que pour en voir l'impact sur les rapports entre les deux pays.

John F. Kennedy et John G. Diefenbaker

Les rapports entre John G. Diefenbaker et John F. Kennedy ont été particulièrement orageux[51]. Le biographe de Kennedy a écrit qu'à leur première rencontre : « Kennedy l'avait trouvé hypocrite, et ne l'aimait ni ne lui faisait confiance[52]. » Pour sa part, Diefenbaker considérait le président effronté et arrogant, surtout après avoir découvert une note adressée à Kennedy par l'un de ses conseillers, Walt Rostow, qui recommandait au président de « pousser » Diefenbaker sur un certain nombre de sujets de politique étrangère. L'agent de liaison de Diefenbaker aux Affaires extérieures à cette époque, Basil Robinson, se souvient qu'aux yeux du premier ministre, cette note « était typique de l'attitude des Américains : ils n'avaient aucun scrupule à bousculer le Canada[53] ».

D'autre part, Diefenbaker avait tendance à faire preuve d'antiaméricanisme et de fort peu de diplomatie. Ainsi, au printemps 1962, en pleine campagne électorale, Pearson, alors chef de l'opposition libérale, fut invité à la Maison Blanche pour la remise des prix Nobel, et photographié en compagnie de Kennedy. Persuadé que le président tentait délibérément de lui faire perdre les élections en faisant de la publicité pour Pearson, Diefenbaker passa tout un savon à l'ambassadeur des États-Unis pendant une heure et demie, et le menaça de dévoiler publiquement la note de Rostow (Diefenbaker l'avait conservée, alors que, selon le protocole diplomatique, il aurait dû faire une copie du document et renvoyer l'original à l'ambassade américaine).

Le gouvernement Kennedy pouvait se montrer aussi indélicat : lorsque Diefenbaker révéla publiquement à la Chambre des communes sa version

---

51. Pour un survol de cette relation, voir John Herd THOMPSON et Stephen J. RANDALL, *Canada and the United States : Ambivalent Allies*, Montréal/Kingston, McGill-Queen's University Press, 1994, p. 214-228.

52. Cité dans Peyton LYON, *Canada in World Affairs*, vol. 12 : 1961-1963, Toronto, Canadian Institute of International Affairs, 1968, p. 493.

53. H. Basil ROBINSON, *op. cit.* (1989), p. 206 ; Peter STURSBERG, *Diefenbaker : Leadership Gained*, 1956-1962, Toronto, University of Toronto Press, 1975, p. 172-173 ; Peyton LYON, *op. cit.* (1968), p. 496-502.

des négociations secrètes entre le Canada et les États-Unis sur la question des armes nucléaires, le Département d'État publia un communiqué de presse pour réfuter cette déclaration, traitant ainsi « implicitement le chef d'un pays ami de menteur[54] ». Selon Charles Ritchie, l'ambassadeur du Canada à Washington, qui n'était pourtant pas un grand admirateur de Diefenbaker, il s'agissait là d'un « geste inconsidéré et dominateur » de la part du Département d'État[55].

La méfiance grandissante entre le président et le premier ministre s'est traduite par de profondes divergences de vues sur des questions cruciales telles que les armes nucléaires, la politique à l'égard de Cuba après la prise du pouvoir par Fidel Castro et la crise des missiles[56]. Et ce conflit de personnalités devait avoir des répercussions sur les échanges diplomatiques, comme le découvrit Ritchie : « L'accueil que me fit Kennedy, bien que tout à fait poli, était, à mon sens, très froid, et je suis parti avec l'impression que cela reflétait son sentiment envers le gouvernement canadien, et envers M. Diefenbaker en particulier[57]. »

Lester B. Pearson et Lyndon B. Johnson

Pearson a su entretenir de bonnes relations avec Kennedy, puis avec Johnson qui lui succéda en novembre 1963. Cette bonne entente devait voler en éclats lorsque Pearson critiqua les bombardements américains au Viêt-nam du Nord, lors d'un discours prononcé à l'Université Temple de Philadelphie, le 2 avril 1965[58]. Pearson avait confié à des proches qu'il trouvait les frappes aériennes « indécentes » et qu'il devait dénoncer les politiques de Johnson.

54. Michel FORTMANN, « La politique de défense canadienne », dans Paul PAINCHAUD (dir.), *De Mackenzie King à Pierre Trudeau, quarante ans de diplomatie canadienne (1945-1985)*, Québec, Presses de l'Université Laval, 1988, p. 496. Voir aussi Desmond MORTON, *op. cit.,* p. 352.
55. Charles RITCHIE, *Storm Signals: More Undiplomatic Diaries, 1962-1971*, Toronto, Macmillan, 1983, p. 32.
56. Michel FORTMANN, *op. cit.,* p. 487-497.
57. Charles RITCHIE, *op. cit.,* p. 6 et 23-24.
58. John ENGLISH, « Speaking out on Vietnam, 1965 », dans Don MUNTON et John KIRTON (dir.), *op. cit.,* p. 135-152 ; John HILLIKER et Donald BARRY, *Le ministère des Affaires extérieures du Canada* (vol. 2 : *L'essor, 1946-1968*), Québec, Presses de l'Université Laval/Institut d'administration publique du Canada, 1995, p. 361-362.

Venu recevoir un prix pour sa contribution à la paix qui lui était décerné par l'Université, il déclara publiquement que les États-Unis devraient cesser les bombardements et négocier avec le Viêt-nam du Nord, ce qui provoqua la fureur de Johnson. D'une part, le premier ministre n'avait pas respecté le protocole, qui veut qu'un chef de gouvernement ne critique pas les politiques d'un autre gouvernement lorsqu'il est en visite sur son territoire. D'autre part, Pearson avait fait cette déclaration au moment même où Johnson décidait de renforcer la présence militaire américaine au Viêt-nam. Le lendemain, lors d'une rencontre à Camp David, Johnson fut incapable de se contenir et s'adressa à Pearson en hurlant de façon grossière[59]. Ils n'eurent plus aucun rapport personnel jusqu'à ce qu'ils quittent la vie politique, en 1968. Et, selon un assistant de Johnson, William Bundy, « la relation (dans l'ensemble) s'est sérieusement détériorée[60] » à la suite de cet incident.

Pierre Elliott Trudeau et Richard M. Nixon

La décision de Nixon, en décembre 1972, de bombarder Hanoi et Haiphong, pour forcer le retour du Viêt-nam du Nord à la table de négociation, fut très mal accueillie au Canada. Trudeau déclara aux journalistes que « les bombardements n'étaient pas le bon moyen pour mettre fin à la guerre ». Le Nouveau Parti démocratique tenait alors la balance du pouvoir au Parlement depuis l'élection en 1972 d'un gouvernement libéral minoritaire. Même si Nixon avait annulé les bombardements, le NPD indiqua qu'il déposerait, à la reprise de la session en janvier 1973, une motion visant à « condamner » les États-Unis. Le gouvernement Trudeau, soucieux d'éviter de longs débats et de contrer le NPD, déposa sa propre motion formulée de façon plus diplomatique, où il « déplorait » les intentions des États-Unis. La résolution du Parlement, en janvier 1973, demandait « à toutes les parties » de « s'abstenir

---

59. Le compte rendu imagé que donne Lawrence MARTIN dans son livre *The Presidents and the Prime Ministers, op. cit.* (p. 1-5 et 224-227) est probablement un bon exemple de licence journalistique. Martin affirme que, au cours de cet incident, Johnson s'en est pris physiquement à Pearson, allant jusqu'à le soulever de terre ! Ritchie, l'ambassadeur canadien, qui observait la scène, nie que cela se soit produit, Charles RITCHIE, *op. cit.*, p. 80-83.
60. Cité dans John ENGLISH, *op. cit.*, p. 146.

de tout acte de nature belliqueuse » et priait expressément les États-Unis de ne pas reprendre les bombardements sur Hanoi et Haiphong[61].

La résolution fut perçue comme un geste inamical et hostile par Nixon. Le Canada fut alors ajouté à ce que le gouvernement Nixon appelait la « liste noire » des pays qui n'étaient pas entièrement favorables aux États-Unis[62]. Cette décision a, bien sûr, eu un impact à d'autres niveaux. Les responsables américains ont battu froid à l'ambassadeur du Canada, Marcel Cadieux, et les fonctionnaires étaient contraints de rencontrer leurs homologues canadiens en dehors de leurs bureaux. La colère du président a finalement éclaboussé toutes les relations entre les deux pays.

Jean Chrétien et George W. Bush

Si le premier ministre Jean Chrétien sut entretenir d'excellentes relations avec le président Bill Clinton, il n'en est pas allé de même avec George W. Bush, son successeur. Avant même l'élection présidentielle de 2000, de petits incidents ridicules contribuèrent à miner le terrain, comme les salutations de Bush (piégé par un faux journaliste) adressées au premier ministre « Jean Poutine » et une déclaration de l'ambassadeur Raymond Chrétien, en juin 2000, qui fut interprétée comme un appui au candidat démocrate Al Gore. Les choses se détériorèrent encore plus par la suite, notamment lorsque le président Bush fit sa première visite officielle au Mexique plutôt qu'au Canada, rompant ainsi avec la tradition. Les maladresses, sinon les impolitesses, devinrent alors monnaie courante : la réaction froide et ambiguë de Chrétien après les attentats de Washington et New York, puis l'omission du Canada sur la liste des alliés loyaux des États-Unis dans le discours de Bush (septembre 2001) ; l'indifférence apparente de Bush face à la mort de quatre soldats canadiens en Afghanistan causée par le tir d'un avion américain en avril 2002 ; la remarque de Chrétien qui semblait attribuer aux États-Unis une part de responsabilité dans les événements survenus un an plus tôt (11 septembre 2002) ; l'usage du terme *moron* par une conseillère de Chrétien pour qualifier Bush (novembre 2002) ; l'annulation de la visite de ce dernier à Ottawa (mai 2003) ou encore

---

61. Douglas A. Ross, *In the Interests of Peace : Canada and Vietnam,* 1954-1973, Toronto, University of Toronto Press, 1984, p. 342-343.

62. J. L. GRANATSTEIN et Robert BOTHWELL, *op. cit.,* p. 54.

les critiques du premier ministre à l'endroit de la politique budgétaire de la Maison-Blanche (mai 2003).

Quant au fond des relations entre les deux pays, les sources de problèmes se sont multipliées. De nombreux conflits commerciaux sont venus affecter leurs rapports, comme ceux portant sur la vente de viande de bœuf (bannie après la découverte d'un cas de vache folle au Canada) et de blé canadien, la réactivation de l'éternel conflit sur le bois d'œuvre ou la déréglementation de la distribution d'énergie aux États-Unis. Les problèmes de sécurité, qui constituent à partir de septembre 2001 la principale préoccupation du gouvernement Bush, contribuent aussi à empoisonner l'atmosphère. La déportation d'un Canadien d'origine syrienne, Maher Arar, dans son pays natal où il fut torturé, et les réticences du Canada à augmenter son budget de la Défense sont de bons exemples de sujets de tension. Sur le plan multilatéral, le refus presque systématique du gouvernement Bush de se joindre aux nombreux traités multilatéraux conclus au cours des dernières années (Accord de Kyoto sur les gaz à effet de serre, Tribunal pénal international, Traité ABM, mines antipersonnel, etc.) a aussi constitué une douche froide pour les Canadiens. La crise la plus grave survint cependant en mars 2003, lorsque le premier ministre annonce à la Chambre des communes, sans avertir son vis-à-vis américain, que le Canada ne se joindra pas à la coalition formée par les États-Unis pour envahir l'Irak[63].

L'arrivée au pouvoir de Paul Martin (père), qui tenait pourtant un discours très conciliant envers les États-Unis lors de la course à la direction du Parti libéral en 2003, n'améliore que temporairement les choses. La décision, annoncée en janvier 2005, de ne pas appuyer officiellement le programme de défense antimissile fut durement ressentie aux États-Unis[64]. Au cours de la campagne électorale qui s'ouvre en décembre 2005, le premier ministre va si loin dans ses critiques à l'endroit des États-Unis que l'ambassadeur américain, David

63. Stéphane ROUSSEL, « "Honey, are you still mad at me ? I've Changed you know…". Canada-US Relations in a Post-Saddam/Post-Chrétien Era », *International Journal*, vol. 63, n° 4, automne 2003, p. 575.
64. Dwight N. MASON, « A Flight from Responsibility. Canada and Missile Defense of North America », *Statement*, Center for Strategic and International Studies, Washington (D.C.), mars 2005.

Wilkins, se permet même de le semoncer. Il faudra attendre l'arrivée de Stephen Harper pour que les relations s'améliorent.

Quel est l'impact des relations personnelles des deux chefs de gouvernement sur l'ensemble des rapports entre les deux pays? Selon Lawrence Martin : « Ils [le président et le premier ministre] donnent le ton, déterminent l'humeur ambiante. Si la relation entre les dirigeants est cordiale, elle le sera généralement entre les deux pays[65]. » Il serait peut-être plus juste de dire que, si les rapports personnels peuvent, à l'occasion, avoir un effet positif sur certaines questions, cela est loin d'être automatique, et la qualité de ces rapports ne se répercute pas nécessairement sur les relations entre les deux pays. En dépit de leurs bonnes relations, Trudeau et Carter, puis Mulroney et Reagan, ne sont pas parvenus à résoudre certaines questions particulièrement épineuses, comme le problème des pluies acides, pas plus que l'amitié entre Chrétien et Clinton n'a permis un règlement définitif du conflit du bois d'œuvre. Une bonne relation personnelle peut surtout contribuer à atténuer les rancœurs suscitées par des intérêts inconciliables et, éventuellement, à aplanir les antagonismes.

Par contre, les conflits de personnalité entre chefs d'État semblent avoir des conséquences beaucoup plus visibles. Des sentiments d'antipathie se transmettent facilement aux échelons inférieurs, ce qui peut avoir des répercussions à la fois très claires et très néfastes. Un gouvernement sensible à la mauvaise humeur de son chef aura parfois tendance à se traîner les pieds et à laisser pourrir des petits conflits qui pourraient être résolus avec un peu de bonne volonté.

Mais il faut demeurer prudent à l'égard de telles observations, puisque le lien de causalité entre ces deux variables est difficile à établir. L'état général des relations canado-américaines est le produit d'un grand nombre de facteurs structurels et conjoncturels. La santé de l'économie constitue un autre facteur important, puisqu'une récession peut provoquer des poussées protectionnistes aux États-Unis, lesquelles ont un effet direct sur le commerce avec le Canada. Des problèmes de politique intérieure (tels les rapports entre le président et le Congrès, ou encore entre Ottawa et Québec) peuvent aussi

---

65. Lawrence MARTIN, *The Presidents and the Prime Ministers*, Toronto, Doubleday, 1982, p. 7.

se répercuter, de façon positive ou négative, sur les échanges entre les deux gouvernements. Bref, si la qualité des rapports entre les individus au pouvoir est certainement un facteur à considérer pour analyser l'état des relations canado-américaines, ce n'est pas, loin de là, le seul qui compte[66].

* * *

Les sommets, tels ceux du G8, du Commonwealth, de la Francophonie ou de l'OTAN, offrent au premier ministre une occasion unique de s'exercer à une diplomatie qui est, par définition, très personnelle. Seuls les individus qui occupent les fonctions de chefs de gouvernement y ont leurs entrées. Après son premier Sommet du Commonwealth à Londres en janvier 1969, Mitchell Sharp confia à Trudeau qu'il réalisait « qu'un de nous était de trop ; et je savais lequel[67] ». Joe Clark, le ministre des Affaires extérieures de Brian Mulroney, en arriva à la même conclusion : « Les sommets sont faits pour les chefs de gouvernement, et il serait futile pour un ministre des Affaires étrangères d'en prendre ombrage[68]. » Et d'ailleurs, dans l'éventualité où un premier ministre ne profiterait pas de l'occasion qui lui est ainsi offerte – ce qui est très rare –, il serait difficile d'y déléguer un subalterne sans faire insulte aux autres chefs de gouvernement.

La participation aux sommets est aussi une affaire personnelle, au sens où le premier ministre doit se débrouiller seul ; car peu importe le nombre de membres du Cabinet, de hauts fonctionnaires, d'ambassadeurs ou de conseillers qui l'accompagnent, l'issue d'un sommet est toujours déterminée par sa seule performance et ses relations personnelles avec ses homologues.

L'importance croissante des sommets et l'autorité que confère la charge, en particulier le pouvoir de nommer les autres membres du gouvernement, sont les principaux facteurs qui expliquent la prépondérance du premier ministre en matière de politique étrangère. Bien entendu, celui-ci ne participe pas directement à toutes les décisions et opérations quotidiennes qui relèvent

---

66. Stéphane Roussel, *op. cit.* (2000).
67. Mitchell Sharp, *Which Reminds Me... A Memoir*, Toronto, University of Toronto Press, 1994, p. 200 et 218.
68. Joe Clark, « The PM and the SSEA : Comment », *International Journal*, vol. 50, n° 1, hiver 1994-1995, p. 215.

des relations extérieures du Canada. Cette prépondérance se manifeste surtout dans la formulation des grandes orientations de cette politique étrangère ou lorsque le gouvernement doit faire face à des situations de crise.

Le premier ministre a certainement une influence réelle sur la conduite de la politique étrangère du Canada. Ses qualités personnelles, son tempérament, ses croyances et ses préoccupations demeurent des facteurs dont il faut tenir compte, car en diplomatie, où les mots sont synonymes d'action, ces traits déterminent, en partie, sa capacité à atteindre les objectifs qu'il se fixe.

Il ne faut cependant pas surestimer le pouvoir du premier ministre en ce domaine. Déterminer l'influence d'un individu sur les relations extérieures d'un État n'est pas chose facile. Même dans le cas des dirigeants à la tête de gouvernements autoritaires (Napoléon, Hitler ou Saddam Hussein), il est toujours possible de voir, dans leur politique étrangère, le jeu de « forces historiques » (politiques, économiques, socioculturelles) qui limitent étroitement leur capacité à maîtriser les événements. En tant que chef du gouvernement démocratique d'un État dont l'influence est limitée, le pouvoir du premier ministre du Canada est lié et limité par la bureaucratie, le Parlement, les provinces, les relations avec ses collègues du Cabinet, et, évidemment, par la dynamique du système international. Ainsi, si le chercheur qui s'intéresse à la politique étrangère du Canada doit, pour comprendre les décisions d'un premier ministre, tenir compte des traits propres à l'individu qui occupe ce poste et des pouvoirs dont il dispose, il ne doit jamais perdre de vue que celui-ci agit toujours dans les limites des contraintes très lourdes que lui impose l'environnement dans lequel il évolue.

7

LES MINISTRES ET LE CABINET

Si le premier ministre occupe une place prépondérante dans le processus d'élaboration de la politique étrangère – que ce soit en établissant les priorités, en nommant les membres du gouvernement et en représentant l'État lors des sommets –, il revient généralement à ses ministres de prendre l'essentiel des décisions qui relèvent de la mise en œuvre de cette politique. La liste des ministres participant au processus décisionnel peut varier selon la spécificité des questions portées à l'ordre du jour (économie, sécurité, transport, pêcheries, etc.), mais certains d'entre eux sont presque toujours présents aux réunions consacrées à des sujets relevant des rapports avec l'étranger. Ce cercle restreint comprend les ministres des Affaires étrangères, du Commerce international, de la Coopération internationale, des Finances et de la Défense. Le premier ministre doit donc composer avec un grand nombre d'intervenants, qui ne partagent pas toujours la même vision de l'ordre des priorités ou des méthodes permettant d'atteindre les objectifs internationaux.

LE MINISTRE DES AFFAIRES ÉTRANGÈRES

Le ministre des Affaires étrangères est celui qui dispose de l'autorité légale pour conduire les relations du Canada avec l'étranger. Ce portefeuille a longtemps été appelé « secrétariat d'État aux Affaires extérieures », jusqu'à ce que le gouvernement Chrétien change « Affaires extérieures » en « Affaires étrangères », en novembre 1993, puis le titre « secrétaire d'État » en « ministre », en 1995. Le ministre occupant ce poste avait ce titre puisque, lors de la création, en 1909, d'un ministère distinct pour les relations extérieures, la direction en fut confiée au secrétariat d'État. Jusqu'en 1912, le Secrétaire d'État avait la charge à la fois des affaires intérieures et extérieures, puis la responsabilité des affaires extérieures fut assumée par le premier ministre[1].

Ainsi, jusqu'en 1946, le premier ministre exerçait aussi la fonction de ministre des Affaires extérieures[2]. Mackenzie King tenait tout particulièrement à ce portefeuille, et refusa de l'accorder à son lieutenant québécois Ernest Lapointe, comme celui-ci en avait exprimé le désir après les élections d'octobre 1935 : « J'ai dit à Lapointe que j'estimais qu'il valait mieux que je prenne les Affaires extérieures, pour quelque temps du moins, à cause de la guerre (l'invasion de l'Éthiopie par l'Italie)[3]. » Ce « quelque temps » dura en fait 11 ans, jusqu'à la fin de la Deuxième Guerre mondiale, une période marquée par une croissance sans précédent du rôle de l'État. En 1946, Mackenzie King devait admettre qu'il ne pouvait plus gérer ce portefeuille devenu trop important. En septembre de cette même année, il confiait les Affaires extérieures à Louis Saint-Laurent.

Le ministre des Affaires étrangères est d'abord et avant tout responsable du suivi des rapports entre son gouvernement et les autres États. Si les fonctionnaires sont chargés de veiller à la bonne marche des relations quotidiennes, le ministre gère les dossiers les plus délicats ou les plus importants. Par ses déclarations et décisions, il énonce la position de son gouvernement face aux questions ou problèmes internationaux spécifiques. Mais, de temps à autre, le ministre est aussi chargé de définir les grandes orientations, les concepts centraux et les priorités de l'État en matière de politique étrangère. Ces idées, qui constituent les lignes directrices qu'un ministre souhaite imprimer à l'ensemble des activités de son ministère, peuvent s'exprimer de diverses

---

1. John HILLIKER, *Le ministère des Affaires extérieures du Canada* (vol. 1 : *Les années de formation, 1909-1946)*, Québec, Presses de l'Université Laval/Institut d'administration publique du Canada, 1990.
2. *Ibid.*, p. 66 ; voir aussi le volume 2 : *L'essor, 1946-1968*, Québec, 1995, p. 5.
3. Cité dans C. P. STACEY, *Canada and the Age of Conflict. A History of Canadian External Policies* (vol. 2 : 1921-1948 *The Mackenzie King Era)*, Toronto, University of Toronto Press, 1981, p. 168.

façons : à l'occasion d'un discours, par la rédaction d'un article ou par la publication d'un document d'énoncé de politique, communément appelé un *livre blanc*. Le premier exemple d'un tel exposé est peut-être le discours prononcé par Louis Saint-Laurent en janvier 1947 devant la Fondation Gray[4]. Un autre exemple est celui de Mitchell Sharp qui, en 1972, énonçait la politique de diversification commerciale (appelé aussi « Troisième option ») dans un article de la revue *Perspectives internationales*[5]. En 1990, Joe Clark se servait de la tribune de l'Assemblée générale de l'ONU pour exposer sa vision de la sécurité coopérative[6]. Lloyd Axworthy, pour sa part, a publié de nombreux articles de journaux et revues spécialisées pour faire la promotion de la notion de sécurité humaine[7]. Curieusement – et contrairement aux ministres de la Défense, comme nous le verrons plus loin –, le nom des ministres des Affaires étrangères reste rarement attaché à un livre blanc. Par exemple, si celui de 1970 a été présenté par Mitchell Sharp, on considère presque systématiquement qu'il exprime la pensée de Pierre Trudeau.

Cela illustre un des problèmes liés à la fonction de ministre des Affaires étrangères. De tous les portefeuilles du Cabinet, celui-ci est sans aucun doute le plus susceptible de donner lieu à des frictions avec le chef du gouvernement. Ce problème est lié à la nature même de ce domaine d'activité. La conduite de la politique extérieure d'un État est ainsi faite que le chef du gouvernement et le ministre des Affaires étrangères doivent souvent « cohabiter

4. Louis SAINT-LAURENT, « The Foundation of Canadian Policy in World Affairs (Gray Foundation Lectureship) », *Statements and Speeches*, nº 47/2, Toronto, 13 janvier 1947. Dans ce discours, le ministre exposait les cinq priorités du Canada en politique extérieure, laquelle devait : a) ne pas détruire l'unité canadienne ; b) reposer sur la croyance du Canada en la liberté politique ; c) refléter le respect de la suprématie de la loi ; d) être fondée sur une certaine conception des valeurs humaines ; e) reposer sur le désir d'accepter des responsabilités internationales.

5. Mitchell SHARP, « Relations canado-américaines : choix pour l'avenir », *Perspectives internationales*, automne 1972.

6. « Note pour une allocution du secrétaire d'État aux Affaires extérieures, le très honorable Joe Clark, à la 45e session de l'Assemblée générale des Nations Unies », *Déclaration*, vol. 90, nº 55, New York, 26 septembre 1990, p. 12.

7. Par exemple, Lloyd AXWORTHY, « Canada and Human Security : the Need for Leadership », *International Journal*, vol. 52, nº 2, printemps 1997, p. 183-196 ; « Entre mondialisation et multipolarité : pour une politique étrangère du Canada globale et humaine », *Études internationales*, vol. 28, nº 1, mars 1997, p. 105-121.

sur le même territoire », selon l'expression de John Hilliker et Don Barry[8].
En premier lieu, les enjeux de politique étrangère exigent que le chef du gouvernement prenne personnellement part à son élaboration, et ce, de manière
active. Ce n'est pas le cas dans les autres domaines politiques, où l'on ne
s'attend pas à ce que le chef du gouvernement soit le premier à prendre position sur le plan de la formulation des grandes orientations ou celui, plus
modeste, de leur mise en œuvre. Les affaires étrangères sont le seul domaine
où le chef du gouvernement est appelé à jouer un rôle personnel en tant que
représentant principal de l'État, lors de sommets internationaux, de visites
officielles, ou de visites de chefs d'État étrangers. La diplomatie de sommet
et le développement des moyens de communication ont également, depuis
la Deuxième Guerre mondiale, permis aux chefs d'État de développer des
relations interpersonnelles beaucoup plus étroites, sans passer par leurs subordonnés. Dans le cas des relations canado-américaines, par exemple, bon nombre de problèmes épineux tendent à se régler au plus haut niveau, par une
simple conversation téléphonique entre le premier ministre et le président.
Enfin, c'est un domaine où il est relativement facile d'acquérir du prestige
et d'en tirer un bénéfice politique.

Le problème tient au fait que le ministre des Affaires étrangères doit assumer des fonctions semblables. À l'instar du chef du gouvernement, il doit
participer personnellement aux rencontres au sommet et ne peut échapper
au protocole diplomatique lors des visites officielles ; il doit également trouver les solutions adéquates aux problèmes souvent imprévisibles que posent
les soubresauts du système international.

Les relations entre ministre des Affaires étrangères et premier ministre
sont inévitablement plus délicates si ce dernier s'est habitué à exercer seul
les prérogatives des deux charges – ce qui fut le cas pour King, qui passa ses
dernières années de mandat à s'irriter des politiques poursuivies par Saint-
Laurent[9].

---

8. John HILLIKER et Donald BARRY, « The PM and the SSEA in Canada's Foreign Policy :
   Sharing the Territory, 1946-1968 », *International Journal*, vol. 50, n° 1, hiver 1994-1995,
   p. 163-188.
9. James EAYRS, *The Art of the Possible : Government and Foreign Policy in Canada*,
   Toronto, University of Toronto Press, 1960, p. 25.

Au cours des 20 années qui suivirent le départ de King, la nomination du ministre des Affaires étrangères obéit à un schéma qui témoigne des liens entre le Parti libéral du Canada (PLC) et le personnel des Affaires étrangères. Ainsi, Pearson était sous-secrétaire aux Affaires extérieures lorsque King céda le poste de premier ministre à Saint-Laurent, en 1946. À la demande de ce dernier, Pearson se fit élire au Parlement et fut aussitôt nommé secrétaire d'État aux Affaires extérieures. Pearson écrivit plus tard dans ses mémoires que le premier ministre avait entière confiance en lui : « Ne vous faites pas de souci, m'a-t-il dit, [f]aites de votre mieux. Faites ce qu'il faut, et je vous soutiendrai[10]. » En 1958, Pearson succédait à Saint-Laurent à la tête du Parti libéral. Élu premier ministre en 1963, il confia alors le secrétariat d'État à Paul Martin (père). Pearson n'était pas en aussi bons termes avec Martin qu'avec Saint-Laurent, mais il avait, au cours de son premier mandat, nommé au gouvernement bon nombre de ses anciens collègues des Affaires extérieures. Ainsi, de 1948 à 1957, puis de 1963 à 1968, le premier ministre et le ministère des Affaires extérieures étaient en étroite relation.

Cette façon de faire changea avec l'arrivée au pouvoir du gouvernement conservateur de John Diefenbaker (1957-1963). Celui-ci était réticent à partager le pouvoir, en ce domaine du moins, avec ses collègues du Cabinet. « Je me suis conformé à la tradition du Royaume-Uni, disait-il, [qui veut que] le premier ministre se doit d'accorder un intérêt particulier à ce secteur d'activité dont dépend tellement la sécurité de l'État[11]. » De tous ceux qui ont succédé à King, seul Diefenbaker a assumé la charge des Affaires extérieures – pendant les trois premiers mois de son mandat, puis pendant les trois mois suivant le décès de son ministre des Affaires extérieures, Sidney Smith, en 1959. Mais même du temps de Smith, Diefenbaker ne pouvait s'empêcher de vouloir en garder le contrôle : quelques instants après avoir été assermenté, Smith s'est fait demander, par des journalistes, ce qu'il pensait de la politique du Canada face à la crise de Suez. Lorsqu'il devint évident que Smith approuvait l'approche adoptée par le précédent gouvernement

---

10. Cité dans James EAYRS, *op. cit.*, p. 26. Sur les relations étroites entre Saint-Laurent et Pearson, voir Bruce THORDARSON, « Posture and Policy : Leadership in Canada's External Affairs », *International Journal*, vol. 31, n° 4, automne 1976, p. 679.

11. Cité dans W. A. MATHESON, *The Prime Minister and the Cabinet*, Toronto, Methuen, 1976, p. 161.

libéral, Diefenbaker intervint pour contredire son nouveau ministre, « une réprimande qui donna le ton à leur relation[12] ». Après le décès de Smith, Diefenbaker confia le portefeuille des Affaires extérieures à son vieil ami Howard Green. La relation entre les deux hommes fut beaucoup plus harmonieuse. Green s'intéressait principalement au désarmement[13], pendant que le premier ministre se consacrait à d'autres aspects de la politique[14].

À partir de 1968, certains aspects de la fonction de ministre des Affaires extérieures ont évolué. En premier lieu, un coup d'œil à la liste des titulaires de ce portefeuille (voir l'encadré de la page suivante) semble indiquer que ceux-ci ne font que défiler et n'assument ces fonctions que de façon relativement brève. Ainsi, 15 ministres se succédèrent entre 1968 et 2006, alors que seulement 5 avaient occupé ce poste entre 1946 et 1968 (en excluant les cumuls de Diefenbaker). La durée moyenne des mandats à ce ministère est donc passée de 4,4 ans, entre 1946 et 1968, à 2,6 ans, entre 1968 et 2002. Aucun des 15 derniers ministres n'a entretenu, avec la bureaucratie, de relations aussi étroites que ses prédécesseurs – à l'exception peut-être de Joe Clark, qui avait déjà été premier ministre et connaissait bien les Affaires étrangères[15]. Selon un ancien diplomate, cette « procession de ministres » avait des effets néfastes sur le moral des fonctionnaires œuvrant au Ministère[16].

Observées d'un peu plus près, les choses sont cependant différentes. Si l'on exclut les trois gouvernements éphémères de Joe Clark, John Turner et Kim Campbell, force est de constater que les mandats ministériels aux Affaires extérieures, entre 1968 et 1993, sont d'une durée sensiblement comparable à ceux de la période 1946-1968 : Pearson est resté en poste pendant neuf ans ; Howard Green, quatre ans ; Paul Martin, près de cinq ans ; Mitchell Sharp,

---

12. James EAYRS, *op. cit.*, p. 26-27.
13. Voir Albert LEGAULT et Michel FORTMANN, *Une diplomatie de l'espoir. Le Canada et le désarmement* 1945-1988, Québec, PUL/CQRI, 1989, p. 24.
14. Sur les relations entre le premier ministre et son ministre des Affaires extérieures entre 1948 et 1968, voir Garth STEVENSON, « L'élaboration de la politique étrangère canadienne », dans Paul PAINCHAUD (dir.), *Le Canada et le Québec sur la scène internationale*, Québec, Presses de l'Université Laval/CQRI, 1977, p. 51-79.
15. David Cox, « Leadership Change and Innovation in Canadian Foreign Policy : The 1979 Progressive Conservative Government », *International Journal*, vol. 35, n° 4, automne 1982, p. 555-583.
16. Arthur ANDREW, *The Rise and Fall of A Middlepower. Canadian Diplomacy from King to Mulroney*, Toronto, James Lorimer, 1993.

**LISTE DES SECRÉTAIRES D'ÉTAT
ET MINISTRES DES AFFAIRES ÉTRANGÈRES DEPUIS 1909**

Charles Murphy	libéral	(1909-1911)
William James Roche	conservateur	(1911-1912)
Robert Borden	conservateur	(1912-1920)*
Arthur Meighen	conservateur	(1920-1921 ; 1926)*
W. L. Mackenzie King	libéral	(1921-1926 ; 1926-1930 ; 1935-1946)*
Richard Bedford Bennett	conservateur	(1930-1935)*
Louis Saint-Laurent	libéral	(1946-1948)
Lester B. Pearson	libéral	(1948-1957)
John Diefenbaker	conservateur	(1957 ; 1959)*
Sidney Earl Smith	conservateur	(1957-1959)
Howard Green	conservateur	(1959-1963)
Paul Martin (père)	libéral	(1963-1968)
Mitchell Sharp	libéral	(1968-1974)
Allan J. MacEachen	libéral	(1974-1976 ; 1982-1984)
Donald Jamieson	libéral	(1976-1979)
Flora MacDonald	conservateur	(1979-1980)
Mark MacGuigan	libéral	(1980-1982)
Jean Chrétien	libéral	(1984)
Joe Clark	conservateur	(1984-1991)
Barbara McDougall	conservateur	(1991-1993)
Perrin Beatty	conservateur	(1993)
André Ouellet	libéral	(1993-1996)
Lloyd Axworthy	libéral	(1996-2000)
John Manley	libéral	(2000-2002)
William Graham	libéral	(2002-2003)
Pierre Pettigrew	libéral	(2003-2006)
Peter Mackay	conservateur	(2006)

* Indique un cumul de la charge de premier ministre et de ministre des Affaires extérieures.

six ans ; Clark conserva le portefeuille pendant sept ans, avant d'être nommé ministre des Affaires constitutionnelles, en 1991 ; enfin, Lloyd Axworthy, quatre ans. Quant aux changements relativement rapides qui se produisent après

2002, ils sont liés à la succession des gouvernements Chrétien, Martin et Harper.

Si la durée des mandats est comparable, le type de relation entre premier ministre et ministre des Affaires extérieures a changé après 1968[17]. Jusque-là, le premier ministre et le ministre des Affaires extérieures avaient coutume de partager le même territoire. Avec l'arrivée au pouvoir du gouvernement Trudeau, on observe plutôt une propension à la séparation des tâches, le premier ministre se chargeant seul des dossiers qui lui tiennent à cœur. Au cours de son mandat, Trudeau a ainsi dirigé une série d'initiatives dans des domaines qui l'intéressaient tout particulièrement : la réforme administrative du ministère des Affaires extérieures, le contrôle des armements (et en particulier la politique dite de « suffocation nucléaire ») et les relations Nord-Sud.

Cette façon de procéder s'est confirmée sous Mulroney. Dans les années 1980, le premier ministre s'intéressait surtout aux relations avec les États-Unis et au problème de l'apartheid en Afrique du Sud. Au cours des dernières années de la Guerre froide, il suivait avec intérêt les transformations du système international, sans toutefois lancer de grands projets – exception faite de son initiative de « bonne gouvernance », en 1991. Ses deux ministres des Affaires extérieures, Clark et McDougall, purent donc jouir d'une grande latitude et mener leurs propres projets[18]. Clark participa activement à de nombreux sommets internationaux et lança quelques initiatives régionales, dont les « dialogues sur la coopération en matière de sécurité », l'un en Amérique centrale et l'autre dans le Pacifique Nord, au cours de l'été 1990. McDougall bénéficia d'encore plus de latitude puisque, après 1991, l'intérêt du premier ministre pour les relations extérieures se limitait en grande partie à la diplomatie de sommet et à ses rapports personnels avec les autres chefs d'État.

Conformément aux termes de cette répartition informelle des tâches, le premier ministre et le ministre des Affaires extérieures traitaient généralement leurs dossiers chacun de leur côté. Si Mulroney et Clark furent quelquefois

---

17. Kim Richard NOSSAL, « The PM and the SSEA in Canada's Foreign Policy : Dividing the Territory, 1968-1994 », *International Journal*, vol. 50, n° 1, hiver 1994-1995, p. 189-208.

18. Harald von RIEKHOFF, « The Structure of Foreign Policy Decision Making and Management », dans Brian W. TOMLIN et Maureen APPEL MOLOT (dir.), *Canada Among Nations 1986 : Talking Trade*, Toronto, James Lorimer, 1987, p. 22.

LES MINISTRES ET LE CABINET ♦ **363**

ouvertement en désaccord – par exemple, lorsque Mulroney désapprouva Clark, en mars 1988, pour avoir critiqué les violations des droits de la personne par Israël[19] –, leur relation a, dans l'ensemble, évolué sans friction majeure. Le seul dossier qu'ils partagèrent vraiment est celui de la politique du Canada envers l'Afrique du Sud ; tous deux travaillèrent à son élaboration au cours de l'été 1985, puis à sa mise en œuvre : Mulroney, dans divers sommets, et Clark, en tant que coprésident d'un comité du Commonwealth réunissant les ministres des Affaires extérieures des États membres[20].

Ce partage des tâches était encore perceptible dans le gouvernement Chrétien. Le premier ministre se réservait généralement la diplomatie de sommet et la direction des missions commerciales (les voyages très médiatisés d'« Équipe Canada ») qui furent la marque de ses premières années de pouvoir. Comme Chrétien n'éprouvait qu'un intérêt limité pour les affaires étrangères, André Ouellet, puis Lloyd Axworthy, durent assumer la responsabilité d'un grand nombre de dossiers. Les plus importants, comme les relations avec le président Clinton ou la guerre en Irak (2003), sont cependant restés entre les mains du premier ministre.

Dans le gouvernement Harper, les dossiers importants tendent aussi à échapper au ministre. Les gestes les plus spectaculaires faits lors de la première année suivant l'élection de 2006, comme le prolongement de la mission des Forces canadiennes en Afghanistan, l'appui accordé à Israël lors de la guerre au Liban, ou encore les remontrances adressées à la Chine à propos du respect des droits humains, ont tous été le fait du premier ministre.

Cette tendance n'est pas nouvelle puisque, de façon générale, le territoire et l'autonomie du ministre des Affaires étrangères tendent à se réduire. Selon Donald Savoie, l'un des facteurs qui peuvent expliquer cette tendance – qui frappe presque tous les membres du Cabinet – réside dans la concentration des pouvoirs au sein des organes qui relèvent essentiellement du premier

---

19. David H. TARAS et David H. GOLDBERG, « Collision Course : Joe Clark, Canadians Jews, and the Palestinian Uprising », dans David H. TARAS et David H. GOLDBERG (dir.), *The Domestic Battleground : Canada and the Arab-Israeli Conflict*, Montréal/Kingston, McGill-Queen's University Press, 1989, p. 207-223.
20. David R. BLACK, « La politique du gouvernement Mulroney à l'égard de l'Afrique du Sud : précurseur de la "sécurité humaine" », *Études internationales*, vol. 31, n° 2, juin 2000, p. 291-310.

364 ◆ LES ACTEURS ET LE PROCESSUS

ministre, soit le Bureau du premier ministre et le Conseil privé. En matière de politique étrangère, le Conseil privé en particulier constitue, pour le premier ministre, une source d'informations, de conseils et d'initiatives indépendantes des fonctionnaires du ministère des Affaires étrangères[21].

Depuis l'époque de Saint-Laurent et Pearson, la fonction de ministre des Affaires extérieures a aussi perdu une partie de son prestige[22]. Jusqu'à 1968, elle était considérée comme un tremplin pour accéder au poste de premier ministre. Saint-Laurent et Pearson ont tous deux hérité de ce portefeuille avant d'être élus chefs du Parti libéral, puis premiers ministres. D'ailleurs, Pearson estimait que ses réalisations aux Affaires extérieures et son prix Nobel (1957) y étaient pour beaucoup dans sa victoire à la course à la direction du Parti[23]. Ces deux cas ne sont peut-être que le simple fruit du hasard, mais ils contribuèrent à ce que le portefeuille des Affaires étrangères soit perçu comme un moyen pour faire reconnaître, sur le plan national, le travail accompli sur la scène internationale. On peut présumer que Paul Martin (père) a posé sa candidature à la direction du Parti libéral, en 1968, dans l'espoir de poursuivre cette « tradition ».

Martin fut battu par Trudeau, ce qui mit effectivement un terme à la tradition. Depuis, un seul ministre a réussi à passer du 125 au 24 Sussex Drive – encore que l'on puisse douter que la promotion de Chrétien ait un rapport avec son bref mandat en tant que ministre des Affaires extérieures, au cours de l'été 1984. Le portefeuille n'a toutefois pas perdu tout son éclat. Dans ses Mémoires publiés en 1993, Sharp décrivait les Affaires extérieures comme « le plus attirant des portefeuilles » au sein du gouvernement canadien :

> Il procure du prestige, un défi, un côté somptueux (du moins à l'étranger), et pose rarement le genre de problèmes auxquels sont ordinairement confrontés, par exemple, les ministres des Finances, de la Santé ou de la Sécurité du revenu, qui sont responsables de décisions qui vont affecter le compte en banque des Canadiens[24].

---

21. Donald J. SAVOIE, *Governing from the Centre*, Toronto, University of Toronto Press, 1999.
22. Bruce THORDARSON, *op. cit.*, p. 681-682.
23. Lester B. PEARSON, *Mike : The Memoirs of the Right Honourable Lester B. Pearson*, vol. 2 : 1957-1968, Toronto, University of Toronto Press, 1974.
24. Mitchell SHARP, *Which Reminds Me... A Memoir*, Toronto, University of Toronto Press, 1994, p. 225.

Depuis 1968, le portefeuille des Affaires extérieures – comme le poste de « critique » ou de « porte-parole » en matière d'Affaires étrangères dans le « Cabinet fantôme » des partis d'opposition – est plutôt considéré comme une récompense offerte à des partisans qui se sont dévoués pour la cause du chef du parti. L'appui de Sharp à Trudeau lors de la course à la direction du PLC de 1968 lui a permis de choisir le portefeuille qu'il désirait. Ainsi, MacEachen a été nommé à ce poste en 1974 en reconnaissance de ses bons offices en tant que président de la Chambre des communes sous le gouvernement minoritaire de 1972-1974. Flora MacDonald s'est vu confier le portefeuille en 1979 pour avoir soutenu Clark pendant la course à la direction de 1976. Mulroney a récompensé Sinclair Stevens pour son aide lors de l'investiture de 1983 en lui donnant le poste de critique aux Affaires extérieures. Kim Campbell a fait de Perrin Beatty son ministre des Affaires extérieures, en 1993, pour les mêmes raisons et, en guise de remerciements de son soutien au Congrès du Parti libéral de juin 1990, Lloyd Axworthy fut nommé critique en ce domaine par Jean Chrétien, puis en janvier 1996, ministre des Affaires extérieures. La nomination de John Manley, en 2000, semble aussi suivre cette logique, puisqu'elle a permis à un ministre loyal, mais jusque-là peu connu, de se faire valoir (surtout après les attentats de septembre 2001 aux États-Unis) dans un contexte où d'autres membres du Cabinet, dont Paul Martin, remettaient en question la direction de Jean Chrétien. La loyauté de Pierre Pettigrew à l'égard de Martin fut à son tour récompensée par sa nomination à ce poste en décembre 2003. Enfin, Peter MacKay fut chef du Parti conservateur en 2003-2004 et contribua largement à l'unification de cette formation avec l'Alliance canadienne.

Le portefeuille des Affaires extérieures s'avère également très utile pour se concilier un rival défait à la course à la direction du parti : Clark a nommé Claude Wagner comme critique, après 1976 ; Turner a confié le portefeuille à Chrétien, à l'été 1984 ; et Mulroney l'a donné à Clark, en septembre 1984. Les chefs de parti sont conscients des avantages à confier ce portefeuille prestigieux à des rivaux politiques. Car, outre le fait que son titulaire est appelé à passer bien du temps à l'extérieur du pays, il (ou elle) est peu susceptible de lui porter ombrage, cela tant en raison de l'importance croissante de la diplomatie de sommet que du peu d'attention que porte généralement la population aux questions de politique étrangère.

Même s'il doit partager le terrain avec le premier ministre et, à l'occasion, avec d'autres collègues, le portefeuille des Affaires étrangères est devenu très lourd à porter pour son titulaire. Le ministre des Affaires étrangères est techniquement responsable de la conduite de multiples relations avec l'étranger, incluant celles de nature commerciale. Il est aussi responsable de deux grandes institutions gouvernementales : le ministère des Affaires étrangères et du Commerce international (MAECI), et l'Agence canadienne de développement international (ACDI). De plus, il doit représenter le Canada dans de nombreuses rencontres ministérielles internationales. Plusieurs tentatives ont été faites pour alléger sa charge de travail, ce qui a rendu nécessaire la création de nouveaux portefeuilles ministériels connexes.

LE PARTAGE DES TÂCHES : LE MINISTRE DES AFFAIRES ÉTRANGÈRES ET SES COLLÈGUES

Après 1968, l'ampleur et la portée grandissantes des relations extérieures du Canada ont mis à rude épreuve la capacité du ministre de s'acquitter de ses nombreuses responsabilités. Il était toutefois impossible de partager les responsabilités associées à ce poste entre plusieurs ministres, ceci en raison des règles fixant la composition du Cabinet au Canada jusqu'à 1993. En Australie et en Angleterre, il existe une distinction entre le *ministry*, traduit généralement par le terme *ministère*, et que le gouvernement canadien a longtemps appelé le *conseil des ministres*[25], lequel désigne le corps formé par l'ensemble des ministres et des secrétaires d'État d'un gouvernement, et *Cabinet* proprement dit – la plus haute instance – qui ne réunit pas tous les ministres. Par contre, au Canada, et ce, jusqu'en 1993, la règle voulait que tous les ministres de la Couronne siègent au Cabinet. Il n'y avait donc pas de distinction entre le ministère (ou conseil des ministres) et le Cabinet. C'est au cours du premier mandat de Jean Chrétien que la distinction sera établie.

---

25. Pour ajouter à la confusion, certains, au Canada, utilisent « conseil des ministres » et « Cabinet » comme des synonymes… Sur ces distinctions sémantiques, voir André BERNARD, *La vie politique au Québec et au Canada*, Ste-Foy, Presses de l'Université du Québec, 1996, p. 405 ; Louis MASSICOTTE, « Le pouvoir exécutif : la monarchie et le Conseil des ministres », dans Manon TREMBLAY, Réjean PELLETIER et Marcel R. PELLETIER (dir.), *Le parlementarisme canadien*, Québec, Les Presses de l'Université Laval, 2000, p. 265-293.

La règle voulant que tous les ministres siègent au Cabinet ne posait pas de problème au cours du premier siècle d'existence du Canada, car l'appareil d'État était relativement peu développé. Chaque grand ministère pouvait donc être dirigé par un ministre différent. La multiplication des agences gouvernementales, surtout perceptible à la fin des années 1960, remit en question cette forme de partage des tâches. En effet, si l'on attribuait un ministre distinct à chaque ministère ou agence, et si chaque ministre devait siéger au Cabinet, ce dernier – comprenant déjà une quarantaine de membres – atteindrait des proportions telles qu'il deviendrait incontrôlable et inefficace. Pour maintenir le nombre de ministres à un niveau raisonnable, plusieurs solutions ont été avancées, comme la création d'énormes ministères tentaculaires (par exemple, celui des Transports), de ministères jumelés (Santé et Sécurité du revenu, Emploi et Immigration, ou encore Énergie, Mines et Ressources), ou encore l'augmentation du nombre de portefeuilles confiés à un même individu. Une autre méthode consiste à créer des « ministères juniors » (leurs titulaires sont appelés « ministre d'État », puis « secrétaires d'État ») pour la gestion des dossiers moins importants ou pour assister les ministres. Le problème de la croissance du nombre des agences gouvernementales et de leur représentation au Cabinet s'est posé de façon particulièrement aiguë dans le domaine des relations avec l'étranger.

De 1945 à 1968, le ministre des Affaires extérieures a régné sans partage sur la destinée des relations internationales du Canada. La prédominance des questions de sécurité dans l'ordre des priorités, les liens étroits entre le premier ministre et le titulaire du portefeuille des Affaires extérieures, la cohésion et l'homogénéité entre les membres de la « communauté des affaires étrangères » (une élite dont les membres ont presque tous fait leurs études à la même époque) sont autant de facteurs qui peuvent expliquer cette situation. L'arrivée au pouvoir du gouvernement Trudeau, les changements dans les préoccupations de la population canadienne (plus intéressée par les questions de justice sociale, de développement ou d'économie que de sécurité) et les débats sur l'unité nationale ont nécessité de profonds ajustements dans la direction ministérielle des relations extérieures[26].

---

26. Andrew COOPER, « Trying to Get it Right : The Foreign Ministry and Organizational Change in Canada », dans Brian HOCKING (dir.), *Foreign Ministries : Change and Adaptation*, Londres, Macmillan, 1998, p. 40-58.

L'évolution est remarquable et se reflète dans la composition du Cabinet. Jusqu'au début des années 1970, le ministre des Affaires extérieures n'avait qu'à consulter épisodiquement ses collègues dont le champ de responsabilités comportait une dimension internationale : défense, transport, douanes, immigration, finances, agriculture, etc.[27] Il devait, 30 ans plus tard, non seulement composer avec ces mêmes collègues, mais aussi tenir compte de certains nouveaux venus, dont les compétences empiétaient directement sur celles qui relevaient traditionnellement des Affaires étrangères. Ainsi, dans le Cabinet Chrétien, la gestion des relations extérieures était fragmentée entre plusieurs ministres. Outre le ministre des Affaires étrangères, qui jouait le rôle le plus important, plusieurs autres intervenants gravitaient dans cette sphère d'activité : les ministres responsables de la Francophonie, du Commerce international et de la Coopération internationale, ainsi que les secrétaires d'État à l'Asie-Pacifique, à l'Amérique latine-Afrique, à l'Europe centrale et orientale–Moyen-Orient et aux institutions financières internationales.

Que s'est-il passé ? Depuis 1968, certains domaines d'activité ont pris une importance grandissante et exigé une attention plus soutenue, notamment la Francophonie, l'aide au développement et le commerce international. Cette évolution a, presque naturellement, mené au cours des années 1970 et 1980 à la création de nouvelles fonctions ministérielles. Ce faisant, elle a aussi fait naître un problème de coordination presque insoluble, si bien qu'on peut avoir l'impression que le ministère des Affaires étrangères est perpétuellement dans un processus de réforme.

À ces réformes structurelles s'ajoutent certains partages de tâches temporaires dictés par les événements. Le cas extrême d'un ministre devant faire face au rétrécissement de son territoire est peut-être celui de William (Bill) Graham. Lors de sa nomination, en février 2002, bien des observateurs se demandaient quelles allaient être ses fonctions, puisqu'à tous les empiétements déjà évoqués s'en ajoutait un autre : son prédécesseur, John Manley, nommé au poste de vice-premier ministre, conservait la main haute sur les relations de sécurité avec les États-Unis (en particulier, les questions frontalières), en grande partie parce qu'il avait su se constituer un capital de crédibilité auprès de Washington au cours des semaines suivant les attentats du 11 septembre.

---

27. Voir, par exemple, Garth STEVENSON, *op. cit.*

LE MINISTRE RESPONSABLE DE LA FRANCOPHONIE

Le clivage linguistique entre anglophones et francophones est source de tensions constantes au Canada. Les lois, règles et directives politiques ne sont jamais parvenues à combler le fossé entre les deux communautés, comme le démontre la persistance de la question nationale au Québec. Avant 1968, une des règles importantes de la politique canadienne voulait que les premiers ministres et les chefs des partis s'adjoignent des « lieutenants » – des membres haut placés du parti qui pouvaient communiquer (aux sens propre et figuré) avec l'autre communauté linguistique. Les deux premiers ministres francophones d'avant 1968 (Laurier et Saint-Laurent) parlaient couramment anglais, et avaient chacun des lieutenants pour faciliter leurs relations avec le Canada anglais. Quant aux premiers ministres anglophones, ils n'étaient pas tous capables de communiquer avec les Canadiens francophones dans leur langue. La plupart avaient besoin d'un francophone pour pouvoir rejoindre, par personne interposée, plusieurs millions de Canadiens. Par exemple, Mackenzie King s'était assuré les services d'Ernest Lapointe, qui joua le rôle de lieutenant québécois, de 1924 jusqu'à sa mort en 1941. Ministre des Pêcheries, puis de la Justice, Lapointe fut l'un des rares Québécois francophones, avec Raoul Dandurand et Louis Saint-Laurent, à jouer un rôle marquant en politique étrangère avant les années 1960[28]. Le problème disparut de lui-même en 1968, Trudeau et Mulroney étant parfaitement bilingues, et Chrétien connaissait bien l'anglais. Même les premiers ministres anglophones ayant dirigé le pays de façon éphémère (Joe Clark, John Turner et Kim Campbell) parlaient couramment le français.

Jusque dans les années 1960, le Canada entretenait surtout des relations avec des pays anglophones (Angleterre et États-Unis), et Laurier et Saint-Laurent communiquaient sans problèmes avec leurs homologues britanniques, américains ou des autres pays du Commonwealth. De plus, les fonctionnaires du ministère des Affaires extérieures étaient essentiellement anglophones, et les quelques francophones qui y travaillaient utilisaient, même entre eux, l'anglais comme langue de communication.

---

28. Voir John MACFARLANE, *Ernest Lapointe and Quebec Influence on Canadian Foreign Policy*, Toronto, University of Toronto Press, 1999.

Les choses commencent à changer après 1960. L'effondrement de l'Empire colonial français a donné naissance à une myriade de nouveaux États francophones. Le gouvernement fédéral, aiguillonné par la Révolution tranquille qui transformait le Québec – et par une campagne de presse du quotidien *Le Devoir* –, cherchait à exprimer de façon plus visible la dualité linguistique et culturelle du Canada, en resserrant les liens avec ces États, regroupés au sein de la Francophonie[29]. Cette diversification des relations extérieures posa de réels problèmes linguistiques et culturels. Depuis 1909, 25 personnes ont occupé la fonction de ministre des Affaires extérieures ; seuls 4 d'entre elles étaient des francophones : Saint-Laurent, Chrétien, Ouellet et Pettigrew. Tous les autres étaient anglophones, quoique certains pussent s'exprimer en français.

Avant 1976, on faisait appel à un ministre parlant couramment français uniquement en cas de besoin : en 1971, c'est le secrétaire d'État, Gérard Pelletier, qui est nommé à la tête de la délégation canadienne aux rencontres de l'Agence de coopération culturelle et technique (ACCT) ; devenu ministre des Communications, il dirige de nouveau la délégation en 1973. En 1972, il est envoyé à Bordeaux pour l'inauguration d'une école de gestion internationale. Jean Marchand, ministre sans portefeuille, mène la délégation canadienne à la quatrième rencontre de l'Agence, en 1975. Et c'est Jean-Pierre Goyer, le ministre responsable des Approvisionnements et des Services qui représente le Canada au Niger, en 1976, lors de l'inauguration d'une autoroute subventionnée par l'ACDI.

À la suite de la victoire du Parti québécois, en novembre 1976, le gouvernement Trudeau décida de conférer un statut officiel à ce rôle, qui, en réalité, était celui du lieutenant francophone du ministre des Affaires extérieures. En mai 1977, Goyer fut nommé « conseiller spécial » du ministre dans le domaine des « affaires francophones internationales ». Ce type d'arrangement fut maintenu par le gouvernement Clark, lorsque, en 1979, il confia à Martial Asselin la responsabilité ministérielle de l'assistance au développement.

---

29. Gilles LALANDE, « La Francophonie et la politique étrangère du Canada », dans Paul PAINCHAUD (dir.), *De Mackenzie King à Pierre Trudeau, quarante ans de diplomatie canadienne (1945-1985)*, Québec, Presses de l'Université Laval, 1988, p. 217-248 ; Jean-Philippe THÉRIEN, « Co-operation and Conflict in la *Francophonie* », *International Journal*, vol. 48, n° 3, été 1993, p. 492-526.

Le poste fut institutionnalisé en 1983, dans la foulée de la réorganisation de l'appareil étatique entreprise par Trudeau l'année précédente. À cette époque, le titulaire recevait le titre de « ministre des Relations extérieures » et ses tâches consistaient, selon les termes de la loi, à « assister le secrétaire d'État aux Affaires extérieures dans l'exercice de ses attributions en matière de relations internationales ». Il remplissait ainsi les fonctions dévolues jusque-là au « lieutenant francophone » du ministre.

De 1983 à 1993, le ministre des Relations extérieures s'est vu systématiquement conférer aussi le titre de « ministre responsable de la Francophonie ». Les seules exceptions sont survenues lorsque Jean Chrétien, Perrin Beatty et André Ouellet ont cumulé cette fonction avec celui de secrétaire d'État aux Affaires extérieures (alors que le poste de ministre des Relations extérieures demeurait vacant), le premier en 1984, le deuxième en 1993 dans l'éphémère Cabinet Campbell, et le troisième en 1993-1995. En 1995, le titre de ministre des Relations extérieures a été remplacé par celui de ministre de la Coopération internationale et la fonction de ministre responsable de la Francophonie a, alors, été associée à ce nouveau portefeuille. Ce n'est qu'en août 1999 que le poste de « secrétaire d'État (à la Francophonie) » fut créé.

Le premier à occuper le poste de ministre responsable de la Francophonie fut Jean-Luc Pépin (1983-1984). Depuis, une dizaine de personnes s'y sont succédé. Il est intéressant de noter qu'en une vingtaine d'années, quatre femmes l'ont occupé (Monique Vézina, Monique Landry, Diane Marleau et Josée Verner), alors que seulement deux se sont vu confier le titre de ministre des Affaires étrangères (Flora MacDonald et Barbara McDougall) en plus d'un siècle. Et si tous étaient des francophones (à l'exception de Perrin Beatty), ils n'étaient pas nécessairement québécois. Ainsi, trois des sept derniers titulaires (Don Boudria, Diane Marleau et Ronald Duhamel) venaient de l'extérieur du Québec.

Le poste de ministre responsable de la Francophonie n'a jamais été autre chose qu'un portefeuille secondaire. En fait, dans la plupart des cas, le titulaire cumule cette fonction avec d'autres tâches. Rares ont été ceux qui ont donné du panache à cette fonction, qui sert surtout à laisser plus de place aux francophones au Cabinet, à permettre à des députés prometteurs d'accéder au conseil des ministres, et même parfois à rétrograder discrètement des gaffeurs que l'on refuse de désavouer en public. De façon générale, le titulaire n'a qu'une influence très limitée sur la formulation de la politique étrangère.

Le ministre de l'Aide au développement et de la Coopération internationale

À peu près à la même époque, d'autres s'interrogeaient sur la direction ministérielle de l'Agence canadienne de développement international (ACDI). Créée en 1968, elle était dirigée par un président, soit un rang équivalent à celui de sous-ministre. À la fin des années 1970, certains ont suggéré que l'Agence soit transformée en un ministère distinct des Affaires extérieures, et placée sous la responsabilité de son propre ministre. Ceci aurait d'abord pour effet de réduire la charge de travail du secrétaire d'État aux Affaires extérieures. Mais une telle réorganisation aurait surtout conféré plus d'importance aux activités de coopération et de développement international lors des réunions du Cabinet, puisqu'elles y seraient présentées et défendues par un ministre.

La proposition fut retenue par Joe Clark. En 1979, il nomma le sénateur Martial Asselin (qui avait fait partie du gouvernement Diefenbaker au début des années 1960) ministre d'État responsable de l'ACDI, qui devait aussi jouer le rôle de lieutenant francophone de Flora MacDonald. Cependant, il faut situer cette nomination dans le contexte de la norme fédérale régissant la composition d'un Cabinet, selon laquelle chaque province doit y être représentée. Dans le Cabinet Clark, seulement deux députés provenaient du Québec, et le premier ministre voulait augmenter la représentation de cette province en y appelant des membres du Sénat – un procédé employé aussi par les libéraux de Jean Chrétien et les conservateurs de Stephen Harper. L'expérience fut néanmoins aussi éphémère que le gouvernement Clark. Sitôt les libéraux revenus au pouvoir, en février 1980, l'ACDI revint au sein du ministère des Affaires extérieures et y restera jusqu'à l'élection du gouvernement Mulroney.

Sous le gouvernement conservateur, la responsabilité de l'aide internationale échut au ministre des Relations extérieures – poste occupé par Monique Vézina, puis par Monique Landry –, ce qui devait contribuer, selon Andrew Cooper, à réduire l'autonomie institutionnelle de l'ACDI[30]. La situation

---

30. Andrew F. COOPER, *Canadian Foreign Policy. Old Habits and New Directions*, Scarborough, Prentice-Hall, 1997, p. 232.

s'est encore plus complexifiée avec l'arrivée au pouvoir du gouvernement Chrétien. En 1995, le poste de ministre des Relations extérieures est remplacé par celui de « ministre de la Coopération internationale ». Les trois premiers détenteurs de ce ministère étaient également ministres responsables de la Francophonie. Mais Chrétien a aussi créé trois nouveaux postes de secrétaire d'État aux régions (nous y reviendrons), dont les compétences touchent inévitablement à l'aide au développement dans leur région respective. Stephen Harper a choisi une approche semblable en nommant l'un de ses rares députés du Québec, Josée Verner, ministre de la Francophonie et de la Coopération internationale.

De tous les postes ministériels liés aux relations internationales du Canada, celui de responsable de la Coopération internationale est le seul qui fut occupé majoritairement par des femmes. En effet, cinq des sept personnes qui ont défilé à ce poste depuis sa création étaient des femmes, soit Diane Marleau, Maria Minna, Susan Whelan, Aileen Carroll et Josée Verner. Seuls les deux premiers titulaires étaient des hommes, soit Pierre Pettigrew et Don Boudria. Bien que l'on puisse saluer cette tendance comme un progrès dans l'accessibilité des femmes aux fonctions ministérielles, il faut relativiser cette évaluation. D'une part, comme le poste de ministre responsable de la Francophonie, celui de ministre de la Coopération internationale est un portefeuille de second rang et a le même type de fonction. D'autre part, le fait que ce soit ce poste en particulier qui est confié à des femmes, et que des progrès semblables ne sont pas observés dans les autres portefeuilles, tend à perpétuer une forme de division sexuelle des rôles au plus haut palier de l'État. Ainsi, les hommes se voient octroyer des responsabilités et des pouvoirs dans les secteurs d'activités les plus conflictuels (donc plus conformes à l'image traditionnelle de la masculinité), tandis que les femmes demeurent cantonnées dans des tâches de coopération, généralement moins prestigieuses, moins influentes et moins bien nanties en ce qui concerne les ressources.

On peut également s'interroger sur les possibilités d'accéder par la suite à des fonctions plus importantes. Des sept ministres de la Coopération internationale, un seul, soit Pierre Pettigrew, a pu gravir de nouveaux échelons dans la hiérarchie ministérielle. Nommé lieutenant francophone du nouveau ministre des Affaires étrangères, Lloyd Axworthy (qui parlait un français pour le moins laborieux), il a ainsi pu accéder au Cabinet. En 2003,

il cumulera les charges de ministre de la Santé, des Affaires intergouvernementales et des Langues officielles dans le premier gouvernement Martin,
avant de devenir ministre des Affaires étrangères (2004-2006). Le cas de
Pettigrew ne semble cependant pas représentatif. On ne peut s'empêcher de
tracer un parallèle entre sa nomination à la Coopération internationale et
celle, étonnante, d'André Ouellet aux Affaires extérieures en 1993. Pettigrew,
comme Stéphane Dion, a été appelé à se joindre au gouvernement libéral
après la victoire très serrée du « Non » au référendum de 1995 au Québec. Dans
ce contexte, c'est surtout à titre de « lieutenant québécois » de Jean Chrétien,
que Pettigrew a pu acquérir de l'influence.

Le ministre du Commerce international

L'importance du commerce international comme source de la prospérité
du Canada ne se reflète pas dans la structure gouvernementale. Pendant longtemps, il était été confié soit aux Affaires extérieures, ou fragmenté entre
plusieurs ministères : les Affaires extérieures, les Finances et le Commerce.
Le développement des échanges commerciaux revenait aux services du commissaire au Commerce (*Trade Commissioner Service*), qui faisait partie d'un
ministère à double vocation, soit la promotion des échanges avec l'étranger
et le commerce intérieur – tâches auxquelles s'ajoute, après avril 1969, le
développement industriel, lorsque fut créé le ministère de l'Industrie et du
Commerce (MIC). À la fin des années 1970, le titulaire de ce portefeuille
était responsable d'un certain nombre de secteurs d'activités, incluant le
tourisme, le développement d'entreprises, la politique commerciale internationale, la croissance des exportations, ou encore la commercialisation
internationale et le dessin industriel.

Au cours des années 1970, le gouvernement s'est efforcé d'élaborer une
politique industrielle pour le Canada, tout en cherchant (sans succès) à diversifier la structure du commerce extérieur canadien – sans pour autant considérer la création éventuelle d'une structure bureaucratique distincte, qui
aurait eu son propre ministre et la capacité d'assumer la coordination d'une
politique économique internationale. Cette absence s'explique, d'une part,
par la nature du fédéralisme canadien – les provinces et le gouvernement
fédéral ont tous deux juridiction sur les questions économiques – et, d'autre

part, par le monopole exercé par les différents ministères chargés de la politique économique internationale. Néanmoins, la nécessité d'entreprendre une réforme majeure de la structure bureaucratique devint évidente au début des années 1980. C'est donc dans le cadre du « triumvirat » que doit être étudiée la fonction de ministre du Commerce international.

Le triumvirat : Affaires extérieures, Relations extérieures et Commerce extérieur (1982-1993)

La croissance du nombre d'intervenants dans le processus de gestion et de mise en œuvre de la politique étrangère a, on s'en doute, engendré des problèmes de coordination. Au cours des années 1970, le gouvernement Trudeau entreprend une série de réformes, d'abord au sein du ministère lui-même, puis – et c'est ce qui nous intéresse ici – au palier interministériel[31]. L'une des initiatives les plus importantes fut la création du Comité interministériel sur les relations extérieures (CIRE) en 1971. Composé de sous-ministres, il devait coordonner la mise en œuvre des politiques des différents ministères dont les activités ont des ramifications sur le plan international. Cette réorganisation, qui n'obtint qu'un succès mitigé, ne sera que la première d'une longue série.

Une autre tentative de réforme interministérielle majeure a lieu en 1982-1983, lorsque le gouvernement Trudeau entreprend de réorganiser l'appareil gouvernemental. L'ensemble de la gestion des relations internationales du Canada est désormais confié à un nouveau ministère des Affaires extérieures, qui absorbe les fonctions commerciales de l'ancien ministère de l'Industrie et du Commerce. Toutefois, le secrétaire d'État aux Affaires extérieures partage ses responsabilités avec deux nouveaux venus, constituant ainsi une forme de triumvirat. Les deux nouveaux postes sont cependant des positions subalternes, puisque ses titulaires sont chargés, selon les termes de la loi de novembre 1983, « d'assister le secrétaire d'État aux Affaires

---

31. Sur les réformes entreprises au cours des années 1970, voir Garth STEVENSON, *op. cit.*, et Michael D. HENDERSON, « La gestion des politiques internationales du gouvernement fédéral », dans Paul PAINCHAUD (dir.), *op. cit.* (1977), p. 81-107 ; John KIRTON, « Elaboration and Management of Canadian Foreign Policy », dans Paul PAINCHAUD (dir.), *op. cit.* (1988), p. 55-79 ; André P. DONNEUR, *Politique étrangère canadienne*, Montréal, Guérin, 1994, p. 27-29.

extérieures dans l'exercice de ses attributions », le premier « en matière de relations internationales », le second « en matière de commerce extérieur ». Le premier est le ministre des *Relations extérieures* qui chapeaute l'ensemble des programmes sociaux, culturels et humanitaires. C'est à son titulaire que revient donc, comme nous l'avons souligné plus haut, la gestion de dossiers comme la Francophonie et la coopération internationale. Le second est celui de ministre du *Commerce extérieur*. Trudeau regroupe ainsi, sous une même autorité, l'ensemble des activités internationales à caractère économique.

Le triumvirat ministériel fut conservé par Mulroney lors de son accession au pouvoir en 1984. Le premier titulaire conservateur du portefeuille du Commerce extérieur fut James Kelleher, considéré comme un ministre junior, au point d'être exclu du puissant Comité des priorités et de la planification du Cabinet. Toutefois, le portefeuille devait prendre plus d'importance lorsque débutèrent les négociations sur le libre-échange, pour lesquelles Joe Clark demanda à être déchargé de cette responsabilité. Patricia Carney (qui remplaçait Kelleher depuis juin 1986), elle-même ministre et membre du Comité des priorités et de la planification, se vit alors confier la responsabilité de la gestion ministérielle des négociations avec les États-Unis.

À l'origine, le poste de ministre du Commerce extérieur était considéré comme subalterne, son titulaire devant « assister » le secrétaire d'État aux Affaires extérieures. Toutefois, dans les années qui suivirent, cette fonction devait prendre une importance grandissante, et ceux qui l'occupèrent étaient souvent des individus influents, généralement haut placés dans le parti au pouvoir. Ce fut le cas de John Crosbie (1988-1991), Michael Wilson (1991-1993), Arthur Eggelton (1996-1997) et Pierre Pettigrew (1999-2003). Plusieurs d'entre eux y ont acquis un certain prestige, qui leur permettra d'occuper d'autres fonctions par la suite. Par exemple, Eggleton deviendra ministre de la Défense nationale, Pettigrew, ministre de la Santé, puis des Affaires extérieures, tandis que Wilson sera nommé ambassadeur à Washington par Stephen Harper en 2006. Cette importance a d'ailleurs été reconnue par Jean Chrétien qui a remplacé le titre de ministre du Commerce extérieur par celui de Ministre du Commerce international, celui-ci n'ayant plus le mandat « d'assister » le ministre des Affaires étrangères. Il convient aussi de souligner qu'une seule femme a occupé ce poste, soit Patricia Carney en 1986-1998.

Pour sa part, le portefeuille des Relations extérieures fut tout d'abord confié à Monique Vézina (1984-1986 et 1993), puis à Monique Landry (1986-1993). À l'instar du gouvernement Clark, le gouvernement Mulroney confia la direction de l'ACDI au ministre des Relations extérieures – une décision très critiquée par le comité permanent des Affaires extérieures de la Chambre des communes, présidé par William Winegard, député conservateur de Guelph. Le comité Winegard estimait qu'il valait mieux abolir le portefeuille des Relations étrangères et nommer à la place un ministre au Développement international, qui aurait uniquement pour mandat la «gestion politique» de l'ACDI et de tous les programmes canadiens d'assistance au développement. Le gouvernement opta pour un compromis: en mars 1988, il annonçait que Monique Landry aurait encore plus autorité sur l'ACDI[32]. En revanche, la responsabilité de la Francophonie, tout particulièrement la représentation du Canada dans les nouveaux sommets, était confiée à un autre ministre senior, Lucien Bouchard, puis, lorsque celui-ci quitta le gouvernement en mai 1990 pour former le Bloc québécois, à Marcel Masse, le ministre des Communications. Monique Landry se verra confier le dossier de la Francophonie seulement après le remaniement ministériel d'avril 1991, cela même si, officiellement, elle en était responsable depuis 1986.

Cette organisation tricéphale ne survivra qu'une dizaine d'années. À son arrivée au pouvoir, Chrétien laisse vacant le portefeuille des Relations extérieures. Un an et demi plus tard, en mars 1995, les deux postes créés par Pierre Trudeau sont abolis ou transformés.

LES STRUCTURES INSTAURÉES APRÈS 1993

La présentation des membres du premier Cabinet de Jean Chrétien, le 4 novembre 1993, marque l'instauration d'une réforme importante de l'appareil décisionnel canadien. En s'inspirant du modèle en vigueur au Royaume-Uni et en Australie, le nouveau gouvernement forme alors un conseil composé de 30 ministres, dont 22 siègent au Cabinet. Les 8 autres, nommés secrétaires d'État, sont membres à part entière du Conseil des ministres, et donc liés par le principe de la solidarité ministérielle, mais ils ne sont pas membres du Cabinet.

---

32. *The Globe and Mail*, 4 mars 1988.

Les changements successifs introduits par le premier ministre Chrétien ont inévitablement touché les portefeuilles chargés de la gestion et de la mise en œuvre de la politique étrangère. En 1993, les responsabilités des ministres des Affaires étrangères, du Commerce international et de la Coopération internationale ne changent pas, mais le poste de ministre des Relations extérieures est laissé vacant. Les ministres sont assistés, pour les affaires touchant à des régions spécifiques, par deux (puis trois) de leurs collègues, choisis parmi les secrétaires d'État. Ainsi, en 1993, Raymond Chan fut nommé secrétaire d'État pour la région Asie-Pacifique, et Christine Stewart, sous-secrétaire d'État pour l'Amérique latine et l'Afrique[33]. Un troisième poste, responsable des régions Moyen-Orient et Europe orientale, est créé en janvier 2002 et confié à Gar Knutson.

Ces trois secrétaires d'État devaient assister le ministre des Affaires extérieures en le déchargeant de certains dossiers. Ce sont eux qui, au nom du ministre, visitent les zones dont ils ont charge, et exposent, par leurs interventions publiques, la politique du gouvernement canadien à l'égard de cette région. Ils travaillaient en collaboration avec le Comité permanent des Affaires extérieures et du Commerce international de la Chambre des communes, lorsque celui-ci traitait de sujets relevant d'une région sous leur juridiction. Sur le plan interne, ils avaient aussi la responsabilité d'entretenir des contacts avec les groupes directement intéressés par les relations du Canada et des régions en question.

Au moment où Jean Chrétien quitte ses fonctions, le Conseil des ministres comporte 37 membres, dont 9 secrétaires d'État. La pratique consistant à nommer un secrétaire d'État responsable des relations avec une région particulière ne survivra pas à son gouvernement. Paul Martin se dotera d'un ministère de taille équivalente (35 personnes, qui se partageront 49 postes de ministre, ministre d'État ou ministre responsable d'un dossier spécifique), mais les secrétaires d'État disparaissent. Il crée cependant 26 postes de secrétaires parlementaires qui, sans être membres du Ministère, assistent un

---

33. Ajoutons qu'un autre poste de secrétaire d'État, responsable des Institutions financières internationales celui-là, a été créé en 1993 et pourrait être ajouté à cette liste. Néanmoins, nous le laissons de côté ici, puisqu'il est chargé d'assister le ministre des Finances, et non celui des Affaires étrangères.

ministre. Quant à Stephen Harper, il formera un Conseil des ministres composé seulement de 27 ministres, épaulés par 25 secrétaires parlementaires.

Enfin, une dernière tentative de coordination mérite d'être signalée ici. Elle fut orchestrée par Paul Martin et a le mérite de l'originalité. Généralement, les ministres définissent les grandes orientations de leur ministère en consultation avec le premier ministre et son entourage, en particulier le Conseil privé. Toutefois, des difficultés persistent souvent lorsqu'il s'agit de coordonner les orientations des ministères dont les activités se recoupent, et les incohérences qui peuvent en résulter tendent à apparaître dans la comparaison des livres blancs de différents ministères. Ce fut par exemple le cas, comme nous le verrons plus loin, entre les Affaires étrangères et la Défense nationale. En 2005, le gouvernement Martin a tenté de remédier à cette situation en réunissant dans un seul exercice la préparation des documents d'orientation de trois ministères et d'une agence, soit les Affaires étrangères, le Commerce international, la Défense et l'Agence canadienne de développement international[34]. Le texte qui en résulta, l'*Énoncé de politique internationale du Canada*, comportait cinq livrets dont le message était probablement plus harmonisé que tout ce qui avait été fait jusqu'alors. Il témoigne surtout de la participation active, et certainement du contrôle, du premier ministre (qui signe le premier livret, lequel fait un survol de l'ensemble du document) et de son entourage. La défaite de Martin aux élections de 2006 n'aura cependant pas permis de mesurer le maintien de cette cohérence dans la mise en œuvre des mesures annoncées.

LE MINISTRE DE LA DÉFENSE NATIONALE

Un autre poste dont les responsabilités touchent largement aux relations avec l'étranger est celui de ministre de la Défense nationale. Généralement, les grandes orientations du Canada en matière de sécurité internationale sont déterminées par le premier ministre ou le ministre des Affaires étrangères. Dans de nombreux cas cependant (participation aux guerres ou aux coalitions internationales, mission de maintien de la paix, application des accords relatifs au contrôle des armements, protection du territoire et des eaux territoriales

---

34. GOUVERNEMENT DU CANADA, *Fierté et influence : notre rôle dans le monde* (*Énoncé de politique internationale du Canada*), Ottawa, 19 avril 2005.

contre des empiétements étrangers, etc.), c'est au ministre de la Défense nationale qu'il revient de mettre en œuvre les politiques.

Bien entendu, le ministre de la Défense n'est pas subordonné à celui des Affaires étrangères. Néanmoins, si l'on admet qu'une grande partie des activités des forces armées constitue un instrument de politique extérieure, il y a lieu de s'attendre à ce que la Défense s'ajuste aux objectifs fixés par les Affaires étrangères. Pourtant, les deux ministères semblent avoir toujours éprouvé des difficultés sur le plan de la coordination de leurs politiques[35]. Ainsi, au début des années 1960, les querelles, au sein du gouvernement Diefenbaker entre le ministre des Affaires extérieures, Howard Green, et celui de la Défense, Douglas Harkness, à propos des politiques de désarmement et d'acquisition d'armes nucléaires, sont demeurées célèbres[36]. Un exemple plus récent est celui de la politique de sécurité humaine, prônée par le ministre Lloyd Axworthy. Alors qu'il était à la tête des Affaires étrangères, il s'est donné beaucoup de mal pour élaborer une définition de ce qu'est la sécurité humaine et des méthodes pour mettre en œuvre cette approche. Toutefois, en aucun cas il ne s'est donné la peine de préciser le rôle que devaient y jouer les forces armées. De même, ses collègues de la Défense (Doug Young et Art Eggleton) ne se sont jamais penchés sur la question. En conséquence, les deux ministères ont poursuivi leur réflexion chacun de leur côté, sans qu'émerge une politique d'ensemble cohérente.

Comme son collègue des Affaires étrangères, le ministre de la Défense est, de temps à autre, chargé de définir les grandes orientations du pays en matière de défense. Depuis 1947, six livres blancs sur la défense ont été produits[37]. Contrairement aux documents d'orientation politique portant sur les relations extérieures, ceux qui traitent de la défense portent souvent la

---

35. Ainsi, la comparaison des doléances exprimées par Alasdair MacLaren et David King, à 25 ans de distance, est révélatrice ; Alasdair MacLaren, « Le Canada doit concilier sa politique étrangère et sa politique de défense », *Perspectives internationales,* mars-avril 1977 ; David King, « We Need a Romanow Commission for Defence and Foreign Policy », *Options politiques,* vol. 23, nº 3, avril 2002, p. 11-12.

36. Voir Albert Legault et Michel Fortmann, *Une diplomatie de l'espoir. Le Canada et le désarmement 1945-1988,* Québec, PUL/CQRI, 1989, en particulier, p. 20-36.

37. Les cinq premiers documents sont reproduits dans Douglas L. Bland, *Canada's National Defence,* vol. 1 *Defence Policy,* Kingston, SPS, 1997. À ces textes s'ajoute le livret sur la défense qui fait partie de l'*Énoncé de politique internationale du Canada* de 2005.

marque du ministre qui en est responsable. Ainsi, le document de 1947 reste attaché au nom de Brooke Claxton, celui de 1964 au ministre Paul Hellyer, et celui de 1987 à Perrin Beatty. Ces documents sont souvent l'occasion de proposer des réorientations majeures de la politique de défense. Toutefois, comme nous le verrons plus loin, la mise en œuvre des programmes ambitieux se révèle souvent très difficile, voire impossible.

La création du poste de ministre de la Défense est antérieure à celle de secrétaire d'État aux Affaires extérieures, puisqu'elle remonte à la Confédération. Le premier titulaire du portefeuille de la Milice et la Défense, comme on l'appelle de 1867 à 1922, fut George-Étienne Cartier, l'un des pères de la Confédération. Cartier avait expressément demandé ce poste à John A. Macdonald, car il le considérait non seulement comme l'un des plus prestigieux, mais aussi parce qu'il percevait dans la milice un moyen de cimenter l'unité du jeune dominion[38].

La fierté et l'optimisme de Cartier ne se sont jamais révélés fondés, pas plus à l'époque qu'aujourd'hui. Certes, le portefeuille de la Défense nationale est, théoriquement, l'un des plus importants. Ce ministère est l'un des plus gros employeurs du gouvernement et son budget est parmi les plus élevés, même en période de « vaches maigres ». De plus, il confère à celui qui en a la charge beaucoup de visibilité, particulièrement en période de crise internationale ou de situation d'urgence. Toutefois, au Canada, ce poste est loin d'être aussi prestigieux qu'il ne l'est dans la plupart des autres États, en grande partie parce que les Canadiens, épargnés par les affres d'une invasion étrangère depuis 200 ans, accordent moins d'importance aux choses militaires.

La visibilité que confère ce poste à son titulaire est telle que la fonction est parfois perçue comme un tremplin vers les plus hautes sphères du pouvoir. Pourtant, si l'on consulte la liste des 65 individus qui ont occupé ce poste[39] entre 1867 et 2007, on constate qu'une seule personne, Kim Campbell, est devenue, par la suite, premier ministre. Plus encore que les ministres des Affaires

---

38. Desmond MORTON, *Une histoire militaire du Canada 1608-1991*, Montréal, Septentrion, 1992, p. 138.

39. On trouvera une courte biographie des principaux ministres qui ont occupé le poste jusqu'en 1991, dans David J. BERCUSON et J. L. GRANATSTEIN, *Dictionary of Canadian Military History*, Toronto, Oxford University Press, 1992.

extérieures, les titulaires de la Défense ne restent généralement pas long-temps en poste (2,2 ans en moyenne, depuis 1867 ; 1,5 an, depuis 1968 !).

L'une des explications tient au fait que la tâche de ministre de la Défense au Canada est rarement excitante. Elle consiste trop souvent à tenter de résou-dre la quadrature du cercle entre des engagements trop nombreux et des res-sources insuffisantes, à gérer la décroissance des budgets en période de retour à la paix ou d'austérité, ou encore à imposer des réformes à un appareil mili-taire généralement très conservateur.

Certains individus ont brillamment assumé ces fonctions. C'est le cas de Frederick W. Borden (qui occupa le poste de 1896 à 1911), que Desmond Morton qualifie de « plus important ministre de la Défense en temps de paix de l'histoire du Canada[40] » ; de Brooke Claxton (1946-1954), qui présida à la réduction des forces canadiennes après la guerre, puis au réarmement du pays au début de la Guerre froide ; ou encore de Paul Hellyer (1963-1967), qui unifia les différents services des forces armées. Toutefois, il s'agit là d'exceptions.

Non seulement les tâches du ministre sont désagréables, mais elles con-sistent trop souvent à gérer des crises ou à justifier des choix impopulaires, qui finissent souvent par emporter le responsable. Même des politiciens chevronnés ou des esprits par ailleurs brillants y ont laissé leur carrière poli-tique. Ainsi, en novembre 1944, James Ralston (l'un de ceux qui occupèrent le poste le plus longtemps, soit entre 1926 et 1930, puis 1940 et 1944) dut démis-sionner en raison des pressions qu'il exerçait sur Mackenzie King pour que celui-ci décrète la conscription. Son successeur, A. G. L. McNaughton, qui assuma avec professionnalisme un grand nombre de postes militaires et, plus tard, diplomatiques, fut au contraire incapable d'éviter la conscription et démissionna en juillet 1945. Au début des années 1980, Gilles Lamontagne a dû consacrer beaucoup de son temps à convaincre que son choix d'avion de combat F-18 (et non F-16) était bien le bon ! Quelques années plus tard, Perrin Beatty conçut un ambitieux livre blanc, déploya d'énormes ressources pour le faire accepter par la population, puis fut muté à la Santé pour permettre à son successeur de sacrifier les coûteux projets sur l'autel de la lutte au déficit. Au milieu des années 1990, David Collenette et Doug Young durent

40. Desmond MORTON, *op. cit.*, p. 166.

consacrer une grande partie de leur attention à la série de scandales engendrés par la mission en Somalie en 1993.

Pire encore, depuis quelques années, une curieuse malédiction semble s'abattre sur ceux qui occupent le poste de ministre de la Défense nationale. La série noire commence en 1985, lorsque Robert Coates doit démissionner pour avoir fait des confidences à une effeuilleuse dans un bar au cours d'une tournée en Allemagne. En 1993, Kim Campbell, qui a occupé le poste brièvement avant de devenir premier ministre, voit son parti presque rayé de la carte électorale. En 1996, c'est le libéral David Collenette qui doit quitter le Cabinet en raison d'une maladresse dans ses fonctions de député. Son successeur, Doug Young, est l'un des rares ministres à ne pas être réélu lors du scrutin de 1997. Art Eggleton, qui le remplace, doit à son tour démissionner en 2002 lorsque l'on découvre que son ministère a octroyé un contrat farfelu à une ex-maîtresse. Il est remplacé par John McCallum, qui sera finalement rétrogradé au poste de ministre des Anciens Combattants par Paul Martin un an et demi plus tard. David Pratt, qui occupe ce poste dans le premier gouvernement Martin, est battu aux élections de juin 2004. Seul Bill Graham, qui fut le successeur de Pratt, semble s'être tiré indemne de cet exercice. Toutefois, dans ce dernier cas, il est possible d'affirmer que sa nomination à ce poste fut une malédiction en soi, puisqu'il était, depuis 2002, ministre des Affaires étrangères, ce qui représente, sur le plan du prestige, une quasi-destitution.

Comme pour les Affaires étrangères, la responsabilité des différentes sphères d'activités relevant de la Défense a souvent été partagée entre plusieurs ministres, généralement (mais pas exclusivement) en période de guerre. Ainsi, au cours de la Première Guerre mondiale, le gouvernement comptait un ministre des Forces militaires d'outre-mer. Entre 1910 et 1922, la direction de la Marine canadienne a été confiée à un « ministre du service de la Marine ». Au cours de la Deuxième Guerre mondiale, on créa les postes de ministre de la Défense nationale pour l'air, de ministre de la Défense nationale pour le service naval et de ministre des Services nationaux de guerre. Enfin, chacun de ces ministres put être assisté d'un ministre associé. Ces derniers disparurent à la fin de la guerre comme le prévoyait la loi, mais le poste de ministre associé de la Défense nationale fut réactivé en 1953. Fréquemment laissé vacant depuis (ce fut le cas dans le gouvernement Chrétien), il connut deux titulaires sous Paul Martin, avant d'être à nouveau abandonné par Stephen Harper.

La fonction de ministre de la Défense nationale demeure l'un des plus solides bastions masculins anglo-saxons. Des 65 personnes qui ont occupé ce poste depuis 1867, on compte moins d'une dizaine de francophones (dont G.-E. Cartier, Louis Masson, J. P. R. Caron, Alphonse Desjardins, Léo Cadieux, Gilles Lamontagne, Jean-Jacques Blais et Marcel Masse) et une seule femme (Kim Campbell). Les francophones sont cependant mieux représentés au poste de ministre associé, puisque trois des neuf personnes qui ont occupé cette fonction avaient pour langue maternelle le français. Mary Collins fut la seule femme à s'être vu confier ce portefeuille.

LES COMITÉS DU CABINET

En théorie, le Cabinet se compose d'un groupe de ministres qui décident collectivement des politiques et des moyens de les mettre en œuvre. Cette institution tire son importance du fait qu'elle se compose d'individus représentant des points de vue très divers (celui de chacun des ministères, des régions du pays que représentent les ministres, ou encore de différentes clientèles politiques). Les choses sont cependant moins claires en pratique. En premier lieu, s'il est certain que les questions importantes de politique étrangère que le gouvernement canadien a dû traiter au cours du xxᵉ siècle ont été débattues au Cabinet, on ne peut savoir avec certitude quelle influence a eu ce dernier – cela en raison du secret qui entoure les délibérations du Cabinet, de la solidarité qui unit les ministres, et de la discrétion dont font preuve les politiciens dans leurs mémoires.

En second lieu, bon nombre de décisions ont été prises sans être avalisées par le Cabinet au grand complet. Diefenbaker, par exemple, qui cumulait, à l'été 1957, le portefeuille des Affaires extérieures, a approuvé la signature de l'accord NORAD sur le seul avis de son ministre de la Défense nationale, George Pearkes, et de son chef d'état-major, le général Foulkes[41]. Pearson et son ministre des Affaires extérieures, Paul Martin (père), ont souvent pris

---

41. Jon B. McLin, *Canada's Changing Defense Policy, 1957-1963, The Problems of a Middle Power in Alliance*, Baltimore, Johns Hopkins University Press, 1967.

seuls des décisions, plaçant ainsi le Cabinet devant le fait accompli – au grand dam de Trudeau.

Ce furent sans doute ses expériences au gouvernement Pearson qui ont incité Trudeau à modifier la structure du Cabinet, à la fin des années 1960. Ces réformes étaient destinées à permettre une plus grande consultation sur toutes les questions politiques, en les soumettant d'abord à un comité du Cabinet, puis à l'ensemble des ministres. S'il y avait objection sur une question, celle-ci était alors discutée à la réunion plénière hebdomadaire du Cabinet. Parmi les plus connus de ces comités figurent le Conseil du Trésor (bien qu'il relève du Conseil privé), le Comité des priorités et de la planification, et celui sur l'union sociale[42].

Ainsi, pendant toutes les années Trudeau, un comité du Cabinet pour les Affaires extérieures et la Défense a eu pour fonction de débattre les décisions de politique extérieure[43]. Lorsque Mulroney arriva au pouvoir en 1984, il commença par supprimer le comité, pour le rétablir au bout d'un an[44]. S'il en existait plus d'une quinzaine à la fin des années 1980, le premier ministre Chrétien réduisit ce nombre à quatre en 1993, supprimant notamment celui sur les Affaires extérieures et la Défense. Toutefois, après les attentats du 11 septembre 2001, le nouveau Comité spécial chargé de la sécurité publique et de la lutte contre le terrorisme fut créé. Le 1er octobre, le premier ministre annonçait la création d'un comité *ad hoc* pour gérer les différents aspects de la crise, en particulier ceux qui touchaient aux relations avec les États-Unis. Dirigé par John Manley (à titre de ministre des Affaires étrangères, puis de vice-premier ministre), il réunissait aussi le président du Conseil privé, le solliciteur général, ainsi que les ministres de la Défense, de l'Immigration, de la Justice, du Revenu et des Douanes, des Transports et des Finances.

Le gouvernement Harper, pour sa part, a mis sur pied six comités, dont un sur les affaires étrangères et la sécurité nationale, chargé « d'examiner les enjeux politiques touchant les affaires étrangères, le développement international, la sécurité et la défense ». Il est présidé par le ministre des Affaires étrangères et compte neuf membres, dont le ministre de la Sécurité publique,

---

42. Sur les comités du Cabinet, voir Louis MASSICOTTE, *op. cit.*, p. 290-291.
43. Sur le fonctionnement du Comité des Affaires extérieures et de la Défense au cours des premiers mandats de Trudeau, voir Garth STEVENSON, *op. cit.*, en particulier p. 71-72.
44. Sur la période Mulroney, voir André DONNEUR, *op. cit.*, p. 31.

celui du Commerce international, celui de la Coopération internationale et celui de la Défense.

Un comité du Cabinet constitue un moyen d'encourager une participation collégiale à l'élaboration de la politique étrangère. Toutefois, la gestion des Affaires étrangères se prête mal à l'exercice de la collégialité sur une base quotidienne ou même hebdomadaire. Certaines négociations internationales ou décisions sur les mesures à prendre ne peuvent attendre ; et la plupart des événements d'importance survenant à l'étranger exigent une réaction rapide d'Ottawa – ce qui exclut d'ordinaire la possibilité de réunir le Cabinet –, comme ce fut le cas dans les jours qui ont suivi l'invasion du Koweït par l'Irak, au mois d'août 1990. Les principaux ministres n'étaient pas à Ottawa, et avant qu'ils aient pu revenir dans la capitale, Mulroney s'était envolé pour Washington. Pendant le déjeuner à la Maison-Blanche, Mulroney assura Bush de l'appui du Canada à la coalition multilatérale que mettait sur pied le président. Dès son retour à Ottawa, le premier ministre ordonna aux fonctionnaires de prendre les mesures nécessaires, sans même consulter Joe Clark (ministre des Affaires extérieures) et William McKnight (ministre de la Défense)[45].

Par ailleurs, les questions de politique étrangère, particulièrement en ce qui a trait au commerce et à l'assistance au développement, comportent souvent de nombreux détails techniques, et les membres du Cabinet, déjà surchargés de travail par leur propre ministère, pourraient difficilement trouver le temps de maîtriser tous les détails complexes d'un autre portefeuille ministériel. C'est pourquoi ils s'en remettent aux recommandations de leurs collègues, rompus à leurs dossiers. Et d'ailleurs, un ministre découvre rapidement que ses incursions dans les platesbandes de ses collègues poussent souvent ces derniers à en faire autant, et à se mêler des affaires de son propre ministère. Pour toutes ces raisons, le premier ministre et les ministres directement concernés sont ceux qui sont les plus susceptibles d'avoir une influence significative sur les décisions d'importance en politique étrangère.

---

45. Andrew F. Cooper, Richard Higgott et Kim Richard Nossal, *Relocating Middle Powers : Australia and Canada in a Changing World Order*, Vancouver, University of British Columbia Press, 1993, p. 128.

8

BUREAUCRATIE ET POLITIQUE ÉTRANGÈRE

Comme nous l'avons vu dans les chapitres précédents, le pouvoir, en matière de politique étrangère, est principalement concentré entre les mains du premier ministre et du Cabinet. Toutefois, il faut aussi tenir compte du rôle des agences gouvernementales chargées de mettre en œuvre les décisions prises par les instances politiques. En effet, les fonctionnaires ont entre autres pour tâches de conseiller et de fournir de l'information aux élus, ce qui leur confère une certaine influence dans l'élaboration de ces politiques.

Il est parfois difficile de définir avec précision ce que l'on entend par « bureaucratie de la politique étrangère ». De façon générale, seul le ministère des Affaires étrangères peut prétendre occuper une position centrale dans l'émission de recommandations et dans leur mise en œuvre. C'est donc là qu'il convient de commencer l'étude du rôle de la bureaucratie. Toutefois, les fonctionnaires des Affaires étrangères font face au même problème que leur ministre, dans la mesure où une partie des activités de nombreuses autres agences gouvernementales ont des ramifications à l'extérieur du pays. Plus de 30 ministères, agences fédérales ou sociétés de la Couronne ont des compétences internationales plus ou moins étendues ; de plus, la plupart des provinces ont instauré leur propre structure bureaucratique pour mener des activités à caractère international.

L'ÉVOLUTION DE LA STRUCTURE BUREAUCRATIQUE

Certains doutent de la pertinence même d'un organisme comme le ministère des Affaires étrangères. Selon James Eayrs, « sans être nécessairement superflu, un ministère des Affaires étrangères est un élément facultatif de l'appareil d'État[1] ». Pierre Elliott Trudeau aurait probablement été d'accord, puisqu'il affirmait en 1980 que « les assises traditionnelles du service extérieur sont moins pertinentes dans une ère de communications instantanées à l'échelle mondiale, où l'on privilégie de plus en plus les contacts personnels entre dirigeants politiques et où les relations internationales portent sur des questions toujours plus techniques et complexes[2] ».

Quoi qu'en dise Trudeau, les progrès technologiques ont sans doute transformé la pratique de la diplomatie, mais ils n'en ont certainement pas changé l'objet ni réduit l'utilité. La tendance à tenir des rencontres au sommet n'a pas non plus éliminé la nécessité de disposer d'un corps de fonctionnaires professionnels chargés de maintenir les relations diplomatiques, une fois les chefs d'État rentrés chez eux. En réalité, peu d'États peuvent prétendre se passer d'un ministère des Affaires étrangères. La grande majorité d'entre eux a donc établi une agence, dont les représentants remplissent six rôles importants : représenter l'État à l'étranger ; fournir de l'information sur les autres États ; conseiller les dirigeants politiques sur les questions de politique étrangère ; mener des négociations avec les autres gouvernements ; assurer la protection des ressortissants à l'étranger ; et faire la promotion des intérêts internationaux de leur gouvernement.

La première tâche des diplomates est d'atteindre les buts internationaux fixés par leur gouvernement par des moyens pacifiques, qu'il s'agisse d'objectifs d'envergure locale (tels qu'obtenir des concessions dans un conflit sur les pêcheries) ou globale (éviter une guerre généralisée). Tout gouvernement a besoin de négociateurs et de porte-parole qui savent utiliser la persuasion,

---

1. James EAYRS, « Canada : The Department of External Affairs », dans Zara STEINER (dir.), *The Time Survey of Foreign Ministries of the World*, Londres, Times Book, 1982, p. 96.
2. P.-E. Trudeau, dans ses instructions à Pamela McDougall au sujet de l'établissement de la Commission royale sur la situation dans le service extérieur, 28 août 1980. Publié dans CANADA, *Commission royale d'enquête sur la situation dans le service extérieur, Rapport*, Ottawa, 1981, p. viii.

les gratifications et la coercition, afin de convaincre ses interlocuteurs d'adopter des positions conformes à ses intérêts. Pour un État comme le Canada, qui dispose de ressources somme toute assez limitées et qui doit d'abord faire affaire avec un voisin extrêmement puissant, la persuasion est la seule approche réellement utilisable. Il doit donc compter largement sur l'habileté de son corps diplomatique pour atteindre ses objectifs.

La diplomatie prend une importance particulière lorsqu'il s'agit de questions sur lesquelles les petits États ont peu de contrôle, comme la guerre et la paix, les relations entre grandes puissances, ou le contrôle des armements. L'art d'encourager le dialogue entre grandes puissances, de désamorcer les tensions, et d'exhorter au calme, à la modération et au compromis, est bien souvent le seul moyen dont disposent les puissances de moindre envergure. De telles représentations seraient bien difficiles à entreprendre sans l'appui d'une organisation permanente composée de professionnels de la diplomatie.

Au Canada, cette nécessité s'est lentement imposée. À partir de 1867, la bureaucratie de la politique étrangère s'est progressivement développée, dans un processus que l'on peut diviser en quatre phases. La première s'étend de la Confédération jusqu'à l'instauration du ministère des Affaires extérieures, en 1909. La deuxième couvre les trois premières décennies d'activités du Ministère, caractérisées, jusqu'à la Deuxième Guerre mondiale, par une certaine modestie, tant en ce qui a trait à l'organisation qu'aux initiatives mises en œuvre. La troisième couvre ce que l'on se plaît à qualifier « l'âge d'or » de la politique étrangère canadienne, soit la période qui va de la Deuxième Guerre mondiale jusqu'au milieu des années 1960. Il s'agit d'une phase marquée par une expansion spectaculaire de la taille et des activités du Ministère. La dernière, qui va de l'élection de Pierre Trudeau en 1968 jusqu'à aujourd'hui, se distingue surtout par des tentatives répétées, mais peu convaincantes, de réorganiser un appareil bureaucratique devenu très complexe et, selon certains, mal adapté aux besoins du gouvernement.

La genèse (1867-1909)

Lorsque le gouvernement du nouvel État fut formé en 1867, il n'était pas question de créer un ministère des Affaires étrangères, les Britanniques et les Canadiens considérant les relations entre l'Empire et le reste du monde comme un tout indivisible. Le « dominion » pouvait bien prendre ses propres décisions sur ce qui concernait les questions intérieures, mais la politique étrangère resterait sous le contrôle du gouvernement impérial de Londres. Cette situation convenait aux deux parties, du moins tout au début de la Confédération[3]. Ne voulant ni l'indépendance complète ni la subordination coloniale, les Canadiens s'accommodaient fort bien de la situation ambiguë dans laquelle se trouvait leur pays. Elle avait d'ailleurs ses avantages, dont celui de profiter du « prestige et de la puissance de la Grande-Bretagne, sans qu'il en coûte un cent au Canada[4] ».

Néanmoins, la nécessité d'établir des relations diplomatiques distinctes finit par prévaloir. Ottawa était, en effet, appelé à entretenir des rapports formels avec d'autres gouvernements, et en particulier celui des États-Unis, pour régler certains dossiers, notamment en matière d'immigration, de frontières, de pêche et de commerce. Le principe d'indivisibilité de l'Empire et les formalités qu'il imposait gênaient cependant le processus. Par exemple, pour communiquer avec les États-Unis, le Cabinet devait envoyer sa correspondance au gouverneur général à Ottawa, qui la transmettait au Colonial Office à Londres, puis au Foreign Office, qui l'envoyait à son tour à l'ambassade à Washington pour qu'elle soit enfin remise au Département d'État. En pratique, certaines modifications furent apportées à ce système :

> Les Britanniques, ne voulant pas avoir à s'occuper des détails de la gestion courante du commerce canadien, autorisèrent Ottawa à mener sa propre diplomatie commerciale. Les négociations en ce domaine finirent par être directes en tout, sauf dans la forme, et les Canadiens qui y participaient communiquaient directement avec le premier ministre [du Canada][5].

Au début, les représentants officiels étaient envoyés à l'étranger pour stimuler les échanges commerciaux et l'immigration au Canada. En 1868, un bureau d'immigration fut ouvert à Londres, suivi, au cours des années 1870, d'une douzaine d'autres établis dans différentes villes, d'Anvers à Worcester. Le

---

3. G. P. DE T. GLAZEBROOK, *A History of Canadian External Relations*. Vol. 1 : *The Formative Years to 1914*, Toronto, McClelland & Stewart, 1966, p. 85.

4. John HILLIKER, *Le ministère des Affaires extérieures du Canada* (vol. 1 : *Les années de formation, 1909-1946*), Québec, Presses de l'Université Laval/Institut d'Aministration publique du Canada, 1990, p. 19.

5. G. P. DE T. GLAZEBROOK, *op. cit.*, p. 201.

développement des échanges économiques entraîna aussi l'ouverture d'un réseau de délégations commerciales. En 1907, on en comptait 12, basées non seulement en Europe et aux États-Unis, mais aussi à Sydney, au Cap, Mexico et à Yokohama[6]. Dès 1880, le gouvernement fédéral devait nommer un haut-commissaire à Londres. Deux ans plus tard, il demandait à Hector Fabre, l'agent général du Québec à Paris, de remplir un rôle similaire en France[7]. Les hauts-commissaires étaient de simples agents de l'État à l'étranger et, n'étant pas considérés comme les représentants d'un gouvernement souverain, n'avaient pas le statut de diplomates.

Ces premières expériences semblent étayer la thèse de James Eayrs, selon qui « n'importe quel gouvernement pourrait mener ses relations étrangères sans créer expressément un ministère à cette fin ». Les dirigeants

> pourraient plutôt se fier à leurs ressources et celles de leur personnel pour superviser et coordonner les ministères du Commerce, de la Défense, de l'Immigration, de l'Agriculture, des Pêches, ainsi que tout autre faisant affaire avec l'étranger, et utiliser ces mêmes ressources pour s'occuper de toutes activités résiduaires pouvant être considérées comme étant de la « politique extérieure »[8].

C'est précisément ainsi que les choses se sont déroulées jusqu'à la Première Guerre mondiale. Les dossiers étaient traités au cas par cas, et les relations avec les autres États étaient menées par différents ministres et fonctionnaires, selon les questions à traiter, et ce, indépendamment du ministère auquel ils appartenaient. Par exemple, lorsque, en 1907, Ottawa décida de réduire le flot d'immigration en provenance du Japon, il envoya à Tokyo le ministre des Postes, Rodolphe Lemieux, accompagné du sous-secrétaire d'État, Joseph Pope[9]. Il arriva même que les relations étrangères soient menées par des individus qui ne faisaient pas partie du gouvernement. Ainsi, c'est Georges Brown, le propriétaire du *Globe* de Toronto, que le premier ministre Alexander Mackenzie choisit d'envoyer aux États-Unis pour tenter de négocier (sans succès) un nouveau traité de réciprocité commerciale, tandis que c'est

---

6. *Commission royale d'enquête sur la situation dans le service extérieur, op. cit.* ; voir aussi O. Mary HILL, *Canada's Salesman to the World : The Department of Trade and Commerce, 1892-1939*, Montréal/Kingston, McGill-Queen's University Press, 1977.

7. John HILLIKER, *op. cit.*, p. 19.

8. James EAYRS, *op. cit.* (1982), p. 96.

9. John HILLIKER, *op. cit.*, p. 30.

un arpenteur-géomètre pour les chemins de fer Canadien Pacifique, Sanford Fleming, qui représenta le Canada à la conférence impériale de 1887 à Londres[10]. Par ailleurs, il n'existait aucun système permettant de conserver les archives, si bien que la correspondance relative aux questions internationales était dispersée parmi divers ministères, au grand désarroi de Pope. S'ils n'avaient pas eu accès aux dossiers de l'ambassade britannique à Tokyo, les délégués canadiens auraient été dans une situation intenable pendant les négociations de 1907 avec le Japon[11].

Ce système a été maintenu jusqu'au tournant du siècle. « La machine grinçait, observa Glazebrook, mais, dans l'ensemble, elle remplissait ses fonctions[12]. » Cependant, il devenait évident que ce n'était plus un moyen approprié de mener les affaires étrangères. Les bureaux du haut-commissaire à Londres servaient de base aux fonctionnaires de six ministères différents, sans aucun système de contrôle centralisé. En 1914, le haut-commissaire s'en plaignit au premier ministre Borden : « Vous reconnaîtrez que la situation n'est pas propice à la bonne marche des affaires ; elle provoque souvent des chevauchements, et est très embarrassante[13]. »

De modestes débuts (1909-1939)

Malgré l'évolution des relations entre les composantes de l'Empire, les Britanniques, qui devaient assumer les tâches administratives concernant les relations étrangères canadiennes, finirent par se lasser de cet arrangement. Lord Grey, l'un des rares gouverneurs généraux britanniques nommés par Londres à porter un intérêt aux relations du Canada avec les autres pays, se fixa comme objectif, en 1908, de créer un ministère des Affaires extérieures[14]. Cette initiative ne suscita guère d'enthousiasme à Ottawa. Mackenzie King, alors haut fonctionnaire, écrivait dans son journal intime : « La vérité est

---

10. C. P. STACEY, *Canada and the Age of Conflict. A History of Canadian External Policies* (vol. 1 : *1867-1921*), Toronto, Macmillan Canada, 1977, p. 30-31 et 45.

11. James EAYRS, « The Origins of Canada's Department of External Affairs », *Canadian Journal of Economics and Political Science*, vol. 25, mai 1959, p. 114-115.

12. G. P. de T. GLAZEBROOK, *op. cit.*, p. 84.

13. George H. Perley, 15 août 1914, reproduit dans MINISTÈRE DES AFFAIRES EXTÉRIEURES, *Documents relatifs aux relations extérieures du Canada*, vol. 1 (*1909-1918*), Ottawa, Ministère des Affaires extérieures, 1967, p. 18.

14. John HILLIKER, *op. cit.*, p. 37-38.

que Son Excellence s'occupe de trop de choses à la fois. » Et Sir Wilfrid Laurier « aurait aimé que lord Grey se mêle de ses affaires[15] ». En 1908, Grey se plaignit au secrétaire aux Colonies, à Londres, que les relations avec les États-Unis se déroulaient péniblement en raison des

> conditions chaotiques de l'administration canadienne, quant aux Affaires étrangères. Il n'existe aucun ministère, aucun haut fonctionnaire entre les mains de qui tout ce qui se rapporte aux affaires extérieures devrait passer. Par conséquent, il n'y a aucune archive, aucune continuité, aucune méthode, aucune cohérence.

Il concluait en donnant son avis sur la compétence des fonctionnaires canadiens affectés aux affaires extérieures à cette époque : « Nous n'en avons que trois… L'un d'eux boit par moments, l'autre a du mal à s'exprimer… Et le troisième est le sous-secrétaire d'État, Pope, qui est vraiment un fonctionnaire de première classe[16]. »

Joseph Pope était impliqué dans les relations extérieures depuis le début des années 1880. Il était aussi un fervent partisan de la création d'un ministère séparé pour ce domaine d'activité. Mais ce n'est qu'après que Grey et James Bryce, l'ambassadeur britannique à Washington, eurent uni leurs voix à celle de Pope, que Sir Wilfrid Laurier acquiesça à cette demande. Le Parlement vota la création du ministère des Affaires extérieures (MAE) en 1909. Le mot « extérieur » fut retenu, puisque les « affaires » en question se rapportaient autant à l'Angleterre et aux territoires de l'Empire qu'aux autres États, et que les premiers ne pouvaient être considérés comme des « étrangers ». Pope fut nommé sous-secrétaire d'État (l'équivalent de sous-ministre) aux Affaires extérieures. Avec un budget de 14 950 $, deux clercs, un secrétaire, et des bureaux temporaires situés au-dessus de la boutique d'un barbier dans l'édifice Trafalgar, au coin des rues Bank et Queen à Ottawa, Pope se vit confier la responsabilité de superviser le nouveau ministère, fonction qu'il assuma pendant 16 ans[17]. Le Ministère était placé sous l'autorité du secrétaire d'État (Charles Murphy, puis William J. Roche), mais, dans les faits, Pope communiquait régulièrement avec le premier ministre sans passer par son

---

15. Cité dans James EAYRS, *op. cit.* (1959), p. 116.
16. *Ibid.*, p. 117.
17. James EAYRS, *The Art of the Possible : Government and Foreign Policy in Canada*, Toronto, University of Toronto Press, 1961, p. 66.

supérieur immédiat. En 1912, sur les conseils de Grey, Robert Borden, qui venait d'être élu premier ministre, fit adopter une loi faisant du premier ministre le secrétaire d'État aux Affaires extérieures[18].

Le Ministère commença donc à fonctionner avec des ressources limitées, et les choses restèrent ainsi jusqu'au déclenchement de la Deuxième Guerre mondiale. Lorsque Pope prit sa retraite en 1925, Mackenzie King nomma à sa place O. D. Skelton, qu'il fit venir de l'Université Queen's. Skelton recruta à son tour ce que J. L. Granatstein a appelé « une équipe extraordinaire de jeunes cadres cultivés et ayant une solide formation[19] » dont, entre autres, Hugh Keenleyside, Lester Pearson, Hume Wrong, Escott Reid et Norman Robertson. Au début de 1950, cette équipe avait transformé le Ministère et le corps diplomatique en une « organisation d'élite de grande qualité », selon les termes d'un diplomate britannique[20].

Au cours de l'entre-deux-guerres, le Ministère avait si peu de personnel qu'il n'avait même pas besoin d'organigramme (un schéma administratif cher aux fonctionnaires après 1945). Les tâches étaient réparties entre les quelques employés de façon arbitraire et improvisée. À la suite de la décision du premier ministre de cumuler les deux fonctions, le Ministère avait emménagé dans l'aile est de l'édifice du Parlement. Les fonctionnaires se voyaient confier des dossiers à régler, au fur et à mesure des besoins. Par exemple, au début de sa carrière aux Affaires extérieures, Pearson était responsable d'une série de dossiers comprenant les phares dans la mer Rouge, les licences de transport aérien au Canada et en Suisse, les tarifs douaniers sur le ciment, et la protection de jeunes artistes féminines en tournée à l'étranger[21]. Dans de telles conditions, il était difficile d'appliquer au Ministère des normes organisationnelles standardisées !

---

18. John HILLIKER, *op. cit.*, p. 65-67 ; le texte de 1912 est reproduit dans MINISTÈRE DES AFFAIRES EXTÉRIEURES, *op. cit.* (1967), p. 12.

19. J. L. GRANATSTEIN, *A Man of Influence. Norman A. Robertson and Canadian Statecraft, 1929-1968*, Toronto, Deneau, 1981, p. 33 ; voir aussi J. L. GRANATSTEIN, *The Ottawa Men. The Civil Service Mandarins, 1935-1957*, Toronto, Oxford University Press, 1982.

20. LORD GARNER, « Comments on Report on Conditions of Foreign Service », *International Journal*, vol. 37, n° 3, été 1982, p. 390.

21. Hugh L. KEENLEYSIDE, *Memoirs of Hugh Keenleyside* (vol. 1 : *Hammer the Golden Day*), Toronto, McClelland & Stewart, 1981, p. 233.

Cette forme d'organisation fut conservée pendant l'entre-deux-guerres, malgré la croissance du nombre de missions canadiennes à l'étranger. La division commerciale a continué à prendre de l'expansion, stimulant les échanges avec le reste du monde grâce à l'ouverture d'une cinquantaine de délégations commerciales entre 1907 et 1939. Par contre, depuis la conférence impériale de 1926, qui avait permis aux dominions autonomes de mener leur propre politique étrangère, seules trois missions diplomatiques avaient vu le jour. En février 1927, Vincent Massey devenait le premier représentant diplomatique du Canada aux États-Unis, mais à titre de ministre plénipotentiaire, et non d'ambassadeur. En 1928, la délégation établie à Paris se voyait accorder le statut diplomatique ; en 1929, une mission s'ouvrait à Tokyo[22]. De plus, en 1924, un fonctionnaire, W. A. Riddell, avait été nommé conseiller du Canada auprès de la Société des Nations. En décembre 1938, deux autres missions ont ouvert leurs portes après la dépression, en Belgique et aux Pays-Bas. Si cette multiplication des activités a contribué à faire augmenter quelque peu le personnel en poste à Ottawa, le mode de fonctionnement du Ministère est resté essentiellement le même jusqu'à la Deuxième Guerre mondiale.

La croissance du Ministère (1939-1968)

Le déclenchement de la Deuxième Guerre mondiale, en septembre 1939, devait forcer le gouvernement à revoir l'organisation du Ministère. Des missions furent ouvertes dans des États considérés comme des acteurs importants pour l'effort de guerre, dont l'Australie, la Nouvelle-Zélande, l'Afrique du Sud et l'Irlande. En l'espace de trois ans, le Canada établissait aussi des relations diplomatiques avec les gouvernements alliés en exil à Londres, ainsi qu'avec Terre-Neuve (qui ne joindra la Confédération qu'en 1949), l'Argentine, le Brésil, le Chili, la Chine et l'Union soviétique[23]. L'intensification des activités

---

22. John HILLIKER, *op. cit.*
23. MINISTÈRE DES AFFAIRES EXTÉRIEURES, *Canadian Heads of Post Aboard, 1880-1989*, Ottawa, 1991 ; John A. MUNRO (dir.), *Documents relatifs aux relations extérieures du Canada*, vol. 6 *(1936-1939)*, Ottawa, Ministère des Affaires extérieures, 1972 ; David R. MURRAY (dir.), *Documents relatifs aux relations extérieures du Canada*, vol. 7 *(1939-1941, tome I)*, Ottawa, Ministère des Affaires extérieures, 1974.

diplomatiques à l'étranger allait de pair avec une augmentation du personnel à Ottawa, alors qu'un certain nombre de fonctionnaires temporaires, pour la plupart de jeunes universitaires, se joignaient à l'équipe déjà en place.

L'expansion du Ministère s'est poursuivie après la guerre, en grande partie à cause du virage internationaliste qui, entre 1945 et 1970, a amené le Canada à adhérer à plus de 200 institutions internationales. Le phénomène est aussi une conséquence de l'accélération du processus de décolonisation au cours des années 1950 et 1960, lequel a entraîné la naissance d'un grand nombre d'États. Alors qu'en 1945, le Canada n'avait que 22 missions diplomatiques, il en comptait 101 en 1970. Le nombre des employés du service extérieur est, pour sa part, passé de 67 à 725 au cours de la même période.

Sur le plan administratif, le Ministère est devenu aussi une machine beaucoup plus complexe, ce qui nécessita le recours à des modes organisationnels plus orthodoxes. En 1945, les différents services des Affaires extérieures furent réorganisés en divisions[24]. En plus d'une section administrative et de divisions réparties selon leurs fonctions (juridiques, économiques, diplomatiques, et information), trois divisions politiques furent créées et appelées, sans trop d'imagination, Politique I, II et III. Politique I était responsable des organisations internationales; Politique II, du Commonwealth, de l'Europe, de l'Afrique et du Moyen-Orient; et Politique III, des États-Unis, de l'Amérique latine et de l'Asie. Au cours des décennies suivantes, ces 8 divisions ont été subdivisées ou fusionnées, pour finir par générer, au début des années 1980, plus de 85 « directions » administratives, fonctionnelles et géographiques[25]. À la fin des années 1960, les Affaires extérieures avaient pris tant d'expansion, qu'il avait fallu ouvrir une douzaine de bureaux supplémentaires, répartis

---

24. La comparaison entre les organigrammes du Ministère de 1944 et 1946 est éloquente. Voir John F. HILLIKER (dir.), *Documents relatifs aux relations extérieures du Canada*, volume 10 *(1944-1945, tome 1)*, Ottawa, Approvisionnements et Services Canada, 1987; et Donald M. PAGE (dir.), *Documents relatifs aux relations extérieures du Canada*, volume 12 *(1946)*, Ottawa, Approvisionnements et Services Canada, 1977.
25. Jusqu'en 1990-1991, le rapport annuel publié par le Ministère contenait, en annexe, un organigramme répertoriant les différentes divisions. La comparaison entre le rapport de 1971 et celui de 1981 illustre bien le processus d'expension. Voir MINISTÈRE DES AFFAIRES EXTÉRIEURES, *Rapport du ministère des Affaires extérieures*, Ottawa, 1971, p. 139 et *Revue annuelle* 1980, Ottawa, 1981, annexe III.

dans différents édifices du centre-ville d'Ottawa. Enfin, en 1973, le Ministère devait emménager dans l'édifice Lester B. Pearson, au 125, Sussex Drive, qu'il occupe toujours aujourd'hui.

Durant cette période, qui va de la Deuxième Guerre mondiale jusqu'à l'élection de Pierre Elliott Trudeau en 1968, l'organisation de l'appareil d'État reflétait une forme de division bureaucratique des tâches liées aux relations extérieures. Le ministère du Commerce s'occupait de la promotion du commerce extérieur, tandis que l'immigration, qui relevait initialement du ministère des Mines et Ressources, fut confiée en 1950 au ministère de la Citoyenneté et de l'Immigration (rebaptisé « Main-d'œuvre et Immigration » en 1966)[26]. Le ministère de la Défense nationale avait la responsabilité des engagements du Canada envers l'OTAN et NORAD. Le ministère des Finances devait non seulement évaluer et approuver les engagements financiers internationaux du Canada, mais aussi élaborer la position du Canada face aux questions monétaires internationales[27].

D'autres services ont aussi été créés, au cours de cette période, pour répondre à de nouveaux besoins ou de nouvelles contraintes. Ainsi, l'affaire Gouzenko a plongé les Canadiens dans le monde de l'espionnage et de la Guerre froide. Le 6 septembre 1945, Igor Gouzenko, un cryptographe de l'ambassade soviétique affecté à Ottawa, est passé à l'Ouest en apportant des preuves montrant que le programme de recherche atomique du Canada avait été la cible d'espionnage à grande échelle de la part des Soviétiques[28]. À la suite à ces révélations, la Gendarmerie royale du Canada (GRC) s'est empressée de mettre sur pied un service de renseignement, de contre-espionnage

26. Freda HAWKINS, « Canadian Immigration and Refugee Policies », dans Paul PAIN-CHAUD (dir.), *De Mackenzie King à Pierre Trudeau, Quarante ans de diplomatie canadienne (1945-1985)*, Québec, Presses de l'Université Laval, 1988, p. 643-647.
27. A.F. W. PLUMTREE, *Three Decades of Decision : Canada and the World Monetary System*, 1944-1975, Toronto, McClelland and Stewart, 1977.
28. Pour une revue de ces événements, voir Denis SMITH, *Diplomacy of Fear. Canada and the Cold War 1941-1948*, Toronto, University of Toronto Press, 1988, p. 94-109. Parmi les sources premières, J. W. PICKERSGILL et D. F. FORSTER, *The Mackenzie King Record* vol. 3, 1941-1948, Toronto, University of Toronto Press, 1970, chap. 2 ; Robert BOTHWELL et J.L. GRANATSTEIN (dir.), *The Gouzenko Transcripts : The Evidence Presented to the Kellock Taschereau Royal Commission of 1946*, Ottawa, Deneau, 1982.

et de lutte anti-insurrectionnelle. Contrairement aux services de renseignement des grandes puissances, tels la CIA américaine (*Central Intelligence
Agency* – Agence centrale de renseignement) ou le KGB soviétique (*Komitet
Gossoudarstvennoye Bezopasnosti* – Comité de sécurité de l'État), celui de
la GRC ne menait pas d'opérations clandestines à l'étranger. En revanche,
ses opérations sur le territoire national constituaient un prolongement des
grandes orientations de la politique étrangère canadienne, dans la mesure où
elles s'inscrivaient dans le cadre des mesures de contre-espionnage entreprises par l'ensemble des États occidentaux. Toutefois, au cours des années
1970, de nombreux abus commis par les membres de la GRC (alors engagés
dans une lutte à finir avec le mouvement souverainiste québécois) devaient
mener le gouvernement canadien à séparer les activités policières de la Gendarmerie royale de celles qui relevaient de la « sécurité nationale ». C'est ainsi
qu'il devait créer, en 1984, le Service canadien du renseignement de sécurité
(SCRS) dont les activités étaient sévèrement encadrées par une nouvelle
législation[29]. Parallèlement, le gouvernement se dotait, en collaboration étroite
avec les États-Unis, l'Angleterre, l'Australie et la Nouvelle-Zélande, d'une
capacité de décrypter les transmissions électroniques secrètes à l'étranger,
en particulier en Union soviétique. D'abord supervisée par la Direction des
communications du Conseil national de la recherche (CNR), l'unité chargée de cette mission devenait, en 1975, le Centre de la sécurité des télécommunications (CST). Les activités de ce centre étaient jugées si secrètes que le
gouvernement a attendu 1983 pour en reconnaître l'existence[30]. De même,
les impératifs de la Guerre froide ont incité la Société Radio-Canada, en collaboration avec le ministère des Affaires étrangères, à créer Radio-Canada
International, un service de diffusion radio à l'étranger utilisé, entre autres,
comme instrument de propagande en Europe de l'Est[31].

---

29. Philip ROSEN, *Le Service canadien du renseignement de sécurité*, Ottawa, Bibliothèque
   du Parlement, septembre 1984 (révisé septembre 1994).
30. Philip ROSEN, *Le Centre de la sécurité des télécommunications – l'organisme de renseignement le plus secret du Canada*, Ottawa, Bibliothèque du Parlement, sept. 1993.
31. John HILLIKER et Donald BARRY, *Le ministère des Affaires extérieures du Canada*
   (vol. 2 : *L'essor, 1946-1968*), Québec, Presses de l'Université Laval/Institut d'administration publique du Canada, 1995, p. 71.

Le programme d'aide au développement instauré avec le Plan de Colombo[32], en 1950, a aussi nécessité la création d'un nouveau bureau. Au début, l'administration de ce programme relevait de la Division de la coopération technique et économique internationale du ministère des Affaires extérieures, créée en 1951. Appelée à gérer des programmes d'assistance au développement de plus en plus complexes, cette division n'a cessé de prendre de l'expansion au cours des années 1950. En 1960, elle acquérait une autonomie administrative relative en devenant le Bureau de l'aide extérieure (BAE). Dirigé par un fonctionnaire du Ministère, le BAE relevait en fait du ministre des Affaires extérieures. En 1968, le Bureau changeait de nom pour devenir l'Agence canadienne de développement international (ACDI), le terme « développement » étant jugé moins paternaliste et moins associé à la charité que celui d'« aide » – mais ce n'est qu'au début des années 1970 que la possibilité de faire de l'ACDI un organisme totalement indépendant fut évoquée[33].

En une seule génération, la composition de l'appareil bureaucratique avait changé du tout au tout, si bien qu'à la fin des années 1960, la conduite des affaires étrangères était assurée par un organe complexe et prolifique. Le Ministère lui-même avait subi des transformations majeures, gagnant en taille et en complexité[34].

Ironiquement, à la fin des années 1960, le fonctionnement de l'ensemble de la bureaucratie chargée des relations avec l'étranger ressemblait, sous certains aspects, à ce qui prévalait avant 1909. De nombreuses agences participaient à la formulation et à l'exécution des divers aspects de la politique étrangère. Non seulement les ministères des Affaires extérieures, du

---

32. Le Plan de Colombo pour l'Asie du Sud et du Sud-Est était un ambitieux programme d'aide économique mis en place par le Commonwealth en 1950 et destiné principalement à l'Inde, au Ceylan (Sri Lanka) et au Pakistan. Voir, à ce sujet, John HILLIKER et Donald BARRY, *op. cit.*, p. 79-81 ; et André DONNEUR, *Politique étrangère canadienne*, Montréal, Guérin, 1994, p. 163.

33. Sur l'évolution des agences chargées d'administrer les programmes de coopération de 1945 à 1968, voir Louis SABOURIN, « Analyse des politiques de coopération internationale du Canada : des projets d'aide à la stratégie de développement », dans Paul PAINCHAUD (dir.), *Le Canada et le Québec sur la scène internationale*, Québec, CQRI/PUL, 1977, p. 225-227.

34. Entre 1962 et 1967, les effectifs du Ministère avaient augmenté de près de 50 %, passant de 2 084 à 3 069 ; John HILLIKER et Donald BARRY, *op. cit.*, p. 348.

Commerce, et de la Main-d'œuvre et de l'Immigration maintenaient chacun un service séparé, mais certains programmes fédéraux étaient gérés par d'autres ministères représentés à l'étranger. Ainsi, en 1969, 1 030 fonctionnaires appartenant à 19 agences fédérales travaillaient à l'étranger – ceci, sans compter le personnel des Forces canadiennes stationné en Europe ou aux États-Unis[35]. Même si à Ottawa nombre de comités interministériels coordonnaient les efforts de tous ces acteurs, et que les Affaires extérieures assumaient un certain rôle de direction, chaque ministère vaquait à ses occupations dans les limites de son champ de compétence et résistait opiniâtrement à toute tentative de coordonner ses activités avec celles des autres ministères[36]. Pour plusieurs, le temps d'une réforme en profondeur semblait venu.

Les années Trudeau ou la quête du Graal bureaucratique (1968-1984)

Élu à la direction du Parti libéral du Canada en 1968, Pierre Elliott Trudeau était de ceux qui estimaient que les Affaires extérieures avaient besoin d'une sérieuse réorganisation. Les 15 années suivantes furent marquées par ce que Denis Stairs a qualifié de « souci constant [...] d'épurer la machine administrative[37] » dans l'espoir de remédier aux problèmes de coordination. Au cours de cette période, l'organisation de la bureaucratie de la politique étrangère fut passée au crible et remaniée en profondeur à plusieurs reprises.

Le purgatoire des Affaires extérieures (1968-1970)

Le statut particulier des Affaires extérieures devint la première cible du nouveau premier ministre. D'une part, le Ministère avait, depuis ses origines, entretenu des relations particulièrement étroites avec le Bureau du premier ministre, soit parce que ce dernier cumulait les fonctions de secrétaire d'État, soit parce qu'il avait détenu ce portefeuille avant de devenir chef du gouvernement. D'autre part, le Ministère se considérait – et était considéré – comme

---

35. Peter C. Dobell, « The Management of a Foreign Policy for Canadians », *International Journal*, vol. 26, n° 1, hiver 1970-1971, p. 206.
36. Michael D. Henderson, « La gestion des politiques internationales du gouvernement fédéral », dans Paul Painchaud (dir.), *op. cit.* (1977), p. 86-87.
37. Denis Stairs, « The Political Culture of Canadian Foreign Policy », *Revue canadienne de science politique*, vol. 15, n° 4, décembre 1982, p. 688.

un corps d'élite de la fonction publique, doté de ses propres critères d'admission, et de son propre système de recrutement et de formation[38]. Tous ces facteurs avaient contribué à ce que les Affaires extérieures soit au premier rang de la bureaucratie fédérale au lendemain de la Deuxième Guerre mondiale.

Contrairement à ses prédécesseurs, Trudeau n'avait aucun lien avec les Affaires extérieures et prenait ouvertement ses distances avec le Ministère. Dans une entrevue diffusée à la télévision en janvier 1969, il affirma que la notion de diplomatie était atavique, et que, par conséquent, le ministère chargé de la diplomatie était, sinon inutile, du moins d'une importance secondaire.

> Je crois que le concept tout entier de diplomatie est un peu démodé, de nos jours. Je pense qu'il remonte à l'époque du télégraphe, quand vous aviez besoin d'envoyer des dépêches pour savoir ce qui se passait dans un pays X, alors que maintenant, la plupart du temps, vous pouvez l'apprendre en consultant un bon journal[39].

De telles réflexions auraient pu être mises sur le compte de l'inexpérience, mais, 11 ans plus tard, Trudeau, qui était alors le doyen des chefs d'État occidentaux, exprimait les mêmes doutes à propos d'un

> concept de pratique diplomatique qui a ses racines dans une époque aujourd'hui révolue, et qui, de toute façon, est antérieure à l'expérience canadienne [en ce domaine]. Les concepts traditionnels du service extérieur ont moins de pertinence [à l'heure actuelle]. Je ne suis pas certain que notre approche en la matière reflète adéquatement cette nouvelle réalité[40].

Cette attitude conduisit le gouvernement à réduire substantiellement le budget du Ministère et, surtout, à rejeter bon nombre de recommandations émises par ses fonctionnaires. Plus encore, la méfiance des dirigeants politiques à l'endroit de ces derniers s'était d'ailleurs accentuée à la suite d'une bévue du Ministère. En 1968, Trudeau s'était rangé à l'avis des fonctionnaires sur la guerre civile au Nigeria, avis selon lequel Ottawa ne pouvait et ne devait

---

38. Voir Marcel CADIEUX, *Le diplomate canadien. Éléments d'une définition*, Montréal, Fides, 1962.

39. Cité dans Peter C. DOBELL, *op. cit.*, p. 202. Voir aussi Bruce THORDARSON, *Trudeau and Foreign Policy. A Study in Decision-Making*, Toronto, Oxford University Press, 1972, p. 91-92.

40. P.-E. Trudeau, dans ses instructions à Pamela McDougall au sujet de l'établissement de la Commission royale sur les conditions du service extérieur, 28 août 1980 ; publié dans CANADA, *op. cit.*

pas s'exprimer en faveur de la sécession du Biafra. Cette position avait été établie en regard du principe de non-ingérence dans les affaires intérieures des autres États. En outre, compte tenu de l'existence d'un mouvement indépendantiste au Québec, il aurait été mal avisé de prendre le parti d'un groupe sécessionniste à l'étranger. Cependant, le Ministère n'avait pas prévu la réaction de l'opinion publique, plus sensible à la famine qui sévissait au Biafra qu'aux principes des relations internationales, si bien que le gouvernement dut essuyer de virulentes critiques. « Le Biafra a été notre baie des Cochons », devait déclarer par la suite un responsable des Affaires extérieures[41]. Au cours des mois qui suivirent, les fonctionnaires virent leurs conseils reçus avec beaucoup plus de scepticisme par les membres du Cabinet. Leurs recommandations sur la contribution du Canada à l'OTAN[42] et sur la question de la souveraineté dans l'Arctique furent ignorées, tandis que leurs propositions touchant à la révision de la politique étrangère (processus qui devait mener à la publication du livre blanc de 1970) furent jugées inadéquates par les ministres.

Cette mise à l'écart était d'autant plus frustrante que les dirigeants politiques se fiaient à d'autres sources d'information et d'expertise, en particulier le Bureau du premier ministre et le Conseil privé, ce qui menaçait le monopole du ministère des Affaires extérieures. Ivan Head, lui-même ancien fonctionnaire du service extérieur, entra au Bureau du premier ministre, d'abord à titre d'adjoint législatif, puis en tant que conseiller spécial aux Affaires internationales. Il joua un rôle important dans certains dossiers, notamment la guerre civile du Nigeria, la décision de retirer une partie des troupes stationnées en Europe dans le cadre de l'OTAN (1969), et la politique sur l'Arctique[43]. Head a aussi accompagné le premier ministre dans ses déplacements

---

41. Cité dans Bruce Thórdarson, *op. cit.*, p. 150, note n° 59. Sur la position canadienne face au conflit au Biafra, voir Donald Barry, « Interest Groups and the Foreign Policy Process : The Case of Biafra », dans A. Paul Pross (dir.), *Pressure Group Behaviour in Canadian Politics*, Toronto, McGraw-Hill Ryerson, 1975, p. 118-123 et 134-143.

42. Voir Michel Fortmann et Martin Larose, « Une contre-culture en émergence ? Pierre Elliott Trudeau, Les intellectuels canadiens et la révision de la politique de défense libérale à l'égard de l'OTAN (1968-1969) » dans Stéphane Roussel (dir.), *Culture stratégique et politique de défense : l'expérience canadienne*, Montréal, Athena, 2007, p. 148-181.

43. Ivan L. Head et Pierre Elliott Trudeau, *The Canadian Way : Shaping Canada's Foreign Policy 1968-1984*, Toronto, McClelland & Stewart, 1995.

à l'étranger, et a souvent agi en tant que délégué personnel de Trudeau auprès d'autres chefs d'État[44]. Michael Pitfield, un ami de longue date de Trudeau, occupait le poste de sous-secrétaire au Conseil privé (planification). Pitfield « détestait les prétentions élitistes des Affaires extérieures » et « contribua avec enthousiasme à la diminution de l'influence du Ministère[45] ». L'influence de Pitfield sur la politique étrangère augmenta d'autant plus qu'il fut nommé au poste de greffier du Conseil privé, en 1975[46].

L'intérêt du premier ministre pour la politique étrangère déclina avec la publication du livre blanc, en 1970, ce qui atténua grandement la campagne de dénigrement contre les Affaires extérieures. Dès 1971, les ponts entre le Cabinet et le ministère semblaient avoir été restaurés[47]. Trudeau cessa de faire des commentaires à l'emporte-pièce à propos des diplomates, le budget du Ministère fut rétabli, et ses recommandations n'étaient plus accueillies avec la même méfiance par le Cabinet. L'influence du Bureau du premier ministre en ce domaine (contrairement toutefois à celle du Conseil privé) déclinait lentement. L'harmonie paraissait régner à nouveau, mais la position des Affaires étrangères avait été sérieusement ébranlée. Ce bref passage au purgatoire politique avait réduit l'influence du Ministère, et l'époque où il pouvait jouir d'une relation privilégiée avec les dirigeants politiques semblait bel et bien révolue. Ce n'était plus qu'un ministère parmi les autres, comme le démontre une étude interne :

> Le ministère des Affaires extérieures n'a pas de liens plus étroits avec le premier ministre que les autres grandes agences gouvernementales. Il doit rivaliser avec elles pour capter l'attention du premier ministre en faisant valoir la qualité de ses conseils et l'efficacité de ses services[48].

---

44. Il est amusant de noter que Head occupait ces fonctions au même moment où Henry Kissinger, le conseiller à la sécurité nationale du président Richard Nixon, assumait les siennes. Comme Kissinger avait aussi tendance à court-circuiter le Département d'État, la comparaison entre les deux hommes est inévitable.

45. J. L GRANATSTEIN et Robert BOTHWELL, *Pirouette. Pierre Trudeau and Canadian Foreign Policy*, Toronto, University of Toronto Press, 1990, p. 228.

46. Christina McCALL et Stephen CLARKSON, *Trudeau*. Tome 2 : *L'illusion héroïque*, Montréal, Éditions du Boréal, 1995, chapitre 10 « Restructuration de Gouvernement inc. ».

47. Peter C. DOBELL, *Canada's Search for New Role. Foreign Policy in the Trudeau Era*, Toronto, Oxford University Press, 1972.

48. A. S. McGILL, *The Role of the Department of External Affairs in the Government of Canada*, Ottawa, juin 1976, vol. 3, p. 42.

Nouveaux joueurs et nouvelles règles :
le casse-tête de la coordination interministérielle

Les problèmes des Affaires extérieures n'ont fait que s'aggraver avec l'arrivée de nouveaux joueurs dans le processus de prise de décision. Il ne suffisait désormais plus au Ministère de présenter son interprétation d'un dossier et de faire ses recommandations au ministre pour que celui-ci donne son accord, après un simple appel téléphonique au premier ministre. Les dossiers étaient discutés en comités interministériels, afin que les retombées nationales des questions internationales (tout autant que les répercussions à l'étranger des questions nationales) soient étudiées à fond. La prise de décision était désormais soumise à un processus de coordination formel, pour permettre à la formulation et la mise en œuvre de la politique étrangère de demeurer conformes à l'orientation générale de la politique gouvernementale et à ses objectifs budgétaires[49].

Par ailleurs, les questions d'ordre économique ou fonctionnel occupaient une place grandissante dans l'ordre des priorités des Affaires étrangères. Certaines agences ayant des responsabilités qui touchaient à ces questions en étaient donc venues à jouer un rôle international plus actif. Des divisions « internationales » virent le jour dans divers ministères (Agriculture, Communications, Consommation et Affaires commerciales, Énergie, Mines et Ressources, Environnement, Pêches et Océans, Travail, Revenu, Expansion économique régionale, ou encore Approvisionnement et Services).

Comme le fit leur ministre, qui dut accepter de partager son champ de compétence avec d'autres membres du Cabinet, les fonctionnaires du Ministère durent composer avec leurs collègues des autres ministères, souvent plus compétents lorsqu'il s'agissait de traiter de questions économiques ou fonctionnelles spécifiques. Le problème découlait d'une autre ancienne tradition du Ministère, qui consistait à recruter des généralistes ayant une formation en histoire ou en relations internationales, plutôt que d'engager des professionnels spécialisés dans des domaines précis. De plus, jusque-là, les possibilités d'avancement au sein des Affaires extérieures étaient fondées sur l'expérience acquise dans le plus grand nombre de domaines possible, plutôt que sur

---

49. G. Bruce DOERN et Richard W. PHIDD, *Canadian Public Policy : Ideas, Structure, Process*, Toronto, Methuen, 1983, p. 175-181.

l'expertise dans un domaine spécifique comme, par exemple, le contrôle des armements, les finances internationales ou l'aide au développement[50].

L'augmentation du nombre d'acteurs rendit nécessaire une meilleure coordination de leurs actions. Cette tâche fut confiée à trois organismes « centraux », soit le Bureau du premier ministre, le Bureau du Conseil privé et le Secrétariat du Conseil du Trésor[51]. Ces deux derniers organismes établirent leur propre expertise en créant chacun, au sein de leurs services, une division consacrée à la défense et aux affaires extérieures, ce qui devait leur permettre de prendre part activement au processus décisionnel. Le Bureau du premier ministre, quant à lui, était représenté par le conseiller spécial du premier ministre aux Affaires internationales.

Le Bureau du Conseil privé a aussi exercé son influence à un autre niveau. Les fonctionnaires du Secrétariat de l'appareil gouvernemental et le greffier du Conseil privé s'affairèrent à réorganiser les Affaires extérieures, si bien qu'entre 1970 et 1983, le Ministère subit quatre réformes successives, ce qui suscita cynisme et démoralisation parmi son personnel. Si, à chaque fois, le vocabulaire changeait, l'objectif restait le même : mettre un terme au désordre qui semblait caractériser la gestion de la politique étrangère.

Intégration, centralisation et fusion : quatre tentatives de réorganisation (1970-1983)

Les premiers signes d'une réforme en profondeur du ministère des Affaires extérieures apparurent en 1970, lors de la publication du nouvel énoncé de politique :

> Le gouvernement aura besoin d'une organisation souple et forte pour réaliser [une] politique étrangère renouvelée, car les défis se poseront, les chances s'offriront

---

50. Sur la question du recrutement, voir James EAYRS, *op. cit.* (1961), p. 46-56 ; Marcel CADIEUX, *op. cit.* Pour un survol du débat « généralistes vs spécialistes », voir T. A. KEENLEYSIDE, « The Generalist vs the Specialist : The Department of External Affairs », *Canadian Public Administration*, vol. 22, printemps 1979, p. 51-71.
51. Colin CAMPBELL et George SZABLOWSKI, *The Superbureaucrats : Structure and Behaviour in Central Agencies*, Toronto, Macmillan of Canada, 1979, chap. 2 et 3. Le terme *agences centrales* désigne généralement le Bureau du Conseil privé, le Bureau du premier ministre, le ministère des Finances et le Conseil du Trésor, soit quatre organismes dont les tâches touchent, d'une façon ou d'une autre, celles de tous les autres ministères. Voir, à ce sujet, André BERNARD, *La vie politique au Québec et au Canada*, Ste-Foy, Presses de l'Université du Québec, 1996, p. 438-443.

et les événements se dérouleront plus vite dans les décennies à venir. Les changements se précipitent, d'où la nécessité et l'urgence de planifier et d'exécuter une politique étrangère cohérente axée sur les objectifs nationaux. Il faut donc ériger de nouvelles structures administratives et appliquer de nouvelles techniques de gestion[52].

Pour certains, cela signifiait la fin du Ministère et son absorption par le Service des délégués commerciaux.[53] Ce ne fut pas le cas, du moins pas à cette époque. Même si une commission avait recommandé la fusion des services extérieurs, le gouvernement opta pour une forme d'intégration. Il créa donc le Comité interministériel sur les relations extérieures (CIRE), qui comprenait le greffier du Conseil privé, le secrétaire du Conseil du Trésor, le président de l'ACDI, et les sous-ministres adjoints à la Main-d'œuvre et l'Immigration, à l'Industrie et au Commerce, et aux Travaux publics. Le CIRE était présidé par le sous-secrétaire d'État aux Affaires extérieures, mais ce ministère n'avait aucun droit de regard sur les opérations à l'étranger des autres agences. Faute de directives claires, le Comité échoua dans son rôle de mécanisme de coordination « s'ensuivirent des querelles internes (parfois pour des bagatelles), puis, les protagonistes se lassèrent des disputes et en vinrent à faire une trêve.[54] » Au milieu des années 1970, le CIRE était tombé en désuétude[55].

La seconde tentative de réorganisation eut lieu en 1977. Le changement dans les priorités du gouvernement (dont l'attention était désormais accaparée par la question de l'unité nationale) de même que l'échec de la réforme de 1970-1971 poussèrent le gouvernement à utiliser une autre formule pour réorganiser le Ministère. Celui-ci sera transformé en une agence centrale, chargée de coordonner toutes les activités internationales du Canada.

La réforme est ralentie par le bref passage au pouvoir des conservateurs en 1979-1980, mais après la réélection des libéraux, Trudeau suivit la recommandation du Bureau du Conseil privé, qui préconisait une centralisation

---

52. GOUVERNEMENT DU CANADA, SECRÉTAIRE D'ÉTAT AUX AFFAIRES EXTÉRIEURES, *Politique étrangère au service des Canadiens* (livret principal), Ottawa, Infomation Canada, 1970, p. 40.
53. James EAYRS, *Diplomacy and its Discontents*, Toronto, University of Toronto Press, 1971, p. 39.
54. James EAYRS, *op. cit.* (1982), p. 105.
55. Sur le CIRE, voir André DONNEUR, *op. cit.*, p. 27-28 ; Michael D. HENDERSON, *op. cit.*, p. 98-107.

encore plus poussée des activités à l'étranger, toujours sous la direction des Affaires extérieures. Cette troisième réforme signifiait que tous les hauts fonctionnaires en poste à l'étranger devaient être intégrés au Ministère, qu'ils proviennent des Affaires extérieures, d'Industrie et Commerce, d'Emploi et Immigration[56] ou encore de la Société pour l'expansion des exportations. C'est au sein de ce groupe que devaient être désignés les chefs des missions canadiennes à l'étranger. Le but de cette opération était de permettre à ces missions de fonctionner de manière plus efficace, en rationalisant les pouvoirs des chefs de mission. Ceux-ci auraient ainsi autorité sur tous les membres de leur personnel, quel que soit leur ministère d'origine ou leur fonction, plutôt que d'avoir à coordonner les activités de fonctionnaires qui recevaient leurs instructions de leurs ministères respectifs à Ottawa[57].

La centralisation du service extérieur n'était qu'un prélude. L'économie canadienne avait grandement souffert de la décision, prise par le président Nixon en 1971, d'abandonner la convertibilité du dollar en or et d'imposer une surtaxe à l'importation. Le gouvernement Trudeau avait bien essayé, mais sans succès, de relancer la croissance économique du Canada en recourant à la « troisième option ». Lorsqu'il fut réélu, en 1980, il tenta à nouveau d'enrayer les taux d'intérêt élevés et la récession, en instaurant notamment le Programme national de l'énergie (PEN). Une grande partie des efforts fut consacrée à la réorganisation de l'appareil gouvernemental, de manière à gérer plus efficacement les politiques économiques, tant sur le plan intérieur qu'extérieur. Pour reprendre les mots d'Ernie Keenes, « [l]a réorganisation de l'État canadien suivait le rythme de l'économie politique internationale[58] ».

---

56. En 1977, le ministère de la Main-d'œuvre et de l'Immigration a absorbé la Commission de l'assurance-chômage et fut rebaptisé « Emploi et Immigration ».
57. Jack MAYBEE, « Foreign Service Consolidation », *International perspectives*, juillet-août 1980, p. 17-20.
58. Ernie KEENES, « Rearranging the Deck Chairs : A Politicial Economy Approach to Foreign Policy Management in Canada », *Canadian Public Administration*, vol. 35, automne 1992, p. 381-401 ; voir aussi Kim Richard NOSSAL, « Contending Explanations for the Amalgamation of External Affairs », dans Donald STORY (dir.), *The Canadian Foreign Service in Transition*, Toronto, Scholars' Press, 1993. Pour une étude comparative, voir Andrew F. COOPER, Richard HIGGOTT et Kim Richard NOSSAL, *Relocating Middle Powers : Australia and Canada in a Changing World Order*, Vancouver, University of British Columbia Press, 1993, chapitre 2.

Le 12 janvier 1982, le premier ministre entreprit à nouveau de restructurer le gouvernement. Tous les ministères dont le mandat comportait une dimension économique étaient touchés : le ministère d'État pour le Développement économique et régional remplaça le ministère d'État au Développement économique ; le ministère de l'Expansion économique régionale et celui de l'Industrie et du Commerce furent remplacés par le ministère de l'Expansion industrielle régionale. Encore une fois, les Affaires extérieures et le ministère de l'Industrie et du Commerce durent réorganiser leurs activités en fonction des nouvelles priorités. Le premier absorba la branche commerciale du second, y compris les éléments du Service des délégués commerciaux qui avaient échappé à la centralisation l'année précédente, ainsi que la Société pour l'expansion des exportations et la Corporation commerciale canadienne[59]. Seule l'ACDI fut épargnée, mais il ne s'agissait que d'un sursis.

L'organisation interne du nouveau ministère correspondait à la structure tricéphale étudiée dans le chapitre précédent. En plus du sous-secrétaire d'État aux Affaires extérieures, deux sous-secrétaires dirigeaient chacun une « aile » du Ministère, soit l'aile politique et l'aile commerciale. La planification politique, la gestion et le personnel relevaient directement du sous-secrétaire d'État. Chacune des deux ailes était organisée en structure parallèle, l'une reflétant l'autre.

En novembre 1982, il semblait évident que cette machine complexe ne fonctionnait pas aussi bien qu'on l'avait espéré. Le Service des délégués commerciaux se plaignait de crouler sous les procédures « antédiluviennes » des Affaires extérieures. Pour leur part, les diplomates, bousculés par l'arrivée de nombreux délégués commerciaux, devaient désormais partager des services et des locaux insuffisants. Bref, comme c'est souvent le cas en de telles circonstances, la réforme avait surtout donné lieu à une immense pagaille bureaucratique.

En juillet 1983, Trudeau fit une autre tentative. La structure mise en place l'année précédente fut abandonnée au profit d'une organisation plus traditionnelle. On détermina cinq grandes régions géographiques (Asie et Pacifique, Afrique et Moyen-Orient, Amérique latine et Caraïbes, Europe, États-Unis) et chacune d'elles fut confiée à un sous-secrétaire d'État adjoint aux Affaires

---

59. André DONNEUR, *op. cit.*, p. 29-30.

extérieures. Les services pour chacune des régions étaient divisés en trois catégories : développement commercial, relations politiques et programmes[60].

Lorsque Trudeau quitta la vie politique en 1984, le bilan de ses 15 années d'efforts visant à créer la machine gouvernementale parfaite était plutôt mince. Rien n'indiquait que les Affaires extérieures fonctionnaient de façon plus rationnelle ni qu'elles remplissaient mieux leurs tâches. Cette quête du Graal bureaucratique avait été menée par des théoriciens de l'administration, qui considéraient la diplomatie comme un service parmi les autres. Sous Trudeau, la politique étrangère était perçue comme un moteur pour le développement économique interne, et les Affaires extérieures comme un simple véhicule de diffusion des programmes. Les diplomates et leurs rituels hérités des aristocrates du Congrès de Vienne étaient l'objet de mépris ou de quolibets. En fait, c'est la raison d'être du Ministère, de même que ses méthodes de travail et de prise de décision, qui ont été remises en question au cours de cette période.

Des Affaires extérieures aux Affaires étrangères (1984-1993)

La plupart des transformations entreprises sous Trudeau n'ont été que de courte durée. L'obsession des structures de gestion élaborées s'évanouit avec la nomination de Michael Pitfield au Sénat et la démission de Pierre Elliott Trudeau. Durant la première année du mandat de Brian Mulroney, en 1984, le processus s'accéléra, ce qui conduisit à une gestion « quasi anarchique[61] » de la politique étrangère. Toutefois, après 1985, le rôle de coordination du Bureau du Conseil privé se transforma : les instances dirigeantes du Ministère furent remaniées et un diplomate de carrière, James « Si » Taylor, fut nommé au poste de sous-secrétaire d'État. Celui-ci s'intéressait plus à la substance de la politique étrangère qu'à sa gestion ; il assuma alors le rôle

60. *Ibid.*, p. 30.
61. Harald von REICKHOFF, « The Structure of Canadian Foreign Policy Decision Making and Management », dans Brian W. TOMLIN et Maureen Appel MOLOT (dir.), *Canada Among Nations 1986 : Talking Trade*, Toronto, Lorimer, 1987, p. 29. Pour un bilan de la première année des conservateurs en matière de politique étrangère, voir John KIRTON, « The Foreign Policy decision Process », dans Maureen Appel MOLOT et Brian W. TOMLIN (dir.), *Canada Among Nations 1985 : The Conservative Agenda*, Toronto, Lorimer, 1986, p. 25-45.

traditionnel du sous-secrétaire d'État, soit celui de conseiller principal du gouvernement en matière de politique étrangère[62].

Néanmoins, pendant les années Mulroney, certaines choses ne changèrent pas pour les « Affaires extérieures et Commerce international Canada » (AECIC), selon le nouveau « titre d'usage » qui leur fut attribué[63]. Les désaccords persistaient au sujet de la « chasse gardée » du Ministère. Ses prétentions visant à contrôler tous les aspects de la politique étrangère connurent des fortunes diverses. Il perdit, entre autres, le contrôle sur un secteur essentiel, celui des négociations du libre-échange avec les États-Unis, puisque Mulroney décida de créer un organisme indépendant à cette fin. Habituellement, les négociations internationales en matière de commerce étaient menées par les Affaires extérieures, mais le Cabinet décida que l'enjeu était trop important pour être confié à ce seul ministère. On créa donc le Bureau des négociations commerciales qui fut dirigé par Simon Reisman. Les fonctionnaires du Bureau étaient secondés par des collègues d'autres agences gouvernementales, notamment l'Expansion industrielle régionale, les Finances, les Affaires extérieures, le Bureau du Conseil privé, et quelques autres qui n'appartenaient pas au gouvernement[64]. Reisman avait rang d'ambassadeur et était officiellement un sous-ministre aux AECIC. Si le Bureau des négociations commerciales était, en théorie, une unité administrative des Affaires extérieures, il agissait comme une organisation autonome, puisque Reisman recevait ses instructions directement du premier ministre[65].

---

62. Harald von Reickhoff, *op. cit.*, p. 23.
63. Au cours des années 1980, le gouvernement canadien a adopté une nomenclature parallèle pour désigner ses différentes agences. Celles-ci conservaient leur titre légal, utilisé dans les contrats et autres documents juridiques, mais recevaient aussi un « titre d'usage » devant décrire plus clairement les activités de l'organisme, à des fins de communication. Le titre d'usage consistait souvent à abandonner les mots « ministère » ou « secrétariat d'État » et à ajouter le nom « Canada » – comme dans « Revenu Canada » ou « Approvisionnements et Services Canada ». Les AECIC reçurent leur titre d'usage le 28 juin 1989. Voir la note accompagnant le *Communiqué* n° 155, 28 juin 1989.
64. David Leyton-Brown, « The Political Economy of Canada-US Relations », dans Brian W. Tomlin et Maureen Appel Molot (dir.), *op. cit.* (1987), p. 149-168.
65. Michael Hart, Bill Dymond et Colin Robinson, *Decision at Midnight : Inside the Canada-US Free-Trade Negotiations*, Vancouver, University of British Columbia Press, 1994, p. 123-127.

De 1984 à 1993, les Affaires extérieures ont à nouveau souffert d'une forme de mépris de la part du premier ministre. Il ne s'agissait pas cette fois de réflexions déplaisantes sur l'inutilité du Service extérieur, mais plutôt du fait que Mulroney s'en servait pour récompenser ses alliés politiques. Certaines nominations furent bien reçues, comme celle de Stephen Lewis, l'ancien chef du Nouveau Parti démocratique de l'Ontario, qui fut nommé représentant permanent aux Nations Unies ; ou encore celle de Dennis McDermott, ex-président du Congrès du travail du Canada, qui devint ambassadeur en Irlande. Mais Mulroney avait tendance à prendre le Service extérieur pour son « Sénat personnel », selon l'expression de l'Association professionnelle des agents du Service extérieur. Beaucoup de ses amis et partisans se virent accorder des postes diplomatiques : Patrick McAdam, Roy McMurtry, Donald Macdonald et Fred Eaton furent tous nommés à Londres ; Ian MacDonald s'en alla à Washington ; Lucien Bouchard à Paris ; Jean Drapeau à l'UNESCO ; Norman Spector en Israël ; Robert de Cotret à la Banque mondiale ; et Donald Cameron à Boston. Les premiers ministres ont toujours nommé des gens qui n'étaient pas diplomates de carrière, et il était de coutume que certains postes diplomatiques, comme celui de haut-commissaire à Londres, servent à des nominations partisanes (ou, pour reprendre l'euphémisme utilisé à Ottawa, à des « nominations politiquement inspirées »). Toutefois, au cours de ses 9 ans de mandat, Mulroney a procédé à 36 nominations au Service extérieur, soit beaucoup plus que ses prédécesseurs (15 en 15 ans pour Trudeau, et 5 en 5 ans pour Pearson)[66].

L'affaire Al-Mashat, peu après la guerre du Golfe, constitue sans doute l'exemple le plus frappant des dissensions entre les ministres et les hauts fonctionnaires de l'édifice Pearson. En janvier 1991, Mohammed Al-Mashat, l'ambassadeur irakien à Washington et un des principaux défenseurs de l'invasion du Koweït par l'Irak, était rappelé à Bagdad. De passage à Vienne, il fit savoir à l'ambassade canadienne qu'il désirait s'établir au Canada. Les fonctionnaires du Bureau du Conseil privé auraient, semble-t-il, considéré qu'il serait déplacé d'accorder à Al-Mashat un sauf-conduit pour le laisser entrer au Canada comme transfuge potentiel. Il fut néanmoins autorisé à déposer

---

66. Andrew COHEN, « The Diplomats Make a Comeback », *The Globe and Mail*, 19 novembre 1994, p. D1-D2.

une demande d'immigration en tant que simple citoyen, demande qui fut aussitôt acheminée aux Affaires extérieures. En moins de 24 heures, le SCRS lui octroyait une cote de sécurité. Le sous-secrétaire d'État aux Affaires extérieures, Raymond Chrétien, qui comptait alors 25 ans de service au Ministère (il est d'ailleurs le neveu de Jean Chrétien), envoya une note à son supérieur, Joe Clark, pour le mettre au courant du dossier ; mais le chef de Cabinet de ce dernier, David Daubney, ne jugea pas utile de la lui transmettre. Persuadés que le ministre avait été mis au courant, les fonctionnaires des Affaires extérieures accordèrent à Al-Mashat et son épouse le statut d'immigrant. Le 30 mars 1991, le couple entrait au Canada.

Lorsque l'affaire éclata au grand jour, le gouvernement Mulroney nia aussitôt toute responsabilité dans le dossier, en prétextant qu'aucun ministre n'avait été impliqué dans la décision. Reniant la norme bien établie du système parlementaire britannique, voulant que les ministres endossent l'entière responsabilité des actes de leurs fonctionnaires, le gouvernement Mulroney rejeta publiquement le blâme sur Chrétien et Daubney, pour ne pas avoir informé le ministre des Affaires extérieures. Ces derniers furent convoqués à tour de rôle dans les bureaux du Conseil privé, le 13 mai 1991, et durent signer un document préparé à leur intention par Glen Shortlife, le responsable du personnel du Conseil privé. Ce document établissait la chronologie de l'affaire et contenait des excuses adressées à Clark. S'ensuivit une enquête menée par le Comité permanent de la Chambre des communes sur les Affaires extérieures et le Commerce international. Fin mai et début juin, un certain nombre de témoins défilèrent devant le Comité, dont Joe Clark (devenu, depuis le 21 avril, ministre responsable des Affaires constitutionnelles), de Montigny Marchand, le sous-secrétaire d'État aux Affaires extérieures, et Paul Tellier, le greffier du Conseil privé. Tous rejetèrent unanimement la faute sur Chrétien.

Comme l'a souligné Sharon Sutherland[67], l'affaire Al-Mashat a eu des répercussions à long terme sur le principe de la responsabilité ministérielle au

---

67. S. L. SUTHERLAND, « The Al-Mashat Affair : Administrative Accountability in Parliamentary Institutions », *Canadian Public Administration,* vol. 34, hiver 1991, p. 601-603 ; « Ministerial Responsibility Left Wounded in Mashat Skirmish », *Bout de papier,* vol. 8, automne 1991, p. 30. L'essentiel des faits rapportés ici est tiré de ces sources.

Canada. Elle a eu également des conséquences à court terme pour les Affaires extérieures : Marchand fut démis de son poste (Reid Morden le remplacera quelques mois plus tard) et Raymond Chrétien fut affecté à Bruxelles. Si l'on considère l'affaire dans le contexte de l'utilisation que faisait Mulroney des Affaires extérieures pour récompenser des amis, il n'est pas surprenant qu'elle ait plongé le Ministère dans une crise profonde.

Le Ministère dut aussi absorber, sous le gouvernement Mulroney, des compressions budgétaires bien plus draconiennes que celles subies à la fin des années 1960. Si, après 1982, en plein boom économique, les AECIC avaient connu une certaine expansion, elles furent bien vite soumises à de nouvelles restrictions pour contribuer, elles aussi, à la réduction du déficit fédéral. La première cible des compressions fut le réseau des missions diplomatiques canadiennes à l'étranger. En 1986, le gouvernement demanda aux sous-ministres adjoints responsables d'une région d'identifier les bureaux qui devraient être fermés. Ceux d'Abu Dhabi, Hambourg, Helsinki, Marseille, Perth, Philadelphie et Quito furent retenus. Cependant, fermer des missions s'avérait beaucoup plus difficile que d'en ouvrir. Par exemple, lorsque fut connue l'intention du gouvernement de fermer l'ambassade à Helsinki, la communauté finlandaise du Canada réagit par une campagne de relations publiques énergique visant à annuler la décision, campagne qui fut couronnée de succès[68]. De plus, les compressions budgétaires arrivaient au moment où le gouvernement se voyait contraint d'ouvrir des missions diplomatiques dans les États qui accédaient à l'indépendance, à la suite de l'effondrement de la Yougoslavie et de l'Union soviétique, entre 1990 et 1992.

Les Affaires extérieures cherchèrent alors des solutions de rechange pour réduire les coûts de ses représentations à l'étranger. En août 1989, le Canada et l'Australie signaient une entente selon laquelle ils partageraient les mêmes services consulaires, ce qui était avantageux pour les deux pays puisque chacun possédait des missions diplomatiques dans des régions où l'autre était moins bien représenté. Ainsi, l'Australie mit à la disposition du Canada ses services consulaires à Honolulu, et dans certaines grandes villes des États du Pacifique. De son côté, le Canada offrait aux Australiens ses services consulaires

---

68. John G. KNEALE, « The Department and the Country », *Bout de papier*, n° 8, été 1991, p. 13.

implantés en Norvège, au Pérou, et dans une dizaine de grandes villes africaines. En 1993, les deux pays s'entendirent pour partager les mêmes locaux à la Barbade et à Phnom Penh, au Cambodge[69].

Le budget de février 1992 devait avoir de nombreuses conséquences pour la politique étrangère canadienne. Le gouvernement ferma l'Institut canadien pour la paix et la sécurité internationales (ICPSI), un organisme de recherche créé par Trudeau en 1983-1984[70]. La contribution canadienne aux missions de maintien de la paix fut réévaluée, et le contingent participant de la mission de l'ONU à Chypre depuis 1964 fut rapatrié. Les bases canadiennes en Europe furent fermées. Les budgets consacrés à l'aide publique au développement (APD) furent réduits, puis révisés de façon radicale. Une fois de plus, les Affaires extérieures subirent une réorganisation.

Après la présentation du budget, le sous-secrétaire d'État aux Affaires extérieures, Reid Morden, annonça que le Ministère allait revenir à sa mission fondamentale, c'est-à-dire la politique et l'économie, en éliminant les chevauchements. Pour y parvenir, il fallait transférer certains postes à d'autres ministères. Les fonctionnaires chargés de l'immigration furent affectés à Emploi et Immigration Canada ; ceux responsables des expositions internationales, à Communications Canada ; et la division du sport international fut transférée aux Sports amateurs. Selon Evan Potter, ce « retour à la mission fondamentale » mit fin au rôle centralisateur du Ministère[71].

Le budget de 1992 devait toutefois permettre aux Affaires extérieures de faire des gains dans un autre secteur. Comme nous l'avons noté plus haut, l'ACDI avait été épargnée dans la réorganisation de 1982, et la question de la nature de la mission de l'agence était toujours en suspend. Fallait-il créer des programmes en fonction d'objectifs généraux de développement inter-

69. Voir Canada, AECIC, *Communiqué*, n° 206, 22 octobre 1993 ; MINISTÈRE DES AFFAIRES ÉTRANGÈRES ET DU COMMERCE INTERNATIONAL, *Communiqué*, n° 235, 29 décembre 1993.

70. Voir Geoffrey PEARSON et Nancy GORDON, « Shooting Oneself in the Head : the Desmise of CIIPS », dans Fen Osler HAMPSON et Christopher J. MAULE (dir.), *Canada Among Nations 1993-1994. Global Jeopardy*, Ottawa, Carleton University Press, 1993, p. 57-91.

71. Evan POTTER, « A Question of Relevance : Canada's Foreign Policy and Foreign Service in the 1990s », dans Fen Osler HAMPSON et Christopher J. MAULE (dir.), *op. cit.*, p. 48-51.

national, en fournissant par exemple une assistance aux pays les plus pauvres, ou plutôt subordonner ces programmes à des objectifs nationaux plus spécifiques, comme la promotion du commerce et des exportations avec des pays relativement prospères, comme l'Indonésie et la Chine ? En 1989, les tensions montèrent d'un cran entre l'ACDI et les AECIC lorsque Marcel Massé, de retour à la présidence de l'Agence, chercha à lui conférer plus d'autonomie. De leur côté, les Affaires extérieures lorgnaient le budget de l'ACDI et voulaient en contrôler les politiques. Les choses se précipitèrent en 1991, lorsque Clark, alors secrétaire d'État aux Affaires extérieures et donc responsable à la fois des AECIC et de l'ACDI, fut nommé ministre des Affaires constitutionnelles, et Barbara McDougall, ministre des Affaires extérieures. Clark avait toujours été partisan de laisser une certaine autonomie à l'ACDI ; McDougall n'était pas de cet avis. Lors du budget de 1991-1992, le Cabinet décida de mettre dans une seule et même enveloppe budgétaire les crédits destinés à l'APD et aux programmes destinés à l'ex-Union soviétique et à l'Europe de l'Est. L'enveloppe de l'aide internationale fut confiée aux Affaires extérieures, qui consacrèrent des montants énormes à des projets destinés à aider les pays d'Europe centrale et orientale à faire la transition vers la démocratie – ce qui, inévitablement, mena à l'épreuve de force entre les deux agences. Massé perdit son poste à l'ACDI, tandis que la divulgation, en janvier 1993, d'une note de service des Affaires extérieures indiquait clairement la volonté de la ministre McDougall de reprendre le contrôle sur l'ACDI[72].

Avec tout ce qu'ils avaient enduré sous le gouvernement conservateur, les fonctionnaires du ministère des Affaires extérieures accueillirent avec soulagement l'arrivée au pouvoir du Parti libéral de Jean Chrétien, en novembre 1993. Ils ne furent pas déçus : Chrétien semblait disposé à réhabiliter le Ministère. Il commença par en changer le nom, abandonnant le vieux terme « extérieures » qui, selon lui, n'était plus adapté à la réalité canadienne, pour adopter celui de « ministère des Affaires étrangères et du Commerce international » (MAECI). Les libéraux changèrent aussi les têtes dirigeantes de l'institution, et choisirent comme ministre adjoint un diplomate de carrière,

---

72. Cranford PRATT, « Humane Internationalism and Canadian Development Assistance Policies », dans C. PRATT (dir.), *Canadian International Development Assistance Policies : An Appraisal*, Montréal/Kingston, McGill-Queen's University Press, 1994, p. 356-363.

Gordon Smith, qui avait travaillé avec Michael Pitfield dans les années 1980. De plus, un certain nombre de fonctionnaires tombés en disgrâce après l'affaire Al-Mashat furent réhabilités, et en particulier Raymond Chrétien, qui fut nommé ambassadeur à Washington. Et finalement, le premier ministre mit un terme aux querelles entre les Affaires extérieures et l'ACDI en plaçant clairement l'agence sous l'autorité du MAECI[73]. De l'avis de plusieurs, les Affaires étrangères avaient, en 1994, retrouvé leur juste place[74].

Déclin et séparation temporaire (1994-2006)

Toutefois, le répit accordé aux Affaires étrangères ne fut que temporaire. Lorsque le gouvernement Chrétien fit de la lutte au déficit des finances publiques l'une de ses priorités, tous les ministères dont les activités touchaient à la sphère internationale furent contraints de réduire leurs dépenses. Le MAECI subit ainsi d'importantes compressions tout au long des années 1990. Son budget fut réduit de 25 % et 980 postes, soit 13 % des effectifs, furent éliminés[75]. En 2001, le Ministère ne comptait plus que 1 900 agents du service extérieur, 2 800 employés au Canada et 4 600 employés recrutés sur place par les missions à l'étranger[76].

Malgré cette diminution des ressources, les demandes adressées au Ministère ne cessèrent de croître tout au long de cette période. Puisque le nombre d'États souverains augmentait, il y avait toujours de bonnes raisons de renforcer les effectifs des missions diplomatiques canadiennes ; alors que l'on fermait certaines ambassades à l'étranger, les pressions pour en ouvrir d'autres ailleurs se multipliaient. Il en allait de même pour les organisations internationales, dont la liste s'allongeait régulièrement (par exemple, la Cour pénale internationale), et pour les institutions multilatérales chargées de gérer la gouvernance mondiale, où les négociations devenaient de plus en plus complexes. De plus, la proportion de Canadiens en partance pour l'étranger

---

73. Cranford PRATT, « Development Assistance and Canadian Foreign Policy : Where We are Now », *Canadian Foreign Policy*, vol. 2, n° 3, hiver 1994-1995, p. 77-85.
74. Andrew COHEN, *op. cit.*
75. Andrew COHEN, *While Canada Slept*, Toronto, McClelland & Stewart, 2003, p. 137.
76. MINISTÈRE DES AFFAIRES ÉTRANGÈRES ET DU COMMERCE INTERNATIONAL, *Rapport sur le rendement*, 2000-2001, p. 11.

augmentant sans cesse, la demande pour des services consulaires crut en conséquence. Enfin, comme le note Denis Stairs, les politiciens s'attendaient à voir le Ministère s'engager dans un processus de consultation et de dialogue avec la société civile canadienne[77]. Dans ces conditions, il n'est pas étonnant de constater que, dans une organisation constamment appelée à « faire plus avec moins », le moral se soit détérioré de façon significative et que la moitié des agents ayant joint le Ministère dans les années 1990 aient, en 2001, déjà quitté le service[78].

Les pressions sur le Ministère se sont encore accrues au cours de la période qui suivit les attentats du 11 septembre 2001 à New York et Washington, notamment avec la formulation du concept des « Trois D » (diplomatie, défense et développement) qui consiste à intégrer les mesures diplomatiques, militaires et d'assistance internationale dans les missions de stabilisation à l'étranger, comme celle qui a cours en Afghanistan depuis la fin de 2001. Toutefois, les efforts visant cette intégration interministérielle furent brutalement interrompus par la décision du nouveau premier ministre Paul Martin de scinder le MAECI. Le jour de son assermentation, le 12 décembre 2003, Martin annonça en effet que les Affaires étrangères et le Commerce international devenaient désormais deux ministères distincts, mettant ainsi fin à 21 ans d'intégration. La décision fut prise sans discussion préalable ni consultation avec les acteurs de la société civile directement touchés par cette mesure, comme l'Association des manufacturiers et exportateurs du Canada, et aucune explication ne fut offerte.

La séparation fut cependant de courte durée. Bien que le gouvernement Martin ait utilisé un décret pour imposer la séparation des deux ministères, la loi visant à définir leur mandat respectif ne put jamais être adoptée, le Parti libéral ayant, au printemps 2004, perdu sa majorité en Chambre. Plus

77. Denis STAIRS, « The Making of Hard Choices in Canadian Foreign Policy », dans David CARMENT, Fen Osler HAMPSON et Norman HILLMER (dir.), *Canada Among Nations 2004. Setting Priorities Straight*, Montréal/Kingston, McGill-Queen's University Press, 2004, p. 168.

78. Voir Daryl COPELAND, « The Axworthy Years : Canadian Foreign Policy in the Era of Diminished Capacity », dans Fen Osler HAMPSON, Norman HILLMER et Maureen Appel MOLOT (dir.), *Canada Among Nations 2001. The Axworthy Legacy*, Toronto, Oxford University Press, 2001, p. 168.

encore, l'initiative fit l'objet de nombreuses critiques, tant chez les fonction-naires (y compris ceux des Affaires étrangères, qui se déclaraient satisfaits du régime antérieur) que chez les journalistes et les universitaires. Lorsque les projets de loi C-31 et C-32 furent présentés à la Chambre des communes, l'opposition prit le relais. Le 15 février 2005, lors de la seconde lecture, les trois partis d'opposition unirent leurs voix pour défaire l'initiative gouverne-mentale. Le Comité permanent des Affaires étrangères et du Commerce international, composé majoritairement de membres des partis d'opposi-tion, protesta également en réduisant les prévisions budgétaires du Minis-tère au montant symbolique d'un dollar.

Le projet de séparation des deux entités disparut à la suite de l'élection des conservateurs de Stephen Harper en janvier 2006. L'un des premiers gestes du nouveau gouvernement fut d'annuler le décret du 12 décembre 2003. Le 1er avril suivant, le ministère des Affaires étrangères et du Commerce inter-national fut officiellement reconstitué.

LE MINISTÈRE DE LA DÉFENSE NATIONALE

S'il semble possible de se passer d'un ministère des Affaires étrangères, bien peu d'États paraissent pouvoir faire l'économie d'un ministère de la Défense et des Forces armées permanentes[79].

Le ministère de la Défense nationale est une organisation encore plus com-plexe que les Affaires étrangères. Il compte parmi les plus gros employeurs de l'État, et ceux qui y travaillent appartiennent souvent à des groupes institution-nellement distincts. Le premier de ces groupes est, bien entendu, constitué des militaires professionnels, qui forment la plus grande partie des effectifs du Ministère. Le deuxième est la Réserve (ou Milice), dont les fonctions et les effectifs varient d'une époque à l'autre. Enfin, le troisième groupe est composé de l'ensemble des employés civils du Ministère.

---

79. Parmi les quelques États réputés pour ne pas entretenir de forces armées, l'Islande et le Costa Rica sont souvents cités en exemple. Ces deux pays font cependant face à un certain nombre de contraintes. Voir Charles-Philippe DAVID et Stéphane ROUSSEL, *Environnement stratégique et modèles de défense. Une perspective québécoise*, Mont-réal, Méridien, 1996, p. 147-150 et 161-164.

Les miliciens sont essentiellement des « soldats à temps partiel », c'est-à-dire des volontaires organisés en régiments et qui s'entraînent quelques semaines ou quelques mois par année, ou encore d'anciens membres de la force régulière qui se réengagent pour une courte période. Ils forment, historiquement, le plus ancien des trois groupes, puisque les premiers régiments ont été créés dès le début du XIXe siècle. S'ils occupent une place prépondérante dans les mythes populaires forgés au cours de la guerre de 1812 (selon lesquels ils auraient largement contribué à repousser les assauts américains), leur efficacité militaire a toujours été sujette à caution. Leur importance a crû avec les attaques des Fenians en 1866, la naissance de la Confédération et, surtout, le retrait des régiments réguliers britanniques dans la seconde moitié du XIXe siècle. Ils ont ainsi longtemps constitué la seule institution militaire véritablement canadienne[80].

La Réserve doit remplir trois fonctions[81]. La première consiste à offrir un appui opérationnel aux forces régulières, que ce soit sur le plan des effectifs ou de la logistique. Ainsi, lors des opérations en Bosnie (1992-1995), de nombreux réservistes ont servi parmi les troupes chargées de maintenir la paix, de manière à soulager des forces régulières épuisées. La deuxième tâche est de servir, en cas de crise prolongée, de base de mobilisation. La Milice doit entraîner et déployer un grand nombre de soldats. Enfin, le troisième rôle est d'assurer un lien entre les Forces canadiennes et la population. Depuis les années 1950, la Réserve fait cependant face à des problèmes chroniques, liés principalement au fait que l'ordre de priorité entre ces tâches, et leur pertinence réelle demeurent vagues. Mal équipée, sous-financée et disposant d'effectifs réduits, la Réserve est une institution dont ne semblent pas savoir quoi faire les politiciens et les militaires, mais dont on ne peut néanmoins

---

80. Pour une courte revue de l'histoire de la Milice et des débats qu'elles suscite aujourd'hui, voir Jack L. GRANATSTEIN, « En quête d'une réserve compétente et efficace pour la force terrestre », *Revue militaire canadienne*, vol. 3, n° 2, été 2002, p. 5-12. Voir aussi Desmond MORTON, *Une histoire militaire du Canada 1608-1991*, Montréal, Septentrion, 1992.

81. COMMISSION SPÉCIALE SUR LA RESTRUCTURATION DES RÉSERVES, *Rapport*, 30 octobre 1995, p. 20 ; COMITÉ DE SURVEILLANCE DU MINISTRE DE LA DÉFENSE NATIONALE, *Au service de la nation : les soldats citoyens du Canada pour le 21e siècle*, Ottawa, 19 mai 2000.

se passer[82]. En 2003-2004, le premier ministre Martin a même nommé le député David Price « secrétaire parlementaire du ministre de la Défense nationale particulièrement chargé du rôle de la Réserve » pour tenter d'apporter des réponses aux interrogations portant sur le rôle de cette institution, ce qui n'eut pas grand succès.

Curieusement, c'est souvent en tant que groupe de pression que la Réserve paraît être la plus efficace ! Selon Desmond Morton, « la Milice d'après la Confédération était une institution sociale et politique[83] ». Le corps des officiers (en particulier les « colonels honoraires ») a longtemps constitué un lien entre la classe politique et les institutions militaires, et ses membres pouvaient exercer une influence politique non négligeable en certaines circonstances. Aujourd'hui encore, les officiers de réserve (comme les officiers retraités de la force régulière) interviennent fréquemment dans les débats politiques qui touchent aux intérêts des militaires canadiens. C'est notamment le cas du Conseil des colonels honoraires, ou encore du groupe Réserves 2000, une coalition dont le but est de faire la promotion de la Milice[84].

La force régulière est le deuxième groupe qui compose le ministère de la Défense. Elle est aussi composée de volontaires (sauf en de rares et dramatiques exceptions, comme en 1917-1918, ou en 1944-1945) qui ont fait des armes une profession et qui demeurent plusieurs années sous les drapeaux. Véritable microcosme de la société, on y retrouve un grand nombre de corps de métiers, des pompiers, médecins, avocats, mécaniciens, informaticiens, etc. Comme nous l'avons vu au chapitre 1, leurs tâches consistent à participer aux opérations militaires à l'étranger, à assister les autorités civiles au pays en cas de nécessité, et à protéger le territoire canadien.

Historiquement, la Force régulière est divisée en trois « armes ». La Force terrestre, formée en 1883, devait originalement encadrer la Milice et fournir des effectifs permanents. La Marine fut créée en 1910 pour servir de force

---

82. Le ton ambigu du Livre blanc sur la Défense de 1994 à propos de la Réserve est révélateur sur ce plan. Voir MINISTÈRE DE LA DÉFENSE NATIONALE, *Le livre blanc sur la Défense de 1994*, Ottawa, ministère des approvisionnements et Services Canada, 1994, p. 49.

83. Desmond MORTON, *op. cit.* (1992), p. 144.

84. Voir, par exemple, BGén Peter Cameron, « Reserves 2000 », dans Jim HANSON et Peter HAMMERSCHMIDT, *The Past, Present and Future of the Militia*, Toronto, Canadian Institute of Strategic Studies, 1998, p. 13-18.

d'appoint à la Royal Navy britannique, alors engagée dans une course aux armements avec la Marine allemande. Enfin, l'Aviation royale du Canada, qui constituait une branche de la Force terrestre, devint une arme distincte en 1924. Pendant l'essentiel de son histoire, chacune de ces armes était dirigée par un ministre différent. Une telle organisation permettait certainement de répondre aux besoins et de tenir compte des traditions différentes de chacune de ces composantes, mais elle présentait des inconvénients majeurs, notamment celui de renforcer les rivalités entre les différentes armes et d'entraîner le dédoublement des services de soutien (médecins, approvisionnement, administration, etc.). Il s'agit d'un problème courant, dans la mesure où il affecte la plupart des forces armées du monde. Pour y remédier, Paul Hellyer, le ministre de la Défense de 1963 à 1967, annonça, dans le Livre blanc de 1964[85], la création du poste de chef d'état-major de la Défense (CEMD), chargé de la direction de l'ensemble des forces armées canadiennes, toutes armes confondues[86]. Cette initiative n'était, en fait que la première étape d'un processus qui devait mener, en 1968, à l'unification des trois armes. Depuis, l'armée de terre, l'aviation et la marine forment ce que l'on appelle les « Forces canadiennes ». Ce projet fut l'un des plus controversés de l'histoire du ministère de la Défense, et il devait créer un profond malaise parmi les militaires, en particulier parce qu'il brisait les structures sociales traditionnelles au sein des différentes armes.

Comme dans toutes les démocraties libérales, les forces armées sont étroitement encadrées par les autorités civiles. Le chef d'état-major relève ainsi du ministre de la Défense nationale. Mais les relations entre le pouvoir civil et la hiérarchie militaire sont parfois difficiles[87]. L'épisode de l'unification des Forces canadiennes offre un bon exemple des tensions qui peuvent surgir entre le ministre et les militaires, mais il y en eut bien d'autres. Ainsi,

---

85. Les livres blancs sur la Défense sont reproduits dans Douglas L. BLAND, *Canada's National Defence* (vol. 1. *Defence Policy*), Kingston, School of Policy Studies, 1997. La section du livre blanc de 1964 qui traite de la réorganisation se trouve aux pages 89-94.

86. Sur l'évolution du rôle du CEMD, voir Douglas BLAND, *Chiefs of Defence. Government and the Unified Command of the Canadian Armed Forces*, Toronto, CISS, 1995.

87. Ross GRAHAM, « Contrôle civil des Forces canadiennes : direction nationale et commandement national », *Revue militaire canadienne*, vol. 3, n° 1, printemps 2002, p. 23-29.

en 1987, lorsque le gouvernement conservateur publia son ambitieux livre blanc sur la défense, il demanda aux officiers supérieurs d'aller en vanter les mérites auprès de la troupe. Après s'être commis publiquement devant leurs soldats, les officiers subiront l'humiliation d'être contredits par le Cabinet qui, en 1989, mit en pièces le budget attribué à la Défense[88].

Les effectifs et les ressources des Forces canadiennes varient considérablement d'une époque à l'autre. Généralement squelettiques en temps de paix, ils peuvent augmenter de façon spectaculaire en temps de crise, comme ce fut le cas au début des deux guerres mondiales. Une telle croissance ne se fait cependant pas sans heurt, puisque la poignée de cadres professionnels doit subitement compter avec un flot de recrues inexpérimentées. Les critiques adressées par les Britanniques à la marine canadienne lors de la bataille de l'Atlantique (1941-1943), ou encore les pertes subies au cours de la bataille de Normandie (1944), témoignent des problèmes que pose une telle situation. Depuis le milieu des années 1960, les Forces canadiennes voient leurs ressources et leurs effectifs décroître régulièrement, ce qui n'est pas sans effet sur le moral et l'efficacité de la troupe. Depuis, des voix s'élèvent régulièrement pour demander au gouvernement d'accorder plus d'attention à ce problème. Politiquement peu attrayantes pour les dirigeants, ces demandes restent souvent sans réponse. Ce phénomène contribue également à engendrer un sentiment de malaise entre l'appareil militaire et les dirigeants politiques. Même les attentats du 11 septembre aux États-Unis n'ont pas été suffisants pour entraîner un véritable changement sur ce plan, puisque seule une petite partie des 7 700 000 000 $ additionnels prévus pour la sécurité dans le budget présenté en décembre 2001 allait aux forces armées. Ce n'est que sous Paul Martin et Stephen Harper qu'un effort sera fait en ce sens.

Le troisième groupe qui œuvre au sein du ministère de la Défense est composé des employés civils, dont le nombre a décuplé depuis la Deuxième Guerre mondiale. Au début des années 2000, ils étaient près de 20 000, soit plus du quart des effectifs totaux de la Défense. Concentrés en grande partie au Quartier général de la Défense, leurs tâches sont comparables à celles de leurs collègues des autres ministères, soit l'administration et la gestion

---

88. Jocelyn COULON, *En première ligne. Grandeurs et misères du système militaire canadien*, Montréal, Le jour, 1991, p. 150-152.

des programmes, la collecte d'information, ainsi que la formulation et la mise en œuvre des politiques. Le ministère de la Défense a cependant ceci de particulier qu'il est divisé en deux structures parallèles, l'une civile, l'autre militaire. Si les militaires sont placés sous la direction du chef d'état-major, les civils dépendent de l'autorité d'un sous-ministre.

L'INFLÜENCE DES FONCTIONNAIRES

Jusqu'à quel point la bureaucratie influence-t-elle l'élaboration de la politique étrangère du Canada? Il s'agit d'une question importante, dans la mesure où elle touche à un problème observé dans bon nombre de systèmes politiques modernes : les agences créées pour conseiller les responsables politiques, mettre en application leurs décisions et administrer les programmes qui en découlent, en viennent parfois à dominer le processus décisionnel, au point de marginaliser les élus.

Ministres et mandarins

Il faut faire une distinction entre l'*influence* des hauts fonctionnaires (qu'on appelle aussi les *mandarins*) et leur *pouvoir* d'imposer leurs préférences sur les politiques officielles. « Les fonctionnaires ne font pas la politique, quoi-qu'en dise la rumeur, déclarait Mitchell Sharp en 1958. C'est la prérogative du représentant élu par le peuple. Mais il est vrai que, de nos jours, les fonctionnaires ont une profonde influence sur l'élaboration de la politique[89]. » Sharp venait alors de démissionner de son poste de sous-ministre au Commerce. En 1963, il revenait à ce même ministère, cette fois à titre de ministre avant d'être nommé, en 1968, secrétaire d'État aux Affaires extérieures. Ces expériences ne devaient pas changer son opinion sur la question. Après avoir quitté le Cabinet (mais toujours au service du gouvernement à titre de commissaire de l'administration du pipe-line du Nord), Sharp déclara en 1981 que les fonctionnaires « exercent une grande influence ». Il était convaincu que « le gouvernement est, en fait, affaire de spécialistes, et ne peut pas être

---

89. Mitchell SHARP, cité dans John PORTER, *The Vertical Mosaic : An Analysis of Social Class Power in Canada*, Toronto, University of Toronto Press, 1965, p. 427-428.

dirigé avec succès par des amateurs sans le concours de conseils professionnels et d'exécutants qualifiés. Dans un système parlementaire, les politiciens sont, à quelques exceptions près, des amateurs dans tous les secteurs administratifs de l'appareil gouvernemental. » Mais il revient au ministre de faire valoir son autorité et de la faire respecter par les hauts fonctionnaires et ses collègues ministres. « J'ai compris les fonctions de mes conseillers ministériels. Je les consultais tous les jours... Je leur posais des questions, et j'écoutais leurs réponses. Des fois, j'étais d'accord ; et d'autres pas. Au bout du compte, je prenais les décisions, et ils les appliquaient[90]. »

Ce ne fut pas le cas pour Flora MacDonald, ministre des Affaires extérieures sous Joe Clark, en 1979-1980. Après la défaite du gouvernement conservateur, MacDonald commença à critiquer publiquement ses hauts fonctionnaires. Dans une déclaration largement diffusée[91], elle laissait entendre que les bureaucrates manipulaient « le nouveau ministre, qui essayait de s'y retrouver dans le labyrinthe de la bureaucratie (et qui était) non seulement vulnérable, mais aussi sans protection ». Elle protestait contre les « pièges » que lui tendaient ses fonctionnaires : « Les nombreux et interminables [...] les décisions à prendre sur le vif : voici la situation (halètement), quelles sont vos instructions ? » MacDonald se plaignait aussi des « opinions à sens unique proposées dans les mémos » et d'avoir été privée du « luxe de disposer de choix multiples sur des sujets de grande importance ». Ce à quoi Sharp répliqua sans ménagement : « C'est votre faute. Il ne fallait pas laisser le système échapper à votre contrôle[92]. »

Les ministres sont parfois réticents ou incapables d'énoncer des directives politiques lorsqu'ils savent qu'elles seront mal reçues par l'administration. Les politiciens s'en remettent alors aux fonctionnaires eux-mêmes, qui héritent de la responsabilité de formuler la politique. Ils deviennent ainsi,

---

90. Mitchell SHARP, « The Role of the Mandarins : The Case for a Non-Partisan Senior Public Service », *Options politiques*, vol. 1, n° 3, mai-juin 1981, p. 43.
91. MacDonald prononça ce discours à l'occasion de l'assemblée annuelle de l'Association canadienne de science politique en juin 1980. Des versions révisées furent par la suite publiées dans « The Minister and the Mandarins : How a New Minister Copes with the Entrapment Devices of Bureaucracy », *Options politiques,* vol. 1, n° 3, septembre-octobre 1980, p. 29-31 ; ainsi que dans « Cutting Through the Chains », *The Globe and Mail,* 7 novembre 1980, p. 7.
92. Mitchell SHARP, *op. cit.* (1981).

selon l'expression de Douglas Hartle, « des tigres édentés qui gobent les suggestions des hauts fonctionnaires[93]. » Hartle a déjà été ministre adjoint au Secrétariat du Conseil du Trésor et était donc parfaitement au courant des relations entre les ministres et leurs mandarins. Le fait que des fonctionnaires puissent décider des orientations politiques, qui sont ensuite « approuvées distraitement par les ministres[94] » est loin d'être nouveau. Mackenzie King n'était peut-être pas un « tigre édenté », mais il devait découvrir à quel point il était dépendant d'Oscar Skelton et de ses conseils, lorsque ce dernier mourut subitement en 1941 :

> J'ai eu grand tort, écrit-il dans son journal après les funérailles de Skelton de ne pas m'être plus concentré sur ma tâche, de ne pas avoir pris les choses en main, et de m'être trop fié sur une aide extérieure… J'étais heureux d'avoir Skelton comme guide, mais il y avait des jours où son influence se faisait un peu trop sentir, au point d'influer énormément sur la politique du gouvernement[95].

Après la Deuxième Guerre mondiale, King ne croyait pas utile de renforcer les relations du Canada avec l'étranger. Cependant, il ne confiait ses réserves à ce sujet qu'à son journal. En décembre 1947, il écrit que Pearson, alors sous-secrétaire d'État aux Affaires extérieures, « avec sa jeunesse, son inexpérience, et sous l'influence de ceux qui l'entourent, a tenu à ce que les Affaires extérieures soient bien visibles sur la scène internationale, et a littéralement mené des dossiers depuis New York, sans réel contrôle des ministres de la Couronne, alors qu'il aurait dû être à Ottawa[96] ». John W. Holmes, qui était au Ministère à cette époque, estimait que, juste après la guerre, les Affaires extérieures étaient « dans l'ensemble, très en avance sur le gouvernement ». Mais, ajoute-t-il, « ce serait une erreur de n'y voir qu'un simple conflit entre fonctionnaires utopistes et politiciens sans imagination… Dans ce cas, [la bureaucratie] a eu le leadership qu'il fallait, en élaborant des projets et en fixant des objectifs de façon à obtenir l'appui du Cabinet[97]. » Est-ce là un exemple

93. Douglas G. HARTLE, « Techniques and process of Administration », *Canadian Public Administration*, vol. 19, printemps 1976, p. 32.
94. Robert LEWIS, « Ottawa's Power Brokers », *Maclean's*, 24 mai 1982, p. 20.
95. Cité dans John PORTER, *op. cit.* (1965), p. 429.
96. J. W. PICKERSGILL et D. F. FORSTER, *The Mackenzie King Record*, tome 4, 1947-1948, Toronto, University of Toronto Press, 1970, p. 135-136.
97. John W. HOLMES, *The Shaping of Peace : Canada and the Search for World Order 1943-1957*, tome 1 : *1943-1957*, Toronto, University of Toronto Press, 1979, p. 297-298.

de fonctionnaires « influant énormément sur la politique du gouvernement », comme le pensait King ?

En certaines occasions pourtant cruciales, les hauts fonctionnaires ont exercé une influence capitale, ce qui a contribué à plonger leurs maîtres politiques dans l'embarras. En 1957, les conservateurs sont portés au pouvoir, après avoir passé plus de 20 ans dans l'opposition. L'une des premières décisions que doit prendre Diefenbaker à titre de premier ministre est la conclusion d'un accord sur la défense aérienne du continent. Charles Foulkes, le chef d'état-major de l'armée de l'air, lui présente la chose comme une simple formalité ; en réalité, c'est l'entente créant le NORAD qu'entérine ainsi, sans y prêter attention, le nouveau premier ministre. Cette signature intempestive lui vaudra d'être plongé dans une première crise politique grave liée aux questions de défense[98]. Bien qu'il représente un cas extrême, cet épisode démontre comment les hauts fonctionnaires peuvent acquérir un ascendant sur le pouvoir politique.

Évidemment, l'idée que se font les fonctionnaires de l'intérêt national découle non seulement de leur conception du bien public, mais aussi de leur désir de garantir le maintien, voire la croissance, d'une organisation à laquelle ils sont attachés, et de laquelle dépend leur carrière[99]. Leur point de vue peut correspondre ou non à celui des élus, qui ont eux aussi leurs priorités personnelles, politiques et administratives. En cas de conflit, les ministres peuvent imposer leur point de vue ; il ne reste aux fonctionnaires que la persuasion, puisqu'ils ne peuvent imposer leurs opinions aux politiciens.

Néanmoins, s'ils tentent d'arriver à leurs fins par la persuasion, les fonctionnaires ont tout de même plusieurs avantages sur les ministres, le plus important étant sans doute de détenir le monopole de l'information. Cela

---

98. Voir, sur cet épisode, Joseph T. JOCKEL, « The Military Establishments and the Creation of NORAD », *American Review of Canadian Studies*, vol. 12, n° 3, automne 1982 ; Michel FORTMANN, « La politique de défense canadienne », dans Paul PAINCHAUD (dir.), *De Mackenzie King à Pierre Trudeau, quarante ans de diplomatie canadienne (1945-1985)*, Québec, Presses de l'Université Laval, 1988, p. 488-489.

99. Kim Richard NOSSAL, « Allison Through the (Ottawa) Looking Glass : Bureaucratic Politics and Foreign Policy in a Parliamentary System », *Canadian Public Administration*, vol. 22, hiver 1979, p. 610-626. Voir aussi Nelson MICHAUD, « Graham Allison et le paradigme bureaucratique : vingt-cinq ans plus tard est-il encore utile ? », *Études internationales*, vol. 27, n° 4, décembre 1996, p. 769-794.

se vérifie tout particulièrement en politique étrangère et en défense, où l'État garde secrètes la plupart des sources de renseignements qui influencent la bureaucratie sur la politique à suivre – une pratique considérée comme nécessaire pour assurer la sécurité nationale ou garantir le succès des négociations entre États. Par conséquent, les politiciens disposent rarement d'autres sources d'analyse pouvant prétendre être aussi dignes de foi.

Certains ont tout de même tenté de remédier à ce problème. Par exemple, Flora MacDonald a cherché à établir « un meilleur équilibre entre ministres et mandarins », en allant chercher conseil à l'extérieur du cercle restreint des bureaucrates. Mais ces sources, qui n'ont pas accès aux mêmes informations et ne disposent pas de la même expertise, sont rarement en mesure de rivaliser avec les fonctionnaires. De telles initiatives peuvent même avoir des résultats gênants. La décision de Joe Clark, en 1979, de déménager l'ambassade du Canada en Israël, de Tel-Aviv à Jérusalem, était fondée sur l'analyse faite par un avocat torontois, qui avait assuré le premier ministre que les États arabes protesteraient vigoureusement, mais ne tenteraient aucune action d'importance contre le Canada. Totalement erronée, cette analyse, et la décision qui s'ensuivit, plongea le gouvernement dans un guêpier politique inextricable[100]. D'autre part, une des raisons pour laquelle le gouvernement Mulroney avait été si embarrassé par l'affaire Al-Mashat venait de ce que le chef de cabinet de Clark, au printemps 1991, avait fait l'objet d'une nomination politique, et qu'il avait peu d'expérience dans les Affaires extérieures. David Daubney, un ancien député conservateur défait aux élections de 1988, a admis lors de l'enquête du comité du Parlement qu'il n'avait pas transmis la note de service sur Al-Mashat à Clark parce qu'il ne l'avait pas cru important. Après tout, avait-il dit, il n'était pas un fonctionnaire de carrière, et on ne pouvait donc pas s'attendre à ce qu'il saisisse la signification de la défection d'un diplomate irakien pendant la guerre du Golfe[101].

100. George TAKACH, « Moving the Embassy to Jerusalem, 1979 », dans Don MUNTON et John KIRTON, *Canadian Foreign Policy : Selected Cases*, Scarborough, Prentice-Hall Canada, 1992, p. 273-285 ; Charles FLICKER, « Next Year in Jerusalem. Joe Clark and the Jerusalem Embassy Affair », *International Journal*, vol. 58, n° 1, hiver 2002-2003, p. 115-138.
101. S. L. SUTHERLAND, *op. cit.*, p. 590.

De même, lorsque Paul Martin voulut stimuler et renouveler la réflexion sur les activités internationales du Canada dans le cadre de la révision de la politique en cours depuis 2003, il fit appel à une professeure de l'Université Oxford, Jennifer Welsh, qui venait justement de publier un ouvrage très remarqué sur le sujet[102]. Martin espérait qu'elle parviendrait, en apportant un point de vue extérieur, à insuffler au processus le type de vision qu'il cherchait lui-même à l'égard de la politique étrangère. Mais l'expérience ne fut pas complètement couronnée de succès, en grande partie parce que les idées novatrices et audacieuses de Welsh et du premier ministre s'harmonisaient mal avec celles, plus traditionnelles, entretenues par la bureaucratie. Bien que, comme l'a noté Allan Gotlieb[103], la participation de Welsh au processus ait contribué à renforcer la cohérence de l'*Énoncé de politique internationale du Canada* de 2005, elle engendra aussi sans doute d'importants retards dans la publication du document, puisqu'il aura fallu au préalable réconcilier les positions contradictoires des différents acteurs participant à sa rédaction.

Le pouvoir de la bureaucratie est modulé par les perceptions individuelles des fonctionnaires, qui reconnaissent la structure formelle de l'autorité politique. Non seulement cette reconnaissance limite-t-elle les abus, mais elle permet aussi aux ministres d'exercer les prérogatives qui sont les leurs[104]. Ainsi, le consensus qui s'est formé au sein du Ministère après la Deuxième Guerre mondiale face à l'approche internationaliste du Canada est un bon exemple d'une politique formulée et soutenue d'abord par les fonctionnaires. Le premier ministre, pour sa part, était plus ambivalent. Dans son journal, King disait être ennuyé par « l'idée répandue aux [Affaires extérieures] que ce sont les conseillers qui doivent tout régler, et que les ministres ou le premier ministre passent en second[105] ». Cependant, s'ils proposaient des politiques, ces fonctionnaires – Pearson, Norman Robertson, Hume Wrong et Escott

---

102. Jennifer WELSH, *At Home in the World : Canada's Global Vision for the 21st Century*, Toronto, HarperCollins, 2004.

103. Allan GOTLIEB, « The Three Prophets of Foreign Policy », *The Globe and Mail*, 11 mai 2005, p. A-19.

104. Michael M. ATKINSON et Kim Richard NOSSAL, « Bureaucratic Politics and the New Fighter Aircraft Decisions », *Canadian Public Administration*, vol. 24, hiver 1981, p. 531-562.

105. Cité dans J. L. GRANATSTEIN, *op. cit.* (1981), p. 107-108.

Reid – étaient conscients que c'étaient les ministres qui avaient le dernier mot, et ils devaient s'efforcer d'obtenir cette approbation. Par exemple, Pearson dut faire preuve de ténacité pour que King, en 1948, donne suite à l'invitation du premier ministre britannique d'ouvrir des négociations sur ce qui allait devenir l'Alliance atlantique[106].

Évaluer l'influence bureaucratique

La bureaucratie a généralement peu d'influence sur la définition des grandes orientations de la politique étrangère, car, en théorie du moins, c'est aux dirigeants politiques que revient cette tâche. Ils le font généralement au début de leur mandat. Ainsi, Louis Saint-Laurent exposa ses objectifs dans leurs grandes lignes lors de la « conférence Gray », en 1947, peu après avoir succédé à Mackenzie King. Trudeau agit de la même façon en publiant un livre blanc sur la politique extérieure en 1970. En 1985, le gouvernement Mulroney publia son livre vert (c'est-à-dire une publication gouvernementale destinée à amorcer une réflexion) sur la politique extérieure puis, en 1986, une réponse détaillée à un rapport parlementaire sur le même sujet. Jean Chrétien, pour sa part, élu en 1993, a défini les grandes lignes de sa politique étrangère en février 1995, et Paul Martin publia ses objectifs en cette matière en avril 2005, soit un an et demi après avoir accédé à la fonction de premier ministre[107].

Depuis la Deuxième Guerre mondiale, six livres blancs sur la Défense ont ainsi été publiés, généralement dans les mois suivant l'arrivée au pouvoir d'un nouveau gouvernement. Celui de Brooke Claxton est paru à la même époque que le texte de la conférence Gray, en 1947 ; celui de Paul Hellyer, en

---

106. Voir Escott REID, « The Birth of the North Atlantic Alliance », *International Journal*, vol. 22, n° 3, été 1967, p. 428.
107. Louis SAINT-LAURENT, « The Foundation of Canadian Policy in World Affairs » (Gray Foundation Lectureship), *Statements and Speeches*, vol. 47, n° 2, Toronto, 13 janvier 1947 ; SECRÉTAIRE D'ÉTAT AUX AFFAIRES EXTÉRIEURES, *Compétitivité et sécurité : orientations pour les relations extérieures du Canada*, Ottawa, Approvisionnements et Services Canada, 1985 ; GOUVERNEMENT DU CANADA, *Le Canada dans le monde. Énoncé du gouvernement*, Ottawa, Gouvernement du Canada, 1995 ; GOUVERNEMENT DU CANADA, *Fierté et influence : notre rôle dans le monde* (*Énoncé de politique internationale du Canada*), Ottawa, 19 avril 2005.

1964, suivit de peu le retour aux commandes des libéraux de Pearson ; celui de Donald Macdonald (1971), juste après l'élection de Pierre Trudeau ; celui de David Collenette (1994) a été publié un an après la victoire de Jean Chrétien. Enfin, celui de Bill Graham a été produit dans le cadre de la formulation de la politique internationale du Canada et présenté par le gouvernement Martin en 2005. Seul celui de Perrin Beatty (1987) semble faire exception, puisqu'il a été présenté trois ans après la prise du pouvoir par les conservateurs de Brian Mulroney[108].

Toutefois, définir les objectifs à long terme de la politique étrangère dans des documents qui vont ensuite orner les bibliothèques des diplomates et des fonctionnaires est une étape, mais transformer ces intentions en actions en est une autre. Si la bureaucratie n'a pas eu d'impact sur l'établissement des priorités en 1970, son influence s'est fait sentir lorsque vint le temps de définir les stratégies pour les mettre en œuvre. À la suite des « chocs » monétaires et économiques découlant des décisions de Nixon en 1971, les Affaires extérieures se mirent à repenser l'approche du Canada face aux États-Unis. En 1972, le ministre Mitchell Sharp dévoila les moyens qui permettraient d'atteindre les objectifs fixés deux ans plus tôt : le Canada allait diversifier ses relations économiques, et ainsi, espérait-on, réduire sa dépendance à l'égard de l'économie américaine[109].

Les pourparlers du libre-échange, dans les années 1980, offrent un autre exemple de cette dynamique : en septembre 1985, le gouvernement Mulroney avait clairement manifesté son intention de conclure un accord de libre-échange avec les États-Unis – ce à quoi étaient opposés les fonctionnaires, et en particulier ceux des Affaires extérieures. Ces derniers s'inquiétaient des effets potentiels de cette entente bilatérale sur la participation du Canada au régime commercial multilatéral. D'anciens diplomates, dont John Holmes, John Halstead et George Ignatieff, se prononcèrent publiquement contre l'accord[110]. La volonté des ministres l'emporta finalement, mais le Cabinet laissa néanmoins aux fonctionnaires le soin d'élaborer la stratégie destinée

---

108. Voir Douglas L. Bland, *op. cit.* (1997).

109. Mitchell Sharp, « Relations canado-américaines : choix pour l'avenir », *Perspectives internationales*, automne 1972. Voir aussi Mitchell Sharp, *Which Reminds Me... A Memoir*, Toronto, University of Toronto Press, 1994, p. 184-185.

110. Michael Hart, Bill Dymond et Colin Robinson, *op. cit.*, p. 90-91 et 398, note 4.

à atteindre cet objectif. Les négociateurs, Reisman et plus tard Derek Burney, avaient toute latitude pour établir des modalités de l'accord, ce que le Canada pouvait négocier, et ce qu'il devait obtenir minimalement.

À l'inverse, les fonctionnaires peuvent sérieusement mettre en péril la mise en œuvre d'une politique qu'ils jugent néfaste. Ainsi, le livre blanc sur la Défense de 1971 prévoyait un réagencement des priorités militaires du Canada ; la contribution à l'Alliance atlantique, qui avait jusque-là occupé le premier rang des priorités, passa soudainement en troisième position, derrière la protection de la souveraineté et la défense du continent. Échaudés par la réaction très négative des alliés européens à l'annonce, en 1968, du retrait de la moitié du contingent stationné en Allemagne, les militaires mirent bien peu d'ardeur à traduire en acte l'énoncé de politique du gouvernement, si bien que les effets concrets de cette décision furent insignifiants.

Des ministres déterminés peuvent donc généralement imposer leur point de vue quand vient le temps d'établir des objectifs généraux et, par le fait même, forcer la bureaucratie à s'accommoder de décisions difficiles à accepter. Mais les ministres doivent aussi s'appuyer sur l'expertise de leurs fonctionnaires s'ils veulent atteindre ces objectifs généraux, ce qui confère aux seconds une influence significative, et même parfois une capacité de résistance aux changements.

Mais il convient cependant de noter que des décisions majeures, comme celle d'entreprendre une révision de la politique étrangère ou de la politique de défense, ou encore d'entreprendre des négociations avec les États-Unis, sont exceptionnelles. Dans les faits, les fonctionnaires vivent essentiellement au rythme d'une routine établie parfois de longue date et dont la finalité est devenue vague. En ce sens, la gestion de la politique étrangère défie toute logique cartésienne. Charles Ritchie, un diplomate de haut rang, écrivit un jour dans son journal : « Je vois la politique comme un parcours tortueux vers un objectif imprécis. Décisions sans subtilité, déclarations sans nuance, antagonismes irréconciliables, tout ceci est étranger à ma nature et à mon éducation[111]. » Geoffrey Pearson, qui venait en 1977 de terminer son mandat en tant que directeur du Groupe d'analyse des politiques, une division du

---

111. Charles RITCHIE, *Diplomatic Passport: More Undiplomatic Diaries*, 1946-1962, Toronto, Macmillan, 1981, p. 56.

Ministère chargée d'élaborer les objectifs à long terme, posait un jugement sévère à cet égard : « En règle générale, les gouvernements ne planifient pas la politique étrangère. [...] La planification requiert des objectifs clairs, des moyens identifiables d'y parvenir, et un certain contrôle sur l'environnement dans lequel on opère. Ces conditions sont rarement présentes en relations internationales[112]. » C'est ce qui fait dire à certains que les grands énoncés de politique étrangère ne sont que des « instantanés » qui ne font que décrire le contexte national et international de l'époque où ils sont écrits[113].

Il est extrêmement difficile de concevoir les grandes lignes de la politique étrangère, si bien que les ministres et les mandarins préfèrent se concentrer sur les problèmes diplomatiques quotidiens. Ces « petites » décisions, comme le sens du vote de la délégation canadienne sur une résolution de l'assemblée générale des Nations Unies, ou encore les sujets devant être abordés lors de la visite d'un dignitaire étranger, n'ont bien souvent que des conséquences mineures, mais elles sont extrêmement nombreuses. Le ministre qui tenterait de superviser et de contrôler tous les aspects de la politique étrangère serait rapidement enseveli sous une masse de dépêches, télécopies, notes de service, courriels et documents d'information. Il aurait peu de temps pour consulter toutes les informations nécessaires avant de prendre chacune des décisions.

C'est généralement sur ce plan que l'influence des fonctionnaires est la plus perceptible. Ceux-ci jouissent de la crédibilité que leur confère l'expérience ou la maîtrise des quelques dossiers bien spécifiques qu'ils pilotent. Ils peuvent donc prétendre être en meilleure position pour formuler la solution la plus adéquate à un problème qui touche à leur domaine de compétence. Ainsi, lorsqu'ils soumettent un problème ou une question à leur ministre, ils l'accompagnent généralement d'une proposition de solution

---

112. Daniel MADAR et Denis STAIRS, « Alone on Killer's Row : the Policy Analysis Group and the Department of External Affairs », *International Journal*, vol. 32, n° 4 automne 1977, p. 727 ; Geoffrey A. H. PEARSON, « Order Out of Chaos ? Some Reflections on Foreign Policy Planning in Canada », *International Journal*, vol. 32, automne 1977, p. 756.

113. William HOGG, « Plus ça change... Continuité, changement et culture dans les livres blancs sur la politique étrangère (1947-2005) » dans Stéphane Roussel (dir.) *Politique de défense et culture stratégique : l'expérience canadienne*, Montréal, Athena, p. 103-127.

ou de réponse. S'il s'agit d'une question perçue (à tort ou à raison !) comme mineure ou de peu d'intérêt politique, le ministre approuvera probablement la suggestion sur-le-champ, parfois de façon distraite. La solution adoptée pourra alors être qualifiée de « décision bureaucratique », par opposition aux décisions politiques.

* * *

Le contrôle du premier ministre sur la politique étrangère tient au fait qu'il nomme les membres du Cabinet, qu'il détermine les grandes priorités du gouvernement et qu'il représente le pays lors des sommets internationaux. Celui des ministres découle de leur capacité à définir les grandes orientations de leur ministère, des dossiers qu'ils pilotent (du moins ceux qui ne sont pas sur le bureau du premier ministre) et du prestige de la fonction. L'influence des fonctionnaires se situe, quant à elle, à l'autre extrémité de l'éventail et porte surtout sur les décisions courantes. Les organisations gouvernementales mises en place au cours du XXe siècle pour prodiguer des conseils aux dirigeants politiques en sont venues, par le fait même, à exercer une influence grandissante sur le processus d'élaboration de la politique étrangère. Leur expertise, l'accès privilégié qu'ils ont à l'information font des fonctionnaires une source indispensable de conseils pour un ministre qui, ayant décidé des objectifs à atteindre, doit ensuite déterminer les moyens de les atteindre.

9

LE RÔLE DU PARLEMENT

Le Parlement canadien joue un rôle marginal dans l'élaboration de la politique étrangère, comme le reconnaissent presque unanimement les analystes[1]. Au Canada, et dans la plupart des démocraties parlementaires, c'est au Cabinet que revient cette fonction. Même si les ministres sont responsables devant le Parlement, ce dernier a été relégué, en ce domaine comme en bien d'autres, à un rôle de second plan. Contrairement à ce qui se passe aux États-Unis, où l'exécutif et le législatif se partagent l'autorité constitutionnelle en matière de politique étrangère, et où le législateur a une influence réelle sur la conduite de celle-ci[2], le partage des pouvoirs dans le système politique

---

1. Par exemple, Gerald SCHMITZ, « Les livres blancs sur la politique étrangère et le rôle du Parlement du Canada : un paradoxe qui n'est cependant pas sans potentiel », *Études internationales*, vol. 37, n° 1, mars 2006, p. 91-120 ; Douglas L. BLAND et Roy REMPEL, « A Vigilant Parliament : Building Competence for Effective Parliamentary Oversight of National Defence and the Canadian Armed Forces », *Enjeux publics*, vol. 5, n° 1, février 2004 ; Roy REMPEL, *The Chatter Box. An Inside's Account of the Irrelevance of Parliament in the Making of Canadian Foreign and Defence Policy*, Toronto, Breakout Educational Network, 2002. Voir aussi John ENGLISH, « The Member of Parliament and Foreign Policy », dans Fen Osler HAMPSON et Maureen Appel MOLOT (dir.), *Canada Among Nations 1998. Leadership and Dialogue*, Ottawa, Carleton University Press, 1998, p. 69-80. Ces observations rejoignent celles de Michael Hawes, publié il y a plus de vingt ans : *Principal Power, Middle Power, or Satellite ?*, Toronto, York Research Programme in Strategic Studies, 1984, p. 12-15.
2. Voir, par exemple, Muriel DELPORTE, *La politique étrangère américaine depuis 1945*, Bruxelles, Complexe, 1996, p. 43-49 ; David LEYTON-BROWN, « The Role of Congress in the Making of Foreign Policy », *International Journal*, vol. 38, hiver 1982-1983, p. 59-76. Pour une réflexion sur les raisons qui expliquent les différences entre

canadien limite la capacité du Parlement à jouer un rôle significatif dans l'élaboration des relations avec l'étranger.

UNE INSTITUTION AUX POUVOIRS LIMITÉS, MAIS INFLUENTE

Plusieurs raisons peuvent expliquer cette marginalisation. La première est liée à la nature même de la politique étrangère, qui ne laisse que peu d'occasions aux parlementaires de faire ce pour quoi ils ont été élus : légiférer. En effet, l'élaboration et la mise en œuvre des relations extérieures nécessitent rarement l'adoption ou la modification de lois ou de règlements. Il existe bien quelques rares exceptions à cette règle, comme la *Loi sur la prévention de la pollution des eaux arctiques* de 1970, le projet de loi C-130 de 1988 visant à ratifier le traité de libre-échange entre le Canada et les États-Unis, ou encore la loi qui, en 2005, entérine la scission entre Affaires étrangères Canada et Commerce international Canada (mais qui sera rejetée).

La deuxième raison vient de ce que le Cabinet n'a jamais accepté d'accorder au Parlement des pouvoirs significatifs en matière de politique étrangère. Lorsque le ministre des Affaires extérieures de Lester Pearson, Paul Martin (père), écrivait en 1969 que les législateurs «peuvent discuter de la politique étrangère, mais ils ne peuvent pas la faire[3] », il ne faisait que rappeler un demi-siècle de contrôle du processus décisionnel par l'exécutif.

Pourtant, tous les premiers ministres, de Laurier à Chrétien, ont clamé haut et fort que le Parlement est l'instance suprême en politique étrangère. Sir Wilfrid Laurier fut d'ailleurs le premier à utiliser une formule, devenue célèbre avec le temps, selon laquelle « le Parlement décidera ». Lors d'un débat à la Chambre des communes à propos du projet de loi sur le service naval, en février 1910, il déclara que :

> [s]i l'Angleterre est en guerre, nous sommes exposés à être attaqués. Je ne dis pas que nous serons toujours attaqués, et je ne dis pas non plus que nous devrons prendre part à toutes les guerres de l'Angleterre. C'est une matière qui doit être

---

3. les parlementaires canadiens et leurs homologues américains et britanniques en matière de politique étrangère, voir John ENGLISH, *op. cit.*, p. 78-79.
3. Paul MARTIN, « The Role of the Canadian Parliament in the Formulation of Foreign Policy », *The Parliamentarian*, n° 50, octobre 1969, p. 259.

réglée suivant les circonstances et sur laquelle le Parlement canadien aura à se prononcer au meilleur de son jugement[4].

Mackenzie King reprit la formule lors de la crise de Tchanak, en 1922. Contraint de répondre à une requête impériale concernant l'envoi de troupes dans les Dardanelles, King, qui était alors dans une position précaire au Cabinet, esquiva la question en insistant sur le fait que la requête devrait être débattue au Parlement[5]. Jean Chrétien, 70 ans plus tard, utilisa la même tactique lorsqu'il dut répondre aux demandes de l'ONU d'envoyer des Casques bleus canadiens en ex-Yougoslavie. Après avoir rencontré son homologue britannique John Major à Londres, le 6 janvier 1994, Chrétien émit une réserve : il ne prendrait pas de décision avant le débat parlementaire, prévu plus tard au courant du mois. « Si je prends une décision, ce ne sera plus un débat[6]. » Près de deux ans plus tard, lorsque le Canada fut sollicité pour participer à la Force militaire internationale de mise en œuvre (IFOR) de l'Organisation du Traité de l'Atlantique Nord (OTAN) en Bosnie, Chrétien répondit : « Avant de prendre une décision, nous allons en référer à la Chambre des communes[7]. » Toutefois, lorsqu'un premier ministre utilise cette formule, cela ne signifie pas nécessairement que l'avis du Parlement sera écouté ; il s'agit, en fait, d'un moyen de gagner du temps ou de rejeter de façon détournée une requête politiquement embarrassante provenant d'un gouvernement étranger.

La troisième raison expliquant le peu d'impact du Parlement sur la politique étrangère tient à l'attitude des parlementaires eux-mêmes, qui contestent rarement la mainmise de leurs collègues membres du Cabinet en ce domaine, contrairement à ce que font leurs homologues britanniques ou australiens[8]. Comme on le verra dans la section consacrée à la Chambre des communes, les députés n'ont que peu d'intérêt à se plonger dans l'étude des questions

---

4. Chambre des communes, *Débats*, 2ᵉ session, 11ᵉ législature (1909-1910), 3 février 1910, p. 3129.
5. James Eayrs, *In Defence of Canada*, vol. 1 : *From the Great War to the Great Depression*, Toronto, University of Toronto Press, 1964, p. 78-80.
6. *The Globe and Mail*, 14 janvier 1994.
7. *The Globe and Mail*, 20 octobre 1995.
8. William Wallace, *The Foreign Policy Process in Britain*, Londres, George Allen & Unwin, 1976, p. 93 ; Margaret Kipling, *Whips in the House : The Canberra Backbench Experience*, Fishwyck, ACT, M&J Press, 1969, p. 7 et 159.

internationales. Même les membres du « cabinet fantôme », c'est-à-dire les députés de l'opposition chargés de couvrir les activités d'un ministre spécifique, sont aussi peu enclins à changer cette tradition, d'autant plus qu'ils connaissent la faible valeur électorale des débats touchant à la politique étrangère. Tout ceci explique qu'il n'y ait pas eu d'effort concerté pour rogner la prérogative de l'exécutif dans la formulation et la mise en œuvre de la politique étrangère.

Il n'en demeure pas moins que le Parlement a un rôle à jouer en politique étrangère, aussi limité soit-il. Si les parlementaires n'ont presque pas de pouvoir, ils conservent une certaine influence, qu'ils peuvent exercer « en amont », en contribuant à la formulation des grandes orientations, ou « en aval », en évaluant la performance du gouvernement en cette matière[9]. Ils peuvent le faire de plusieurs façons, que ce soit en interpellant des ministres, en interrogeant des témoins ou en participant à des discussions.

Les principaux atouts dont disposent les parlementaires pour exercer cette influence sont non seulement liés à la légitimité que leur confère leur statut de législateur et de « chien de garde » de l'exécutif, mais aussi à la visibilité qui découle de leurs fonctions. Ils disposent, en effet, de nombreuses tribunes pour intervenir : Chambre des communes ou Sénat, comités, réunions et activités partisanes, conférences de presse. Enfin, ils ont un accès privilégié aux ministres et aux hauts fonctionnaires, ce qui leur permet plus facilement d'exprimer leurs points de vue. Pour ces raisons, on ne peut négliger le rôle du Parlement en politique étrangère.

LES INSTANCES PARLEMENTAIRES ET LEURS FONCTIONS

Le Sénat

Le Sénat est la Chambre haute du Parlement canadien. Il est souvent décrit comme une prestigieuse sinécure offerte à des fidèles du parti au pouvoir, à des ministres inefficaces ou embarrassants, ou à des députés ayant longtemps

---

9. Denis STAIRS, « The Foreign Policy of Canada », dans James ROSENAU, Kenneth W. THOMPSON et David BOYD (dir.), *World Politics : An Introduction*, New York, Free Press, 1976, p. 188 ; James EAYRS, *The Art of the Possible : Government and Foreign Policy in Canada*, Toronto, University of Toronto Press, 1961, p. 103.

et fidèlement usé les banquettes arrière du gouvernement. « Inutile », « impotent », « illégitime » et « coûteux » comptent parmi les épithètes les plus couramment employées pour décrire cette institution et ses occupants. Ce n'était certainement pas là l'intention des pères de la Confédération[10]. Le Sénat était originellement conçu pour donner une certaine représentation aux différentes régions du Canada dans les institutions fédérales. Il avait aussi pour fonction de tempérer l'impétuosité des membres de la Chambre des communes, impétuosité résultant des préoccupations électoralistes. Mais aucune de ces deux fonctions n'a évolué comme l'espéraient les rédacteurs de la Constitution. De plus, le Sénat n'a jamais acquis une place importante dans l'arène politique canadienne. Sir George Foster, le ministre du Commerce de Borden qui avait représenté le Canada à la Conférence de la paix de Versailles, déclarait lors de sa nomination au Sénat : « J'ai signé aujourd'hui mon arrêt de mort politique… Si fade est le Sénat – les portes de l'extinction[11]. »

Toutefois, le Sénat a beaucoup plus d'influence sur la vie politique canadienne, y compris en politique étrangère, que l'idée que l'on s'en fait généralement, même si cette influence n'est pas aussi grande que celle de la Chambre des communes[12]. Cette instance assume trois pouvoirs : approuver les projets de loi, débattre des sujets d'intérêt public et, enfin, enquêter sur ceux, parmi ces derniers, qui semblent les plus controversés ou les plus urgents[13]. Comme leurs collègues de la Chambre des communes, les sénateurs peuvent formuler des projets de loi, sauf s'ils sont de nature financière.

Le Sénat peut suggérer des amendements à un projet de loi, comme il peut le rejeter définitivement. Toutefois, cette opposition se manifeste surtout dans les rares cas où la majorité à la Chambre des communes est détenue

10. Pour une description des activités du Sénat, voir Marcel R. PELLETIER, « Le pouvoir législatif : le Sénat et la Chambre des communes », dans Manon TREMBLAY, Réjean PELLETIER et Marcel R. PELLETIER (dir.), *Le parlementarisme canadien*, Québec, Presses de l'Université Laval, 2000, p. 225.
11. Cité dans W. Stewart WALLACE, *The Memoirs of the Rt. Hon. Sir George Foster*, Toronto, Macmillan, 1933, p. 207.
12. André BERNARD, *La vie politique au Québec et au Canada*, Sainte-Foy, Presses de l'Université du Québec, 1996, p. 449-452.
13. Marcel R. PELLETIER, *op. cit.*, p. 227.

par un autre parti que celui qui contrôle le Sénat[14]. Par exemple, en 1913, la majorité libérale à la Chambre haute a rejeté le projet de loi relatif aux forces navales présenté par le gouvernement conservateur de Robert Borden. Pourtant, il arrive qu'un Sénat dominé par le même parti qui règne à la Chambre refuse de se plier à la ligne partisane. Ainsi, au printemps de 1992, la majorité conservatrice au Sénat a rejeté le projet de loi C-93, présenté par le gouvernement de Brian Mulroney qui voulait transférer les programmes culturels internationaux au Conseil des arts du Canada.

Ces pouvoirs permettent aux sénateurs de retarder l'adoption de certaines lois émanant de la Chambre des communes. Ainsi, en juillet 1988, John Turner, qui était le chef de l'opposition libérale, a tenté de raviver les pouvoirs du Sénat. Voulant provoquer des élections générales, il donna l'instruction à la majorité libérale au Sénat de voter contre le projet de loi C-130 sur le libre-échange. Cependant, l'érosion de la légitimité politique du Sénat, provoquée par des années de favoritisme, était telle que la tentative de Turner fut largement dénoncée, tant par les opposants du libre-échange que par ses partisans[15]. Le sénateur présidant le comité des Affaires étrangères, le libéral George Van Roggen, préféra démissionner de la présidence plutôt que d'avoir à se plier aux instructions de Turner.

Les délibérations du Sénat jouent un rôle moins significatif en politique étrangère, puisque les débats y sont superficiels et la période des questions peu suivie. C'est plutôt par l'entremise des comités permanents, dont la tâche principale est de mener des enquêtes sur des questions spécifiques, que les sénateurs peuvent espérer exercer une influence. La liste des comités et des sous-comités peut varier d'une session parlementaire à l'autre, au gré des priorités. Ainsi, si le Comité des Affaires étrangères a toujours existé, celui de la Défense n'a fonctionné que de façon intermittente, parfois en tant que comité permanent, parfois en tant que comité spécial, et parfois en tant que sous-comité du comité sur les Affaires étrangères. Aboli dans les années 1990, il a été recréé en mai 2001, sous le nom de comité permanent de la Sécurité nationale et de la Défense.

---

14. André BERNARD, *op. cit.*, p. 451-452.
15. Peter C. NEWMAN, « An Exercise in Liberal Arrogance », *Maclean's*, 8 août 1988, p. 29 ; Ed Broadbent, qui était le chef du Nouveau Parti démocratique, critiqua aussi le geste de Turner, malgré son opposition au libre-échange.

Depuis 1960, le Sénat a acquis un pouvoir d'enquête et d'examen des politiques gouvernementales. Au fil des ans, ses comités ont mené de nombreuses enquêtes sur différentes facettes des activités internationales du Canada. Par exemple, au début des années 1980, le comité de la Défense a entrepris une série d'études particulièrement remarquées sur les composantes des Forces canadiennes[16]. Ces documents, qui se fondent généralement sur des recherches minutieuses et de nombreux témoignages, se révèlent être une précieuse source d'information pour le chercheur en politique étrangère.

C'est aussi à partir des années 1960 que le Sénat a pris l'habitude de participer aux réflexions de fond qui suivent généralement les changements de régime, notamment en contribuant aux consultations sur la politique étrangère et la défense. Ainsi, la décision de Trudeau, en 1968, de réviser de fond en comble la politique étrangère a incité le Sénat à faire de même. Des sénateurs ont aussi participé aux comités mixtes spéciaux du Parlement qui se sont livrés à la même opération pour le compte du gouvernement Mulroney en 1986, et pour celui de Jean Chrétien en 1994[17].

De façon générale, les comités du Sénat s'attaquent rarement de front aux politiques du gouvernement; ils recommandent plutôt des ajustements et offrent des suggestions sur la meilleure manière d'atteindre les buts que se fixe le Cabinet. Toutefois, ils peuvent parfois lancer des pavés dans la mare,

---

16. PARLEMENT DU CANADA, *Les effectifs des Forces armées canadiennes. Rapport du sous-comité sur la Défense nationale du Comité sénatorial permanent des Affaires étrangères*, Ottawa, Ministre des Approvisionnements et Services Canada, janvier 1982 ; *La défense maritime du Canada. Rapport du sous-comité sur la Défense nationale du Comité sénatorial permanent des Affaires étrangères*, mai 1983 ; *La défense aérienne du territoire canadien. Rapport du Comité spécial du Sénat sur la Défense nationale*, 1985 ; *Les forces terrestres du Canada. Rapport du Comité spécial du Sénat sur la Défense nationale*, octobre 1989. Pour une étude de ces travaux, voir R. P. PATTEE et Paul G. THOMAS, « The Senate and Defence Policy : Subcommittee Report on Canada's Maritime Defence », dans David TARAS (dir.), *Parliament and Canadian Foreign Policy*, Toronto, Canadian Institute of International Affairs, 1985, p. 101-119.

17. PARLEMENT DU CANADA, *Indépendance et internationalisme. Rapport du Comité mixte spécial sur les relations extérieures du Canada*, Ottawa, 1986 ; *La politique étrangère du Canada. Rapport du Comité mixte spécial du Sénat et de la Chambre des communes chargé de l'examen de la politique étrangère du Canada*, Ottawa, Services des publications, Direction des publications parlementaires, 1994.

en émettant des recommandations qui étonnent par leur audace ou par leur caractère radical. Moins sensibles aux humeurs de l'opinion publique, les sénateurs peuvent exprimer tout haut ce que certains collègues de la Chambre des communes pensent tout bas de crainte de heurter leurs électeurs.

Les sénateurs sont souvent le relais d'idées et de valeurs véhiculées par des groupes sociaux, des organisations non gouvernementales, des gens d'affaires ou encore des fonctionnaires et des militaires. Les recommandations des comités du Sénat semblent parfois audacieuses en raison des idées novatrices sur lesquelles elles se fondent. Toutefois, lorsqu'elles choquent, c'est le plus souvent en raison de leur caractère très conservateur[18].

L'attitude favorable du Comité des Affaires étrangères à l'égard du milieu des affaires peut être démontrée par la recommandation du rapport de 1978 sur le commerce entre le Canada et les États-Unis, lequel conseillait au gouvernement « d'envisager avec sérieux la possibilité d'un libre-échange bilatéral avec les États-Unis ». Au cours des trois années et demie suivantes, le Comité explora la faisabilité de cette option, pour conclure en 1982 que le Canada avait plus à gagner qu'à perdre d'un accord général de libre-échange[19]. Trudeau devait cependant refuser d'écouter cette suggestion. Et si le rapport du Sénat n'est pas directement à l'origine de la décision de Brian Mulroney d'engager des discussions en vue de conclure un tel accord, il est possible que ce document ait contribué à légitimer l'idée du libre-échange.

Sur le plan de la défense et de la sécurité, les sénateurs semblent aussi plus enclins à défendre des positions conservatrices. Au fil des ans, le Sénat a souvent fait écho aux nombreuses demandes (venant généralement des spécialistes qui défilent devant le Comité de la Défense nationale) visant à accroître le budget attribué aux Forces canadiennes. Après le 11 septembre

---

18. Cette distinction rappelle celle faite par Colin Campbell, qui établissait une dichotomie entre les sénateurs « critiques des affaires » et les « enquêteurs sociaux ». Colin CAMPBELL, *The Canadian Senate : A Lobby from Within*, Toronto, Macmillan of Canada, 1978.

19. PARLEMENT DU CANADA, *Les relations du Canada avec les États-Unis*, Comité permanent des Affaires étrangères, vol. 2, Ottawa, juin 1978 ; vol. 3, passim, Ottawa, mars 1982.

2001, les pressions exercées par le Sénat se sont faites encore plus insistantes, puisque trois rapports, émis en quelques mois, ont martelé cette opinion[20].

Le gouvernement s'est rarement empressé de suivre les recommandations émises par le Comité permanent des Affaires étrangères. Cela est dû en partie à la nature du rôle de contrôle parlementaire, qui se fait toujours *ex post facto* : les enquêtes se font toujours en réaction à des événements qui se sont déjà produits. Par exemple, l'étude de 1993 sur le maintien de la paix tire son origine de la transformation radicale du rôle des forces de maintien de la paix de l'après-Guerre froide[21]. Suivre la politique du gouvernement de cette manière permet au comité de suggérer des modifications ; en revanche, sa capacité à donner le ton est plutôt limitée[22].

La Chambre des communes

La Chambre des communes est l'institution parlementaire fédérale la plus visible au Canada. De façon générale, son influence est plus importante que celle du Sénat. Trois facteurs peuvent expliquer l'influence de cette instance. En premier lieu, les députés, élus au suffrage universel, jouissent d'une grande légitimité. En deuxième lieu, c'est du rang de la députation que provient la très grande majorité des membres du Cabinet. Enfin, c'est aux Communes que se font et, parfois, se défont les gouvernements. Ceux-ci sont formés par le parti qui dispose du plus grand nombre de sièges et c'est son chef qui est désigné premier ministre. Le gouvernement doit donc conserver la confiance de la Chambre pour continuer à diriger le pays[23].

---

20. Parlement du Canada, *L'état de préparation du Canada sur les plans de la sécurité et de la défense. Rapport du Comité sénatorial permanent de la Sécurité nationale et de la Défense*, Ottawa, février 2002 ; *La défense de l'Amérique du Nord : une responsabilité canadienne. Rapport du Comité sénatorial permanent de la Sécurité nationale et de la Défense*, Ottawa, septembre 2002 ; *Pour 130 dollars de plus... Rapport du Comité sénatorial permanent de la Sécurité nationale et de la Défense*, Ottawa, novembre 2002.

21. Parlement du Canada, *Le Canada face au défi du maintien de la paix dans une ère nouvelle. Rapport du Comité sénatorial permanent des Affaires étrangères*, Ottawa, Approvisionnements et Services Canada, février 1993.

22. W. M. Dobell, « Parliament's Foreign Policy Committees, », dans David Taras (dir.), *op. cit.*, p. 29-34.

23. Pour un résumé des pouvoirs et fonctions de la Chambre des communes, voir Marcel R. Pelletier, *op. cit.*, p. 231-245.

Toutefois, le pouvoir potentiellement énorme des députés est tempéré par plusieurs facteurs, dont le plus important est la discipline de parti. Celle-ci signifie qu'un député doit, sauf en de rares exceptions de « vote libre », voter dans le sens que lui indique son chef. Ceci permet au parti au pouvoir d'éviter d'être placé en minorité (et donc de devoir dissoudre la Chambre), et à l'opposition de conserver sa force de contrepoids. Toutefois, la discipline de parti enlève au député l'essentiel de son autonomie, et donc de sa capacité à peser sur le processus décisionnel.

Un autre facteur limitatif important est, comme nous le verrons en étudiant la fonction de représentation du député, la faible valeur électorale des questions relevant de la politique étrangère, ceci en raison du peu d'intérêt de la majorité des commettants pour ces questions. Il est difficile de mesurer l'intérêt du député moyen pour la politique étrangère. Même si la proportion des parlementaires qui ont une expérience internationale concrète a doublé entre 1970 et 1993, cette tendance ne se traduit visiblement pas par un niveau d'activité plus élevé[24]. Une étude menée par Douglas Bland révèle un niveau d'intérêt étonnant pour les questions de défense. Toutefois, elle indique aussi que la plupart des députés estiment ne pas recevoir l'information nécessaire de la part du gouvernement ou des fonctionnaires pour entreprendre une réflexion éclairée[25], ce qui en décourage probablement plus d'un.

Seuls les députés qui ont un intérêt personnel pour les relations internationales se démarquent vraiment par leur implication. Par exemple, Daniel Turp, député du Bloc québécois de 1997 à 2000, avait auparavant fait carrière comme professeur de droit international à l'Université de Montréal. Il fut l'un des députés de l'opposition les plus actifs au cours de la guerre du Kosovo (1999), talonnant sans cesse le gouvernement sur les aspects légaux des opérations de l'Alliance atlantique. Bill Graham, élu député pour la première fois en 1993, était lui aussi professeur de droit international et s'est toujours intéressé aux questions de politique étrangère. Nommé président

---

24. John ENGLISH, *op. cit.*
25. Douglas L. BLAND, « Parliament, Defence Policy and the Canadian Armed Forces », *The Claxton Papers*, n° 1, Kingston, School of Policy Studies, Queen's University, 1999. Les conclusions de cette étude sont résumées dans Douglas L. BLAND, « Défendre le Canada : la tâche du Parlement », *Revue militaire canadienne*, vol. 1, n° 4, hiver 2000-2001, p. 35-44.

du Comité permanent des Affaires étrangères et du Commerce international en 1995, il devait succéder à John Manley au poste de ministre des Affaires étrangères en janvier 2002, avant de devenir ministre de la Défense dans le second Cabinet Martin (2004-2006). Il en va de même pour Pierre Pettigrew, qui a remplacé Graham au poste de ministre des Affaires étrangères en 2004 et qui a toujours manifesté un intérêt pour les questions de commerce international.

Même s'il ne prend pas de décision en politique étrangère, le Parlement exerce une influence de façon indirecte, en remplissant quatre fonctions politiques importantes : la légitimation, la représentation, l'éducation et l'élaboration des politiques. Il peut ainsi contribuer au processus en approuvant (ou désavouant) les politiques du gouvernement et en participant à l'établissement de priorités[26].

La légitimation des politiques

La Chambre des communes tire une grande partie de son influence politique de sa légitimité. C'est, en effet, le seul corps politique national qui est élu au suffrage universel. Il peut donc prétendre parler au nom de l'ensemble de la population. Il assume la fonction de légitimation en conférant une autorité au premier ministre et au Cabinet, et en démontrant que ceux-ci conservent la confiance de la majorité des députés.

Puisque la plupart des décisions en politique étrangère sont prises par l'exécutif, sans débat en chambre, cette légitimité n'est conférée que de façon épisodique ou indirecte. Les députés expriment leur soutien par des votes de confiance et par l'attribution, chaque année, des crédits demandés par le gouvernement afin d'assurer le financement de ses activités à caractère international[27].

Le gouvernement se sert aussi des votes, motions et résolutions du Parlement afin de légitimer ses décisions potentiellement controversées, même

26. R. B. Byers, « Perceptions of Parliamentary Surveillance of the Executive : the Case of Canadian Defence Policy », *Revue canadienne de science politique*, n° 5, juin 1972, p. 234.
27. André Bernard, *op. cit.*, p. 445-446.

lorsqu'il n'a pas besoin de l'approbation formelle des députés. Le gouvernement peut ainsi répondre à ses éventuels détracteurs qu'il agit avec l'appui de la majorité des représentants de la population. Par exemple, la Chambre des communes a approuvé l'adhésion du Canada aux Nations Unies en 1945, et à l'OTAN en 1949. De même, en 1987, le gouvernement Mulroney a présenté une motion pour appuyer l'ouverture de négociations sur le libre-échange avec les États-Unis. De telles opérations de légitimation sont particulièrement importantes lorsqu'il s'agit d'un sujet aussi délicat que l'entrée en guerre – même si au Canada et contrairement à d'autres pays tels les États-Unis, l'appui du législatif n'est pas obligatoire. Le gouvernement est cependant tenu d'informer le Parlement, dans un délai de dix jours, lorsqu'il entend mettre des troupes en service actif.

Ainsi, Mackenzie King a tenu à ce que le Parlement approuve la déclaration de guerre à l'Allemagne en 1939, ce qu'il obtint presque à l'unanimité, puisque seulement quatre députés (dont trois nationalistes du Québec) s'opposèrent à la motion présentée le 9 septembre. Le lendemain, le Canada entrait en guerre. Cinquante et un ans plus tard, à la fin de l'été 1990, Brian Mulroney se trouve devant une situation délicate. En août, son gouvernement a ordonné l'envoi de trois navires, puis d'un escadron de CF-18, dans la région du Golfe persique pour participer à la coalition formée à la suite de l'invasion du Koweït par l'Irak. Les conservateurs ayant refusé de hâter la reprise des travaux de la Chambre des communes, prévue pour le 24 septembre, il faut finalement attendre le 23 octobre 1990 pour que la motion du gouvernement entérinant l'engagement des Forces canadiennes dans la région du Golfe soit approuvée par 170 voix contre 33. Les réticences de l'opposition ont été nourries tant par la nature de la mission que par le manque de tact du gouvernement face au Parlement[28] Plus récemment, en mai 2006, le gouvernement minoritaire de Stephen Harper a demandé au Parlement d'entériner sa décision de prolonger jusqu'en 2009 l'engagement militaire du Canada en Afghanistan, ce qu'il a obtenu par une très faible marge de quatre voix. Même si les troupes canadiennes combattent dans ce pays depuis 2002, ni le gouvernement de Jean Chrétien ni celui de Paul Martin n'avait éprouvé la

---

28. Jocelyn Coulon, *La dernière croisade. La guerre du Golfe et le rôle caché du Canada*, Montréal, Méridien, 1992, p. 90-94.

nécessité d'en appeler aux élus. Selon David Rudd, les conservateurs voulaient éviter, en agissant ainsi, que cette mission ne devienne un enjeu électoral[29].

L'exécutif peut perdre l'autorité que lui confère le Parlement s'il est défait lors d'une motion de censure. La Chambre est alors dissoute et le gouvernement doit déclencher des élections. Cela se produit habituellement parce que le gouvernement est minoritaire, ou parce que ses simples députés se révoltent. Au fil des ans, même si plusieurs gouvernements ont été minoritaires, seules cinq motions de censure ont réussi : Arthur Meighen, en 1926, John Diefenbaker, en 1963, Pierre Trudeau en 1974, Joe Clark, en 1979 et Paul Martin en 2005, durent ainsi demander la dissolution du Parlement. La motion de 1974, contre le gouvernement Trudeau, doit être traitée différemment puisqu'elle fut introduite et adoptée par le gouvernement lui-même afin d'en appeler au vote populaire. Une seule motion de censure a été reliée à une question de politique étrangère : en février 1963, le gouvernement Diefenbaker fut battu à la suite d'une crise engendrée par le projet visant à doter les Forces canadiennes d'armes nucléaires[30]. Nous reviendrons plus loin sur le problème particulier posé par les gouvernements minoritaires.

Les gouvernements canadiens ont presque toujours pu compter sur le respect de la discipline de parti de la part des députés. Une révolte des députés d'arrière-ban est un phénomène plutôt rare. En matière de politique étrangère, cela n'est arrivé qu'une seule fois : lors de la seconde crise de la conscription, en 1944, alors que 33 députés libéraux du Québec ont voté contre le gouvernement King. Trudeau a eu à faire face à la dissidence de députés d'arrière-ban du Québec, du milieu des années 1970 jusqu'au début des années 1980. Les rébellions sont sporadiques, et n'impliquent généralement que quelques députés, comme ce fut le cas lorsqu'un groupe restreint de libéraux s'est opposé au gouvernement au sujet des essais du missile de croisière américain, en 1983 et en 1994[31]. Durant le soulèvement palestinien de la

---

29. David Rudd, « Afghanistan, Darfur and the Great (Unexpected) Debate over Canada's Military Role in the World », *Options politiques*, vol. 27, n° 5, juin 2006, p. 53-57.
30. Sur cet épisode, voir Michel Fortmann, « La politique de défense canadienne », dans Paul Painchaud (dir.), *De Mackenzie King à Pierre Trudeau, Quarante ans de diplomatie canadienne (1945-1985)*, Québec, Presses de l'Université Laval, 1988, p. 494-496.

première *Intifada* en 1987, un petit groupe de députés pro-Arabes est intervenu au sein du caucus conservateur et s'est opposé à l'attitude pro-Israël
du premier ministre[32]. En février 2005, le gouvernement minoritaire de
Paul Martin a vu deux de ses projets de loi (C-31 et C-32), qui devaient établir une séparation entre le ministère des Affaires étrangères et celui du
Commerce international, être battus en Chambre[33]. Toutefois, il faut garder
à l'esprit que ces exceptions ne font que confirmer la règle : en matière de
mise en œuvre de la politique étrangère, les députés ont rarement leur mot
à dire.

L'élaboration des politiques

On dit souvent que la fonction d'élaboration des politiques de la Chambre
des communes s'est érodée avec le temps. Pour ce qui est de la politique intérieure, cela est probablement vrai ; mais en politique étrangère, cette fonction
semble plutôt revêtir une importance accrue depuis le milieu des années
1980. Historiquement, l'exécutif a toujours maintenu un grand contrôle sur
l'établissement des priorités et l'élaboration des politiques[34]. Cependant,
depuis 1984, les simples députés ont contribué à établir les priorités du gouvernement en participant à l'examen de la politique étrangère.

En exprimant leur position sur les affaires internationales, les députés
peuvent influencer, dans une certaine mesure, le processus d'élaboration des
politiques, en particulier lorsqu'ils utilisent le Règlement pour soulever des
questions en Chambre. Ainsi, le gouvernement voit souvent d'un bon œil les
motions avancées par les simples députés, puisqu'elles « peuvent être utilisées

---

31. D. W. MIDDLEMISS et J. J. SOKOLSKY, *Canadian Defence : Decisions and Determi-
    nants*, Toronto, Harcourt Brace Jovanovich, 1989, p. 52-53 ; voir aussi CHAMBRE DES
    COMMUNES, *Débats*, 35ᵉ législature, 1ʳᵉ session, 3 février 1994, p. 888-889.
32. David H. GOLDBERG et David TARAS, « Collision Course : Joe Clark, Canadian
    Jews, and the Palestinian Uprising », dans David H. GOLDBERG et David TARAS,
    (dir.), *The Domestic Battleground : Canada and the Arab-Israeli Conflict*, Montréal/
    Kingston, McGill-Queen's University Press, 1989, p. 209-210.
33. Gerald SCHMITZ, *op. cit.*, p. 115.
34. Michael TUCKER, *Canadian Foreign Policy : Contemporary Issues and Themes*, Toronto,
    McGraw-Hill Ryerson, 1980, p. 52 ; comparer avec David TARAS, « From Bystander
    to Participant », dans David TARAS (dir.), *op. cit.*, p. 3-19.

pour communiquer une critique à un gouvernement étranger sans avoir à entreprendre une démarche de gouvernement à gouvernement[35] ». Parfois, le parti au pouvoir dépose ses propres motions pour couper l'herbe sous le pied de l'opposition, qui formule les siennes en termes souvent très critiques. Par exemple, en janvier 1973, la position du gouvernement canadien envers les États-Unis et la guerre du Vietnam a été modifiée à la suite des pressions du Parlement. En décembre 1972, le gouvernement Nixon a bombardé Hanoi et Haiphong en réponse à l'intransigeance des Vietnamiens du Nord à la table des négociations. Comme plusieurs autres gouvernements alliés des États-Unis, le Canada a fait parvenir des missives diplomatiques pour exprimer son inquiétude face à ce qu'il considérait comme un usage excessif de la force. Cependant, le Nouveau Parti démocratique (NPD) souhaitait que le Canada exprime son opposition de manière plus vigoureuse. Ainsi, il a annoncé son intention de présenter une motion condamnant les États-Unis lors de l'ouverture de la session parlementaire, le 5 janvier 1973. Rapidement, le ministre des Affaires extérieures, Mitchell Sharp, a déposé une motion du gouvernement qui ne faisait que « déplorer » l'action américaine, mais qui annonçait un changement de cap notable dans la position canadienne.

Par ailleurs, la période de questions est aussi une occasion pour le gouvernement de préciser sa position sur un sujet délicat. Ainsi, en réponse à une question posée en Chambre, le premier ministre Jean Chrétien a annoncé, le 17 mars 2003, que le Canada ne participerait pas à la coalition menée par les États-Unis en Irak, ce qui a mis fin à plusieurs mois de tergiversation et de procrastination[36].

La représentation

La fonction de représentation est centrale pour toute démocratie parlementaire. La notion de gouvernement responsable, en effet, signifie deux choses :

---

35. Peter C. DOBELL, *Canada in World Affairs*, vol. 17 : *1971-1973*, Toronto, Institut canadien des Affaires internationales, 1985, p. 399.
36. Justin MASSIE et Stéphane ROUSSEL, « Le dilemme canadien face à la guerre en Irak (ou l'art d'étirer un élastique sans le rompre) », dans Alex MACLEOD (dir.), *Diplomaties en guerre. Sept États face à la crise irakienne*, Montréal, Athéna, 2005, p. 69-87.

les représentants doivent périodiquement faire face au vote populaire et ils doivent continuellement veiller aux intérêts de leurs commettants. La Chambre des communes est le lieu de cette représentation parlementaire ; c'est le forum où les députés essaient de traduire en politiques concrètes les demandes et les intérêts de leurs électeurs.

La manière dont les députés s'y prennent dépend de leur appartenance au parti au pouvoir ou à l'opposition. Les membres de cette dernière tendent à utiliser le temps qui leur est alloué en Chambre par le Règlement pour publiciser les problèmes de leur circonscription. Au milieu des années 1970, par exemple, plusieurs municipalités, groupes environnementalistes, fermiers, pêcheurs et autres citoyens ont craint la pollution qu'allait causer un énorme projet au Dakota du Nord, nommé le Garrison Diversion Unit. Il s'agissait d'un projet d'irrigation des terres qui aurait des répercussions sur les eaux se déversant de la rivière Missouri dans le bassin de la baie d'Hudson. Les députés du Parti conservateur et du NPD venant du Manitoba ont utilisé toutes les tactiques parlementaires à leur disposition (incluant des motions relevant de l'article 43 du Règlement, des débats sur la motion d'ajournement et des questions adressées au gouvernement) afin de forcer le gouvernement à faire pression sur Washington pour qu'il fasse avorter le projet[37].

Les députés du gouvernement cherchent aussi à représenter les intérêts de leurs électeurs, mais tendent à le faire de façon plus discrète. La discipline de parti et les ambitions de simples députés se combinent parfois et les contraignent à employer des réseaux parallèles pour défendre leur électorat. En 1975, les députés libéraux ontariens voulaient ardemment faire savoir aux membres du Cabinet à quel point leur électorat ne voulait pas que l'Organisation de la libération de la Palestine (OLP) participe au congrès des Nations Unies sur le crime, qui devait avoir lieu à Toronto. Les répercussions électorales envisagées, si le gouvernement laissait le congrès se dérouler comme prévu, ne furent jamais mentionnées en Chambre ; toute demande

---

37. Kim Richard NOSSAL, « The Unmaking of Garrison : United States Politics and the Management of Canadian-American Boundary Waters », *Behind the Headlines*, vol. 37, décembre 1978.

de reporter ou d'annuler le congrès se fit dans le contexte plus privé du caucus libéral[38].

Néanmoins, pour la majorité des questions de politique étrangère, la représentation parlementaire est problématique. Comme on l'a noté au chapitre 3, la plupart des questions en ce domaine ne revêtent qu'une importance secondaire pour la majorité des citoyens, si bien que les députés ont rarement intérêt à vouloir influencer le gouvernement en cette matière. Et même lorsqu'une question internationale plus pressante retient l'attention d'une partie de l'opinion publique (comme la participation à une guerre, ou encore la conclusion d'un traité de libéralisation des échanges), le phénomène tend à être géographiquement diffus. Les débats de politique étrangère sont généralement des questions « nationales », et ceux qui y participent se concentrent rarement dans des circonscriptions bien définies – l'exception la plus notable étant peut-être ici les réticences exprimées de manière plus forte par les Québécois que par les autres Canadiens lorsqu'il s'agit d'engagement militaire à l'étranger. Les députés, qui font leurs calculs politiques d'abord en fonction des électeurs de leur propre circonscription, voient peu d'intérêt à se plonger dans des débats de portée nationale si ceux-ci n'ont qu'un impact limité sur le plan local.

Toutefois, certaines dimensions de la politique étrangère ont un effet direct sur la vie de citoyens ou de communautés spécifiques, qui ont alors tendance à se tourner vers leur député qui sert d'intermédiaire entre le gouvernement et les citoyens. Parmi les requêtes les plus fréquentes figurent celles ayant trait au problème d'immigration, d'exportation ou d'importation, ou encore d'aide à des proches en difficulté à l'étranger. Ainsi, un député torontois racontait que, sur la centaine d'appels que reçoit quotidiennement son bureau de comté, les trois quarts traitent de questions d'immigration[39]. Bien entendu, ce phénomène touche plus particulièrement les représentants des circonscriptions situées dans les grandes agglomérations urbaines (où se concentrent la plupart des communautés néo-canadiennes), ou encore celles qui jouxtent la frontière américaine.

---

38. Bruce THORDARSON, « Posture and Policy : Leadership in Canada's External Affairs », *International Journal*, vol. 31, n° 4, automne 1976, p. 687.
39. John ENGLISH, *op. cit.*, p. 74.

La fonction d'éducation

Les activités parlementaires ont une double fonction éducative : permettre aux députés de parfaire leurs connaissances en matière de politique étrangère et diffuser l'information sur les initiatives du gouvernement.

La période des questions est, en principe, l'outil pédagogique le plus important de la Chambre des communes. Les députés de l'opposition portent à cette occasion certains problèmes à l'attention du public. Les questions difficiles qui sont posées obligent le gouvernement à préciser sa propre position. Cependant, dans les faits, la période des questions a plutôt une autre fonction : compte tenu de la couverture médiatique, l'opposition peut s'en servir pour orienter les débats et déterminer l'agenda politique.

Pour leur part, les associations internationales de parlementaires[40] constituent une source importante d'information, ainsi qu'un moyen à la disposition des députés et sénateurs pour faire connaître le point de vue des Canadiens à l'étranger. Outre les associations parlementaires bilatérales et multilatérales liant directement les gouvernements, bon nombre d'organisations internationales se sont dotées de tels réseaux. C'est notamment le cas de l'OTAN et de l'Organisation pour la sécurité et la coopération en Europe (OSCE). Ces associations, qui regroupent des parlementaires de différents pays, permettent à leurs membres d'échanger sur leurs préoccupations respectives et d'établir des réseaux informels, ce qui est parfois utile en cas de crise lorsque les canaux de communication diplomatiques sont rompus. Par exemple, lors de la crise du turbot en 1996, certains députés ont pu s'adresser directement à leurs homologues européens et ainsi contribuer à dénouer l'impasse[41].

Toutefois, l'endroit où les députés sont le plus à même de recevoir et de diffuser l'information demeure sans doute les comités parlementaires, qui seront étudiés plus loin.

---

40. Voir, à ce sujet, le site du Parlement du Canada : <http://www.parl.gc.ca/information/InterParl/Associations/index-f.htm>.
41. John ENGLISH, *op. cit.*, p. 75.

Les débats de la Chambre des communes

Les débats en Chambre sur la politique étrangère ont traditionnellement été limités à des questions de guerre et de paix et lors de changements de cap importants, comme ce fut le cas pour le traité de libre-échange avec les États-Unis.

Un de ces moments capitaux fut l'adhésion à la Société des Nations (SDN) sous le premier ministre Robert Borden, adhésion qui marqua les premiers pas du Canada sur la scène internationale. Le traité de Versailles, qui marquait la création de la SDN, fut soumis à l'approbation du Parlement le 2 septembre 1919. Dans le débat enlevé qui suivit, un grand nombre de députés ont pu exprimer des visions très diverses de la place que devait avoir le Canada dans le monde (voir le chapitre 4).

Toutefois, les successeurs de Borden dans l'entre-deux-guerres, MacKenzie King et R. B. Bennett, ont tout fait pour étouffer les débats de la Chambre des communes en utilisant souvent comme prétexte que débattre des événements en Europe ou en Extrême-Orient pourrait déranger l'équilibre délicat entre les grandes puissances[42]. Cet argument a été repris par la suite. En 1969, Paul Martin (père) estimait qu'« une participation excessive du Parlement nuit à la diplomatie. Une discussion publique sur des négociations internationales peut avoir des conséquences néfastes pour le pays, voire même pour le monde[43]. » Plus récemment, lorsque des Serbes de Bosnie ont pris des Casques bleus canadiens en otage en 1995, et enchaîné le capitaine Patrick Rechner près d'un dépôt de munitions à Pale, le premier ministre Chrétien a refusé de tenir un débat parlementaire, réclamé par le Bloc québécois et le Parti de la réforme. Il affirmait que cela pourrait affaiblir la position du Canada dans ce dossier. Selon lui, dans ce genre de situation, « il vaut mieux garder la tête froide[44] ».

Depuis la Deuxième Guerre mondiale, cependant, les gouvernements reconnaissent plus volontiers la pertinence des débats parlementaires sur la politique étrangère. Après avoir été nommé aux Affaires extérieures en 1946, Louis Saint-Laurent a voulu susciter ce type de débat. L'année suivante, il

---

42. James EAYRS, *op. cit.* (1961), p. 108.
43. Paul MARTIN, *op. cit.* (1969), p. 259.
44. Jeff SALLOT, « Why Ottawa's Keeping its Cool, » *The Globe and Mail,* 6 juin 1995, p. A6.

s'est servi des prévisions budgétaires du Ministère pour présenter aux Communes un rapport complet sur les activités internationales du Canada, ce qui provoqua des discussions approfondies sur la politique étrangère. Par la suite, lorsque le Comité des Subsides se réunissait pour discuter des prévisions budgétaires du ministère des Affaires extérieures, il était devenu pratique courante de voir le ministre fournir des informations aux députés sur la présence du Canada à l'étranger.

Cette pratique a continué sous Lester Pearson, mais avec des résultats mitigés. En 1950, Pearson se plaignait auprès des députés d'avoir « demandé plus d'intérêt pour les affaires extérieures à la Chambre des communes, devant des bancs vides et une galerie de presse déserte... Nous sommes peut-être ceux à blâmer pour ce manque d'intérêt[45]. » Un quart de siècle plus tard, avec ses expériences de ministre des Affaires extérieures, de chef de l'opposition et de premier ministre derrière lui, Pearson écrit dans ses mémoires : « Les débats semblaient superficiels, une sorte de spectacle. Les mots étaient calculés pour être consignés au procès-verbal, non pas prononcés avec l'espoir qu'ils pourraient faire changer l'opinion de qui que ce soit [...]. On avait souvent l'impression que s'adresser en Chambre n'était pas suffisamment important ou pertinent pour se voir accorder la priorité sur les autres affaires gouvernementales[46]. »

Il existait une autre pratique : les ministres pouvaient faire des déclarations formelles sur des motions présentées en Chambre, particulièrement au retour de voyages à l'étranger. Selon les règles des Communes, l'opposition était autorisée à commenter les motions déposées, ce qui permettait aux députés d'échanger leurs points de vue sur les positions gouvernementales.

Ces pratiques cessèrent à la suite des réformes parlementaires menées par Pierre Elliott Trudeau en décembre 1968, qui entraînèrent l'abolition du Comité des subsides et renvoya l'examen des prévisions budgétaires du gouvernement aux différents comités permanents. Il s'ensuivit une diminution marquée des débats en Chambre sur les affaires étrangères. John Diefenbaker s'en plaignit en 1974 : « Nous n'avons pu discuter des affaires étrangères »,

---

45. Cité dans James EAYRS, *op. cit.* (1961), p. 112.
46. Lester B. PEARSON, *Mike : The Memoirs of the Rt. Hon. Lester B. Pearson*, vol. 2 : *1948-1957*, Toronto, University of Toronto Press, 1973, p. 12.

faisant ainsi référence aux six premières années du mandat de Trudeau. « Les affaires étrangères ont été pendant cette période aussi étrangères que la Constitution de Tombouctou[47]. » Trudeau ne fut nullement ébranlé par la comparaison embarrassante de l'ex-premier ministre, et c'est seulement en décembre 1977 que le gouvernement amorça un véritable débat sur les relations extérieures[48]. La fréquence des débats sur ce sujet devait cependant rester aussi faible au cours des années suivantes et la pratique consistant à déposer les déclarations du gouvernement sous la forme de motion tomba en désuétude.

L'élection des conservateurs de Mulroney en septembre 1984 a de nouveau modifié les pratiques parlementaires. Le nouveau gouvernement était, en effet, plus enclin à utiliser la Chambre des communes pour discuter de politique étrangère. Une kyrielle de questions ont été ainsi étudiées par le Parlement, telles la souveraineté dans l'Arctique, la situation en Afrique du Sud, les négociations sur le libre-échange, ou les négociations sur le contrôle des armements entre les États-Unis et l'Union soviétique. La guerre du Golfe, en 1990-1991, a donné lieu à une grande activité à la Chambre des communes, puisque trois débats ont été tenus avant que la guerre n'éclate en janvier 1991. À l'approche de la date butoir de l'ultimatum du Conseil de sécurité des Nations Unies pour le retrait des troupes irakiennes du Koweït, les Communes ont tenu un débat de trois jours sur la participation canadienne au conflit. Les députés débattaient encore de la question quand la guerre a éclaté, le 16 janvier 1991, mais ils ont décidé de continuer le débat dans lequel sont intervenus 128 orateurs et qui a duré si longtemps après la date limite du 18 janvier, qu'il a fallu enregistrer au *hansard* 34 heures de procès-verbal en un seul jour[49] !

---

47. CHAMBRE DES COMMUNES, *Débats*, 30e législature, 1re session, vol. 1, 3 octobre 1974, p. 81.
48. *Ibid.*, 30e législature, 3e session, vol. 2, 19-20 décembre 1977, p. 1993-2027 et 2045-2077.
49. Le débat sur la guerre du Golfe est étudié dans Kim Richard NOSSAL, « Quantum Leaping : The Gulf Debate in Australia and Canada », dans Michael McKINLEY (dir.), *The Gulf War : Critical Perspectives*, Sydney, Allen and Unwin, 1994, p. 48-71. Voir aussi Jocelyn COULON, *La dernière croisade. La guerre du Golfe et le rôle caché du Canada*, Montréal, Méridien, 1992, p. 89-100.

Malgré toute cette activité, certains ont qualifié l'attitude du gouvernement Mulroney d'«antidémocratique». Les libéraux alléguaient que les conservateurs refusaient de consulter le Parlement sur les questions de politique
étrangère. Ils promettaient qu'un gouvernement libéral soumettrait ces questions à la Chambre des communes et permettrait aux députés de discuter
des accords internationaux d'importance[50].

Il faut reconnaître que Mulroney a pris certaines décisions importantes
sans consulter le Parlement. Par exemple, en août 1990, lors d'une visite à la
Maison-Blanche, il s'est engagé à fournir des troupes pour la coalition que
George Bush (père) était en train d'organiser[51]. De plus, la plupart des décisions concernant l'engagement de Casques bleus canadiens dans des missions
de maintien de la paix de «deuxième génération» (et donc qui peuvent
placer les troupes en situation de combat) ont aussi été prises sans consultation des parlementaires. C'est le cas de la contribution canadienne à l'Autorité provisoire des Nations Unies au Cambodge (APRONUC), créée en
février 1992; à la Force de protection des Nations Unies (FORPRONU) en
ex-Yougoslavie, aussi créée en février 1992; à l'Opération des Nations Unies en
Somalie (ONUSOM), autorisée en avril 1992; ainsi qu'à la FORPRONU II,
expansion du déploiement original qui fut acceptée en novembre 1992. Jamais
les militaires canadiens n'avaient connu une telle activité en matière de
maintien de la paix[52].

Jean Chrétien s'est inquiété de ces décisions qui risquaient de mettre la
vie des soldats canadiens en danger, d'où sa promesse électorale de favoriser les débats au Parlement. Après novembre 1993, un des premiers sujets à

---

50. Lloyd AXWORTHY, «Canadian Foreign Policy: a Liberal Party Perspective», *La
politique étrangère canadienne*, vol. 1, n° 1, hiver 1992-1993, p. 14; André OUELLET,
«Les engagements de politique étrangère des Libéraux», *La politique étrangère canadienne*, vol. 1, n° 3, automne 1993, p. 1-6; PARTI LIBÉRAL DU CANADA, *Pour la création d'emplois, pour la relance économique (Le plan d'action libéral pour le Canada)*,
Ottawa, 1993, p. 105.

51. Andrew F. COOPER, Richard A. HIGGOTT et Kim Richard NOSSAL, *Relocating Middle
Powers: Australia and Canada in a Changing World Order*, Vancouver, University of
British Columbia Press, 1993, chap. 5. Il faut cependant noter, à la décharge du pre-
mier ministre, que le Parlement ne siégeait pas à ce moment-là.

52. Michel FORTMANN et Manon TESSIER, «Le maintien de la paix et les Conservateurs: une nouvelle approche?», *Études internationales*, vol. 31, n° 2, juin 2000,
p. 311-327.

être débattu à la Chambre des communes fut la contribution canadienne aux opérations de maintien de la paix en Bosnie, dès janvier 1994, puis la reconduction de l'accord permettant les essais du missile de croisière américain dans le ciel canadien, en février. Au cours du premier débat, plusieurs orateurs ont loué l'initiative de Jean Chrétien et se sont plaints qu'il n'y avait eu *aucun* débat sur des questions de politique étrangère sous Mulroney, une déformation de la réalité qui était probablement due à la grande impopularité de l'ancien premier ministre[53].

Entre 1994 et 2003, les questions de politique étrangère ou de défense ont donné lieu à plusieurs débats. Les guerres successives dans les Balkans ont souvent provoqué de vives discussions à la Chambre. En 1994 et en 1995, le Parti de la réforme demandera, à plusieurs reprises, que les troupes canadiennes soient retirées de Bosnie, où leur sécurité était mise en danger. En 1999, au cours de la guerre du Kosovo, les opérations de l'OTAN contre les forces yougoslaves ont suscité des débats tout aussi passionnés que ceux survenus à l'occasion de la guerre du Golfe huit ans plus tôt[54].

Bien que beaucoup plus de temps ait été accordé aux questions relevant des affaires étrangères et de la défense à la Chambre des communes pendant les mandats de Mulroney et Chrétien que pendant celui de Trudeau, il y a une limite au temps que peuvent accorder le gouvernement et les députés à ces questions. Comme l'a souligné Peter Dobell : « La compétition pour le temps de parole à la Chambre des communes est si forte que seules les questions les plus controversées vont être mises à l'agenda. » Dobell affirme plutôt que les comités parlementaires sont beaucoup plus appropriés pour étudier les questions de politique étrangère[55].

---

53. Voir, par exemple, les commentaires de Jesse Flis, le secrétaire parlementaire d'André Ouellet : CHAMBRE DES COMMUNES, *Débats*, 35e législature, 1re session, 25 janvier 1994, p. 134 et 282.

54. Pour une analyse détaillée des débats parlementaires au cours de ce conflit, voir Roy REMPEL, *op. cit.* L'auteur se sert cependant de ce cas pour démontrer l'impotence du Parlement en matière de politique étrangère et de défense.

55. Peter DOBELL, en réponse à Kim Richard NOSSAL, « The Democratization of Canadian Foreign Policy ? », *La politique étrangère du Canada*, vol. 1, n° 3, automne 1993, p. 105.

Les comités de la Chambre des communes

De tous les comités de la Chambre, celui des Affaires étrangères et du Commerce international est certainement l'un des plus prestigieux, ce qui tient évidemment à la nature des sujets étudiés. Mais l'attrait réside aussi dans les nombreuses occasions de voyage à l'étranger qu'il offre, pour des missions d'enquête, des rencontres d'associations de parlementaires, ou encore si l'on est membre de délégations gouvernementales, pour diverses conférences et organisations internationales.

En outre, la participation à un comité permet aux députés, de manière limitée, d'approfondir quelque peu leurs connaissances en relations internationales et de participer à l'élaboration des politiques. Ils peuvent questionner les ministres et les hauts fonctionnaires, interroger des experts et mener des enquêtes tant au Canada qu'à l'étranger, et ce, dans une atmosphère beaucoup moins partisane que celle qui règne sur le parquet de la Chambre. Ils se familiarisent avec les différents problèmes auxquels ils doivent faire face, ce qui est une des raisons d'être du comité.

Le Comité permanent des Affaires étrangères et du Commerce international a subi plusieurs transformations depuis sa création officielle en janvier 1994. Son origine remonte en fait à mars 1924, lorsque Mackenzie King a créé le Comité permanent sur l'Industrie et les Relations internationales[56]. Ce titre surprenant s'explique par la volonté de King de confier à ce comité les questions relatives aux relations avec l'Organisation internationale du Travail (OIT), qui relevaient alors du ministère du Travail, et non de celui des Affaires extérieures[57]. Cet amalgame permettait aussi de justifier l'ingérence du fédéral dans un domaine de compétence provinciale. Les travaux de ce comité se limitèrent donc à l'étude d'un projet de convention de l'OIT sur les heures de travail, puis d'un projet visant à utiliser des bourses universitaires afin de promouvoir la paix, et enfin à la question de l'emploi de travailleurs

---

56. James EAYRS, *op. cit.* (1961), p. 118.
57. Sur les relations entre le gouvernement canadien et l'OIT, voir John HILLIKER, *Le ministère des Affaires extérieures du Canada*, vol. 1 : *Les années de formation, 1909-1946*, Québec, Presses de l'Université Laval/Institut d'administration publique du Canada, 1990, p. 112-113.

asiatiques sur les navires canadiens. Après 1936, il cessa simplement de se réunir, même s'il demeura un comité permanent de la Chambre.

Après la Deuxième Guerre mondiale, John Bracken, chef du Parti conservateur, suggéra à Mackenzie King de former un comité spécifiquement consacré aux questions de politique étrangère. C'est ainsi que fut créé, en septembre 1945, le Comité permanent des Affaires extérieures[58]. Les vieilles habitudes ont cependant la vie dure, et les premiers sujets soumis à l'attention du Comité furent deux conventions adoptées par l'OIT durant les années 1930. Manifestement peu stimulé par l'étude de la convention de 1932 concernant la protection des préposés au chargement ou au déchargement des bateaux, le Comité recommandait d'être « investi du pouvoir de considérer des questions liées aux affaires extérieures et de faire de temps à autre des suggestions ou recommandations jugées pertinentes[59] ».

Malgré ses réticences et celles de son ministre Saint-Laurent, King dut céder, si bien qu'en mai 1946, le Comité commençait l'examen des prévisions budgétaires des Affaires extérieures[60]. Jusqu'aux réformes de décembre 1968 instaurant le renvoi automatique des prévisions budgétaires aux comités permanents pertinents, le Comité des Affaires extérieures était le seul qui n'avait pas besoin d'un renvoi explicite de la Chambre (c'est-à-dire un renvoi devant être approuvé par le gouvernement) pour examiner les prévisions budgétaires du Ministère dont il suivait les activités. Ce comité était donc, avant même les réformes de 1968, l'un des plus actifs du Parlement.

C'est aussi en 1968 qu'il devint le Comité permanent des Affaires extérieures et de la Défense nationale. Le niveau d'activité y augmenta alors à un point tel que l'on dut créer des sous-comités. Par exemple, les rencontres régulières du sous-comité de l'aide au développement reflétaient non seulement l'importance accrue de cet aspect de la politique étrangère, mais aussi l'incapacité croissante du comité de traiter de toutes les questions relatives à la défense et la politique extérieure. Parfois, les sous-comités étaient organisés selon un découpage géographique, comme le sous-comité sur les relations

---

58. CHAMBRE DES COMMUNES, *Débats*, 20e législature, 1re session, vol. 1, 12 septembre 1945, p. 114 ; 18 septembre 1945, p. 253.
59. COMITÉ PERMANENT DES AFFAIRES EXTÉRIEURES, *Minutes*, 20e Parlement, 1re session, n° 1, p. III-VI.
60. *Ibid.*

du Canada avec l'Amérique latine et les Caraïbes au début des années 1980. Les sous-comités étaient aussi d'importants catalyseurs pour des études détaillées sur des sujets allant des Nations Unies et du maintien de la paix, aux relations entre le Canada et les États-Unis[61]. En 1986, le gouvernement Mulroney, jugeant sans doute que les questions de défense devaient recevoir une attention particulière, scinda ce comité en deux : un pour les affaires extérieures, l'autre pour la défense. Le second devait cependant avoir aussi la responsabilité des affaires relatives aux anciens combattants.

De telles activités ont sans doute eu un effet bénéfique sur l'expertise des députés, mais il est difficile de déterminer si ces comités ont effectivement influencé les politiques gouvernementales. Dans bien des cas, le Comité des Affaires étrangères a adopté des positions contraires à celles du gouvernement. Par exemple, son rapport de 1970 sur les relations avec les États-Unis était beaucoup plus nationaliste sur les questions de la propriété étrangère au Canada et de la domination culturelle américaine, que ne l'était le gouvernement Trudeau de l'époque[62]. En 1987, il publiait aussi un rapport très critique à l'endroit de la politique d'aide internationale au développement. Si certaines des nombreuses recommandations furent adoptées par le gouvernement (comme la création du Centre international des droits de la personne et du développement démocratique), d'autres, comme telle recommandation concernant l'aide conditionnelle, furent victimes des compressions budgétaires et des querelles bureaucratiques à propos du rôle de l'Agence canadienne de développement international (ACDI), querelles évoquées au chapitre 8. Ainsi, si les membres du Comité peuvent exprimer un désaccord avec le gouvernement, celui-ci peut toujours ignorer leurs recommandations.

Le gouvernement s'est aussi servi du Comité à ses propres fins. Un exemple révélateur est celui de l'utilisation répétée du Comité afin de légitimer la reconduction de l'Accord sur le Commandement de la défense aérospatiale

---

61. Don Page, « The Standing Committee on External Affairs, 1945 to 1983 – Who Participates When ? », dans David Taras (dir.), *op. cit.*, p. 40-65 ; John R. Walker, « Foreign Policy Formulation – A Parliamentary Breakthrough », *International Perspectives*, mai-juin 1982, p. 10-12.
62. Chambre des communes, Comité permanent des Affaires extérieures et de la Défense nationale, 11ᵉ rapport, Ottawa, 1970.

de l'Amérique du Nord (NORAD). L'Accord dut être renouvelé à cinq occasions entre 1968 et 1991 (soit en 1973, 1975, 1980, 1981 et 1986) et, à chaque fois, le Comité fut chargé d'émettre des recommandations au gouvernement. Il est peu probable que le gouvernement ait eu l'intention de réviser son engagement envers les États-Unis, quoi que le Comité puisse conclure. De fait, avant même que celui-ci ne commence ses travaux sur la question en 1973, le ministre de la Défense, James Richardson, déclarait que, si des changements devaient intervenir au NORAD, ce serait à cause des États-Unis, et non parce qu'Ottawa envisageait d'y changer son rôle[63].

Lorsque l'Accord dut à nouveau être reconduit en 1975, la situation était identique. Les négociations étaient déjà en cours lorsque le dossier fut soumis au Comité. De plus, il était clair que pour que toute recommandation puisse être acceptée par le gouvernement, elle devait aller dans le sens d'un renouvellement de l'Accord[64]. Lorsqu'il fallut se pencher de nouveau sur la question en 1981 et 1986, le Comité recommanda la reconduction de l'entente[65].

Cependant, en 1990, le Comité des Affaires étrangères (à qui la Chambre avait confié l'étude du NORAD, de préférence au Comité de la Défense, car la décision était considérée comme d'ordre diplomatique plus que militaire) s'est montré plus hésitant, car la fin de la Guerre froide remettait en cause la raison d'être du Commandement conjoint. Par une marge d'une seule voix, il vota la reconduction du traité pour deux ans. Apparemment sous la pression des États-Unis, le gouvernement canadien rejeta la recommandation du Comité en avril 1991, et reconduisit le traité pour cinq ans[66]. Il est clair qu'étant donné son engagement envers le NORAD, le gouvernement consultait le Comité non pour avoir son opinion, mais pour légitimer ses propres décisions. Quant aux renouvellements de 1996, 2001 et 2006, se sont tenus à leur sujet fort peu de débats, que ce soit en Chambre ou en Comité, ceci même si la question de la participation au projet américain de

---

63. *The Globe and Mail*, 6 et 7 février 1973.
64. Cité dans Michael TUCKER, *op. cit.*, p. 50.
65. Douglas A. ROSS, « American Nuclear Revisionism, Canadian Strategic Interests, and the Renewal of NORAD », *Behind the Headlines*, vol. 39, avril 1982 ; Douglas A. Ross, « SDI and Canadian-American Relations : Managing Strategic Doctrinal Incompatibilities », dans Lauren MCKINSEY et Kim Richard NOSSAL (dir.), *America's Alliances and Canadian-American Relations*, Toronto, Summerhill Press, 1988, p. 137-161.
66. GOUVERNEMENT DU CANADA, *Communiqué*, n° 96, 19 avril 1991.

défense antimissile, auquel le NORAD contribue depuis août 2004, commençait à prendre de l'importance.

Parfois, le gouvernement semble même oublier l'existence du Comité quand il s'agit d'étudier certaines questions de politique étrangère. Lorsque le gouvernement Trudeau se réintéressa aux questions Nord-Sud en 1980[67], il choisit de créer un comité parlementaire spécial plutôt que d'en référer au Comité permanent. Ce comité Nord-Sud disposait d'un mandat spécifique, n'avait que neuf mois pour faire son rapport, et devait jouir de la plus grande visibilité publique possible[68]. Lorsque la politique étrangère fut révisée en 1985 et 1994, les gouvernements Mulroney et Chrétien cherchèrent aussi à populariser leurs efforts par le biais de comités spéciaux conjoints de la Chambre et du Sénat[69]. On fit de même avec la défense[70]. À partir de 1994, des « Forum nationaux » qui visaient à consulter la population sur les grandes orientations de la politique étrangère furent organisés sous les auspices du Centre canadien pour le développement de la politique étrangère. Et, en 2003, lorsque le nouveau ministre des Affaires étrangères, Bill Graham, voulut sonder le cœur et l'esprit de ses concitoyens, il organisa une série de « dialogues » qui devaient établir un contact direct entre lui, ses fonctionnaires et les citoyens[71]. Le Comité des Affaires étrangères, que Graham avait

---

67. Kim Richard NOSSAL, « Personal Diplomacy and National Behaviour : Trudeau's North-South Initiatives and Canadian Development Assistance Policies », *Dalhousie Review*, vol. 62, été 1982, p. 278-291.

68. CHAMBRE DES COMMUNES, *Débats*, 32e législature, 1re session, vol. 2, 23 mai 1980, p. 1356-1357 ; voir aussi Groupe de travail parlementaire sur les relations Nord-Sud, *Rapport à la Chambre des communes sur les relations entre pays développés et pays en développement*, Ottawa, 1980.

69. PARLEMENT DU CANADA, *Indépendance et internationalisme. Rapport du Comité mixte spécial sur les relations extérieures du Canada*, Ottawa, 1986 ; PARLEMENT DU CANADA, *La politique étrangère du Canada. Rapport du Comité mixte spécial du Sénat et de la Chambre des communes chargé de l'examen de la politique étrangère du Canada* (3 vol.), Ottawa, Service des publications, Direction des publications parlementaires, 1994.

70. GOUVERNEMENT DU CANADA, *La sécurité dans un monde en évolution. Rapport du Comité mixte spécial sur la politique de défense du Canada*, Ottawa, Services des publications, Direction des publications parlementaires, 1994.

71. MINISTÈRE DES AFFAIRES ÉTRANGÈRES ET DU COMMERCE INTERNATIONAL, *Un dialogue sur la politique étrangère*, Ottawa, janvier 2003. Pour une revue détaillée et critique de ce processus, voir Gerald SCHMITZ, *op. cit.* (2006), p. 108-113.

pourtant longtemps présidé, était simplement écarté. Rien d'étonnant donc à ce que plusieurs chercheurs concluent que les travaux des comités n'ont pas toujours l'impact souhaité[72].

POLITIQUE ÉTRANGÈRE ET POLITIQUE PARTISANE

Comme en Angleterre, où le système parlementaire favorise le bipartisme, la vie politique fédérale canadienne a été dominée, depuis 1867, par deux grands partis politiques[73], soit le Parti libéral et le Parti conservateur, qui se sont ainsi cédé plus ou moins régulièrement le pouvoir. Toutefois, au fil du temps, certains tiers partis ont réussi à être représentés à la Chambre des communes. C'est le cas du Nouveau Parti démocratique (autrefois appelé le Cooperative Commonwealth Federation, ou CCF), du Bloc québécois et de l'Alliance canadienne (née sous le nom de Parti de la Réforme, il a fusionné avec le Parti conservateur en 2003). D'autres, en revanche, ont disparu, tel le Crédit social[74].

La contribution de ces différents partis dans la formulation de la politique étrangère s'inscrit, pour ainsi dire naturellement, dans un contexte hautement partisan. Les députés dont le parti est majoritaire doivent, par conviction ou par obligation, appuyer la position du gouvernement ; ceux de l'opposition doivent, évidemment, s'y opposer.

L'opposition s'oppose

La principale ressource de l'opposition est d'attirer l'attention des médias et du public sur ce qu'elle considère comme des erreurs ou des dérapages du gouvernement. Sous Brian Mulroney, à un groupe de députés libéraux particulièrement irrévérencieux, on avait donné le surnom de *Rat Pack*[75], tandis qu'au cours du premier mandat de Jean Chrétien, les interventions incisives

---

72. John ENGLISH, p. 77-79 ; Doug BLAND, *op. cit.* (2000-2001), p. 38-39.

73. On observe un phénomène similaire sur le plan provincial.

74. Sur le système des partis politiques canadiens, voir André BERNARD, *op. cit.*, p. 159-217.

75. Ce groupe de députés libéraux qui prenaient un malin plaisir à ensevelir Brian Mulroney sous les critiques se comporta d'une manière non conforme aux règles parlementaires. Parmi eux, Don Boudria, Sheila Copps, John Nunziata et Brian Tobin allaient recevoir des postes de responsabilité dans le gouvernement Chrétien.

de Lucien Bouchard, le premier chef du Bloc québécois, étaient particulièrement redoutées par les ministres libéraux.

Les députés de l'opposition ont parfois une tâche difficile. Ils disposent de bien moins de ressources (en ce qui a trait à la recherche ou aux sources d'information, par exemple) que leurs collègues gouvernementaux, surtout s'ils appartiennent à un tiers parti qui ne forme pas l'opposition officielle ou, pire, qui n'est pas reconnu par la Chambre des communes[76]. Mais ils disposent aussi de certains atouts. Par exemple, comme ils n'ont pas – du moins dans l'immédiat – à mettre en pratique ce qu'ils professent, ils peuvent dire presque n'importe quoi, sans se soucier des conséquences[77]. Ils peuvent aussi établir clairement leur position et changer d'avis le lendemain, quitte à se contredire ou à s'enfoncer dans la confusion. Un cas célèbre est celui de Jean Chrétien qui, après avoir vilipendé le gouvernement Mulroney qui venait d'engager des troupes dans la coalition dirigée contre l'Irak en 1990, décida subitement d'appuyer cette initiative au moment du déclenchement des hostilités. En 1994, le Rapport dissident du Bloc québécois sur la défense nationale fut accueilli plutôt froidement en raison des idées farfelues qu'il contenait[78].

Évidemment, le passage du statut d'opposition à celui de gouvernement oblige le parti concerné à faire subitement preuve de plus de réalisme. Ainsi, la hargne des libéraux contre le Traité de libre-échange canado-américain s'est subitement estompée après leur arrivée au pouvoir en 1993. De même, les idées du Parti québécois sur la politique de défense d'un Québec souverain

---

76. La tradition veut que seuls les partis qui ont au moins 12 députés soient reconnus officiellement par la Chambre des communes.

77. Donald J. SAVOIE, *Governing from the Centre*, Toronto, University of Toronto Press, 1999, p. 341.

78. Le Bloc recommandait notamment de transformer le NORAD en « une alliance militaire assurant aux nouveaux pays membres une stabilité politique et économique et permettant ainsi un élargissement des traités économiques et commerciaux à de nouveaux partenaires, consolidant le bloc économique américain », ce qui témoigne d'une profonde incompréhension de la nature réelle de ce commandement militaire conjoint. « Rapport dissident des députés du Bloc québécois », dans PARLEMENT DU CANADA, *La sécurité dans un monde en évolution. Rapport du Comité mixte spécial sur la politique de défense du Canada*, Ottawa, Services des publications, Direction des publications parlementaires, 1994, p. 88.

alternaient d'une position neutraliste à une attitude très internationaliste au gré de ses passages de l'opposition au pouvoir, et vice-versa[79].

L'opposition à la Chambre des communes n'est pas uniquement le fait des autres partis. Elle survient parfois *à l'intérieur* des rangs du parti au pouvoir. Après le départ de Pierre Elliott Trudeau en 1984, les libéraux ont éprouvé de la difficulté à élaborer une position cohérente en matière de politique étrangère. Lors des élections de 1984, le ministre des Affaires extérieures, Jean Chrétien, s'est joint à la présidente du parti, Iona Campagnolo, afin de promouvoir un gel de la production, des tests et du déploiement des armes nucléaires, et ce, malgré l'opposition du premier ministre, John Turner[80]. Turner rendit la monnaie de sa pièce à Chrétien en 1990. Lorsque ce dernier, devenu chef de l'opposition officielle, se déclara contre la décision du gouvernement Mulroney de déployer des troupes dans le Golfe persique, Turner fit une apparition-surprise à la Chambre des communes[81] et se mit à démolir méthodiquement les arguments de ses collègues[82] ! La dissidence au sein du parti s'est maintenue même après la formation du gouvernement Chrétien en 1993. Lorsque le nouveau gouvernement eut à se prononcer sur les essais du missile de croisière, plusieurs des députés qui s'y étaient farouchement opposés durant les années 1980 siégeaient encore à la Chambre.

Que l'opposition joue son rôle, c'est bien entendu normal, sinon nécessaire, en démocratie. Toutefois, en ce qui a trait à la politique étrangère canadienne, les antagonismes avec le parti au pouvoir ne se sont pas toujours manifestés avec la même intensité. Pendant une grande partie du xxᵉ siècle, jusqu'en 1993, libéraux et conservateurs partageaient des idées semblables sur les grandes orientations stratégiques du Canada. Par contre, les attaques de l'opposition

79. Stéphane ROUSSEL (avec la coll. de Chantal ROBICHAUD), « L'élargissement virtuel : un Québec souverain face à l'OTAN (1968-1995) », *Les cahiers d'histoire de l'Université de Montréal*, vol. 20, n° 2, hiver 2001, p. 147-193.

80. John KIRTON, « Managing Canadian Foreign Policy », dans Brian W. TOMLIN et Maureen MOLOT (dir.), *Canada Among Nations, 1984: A Time of Transition*, Toronto, James Lorimer, 1985, p. 20-21.

81. Après qu'il fut remplacé à la tête du Parti libéral, Turner retourna exercer le droit à Toronto. Il refusa cependant de démissionner de son siège de député. Techniquement, il représentait encore son comté de Vancouver Quadra, mais il ne se présentait à la Chambre qu'épisodiquement, afin d'éviter d'être sanctionné pour absentéisme.

82. CHAMBRE DES COMMUNES, *Débats*, 34ᵉ législature, 2ᵉ session, vol. 13, 16 janvier 1991, p. 17132-17134.

ont souvent été très mordantes dans le domaine des politiques commerciales, là où un véritable fossé philosophique séparait les deux partis.

Le consensus stratégique

Durant la période de l'entre-deux-guerres (1919 à 1939) et de Guerre froide (1945 à 1989), la convergence entre le Parti libéral et le Parti conservateur sur les grandes orientations politiques et stratégiques du Canada était clairement observable. Bien qu'ils aient été en désaccord quant aux moyens, ni l'un ni l'autre ne remettait en question l'appartenance du Canada au groupe des démocraties occidentales. En août 1914, comme en septembre 1939, les deux grands partis ont accepté en bloc l'entrée en guerre du Canada aux côtés de l'Empire britannique. Et lorsque s'installa le climat de Guerre froide, à la fin des années 1940, personne ne s'interrogea sur l'appartenance du Canada au camp occidental. Il y eut bien, à l'occasion, quelques débats pour déterminer qui, de Londres ou Washington, devait être considéré comme le véritable chef de file de la coalition occidentale, mais cela ne remettait pas en question la participation à cette coalition.

Entre 1945 et 1990, il n'y eut que très peu de changement dans la nature, sinon dans l'ordre des priorités établi par les différents livres blancs sur la défense. La politique canadienne en cette matière est marquée plus par la continuité que par la rupture[83]. De même, rares sont ceux qui ont remis en question les principes fondamentaux de l'internationalisme élaborés par Saint-Laurent et Pearson après la guerre.

Pierre Elliott Trudeau est de ceux qui se sont le plus éloignés de ce consensus, notamment en contestant la ligne dure du gouvernement face à l'Union soviétique et aux pays socialistes comme la Chine et Cuba. Au début de son premier mandat, il a même envisagé de rapatrier les forces canadiennes stationnées en Europe dans le cadre de l'OTAN. Dès le milieu des années 1970, il était revenu à des positions nettement plus internationalistes.

La Cooperative Commonwealth Federation, et son successeur le NPD, ont aussi exprimé des réserves sur les orientations stratégiques du Canada.

---

83. Myriam GERVAIS et Stéphane ROUSSEL, « De la sécurité de l'État à celle de l'individu : l'évolution du concept de sécurité au Canada (1990-1996) », *Études internationales*, vol. 29, n° 1, mars 1998, p. 28-29 et 31-33.

Le chef de la CCF, J. S. Woodsworth, était un pacifiste convaincu pendant l'entre-deux-guerres, et il s'est même opposé à la participation du Canada à la Deuxième Guerre mondiale. Après la guerre, la CCF a conservé ces idées neutralistes, qui furent reprises par le NPD. En 1969, celui-ci s'est engagé à retirer le Canada de l'OTAN et du NORAD s'il était porté au pouvoir. Cette promesse s'est cependant révélée fragile, puisque les néo-démocrates l'ont abandonnée à la veille des élections de 1988, lorsque, pour la première fois, le pouvoir semblait à leur portée.

Ainsi, malgré quelques remises en question épisodiques, le consensus sur les orientations stratégiques générales du Canada s'est maintenu tout au long de la Guerre froide. Ce n'est qu'après les élections de 1993, comme nous le verrons plus loin, qu'il s'effritera graduellement.

Les divergences sur les politiques commerciales

Depuis la Confédération, les deux grands partis ont presque systématiquement adopté des positions divergentes en ce qui a trait à la politique commerciale et aux relations économiques avec les États-Unis[84]. Selon Craig Brown, « la protection des industries canadiennes – laines, coton, fer et acier, chaussures, poêles – n'est pas une simple question économique, mais une question philosophique, débattue à toutes les époques. C'est un des rares sujets sur lesquels les deux partis canadiens ont des vues différentes[85]. » C'était vrai à la fin du XIXe siècle et ça l'est encore au début du XXIe. Le clivage suit la ligne de faille traditionnelle, observable dans bien d'autres sociétés, entre partisans des mesures protectionnistes et promoteurs du libre-échange. La division entre libéraux et conservateurs sur cette question est apparue vers 1875 et persiste encore, même si les deux partis ont inversé leurs positions entre les années 1960 et 1980.

---

84. Pour une histoire des politiques commerciales du Canada, voir Michael HART, *A Trading Nation. Canadian Trade Policy from Colonialism to Globalization*, Vancouver, UBC Press, 2002 ; Richard ARTEAU, « Libre-échange et continentalisme : récapitulations », dans Christian DEBLOCK et Richard ARTEAU (dir.), *La politique économique canadienne à l'épreuve du continentalisme*, Montréal, GRETSE-ACFAS, 1988, p. 169-195.
85. Craig BROWN (dir.), *Histoire générale du Canada*, Montréal, Boréal, 1988, p. 407.

À la fin du XIXe siècle, les conservateurs dirigés par John A. Macdonald affichent clairement des idées protectionnistes. En 1878, il introduit la populaire « politique nationale », qu'il applique jusqu'à la défaite électorale de 1891. Les libéraux, pour leur part, sont plus ouverts à l'idée de libéraliser le commerce, même si leurs partisans sont divisés sur cette question. En 1911, ils proposent un accord de libre-échange avec les États-Unis, qui sera en grande partie à l'origine de la défaite de Laurier aux élections tenues cette année-là. C'est aussi un gouvernement libéral qui entreprend de renforcer les liens économiques avec les États-Unis dès la fin des années 1930. Les conservateurs, dirigés par John Diefenbaker, observent ces progrès avec inquiétude, et promettent, en 1957, de mettre en œuvre une politique d'indépendance économique face aux États-Unis, politique qui se teinte rapidement d'anti-américanisme.

À partir des années 1960, les deux partis changent complètement de position. Les libéraux, de plus en plus critiques à l'égard des politiques et des valeurs américaines, adoptent une attitude nettement plus nationaliste. Ainsi, durant les années 1970, le gouvernement Trudeau tente de diminuer la dépendance économique du Canada envers les États-Unis en diversifiant les partenaires économiques et en adoptant des mesures destinées à s'assurer que certains secteurs économiques cruciaux demeurent la propriété d'intérêts canadiens[86].

À l'inverse, durant les années 1980, les conservateurs sont devenus des promoteurs du libre-échange, d'abord avec les États-Unis, puis avec le Mexique. La disparition des idées impérialistes, qui ont longtemps nourri leur méfiance à l'égard des États-Unis (tout ce qui pouvait rapprocher les Canadiens des Américains les éloignait des Britanniques), ainsi que leurs liens traditionnels avec le monde des affaires, est en grande partie à l'origine de cette conversion. Celle-ci est cependant tardive. Bien que l'idée circulait depuis plusieurs années dans les milieux financiers et intellectuels, elle ne devient le credo du Parti conservateur qu'après l'arrivée au pouvoir du gouvernement de Brian Mulroney

---

86. Kim Richard NOSSAL, « Le nationalisme économique et l'intégration continentale : hypothèses, arguments et causes », dans Denis STAIRS et Gilbert R. WINHAM (dir.), *Quelques problèmes concernant l'élaboration de la politique économique extérieure*, *Études*, vol. 30, Ottawa, Commission royale sur l'union économique et les perspectives de développement du Canada, 1986, p. 65-109.

en septembre 1984[87]. Comme le soulignent Thompson et Randall, ceci représente « l'ironie ultime » : les conservateurs, *Tories* en anglais, qui tiraient leur nom de leur rejet de la Révolution américaine de 1776, épousaient maintenant des positions proaméricaines avec une ardeur jamais vue au Canada[88].

Pour leur part, les libéraux se sont opposés au projet d'accord de libre-échange en 1988 avec encore plus de ténacité que Borden ne l'avait fait en 1911, promettant même qu'une fois élus, ils déchireraient l'entente. Chrétien, devant la réalité économique, n'osera cependant jamais aller jusque-là : en 1993, les États-Unis absorbaient déjà 80 % des exportations canadiennes, soit 7 % de plus que lors de l'élection de Brian Mulroney neuf ans plus tôt !

Bien au-delà des aspects purement économiques, le débat entre tenants et opposants du libre-échange oppose deux philosophies de la politique étrangère canadienne. Cette dualité peut, en effet, être replacée dans le contexte plus général du débat (évoqué au chapitre 4) entre internationalistes, partisans d'une diversification des relations politiques et économiques du Canada, et continentalistes, qui font la promotion d'un rapprochement avec les États-Unis.

Politique partisane et politique étrangère après 1993

Les élections de 1993 ont radicalement modifié le paysage politique canadien. Les libéraux raflèrent la majorité des sièges, inaugurant 10 ans de règne pour Jean Chrétien. Le Parti conservateur fut pratiquement rayé de la carte électorale, lorsqu'il vit ses effectifs passer de 155 députés à 2 ! Après plus de 125 ans d'existence, dont près de 60 au pouvoir, le vieux parti semblait sur le point de disparaître. Le NPD ne fit pas meilleure figure ; seuls neuf députés

---

87. Brian W. Tomlin, « Leaving the Past Behind : The Free Trade Initiative Assessed » dans Nelson Michaud et Kim Richard Nossal (dir.), *Diplomatic Departures, The Conservative Era in Canadian Foreign policy, 1984-1993*, Vancouver, UBC Press, p. 45-58. Pour un aperçu de l'évolution des idées associées au libre-échange avant 1984, voir Panayotis Soldatos, « Les données fondamentales du devenir de la politique étrangère canadienne : essai de synthèse », *Études internationales*, vol. 14, n° 1, mars 1983, p. 13-1 ; Michael K. Hawes, *op. cit.*, p. 27-32.
88. John Herd Thompson et Stephen J. Randall, *Canada and the United States : Ambivalent Allies*, Montréal/Kingston, McGill-Queen's University Press, 1994, p. 7.

furent élus, si bien qu'il perdit son statut de parti officiel reconnu par la Chambre des communes.

Le fait le plus marquant aura cependant été l'émergence de nouveaux partis régionaux. C'est le cas du Bloc québécois, un parti souverainiste fondé par Lucien Bouchard après l'échec de l'accord du lac Meech en 1990, pour défendre les intérêts du Québec en attendant son accession au rang d'État indépendant. Fort de 54 sièges, il a dû assumer, jusqu'en 1997, les rôles parfois contradictoires de « loyale opposition officielle de Sa Majesté » dans la principale institution législative du Canada et de promoteur de l'indépendance du Québec[89]! Cette ambiguïté a, par exemple, eu des effets sur les visites des parlementaires canadiens à l'étranger. Les députés du Bloc sont rapidement devenus source de malaise ou d'embarras pour leurs collègues des autres partis, puisque leur seule présence pouvait contribuer à légitimer la volonté d'accession du Québec à la souveraineté[90]! C'est aussi le cas du Parti de la Réforme qui, ayant fait élire deux députés de moins que le Bloc, dut ronger son frein jusqu'en novembre 1997 avant d'accéder au statut d'opposition officielle. Mais le résultat des élections de 1993 témoignait surtout, comme jamais auparavant, de l'existence d'un clivage régional majeur, qui allait affecter durablement la politique canadienne : le Parti libéral représentait surtout l'Ontario, le Bloc n'était présent qu'au Québec, tandis que presque tous les députés réformistes provenaient de la Colombie-Britannique ou de l'Alberta.

Cette transformation du paysage politique s'est, bien entendu, répercutée en matière de politique étrangère. On a ainsi vu disparaître le consensus qui unissait les principaux partis sur les grandes orientations politiques et stratégiques. Les députés du Bloc, pas plus que les réformistes, ne partageaient les vues du gouvernement libéral en politique étrangère[91]. Ces différences d'opinions sont apparues nettement dès 1994, lors du processus de révision de la politique étrangère et de la politique de défense, alors que les deux

---

89. Marcel R. PELLETIER, *op. cit.*, p. 243.
90. John ENGLISH, *op. cit.*, p. 72-73.
91. Sur la position du Bloc, voir Michel FORTMANN et Gordon MACE, « Le Bloc québécois et la politique étrangère canadienne », *La politique étrangère canadienne*, vol. 1, n° 3, automne 1993, p. 109-112 ; Stéphane ROUSSEL, « Une culture stratégique en évolution », dans Stéphane PAQUIN (avec la coll. de Louise BEAUDOIN) (dir.), *Histoire des relations internationales du Québec*, Montréal, VLB, 2006, p. 278-287.

partis ont publié des rapports dissidents, distincts de ceux des comités parlementaires chargés de formuler des recommandations[92].

La guerre du Kosovo, en 1999, a pu faire croire, un temps, que le consensus existait toujours, puisque tous les partis s'étaient ralliés à la décision du gouvernement de contribuer aux opérations de l'Alliance atlantique. Mais la crise déclenchée par les attentats du 11 septembre, et surtout par l'invasion de l'Irak par les États-Unis et l'Angleterre en 2003, démontrera plutôt l'inverse.

De façon générale, les membres du Bloc tendent à adopter des positions qui représentent les idées dominantes parmi leurs électeurs québécois, qui ne sont pas nécessairement celles des autres Canadiens. Ainsi, à la veille de l'invasion de l'Irak par la coalition anglo-américaine au printemps 2003, ils compteront parmi les plus farouches opposants d'une éventuelle participation canadienne – comme la majorité de la population québécoise. Le Bloc est également très réticent face à l'intervention en Afghanistan.

Les Réformistes tendent à adopter des positions souvent radicalement opposées. Au cours de la seconde moitié des années 1990, ils sont plus isolationnistes et font preuve de méfiance à l'égard des institutions internationales[93]. Idéologiquement proche des républicains, leur attitude proaméricaine devient encore plus évidente après les élections présidentielles de 2000. Ils se révèlent ouvertement partisans d'un alignement sur les politiques américaines, et sont portés à répondre favorablement aux demandes formulées par la Maison-Blanche. Ainsi, ils font la promotion d'une augmentation des dépenses militaires canadiennes et d'un renforcement des mesures de sécurité après le 11 septembre 2001. En mars 2003, ils fustigeront le gouvernement libéral pour son refus de s'engager dans la coalition anglo-américaine dirigée contre l'Irak[94].

Ce phénomène de régionalisation aura deux conséquences successives très importantes. D'une part, entre 1993 et 2003, le morcellement de l'opposition

92. PARLEMENT DU CANADA, *La politique étrangère du Canada. Rapport du Comité mixte spécial du Sénat et de la Chambre des communes chargé de l'examen de la politique étrangère du Canada. Opinions dissidentes et annexes*, Ottawa, Services des publications, Direction des publications parlementaires, 1994, p. 1-32 ; PARLEMENT DU CANADA, *La sécurité dans un monde en évolution, op. cit.* (1994), p. 79-102.

93. *Ibid.*, p. 73.

94. Stephen HARPER, « Liberal Damage Control : A Litany of Flip-Flops on Canada-US Relations », *Options politiques*, juin-juillet 2003, vol. 24, n° 6, p. 5-7.

aux libéraux permit à ces derniers d'agir à leur guise – en politique étrangère comme en bien d'autres domaines. Ce morcellement a peut-être contribué au renforcement des pouvoirs de l'exécutif au détriment du législatif, et à l'effritement de la crédibilité du Parlement.

D'autre part, l'effondrement du Parti libéral en 2004, et surtout, en 2006, a contribué à diviser le vote de telle manière que la formation d'un gouvernement majoritaire devient plus difficile à réaliser. La présence du Bloc québécois notamment, qui ne peut espérer former le gouvernement, contribue à priver les libéraux et les conservateurs des sièges dont ils auraient besoin pour obtenir la majorité à la Chambre des communes. Ainsi, tant que subsisteront les clivages régionaux, on verra encore fréquemment se former des gouvernements minoritaires, ce qui fut longtemps considéré comme un phénomène exceptionnel dans un système qui tend vers le bipartisme.

A priori, on tend à croire qu'un gouvernement minoritaire est beaucoup plus prudent, y compris en matière de politique étrangère. L'exemple du gouvernement Diefenbaker, défait en 1963 en raison de son attitude confuse dans le débat sur l'acquisition d'armes nucléaires par le Canada, n'est pas nécessairement représentatif, du moins pas dans le contexte du début des années 2000. Au contraire, l'expérience des gouvernements Martin et Harper tend plutôt à indiquer que le fait d'être minoritaire en Chambre n'empêche pas de déployer une grande activité internationale ni d'avoir des positions très tranchées en ce domaine. Ainsi, le gouvernement Martin a produit un document d'orientation très étoffé[95], quoique peu controversé. De son côté, le premier ministre Harper n'a pas hésité à appuyer les bombardements israéliens au Liban au cours de l'été 2006, en dépit des grincements de dents que cette position allait provoquer, en particulier au Québec, là où les conservateurs espéraient pourtant renforcer leur base électorale.

Toutefois, il est indéniable que s'il est minoritaire, un gouvernement doit faire preuve de plus de prudence et est susceptible de payer un prix élevé pour le moindre faux pas. Mais surtout l'existence d'un gouvernement minoritaire est de courte durée — rarement plus d'un an ou deux. Dans ce contexte, il est très difficile de lancer des initiatives à long terme, par exemple,

---

95. GOUVERNEMENT DU CANADA, *Fierté et influence : notre rôle dans le monde* (*Énoncé de politique internationale du Canada*), Ottawa, 19 avril 2005.

le projet de Paul Martin de combler le « déficit démocratique » en réformant le rôle du législatif s'est rapidement effrité lorsque son gouvernement libéral est devenu minoritaire à la suite de l'élection de juin 2004[96]. Il en va de même pour l'*Énoncé de politique internationale du Canada* des libéraux, qui sera relégué dans la zone « archives » du site Internet du ministère des Affaires étrangères après l'arrivée au pouvoir des conservateurs, moins d'un an après sa publication.

* * *

Les députés jouent un rôle relativement mineur dans l'élaboration de la politique étrangère. Les raisons qui expliquent ce phénomène sont très nombreuses : rareté relative des projets de loi touchant à ce domaine, désintérêt des parlementaires eux-mêmes, discipline de parti, structure et fonctionnement des institutions, ou encore morcellement et manque de ressources de l'opposition.

Ce constat n'a rien de nouveau. Au début des années 1990, les libéraux avaient expliqué la contribution marginale des parlementaires à la politique étrangère par l'attitude du gouvernement Mulroney. Ce blâme n'était probablement pas justifié, dans la mesure où il s'agit d'une tendance de fond. Mais la volonté de « démocratiser » la politique étrangère affichée par les libéraux, tant en 1993 qu'en 2003, a eu au moins le mérite de relancer la réflexion sur le rôle du Parlement en ce domaine.

L'une des questions au centre du débat sur la démocratisation de la politique étrangère[97] consistait à savoir si les institutions parlementaires pouvaient être réformées de manière à combler le « déficit démocratique » ou s'il ne valait pas mieux se fier à d'autres mécanismes, en partie financés par le gouvernement, mais gérés par la société civile elle-même.

---

96. Gerald SCHMITZ, *op. cit.* (2006), p. 92 et 114-115.
97. Voir les différentes contributions dans Maxwell A. CAMERON et Maureen Appel MOLOT (dir.), *Canada Among Nations 1995. Democracy and Foreign Policy*, Ottawa, Carleton University Press, 1995. Voir aussi Mark NEUFELD, « Democratization in/of Canadian Foreign Policy : Critical Reflections », *Studies in Political Economy*, vol. 58, printemps 1999, p. 97-119 ; Maxwell A. CAMERON, « Democratization of Foreign Policy : The Ottawa Process as a Model », *Canadian Foreign Policy*, vol. 5, n° 3, printemps 1998, p. 147-165.

C'est cette seconde voie qu'a retenue le gouvernement libéral en 1993, en cherchant de nouveaux moyens pour consulter la population, un rôle qu'a traditionnellement assumé le Parlement. Il a, entre autres, organisé un forum national annuel sur la politique étrangère, et confié au Centre canadien pour le développement de la politique étrangère le mandat d'établir un pont entre les organisations gouvernementales et la société civile[98]. Mais 15 ans plus tard, la question demeurait entière. Rien n'indique que les initiatives lancées par les libéraux aient rendu les institutions parlementaires plus efficaces ou plus démocratiques. En ce sens, ces institutions conservent, pour ainsi dire par défaut, leur importance symbolique et leur place parmi les acteurs de la politique étrangère canadienne. Même si on les considère dépourvues d'influence, partisanes ou marginalisées, elles demeurent essentielles au maintien de la vie démocratique.

---

98. Steven LEE, « Beyond Consultations : Public Contributions to Making Foreign Policy », dans Fen Osler HAMPSON et Maureen Appel MOLOT (dir.), *op. cit.* (1998), p. 56-67.

TROISIÈME PARTIE

FÉDÉRALISME, PARADIPLOMATIE ET POLITIQUE ÉTRANGÈRE

es trois derniers chapitres sont consacrés aux dimensions internationales de l'une des caractéristiques du système politique canadien, soit
une fédération composée de provinces aux pouvoirs importants. Non seulement cette caractéristique affecte-t-elle la formulation et la mise en œuvre
des politiques du gouvernement central, mais elle est à la source d'une vaste
sphère d'activité, puisque ces provinces mènent leurs propres « relations
internationales » – le terme « politique étrangère » étant généralement réservé
aux politiques des entités souveraines.

Le Canada est, en effet, une fédération unique, en ce sens que les lois constitutionnelles de 1867 et 1982 n'attribuent ni au gouvernement fédéral, ni aux
provinces, l'entière compétence dans ce domaine d'activité. Ainsi, les gouvernements provinciaux sont libres de mener eux-mêmes les relations internationales dans leurs champs de compétence, tels qu'ils sont définis par la
Constitution de 1867. La problématique liée au fédéralisme et au partage
incertain des pouvoirs en matière de relations extérieures est examinée au
chapitre 10.

Plusieurs raisons expliquent la volonté des provinces de mener leur propre
« diplomatie parallèle ». Non seulement sont-elles tentées d'exercer des pouvoirs qu'elles considèrent comme légitimement leurs, mais elles cultivent
aussi un certain nombre d'intérêts internationaux qui justifient ce type d'activité. Le chapitre 11 propose donc un portrait de ces intérêts, qu'ils soient de
nature économique, politique, sécuritaire, environnementale ou bureaucratique. Il examine aussi comment les entités fédérées de deux États, comme
le Canada et les États-Unis, peuvent tisser des relations privilégiées entre elles.

Si, la plupart du temps, les provinces peuvent conduire leurs relations
extérieures à leur convenance, sans que le gouvernement fédéral en prenne
ombrage, le cas du Québec donne parfois des maux de tête à Ottawa. Plus
que toute autre province, le Québec a développé ses relations extérieures de
façon autonome et distincte de celles du Canada. Les origines de ce phénomène, particulièrement visible depuis les années 1960, remontent à la fin du

xixe siècle et ont fréquemment fait l'objet de frictions entre le gouvernement central et celui de la province, en raison du caractère politique des initiatives québécoises. Évidemment, l'élection de gouvernements souverainistes à Québec (en 1976-1985 et 1994-2003) ainsi que la présence de députés du Bloc québécois à Ottawa (depuis 1990) ont accentué ces tensions, puisque les relations extérieures du Québec, comme certains aspects de la politique étrangère du Canada, sont devenues le prolongement international du débat sur l'unité nationale. C'est à cette question qu'est consacré le chapitre 12.

10

SOUVERAINETÉ ET FÉDÉRALISME

De tout temps, les relations internationales ont été marquées par l'existence de communautés politiques indépendantes cherchant à préserver leur souveraineté contre l'ingérence de puissances étrangères[1]. Ce principe a été formalisé par les traités de Westphalie de 1648, qui interdisaient aux monarques européens de s'immiscer dans les affaires intérieures des autres communautés politiques, et en particulier dans les conflits religieux, lesquels étaient à l'origine de la guerre de Trente ans (1618-1648). La souveraineté réside donc dans la capacité d'un gouvernement à prendre des décisions de façon indépendante. Exercer sa souveraineté signifie qu'aucune autre autorité ne peut, sur le plan légal, remettre en question une politique mise en œuvre par un État.

Au fil des siècles, les attributs légaux de la souveraineté ont été précisés. Ainsi, en droit international, un État souverain possède quatre droits fondamentaux : le premier est le *jus belli*, c'est-à-dire le droit de déclarer la guerre. Le deuxième est le *jus legationis*, c'est-à-dire le droit d'envoyer et de recevoir des missions diplomatiques. Le troisième est le *droit d'ester en justice*,

---

1. Alan JAMES, *Sovereign Statehood: The Basis of International Society*, Londres, Allen and Unwin, 1986. Pour une analyse historique et critique du concept, voir Jens BARTELSON, *A Genealogy of Sovereignty*, Cambridge, Cambridge University Press, 1995 ; Stephen KRASNER, *Sovereignty : Organized Hypocrisy*, Princeton, Princeton University Press, 1999 ; Bertrand BADIE, *Un monde sans souveraineté*, Paris, Fayard, 1999 ; Evelyne DUFAULT, « Souveraineté », dans Alex MACLEOD, Evelyne DUFAULT et F. Guillaume DUFOUR (dir.), *Relations internationales. Théories et concepts*, Montréal, Athéna/ CEPES, 2002, p. 172-173.

c'est-à-dire le droit d'avoir accès aux instances juridiques internationales. Enfin, le quatrième droit, le *jus tractatuum*, est le droit de conclure des traités avec d'autres puissances souveraines. Ces droits légaux et politiques sont le fait de pays souverains qui contrôlent un territoire défini dans lesquels un gouvernement exerce l'autorité suprême sur une population. Ces droits sont conçus pour être indivisibles comme l'est le principe de souveraineté. La souveraineté en droit international est de nature intersubjective : pour être souverain, il faut être reconnu comme tel par les autres pays qui ont ce statut sur la scène internationale. Certes, il peut y avoir contestation, notamment lorsque plus d'une entité revendique la souveraineté sur un même territoire et une même population. Depuis 1949, par exemple, les gouvernements de Beijing et Taipei se considèrent tous deux comme l'autorité suprême de la Chine, même si le premier ne gouverne pas Taiwan et si le second ne contrôle pas le territoire de la Chine continentale.

Paradoxalement, à l'époque même où le principe de la souveraineté s'érigeait en système sur le plan international (xviie-xviiie siècle), des formes de gouvernement basées explicitement sur la *divisibilité* de la souveraineté étaient créées. Il s'agit des « confédérations » et des « fédérations ». La confédération est une union volontaire d'États qui mettent en commun des pouvoirs souverains. Dans un système confédéral, les États membres conservent leur souveraineté, mais créent un gouvernement central qui est sujet du droit international. Ce gouvernement central n'est pas autonome, au sens où il dépend pour fonctionner de ces entités. Il n'existe que peu d'exemples de confédérations durables dans l'histoire. En effet, la plupart des spécialistes soutiennent qu'il s'agit d'un statut instable et souvent de transition vers une plus forte intégration ou alors vers l'indépendance des États membres.

À la suite de la Révolution de 1776, par exemple, les anciennes colonies britanniques en Amérique créèrent une « confédération », qui deviendra une véritable « fédération », les États-Unis d'Amérique, en 1790. En 1848, la Suisse, qui était une confédération de cantons depuis 1291, adoptera une constitution de type fédéral. À l'inverse, la Communauté des États indépendants (CEI), créée en décembre 1991 et qui réunissait des pays membres de l'ex-Union soviétique avec l'objectif de devenir l'équivalent de l'Union européenne (UE), s'est révélée être un échec. Elle est maintenant plutôt une enceinte de dialogue entre pays de l'ex-URSS qui sont liés par un accord de libre-échange.

La Communauté étatique de Serbie et du Monténégro, avant l'indépendance du Monténégro en 2006, était de fait, sinon de droit, une confédération, car la Communauté étatique était un sujet du droit international alors que les deux États membres agissaient de matière indépendante dans la majorité des domaines. L'Union européenne, qui était autrefois l'équivalent de ce qu'est une confédération, est aujourd'hui, c'est-à-dire, selon les mots de Jacques Delors, « un objet politique non identifié » ! Le succès de cette formule en dit long sur les difficultés de définir ce qu'est réellement l'UE. Cette institution supranationale est aujourd'hui plus qu'une simple confédération, mais moins qu'une fédération.

Dans un système fédéral, le gouvernement central et les États fédérés sont, du moins en théorie, souverains dans leurs champs de compétence. Le fondement principal du fédéralisme est ainsi la divisibilité de la souveraineté. Cette notion s'accommode mal des principes de l'ordre westphalien et du droit international. On postule en effet que, dans ces régimes politiques, la souveraineté peut être exercée sur un même territoire et sur une même population par plusieurs sources d'autorité[2].

L'élément le plus important ici est le partage des compétences entre deux ordres de gouvernement ; selon ce que prévoit la constitution fédérale, certains secteurs d'activités sont de compétence exclusive soit du gouvernement fédéral, soit des gouvernements des États fédérés, soit des deux. Ce partage détermine, en grande partie, la nature et la forme de la participation des États fédérés à la politique étrangère, ainsi que la relation, dans ce domaine, entre les provinces et le gouvernement fédéral. Le partage des compétences est aussi parfois source de relations ambiguës, de rivalités et de querelles entre les différents ordres de gouvernement. Le problème vient du fait que les régimes fédéraux sont essentiellement considérés, par le droit international, comme des acteurs unitaires, alors que l'État fédéral doit tenir compte du partage des compétences lorsqu'il négocie et qu'il doit mettre en œuvre des traités internationaux, ne serait-ce que pour s'assurer que les États fédérés respectent les obligations internationales du pays.

---

2. André BERNARD, *La vie politique au Québec et au Canada*, Sainte-Foy, Presses de l'Université du Québec, 1996, p. 22.

FÉDÉRALISME ET RELATIONS INTERNATIONALES

Sur le plan théorique, deux conceptions s'opposent sur la place des États fédérés dans la politique étrangère : l'école centralisatrice et l'école de la gouvernance à paliers multiples. Au sein de l'école centralisatrice, un des premiers théoriciens du fédéralisme, Kenneth C. Wheare, affirmait que le monopole des relations internationales constitue un pouvoir « minimal » de tout gouvernement fédéral[3]. Dans son importante étude, Wheare soulevait les conséquences négatives d'un décloisonnement du contrôle centralisé de la politique étrangère sur l'intérêt national et le fonctionnement du système international. Richard Davis, allant dans le même sens, soutenait que les questions de relations internationales constituent l'épicentre des régimes fédéraux[4]. Selon de nombreux spécialistes du fédéralisme, la principale raison qui justifie l'exercice d'un monopole des relations internationales par le gouvernement fédéral touche à la raison d'être de la fédération, soit la création d'un marché intérieur et la capacité de formuler une politique étrangère unifiée et efficace.

La centralisation des affaires étrangères constituerait également, selon certains, une exigence du droit international, car l'existence d'un système politique centralisé est la condition nécessaire pour que l'État fédéral remplisse le rôle que lui assignent le droit et la pratique. En effet, sans l'existence d'un gouvernement central qui détient l'autorité sur son territoire en matière de relations internationales et qui a la capacité de s'engager et de mettre en œuvre ses obligations internationales, les relations interétatiques ne peuvent être que sérieusement compromises. Ainsi, le fait d'accorder un pouvoir de codécision aux États fédérés en matière de politique étrangère risque de paralyser la politique étrangère et de nuire à l'image de l'État[5].

Les auteurs de tendance centralisatrice affirment ainsi que le décloisonnement de la politique étrangère risque d'affecter grandement l'efficacité

---

3. Kenneth C. WHEARE, *Federal Government*, Oxford, Oxford University Press, 1967, p. 169-170.
4. Richard DAVIS, cité par Greg CRAVEN, « Federal Constitutions and External Relations », dans Brian HOCKING (dir.), *Foreign Relations and Federal States*, Londres, Leicester University Press, 1993, p. 10.
5. Fritz W. SCHARPF, « The Joint-Decision Trap : Lessons from the German Federalism and European Integration », *Public Administration*, vol. 66, n° 3, 1988, p. 239-278.

de cette dernière. Partager les compétences entre le gouvernement fédéral et les États fédérés en matière de relations internationales ne peut que limiter le gouvernement fédéral. En somme, les gouvernements fédéraux doivent parler d'une seule voix afin d'avoir une politique étrangère cohérente. Si on accordait un rôle aux États fédérés en matière de politique étrangère, cette dernière deviendrait cacophonique, un phénomène qualifié de *multiple-voice diplomacy*.

Cette conception du fédéralisme et des relations internationales domine notamment au Canada anglophone. À la suite de la demande du gouvernement du Québec visant à permettre aux provinces canadiennes de participer aux négociations et aux organisations internationales dont le Canada est membre (notamment l'UNESCO), de nombreux commentateurs ont réagi très négativement, suggérant même que la question relevait plus du caprice que de la raison. Selon le *Globe and Mail*, « [m]ême la plus décentralisée des fédérations réserve un pouvoir important au gouvernement central : celui de représenter le pays à l'étranger. En politique étrangère, une nation doit parler d'une seule voix. » Accorder un rôle aux provinces en matière de relations internationales « est la recette pour un désastre diplomatique[6] ». Le *Ottawa Citizen* ajoute : « L'idée est ridicule. Agir au niveau international – aux Nations Unies, signer des traités, mettre fin à des guerres – est l'une des fonctions centrales du gouvernement national[7]. » Enfin, selon le *National Post* :

> Pour qu'une nation soit bien représentée à l'étranger, elle doit parler d'une seule voix. Si le Québec obtient de siéger dans les négociations internationales touchant aux domaines de compétence provinciale – l'UNESCO, qui s'occupe d'éducation et d'affaires culturelles étant l'exemple le plus souvent cité –, la position du Canada deviendra incompréhensible sur les questions à l'égard desquelles le gouvernement fédéral et les provinces ne sont pas complètement d'accord[8].

Ce type de réaction ne s'est pas limité au Canada anglophone. Au Québec, André Pratte a écrit en novembre 2004 : « Les Québécois n'ont aucune raison de se plaindre de la manière dont le gouvernement canadien défend leurs intérêts dans le monde. » Il soutenait de surcroît que « les relations internationales

---

6. « Why Canada speaks for Quebec abroad » (éditorial), *The Globe and Mail*, 5 octobre 2005.
7. « One Country, One Voice » (éditorial), *Ottawa Citizen*, 5 octobre 2005.
8. « Let Canada speak with one voice » (éditorial), *The National Post*, 2 septembre 2005.

sont de juridiction fédérale[9] ». Si la première affirmation reste à démontrer, la seconde est assurément fausse.

Les spécialistes de la gouvernance à paliers multiples ont une perspective opposée sur la question[10]. Selon Brian Hocking, de nombreux États fédéraux n'ont pas, dans les faits, le monopole des relations internationales et doivent composer avec de nombreuses limites sur le plan constitutionnel. Accorder le monopole des relations internationales au gouvernement central dans les régimes fédéraux comporte le risque de mettre en péril l'équilibre des pouvoirs entre les différents ordres de gouvernement au profit des autorités centrales. Si, par exemple, un État fédéré développe une politique en matière d'éducation et que cette politique a un prolongement international sur le plan de la mobilité internationale des étudiants, est-ce que du fait de ce prolongement, cette politique relève automatiquement de la responsabilité du gouvernement fédéral ? Ou encore, si un gouvernement fédéral conclut un traité dans un domaine exclusif des États fédérés, est-ce qu'il peut en imposer la mise en œuvre et ainsi légiférer en complète contradiction avec le partage de compétence de la Constitution fédérale ?

Selon Hocking, qui utilise l'expression de *Multilayered Diplomacy*, la politique étrangère ne peut pas être considérée comme un monopole de l'État central[11]. Elle doit plutôt être conçue comme un système complexe où les acteurs s'enchevêtrent au sein d'une structure étatique fédérale. Hocking insiste ainsi beaucoup sur les « impératifs de coopération » qui existent entre les gouvernements centraux et les États fédérés. Afin de mettre en œuvre une politique étrangère cohérente, il est inévitable que le gouvernement fédé-

---

9. André PRATTE, « La place du Québec », *La Presse*, 17 novembre 2004. Voir aussi « De Pearson à Duceppe », *La Presse*, 21 août 2006, p. A13.

10. Ian BACHE et Matthew FLINDERS (dir.), *Multi-Level Governance*, Oxford, Oxford University Press, 2004 ; Liesbet HOOGHE (dir.), *Cohesion Policy and European Integration : Building Multi-Level Governance*, Oxford, Oxford University Press, 1996 ; Liesbet HOOGHE et Gary MARKS, « "Europe with the Regions" : Channels of Regional Representation in the European Union », *Publius*, hiver 1996, p. 73 ; Liesbet HOOGHE et Gary MARKS, « Unraveling the Central State, But How ? Types of Multi-Level Governance », *American Political Science Review*, vol. 97, n° 2, mai 2003, p. 233-244 ; Charlie JEFFERY, « Sub-National Mobilization and European Integration : Does it Make Any Difference ? », *Journal of Common Market Studies*, vol. 38, n° 1, 2001.

11. Brian HOCKING, *Localizing Foreign Policy. Non-Central Governments and Multi-layered Diplomacy*, Londres, St. Martin's Press, 1993.

ral consulte et même accorde un rôle important aux États fédérés, ne serait-ce que sur le plan de la mise en œuvre des traités qui affectent leurs champs de compétence particuliers. Les spécialistes de la gouvernance à paliers multiples s'intéressent ainsi prioritairement aux mécanismes de coopération ou de coordination de multiples acteurs et de différents niveaux en matière de politique étrangère.

Les impératifs de coopération entre le gouvernement fédéral et les États fédérés s'expliquent parce que les traités internationaux portent de plus en plus sur d'autres domaines que les questions militaires ou de stabilité des monnaies. Depuis la création de l'Organisation internationale du travail (OIT), puis du système des Nations Unies, l'éventail des enjeux internationaux s'est élargi de façon exponentielle[12]. Marie-Claude Smouts estime que « tous les champs de l'activité humaine entrent maintenant dans le champ de compétence d'au moins une organisation intergouvernementale, et souvent de plusieurs[13] ». Ainsi, des organisations internationales ou des conférences thématiques abordent des sujets liés à l'éducation, à la santé publique, à la diversité culturelle, à l'environnement, aux subventions aux entreprises, au traitement des investisseurs, à la suppression des barrières non tarifaires, à l'agriculture ou encore aux services. Dans ce contexte, il est aujourd'hui inconcevable que les champs de compétence des entités subétatiques soient limités à la politique intérieure. Pour assumer la pleine responsabilité de leurs compétences constitutionnelles, les États fédérés doivent élaborer une politique étrangère, que l'on appelle « paradiplomatie »[14].

12. Margaret P. KARNS et Karen A. MINGST, *International Organizations : the Politics and Processes of Global Governance*, Boulder, Lynne Rienner, 2004.
13. Marie-Claude SMOUTS, « Que reste-t-il de la politique étrangère ? », *Pouvoirs*, n° 88, 1999, p. 11.
14. Stéphane PAQUIN, *Paradiplomatie et relations internationales. Théorie des stratégies internationales des régions face à la mondialisation*, Bruxelles, Presses interuniversitaires européennes/Peter Lang, 2004 ; Jacques PALARD, « Les régions européennes sur la scène internationale : condition d'accès et systèmes d'échanges », *Études internationales*, vol. 30, n° 4, 1999, p. 668 et suivantes ; Francisco ALDECOA et Michael KEATING (dir.), *Paradiplomacy in Action. The Foreign Relations of Subnational Governments*, Londres, Frank Cass Publishers, 1999 ; Hans J. MICHELMANN et Panayotis SOLDATOS, *Federalism and International Relations, The Role of Subnational Units*, Oxford, Clarendon Press, 1990 ; Brian HOCKING, « Regionalism : An International Relations Perspective », dans Michael KEATING et John LOUGHLIN (dir.), *The Political*

FÉDÉRALISME ET RELATIONS INTERNATIONALES DANS D'AUTRES FÉDÉRATIONS

De nombreuses constitutions ont tenu compte des problèmes que posent le fédéralisme et les relations internationales. Dans plusieurs cas, c'est le gouvernement fédéral qui se voit octroyer constitutionnellement le monopole des relations internationales. Il exerce seul le droit de signer des traités, d'envoyer des missions diplomatiques et de déclarer la guerre. Ces fédérations sont ainsi très centralisatrices. Les Constitutions du Brésil, de l'Inde, de la Malaisie, du Mexique et du Venezuela, par exemple, accordent le monopole des relations internationales aux États fédéraux. Il faut cependant souvent faire une distinction entre ce qui est écrit dans les textes constitutionnels et la réalité, comme dans le cas des États-Unis.

Aux États-Unis, la Constitution accorde au gouvernement fédéral américain le droit de déclarer la guerre, de négocier les ententes commerciales internationales, de conclure et de ratifier les traités. L'article 10 (1) de la Constitution américaine interdit même aux États américains de conclure des traités avec des puissances étrangères, sauf pour des cas d'accords mineurs, qui doivent tout de même être approuvés par le Congrès[15]. Dans la pratique cependant, les 22 300 États, comtés et villes des États-Unis ont une latitude significative en matière de relations internationales[16]. En 2002, les États américains comptaient 240 représentations à l'étranger comparativement à 4 en 1970. Les endroits les plus populaires sont Tokyo, Séoul, Londres, Francfort et Mexico. L'ensemble des États américains dépensait en 2005 pour ses politiques internationales environ 200 000 000 $[17].

Les actions internationales des États américains ne se limitent pas simplement à l'ouverture de représentations à l'étranger et aux politiques d'attraction

---

15. *Economy of Regionalism*, Londres, Frank Cass, 1995, p. 90 ; James ROSENAU, *Turbulence in World Politics. A Theory of Change and Continuity*, Princeton, Princeton University Press, 1990.

15. Jean E. SMITH, *The Constitution and American Foreign Policy*, St. Paul, West Publishing, 1989.

16. Earl H. FRY, *The Expanding Role of State and Local Governments in U.S. Foreign Affairs*, New York, A Council on Foreign Relations Book, 1998.

17. Earl H. FRY, « Reflexions on Québec-U.S. Relations », texte présenté dans le cadre de la conférence intitulée *Les relations internationales du Québec depuis la doctrine Gérin-Lajoie : 1965-2005*, Université du Québec à Montréal, mars 2005.

des investissements étrangers[18]. Tous ont conclu des ententes avec des États souverains comme le Mexique ou avec des entités subétatiques comme le gouvernement du Québec. De plus, tous les États ont au moins un « État frère » et plus de 1 100 villes entretiennent 1 775 jumelages dans 123 pays[19].

À Washington, les États américains ont recours à un lobby intense sur les questions de politique étrangère. Chacun d'eux peut l'exercer en tant que gouvernement d'un État ou par l'entremise d'organisations intergouvernementales comme la *National Governors' Association*. L'État de la Floride, par exemple, a fait pression sur le gouvernement Clinton pour qu'il intervienne en Haïti afin d'éviter qu'un flot de réfugiés ne débarque sur ses côtes[20]. Les gouverneurs soutiendront également les efforts du président Clinton pour faire approuver par le Congrès le traité de l'ALENA en 1993 et les accords de l'Uruguay Round en 1994. Quarante gouverneurs se prononceront en faveur de l'ALENA[21].

C'est en Belgique que l'on a accordé le rôle le plus important aux États fédérés en matière de relations internationales. Depuis 1993, les entités fédérées belges peuvent devenir de véritables acteurs internationaux[22]. L'autonomie des entités fédérées belges sur le plan de la politique extérieure est unique au monde. Aucun autre pays ne reconnaît constitutionnellement que ses entités fédérées sont souveraines dans leurs champs de compétence et que cela s'applique également aux relations internationales. La Belgique a, en quelque sorte, constitutionnalisé ce que l'on appelle au Québec la « doctrine Gérin-Lajoie ». Pour cette raison, les États fédérés belges disposent d'une

---

18. Robert KAISER, *Subnational Governments as Actors in International Relations: Federal Reforms and Regional Mobilization in Germany and the United States*, document non publié, 8 mars 2002, p. 5

19. John KINCAID, « The International Competence of US States and Their Local Government », dans Francisco ALDECOA et Michael KEATING (dir.), *op. cit.*, p. 111.

20. Brian HOCKING, *op. cit.* (1995), p. 90.

21. John KINCAID, *op. cit.*, p. 124.

22. Éric PHILIPPART, « Gouvernance à niveau multiple et relations extérieures : le développement de la "paradiplomatie" au sein de l'Union européenne et la nouvelle donne belge », *Études internationales*, vol. 29, n° 3, septembre 1998, p. 632 ; Stéphane PAQUIN, « Paradiplomatie identitaire et la diplomatie en Belgique. Le cas de la Flandre », *Revue canadienne de science politique*, vol. 33, n° 3, juillet-août 2003, p. 643-556.

véritable personnalité juridique internationale et peuvent conclure des traités avec des pays souverains. Depuis la signature des accords de Lambermont en juin 2001, même le commerce extérieur est une compétence régionale.

En Belgique, on note une *absence de hiérarchie* entre les différents paliers de gouvernement en matière de relations internationales[23]. Le principe allemand *Bundesrecht bricht landesrecht* (le droit fédéral prime sur le droit régional) ne s'applique donc pas en Belgique. Depuis la révision constitutionnelle de 1993, il existe trois types de traités internationaux :

1. Les traités relevant exclusivement des compétences du gouvernement fédéral et qui sont conclus et ratifiés par ce même gouvernement fédéral ;

2. Les traités relevant exclusivement des compétences communautaires ou régionales et qui sont conclus et ratifiés par les autorités desdites communautés ou régions. Du point de vue du droit, ces traités d'États fédérés ne sont pas subordonnés, en Belgique, aux accords fédéraux, ni au droit fédéral, ni à aucun contrôle politique du parlement fédéral ;

3. Quand un accord concerne à la fois les compétences fédérales et les compétences communautaires ou régionales (les accords dits « mixtes »), le traité est conclu selon une procédure spéciale comme convenu entre tous les gouvernements, et doit également être approuvé par tous les parlements concernés[24].

Le droit de représentation est également accordé aux entités fédérées. Il en résulte que les entités fédérées belges ont la possibilité de désigner leurs propres représentants à l'étranger, que ce soit ou non dans le cadre des postes diplomatiques et consulaires de l'État belge[25]. L'ambassadeur belge n'a aucune autorité hiérarchique sur les représentants des entités fédérées. Aujour-

---

23. David CRIEKEMANS et Timon Bo SALOMONSON, « La Belgique, la Flandre et les forums multilatéraux », vol. 10, n° 1, *Bulletin d'histoire politique*, vol. 10, n° 1, 2002, p. 167 et suivantes.

24. André ALEN et Rusen ERGEC, *La Belgique fédérale après la quatrième réforme de l'État de 1993*, Bruxelles, Ministère des Affaires étrangères de Belgique, 1998, p. 57.

25. *Ibid.*

d'hui, la Flandre a 100 représentations à l'étranger, soit plus que la majorité des États souverains de la planète.

Les entités fédérées belges ont également le droit d'établir directement des politiques dans le domaine multilatéral. Depuis quelques années, elles sont représentées officiellement au sein de la délégation belge à des organisations internationales comme l'Union européenne, l'UNESCO ou l'OMC. Enfin, il existe des organisations qui traitent des matières exclusivement communautaires ou régionales ; dans ce cas, la Belgique n'est représentée que par les ministres des entités fédérées[26].

Afin d'éviter les conflits et d'assurer une certaine cohérence pour la politique étrangère belge, la Conférence interministérielle des Affaires étrangères (CIAE) a été institutionnalisée. Ce comité réunit des représentants des différentes autorités au plus haut niveau politique et a été conçu comme une institution d'information et de concertation permanente[27]. La prise de décisions se réalise par consensus[28].

Sur les questions européennes, par exemple, il y a obligation de consensus entre les régions et le gouvernement fédéral, ce qui signifie que les communautés et les régions belges ont un droit de regard sur une bonne partie de la politique européenne de l'État central. Si les représentants des États fédérés et de l'État central ne s'entendent pas, la Belgique doit s'abstenir. Il s'agit cependant d'une « abstention constructive », c'est-à-dire que cette abstention ne paralyse pas le processus. La Belgique s'abstient simplement d'avoir une position et annule son vote. Cette façon de procéder met une énorme pression sur les différents acteurs pour qu'ils s'entendent, si bien que les abstentions sont en effet rares.

Selon plusieurs spécialistes belges, la cohérence du système est également préservée. La loi oblige en effet les différents gouvernements à s'informer mutuellement des questions d'affaires étrangères, à s'accorder sur la politique à

---

26. *Ibid.*, p. 57 et suivantes.
27. David CRIEKEMANS et Timon Bo SALOMONSON, *op. cit.*, p. 167 et suivantes.
28. Bart KERREMANS, « Determining a European Policy in a Multi-Level Setting : The Case of Specialized Co-ordination in Belgium », *Regional and Federal Studies*, vol. 10, n° 1, printemps 2000, p. 42-44.

suivre au sein du CIAE ou à conclure des accords de coopération[29]. De cette manière, la cohérence d'ensemble de la politique étrangère belge n'est pas mise en péril.

LA CONSTITUTION CANADIENNE ET LES RELATIONS INTERNATIONALES

Au Canada, l'Acte de l'Amérique du Nord britannique (AANB), appelé, la *Loi constitutionnelle de 1867* depuis 1982, aborde à peine la question des relations internationales[30]. Contrairement à certaines autres fédérations – et c'est un problème pour le Canada –, il n'y a aucune attribution constitutionnelle de la compétence exclusive des affaires étrangères[31]. Les dispositions de *Loi constitutionnelle de 1867* ayant trait à la répartition des pouvoirs législatifs[32] – articles 91 et 92 – ne spécifient pas explicitement qui, du fédéral ou du provincial, a autorité en matière de politique étrangère. De plus, contrairement à certaines constitutions fédérales, l'AANB n'interdit pas aux provinces de jouer un rôle international. En fait, la seule référence faite aux affaires étrangères est l'article 132, maintenant caduc depuis le Statut de Westminster, destiné à donner au nouveau dominion le pouvoir d'appliquer les traités impériaux, incluant ceux qui affectent les champs de compétence des provinces : « Le Parlement et le gouvernement du Canada auront tous les pouvoirs nécessaires pour remplir envers les pays étrangers, comme portion de

29. Johanne POIRIER, « Formal Mechanisms of Intergovernmental Relations in Belgium », *Regional and Federal Studies*, n° 12, 2002, p. 128-155.
30. Certaines parties de ce texte proviennent de Stéphane PAQUIN, « Le fédéralisme et les relations internationales du Canada depuis le jugement de 1937 sur les conventions de travail », dans Stéphane PAQUIN (dir.), *Le prolongement externe des compétences internes. Les relations internationales du Québec depuis la doctrine Gérin-Lajoie (1965-2005)*, Sainte-Foy, Presses de l'Université Laval, 2006, p. 7-24.
31. Annemarie JACOMY-MILLETTE, « Les activités internationales des provinces canadiennes, » dans Paul PAINCHAUD (dir.), *De Mackenzie King à Pierre Trudeau, quarante ans de diplomatie canadienne*, Québec, Les Presses de l'Université Laval, 1989, p. 82-83. Voir aussi Michel LEBEL, Francis RIGALDIES et José WOEHRLING, *Droit international Public* (tome 1), Montréal, Thémis, 1978, p. 181-188.
32. Sur la répartition des champs de compétence, voir Réjean PELLETIER, « Constitution et fédéralisme », dans Manon TREMBLAY, Réjean PELLETIER et Marcel R. PELLETIER (dir.), *Le parlementarisme canadien*, Québec, Les Presses de l'Université Laval, 2000, p. 53-59 ; Jean REYNOLDS, « Le régime parlementaire canadien », dans *Introduction. Idéologie et régimes politiques*, Montréal, MGL, 1992, p. 223-225.

l'Empire britannique, les obligations du Canada ou de l'une de ses provinces, naissant de traités conclus entre l'empire et ces pays étrangers. »

Le silence de l'AANB s'explique dans la mesure où le Canada ne devenait pas un pays souverain en 1867, mais un membre de l'Empire britannique. Seul ce dernier jouissait des droits d'une entité souveraine et il était inutile de définir les prérogatives des provinces ou du gouvernement central en ce domaine. Les auteurs de la Constitution n'avaient pas prévu que le nouveau dominion pourrait éventuellement jouir de la même autonomie en matière de politique étrangère que dans les affaires intérieures. En conséquence, comme Roff Johannson le fait remarquer, l'AANB « n'était pas destiné à donner une constitution à un État-nation autonome, mais plutôt à établir le partage des pouvoirs entre les différents niveaux de gouvernement régionaux[33] ».

La pratique constitutionnelle va cependant laisser une plus large place au gouvernement fédéral. De 1871 à 1923, les procédures se transforment et les représentants du gouvernement fédéral commencent à participer aux négociations qui aboutissent à un traité impérial touchant le Canada. Le premier ministre, John A. Macdonald, fera partie de la délégation britannique qui conclura le traité de Washington en 1871 sur la délimitation de la frontière. Après la Première Guerre mondiale, le Canada pourra conclure en son nom le traité de Versailles et obtenir un siège à la Société des Nations et à l'Organisation internationale du travail. Ernest Lapointe conclura, en 1923, au nom du gouvernement canadien, un traité avec le gouvernement américain pour la protection de la pêche du flétan dans l'océan. Le premier ministre, Mackenzie King, insiste alors pour que ce traité ne porte pas la contre-signature de l'ambassadeur britannique à Washington. Malgré les protestations, les Britanniques s'inclinent. Cette nouvelle procédure est confirmée par la Conférence impériale de 1926 qui permet au Canada, ainsi qu'aux autres dominions qui le souhaitent, d'être habilité à négocier et à conclure des traités. Le Canada se voit ainsi reconnaître progressivement le droit d'établir des relations diplomatiques et consulaires avec des pays souverains.

---

33. P. R. (Roff) JOHANNSON, « Provincial International Activities », *International Journal*, vol. 33, n° 2, printemps 1978, p. 359.

À la suite du Statut de Westminster de 1931, le Canada se voit attribuer formellement sa pleine personnalité internationale, ce qui inclut le droit de conclure ses propres traités. Toutefois, rien n'indique cependant que le gouvernement fédéral ait la capacité de mettre en œuvre les traités qu'il conclut dans les champs de compétence des provinces[34]. À la suite du Statut de Westminster, le gouvernement fédéral devient naturellement plus entreprenant en matière de conclusion de traité et tentera d'en imposer la mise en œuvre aux provinces. Plusieurs litiges seront portés devant les tribunaux. La jurisprudence établie dans les années 1930 est fondamentale.

Un des premiers litiges porte sur la Convention de l'aéronautique en 1932. Dans ce cas, certaines provinces s'objectaient à ce que le gouvernement fédéral s'arroge des pouvoirs dans le domaine de l'aviation civile. Le gouvernement fédéral plaida qu'il ne faisait qu'appliquer une convention internationale conclue par l'Empire britannique à Paris en 1919. Le Comité judiciaire du Conseil privé britannique, qui est jusqu'en 1949 le tribunal de dernière instance au Canada, abonda en ce sens : la Convention de Paris était un « Traité d'Empire », et l'article 132 de l'AANB permettait au gouvernement central de légiférer dans les champs de compétence des provinces afin de s'assurer de la mise en œuvre du traité[35].

Le cas de la Convention de la radio de 1932 affectait également les champs de compétence provinciale et fédérale. Cette fois-ci, le gouvernement fédéral revendiquait la juridiction sur la réglementation et le contrôle de la radio-diffusion au Canada à la suite de la ratification, par Ottawa, d'un accord international sur la radiodiffusion sans fil. Dans ce cas, le Comité judiciaire a statué que l'article 132 ne s'appliquait pas puisque c'était le gouvernement canadien, et non l'Empire, qui avait conclu la convention. Cependant, les membres du Comité « estimaient que cela revenait au même » et ont décidé que « c'est le Canada dans son entier qui est responsable envers les autres puissances de voir à la bonne application de la convention ; et pour éviter

---

34. Dans le Statut de Westminster, à l'art. 3 on peut lire : « Il est déclaré que le parlement d'un dominion a tout pouvoir pour faire des lois à portée extra-territoriale. »
35. Sur les décisions concernant les Conventions de l'air, de la radio et du travail, voir Howard A. LEESON et Wilfried VANDERELST, *External Affairs and Canadian Federalism: The History of a Dilemma*, Toronto, Holt, Rinehart and Winston, 1973, p. 65-77.

que des individus au Canada ne transgressent les stipulations de la convention, il est nécessaire que le dominion vote une loi devant s'appliquer à tous les habitants du Canada[36] ».

Le Comité soutenait que, puisque la juridiction de la radiodiffusion n'avait pas été cédée aux provinces en vertu de l'article 92, la compétence d'Ottawa découlait des pouvoirs résiduels de la clause de « paix, ordre et bon gouvernement » de l'article 91. Cette décision pouvait potentiellement porter préjudice aux prérogatives provinciales. En concluant des traités internationaux, le gouvernement fédéral pouvait légiférer dans les champs de compétence des provinces et leur imposer sa conception de l'intérêt national. C'est exactement ce qu'il a tenté de faire en 1935. Pour mettre en œuvre les ententes de l'Organisation internationale du travail, le gouvernement de R. B. Bennett fit adopter une loi régissant le salaire minimum, les heures de travail et les congés hebdomadaires dans la grande industrie. Ottawa justifia son intrusion dans un domaine de compétence provinciale en invoquant encore une fois l'article 132. La Cour suprême du Canada lui donna raison, mais le Comité judiciaire du Conseil privé à Londres rejeta l'argument d'Ottawa.

Ce jugement du Comité judiciaire est d'une importance fondamentale en ce qui concerne la capacité du gouvernement canadien et les droits des provinces en matière de relations internationales. Il rappelle que, si l'article 132 de l'AANB conférait au Parlement et au gouvernement fédéral le pouvoir de mise en œuvre des traités impériaux, il ne s'agissait pas d'une compétence générale de l'État canadien en matière de mise en œuvre des traités[37].

L'arrêt portant sur les conventions de travail de 1937 insiste beaucoup sur un raisonnement *a contrario* qui consiste à dire que si les pouvoirs du fédéral en matière de traité étaient exclusifs, cela permettrait à celui-ci de mettre en œuvre des traités dans des domaines relevant de la compétence provinciale, et ainsi de légiférer en totale contradiction avec la répartition

---

36. Cité dans Peter H. RUSSELL, Rainer KNOPFF et Ted MORTON (dir.), *Federalism and the Charter. Leading Constitutional Decisions*, Ottawa, Carleton University Press, 1989.

37. *Le procureur général du Canada c. Le procureur général de l'Ontario* (1937), A.C. 326, 349, dans François CHEVRETTE et Herbert MARX, *Droit constitutionnel*, Montréal, Les Presses de l'Université de Montréal, 1992, p. 1194.

prévue aux articles 91 et 92 de la Constitution[38]. Selon les juges, ces articles constituent le fondement même de la fédération et ne peuvent, sous aucun prétexte, être contournés de cette façon. Ils écrivent : « Personne ne saurait douter que cette répartition (entre les articles 91 et 92) soit une des conditions les plus essentielles, peut-être la plus essentielle entre toutes, du pacte interprovincial consacré par l'Acte de l'Amérique du Nord britannique[39]. »

Le Comité judiciaire a également statué que le pouvoir de mise en œuvre suit le partage des compétences aux articles 91 et 92 de l'AANB de 1867. Dans l'arrêt portant sur les conventions de travail, Lord Atkins écrit :

> Il serait essentiel d'avoir à l'esprit la distinction entre (1) la formation et (2) l'exécution des obligations qui découlent d'un traité, ce mot s'appliquant à toute entente entre plusieurs États souverains. Dans les pays constituant l'Empire britannique, il y a une règle bien établie qui veut que la conclusion d'un traité soit un acte qui relève de l'Exécutif tandis que l'exécution de ses obligations, si elles entraînent une modification aux lois du pays, exige l'intervention du pouvoir législatif. Contrairement à ce qui a lieu ailleurs, les stipulations d'un traité dûment ratifié n'ont pas dans l'Empire, en vertu de ce traité même, force de loi. Si l'Exécutif national du gouvernement du jour décide d'assumer les obligations d'un traité qui entraînent des modifications aux lois existantes, il doit demander au Parlement son assentiment, toujours aléatoire, aux modifications proposées. Afin d'être sûr de ce consentement, il s'efforcera très souvent d'obtenir, avant la ratification finale, l'approbation expresse du Parlement. Mais on n'a jamais soutenu, et la loi n'est pas à cet effet, que pareille approbation a force de loi ou qu'en droit elle empêche le Parlement du jour, ou son successeur, de refuser sa sanction à toute mesure législative proposée dont il pourra plus tard être saisi[40].

En somme, au Canada, le pouvoir de conclusion (soit la négociation, la signature et la ratification) d'un traité appartient à l'exécutif tandis que relève

---

38. Le Comité judiciaire du Conseil privé de Londres dans l'arrêt *Liquidators of the Maritime Bank of Canada* confirme également le fédéralisme comme principe fondateur du Canada : « Le but de [la Loi constitutionnelle de 1867] n'était pas de fusionner les provinces en une seule ni de subordonner les gouvernements provinciaux à une autorité centrale, mais de créer un gouvernement fédéral dans lequel elles seraient toutes représentées et auquel serait confiée de façon exclusive l'administration des affaires dans lesquelles elles avaient un intérêt commun, chaque province conservant son indépendance et son autonomie. » *Liquidators of the Maritime Bank of Canada c. Receiver-General of New-Brunswick* [1892], A.C. 437, p. 441-442.
39. *Le procureur général du Canada c. Le procureur général de l'Ontario*, *op. cit.* (1937).
40. *Ibid.*, p. 1186.

du législatif sa mise en œuvre. Puisque le Parlement est souverain, il n'est pas obligé de prendre les mesures législatives requises pour mettre en œuvre un traité conclu par l'exécutif. Cela est également valable pour les législatures provinciales. Afin qu'un traité ait force de loi au Canada, il faut que le Parlement canadien légifère, notamment lorsque les lois fédérales sont affectées, ce que doivent aussi faire les parlements des provinces lorsque les lois provinciales sont en cause. Un traité ne s'applique pas par lui-même, au-dessus des lois existantes : il faut une intervention législative pour lui donner effet. Au Canada, les juges rendent leur verdict en se basant sur les lois, pas sur les traités.

En droit interne, pour qu'un traité s'applique, il doit donc être incorporé, dans la plupart des cas, par une loi au palier compétent[41]. Si le droit interne est compatible avec le traité, il n'y a pas lieu de légiférer. Cela se produit fréquemment, car les provinces et le fédéral sont souvent à l'avant-garde ou ont déjà promulgué des lois qui sont plus sévères que les normes internationales. En cas d'incompatibilité du droit avec le traité, une loi de mise en œuvre ou d'incorporation est nécessaire. Cette loi peut prendre diverses formes : par exemple, un texte législatif qui donne force de loi au traité et qui lui est annexé, ou une loi qui reprend plus ou moins fidèlement les dispositions du traité. La Convention de 1958 des Nations Unies pour la reconnaissance et l'exécution de sentences arbitrales étrangères est un exemple de traité mis en œuvre par des lois d'incorporation par les deux paliers de gouvernement. La Convention de La Haye sur les aspects civils de l'enlèvement international d'enfant a été conclue par l'exécutif fédéral, mais mise en œuvre exclusivement par les provinces[42].

Dans le cas de l'Accord de libre-échange nord-américain, les législateurs ont modifié le droit interne afin de le rendre conforme aux dispositions de l'entente[43]. Ainsi, l'ALENA ne s'applique pas directement à l'intérieur du

41. Sylvie SCHERRER, « L'effet des traités dans l'ordre juridique interne canadien à la lumière de la jurisprudence récente », dans SERVICE DE LA FORMATION PERMANENTE, BARREAU DU QUÉBEC, *Développements récents en droit administratif*, Montréal, Les Éditions Yvon Blais Inc., 2000, p. 59.

42. Christiane VERDON, « La conclusion et la mise en œuvre des traités dans les États fédérés et unitaires », *Académie internationale de droit comparé*, XIIᵉ Congrès, Montréal, 1990, p. 2.

43. Sylvie SCHERRER, *op. cit.*, p. 63.

Canada. La nuance est importante, car il est difficile de mesurer à l'avance comment se transformeront les obligations du Canada liées à l'ALENA. Est-ce que les provinces et le fédéral n'ont incorporé que le traité d'origine ou le traité et son interprétation faite par les groupes spéciaux ou par les organes institués par l'ALENA ?

Un traité conclu par l'exécutif fédéral n'a pas prépondérance sur les autres. À titre d'exemple, très peu de provinces canadiennes se sont déclarées formellement liées aux deux accords parallèles sur le travail et l'environnement de l'ALENA. Seuls le Québec, l'Alberta, le Manitoba et l'Île-du-Prince-Édouard ont ratifié l'accord sur le travail.

Compte tenu de ces réserves, le gouvernement fédéral a toujours été prudent lorsqu'il a engagé le Canada internationalement pour ne pas risquer d'être contesté. Il a ainsi, au cours de l'histoire, développé différentes stratégies, comme le refus de participer aux travaux de certaines organisations internationales ou de limiter les négociations internationales à ses seuls champs de compétence, l'utilisation des clauses fédérales afin de limiter la portée de ses responsabilités, ou encore après, la formulation de la doctrine Gérin-Lajoie sur l'établissement de mécanismes de consultation avec les provinces.

LE FÉDÉRALISME ET LES DROITS DES PROVINCES EN MATIÈRE DE TRAITÉS INTERNATIONAUX

Puisque le gouvernement du Canada n'a pas la capacité d'imposer aux provinces les traités qu'il conclut, il a été contraint d'utiliser différents mécanismes afin d'éviter d'être contesté[44]. Le fédéralisme et les droits des provinces en matière de politique étrangère ont pour effet que le gouvernement fédéral ne ratifie qu'un nombre inférieur de traités internationaux par rapport à ce que font les pays à structure unitaire. Le Canada n'avait ratifié que 18 des 111 conventions internationales adoptées par l'OIT avant 1961[45]. En ce qui concerne les conventions sur les droits de l'Homme, le Canada n'en avait

---

44. Voir à ce sujet Ivan BERNIER, *International Legal Aspects of Federalism*, Londres, Longmans, 1973.
45. Renaud DEHOUSSE, *Fédéralisme et relations internationales*, Bruxelles, Bruylant, 1991, p. 181.

ratifié que 6 sur 18 en 1969 alors que la moyenne des pays à structure unitaire s'élève à 10[46].

Le problème du Canada est encore plus évident lorsqu'il est question de sa participation aux travaux des organisations internationales qui affectent ou qui sont essentiellement dans les champs de compétence des provinces comme l'UNESCO, l'Organisation mondiale de la santé (OMS) ou encore l'OIT. Dès 1938, par exemple, une procédure officieuse, mais très détaillée, a été mise sur pied pour baliser la participation du Canada à la Conférence internationale du travail. Lorsqu'un projet de convention était soumis, la délégation canadienne devait voter pour la prise en considération de cette proposition, mais devait s'abstenir lors du vote final si cette proposition avait pour objet un domaine de compétence provinciale, à moins que les « gouvernements provinciaux n'aient fait preuve à l'égard de l'essentiel de la proposition d'un soutien suffisant pour que l'on puisse entretenir des espoirs raisonnables quant à son adoption substantielle au Canada[47] ». Dans le cas contraire, le gouvernement fédéral devait chercher à limiter la portée de la convention aux champs de compétence du gouvernement fédéral. La délégation canadienne à la Conférence de San Francisco de 1945 qui créera les Nations Unies va, par exemple, s'opposer à ce que la convention finale fasse référence au plein emploi dans les objectifs de l'ONU[48]. Cela explique également pourquoi le Canada a longtemps décliné les invitations qui lui ont été faites de participer aux conférences de La Haye en droit international privé[49]. Il n'était pas des fondateurs en 1955 et ne deviendra membre qu'en 1968. Le Canada n'avait pas intérêt à participer à une conférence dans laquelle, pour l'essentiel, on traitait d'objets qui appartenaient aux champs de compétence des provinces[50].

Ces contraintes affectent la capacité du Canada de jouer un rôle international important dans ces années d'après-guerre. Une autre procédure sera

---

46. *Ibid.*
47. « Some proposals concerning Canada and the International Labour Organization », mémorandum du délégué permanent auprès de la SDN, Genève, 30 novembre 1938, cité dans Renaud DEHOUSSE, *op. cit.*, p. 191.
48. John James EAYRS, « Canadian Federalism and the United Nations », *Canadian Journal of Political Science*, vol. 16, n° 2, mai 1950, p. 175.
49. J. G. CASTEL, « Canada and the Hague Conference on Private International Law : 1867-1967 », *CBR*, 1967, p. 1.
50. Renaud DEHOUSSE, *op. cit.*, p. 190.

appliquée aux Nations Unies pour laisser une plus grande marge aux diplomates. Lorsque les sujets abordés dans les commissions relevaient de juridictions provinciales, les diplomates devaient mentionner les difficultés constitutionnelles dans leur pays et s'abstenir de voter. Puisque les problèmes internes avaient été mentionnés, la délégation canadienne pouvait approuver la résolution lors du vote final. L'intervention de Lester Pearson, chef de la délégation canadienne à l'Assemblée générale, est révélatrice de l'impact du droit des provinces. Il déclare :

> Lorsque certains articles de la Convention ont été adoptés en comité, la délégation canadienne s'est abstenue, en expliquant que les thèmes à l'étude en cours étaient essentiellement de juridiction provinciale au Canada. Je souhaite qu'il soit clair qu'en regard des droits qui sont définis dans ce document, le gouvernement fédéral ne souhaite pas envahir d'autres droits qui sont importants pour le peuple canadien, ceux des provinces, qui sont protégés par notre Constitution. Nous croyons que les droits mis de l'avant dans cette Déclaration sont déjà bien protégés au Canada. Nous devons continuer de développer et maintenir ces droits et libertés, mais nous devons le faire à l'intérieur des balises de notre Constitution, qui attribue aux provinces certaines de ces responsabilités. En raison de ces réserves, la délégation canadienne s'est abstenue lorsque la Déclaration a été mise aux voix en comité. La délégation canadienne, cependant, approuve et appuie les principes généraux contenus dans la Déclaration et souhaite ne rien faire qui puisse laisser présager que le Canada s'y oppose. Les Canadiens croient en ces droits et les mettent en pratique au sein de leur communauté. Afin qu'il n'y ait aucune mésentente sur notre position sur le sujet et puisque la délégation a clarifié sa position au sein du comité, la délégation canadienne votera en faveur de la résolution avec l'espoir que la Convention laissera sa marque dans la marche de l'humanité vers le progrès[51].

Ce type de position s'attirera bien des critiques tant sur le plan international que national, où de nombreux auteurs souhaitaient que le gouvernement fédéral soit beaucoup plus actif[52]. Afin d'éviter ce type de problèmes, le fédéral utilisera une autre stratégie. Il soutiendra l'ensemble de la démarche ou de la procédure pour en arriver à la conclusion d'une convention dans

---

51. PEARSON, cité dans GOUVERNEMENT DU CANADA, *Canada and the United Nations*, Ottawa, Ministère des Affaires extérieures, 1948, p. 248-249.
52. Allan GOTLIEB, « The Changing Canadian Attitude to the United Nations Role in Protecting and Developing Human Rights », dans Allan GOTLIEB (dir.), *Human Rights, Federalism and Minorities*, Toronto, Institut canadien des affaires internationales, 1970.

une organisation internationale, mais imposera l'ajout d'une « clause fédérale » dans le traité final. La clause fédérale (parfois désignée «clause Canada» tellement elle est utilisée par ce dernier) assujettit aux impératifs constitutionnels la mise en œuvre du traité et confirme que le gouvernement fédéral ne peut respecter le traité que dans la limite de ses compétences constitutionnelles[53]. La première clause fédérale de l'Organisation internationale du travail de 1946 stipule que : « Dans le cas d'un État fédéral dont le pouvoir d'adhérer à une convention relative aux problèmes du travail est soumis à certaines limitations, le gouvernement aura le droit de considérer un projet de convention auquel ces limitations s'appliquent comme une simple recommandation[54]. » Les clauses fédérales sont également utilisées dans les traités bilatéraux du Canada. Le traité sur la double imposition entre le Canada et l'Australie de 1957, par exemple, limite la portée du traité aux champs de compétence des États fédéraux[55].

Les clauses fédérales se révèlent cependant rapidement inacceptables pour certains pays avec lesquels le Canada s'engage. En effet, lorsque le Canada ratifie une convention avec des États unitaires ou centralisés comme la France ou la Grande-Bretagne, ceux-ci sont tenus de respecter l'intégralité du traité alors que le gouvernement fédéral canadien ne peut en assurer le respect que dans ses champs de compétence. De plus, cette formulation n'a aucun caractère contraignant et n'évoque même pas l'obligation de moyen. Mais sans cette clause, le Canada risque la marginalisation, car il ne pourra pas participer aux activités des organisations internationales qui œuvrent dans les champs de compétence des provinces. C'est la leçon de l'arrêt portant sur les conventions de travail de 1937.

La clause fédérale demeurera et prendra différentes formes au Canada. La première veut que l'on limite la portée d'une convention internationale à certaines provinces et la seconde impose au gouvernement fédéral qu'il prenne des mesures raisonnables afin de faire respecter le traité ou l'accord par les provinces. Ces clauses commenceront cependant à imposer certaines obligations à Ottawa.

---

53. André PATRY, *La compétence internationale des provinces canadiennes*, Montréal, André R. Dorais éditeur, 2003, p. 6.
54. Cité dans Renaud DEHOUSSE, *op. cit.*, p. 187.
55. Ivan BERNIER, *op. cit.*, p. 185.

Un exemple de la première évolution de la clause fédérale provient de la Conférence de La Haye sur le droit international privé. Dans le cadre de cette conférence, le gouvernement canadien a soutenu une disposition qui autorise les États fédéraux à limiter la portée territoriale de leur ratification. Le gouvernement fédéral pouvait ainsi limiter la portée de l'accord à quelques provinces seulement. L'intérêt de cette pratique est qu'elle contourne la règle de l'unanimité. Lors de la ratification par le gouvernement fédéral de son accession à la Convention sur la forme des testaments internationaux de 1973, il a indiqué que cette convention ne s'appliquait qu'au Manitoba et à Terre-Neuve. Quelques mois plus tard, la portée de la convention a été étendue à l'Ontario et à l'Alberta. Un autre exemple est survenu en 1983, lorsque le gouvernement fédéral a appuyé la Convention de La Haye sur les aspects civils de l'enlèvement international d'enfants. Lors de la ratification du traité, il ne s'appliquait qu'à quatre provinces. Par la suite, cette convention va s'étendre progressivement aux autres provinces et est aujourd'hui en vigueur partout au Canada[56].

La seconde évolution de la clause fédérale provient de traités comme le GATT ou, plus récemment, de l'ALENA. La section 24 : 12, article 13, du traité du GATT énonce que :

> Chaque Membre est pleinement responsable au titre du GATT de 1994 de l'observation de toutes les dispositions du GATT de 1994 et prendra toutes mesures raisonnables en son pouvoir pour que, sur son territoire, les gouvernements et administrations régionaux et locaux observent lesdites dispositions.

Cette clause oblige les pays signataires à prendre des « mesures raisonnables » afin que les gouvernements régionaux et locaux appliquent le traité du GATT de 1994.

La nature des obligations du gouvernement fédéral du Canada vis-à-vis des provinces a été explicitée par l'organe de règlement des différends de l'organisation. Dans la cause *Canada : Import, Distribution and Sale of Certain Alcoholic Drinks by Provincial Marketing Agencies*, les États-Unis ont soutenu que le gouvernement du Canada pouvait contraindre les provinces canadiennes à adopter les réglementations du GATT. Les provinces contre-

---

56. La Convention du 25 octobre 1980 sur les aspects civils de l'enlèvement international d'enfant comporte une clause fédérale (articles 40 et 41).

venaient en effet à certains engagements pris par le Canada. Le jugement du panel du GATT n'a pas défini ce que signifie, pour le gouvernement fédéral, prendre des « mesures raisonnables », mais il a jugé que celui-ci doit pouvoir démontrer qu'il a fait des « efforts sérieux, persistants et convaincants » (*Serious, persistent, and convincing effort*)[57]. En somme, les experts du GATT, et aujourd'hui de l'OMC, reconnaissent que le gouvernement fédéral n'a pas la capacité constitutionnelle d'imposer ses traités aux provinces, mais les efforts sérieux, persistants et convaincants signifient que désormais le gouvernement fédéral doit s'ouvrir aux provinces lors des négociations internationales.

Cette réserve est inscrite dans le traité de l'ALENA à l'article 105 sur l'étendue des obligations. Cet article précise, comme la section 24 : 12, article 13, du GATT, que : « Les Parties feront en sorte que toutes les mesures nécessaires soient prises pour donner effet aux dispositions du présent accord, notamment, sauf disposition contraire, en ce qui concerne leur observation par les gouvernements des États et des provinces. » À noter qu'il ne s'agit plus de « mesures raisonnables », mais de « mesures nécessaires ».

LES MÉCANISMES DE CONSULTATION : LA FORMATION D'UN SYSTÈME DE GOUVERNANCE À PALIERS MULTIPLES

Les transformations des clauses fédérales et la formulation de la doctrine Gérin-Lajoie en 1965 (nous y reviendrons dans le chapitre 12) ont forcé le gouvernement fédéral à consulter les provinces lorsque les traités internationaux affectent leurs champs de compétence, car, dans le cas contraire, il risque d'être dénoncé sur le plan international. Parce que le gouvernement fédéral est conscient de ses limites, plusieurs mécanismes de consultation avec les provinces ont été mis sur pied[58].

---

57. General Agreement on Tariffs and Trade, Basic Instruments and Selected Documents, 35th Supp. 37, Washington (DC), GATT Secretariat, 1988.
58. Jacob ZEIGEL, « Treaty Making and Implementation Powers in Canada : The Continuing Dilemma », dans B. CHENG et E. D. BROWN (dir.), *Contemporary Problems of International Law : Essays in Honour of Georg Schwarzenberger on his Eightieth Birthday*, Agincourt, Carswell, 1988 ; Daniel TURP, *Pour une intensification des relations du Québec avec les institutions internationales*, Québec, Ministère des Relations internationales, 1er novembre 2002.

Même si le Canada présente certaines caractéristiques d'une diplomatie à paliers multiples comme la Belgique ou la Suisse, les mécanismes inter-gouvernementaux qui sont les siens restent incomplets, car ils ne concernent pas l'ensemble des négociations et organisations internationales qui affectent les champs de compétence des provinces. Ils sont aussi faiblement institution-nalisés, souvent plus contraignants pour le gouvernement fédéral et laissent donc une trop grande place à l'arbitraire. De plus, ces mécanismes n'incluent pas toujours une participation provinciale aux négociations comme telles. Mis à part l'Organisation internationale de la Francophonie, qui a accordé une place au Québec et au Nouveau-Brunswick pour des raisons sur lesquelles nous reviendrons, certains accords intergouvernementaux méritent d'être présentés.

Dans le domaine de l'éducation, qui est à l'origine de l'accélération de l'activisme du Québec dans les années 1960, les provinces peuvent mettre en œuvre leurs propres politiques d'échanges ou de coopération avec d'autres régions ou pays, mais la participation des provinces à des organisations gouvernementales internationales à vocation universelle telles que l'ONU, l'UNESCO, l'Organisation des États américains (OEA) ou l'Organisation de coopération et de développement économique (OCDE) se fait par le truche-ment du gouvernement fédéral, le seul à pouvoir parler au nom du pays, même dans les champs de compétence des provinces.

Depuis 1967, un organisme de coopération interprovinciale dans le domaine de l'éducation a été mis sur pied. Il s'agit du Conseil des ministres de l'Éducation du Canada (CMEC) dont le rôle est de coordonner les échanges entre provinces, de gérer certains programmes conjoints, mais également, de plus en plus, de présenter la position du gouvernement canadien lors de ren-contres internationales qui traitent d'éducation. Depuis 1977, le ministère des Affaires étrangères a conclu avec le CMEC une entente selon laquelle cet orga-nisme recommandera la composition de la délégation canadienne et en dési-gnera le chef de mission. Cette entente a été acceptée par toutes les provinces incluant le Québec et régit depuis les relations internationales du Canada en matière d'éducation.

L'entente prévoit que le CMEC doit être représentatif du point de vue de l'ensemble des provinces lorsqu'une position canadienne doit être détermi-née. Les décisions au sein du CMEC se prennent par consensus ce qui, dans les faits, se traduit par une forme de veto pour chaque province. C'est le gouvernement canadien qui est chargé de payer les coûts de l'opération sauf si les provinces souhaitent envoyer du personnel supplémentaire.

Cette organisation interprovinciale assume également un rôle de secrétariat permanent sur ce sujet et s'assure d'établir des contacts réguliers avec les organisations internationales. Elle est également l'unique interlocutrice et assure la coordination des enquêtes comme celle dirigée par l'OCDE. C'est ce système qui permet aux provinces d'être représentées collectivement dans les organisations gouvernementales internationales où les questions d'éducation sont abordées[59].

Dans le domaine des traités adoptés à la Conférence de La Haye en droit international privé, le ministère fédéral de la Justice a mis sur pied un groupe consultatif qui est composé de fonctionnaires des ministères provinciaux de la Justice représentant quatre régions du Canada. Ce groupe consultatif est remplacé tous les quatre ans et a pour mandat de conseiller le ministère de la Justice sur les questions de droit international privé. À la suite des recommandations de ce groupe consultatif, les ministères provinciaux sont consultés pour préciser la position canadienne lors de la négociation du traité et sur les questions de mise en œuvre. En outre, des représentants des provinces peuvent faire partie de la délégation canadienne aux sessions de la Conférence de La Haye. Par la suite, la Conférence d'uniformisation des lois du Canada prépare des projets de loi que pourront adopter, si elles le souhaitent, les provinces[60].

D'autres mécanismes existent, comme la Conférence fédérale-provinciale des ministres responsables de la question des droits de la personne. Cette conférence se réunit environ tous les deux ans et regroupe un comité permanent qui inclut des représentants du gouvernement fédéral, des provinces et des territoires. Ce comité a pour mandat de procéder à des consultations et de faire la liaison entre les différents ordres de gouvernement. Ce comité

---

59. Yvan Dussault, « Les négociations interaméricaines en matière d'éducation : le rôle des acteurs fédérés canadiens », document inédit, 4 février 2004, 22 p.
60. Augusto Cesar Belluscio, *La conclusion et la mise en œuvre de traités dans les États unitaires et fédérés*, document inédit, 23 p.

exerce notamment les fonctions particulières suivantes : il sert de mécanisme de consultation entre les gouvernements au Canada au sujet de la ratification des conventions internationales relatives aux droits de la personne ; il encourage les échanges d'informations entre ces gouvernements au sujet de l'interprétation et de la mise en œuvre des instruments internationaux sur les droits de la personne et d'autres questions s'y rapportant ; il facilite la préparation et la rédaction des rapports sur les conventions qui ont été ratifiées, de même que celles d'autres rapports requis par les Nations Unies ou d'autres organisations sur des questions de droits de la personne ; il encourage les échanges d'informations et la recherche sur les questions relatives aux droits de la personne, qui revêtent un intérêt commun ; il discute des positions que devrait adopter le Canada sur les questions internationales de droits de la personne ; et il organise les conférences ministérielles sur les droits de la personne et en assure le suivi[61].

Les décisions concernant la ratification et la mise en œuvre des conventions dans le domaine des droits de la personne sont prises dans le cadre de ces conférences[62]. Selon la ministre des Relations internationales du Québec, Monique Gagnon-Tremblay :

> Les provinces sont ainsi associées à presque toutes les étapes d'élaboration d'un accord international en ces matières, et ce, à partir du projet initial de résolution de la Commission des droits de l'homme jusqu'à la ratification d'un nouvel accord en passant par les discussions internationales proprement dites et les échanges relatifs aux incidences sur les législations nationales. Aux étapes de la signature et de la ratification, il existe aussi une procédure formelle selon laquelle le gouvernement du Canada requiert le consentement des provinces avant de procéder. Du côté de la mise en œuvre, les États parties sont tenus de faire régulièrement des rapports et chaque province est responsable de son propre rapport, intégralement reproduit dans le rapport canadien[63].

Dans le domaine économique, le gouvernement fédéral a également mis sur pied différents mécanismes afin de consulter les provinces. Depuis les débuts des négociations multilatérales de libéralisation du cycle de Tokyo (*Tokyo Round*) au milieu des années 1970, il a créé des mécanismes consultatifs

---

61. Site Internet de Patrimoine Canada : <http://www.pch.gc.ca/progs/pdp-hrp/docs/core_f.cfm>.
62. *Ibid.*
63. Monique GAGNON-TREMBLAY, « L'action internationale du Québec et les droits de la personne : des efforts réels », *Le Devoir*, 31 août 2005.

sur les initiatives fédérales concernant le commerce international[64]. Ces mécanismes étaient rendus nécessaires par le fait que les négociations du cycle de Tokyo commençaient à aborder des enjeux qui étaient clairement dans les champs de compétence des provinces. Puisque les cycles suivants touchaient également les champs de compétence des provinces, les mécanismes de consultation vont demeurer[65]. Ces consultations vont gagner en importance puisque les négociations internationales vont de plus en plus porter sur les politiques internes concernant les subventions aux entreprises ou les réglementations provinciales ou locales qui ont pour effet de créer des distorsions ou d'obstruer le commerce international. Les politiques de prix des ressources naturelles et de support à l'agriculture ne sont que deux exemples parmi d'autres de questions intérieures affectant les compétences constitutionnelles des provinces qui commencent à être abordées lors de conférences internationales à caractère économique.

Ces pratiques des négociations intergouvernementales se poursuivront dans de nombreux forums incluant les forums C-commerces [*C-Trade meeting*]. Ce comité réunit tous les trois mois les fonctionnaires fédéraux, provinciaux et territoriaux afin d'échanger des renseignements et d'élaborer la position canadienne sur un ensemble de questions relatives à la politique commerciale, ce qui inclut les négociations[66].

De nos jours, il est rare que des représentants du gouvernement fédéral ne consultent pas leurs homologues provinciaux sur les questions internationales lorsque les champs de compétence des provinces sont affectés. Le problème provient plutôt du fait que les mécanismes intergouvernementaux ne couvrent pas l'ensemble des négociations et organisations internationales et que la plupart de ces mécanismes ne sont que faiblement institutionnalisés.

---

64. Ivan BERNIER, « La Constitution canadienne et la réglementation des relations économiques internationales au sortir du "Tokyo Round" », *Cahiers de Droit*, vol. 20, 1979, p. 673 et suivantes.

65. H. Scott FAIRLEY, « Juridictional Limits on National Purpose : Ottawa, The Provinces and Free Trade with the United States », dans Marc GOLD et David LEYTON-BROWN (dir.), *Trade-Offs on Free Trade : The Canada-US Free Trade Agreement*, Toronto, Carswell, 1988.

66. Stephen DE BOER, « Canadian Provinces, US States and North American Integration : Bench Warmers or Key Players ? », *Choices IRPP*, vol. 8, n° 4, novembre 2002, p. 4.

C'est l'absence de règles claires, stables et prévisibles qui est la source de nombreux conflits intergouvernementaux.

LES CONTRAINTES STRUCTURELLES DU FÉDÉRALISME

Du point de vue du gouvernement central, la structure fédérale du Canada impose de sérieuses contraintes à l'élaboration et la mise en œuvre d'une politique étrangère « nationale » dans bon nombre de domaines importants. La présence des gouvernements provinciaux, avec leurs intérêts à faire valoir sur la scène internationale, et une Constitution qui n'empêche pas explicitement les provinces de mener leur propre relation avec l'étranger, ont fait en sorte que seule la décision d'entrer en guerre demeure exclusivement du ressort d'Ottawa (quoique des pressions de l'électorat aient parfois poussé les gouvernements provinciaux à se prononcer même sur cette question, comme lors des élections québécoises de 1939 ou, plus récemment, lorsque les gouvernements ontarien et albertain ont déploré la décision d'Ottawa de ne pas participer à la Coalition contre l'Irak en 2003). Quand une question de politique étrangère touche à des compétences provinciales, les principes du fédéralisme exigent que les décideurs politiques fassent de leur mieux pour refléter la diversité des intérêts régionaux et les préoccupations des provinces. Aussi, la nature du fédéralisme canadien exige-t-elle que les provinces soient à tout le moins consultées, sinon directement impliquées lors du processus de prise de décision en politique étrangère.

Dans le domaine des affaires étrangères en relation avec les provinces, le gouvernement fédéral a été parfois conciliant, parfois intransigeant envers les demandes provinciales. En fait, l'attitude d'Ottawa semble varier en fonction du respect démontré par les provinces envers sa prééminence en politique étrangère. Ainsi, puisque la majorité des provinces ne remettent pas en question cette prééminence, leurs activités internationales ne sont pas perçues comme étant menaçantes et n'engendrent pas de conflit. La qualité de la collaboration sur les questions de relations internationales entre les représentants du fédéral et les provinces à l'étranger dépend aussi de la qualité des rapports sur le front de la politique intérieure. Lorsque s'installe un climat de confrontation entre Ottawa et un gouvernement provincial sur un sujet purement national, cela se répercute forcément sur leurs relations à l'extérieur[67]. Les fonctionnaires provinciaux, y compris ceux provenant du gouvernement du Québec à l'étranger qui font la promotion du tourisme et de l'investissement, travaillent généralement de concert avec les diplomates fédéraux. Quand la plupart des premiers ministres provinciaux, à l'exception du gouvernement du Québec, se rendent à l'étranger, personne ne se préoccupe de la hauteur relative du drapeau provincial par rapport à celui du Canada, ou bien si les pratiques diplomatiques obscures instituées lors du Congrès de Vienne sont respectées à la lettre. En somme, puisque la majorité des provinces ne tentent pas d'exploiter les symboles de la souveraineté d'une manière qui pourrait faire ombrage au gouvernement central, ces symboles perdent de leur importance. Règle générale, cependant, la situation est plus difficile sur le plan provincial lorsque les libéraux fédéraux sont au pouvoir. De plus, plus les relations fédérales-provinciales sont médiatisées, plus le risque de conflit est grand, car les protagonistes ne voudront pas donner l'impression de céder.

De leur côté, les provinces estiment souvent qu'elles sont en meilleure position pour défendre leurs intérêts que ne l'est le gouvernement fédéral. En fait, l'« intérêt provincial » se heurte parfois à certaines conceptions de l'« intérêt national », ce qui peut donner lieu à des désaccords sur des aspects fondamentaux de la politique étrangère. Par exemple, les règles strictes du gouvernement fédéral dans le domaine des investissements étrangers durant les années 1970-1980 répondaient bien aux inquiétudes de l'Ontario, qui craignait la mainmise des étrangers sur son secteur manufacturier. Cependant, le fait de freiner les investissements étrangers au Canada contrecarrait les intérêts des provinces moins bien nanties sur le plan industriel et qui avaient bien besoin de ce capital pour financer leur croissance en ce domaine.

De plus, les gouvernements provinciaux ne sont pas toujours convaincus de la compétence du fédéral pour faire valoir leurs intérêts à l'étranger. Lorsque le gouvernement du Parti québécois est au pouvoir et tente de montrer aux États-Unis qu'il serait un membre responsable de la communauté

---

67. Sur l'impact des relations entre Québec et Ottawa sur la paradiplomatie québécoise, voir Ben ROSWELL, « The Federal Context: Ottawa as Padlock or Partner ? », *The American Review of Canadian Studies*, vol. 32, n° 2, été 2002, p. 215-237.

internationale, il peut difficilement espérer que cette tâche sera adéquatement menée par des fédéralistes. Cette méfiance à l'endroit du gouvernement fédéral ne se limite cependant pas au cas du Québec. En 1969, le premier ministre de l'Alberta se plaignait :

> [P]lusieurs Canadiens de l'Ouest sont fatigués de se rendre dans les pays asiatiques et d'y rencontrer des fonctionnaires fédéraux remplis de bonnes intentions, mais qui ne connaissent que l'est du pays, qui connaissent toutes les entreprises majeures de Montréal, Toronto ou Ottawa, mais qui n'ont jamais entendu parler des préoccupations internationales de Winnipeg, Regina, Edmonton, Calgary ou Vancouver. Ces gens représentent les intérêts de certains Canadiens, mais ils ne représentent pas nos intérêts[68].

Cette doléance a été maintes fois reprise depuis.

Les deux ordres de gouvernement ont tenté de réduire l'impact politique de leurs différences ou divergences de points de vue, en mettant en place des mécanismes de consultation et de coordination pour anticiper les problèmes et tenter de concilier les intérêts de chacun. Cependant, les conflits sont inévitables étant donné la souveraineté partagée et l'ambiguïté constitutionnelle du fédéralisme canadien. En somme, seule une restructuration radicale du système fédéral au Canada pourrait éliminer les contraintes structurelles qui s'exercent sur les décideurs politiques fédéraux en matière de politique étrangère, du simple fait de l'existence des gouvernements provinciaux.

---

68. Cité dans P. R. Johannson, *op. cit.*, p. 364, note 14 [traduction libre].

11

LA DIPLOMATIE PARALLÈLE
DES PROVINCES CANADIENNES

De nombreux spécialistes des relations internationales et de la politique étrangère soutiennent, du moins implicitement, que les États souverains, comme le Canada, détiennent le monopole des relations internationales. À cause du biais statocentré de la discipline, on minimise souvent l'importance des États non souverains, comme les provinces canadiennes, car ils n'auraient pas les qualités requises pour être considérés comme de « véritables acteurs internationaux ».

Plusieurs auteurs décriront la paradiplomatie, c'est-à-dire la politique étrangère des États non souverains parallèle à celle de l'État, comme étant une pâle imitation de la diplomatie, la vraie, la seule exercée par les États souverains[1]. La paradiplomatie est ainsi présentée comme un phénomène de faible intensité ou comme une politique étrangère de second ordre[2]. D'autres auteurs préfèrent classer les États non souverains dans la catégorie « fourre-tout » des organisations non gouvernementales (ONG), même s'ils sont des acteurs gouvernementaux – dont les représentants sont les élus du peuple – et que

---

1. Sur la paradiplomatie, voir la note 14 du chapitre 10.
2. Brian HOCKING, « Patrolling the "Frontier" : Globalization, Localization and the "Actorness" of Non-Central Governments », dans Francisco ALDECOA et Michael KEATING (dir.), *Paradiplomacy in Action. The Foreign Relations of Subnational Governments*, Londres, Frank Cass Publishers, 1999, p. 21.

le succès de certaines de leurs mobilisations leur confère une pertinence internationale encore largement ignorée dans la documentation scientifique[3].

Cette négligence n'est pas le propre des théoriciens réalistes ou libéraux. Même les transnationalistes, plus ouverts aux acteurs non étatiques, marginalisent le phénomène et étudient la politique étrangère en se concentrant essentiellement sur les décisions prises au sommet de l'État souverain[4]. Pour ces raisons, les États non souverains sont souvent traités, dans l'étude du processus de prise de décision, comme n'importe quel autre acteur soumis à une autorité politique supérieure, tels les ONG, les entreprises privées ou les groupes de pression. Pourtant, aucune raison n'explique pourquoi presque tous les manuels sur les relations internationales du Canada s'intéressent aux jeux bureaucratiques, à l'opinion publique, à la psychologie des décideurs pour expliquer les ressorts d'une politique étrangère, mais mettent de côté les provinces canadiennes qui sont des acteurs fondamentaux.

La paradiplomatie des provinces canadiennes n'est pas un phénomène nouveau, puisqu'on peut en retracer les origines au XIXᵉ siècle. C'est en effet en 1816 que le Bas-Canada ouvre à Londres sa première agence qui a pour mandat de défendre ses intérêts particuliers en tant que composante de l'Empire britannique. Ce phénomène est loin d'être circonscrit au contexte canadien, puisque l'on peut trouver des exemples de telles activités dans la majorité des États fédéraux ou à structure décentralisée, mais la croissance de ce phénomène est cependant davantage perceptible depuis environ 40 ans, comme le démontrent les cas américains et belges observés au chapitre 10[5]. En Allemagne, les Länder ont établi depuis 1970 plus de 130 représentations autour du monde dont 21 aux États-Unis[6]. Alors qu'en Espagne, la commu-

3. Pour un exemple de cette tendance, voir James DER DERIAN, *On Diplomacy: A Genealogy of Western Estrangement*, Oxford, Basil Blackwell, 1987.
4. Frédéric CHARILLON, *Politique étrangère. Nouveaux regards*, Paris, Presses de Sciences Po, 2002. Les travaux d'Anne-Marie SLAUGHTER (*A New World Order*, Princeton, Princeton University Press, 2004) représentent un changement important à ce sujet.
5. Earl H. FRY, *The Role of Subnational Governments in the Governance of North America*, Montréal, IRPP, Working Paper Series n° 2004-09d, p. 2.
6. Robert KAISER, « Sub-state Governments in International Arenas. Paradiplomacy and Multi-Level Governance in Europe and North America », dans Guy LACHAPELLE et Stéphane PAQUIN (dir.), *Mastering Globalization: New Sub-States' Governance and Strategies*, Londres, Routledge, 2005, p. 116-123.

nauté autonome de Catalogne, à elle seule, plus de 50 représentations à l'étranger[7]. On peut constater le même phénomène au Japon, en Inde, en Australie, en Autriche, en Suisse, au Brésil et dans plusieurs autres pays[8].

Les relations internationales des États fédérés représentent un phéno-mène important, car elles touchent à tous les domaines d'action internatio-naux. On peut citer en exemple les sanctions imposées par l'État américain du Maryland contre l'Afrique du Sud en 1985 ; les pressions faites sur l'État de Victoria, en Australie, pour faire annuler des contrats passés avec des socié-tés françaises en signe de protestation contre les essais nucléaires menés par la France dans le Pacifique Sud en 1995 ; la participation de représentants de la garde nationale des États américains aux programmes d'échanges militai-res internationaux ; la formation par les États fédérés belges de la déléga-tion belge aux rencontres de l'UNESCO ; la présence des États australiens à une conférence de l'ONU sur le développement et l'environnement au sein de la représentation du gouvernement australien ; la participation du *Land* du Bade-Wurtemberg aux missions de rétablissement de la paix au Bangladesh, en Russie, en Bosnie-Herzégovine, au Burundi et en Tanzanie ; la présence du Texas à des rencontres des pays membres de l'OPEP ; les tête-à-tête de Jordi Pujol, alors qu'il était président de la Catalogne, avec tous les chefs d'État des pays du G7 à l'exception de celui du Canada ; ou encore les acti-vités de la région mexicaine du San Luis Potosi pour faciliter le transfert des

---

7. Stéphane PAQUIN, *Paradiplomatie identitaire en Catalogne*, Québec, Les Presses de l'Université Laval, 2003 ; Stéphane PAQUIN, « Les actions extérieures des entités subétatiques : quelle signification pour la politique comparée et la théorie des rela-tions internationales ? », *Revue internationale de politique comparée*, vol. 12, n° 2, 2005, p. 129-142 ; Stéphane PAQUIN (dir.), « La paradiplomatie identitaire. Le Qué-bec, la Flandre et la Catalogne en relations internationales », *Politique et Sociétés*, vol. 23, n° 3, 2005, p. 203-237 ; Stéphane PAQUIN, « Paradiplomatie identitaire et la diploma-tie en Belgique. Le cas de la Flandre », *Revue canadienne de science politique*, vol. 33 n° 3, juillet-août, 2003, p. 643-656 ; Stéphane PAQUIN, « Globalization, European Integration and the Rise of Neo-Nationalism in Scotland », *Nationalism and Ethnic Politics*, vol. 8, n° 1, 2002, p. 55-80.

8. Purnedra JAIN, *Japan's Subnational Governements in International Affairs*, New York, Routledge, 2005 ; Noé CORNAGO, « Exploring the global dimensions of paradiplomacy. Functional and normative dynamics in the global spreading of subnational involvement in international affairs », *Workshop on Constituent Units in International Affairs*, Hano-vre, octobre 2000.

fonds envoyés par les immigrants installés aux États-Unis[9]. En somme, les activités internationales des provinces canadiennes sont la manifestation d'un phénomène observable dans la majorité des pays. Elles ont cependant joué un rôle de précurseur en ce domaine et sont souvent perçues, dans la documentation, comme figurant parmi les gouvernements non souverains les plus actifs et les plus visibles sur la scène mondiale. Plusieurs manuels de relations internationales se servent de l'exemple du Québec pour illustrer ce phénomène[10].

La paradiplomatie des provinces canadiennes, malgré une asymétrie entre elles, représente un phénomène intensif, extensif et permanent. Les provinces canadiennes disposent d'une bonne marge d'autonomie dans l'élaboration de leurs politiques internationales, possèdent souvent davantage de ressources que certains États souverains et influent de plus en plus sur la définition de la politique étrangère canadienne. Moins actives que les provinces, les grandes municipalités, telles que Montréal, Vancouver ou Toronto, sont cependant de plus en plus présentes sur la scène internationale[11].

Sur ce plan, les provinces jouissent même de certains avantages par rapport au gouvernement fédéral. Ces avantages proviennent de leur statut ambigu qui est à la fois, selon l'expression de James Rosenau, *sovereignty-bound* et *sovereignty-free*[12]. Leur statut au sein du Canada (*sovereignty-bound*)

---

9. Sur ces exemples, voir Hans J. MICHELMANN, « Federalism and International Relations in Canada and the Federal Republic of Germany », *International Journal*, vol. 41, n° 3, été 1986, p. 566-567 ; Hans J. MICHELMANN et Panayotis SOLDATOS (dir.), *Federalism and International Relations : the Role of Subnational Units,* Oxford, Clarendon Press, 1990 ; Brian HOCKING (dir.), *Foreign Relations and Federal States*, Londres, Leicester University Press, 1993 ; Peter HOWARD, « The Growing Role of States in U.S. Foreign Policy : The Case of the State Partnership Program », *International Security Perspectives*, vol. 5, n° 2, mai 2004, p. 179-196 ; Julián DURAZO-HERRMANN, « L'activité internationale des régions : une perspective mexicaine », *Études internationales,* vol. 31, n° 3, septembre 2000, p. 475-487.
10. Par exemple, Philippe BRAILLARD et Mahammad-Reza DJALILI, *Les relations internationales,* Paris, PUF, 2002, 6e éd., p. 56 ; Frédéric CHARILLON (dir.), *Politique étrangère. Nouveaux regards,* Paris, Presses de Sciences Po, 2002, p. 23.
11. À ce sujet, voir l'étude réalisée par la Chambre de commerce du Montréal métropolitain, « *Les relations internationales de la ville de Montréal : étude de positionnement stratégique* », novembre 2004, 78 p.
12. James ROSENAU, *Turbulence in World Politics. A Theory of Change and Continuity,* Princeton, Princeton University Press, 1990, p. 36.

permet aux représentants des provinces d'avoir accès aux décideurs du gouvernement fédéral, ce qui inclut ceux qui formulent la politique étrangère . Ainsi, contrairement aux ONG, les provinces ont un accès privilégié aux réseaux diplomatiques, aux organisations et aux négociations internationales. Il est aujourd'hui courant de voir des représentants provinciaux parler au nom du Canada sur des tribunes internationales ou participer à toutes les étapes de l'élaboration d'un traité lorsque ce dernier relève de leur champ de compétence constitutionnelle[13]. Le statut d'acteur *sovereignty-free*, c'est-à-dire qui n'est pas formellement reconnu par le droit international, leur permet d'agir plus librement que le gouvernement fédéral. Les provinces canadiennes ont ainsi certains des avantages associés aux ONG. Il leur est ainsi plus facile d'adopter des positions internationales idéalistes et elles disposent d'une plus grande latitude pour prendre des positions fermes sur des sujets délicats. Elles peuvent plus facilement condamner, par exemple, le non-respect des droits de la personne. Le gouvernement canadien doit, pour sa part, adopter un ton plus nuancé et une approche plus diplomatique pour tenir compte de nombreux facteurs de nature politique ou économique[14]. Les provinces canadiennes peuvent également aller défendre leurs intérêts devant les tribunaux étrangers, ce qui est impossible pour le gouvernement fédéral. Le gouvernement de l'Ontario a ainsi porté la question des pluies acides directement devant les juges américains, ce qu'a également fait la Colombie-Britannique au sujet de la « guerre du saumon ».

La gamme des outils disponibles pour les provinces dans leurs actions internationales est presque aussi importante que celle de la diplomatie canadienne, à l'exception du recours à la force militaire[15]. En effet, elles ouvrent des

---

13. Stéphane PAQUIN, « Quelle place pour les provinces canadiennes dans les organisations et les négociations internationales du Canada à la lumière des pratiques au sein d'autres fédérations ? », *Administration publique du Canada*, vol. 48, n° 4, 2006, p. 447-505.
14. Brian HOCKING, « Regionalism : An International Relations Perspective », dans Michael KEATING et John LOUGHLIN (dir.), *The Political Economy of Regionalism*, Londres, Frank Cass, 1995, p. 90.
15. Cette idée est développée par Éric PHILIPPART, « Le Comité des Régions confronté à la paradiplomatie des régions de l'Union européenne », dans Jacques BOURRINET (dir.), *Le Comité des Régions de l'Union européenne*, Paris, Éditions Économica, 1997, p. 6.

représentations ou des « mini-ambassades » à l'étranger ; elles établissent des relations bilatérales et multilatérales avec des pays souverains ou d'autres États fédérés et elles créent des institutions de coopération régionales ou transrégionales. Il arrive que certains représentants provinciaux participent, au sein de la délégation canadienne (et parfois même à l'extérieur comme le font le Québec et le Nouveau-Brunswick dans le cas de la francophonie), à des rencontres d'institutions internationales comme l'ONU, l'Organisation mondiale du commerce (OMC), l'Organisation mondiale de la santé (OMS) ou l'Organisation des Nations Unies pour l'éducation, la science et la culture (UNESCO). Les provinces canadiennes envoient également des missions d'études et de prospection à l'étranger ; elles participent aux foires commerciales et à certains forums internationaux, tel le Forum économique mondial de Davos ; elles financent des campagnes de relations publiques pour accroître les exportations et attirer les investissements ; elles mettent sur pied des visites officielles avec d'autres dirigeants régionaux ou de pays souverains, comme les visites alternées des premiers ministres entre la France et le Québec ; certaines provinces érigent même un ministère compétent en matière de relations internationales avec un ministre en titre.

Les provinces canadiennes ont cependant de nombreuses contraintes. Puisqu'elles ne sont pas des actrices reconnues par le droit international, elles doivent négocier avec les autorités du gouvernement central certaines de leurs actions internationales, comme les relations formelles avec des représentants de pays souverains ou d'organisations internationales. Mais c'est sur le plan des ressources financières que la différence est le plus évidente. Même si, dans certaines provinces, comme le Québec, le budget consacré aux relations internationales est important (103 millions au Québec), il reste cependant minuscule comparativement au budget du ministère des Affaires étrangères du Canada (2,1 milliards). À titre de comparaison, l'ambassade canadienne à Washington dispose d'un budget équivalent au budget total du ministère des Relations internationales du Québec, la province de loin la plus active en matière de relations internationales !

Si les provinces sont des acteurs internationaux importants en politique étrangère canadienne, les chercheurs évaluent encore les conséquences de l'émergence des États non souverains comme acteurs significatifs dans les relations internationales. Dans bien des cas, on se contente de voir dans ce phénomène une manifestation de la désagrégation et de la marginalisation de l'État central au profit d'autres acteurs. Il importe cependant d'aller plus loin et d'étudier en détail les contraintes et les opportunités liées aux actions internationales des provinces.

De nombreux facteurs expliquent pourquoi les provinces ont développé une diplomatie parallèle à celle de l'État canadien. Les gouvernements provinciaux sont présents sur la scène internationale afin de défendre et promouvoir différents types d'intérêts. Nous allons nous attarder sur six d'entre eux : les intérêts d'ordre constitutionnel, économique, environnemental, sécuritaire, politique et bureaucratique. Les relations internationales des provinces s'inscrivent dans un phénomène plus large de construction de l'État, et qui consiste à affirmer leur existence et à renforcer leur cohésion[16].

Au cours des premières décennies suivant la Confédération, les intérêts internationaux des provinces, comme ceux du dominion, se limitaient essentiellement à la promotion de l'immigration et au développement des échanges commerciaux[17]. Mais depuis, ces intérêts se sont diversifiés, si bien qu'aujourd'hui les gouvernements provinciaux se préoccupent tout autant que le gouvernement fédéral des questions de libéralisation des échanges ou d'environnement.

Il faut cependant se garder de considérer les provinces comme des unités interchangeables. Sur le plan des intérêts comme sur bien d'autres, l'asymétrie entre les provinces est très importante, si bien que leurs politiques internationales le sont aussi[18]. Les clivages régionaux, qui sont parfois très marqués en politique intérieure, pèsent aussi très lourd en politique étrangère.

---

16. Un phénomène que l'on désigne, en anglais, par le terme *state*-(ou province) *building*. Voir Garth STEVENSON, *Unfulfilled Union: Canadian Federalism and National Unity*, Toronto, Gage, 1982 ; Nelson MICHAUD et Isabelle RAMET, « Québec et politique étrangère : contradiction ou réalité ? », *International Journal*, vol. 59, n° 2, printemps 2004, p. 307.

17. Louise BEAUDOIN, « Origines et développement du rôle international du gouvernement du Québec », dans Paul PAINCHAUD (dir.), *Le Canada et le Québec sur la scène internationale*, Québec, CQRI, 1977, p. 441-470.

18. Pour une illustration de cette diversité, voir Ivan BERNIER et Jean-Philippe THÉRIEN, « Le comportement international du Québec, de l'Ontario et de l'Alberta dans le domaine économique », *Études internationales*, vol. 25, n° 3, septembre 1994, p. 453-486.

Il faut noter que le Québec, dont la volonté d'affirmation est nettement plus marquée qu'ailleurs, constitue un cas particulier. Le Québec met en œuvre, depuis près de 50 ans, une paradiplomatie identitaire qui déborde même de ses champs de compétence constitutionnelle. La paradiplomatie identitaire du Québec et les querelles fédérales-provinciales seront traitées au chapitre suivant.

LES INTÉRÊTS CONSTITUTIONNELS

Les États souverains cherchent généralement à exercer pleinement leur compétence constitutionnelle. Les États fédérés, qui sont, du moins en théorie, souverains dans leurs champs de compétence, ne font pas exception. Les gouvernements provinciaux ont intérêt à défendre leurs champs de compétence contre l'ingérence du gouvernement fédéral, et même à élargir leur autonomie vis-à-vis du pouvoir central. Ainsi, lorsque des questions de compétence provinciale (économie, exploitation des ressources naturelles, santé, éducation, culture) ont des prolongements internationaux, les provinces sont rarement disposées à en céder la direction au gouvernement fédéral. Elles estiment plutôt que ces questions sont pleinement de leur ressort et qu'il est de leur devoir d'en prendre la responsabilité, ce qu'elles font parfois avec enthousiasme et détermination, parfois à contrecœur ou en y mettant de la mauvaise volonté.

Comment les intérêts constitutionnels des provinces sont-ils affectés par les relations internationales ? Depuis la mise sur pied de l'Organisation internationale du travail (OIT) en 1919 et du système onusien, après la Deuxième Guerre mondiale, l'éventail des enjeux internationaux s'est élargi[19].

Cet élargissement fait en sorte que, de nos jours, dans le processus de prise de décision en matière de politique étrangère, tous les ministères fédéraux et provinciaux, du plus périphérique au plus central, voient une partie de leurs activités internationalisées ou affectées par les relations internationales. Cela signifie que le ministère des Affaires étrangères du Canada n'a

---

19. Margaret P. KARNS et Karen A. MINGST, *International Organizations : The Politics and Processes of Global Governance*, Boulder, Lynne Rienner, 2004.

plus la capacité de centraliser aussi facilement qu'avant la fonction décision-nelle, de représentation et de contrôle en matière de politique étrangère.

Dans ce contexte, les provinces sont de plus en plus conscientes que leur pouvoir politique, c'est-à-dire leur capacité de formuler des politiques et de les mettre en œuvre, est affecté par ce qui se produit sur la scène internationale. Il devient donc inconcevable que les champs de compétence des provinces canadiennes soient limités à la politique intérieure. Les provinces doivent influencer les discussions internationales. Elles tentent parfois de le faire direc-tement et sans l'intermédiaire du gouvernement fédéral en ouvrant des délégations à l'étranger, en organisant des rencontres avec les personnes com-pétentes et en menant des campagnes de sensibilisation. Dans d'autres cas, elles cherchent plutôt à influencer la position de négociation du gouvernement fédéral en s'invitant au sein de la délégation ou en sensibilisant la population canadienne à un enjeu international.

Le processus de conclusion d'un traité au Canada a rendu inévitable une plus grande coopération entre le gouvernement fédéral et les provinces. Les impératifs de coopération entre les différents ordres de gouvernement sont de plus en plus importants, ce qui entraîne un essor considérable du fédéralisme exécutif ou des relations intergouvernementales en relation avec la conclusion de traités au Canada. Il faut cependant noter qu'au Canada, la tentation centralisatrice est encore largement dominante[20]. Selon Richard Simeon, les relations intergouvernementales restent le maillon faible du fédéralisme canadien[21].

C'est sur le plan des négociations commerciales internationales, tant bila-térales que multilatérales, que l'intérêt des provinces est le plus soutenu. Dans le domaine de la libéralisation économique, le gouvernement fédéral a créé, à la demande des provinces, différents mécanismes de consultation. Depuis les débuts des négociations multilatérales de libéralisation du cycle de Tokyo au milieu des années 1970, le gouvernement canadien a élaboré des

---

20. Donald J. SAVOIE, « Power at the Apex : Executive Dominance », dans James BICKERTON et Alain-G. GAGNON (dir.), *Canadian Politics*, New York, Broadview Press, 2004, p. 145-163.
21. Richard SIMEON, « Conclusion », dans J. Peter MEEKISON (dir.), *Relations intergou-vernementales dans les pays fédérés. Une série d'essais sur la pratique de la gouver-nance fédérale*, Ottawa, Forum des fédérations (document non daté), p. 105-123.

mécanismes consultatifs sur les initiatives fédérales concernant le commerce international[22]. Ces mécanismes étaient rendus nécessaires par le fait que les négociations commençaient à aborder des enjeux qui appartenaient clairement aux champs de compétence des provinces. Les provinces avaient des intérêts importants à défendre et leurs positions n'étaient pas toujours en accord avec celles d'Ottawa. Cependant, le gouvernement fédéral a tenté de faire en sorte que les intérêts provinciaux se reflètent dans ses propres positions de négociation.

Puisque les cycles suivants de négociations touchaient également les champs de compétence des provinces, les mécanismes de consultation ont été maintenus[23]. À partir de 1980, cette façon de faire a été institutionnalisée, avec la mise sur pied de consultations fédérales-provinciales périodiques sur la politique commerciale[24]. Ces consultations vont gagner en importance puisque les négociations internationales vont de plus en plus porter sur les politiques internes concernant les subventions aux entreprises ou les réglementations provinciales ou locales qui ont pour effet de créer des distorsions ou d'obstruer le commerce international. Les politiques de prix des ressources naturelles et d'appui à l'agriculture ne sont que deux exemples parmi d'autres de questions domestiques affectant les compétences constitutionnelles des provinces.

Autre exemple : lors du cycle de l'Uruguay du GATT, dans une des premières versions de l'accord, on avait inclus une disposition qui aurait eu pour effet d'interdire toute subvention industrielle par des gouvernements non centraux. Cette politique visait particulièrement certains gouvernements subétatiques, comme la Bavière, qui avait, dans les années 1980, subventionné massivement son industrie automobile. L'application de cet accord au Canada aurait eu

22. Ivan BERNIER, « La Constitution canadienne et la réglementation des relations économiques internationales au sortir du "Tokyo Round" », *Cahiers de droit*, vol. 20, 1979, p. 673 et suivantes.

23. H. Scott FAIRLEY, « Juridictional Limits on National Purpose : Ottawa, The Provinces and Free Trade with the United States », dans Marc GOLD et David LEYTON-BROWN (dir.), *Trade-Offs on Free Trade : the Canada-US Free Trade Agreement*, Toronto, Carswell, 1988.

24. Gilbert R. WINHAM, « Bureaucratic Politics and Canadian Trade Negotiation », *International Journal*, vol. 34, n° 4, hiver 1978-1979, p. 64-69.

de lourdes conséquences. Premièrement, il aurait entraîné une importante centralisation des pouvoirs sur le plan économique, car seul le gouvernement fédéral aurait été en droit de faire des subventions industrielles. De plus, l'adoption et la mise en œuvre de ce traité auraient interdit toute subvention aux entreprises par les provinces ou municipalités, ce qui revient à dire que la Société générale de financement (SGF) aurait été forcée de fermer ses portes et la Caisse de dépôt et placement du Québec aurait probablement dû revoir son double mandat plus rapidement. Ces institutions sont les deux plus importantes en matière de développement économique au Québec. On comprend ainsi mieux le rôle majeur des négociations internationales pour les provinces canadiennes.

Lors des négociations de l'Accord de libre-échange canado-américain et de l'Accord de libre-échange nord-américain (ALENA), les provinces ont participé activement aux débats sur l'impact que pourraient avoir ces ententes sur leurs économies et champs de compétence respectifs. Quand le gouvernement conservateur de Brian Mulroney a entamé les négociations sur le libre-échange en 1985, les provinces se sont empressées de faire connaître leurs positions, non seulement par le biais de la Conférence des premiers ministres, mais aussi en envoyant des représentants au Comité préparatoire sur les négociations commerciales créé par le négociateur en chef pour le Canada[25]. Par contre, lorsque les premiers ministres provinciaux ont voulu s'inviter à la table de négociations entre le Canada et les États-Unis, le gouvernement Mulroney s'y est opposé[26].

Les provinces les plus riches ont retenu les services de conseillers très en vue pour faire valoir leurs positions à Ottawa: l'Ontario a engagé Bob Latimer, un ancien fonctionnaire fédéral du ministère des Affaires extérieures et du ministère de l'Industrie et du Commerce; le Québec a recruté Jake Warren,

25. Pour un aperçu des positions des différentes provinces, voir G. Bruce DOERN et Brian W. TOMLIN, *Faith and Fear: The Free Trade Story,* Toronto, Stoddart, 1991, p. 126-151.
26. Michael HART, Bill DYMOND et Colin ROBERTSON, *Decision at Midnight: Inside the Canada-US Free-Trade Negotiations,* Vancouver, University of British Columbia Press, 1994, p. 139.

qui avait été le négociateur canadien lors du « Tokyo Round ». Les autres provinces se sont contentées d'envoyer leurs propres fonctionnaires[27].

Tout au long des négociations, les premiers ministres provinciaux ont activement fait valoir leurs inquiétudes. Par exemple, David Peterson, de l'Ontario, qui s'inquiétait des rumeurs voulant que le Pacte de l'auto de 1965 soit rouvert à la négociation, s'envola vers Washington en 1987 afin de convaincre les fonctionnaires américains d'exclure cette entente des pourparlers en cours[28]. Par la suite, au fur et à mesure que les provinces évalueront les conséquences de l'entente négociée par le gouvernement fédéral, les premiers ministres rendront leur verdict. Au cours de l'été 1988, tous les gouvernements provinciaux, sauf ceux de l'Ontario et de l'Île-du-Prince-Édouard, avaient approuvé l'accord. Un processus semblable se répéta lors des négociations de l'ALENA au début des années 1990[29].

Le gouvernement fédéral a par la suite systématisé les rencontres avec les provinces pour obtenir des avis techniques et élaborer des argumentaires de négociation. Cette situation est inévitable, car ce gouvernement ne possède pas la capacité constitutionnelle d'imposer les traités conclus dans les champs de compétence des provinces. Ces pratiques de négociation intergouvernementales se poursuivront dans de nombreux forums incluant les forums C-commerces [*C-Trade meeting*]. Le gouvernement fédéral a également mis sur pied depuis 2001 un groupe de travail mixte sur le commerce international qui inclut la Fédération canadienne des municipalités et le ministère des Affaires étrangères et du Commerce international. Il a aussi instauré des mécanismes pour consulter les gens d'affaires, les organisations non gouvernementales et les citoyens[30].

Les provinces ne sont pas seulement intéressées par les questions commerciales. Le Québec et l'Alberta, pour des raisons diamétralement opposées, s'intéressent beaucoup à la Convention-cadre des Nations Unies sur

---

27. Michael HART, Bill DYMOND et Colin ROBERTSON, *op. cit.*, p. 139.
28. *The Globe and Mail*, 28 janvier 1987.
29. Donald E. ABELSON et Michael LUSZTIG, « The Consistency of Inconsistency: Tracing Ontario's Opposition to the NAFTA », *Revue canadienne de science politique*, vol. 29, n° 4, décembre 1996, p. 681-698.
30. Voir <http://strategis.ic.gc.ca/epic/internet/instp-pcs.nsf/fr/sk00251f.html>.

les changements climatiques et au protocole de Kyoto. Cette convention et ce protocole auront, s'ils sont un jour mis en œuvre au Canada, des effets fondamentaux et irréversibles sur les politiques provinciales et municipales, notamment sur leurs politiques énergétiques, de transport et d'urbanisme. Pour les provinces et les municipalités, Kyoto représente une bombe environnementale. Pourtant, l'adhésion à cette entente est le fruit d'une décision du bureau du premier ministre à Ottawa. Cette décision a été prise après consultation, certes, mais sans impliquer les provinces et les villes dans le processus de négociation.

Les questions de santé publique sur le plan international prennent également une importance nouvelle depuis quelques années. Si une pandémie de grippe aviaire frappait le Canada, les autorités provinciales et municipales seraient au cœur de la gestion de la crise. Voilà pourquoi certaines provinces dont le Québec et l'Ontario souhaitent pouvoir déléguer un ou plusieurs représentants sur une base permanente, ne serait-ce qu'au sein de la délégation canadienne, à l'Organisation mondiale de la Santé afin de pouvoir suivre l'évolution des travaux. L'attitude du gouvernement fédéral consistant à refuser aux provinces une place dans les organisations et conférences internationales a pris une dimension inquiétante lorsqu'en octobre 2005 le gouvernement de Paul Martin, avant de se raviser devant la pression populaire, a refusé à des représentants du gouvernement du Québec d'assister à une conférence internationale qui avait pourtant lieu à Montréal et au cours de laquelle la question des risques d'une pandémie de grippe aviaire devait être abordée.

La crise du syndrome respiratoire aigu sévère (SRAS) en 2003 aurait pourtant dû servir de leçon. Cette crise a affecté 438 personnes, dont 44 décéderont, et a coûté à l'économie ontarienne environ 1 000 000 000 $[31]. On estime qu'une pandémie de grippe aviaire serait largement plus dommageable. Le bilan de la crise démontre qu'il existe des problèmes de communication et de coopération importants entre les provinces, dans ce cas-ci l'Ontario, le gouvernement fédéral et l'Organisation mondiale de la santé. La mauvaise circulation de l'information sur la crise du SRAS a eu pour effet que l'OMS a

---

31. Kumanan WILSON, « Pandemic Prescription », *Diplomat & International Canada*, mai et juin 2006, p. 14-16.

perdu confiance dans le gouvernement canadian et a émis des recommandations pour les voyageurs d'éviter Toronto et le Canada.

L'interdépendance et les impératifs de coopération entre les paliers de gouvernement en relation avec le partage des compétences jouent également en sens inverse. Dans l'élaboration de leur politique internationale, les provinces sont dépendantes de la collaboration du gouvernement fédéral. Par exemple, depuis quelques années au Québec, l'internationalisation des universités est inscrite à l'agenda public et vise plusieurs objectifs : attirer au Québec de jeunes chercheurs prometteurs afin de faire progresser la recherche et avec l'espoir que les meilleurs s'établiront au pays ; favoriser les séjours à l'étranger de jeunes Québécois pour leur permettre de se familiariser avec de nouvelles façons de faire et de tisser des réseaux internationaux ; enfin, faire rayonner les chercheurs du pays partout dans le monde. La mise en œuvre de cette politique qui semble simple est en fait une opération très lourde et nécessite une collaboration étroite de plusieurs institutions fédérales et provinciales[32].

Commençons par les responsabilités respectives des ministères et organismes relevant de la compétence du gouvernement fédéral. Les ministères fédéraux concernés sont les suivants : Industrie Canada (dont relèvent divers organismes subventionnaires fédéraux, tel le Conseil de recherche en sciences humaines du Canada) ; Citoyenneté et Immigration Canada (qui détermine les modalités d'attribution des visas ainsi que les règles concernant le séjour des étudiants étrangers) et le ministère des Affaires étrangères (qui administre certains programmes visant à soutenir la mobilité étudiante comme les bourses du Commonwealth ou celles du gouvernement du Canada, et fait la promotion des établissements canadiens à l'étranger, suscite et appuie des collaborations entre les universités canadiennes et étrangères).

De plus, différents organismes fédéraux sont également concernés, tels l'Agence canadienne de développement international (qui coordonne et finance l'aide aux pays en émergence et offre des bourses pour étudier au Canada), le Centre d'information canadien sur les diplômes internationaux

---

32. Conseil supérieur de l'éducation, L'internationalisation : Nourrir le dynamisme des universités québécoises. Avis au ministre de l'Éducation, du Loisir et du Sport, Québec, Gouvernement du Québec, 2005, p. 25-27.

(qui joue un rôle de coordination auprès des provinces, notamment sur le plan de l'homologation des diplômes internationaux) et la Gendarmerie royale du Canada (qui intervient dans le processus d'immigration).

Au gouvernement du Québec, divers ministères et organismes sont également impliqués. On pense naturellement au ministère de l'Éducation, du Loisir et du Sport (qui a la responsabilité d'établir des politiques et des mesures sur le financement des universités, sur le mode de financement des établissements pour des étudiants internationaux, sur les droits de scolarité exigés pour les étrangers, sur les bourses pour les Québécois qui vont à l'étranger) ; le ministère de l'Immigration et des Communautés culturelles (qui administre la *Loi sur l'immigration* au Québec, de laquelle découlent les conditions à remplir pour étudier au Québec, et qui établit également les priorités quant au profil des immigrants souhaités) ; le ministère du Développement économique, de l'Innovation et de l'Exportation (qui chapeaute les organismes subventionnaires, notamment le Fonds québécois de recherche sur la société et la culture et le programme de mobilité étudiante vers la France aux cycles supérieurs), le ministère des Relations internationales (qui en plus d'assurer la conduite de la politique internationale du Québec et de diriger les interventions du gouvernement vers l'étranger, chapeaute le Centre de coopération interuniversitaire franco-québécois et administre certains programmes de bourses pour les étudiants québécois qui font des cotutelles de thèse en France) ainsi que divers organismes qui gèrent des programmes afin de favoriser les échanges sur le plan scolaire, tels l'Office franco-québécois pour la jeunesse, l'Office Québec-Amériques pour la jeunesse et l'Agence Québec-Wallonie-Bruxelles pour la jeunesse.

Comme on le voit, le gouvernement fédéral et les provinces doivent, en matière d'action internationale, collaborer étroitement en raison des intérêts internationaux des provinces.

LES INTÉRÊTS ÉCONOMIQUES

La protection et la promotion des intérêts économiques constituent, depuis toujours, une part essentielle des activités internationales des provinces canadiennes. Si celles-ci entretiennent des délégations dans différents pays, organisent des missions commerciales à l'étranger et établissent des relations

quasi diplomatiques, c'est essentiellement pour stimuler la croissance économique par le biais du commerce, des investissements et du tourisme. Les provinces cherchent à accroître les parts de marché de leurs entreprises à l'étranger
et à trouver de nouveaux capitaux. Depuis le début des années 1980, les questions de promotion des exportations et d'attraction des investissements étrangers prennent encore plus d'importance.

Cette situation s'explique par le fait que, depuis 1950, les importations et
les exportations sur le plan mondial ont connu un rythme de croissance
d'environ 10 % par année. Même durant la récession des années 1980, le commerce international a poursuivi son expansion d'environ 5 % par année. Pendant les années 1990, la croissance des échanges internationaux dépassait
de beaucoup la croissance des marchés internes. Les investissements directs
étrangers (IDE) augmenteront encore plus que les échanges internationaux.
Entre 1970 et 2000, les IDE ont connu une progression de plus de 1 000 % !

Avec la mondialisation de l'économie, les firmes transnationales deviennent des acteurs économiques majeurs[33]. Le nombre de multinationales est depuis près de 50 ans en augmentation rapide. On comptait environ
7 000 firmes transnationales vers la fin des années 1960 ; elles sont aujourd'hui
plus de 65 000, dans 47 pays et possédant 850 000 entreprises affiliées dans
175 pays. Non seulement ces firmes produisent la plus grande partie des investissements directs étrangers, mais on peut les considérer aujourd'hui, selon
certains, comme les principaux moteurs de la croissance dans le monde. Dans
le *World Investment Report* de 1999, on avance que ces « nouveaux maîtres
du monde » contrôlent 25 % de la production mondiale et les deux tiers du
commerce international. De plus, les 150 premières multinationales produisent plus du tiers des exportations mondiales. Le tiers serait le fait de commerce intrafirme[34]. La plus forte concentration de commerce intrafirme se
trouve en Amérique du Nord. En effet, 67 % des échanges entre le Canada et
les États-Unis et 63 % des échanges entre le Mexique et les États-Unis sont le

---

33. Kenichi OHMAE, *La triade. Émergence d'une stratégie mondiale de l'entreprise*,
Paris, Flammarion, 1985.
34. UNITED NATIONS, *World Investment Report*, Genève, 1999, p. 3.

fait d'échanges intrafirme[35]. En 2001, 51 des 100 plus grosses entreprises de la planète étaient des multinationales.

Le résultat de ces changements signifie que la croissance économique est de plus en plus associée au commerce international. La croissance du marché intérieur ne permet plus d'assurer la prospérité économique comme auparavant. En conséquence, les provinces canadiennes changent de stratégie économique. Avant les années 1980, la plupart des pays n'étaient guère pour l'implantation des filiales de firmes étrangères. De nombreux pays refusaient carrément les investissements directs étrangers[36]. Dans bien d'autres cas, pour investir, de multiples contrôles gouvernementaux étaient imposés. De nombreux secteurs entiers de l'économie nationale étaient interdits aux investissements, par exemple la défense, l'éducation, les services collectivisés tels le gaz, l'électricité, la distribution d'eau, les compagnies aériennes ou encore ferroviaires. On refusait même à l'occasion les investissements pour des secteurs dits stratégiques, souvent dans le but de protéger les champions nationaux[37].

Ces politiques de restriction des investissements étrangers ne font cependant pas toujours consensus et commencent à être contestées vers la fin des années 1970. Au Canada, par exemple, l'Agence canadienne d'examen des investissements étrangers, mise sur pied par le gouvernement Trudeau pour limiter les investissements étrangers, essentiellement américains, aura pour adversaire le gouvernement du Québec qui est, lui, avide de tels investissements.

L'essentiel de la présence du Québec aux États-Unis sert d'abord à faciliter les négociations relatives à la vente d'obligations et autres opérations financières du gouvernement du Québec ou d'Hydro-Québec. Elle vise également à promouvoir les entreprises québécoises, à attirer les investissements

---

35. EARL FRY, « La mondialisation et la révolution dans les NTI », dans Stéphane PAQUIN et Guy LACHAPELLE (dir.), *Mondialisation, gouvernance et nouvelles stratégies subétatiques*, Québec, Presses de l'Université Laval, 2004, p. 162.

36. Pierre de SENARCLENS, *Maîtriser la mondialisation*, Paris, Presses de Sciences Po, 2000, p. 11.

37. Stéphane PAQUIN, *Économie politique internationale*, Paris, Montchrétien, 2005 ; Charles-Albert MICHALET, *La séduction des nations ou comment attirer les investissements*, Paris, Économica, 1999, p. 3-10 ; Robert REICH, *L'économie mondialisée*, Paris, Dunod, 1993.

et les centres de décision étrangers. Cet objectif a été mis de l'avant au même moment où le fédéral s'ingéniait à restreindre l'investissement américain au Canada au nom d'un nationalisme économique. En 1982, alors que l'Agence canadienne d'examen des investissements étrangers était toujours en service, le gouvernement du Parti québécois concentrait ses efforts pour attirer les investissements américains. Jacques-Yvan Morin, alors ministre des Affaires intergouvernementales, présentera la position du gouvernement du Québec en ces termes : « Le Québec ne partage pas le point de vue d'Ottawa sur les investissements étrangers. Nous prônons une politique beaucoup plus ouverte [...] nous croyons que l'avenir réside dans le développement d'un axe nord-sud renforcé[38]. »

Dès 1982, le Parti québécois nomme Bernard Landry ministre délégué au Commerce extérieur. En 1984, sous la pression insistante de Landry, on sépare les Affaires intergouvernementales des relations internationales, ce qui entraînera la démission de Jacques-Yvan Morin. Landry devient ainsi également le titulaire du nouveau ministère des Relations internationales (MRI). En 1984, le gouvernement du Québec présente le premier énoncé qui décrit plus systématiquement la politique internationale du Québec. Le document *Le Québec dans le monde ou le défi de l'interdépendance : énoncé de politique de relations internationales* confirme le virage économique des relations internationales du Québec. Cet énoncé sera rapidement écarté à la suite de la victoire des libéraux de Robert Bourassa aux élections de 1985.

Il faudra attendre septembre 1991 pour que le ministère des Affaires internationales publie *Le Québec et l'interdépendance. Le monde pour horizon. Éléments d'une politique d'affaires internationales*. Le document constitue le premier livre blanc en matière de relations internationales du Québec qui sera réellement appliqué. Il est principalement axé sur la stratégie économique du gouvernement. Celui-ci se préoccupe prioritairement d'adapter le Québec à la concurrence internationale par un renforcement de sa compétitivité et en misant sur ses « avantages comparatifs ». Dans cet esprit, il propose de favoriser les transferts technologiques et l'attraction d'investissements étrangers. Il recommande de cibler certaines grappes industrielles comme l'aéro-

---

38. Cette déclaration est citée dans Louis Balthazar et Alfred O. Hero, *Le Québec dans l'espace américain*, Montréal, Québec Amérique, 1999, p. 76.

nautique, les télécommunications, le secteur pharmaceutique et le génie-conseil. Il faut également souligner que ce document réaffirme le caractère distinct de la culture québécoise qui provient de son double héritage nord-américain et européen. Afin d'appliquer cette politique d'affaires internationales, le ministre John Ciaccia dirigera des missions économiques dans 40 pays. Si les États-Unis deviennent la région prioritaire, le gouvernement du Québec dirige des missions également en Europe, en Amérique latine, au Moyen-Orient et en Asie.

Ce virage économique du gouvernement québécois sera récompensé. Le Québec, qui produit des déficits commerciaux depuis 1982, se retrouve dans une situation de surplus à partir de 1993. Il connaîtra plus de 10 ans de surplus commerciaux qui s'expliquent principalement par une augmentation spectaculaire des exportations aux États-Unis.

En somme, après les crises des années 1970 et 1980, on constate un changement dans l'attitude des gouvernements provinciaux qui coïncide avec la mutation des modèles de développement économique. À mesure que les gouvernements abandonnent les modèles de développement national pour favoriser des stratégies axées sur la promotion des échanges comme moteurs de la croissance, les investissements étrangers remplacent progressivement les fonds publics[39]. Avec l'intensification de la concurrence internationale pour attirer les investissements étrangers, les firmes pratiqueront également une approche plus sélective dans leur politique d'investissement. Comme le dit Charles-Albert Michalet : « L'économie globale est une économie de concurrence acharnée entre les firmes. La concurrence entre les firmes induit une concurrence entre les territoires qui cherchent à attirer les implantations de ces dernières[40]. »

Au Québec, les questions économiques sont encore aujourd'hui la priorité du gouvernement qui est favorable au libre-échange et à l'internationalisation de son économie. Un nombre croissant d'entreprises québécoises et même de sociétés publiques s'implantent dans les Amériques et en Europe, ce qui favorise l'internationalisation du Québec. La Caisse de dépôt et placement du Québec et Hydro-Québec, parmi des sociétés d'État et Quebecor,

---

39. Charles-Albert MICHALET, *op. cit.*, p. 1.
40. *Ibid.*, p. 43.

Power Corporation, Bombardier ou Alcan, parmi les multinationales québécoises, sont de bons exemples.

Le ministère des Relations internationales soutient que la prospérité économique de la province est fortement liée à cette capacité des acteurs économiques du Québec à conquérir les marchés étrangers. La prospérité du Québec dépend également de leurs investissements à l'étranger et de la capacité des Québécois à attirer chez eux des investissements étrangers. Le MRI constate également qu'un nombre croissant d'emplois dépend des exportations. Pour assurer l'accès des produits québécois à un nombre croissant de marchés, le gouvernement du Québec favorise le renforcement et l'élargissement des accords multilatéraux de libéralisation des échanges. Dans tous les forums internationaux auxquels il peut avoir accès, il appuie l'élimination graduelle et ordonnée des obstacles au commerce international tout en veillant à ménager les transitions les plus adéquates aux secteurs de son économie vulnérables à la concurrence accrue. C'est en fonction de ces orientations que le Québec a participé activement à la définition de la position canadienne dans le cadre des négociations de l'Accord de libre-échange canado-américain (ALE), de l'ALENA et de l'Acte final de l'« Uruguay Round ». Sur le marché canadien, le Québec s'est engagé, avec les autres gouvernements provinciaux, à éliminer les barrières au commerce interprovincial avec l'Accord sur le commerce intérieur de 1994. Afin d'attirer encore plus d'investissements étrangers, le gouvernement du Québec s'est récemment fixé pour objectif de devenir, entre 2006 et 2010, un des 10 territoires les plus compétitifs ou attractifs du monde[41]. Le gouvernement du Québec mettra également sur pied des agences pour attirer les investissements. La plus récente, appelée Investissement Québec, a été créée en 1998.

Le gouvernement du Québec participera avec différents acteurs gouvernementaux et privés à la création de l'organisme sans but lucratif Montréal International à la suite du Sommet sur l'économie et l'emploi en 1996. Montréal International a pour objectif la promotion économique de Montréal, la prospection d'investissements étrangers et l'accueil d'organisations inter-

41. GOUVERNEMENT DU QUÉBEC, *Objectif emploi. Vers une économie d'avant-garde. Une stratégie de développement économique créatrice d'emploi*, Québec, Ministère des Finances, 1998.

nationales. De nos jours, 60 organisations internationales et 85 consulats généraux ont pignon sur rue à Montréal[42].

Le gouvernement du Québec a également élaboré de nombreux incitatifs financiers dans le but d'attirer les entreprises sur son territoire. Cette initiative était indispensable, car comme le suggère Jean Matuszewski, président fondateur d'E&B Data[43], au sujet du Québec,

> à cause de notre petite population, de notre situation géographique, de notre langue, notre culture, de nos politiques sociales-démocrates, etc., le Québec est aussi folklorique aux yeux des Américains que l'Acadie l'est aux yeux des Québécois. Il faut au Québec des arguments forts [NDLR : des subventions] parce qu'on n'est pas dans le radar des investisseurs américains[44].

Les États périphériques ne sont pas les seuls à offrir des incitatifs aux entreprises. En effet, contrairement ce que certains croient, les États de New York, du Michigan et de la Floride font également preuve de prodigalité à l'égard des firmes multinationales.

Il est vrai que, malgré des aides étatiques supérieures, le Québec n'attire que 18 % des investissements pour environ 23 % de la population canadienne. L'Ontario fait mieux à cet égard. Il faut cependant apporter des nuances au portrait : puisque l'économie ontarienne est plus importante que celle du Québec, elle génère plus d'investissements, car les modernisations ou les agrandissements d'une usine constituent un investissement. Mais lorsque l'on isole les investissements mobiles, c'est-à-dire ceux pour lesquels les entreprises ont le choix de la localisation, le Québec fait, selon Matuszewski, « beaucoup mieux que l'Ontario », la plus importante province canadienne. Les investissements mobiles sont un excellent indicateur de la performance d'une économie et des politiques gouvernementales d'attraction des investissements. Ces politiques ont eu de bons résultats au Québec. Le Québec

---

42. MONTRÉAL INTERNATIONAL, *Bilan de Montréal International 2005*, Montréal, 2006 (disponible sur Internet), p. 32.
43. E&B DATA est une firme spécialisée en recherche économique qui obtient souvent des contrats gouvernementaux, que ce soit d'Industrie Canada, de Développement économique Canada, du ministère des Finances du Québec ou d'Investissement Québec.
44. Dominique FROMENT, « Québec ferait fausse route en réduisant l'aide aux entreprises : beaucoup d'États américains sont de plus en plus interventionnistes », *Les Affaires*, 26 juillet 2003.

se classerait, en 2002-2003, deuxième au Canada pour ce qui est des nouveaux projets d'investissement de 50 000 000 $ et plus (qu'ils soient étrangers ou pas, et excluant les expansions). L'Alberta est au premier rang alors que l'Ontario est au 5ᵉ rang. De plus, comme le constate Matuszewski : « Le Québec est dans le Top 10 en Amérique du Nord. Si nous voulons jouer dans la cour des grands, il faut y mettre le prix. Ce n'est pas une question d'idéologie, c'est la règle du jeu[45]. »

Les risques de dérapages, en ce qui concerne les incitatifs, sont cependant très importants. Lorsqu'une firme transnationale envisage d'investir, elle limite ses options à quelques sites. Elle invite ensuite les acteurs gouvernementaux à se livrer à une surenchère pour obtenir ses capitaux. Pour les entités subétatiques, cela constitue un problème, d'autant qu'elles doivent aussi offrir de nouveaux avantages aux entreprises déjà sur place pour neutraliser le maraudage exercé par d'autres gouvernements. Le gouvernement du Nouveau-Brunswick est devenu, semble-t-il, un spécialiste dans cette pratique, particulièrement lorsqu'il est temps de viser les entreprises installées au Québec.

Les États-Unis sont la cible privilégiée de la paradiplomatie commerciale. En 2005, le Canada occupait le 5ᵉ rang des pays importateurs et exportateurs du monde. Les échanges commerciaux du Canada représentent 70 % du produit intérieur brut (PIB) du pays. Le plus important partenaire commercial du pays est, de loin, les États-Unis. En 2005, le Canada exportait pour 348 200 000 000 $ vers ce pays, alors qu'il importait de celui-ci pour 208 900 000 000 $: un surplus colossal. À titre de comparaison, le Japon se classe au deuxième rang des partenaires commerciaux du Canada en 2005 : les exportations canadiennes s'élevaient à 8 500 000 000 $ et ses importations à 13 400 000 000 $. Le Canada est en déficit commercial avec ses 13 principaux partenaires commerciaux, sauf un seul : les États-Unis[46]. Depuis la mise en œuvre de l'accord de libre-échange avec les États-Unis, les exportations canadiennes en direction de ce pays ont doublé en pourcentage du PIB pour représenter plus de 80 % des exportations du Canada. On peut rappeler aussi

45. *Ibid.*

46. GOUVERNEMENT DU CANADA, *Fierté et influence : notre rôle dans le monde. Commerce. Énoncé de politique internationale du Canada*, Ottawa, Ministère des Affaires étrangères et du Commerce international, 2005, p. 14.

cet exemple encore plus frappant : les entreprises canadiennes exportent plus vers l'entreprise américaine Home Depot qu'en France.

Le Canada et les États-Unis échangent sur une base quotidienne pour quelque 1,8 milliard de dollars de biens et de services. Toutes les deux secondes, un camion traverse la frontière canado-américaine, et chaque jour, ce sont environ 300 000 personnes qui le font. Les États-Unis sont les premiers investisseurs étrangers au Canada avec plus de 65 % du total des investissements alors que 43 % des investissements directs étrangers canadiens s'y dirigent. Si le pourcentage du commerce américain exporté au Canada ne représente que 2 % de son PIB, le Canada est le premier partenaire commercial des États-Unis et de 37 des 50 États américains[47].

Au milieu des années 1990, la majorité des provinces entretenaient des rapports commerciaux plus étroits avec les États américains contigus qu'avec les provinces voisines[48]. Les exportations canadiennes vers les États-Unis sont pratiquement deux fois plus importantes que le volume des échanges interprovinciaux. Neuf provinces canadiennes sur dix exportent plus en direction des États-Unis que dans le reste du Canada. En 1988, les exportations québécoises représentaient 22 % de son PIB. En 2002, ces mêmes exportations représentaient 38 %. Environ 80 % des exportations québécoises se dirigent vers les États-Unis. Le Québec exporte 10 fois moins en France que dans le seul État de New York. Les exportations de l'Alberta ont fait un gigantesque bond de 280 % depuis 1988 et, comme dans le cas du Québec, environ 80 % des exportations albertaines sont dirigées vers le sud de la frontière. C'est l'Ontario qui est le plus dépendant du marché américain : en 2002, 93,5 % des exportations de biens se sont dirigées vers les États-Unis.

---

47. GOUVERNEMENT DU CANADA, *Fierté et influence : notre rôle dans le monde. Survol. Énoncé de politique internationale du Canada*, Ottawa, Ministère des Affaires étrangères et du Commerce international, 2005, p. 9 ; et Louis RANGER *et al.*, *Promouvoir les intérêts du Canada aux États-Unis : Guide pratique à l'intention des fonctionnaires canadiens*, Ottawa, École de la fonction publique du Canada, 2004, p. 13.

48. Thomas J. COURCHENE, « NAFTA, the Information Revolution, and Canada-U.S. Relations : An Ontario Perspective », *The American Review of Canadian Studies*, vol. 30, n° 2, été 2000, p. 159-180 (en particulier le tableau 1, p. 171) ; Thomas J. COURCHENE, « FTA at 15, NAFTA at 10 : A Canadian Perspective on North American Integration », *North American Journal of Economics and Finance*, vol. 14, 2003, p. 263-285.

Néanmoins, les provinces ont aussi cherché à élargir leurs horizons économiques. Les premiers ministres se sont ainsi rendus en Europe, dans les pays nouvellement industrialisés du Moyen-Orient et d'Amérique latine, et particulièrement depuis les années 1980 et 1990, dans la région de l'Asie-Pacifique. L'Inde et la Chine sont les nouvelles priorités du Québec. Plusieurs premiers ministres provinciaux ont accepté d'accompagner le premier ministre Chrétien et des gens d'affaires dans des tournées de promotion à l'étranger appelées « Équipe Canada ». Sept missions ont été organisées entre 1994 et 2002 dans 16 pays d'Europe, d'Asie et d'Amérique latine, auxquelles il faut ajouter trois visites de moindre envergure aux États-Unis. Le gouvernement du Québec a dirigé également ses propres missions à l'étranger.

Les provinces canadiennes cherchent également à défendre leurs intérêts économiques. Le différend commercial avec les États-Unis sur le bois d'œuvre, qui revient périodiquement dans l'actualité, offre un bon exemple de situation où les provinces doivent défendre vigoureusement leurs intérêts économiques. Depuis le début des années 1980, les gouvernements de l'Alberta, de la Colombie-Britannique, de l'Ontario et du Québec ont défendu avec acharnement les intérêts de leur province contre les manœuvres des producteurs américains de bois d'œuvre visant à imposer des droits de douane élevés sur les importations de ce type de produit en provenance du Canada. Ce conflit illustre également les problèmes qui peuvent surgir lorsque la nature précise des enjeux et des solutions privilégiées varient d'une capitale provinciale à l'autre. Tout comme en politique intérieure, ces dernières éprouvent souvent de grandes difficultés à coordonner leurs actions et, surtout, à maintenir une cohésion dans leurs rangs pour présenter un front uni.

LES INTÉRÊTS ENVIRONNEMENTAUX

Les intérêts environnementaux et économiques des provinces sont souvent liés, mais, en raison de leur nature, il convient de les traiter séparément. Les gouvernements provinciaux doivent de plus en plus fréquemment intervenir sur le plan international pour défendre leurs intérêts. Ainsi, depuis le milieu des années 1960, le gouvernement de l'Ontario joue un rôle central dans la gestion des problèmes environnementaux des Grands Lacs, entre autres en établissant des mécanismes de coopération avec les États américains limitrophes[49]. Au cours des années 1980, cette province a activement coopéré avec Ottawa pour faire pression sur le Congrès américain dans le dossier des pluies acides[50]. Elle a aussi été très active au chapitre des normes environnementales lors des négociations de l'ALENA au début des années 1990[51]. À Terre-Neuve, le premier ministre Clyde Wells a soutenu les efforts d'Ottawa pour faire cesser la surpêche dans les Grands Bancs, lesquels se trouvent en eaux internationales.

Ces exemples reflètent une préoccupation pour les menaces environnementales provenant de l'étranger. Cependant, dans certains cas, les pratiques environnementales des gouvernements provinciaux représentaient elles-mêmes une menace et ont suscité des réactions de l'étranger. Il en a été ainsi des pratiques d'exploitation forestière de la Colombie-Britannique, de l'Ontario et du Québec, et de la chasse aux phoques à Terre-Neuve. Les groupes environnementalistes étrangers comme Rainforest Action Network ou transnationaux comme Greenpeace, ont tenté de changer les politiques des provinces en organisant des boycottages et des campagnes de publicité négative. Dans les années 1980, Greenpeace a fait croisade en Europe pour inciter au boycottage de la fourrure de phoque; et au début des années 1990, il a monté une campagne en Allemagne contre l'achat de produits forestiers provenant de la Colombie-Britannique.

La controverse entourant le projet Grande-Baleine au Québec est probablement la plus connue, notamment en raison des enjeux financiers. Les contrats d'exportation d'électricité entre le Québec et le seul État de New York devaient totaliser une valeur de 17 milliards de dollars pour la période qui s'échelonne de 1995 à 2016. Au début des années 1990, le débat se transporte au sud de la frontière grâce, en particulier, aux efforts du Grand Conseil des Cris du Québec et de groupes environnementalistes américains. On s'interroge sur la nécessité de ce mégaprojet sur le plan économique, on dénonce

---

49. David M. DYMENT, « The Ontario Government as An International Actor », *Regional & Federal Studies*, vol. 11, n° 1, printemps 2001, p. 67.

50. Don MUNTON et Geoffrey CASTLE, « Reducing Acid Rain, 1980s », dans Don MUNTON et John KIRTON (dir.), *op. cit.*, p. 367-381.

51. Voir, par exemple, Donald E. ABELSON, « Environmental Lobbying and Political Posturing: the Role of Environmental Groups in Ontario's Debate over NAFTA », *Canadian Public Administration*, vol. 38, 1995, p. 352-381.

son impact sur le mode de vie des autochtones et sur l'environnement. Le plus grand coup d'éclat de la campagne anti-Grande-Baleine est certainement une offensive publicitaire parue dans le *New York Times* financée par le Grand Conseil des Cris et de nombreux groupes écologistes tels Greenpeace ou le Sierra Club, et qui comparait le projet Grande-Baleine avec la catastrophe de la forêt amazonienne.

Les réactions dans le monde sont immédiates. Lors du Sommet des grandes villes du monde tenu à Montréal en 1991, le maire de New York déclare que sa ville n'aura peut-être pas besoin d'autant d'électricité québécoise que prévu. Les Verts au Parlement européen proposeront même une résolution afin de condamner le projet de Grande-Baleine.

Hydro-Québec et la classe politique québécoise sont surpris de la force de la contestation. Pour y répondre, le gouvernement achète des pages de publicité dans les grands quotidiens new-yorkais pour y publier une mise au point. De plus en plus sur la défensive, le gouvernement rappellera ses représentants à l'étranger afin de leur donner des informations très précises sur le projet Grande-Baleine.

Les stratégies de mobilisation de l'opinion publique internationale conçues par la communauté crie, qui se sentait peu soutenue et écoutée par le gouvernement du Québec, ont porté fruit, puisque le 16 mars 1992, l'Assemblée de l'État de New York a voté avec une écrasante majorité un moratoire sur l'achat d'électricité d'Hydro-Québec, qui devait avoir cours jusqu'à ce que l'État américain ait fait ses propres études environnementales sur le projet hydroélectrique[52].

À ces campagnes de publicité négative, les gouvernements provinciaux se sentent contraints de répliquer. Par exemple, quand Greenpeace a mené sa campagne contre les produits forestiers de la Colombie-Britannique, le gouvernement provincial a lancé sa propre campagne, non pour convaincre directement les petits consommateurs européens, mais bien les grands acheteurs de bois d'œuvre. Le premier ministre et le ministre des Forêts se sont rendus à plusieurs reprises en Europe pour défendre les pratiques de la

---

52. *Le Soleil*, 31 mars 1992, p. B1 et *The Globe and Mail*, 17 mars 1992, p. A4. Sur l'émergence des activités autochtones sur la scène internationale, voir Pierre-Gerlier FOREST et Thierry RODON, « Les activités internationales des autochtones du Canada », *Études internationales*, vol. 26, n° 1, mars 1995, p. 35-58.

Colombie-Britannique. En 1994-1995, le groupe Rainforest Action Network, a utilisé pour dénoncer aux États-Unis les coupes à blanc de la Colombie-Britannique, le slogan touristique du gouvernement provincial : « Venez visiter les paysages de Colombie-Britannique », mais y a ajouté un message de son cru : « Pique-niquez au sein des forêts coupées à blanc. Faites de la randonnée sur nos collines érodées par les vents. Visitez nos rivières à saumons asséchées. » Le gouvernement de Victoria a riposté avec sa propre campagne dans les journaux américains à l'aide de firmes spécialisées en foresterie. De plus, des fonctionnaires du gouvernement se sont déplacés à l'étranger pour faire valoir le point de vue de la province auprès des dirigeants politiques et des gros acheteurs de bois[53]. Dans le cas du projet Grande-Baleine, les gouvernements québécois et fédéral ont mandaté le délégué général du Québec, Léo Paré, et le consul général de New York, Alan Sullivan, pour faire pression auprès des législateurs et du gouverneur à Albany afin qu'ils renversent le moratoire[54].

LES INTÉRÊTS DE SÉCURITÉ

Les questions de sécurité internationale et de défense du territoire sont généralement associées au gouvernement fédéral, ce qui est fondé, dans la mesure où elles relèvent de la défense nationale et du contrôle des frontières, soit deux champs de compétence exclusivement fédéraux.

Toutefois, les provinces ont aussi leur mot à dire en matière de sécurité. En effet, en vertu de l'article 92 de la Constitution, avec les municipalités qui sont de leur ressort, elles jouent un rôle central dans le domaine de la protection civile et de l'application des lois par les services de police. Jusqu'à tout récemment, semble-t-il, un cloisonnement étanche séparait les activités qui visent à protéger le territoire contre les menaces provenant de l'extérieur (ces activités relèvent surtout du fédéral) et celles qui touchent à la gestion de la sécurité intérieure (assumées principalement par les provinces).

Plusieurs phénomènes ont cependant poussé les provinces à s'intéresser aux questions de sécurité et de défense. Comme le souligne le ministère des

---

53. *The Globe and Mail*, 21 mars 1994, p. B3 et *Toronto Star*, 28 mai 1995, p. F5.
54. *The Globe and Mail*, 17 mars 1992, p. A4 et *Le Soleil*, 18 mars 1992, p. A5.

Relations internationales du Québec : « À l'aube du XXIe siècle, plusieurs menaces à la stabilité internationale découlent de facteurs non militaires qui, à l'exemple du terrorisme, de la criminalité transnationale, des pandémies et de la dégradation de l'environnement, interpellent directement les responsabilités qu'exerce le Québec seul ou conjointement avec le gouvernement fédéral[55]. » À ses exemples, on peut ajouter les crimes liés à la croissance du cyberespace.

Parmi ces phénomènes, l'émergence du terrorisme comme menace importante, notamment après les attentats du 11 septembre 2001, vient au premier plan. La lutte contre le terrorisme est un champ d'activité qui relève autant, sinon plus, des services d'urgence locaux et provinciaux (police, pompiers, services de santé) que des agences de sécurité fédérale (forces armées, services de renseignement, agence de contrôle des frontières, etc.). Comme le souligne le ministère des Relations internationales du Québec :

> Le Canada et le Québec ne sont pas à l'abri d'une attaque terroriste. C'est pourquoi le gouvernement du Québec a pris des mesures spéciales visant à accroître la sécurité. Il a ainsi apporté des modifications législatives pour sécuriser l'émission des actes de l'état civil et pour agir plus efficacement en cas d'infraction à la *Loi sur l'immigration*. La Sûreté du Québec et le Service de police de la ville de Montréal, en collaboration avec la Gendarmerie royale du Canada, participent à l'équipe intégrée de sécurité nationale et de lutte contre le terrorisme. Le ministère de la Sécurité publique a créé un groupe de travail portant sur les menaces de nature chimique, bactériologique, radiologique et nucléaire. Un plan de sécurité civile est en place pour gérer les conséquences de catastrophes de diverses natures, incluant celles d'une attaque terroriste[56].

Compte tenu de la croissance phénoménale du commerce avec les États-Unis, la prospérité des provinces dépend beaucoup de l'accès au marché américain, ce qui explique les initiatives visant à éviter que les autorités américaines ne soient tentées de mettre en place des contrôles si sévères qu'ils deviendraient autant d'entraves au commerce et à la libre circulation des personnes. Ainsi, le gouvernement du Québec a renforcé sa coopération

---

55. Ministère des Relations internationales du Québec, *La politique internationale du Québec. La force de l'action concertée*, Québec, Gouvernement du Québec, 2006, p. 67.

56. *Ibid.*, p. 68

transfrontalière avec les États américains limitrophes en concluant des protocoles d'ententes relatifs à l'échange de renseignements avec l'État du Vermont, du New Hampshire, et une entente de collaboration en matière de lutte contre le terrorisme avec l'État de New York. Le gouvernement du Québec participe également au Consortium des directeurs de la sécurité intérieure du Nord-Est qui réunit 10 États américains et 3 provinces canadiennes[57].

Le gouvernement du Québec et les provinces canadiennes ont également mis en place différentes mesures afin de rendre la frontière canado-américaine plus imperméable et sécuritaire. Le 12 décembre 2001, le Canada et les États-Unis ont décidé de mettre en place une « frontière intelligente ». Plusieurs programmes créés dans ce but nécessitent la coopération des provinces, et parmi eux : le programme NEXUS, qui facilite le passage des citoyens canadiens et américains ; le programme FAST/EXPRESS, qui porte sur les expéditions rapides et sécuritaires, et le programme *C-TRAP (Customs Trade Partnership Against Terrorism)*, qui a pour objectif d'accélérer le transit des marchandises lorsqu'elles ont été inspectées à l'avance.

La criminalité transnationale est un autre facteur qui favorise la prise en charge par les provinces de certaines politiques sécuritaires. La criminalité transfrontalière englobe le trafic de drogue ou de tabac, la contrebande d'armes, la traite des personnes ou encore le blanchiment d'argent. Il ne s'agit pas de problèmes mineurs, car, comme l'indique l'Office des Nations Unies contre la drogue et le crime, on comptait en 2004 200 000 000 de consommateurs de stupéfiants pour un chiffre d'affaires d'environ 320 000 000 000 $ US[58].

Depuis la crise du SRAS en Ontario, les provinces s'intéressent à la lutte aux pandémies. En 2004, le Groupe de personnalités de haut niveau des Nations Unies sur les menaces, les défis et le changement, a souligné que les maladies infectieuses sont une menace importante pour la sécurité internationale compte tenu de la rapidité avec laquelle une pandémie peut se propager, du nombre de personnes potentiellement affectées et des pressions qu'elles entraîneront pour les gouvernements[59].

57. *Ibid.*
58. *Ibid.*
59. RAPPORT DU GROUPE DE PERSONNALITÉS DE HAUT NIVEAU SUR LES MENACES, LES DÉFIS ET LE CHANGEMENT, *Un monde plus sûr : notre affaire à tous*, ONU, 2004, 109 p.

Depuis les 20 dernières années, une trentaine de nouveaux virus comme le sida, le virus Ebola, l'hépatite C et le streptocoque du groupe A, sont apparus. D'autres, tels la malaria, la tuberculose ou le choléra, ont muté et sont devenus plus résistants. Avec l'accélération et l'augmentation des déplacements, ces bactéries ou virus s'étendent rapidement autour du globe. La pneumonie atypique ou le SRAS se propagera, au début de 2003, à une vitesse affolante de Hong-Kong au Canada en passant par la France. Le déplacement de microbes, de virus ou de bactéries autour du globe n'est pas un phénomène nouveau : les Amérindiens seront durement touchés par des bactéries apportées par les Européens lors de leurs expéditions dans le Nouveau Monde, en particulier en Amérique latine. La rapidité et la fréquence de propagation sont cependant sans précédent. Cet état de fait implique qu'une politique de lutte contre le sida au Québec ou aux États-Unis est vouée à l'échec si le virus n'est pas combattu également en Asie et en Afrique.

En mars 2006, le ministre de la Santé et des Services sociaux du Québec a rendu public un plan d'action pour faire face à une pandémie de grippe aviaire. Ce plan propose une surveillance épidémiologique ainsi que des mesures de prévention et de contrôle des infections, une campagne de vaccination et l'utilisation d'antiviraux si nécessaire, un contrôle de l'accès aux hôpitaux, la mise sur pied d'un plan de communication avec la population et un maintien ouvert et fonctionnel, malgré l'ampleur de la crise, du réseau de santé[60].

Il convient de noter que certaines activités touchant à la sécurité internationale peuvent intéresser les provinces. Plusieurs d'entre elles, qui contribuaient déjà aux programmes d'aide au développement, participent désormais aux missions de consolidation de la paix ou de reconstruction après des conflits. Ainsi, il n'est pas rare de voir des policiers ou des travailleurs d'élections provinciaux faire partie de missions internationales menées par l'ONU ou des institutions comme l'Organisation pour la sécurité et la coopération en Europe (OSCE). Le ministère des Relations internationales du Québec, par l'action de son secrétariat à l'aide internationale, dispose d'un programme qui a permis de financer de nombreux projets de coopération internatio-

---

60. Ministère de la Santé et des Services sociaux, *Pandémie d'influenza. Plan québécois de lutte à une pandémie d'influanza-mission santé*, Québec, Gouvernement du Québec, 2006.

nale destinés à renforcer le tissu de la société civile dans des pays dévastés par la guerre ou par des catastrophes naturelles. Il a ainsi appuyé des projets au Guatemala, dans la région des Grands Lacs en Afrique et au Nicaragua.

LES INTÉRÊTS POLITIQUES

Il arrive également que des représentants provinciaux interviennent sur une question internationale pour des motifs électoralistes. Ceux-ci peuvent prendre différentes formes. Par exemple, les chefs de gouvernements provinciaux peuvent être contraints de prendre certaines positions sur un sujet simplement parce qu'il capte l'attention d'une fraction notable de la population. Certains enjeux – par exemple, un tremblement de terre en Italie, un coup d'État en Haïti ou un acte de répression politique en Chine – peuvent toucher les électeurs d'une province de façon concrète, ou symbolique. À l'instar de tous les élus, les dirigeants provinciaux sont sensibles à ces questions et ils reconnaissent les coûts politiques associés à une apparente indifférence. La population attend d'eux qu'ils prennent position ; ils ne peuvent donc s'y soustraire ou rester indifférents.

Les impératifs politiques peuvent aussi être le résultat d'une situation particulière, peu susceptible de se reproduire. La mission commerciale d'Équipe Canada en Chine en 1994 en est un bon exemple. Le premier ministre souverainiste du Québec, Jacques Parizeau, avait refusé de se joindre à cette mission parce que le coût politique d'une association à une activité pancanadienne et fédéraliste aurait été trop élevé. À cause de la réaction du gouvernement québécois, les premiers ministres des autres provinces se sont vus contraints d'accompagner Jean Chrétien pour montrer leur dévouement à l'unité canadienne. Ainsi, certains premiers ministres provinciaux n'ayant que de vagues et lointains intérêts commerciaux en Chine se sont joints à la mission pour des raisons purement politiques.

Les débats qui ont précédé la guerre en Irak en mars 2003 ont donné lieu à des manifestations étonnantes. Le refus d'Ottawa de participer à la guerre ne fera pas l'unanimité. L'Alberta, province riche de ses ressources pétrolières et généralement plus à droite sur l'échiquier politique canadien, a soutenu la position américaine. La chose n'aurait rien de spectaculaire s'il ne s'agissait que d'un avis dissident, chose normale en démocratie. Le premier ministre albertain, le conservateur Ralph Klein, a cependant brisé les conventions en envoyant une lettre d'appui aux politiques de George W. Bush par l'entremise de l'ambassadeur américain à Ottawa. Dans cette lettre, Klein saluait le « leadership exemplaire » du président Bush dans la lignée de celui dont il a fait preuve lors des événements du 11 septembre. Quelques jours plus tard, le premier ministre conservateur de l'Ontario, Ernie Eves, imitait son collègue albertain[61]. Les deux déclarations, qui ont plongé le gouvernement fédéral dans l'embarras, témoignent d'une volonté des dirigeants provinciaux d'exprimer le point de vue de leurs électeurs lorsqu'ils estiment que celui-ci est différent de celui d'Ottawa. Le fait que des premiers ministres provinciaux se soient prononcés sur des questions de sécurité internationale est cependant un événement rare.

LES INTÉRÊTS BUREAUCRATIQUES

L'intensification et la diversification des activités des provinces à l'étranger ont entraîné un accroissement proportionnel de leur appareil bureaucratique chargé de l'administration des programmes internationaux. Toutefois, l'importance de cette bureaucratie varie considérablement d'une province à l'autre. Pour défendre leurs intérêts internationaux, les provinces ont naturellement tendance à ouvrir des délégations à l'étranger. Elles peuvent justifier ce type d'initiative en invoquant l'article 92.4 de la *Loi constitutionnelle de 1867*, qui leur confère l'autorité sur « la création et la tenure des charges provinciales[62] ».

Les premières initiatives des provinces en ce domaine ont été adoptées au début du XIXe siècle. C'est en 1816 que le Bas-Canada ouvre une représentation à Londres. En 1833, l'administration britannique supprime les représentations coloniales et crée un département des agents de la Couronne, lesquels sont nommés par Londres et chargés d'être les porte-parole dans la capitale de l'Empire des intérêts des colonies. Ce système restera en place

---

61. Sheldon ALBERTS, « Klein Thanks Bush for Going to War Against "Tyranny" », *National Post*, 22 mars 2003, p. A8 ; Antoine ROBITAILLE, « Le ROC fissuré par la guerre », *Le Devoir*, 22 mars 2003, p. B4.

62. La version française de cet article est cependant plus ambiguë que la version anglaise, qui se lit « *The establishment and tenure of provincial offices* ».

une cinquantaine d'années jusqu'à ce que soient créées des agences provinciales autonomes en Grande-Bretagne. En 1871, le gouvernement du Québec envoie au Royaume-Uni et aux États-Unis des agents d'immigration.

En 1882, le gouvernement du Québec nomme Hector Fabre à Paris avec le titre d'agent général. En 1883, le gouvernement fédéral le nommera également commissaire général du Canada à Paris. Fabre conserva son double mandat jusqu'à son décès, en 1910, et sera remplacé par le sénateur Philippe Roy. À partir de 1912, le Québec n'a plus de représentation à Paris, puisque ce dernier ne sera que le représentant du Canada et non plus du Québec. En effet, le successeur de Wilfrid Laurier, Robert Borden, croyait que Roy était dans une situation de conflit d'intérêts à cause de sa double fonction et il le força à renoncer à sa représentation du Québec. En 1912 cependant, Ottawa décida de rompre son association avec le Québec, car, selon Robert Borden, « il n'est pas souhaitable qu'un représentant du Dominion représente une de ses provinces comme étant une partie distincte de la fédération[63] ».

Parallèlement, si entre 1867 et la fin du XIXe siècle, le Québec est demandeur de capitaux étrangers, la situation s'améliore au début du XXe siècle avec l'avènement des capitaux américains. Le Québec ne cherche plus les investissements, mais plutôt des marchés pour ses producteurs. C'est dans cette optique que le gouvernement va ouvrir des agences générales qui auront pour fonction de prospecter les marchés étrangers.

Le gouvernement fédéral avait entrepris une démarche comparable dès 1907. L'Ontario ouvre son agence commerciale en Grande-Bretagne en 1908. La même année, le gouvernement du Québec adopte une loi afin de créer une agence au Royaume-Uni. Cette agence ouvrira ses portes en 1911. Le gouvernement du Québec nommera en 1914 un agent général à Bruxelles[64].

Alors que les activités internationales du gouvernement fédéral prennent rapidement de l'ampleur, le gouvernement du Québec se préoccupe peu de

---

63. MINISTÈRE DES AFFAIRES EXTÉRIEURES, *Documents relatifs aux relations extérieures du Canada*, vol. 1 (1909-1918), Ottawa, Ministère des Affaires extérieures, 1967, p. 17 ; voir aussi John HILLIKER, *Le ministère des Affaires extérieures du Canada*, vol. 1 : *Les années de formation, 1909-1946*, Québec, Presses de l'Université Laval/Institut d'administration publique du Canada, 1990, p. 19 et 63.

64. Jean HAMELIN, « Québec et le monde extérieur », *Annuaire statistique du Québec, 1968-1969*, Québec, 1969, p. 19-26.

ces questions. Dès 1925, on ferme l'agence bruxelloise, puis celle de Londres en 1935. À la suite de la prise du pouvoir par l'Union nationale de Maurice Duplessis en 1936, le gouvernement fait adopter une loi qui abolit toutes les agences générales. Cette décision est justifiée par la crise économique de 1929[65].

De retour au pouvoir en 1939, les libéraux d'Adélard Godbout adoptent une législation qui autorise le gouvernement à nommer des agents généraux à l'étranger. Cette politique vise à attirer les touristes au Québec et à faire la promotion du commerce et de l'industrie. Le gouvernement du Québec ouvre ainsi deux bureaux, le premier à New York est logé au Rockefeller Center et a pour fonction d'attirer au Québec les touristes américains, qui ne peuvent plus aller en Europe à cause de la guerre. Le second est logé au Château Laurier à Ottawa et a pour mandat de s'assurer que le gouvernement du Québec reçoit sa juste part de fonds fédéraux pour les contrats de guerre. D'autres projets sont prévus, mais la guerre empêche de les mettre à exécution. Lorsque Duplessis reprend le pouvoir en 1944, il maintient les agences existantes, mais n'en ouvre pas de nouvelles. De plus, il réduit le budget de l'agence de New York qui se trouve ainsi sans presque aucun moyen d'action.

Si la dépression des années 1930 incite les provinces à réduire leurs activités à l'étranger, la Deuxième Guerre mondiale, pour sa part, contribua à réduire considérablement leur capacité à exercer leurs pouvoirs législatifs dans un grand nombre de domaines. La *Loi sur les mesures de guerre*, invoquée par Ottawa au début du conflit, eut pour effet de concentrer les pouvoirs entre les mains du fédéral, d'augmenter son contrôle sur la grande majorité des activités provinciales, et donc d'élargir son domaine de compétence.

Ainsi, les provinces se virent privées, du moins temporairement, d'une bonne partie de leurs privilèges législatifs. Si bien que Mackenzie King et « beaucoup de ses ministres en arrivèrent à considérer les provinces, non plus comme des adversaires ou des concurrentes – ce qu'elles avaient été dans les années 1930 –, mais comme des acteurs négligeables qu'il suffisait

---

65. Louise BEAUDOIN, *op. cit.*, p. 461.

de flatter ou de brusquer, selon qu'elles avaient ou non un gouvernement libéral à leur tête[66] ».

La fin de la guerre a cependant permis de renverser cette tendance, en particulier grâce à la mise en œuvre de nombreux programmes impliquant les gouvernements provinciaux. Avec l'avènement de l'État-providence, au cours de la décennie suivant la fin de la guerre, les provinces eurent à supporter les coûts de plus en plus élevés des services sociaux et durent trouver les moyens d'assurer la croissance de leur économie pour supporter ce fardeau financier. Cette croissance passait en partie par l'augmentation de leur commerce, l'entretien et le développement de leurs infrastructures et par l'obtention d'un financement adéquat sur les marchés étrangers. Ces impératifs économiques ont suscité l'essor rapide des activités internationales des provinces ; à la fin des années 1970, sept d'entre elles avaient ouvert plus de 35 délégations à l'étranger, réparties sur trois continents[67].

Les provinces ne sont toutefois pas toujours disposées à investir les ressources nécessaires pour réaliser leurs ambitions internationales. La visibilité et l'attraction qui découlent de la présence des délégations provinciales dans les capitales étrangères engendrent beaucoup de frais : la location d'espaces dans un quartier approprié, généralement celui des affaires où les loyers sont les plus chers ; le remboursement des coûts de déménagement et de résidences des représentants provinciaux ; le paiement des frais de scolarité des écoles pour leurs enfants et des congés annuels ; sans oublier la couverture des frais de divertissement, inhérents à ce type de diplomatie. Même les coûts associés à une représentation modeste à l'étranger tendent à faire sourciller ceux qui tiennent les cordons de la bourse de la province, d'autant plus que les résultats sont parfois difficiles à mesurer. Ce problème handicape d'ailleurs la plupart des chancelleries des petits États, qui doivent parfois faire des choix douloureux en ce qui a trait à leur représentation à l'étranger.

---

66. Robert BOTHWELL, Ian DRUMMOND et John ENGLISH, *Canada Since 1945 : Power, Politics and Provincialism,* Toronto, University of Toronto Press, 1981, p. 74. Voir aussi Réjean PELLETIER, *op. cit.,* p. 67-69.

67. A. E. BLANCHETTE (dir.), *Canadian Foreign Policy, 1966-1976 : Selected Speeches and Documents*, Ottawa, Institute of Canadian Studies, Carleton University, 1980, p. 302.

Pour ces raisons, ces représentations deviennent toujours une cible tentante quand vient le temps de réduire les budgets. Elles ont donc tendance à ouvrir et fermer au rythme des cycles économiques : les bureaux se multiplient lorsque l'économie est en expansion, et ferment leurs portes lorsque les budgets provinciaux sont réduits. Certains gouvernements semblent cependant avoir compris, au début des années 1980, le caractère contradictoire d'une telle attitude ; il vaut mieux, en effet, augmenter la représentation à l'étranger quand l'économie se porte mal, afin de stimuler l'activité commerciale de la province.

Cependant, ce lien de la représentation provinciale à l'étranger avec les cycles de l'économie a entraîné une suite presque ininterrompue (et coûteuse) d'ouvertures et de fermetures de missions à l'étranger. Par exemple, au cours des 25 dernières années, l'Ontario en a fait l'expérience à trois reprises : à la fin des années 1960 et au début des années 1970, le gouvernement a ouvert des agences un peu partout dans le monde, pour ensuite les fermer au milieu des années 1970, en raison de restrictions budgétaires. Au début des années 1980, les bureaux ont rouvert, pour fermer de nouveau quelques années plus tard. Les agences se multiplièrent à nouveau sous le gouvernement libéral de David Peterson, puis furent fermées au début des années 1990 par le gouvernement néodémocrate de Bob Rae. Les bureaux de Boston et d'Atlanta sont des exemples typiques de cette valse : ouverts en même temps, en 1968, ils furent tous deux fermés en 1975 ; le bureau d'Atlanta rouvrit ses portes en 1980, suivi de Boston, en 1985 ; et enfin, les deux bureaux furent fermés en 1991[68]. Pour éviter le gaspillage qu'entraînaient ces constantes fermetures et réouvertures, les gouvernements provinciaux ont adopté la solution de la « colocation », évoquée au chapitre 8. Une autre solution, inspirée de ce qu'ont fait les Britanniques, consiste à engager des cadres d'entreprise, payés un dollar par année, pour agir à titre d'ambassadeur commercial à temps partiel à l'étranger[69].

La croissance de la représentation à l'étranger a suivi, de façon générale, celle de la fonction publique provinciale dans son ensemble. Toutefois, l'expé

---

68. David M. DYMENT, *op. cit.*, p. 58-61.
69. L'Ontario a ainsi mis à profit cette technique pour amoindrir les coûts de la représentation à l'étranger. *The Globe and Mail*, 5 février 1996.

rience a été bien différente d'une province à l'autre[70]. Certaines provinces se sont contentées d'un support administratif des plus rudimentaires. Les plus petites, comme l'Île-du-Prince-Édouard, la Saskatchewan ou Terre-Neuve-et-Labrador n'ont pas créé de fonction publique importante pour gérer leurs activités internationales : à peine deux ou trois fonctionnaires rattachés au premier ministre ou au cabinet sont affectés à cette tâche. Cela est dû en partie à des ressources limitées, mais aussi à un manque d'intérêt des gouvernements en place, parfois réticents à investir des sommes importantes dans ces activités[71]. La Nouvelle-Écosse, le Nouveau-Brunswick, le Manitoba et la Colombie-Britannique ont affecté plus de fonctionnaires à ce domaine d'activité, mais leur gouvernement se contente de conduire des relations internationales de manière *ad hoc* et centralisée.

À l'opposé, on trouve le Québec qui a, lui, voulu créer une bureaucratie similaire à celle d'un véritable ministère des Affaires étrangères pour gérer ses relations à l'étranger. L'organisme qui tient lieu de ministère des Relations internationales, tire son origine de la Commission interministérielle des relations extérieures du Québec, créée en 1965. Sous la direction de Claude Morin, alors sous-ministre des Affaires fédérales-provinciales, ce comité s'est transformé d'un simple outil de coordination en une véritable bureaucratie, avec pour fonction d'élaborer une politique étrangère et de gérer la vaste gamme des programmes du gouvernement québécois à l'étranger. En 1967, le comité s'est retrouvé sous la juridiction du ministère des Affaires fédérales-provinciales, qui fut rebaptisé ministère des Affaires intergouvernementales (MAIQ), ce qui signifiait bien que sa mission ne se résumerait plus simplement à la gestion des relations avec Ottawa, mais qu'elle englobait aussi les relations avec d'autres gouvernements à travers le monde[72].

Bien que fonctionnaire, Morin était un nationaliste québécois. Après la victoire de Robert Bourassa, il démissionne de la fonction publique en 1971, pour se joindre au Parti québécois et devenir ministre des Affaires inter-

---

70. Thomas Allen LEVY, « Le rôle des provinces », dans Paul PAINCHAUD, *op. cit.* (1977), p. 142-143.
71. Robert J. McLAREN, « Les relations internationales de la Saskatchewan », *Perspectives internationales*, septembre-octobre 1978, p. 20-23.
72. Claude MORIN, *L'art de l'impossible. La diplomatie québécoise depuis 1960*, Montréal, Boréal, 1987, p. 43 et 75-78.

gouvernementales au sein du cabinet de René Lévesque. Il crée une bureaucratie capable d'identifier les intérêts du Québec à l'étranger et de faire sentir la présence du gouvernement québécois sur la scène internationale. Au début des années 1980, le MAIQ était l'organisme provincial chargé des relations internationales le plus élaboré au pays ; en termes de taille et de structure, il ressemblait à une version réduite du ministère des Affaires extérieures à Ottawa. En 1988, le MAIQ est renommé ministère des Affaires internationales, puis ministère des Relations internationales (MRI) à partir de 1996[73].

Autres expériences, celles de l'Ontario et de l'Alberta, qui ont l'un et l'autre des ministères des Affaires intergouvernementales, mais de taille relativement modeste[74]. Dans le cas de l'Ontario, la bureaucratie chargée des affaires internationales s'est développée d'abord lentement au cours des années 1960, puis plus rapidement dans les années 1970 lorsque le Bureau des affaires étrangères est devenu une organisation distincte au sein du ministère du Trésor, de l'Économie et des Affaires intergouvernementales (MTEAI). Quand le MTEAI a été dissous en 1978, la division chargée des relations internationales est passée sous la juridiction du ministère des Affaires intergouvernementales (MAI). Les tensions observables au sein des Affaires étrangères fédérales (évoquées au chapitre 8) entre les missions politique et commerciale ont aussi eu des répercussions sur la bureaucratie ontarienne. À la fin des années 1980, un conflit a éclaté entre le MAI et le ministère de l'Industrie, du Commerce et de la Technologie (MICT), dont l'enjeu portait sur le contrôle des activités du Bureau des relations internationales. Le MAI a perdu cette bataille en 1991 lorsque le Bureau a été transféré au MICT[75].

Quels que soient les arrangements institutionnels, la bureaucratie des gouvernements provinciaux peut, jusqu'à un certain point, expliquer le degré d'implication internationale des provinces. Plus il y a de fonctionnaires qualifiés engagés pour s'occuper spécifiquement des affaires étrangères, plus il y a de chances que les ministres, suivant leurs conseils, soient intéressés à

---

73. Nelson MICHAUD et Isabelle RAMET, *op. cit.*, p. 318-319.
74. David M. DYMENT, « Substate Paradiplomacy : The Case of the Ontario Government », dans Brian HOCKING (dir.), *op. cit.* (1993) ; Wayne CLIFFORD, « A Perspective on the Question with Particular Reference to the Case of the Province of Alberta », *Choix*, vol. 14, 1982, p. 94-95.
75. David M. DYMENT, *op. cit.*, 1993 et 2001, p. 69.

accroître le rôle de leur province à l'étranger. Ainsi, la présence des provinces sur la scène internationale n'est pas générée par l'existence d'une bureaucratie qui doit définir les intérêts de la province à l'étranger, mais par contre, quand cette bureaucratie est en place, elle tend à renforcer et maintenir cette présence.

Le gouvernement fédéral a aussi fait preuve d'intransigeance sur la question de l'ouverture de bureaux provinciaux à Washington. Ottawa insiste pour que le Canada n'ait qu'une seule voix et donc qu'un seul bureau : l'ambassade. Malgré cela, le gouvernement québécois a ouvert un bureau de tourisme à Washington en février 1978[76]. Selon le parti au pouvoir à Québec, ce bureau ne s'est pas contenté de fournir des informations sur les charmes touristiques de la province[77]. Espérant peut-être faire oublier cette position très ferme sur la représentation provinciale officielle aux États-Unis, le gouvernement fédéral a pris certaines mesures : les provinces peuvent affecter des fonctionnaires à l'ambassade canadienne, l'ambassadeur canadien aux États-Unis informe périodiquement les cabinets provinciaux et des copies de certains documents sont envoyées aux provinces par le ministère des Affaires étrangères[78].

Le gouvernement fédéral s'est cependant montré plus pointilleux envers le Québec, étant donné les visées que pouvaient masquer ses activités internationales, comme nous le verrons dans le prochain chapitre. En dépit des différences parfois marquées entre les intérêts des gouvernements de Québec et d'Ottawa, les deux gouvernements parviennent à coopérer. Par exemple, quand une ville canadienne pose sa candidature pour devenir l'hôte des Jeux olympiques, les gouvernements municipal, provincial et fédéral conjuguent leurs efforts pour la soutenir. Cette collaboration eut du succès dans le cas des Jeux olympiques d'été de 1976 à Montréal, des Jeux d'hiver de 1988 à Calgary et de 2010 à Vancouver, mais la candidature de Toronto pour les Jeux d'été de 1996 échoua malgré tout. Lorsque la ville de Québec

---

76. Jean-François Lisée, *Dans l'œil de l'aigle. Washington face au Québec*, Montréal, Boréal, 1990, p. 307-312.
77. Gordon Mace, Louis Bélanger et Yvan Bernier, « Canadian foreign policy and Quebec », dans Maxwell A. Cameron et Maureen Appel Molot (dir.), *Canada Among Nations, 1995 : Democracy and Foreign Policy*, Ottawa, Carleton University Press, 1995, p. 127.
78. Stephen Clarkson, *Canada and the Reagan Challenge*, Toronto, James Lorimer, 1982, p. 302-310.

a posé sa candidature pour les Jeux de 2002, les relations tendues entre les gouvernements provincial et fédéral ont été reléguées au second plan. En juin 1995, le premier ministre Jacques Parizeau, Jean-Paul L'Allier (le maire souverainiste de la ville de Québec), Sheila Copps (la vice-première ministre au palier fédéral) et Michel Dupuy (le ministre fédéral du Patrimoine canadien) ont uni leurs forces lors de la réunion du Comité international olympique qui se déroulait à Budapest pour soutenir la candidature de la ville de Québec[79].

TABLEAU 11.1

La fonction des relations internationales
au sein des ministères ou agences des provinces canadiennes

Province	Ministère ou agence responsable des relations internationales
Terre-Neuve et Labrador	Le ministre des Affaires intergouvernementales est appuyé par le Secrétariat aux affaires intergouvernementales. Un sous-ministre est désigné comme personne-ressource des questions internationales.
Île-du-Prince-Édouard	Le premier ministre a la responsabilité des Affaires intergouvernementales. Le coordonnateur des affaires intergouvernementales travaille au sein du Bureau du Conseil exécutif et traite des questions internationales.
Nouvelle-Écosse	Le premier ministre a la responsabilité des Affaires intergouvernementales. Le sous-ministre est responsable des questions internationales.
Nouveau-Brunswick	Le premier ministre est responsable des Affaires intergouvernementales. Le ministère des Affaires intergouvernementales couvre les questions internationales.
Québec	Le ministre des Relations internationales est appuyé par un ministère des Relations internationales.

---

79. MINISTÈRE DES AFFAIRES ÉTRANGÈRES ET DU COMMERCE INTERNATIONAL, « La vice-première ministre Copps et le ministre Dupuy font partie de la délégation de Québec 2002 à Budapest », *Communiqué*, n° 107, 9 juin 1995 ; *La Presse*, 17 juin 1995, p. A1.

Ontario	Le ministre des Affaires intergouvernementales est appuyé par le Bureau des relations internationales et du protocole au sein du ministère des Affaires intergouvernementales.
Manitoba	Le premier ministre est ministre responsable des Relations fédérales-provinciales avec l'appui du sous-ministre des Relations fédérales-provinciales.
Saskatchewan	Le ministre des Relations gouvernementales est appuyé par le ministère des Relations gouvernementales qui a la responsabilité des questions internationales.
Alberta	Le ministre est appuyé par un ministère des Affaires internationales et intergouvernementales.
Colombie-Britannique	Un ministre d'État aux Affaires intergouvernementales est appuyé par le Secrétariat aux Affaires intergouvernementales qui a une section responsable des questions internationales.

Source : Louis Ranger, *op. cit.*, p. 40-41.

UN « MULTILATÉRALISME SUBÉTATIQUE » : LES RELATIONS ENTRE ÉTATS FÉDÉRÉS DE L'ALENA

La mondialisation, l'intégration régionale et l'interdépendance ont favorisé une intensification des relations entre les provinces canadiennes et les États américains et mexicains. Les États fédérés des 3 pays membres de l'ALENA, c'est-à-dire les 10 provinces canadiennes, les 50 États américains et les 32 États mexicains ont conclu de nombreuses ententes bilatérales et multilatérales en plus de mettre sur pied des associations subétatiques transnationales afin de répondre aux nouveaux défis communs. La croissance phénoménale des échanges avec les États américains oblige ainsi les provinces à consulter et coordonner leurs actions avec leurs vis-à-vis pour régler des questions qui relèvent de leurs champs de compétence.

De nos jours, environ 400 ententes lient les États américains et les provinces canadiennes. Plus de 100 ententes ont été conclues sur les seules questions d'environnement et de ressources naturelles. Les deux tiers de ces ententes ont été conclues au cours des 20 dernières années et engagent au moins 46 États américains et toutes les provinces canadiennes. Les gouvernements canadien et américain ne sont pas concernés dans près de la moitié de ces accords[80]. Il existe une vingtaine de corridors de commerce entre les provinces canadiennes et les États américains créés à la suite de la ratification de l'Accord de libre-échange et l'intensification du commerce transfrontalier Nord-Sud[81]. Le Québec et de nombreuses provinces canadiennes participent aussi aux sommets Hémisphéria qui réunissent des États américains, mexicains et canadiens.

Les représentants des provinces canadiennes dirigent des centaines de missions aux États-Unis et au Mexique chaque année. Des fonctionnaires provinciaux ont proposé de créer une représentation de leurs gouvernements afin de faire des pressions à Washington. En réponse à ces demandes et afin de garder un œil sur les activités internationales des provinces dans la capitale américaine, le gouvernement du Canada a mis sur pied en 2004 un secrétariat des provinces au sein de l'ambassade à Washington. En mars 2005, le gouvernement de l'Alberta a inauguré sa représentation au sein de l'ambassade. Le gouvernement du Québec a pour sa part refusé l'invitation, car il préfère avoir une représentation distincte à Washington. Une douzaine d'États américains disposent des représentations au Canada alors qu'environ 18 autres sont représentés au Mexique.

L'intensification des relations transnationales a également donné lieu à la création d'organisations transnationales subétatiques souvent très spécialisées[82]. Elles couvrent en effet de domaines aussi variés que la santé, la gestion des eaux limitrophes (en particulier les Grands Lacs) et l'exploitation des voies navigables, l'application des lois, l'énergie, la lutte contre les feux de forêt, la protection de l'environnement, la sécurité transfrontalière, la gestion des réseaux électriques, ou encore l'administration du réseau routier et des ponts.

---

80. D. CONKLIN, « NAFTA : Regional Impacts », dans Michael KEATING et John LOUGHLIN (dir.), *op. cit.*, p. 195 et suivantes.
81. Rolande PARENT, « Entente conclue entre le Québec et l'État de New York », *Le Nouvelliste*, 5 décembre 2001.
82. GOUVERNEMENT DU CANADA, *L'émergence de régions transfrontalières. Rapport provisoire,* Projet de recherche sur les politiques : liens nord-américains, novembre 2005.

La majorité des organisations transnationales subétatiques sont de création récente après l'entrée en vigueur de l'ALE. La plupart du temps, une ou plusieurs provinces canadiennes intègrent des organisations américaines déjà existantes. Certaines, parmi ces dernières, réunissent des parlementaires alors que d'autres regroupent des gouverneurs et des premiers ministres. Par exemple, le Québec et l'Ontario font partie des membres internationaux du Council of State Government, depuis 1995. Depuis 1990, le Québec, le Nouveau-Brunswick et la Nouvelle-Écosse sont membres de l'Eastern Regional Conference. L'Ontario, le Manitoba et la Saskatchewan sont membres associés du Council of State Governments-Midwest alors que l'Alberta et la Colombie-Britannique sont membres associés du Council of State Governments-West. La National Conference of State Legislature a été créée en 1975 afin de favoriser la communication entre les parlements des États américains et de parler d'une seule voix face à Washington. L'Assemblée nationale du Québec en est membre associé. L'Ontario et la Saskatchewan sont membres de l'association régionale Midwestern Legislative Conference.

Le mécanisme de coordination le plus important est sans doute celui instauré par les « mini-sommets », comme celui qui réunit les premiers ministres de l'Est du Canada et les gouverneurs de la Nouvelle-Angleterre. La Conférence des gouverneurs de la Nouvelle-Angleterre et des premiers ministres de l'est du Canada, créée en 1973, est composée de six États américains (Connecticut, Maine, Massachusetts, New Hampshire, Rhode Island et Vermont) et cinq provinces (les provinces maritimes et le Québec). Le premier sommet s'est tenu au cours de l'été 1973 et a été institutionnalisé à la suite de la crise du pétrole en octobre suivant alors que les États américains recherchaient des sources alternatives d'énergie et que les provinces canadiennes possédaient de grandes ressources hydroélectriques. Son objectif principal demeure de nature économique, mais il traite cependant de questions d'énergie, d'agriculture, de transport, de tourisme, d'environnement et, depuis le 11 septembre 2001, de sécurité. Les participants se réunissent chaque année et, depuis 2000, des acteurs privés sont également invités à participer aux conférences. Bien que les gouverneurs et les premiers ministres aient des façons différentes de traiter les affaires, ils se sont toutefois souvent montrés enclins à faire front commun contre leurs gouvernements centraux respectifs[83].

À l'Ouest, la Colombie-Britannique, l'Alberta et le territoire du Yukon se sont joints à cinq États américains (Alaska, Idaho, Montana, Oregon et État de Washington) afin de mettre sur pied la Pacific Northwest Economic Region en 1991. Cette association a pour vocation d'accroître le développement économique et les échanges commerciaux, ainsi que d'augmenter le poids de ces régions vis-à-vis des gouvernements fédéraux canadien et américain. Elle a créé 17 groupes de travail sur différents sujets comme l'énergie, l'environnement ou la haute technologie. Elle inclut également un conseil du secteur privé. Il existe encore de nombreuses organisations transfrontalières subétatiques comme le Conseil des gouverneurs des Grands Lacs créé en 1983 et composé de huit États américains auxquels se sont joints l'Ontario et le Québec à titre de membres associés[84].

Certaines provinces canadiennes sont également membres de regroupement d'États fédérés internationaux. Le Québec est cofondateur avec la Bavière des Régions partenaires qui incluent également la Haute-Autriche, la province du Shandong, le Cap occidental, São Paulo et la Floride. De plus, il siège comme observateur à la Conférence des régions à pouvoirs législatifs et à l'Assemblée de régions d'Europe. L'Ontario est, depuis 1990, membre associé du groupe Les quatre moteurs pour l'Europe.

83. Martin LUBIN, « The Routinization of Cross-Border Interactions : an Overview of the NEG/ECP Structures and Activities », dans Douglas M. BROWN et Earl H. FRY, (dir.), *States and Provinces in the International Economy*, Berkeley, Institute of Intergovernmental Relations, University of California at Berkeley, 1993, p. 145-166.
84. David M. DYMENT, *op. cit.* (2001), p. 67-68.

12

LA PARADIPLOMATIE IDENTITAIRE
DU QUÉBEC ET L'UNITÉ NATIONALE

L'État fédéré du Québec compte parmi les États non souverains les plus actifs en matière de relations internationales. Le ministère des Relations internationales du Québec (MRI) disposait, en 2005-2006, d'un budget de près de 103 000 000 $ et comptait 582 fonctionnaires à temps complet à son emploi, dont environ 246 à l'étranger[1]. À ce nombre, on doit ajouter de nombreux fonctionnaires rattachés à d'autres ministères qui travaillent sur les questions internationales, que ce soit les enjeux économiques (comme la promotion des exportations, les stratégies pour attirer les investissements étrangers et les politiques de libéralisation des échanges), les questions de sécurité transfrontalière (qui prennent une importance nouvelle depuis le 11 septembre 2001), sans oublier les politiques d'immigration, les questions d'environnement, d'éducation ou de culture. Le MRI estime ainsi à 350 000 000 $ le budget de l'ensemble du gouvernement du Québec consacré à ses relations internationales.

En 2007, le Québec compte 25 représentations ou « mini-ambassades » à l'étranger incluant celle de Paris dont le statut s'apparente à celui d'une ambassade[2]. Ce chiffre comprend les six représentations internationales

---

1. MINISTÈRE DES RELATIONS INTERNATIONALES DU QUÉBEC, *Rapport annuel de gestion, 2005-2006*, Gouvernement du Québec, 2006.
2. Pour le gouvernement du Québec, le nombre de représentations à l'étranger s'élève plutôt à « près de trente » parce qu'il inclut, en plus des délégations générales, des délégations, des bureaux et des antennes, les « agents d'affaires contractuels à l'étranger

rattachées à Investissement Québec. Le gouvernement du Québec compte même plus de représentations à l'étranger que plusieurs pays souverains d'ambassades ! Il déploie, en effet, trois représentations de plus que la Nouvelle-Zélande, le même nombre que la Finlande et seulement sept de moins que l'État d'Israël.

De plus, les représentants du gouvernement du Québec ont conduit, en 2001, plus de 200 missions commerciales, politiques ou culturelles à l'extérieur de la province, ce qui est probablement plus que de nombreux pays souverains de taille comparable. Il a également un rôle, quoique limité, en ce qui concerne les politiques d'immigration. Il avait, en 2003, 45 agents mandatés pour recruter des immigrants.

Depuis 1965, le Québec a conclu environ 550 engagements internationaux ou « ententes » avec des États souverains ou des États fédérés dans près de 80 pays. Plus de 300 de ces ententes sont encore en vigueur. La majorité des accords a été conclue avec des pays souverains comme la France ou la Belgique. Les plus importantes portent sur les questions d'éducation, mais aussi sur la sécurité sociale, l'énergie, les télécommunications ou l'environnement.

Le Québec s'invite également dans le processus de conclusion de traités sur le plan fédéral lorsque ces derniers affectent ses compétences constitutionnelles. Depuis 2002 et l'adoption du projet de loi 52, tout traité important que conclut le gouvernement fédéral et qui affecte les champs de compétence du Québec doit être approuvé par un vote à l'Assemblée nationale. Le Québec est la seule province, et le premier parlement de type britannique, à être si étroitement associé au processus de conclusion des engagements internationaux du gouvernement central. Cette procédure n'existe même pas sur le plan fédéral.

Le gouvernement du Québec est actif en tant que « gouvernement participant », sous l'appellation Canada-Québec, au sein de l'Organisation internationale de la Francophonie. Il participe également à certains forums internationaux de nature privée, comme le Forum économique mondial de Davos, depuis 1989. Lorsque le Parti québécois (PQ) était au pouvoir, le

---

au service non exclusif de l'Administration du gouvernement du Québec ». Cette liste des agents d'affaires contractuels, compilée par le MRI, comprend étrangement la « Chambre de commerce italienne au Canada » ! MINISTÈRE DES RELATIONS INTERNATIONALES DU QUÉBEC, *Rapport annuel de gestion, 2005-2006, op. cit.*, p. 79.

Québec a été représenté à plusieurs reprises au Forum social mondial, le rendez-vous des altermondialistes. Ses représentants sont souvent inclus au sein de la délégation canadienne dans d'autres organisations internationales gouvernementales comme l'UNESCO ou l'OIT.

Le gouvernement du Québec est ainsi plus actif en matière de relations internationales que toutes les autres provinces canadiennes réunies ou que chaque Länder allemand ou État américain pris individuellement. Selon Earl Fry, les 50 États américains ne consacrent ensemble annuellement pour leurs activités internationales que le double de ce que le gouvernement du Québec dépense à lui seul[3] ! À titre comparatif, les seuls États fédérés qui dépassent le Québec en matière de relations internationales sont la Flandre et peut-être la Catalogne. Ces États fédérés partagent une caractéristique commune avec le Québec : le nationalisme.

S'il est vrai que le gouvernement du Québec cherche, comme les autres provinces canadiennes, à défendre ses intérêts constitutionnels, économiques, environnementaux ou autres, il reste cependant unique. Son identité distincte au sein de la fédération canadienne explique pourquoi il est si actif sur la scène internationale. Le gouvernement québécois a ainsi été motivé par un facteur absent chez les autres gouvernements provinciaux. Alors que ceux-ci sont motivés, à différents degrés, dans leurs activités internationales à renforcer leur rôle d'État provincial, seul le Québec est poussé par une quête de reconnaissance identitaire et par un projet à caractère nationaliste[4].

Cela s'explique par le fait que les stratégies de construction de la nation menées par les entrepreneurs identitaires, ne se sont jamais limitées à la politique interne et s'étendent également aux relations internationales. Sur le plan québécois, les entrepreneurs identitaires mettent en œuvre une *paradiplomatie identitaire*, c'est-à-dire une politique étrangère au palier de l'État fédéré du Québec dont un des objectifs avoués est le renforcement de la nation

3. Earl FRY, « Reflexions on Québec-U.S. Relations », texte présenté dans le cadre de la conférence *Les relations internationales du Québec depuis la doctrine Gérin-Lajoie : 1965-2005*, Université du Québec à Montréal, mars 2005.
4. Annemarie JACOMY-MILLETTE, « Les activités internationales des provinces canadiennes », dans Paul PAINCHAUD (dir.), *De Mackenzie King à Pierre Trudeau, quarante ans de diplomatie canadienne*, Québec, Les Presses de l'Université Laval, 1989, p. 89.

québécoise dans le cadre du Canada. La paradiplomatie identitaire est différente de la protodiplomatie en ce sens que l'objectif n'est pas la réalisation
de l'indépendance[5]. L'objectif des entrepreneurs identitaires est d'aller chercher les ressources qui leur font défaut sur le plan interne en plus de tenter
de se faire reconnaître comme nation sur le plan international, processus
essentiel de toute tentative de construction de la nation. Malgré certains épisodes sporadiques de protodiplomatie (en 1980 et 1995), les activités internationales du Québec relèvent essentiellement du registre de la paradiplomatie
identitaire, à l'instar du gouvernement de la Catalogne par exemple.

Cet avènement sur la scène internationale de l'État québécois et de son
projet nationaliste ne manquera pas de faire réagir les autorités fédérales.
Depuis bientôt 50 ans, la question de l'unité nationale est ainsi au centre de
la politique étrangère du Canada[6]. Ce chapitre traite du nationalisme et des
relations internationales, ainsi que de l'effet de cette interaction sur les rapports Québec-Ottawa.

LE NATIONALISME, LA POLITIQUE ÉTRANGÈRE ET LA PARADIPLOMATIE IDENTITAIRE

Le nationalisme est à la fois central et marginalisé dans les grandes approches des relations internationales et de la politique étrangère[7]. Les conceptions réalistes et libérales prennent généralement les États-nations comme
des données fondamentales et interchangeables du système international,
ce qui signifie que l'on peut dessiner une carte du monde des États-nations
et leur conférer des attributs communs. Ainsi, pour la plupart des spécialistes
des relations internationales, l'expression État-nation est synonyme de « pays »,
même si le sens exact de l'expression veut que les frontières de l'État coïncident avec celle de la nation. Pourtant, les États-nations sont loin d'être homo-

5. Stéphane PAQUIN, *La paradiplomatie identitaire. Le Québec et la Catalogne en relations internationales*, thèse de doctorat dirigée par Bertrand BADIE, Institut d'études
politiques de Paris, décembre 2002.
6. Steven Kendall HOLLOWAY, *Canadian Foreign Policy. Defining the National Interest*,
Peterborough, Broadview Press, 2006, p. 177.
7. Martin GRIFFITHS et Michael SULLIVAN, « Nationalism and International Relations
Theory », *Australian Journal of Politics and History*, vol. 43, n° 1, 1997, p. 53-65.

gènes et la diversité nationale et ethnique des pays affecte grandement la conduite de la politique étrangère. La position pro-israélienne du Canada lors de la guerre au Liban pendant l'été 2006 illustre l'importance de la question identitaire en ce qui a trait à la politique étrangère canadienne.

Dans une étude effectuée en 1971 sur environ 132 pays, seulement 12, soit 9,1 % du total, pouvaient être considérés comme étant de véritables États-nations[8]. Faire la distinction entre les concepts n'aurait pas la même utilité si le monde était presque uniquement formé de véritables États-nations. Plusieurs nations peuvent donc cohabiter au sein d'un même État comme c'est le cas au Canada, où l'on trouve au moins trois nations : la nation cana-dienne[9], la nation québécoise et les Premières Nations. À ces nations, il faut ajouter les communautés formées par les Néo-Canadiens qui ne constituent pas des nations, car, s'ils revendiquent des droits particuliers et des accommo-dements pour leurs communautés, ils ne formulent pas de projets nationalistes et ne recherchent pas pour leur « nation » de droit à l'autodétermination. Les immigrants au Canada sont plutôt des minorités nationales au sein des deux nations d'intégration, soit les nations canadienne et québécoise.

Qu'est-ce qu'une nation ? Ce concept est polysémique dans la documen-tation scientifique. Pour plusieurs, il est interchangeable avec le concept d'État (ensemble territorialement organisé et envisagé comme sujet du droit inter-national), malgré la distinction importante qui doit exister entre les deux. En science politique, on parle généralement de relations « internationales », alors qu'une expression plus juste serait relations « interétatiques ». Les orga-nisations internationales comme les Nations Unies ou la Cour internationale de justice n'en sont pas réellement. Il s'agit plutôt d'organisations interéta-tiques ou intergouvernementales.

La nation est une construction mentale ou une communauté imaginée, selon l'expression de Benedict Anderson, qui symbolise le désir de vivre

---

8.   Walker CONNOR, « A Nation is a Nation, is a State, is an Ethnic Group, is a … », *Ethnic and Racial Studies*, vol. 1, n° 4, 1978, p. 380-381.

9.   On ne peut parler de nation « canadienne anglophone » car les anglophones ne se perçoivent pas de cette façon. Dans leur cas, la nation de référence est le Canada dans son ensemble. Au Québec, la nation a une connotation essentiellement terri-toriale depuis les années 1960, ce qui signifie que les francophones hors Québec ne sont pas membres de cette nation.

ensemble ou la conscience de soi des membres d'une collectivité humaine. La nation est imaginée comme étant *limitée, souveraine et solidaire*[10]. La nation est une communauté imaginée, car même ceux qui en sont membres ne connaîtront jamais l'ensemble des membres de cette dernière, mais ils se feront mentalement une représentation de la communion nationale. Bref, pour Anderson, « même les membres de la plus petite des nations ne connaîtront jamais la plupart de leurs concitoyens : jamais ils ne les croiseront ni n'entendront parler d'eux, bien que dans l'esprit de chacun vive l'esprit de leur communion[11] ». La nation est imaginée comme étant limitée, car cette dernière est une entité finie. Même la plus grande nation du monde n'englobe pas toute l'humanité. La nation est imaginée comme étant à l'origine de la souveraineté populaire qui est exercée par l'entremise de ses représentants. Les nationalistes croient ainsi au droit fondamental à l'autodétermination. Finalement, la nation est inventée en tant que communauté solidaire, c'est-à-dire une tendance émotive à se percevoir comme membre d'une grande famille, et ce, indépendamment des classes sociales et des inégalités pouvant régner au sein du groupe[12].

Le nationalisme ne signifie pas automatiquement la recherche de l'indépendance politique, car des nationalistes, ceux du Parti libéral du Québec par exemple, peuvent très bien avancer l'idée que la nation québécoise a plus de chances de survivre dans un ensemble politique plus vaste tel le Canada. La participation de la nation à une entité politique multinationale est jugée en fonction des intérêts de la première. Ainsi, l'allégeance envers l'entité politique multinationale est conditionnée et subordonnée aux intérêts de la nation. Ces nations peuvent mettre en veilleuse l'objectif d'autodétermination pour des intérêts économiques, militaires ou autres, mais l'idée d'indépendance devient le référent auquel sont comparées les autres options. Comme le dit Will Kymlicka, la question « n'est pas de savoir pourquoi chercher un élargissement des pouvoirs, mais plutôt de savoir pourquoi accepter moins

---

10. Benedict ANDERSON, *L'imaginaire national. Réflexions sur l'origine et l'essor du nationalisme*, Paris, La Découverte, 1996.
11. *Ibid.*, p. 19.
12. *Ibid.*, p. 19-20.

que l'indépendance[13] ». Le sentiment national est encore plus compliqué qu'il n'y paraît, car un individu peut se forger une identité multiple qui peut changer en fonction des événements. Il est fréquent au Québec de rencontrer quelqu'un qui s'identifie tantôt au Québec, tantôt au Canada, ou même aux deux dans les débats politiques[14].

Si on ne peut définir objectivement une nation sur la base de langues communes ou encore de liens ethniques, on sait que l'élément subjectif présent chez tous les nationalistes est ce sentiment de former une nation mue par un « vouloir-vivre collectif » ou ce que Ernest Renan appelait un plébiscite de tous les jours. La nation « est une âme, un principe spirituel[15] », ajoutait-il. On peut établir, entre le concept de nation et celui de nationalisme, le même type de relation qu'entre le concept de Dieu et celui de religion. Personne ne peut prouver hors de tout doute l'existence de Dieu. Ce qui est cependant certain, c'est que les religieux, eux, y croient. Ainsi, si on ne peut définir objectivement ce qu'est une nation, on sait sans l'ombre d'une hésitation que les nationalistes croient à l'existence de leur nation[16].

Le nationalisme est donc le fait de faire de sa « nation imaginée » le premier objet de sa loyauté et de son allégeance politiques. L'idée de nation est plus souvent l'objet de débats que de consensus au sein d'une société, car la nation n'a pas le même sens pour tous ses membres. On imagine facilement qu'un syndicaliste du Québec et un militaire de l'Alberta ne véhiculent pas la même représentation de « leur » nation. Cette représentation joue un rôle important dans la vie politique, car la définition que l'on donne à cette identité attribue un sens ou une direction aux actions politiques, ce qui inclut la politique étrangère.

L'identité nationale est une construction culturelle créée par des entrepreneurs identitaires. La représentation de la communion nationale n'existe que par un travail de représentation, généralement effectué par les intellectuels,

13. Will Kymlicka, « Le fédéralisme multinational au Canada : un partenariat à repenser », dans Guy Laforest et Roger Gibbins (dir.), *Sortir de l'impasse, Les voies de la réconciliation*, Montréal, IRPP, 1998, p. 15-16.
14. David McCrone, *The Sociology of Nationalism,* Londres, Routledge, 1998.
15. Ernest Renan, *Qu'est-ce qu'une nation ?,* Paris, Éditions Agora, 1992 (1882), p. 54.
16. Liah Greenfeld, *Nationalism. Five Roads to Modernity,* Cambridge, Harvard University Press, 1992.

mais aussi par les étrangers, c'est-à-dire ceux qui ne se revendiquent pas de la même nation. Les membres d'une nation se font une image de leur communion nationale dans les livres d'histoire, à l'école, dans les articles de journaux, dans les discussions, mais également par l'image qu'en ont les voisins porteurs d'une autre identité. Comme le disait Pierre Elliott Trudeau, le nationalisme n'évolue pas en vase clos. Il écrivait en 1967 que «la plupart des Anglo-Canadiens ne se rendent pas compte que ce sont leurs propres attitudes qui […] déterminent l'ampleur et la force du nationalisme québécois[17]».

En somme, le nationalisme et l'identité politique sont à la fois des constructions sociales et le produit d'entrepreneurs identitaires qui cherchent à renforcer des sentiments d'appartenance. La nation et le nationalisme sont inévitablement liés à un projet politique. Puisque la tâche primordiale de tout acteur cherchant à mobiliser une population est de créer une identité collective, les acteurs politiques vont donc s'y atteler. L'impression de partager avec d'autres une identité « nationale » rend possible l'apparition de représentations convergentes sur l'espace social et politique. Ces représentations convergentes favorisent la diffusion au sein d'une population d'opinions semblables sur les possibilités et les limites de la mobilisation collective. Les actions collectives menées au nom du groupe interpellent le sentiment identitaire parce que l'attention est mise sur les enjeux communs et qu'ensuite s'inscrit dans l'histoire le souvenir des luttes menées collectivement, ce qui renforce le sentiment identitaire.

La construction d'une identité collective n'est pas simplement une condition de succès pour un mouvement nationaliste : c'est un impératif. Le processus est certes favorisé par le développement de réseaux de communication et par les processus d'industrialisation qui entraînent une homogénéisation des cultures. Toutefois, la construction d'un sentiment nationaliste est avant tout le produit de l'action des entrepreneurs identitaires qui utilisent des stratégies de renforcement ou de construction de la nation, notamment sur la scène internationale. Les régions qui ont une culture et une langue propres sont plus susceptibles de s'aventurer sur l'échiquier international pour trouver les ressources et le soutien qui leur font défaut sur le plan interne.

---

17. Pierre Elliott TRUDEAU, *Le fédéralisme et la société canadienne-française*, Montréal, Hurtubise, 1967, p. 148.

C'est spécialement le cas lorsque les acteurs du centre sont hostiles aux demandes de protection culturelle et de reconnaissance de la nation. Comme le dit Renaud Dehousse :

> On pourrait poser en règle générale que le désir d'une présence internationale se manifestera avec une intensité particulière dans les secteurs où ce sentiment d'aliénation est le plus développé : les relations économiques pour les régions transfrontalières, les relations culturelles pour les régions ethniquement asymétriques[18].

Ce besoin de ressources qui permettent de développer la nation, le désir de reconnaissance et de légitimation de la cause nationaliste expliquent pourquoi la mise en œuvre d'une paradiplomatie de forte intensité par de petites nations non souveraines est une priorité[19]. Daniel Latouche associe l'action du Québec en relations internationales à son besoin de légitimation, dimension importante dans le processus de *nation-building*[20]. La paradiplomatie identitaire répond à un besoin de reconnaissance de l'existence de la nation par des acteurs tiers, comme l'est la France pour le Québec. Ce besoin était d'autant plus important que le gouvernement canadien avait fait preuve de peu d'ouverture envers ces revendications. Puisque d'importantes négociations constitutionnelles devaient débuter dans la première moitié des années 1960 au Canada, le gouvernement du Québec cherchait à utiliser ce rapprochement avec la France pour favoriser l'obtention d'un statut particulier au sein du Canada. Il voulait obtenir du gouvernement canadien en politique intérieure une reconnaissance comparable à celle que venait de lui accorder la France en politique internationale.

Paul Painchaud avance justement que le décollage de la paradiplomatie québécoise dans les années 1960 est attribuable à l'effervescence nationaliste

---

18. Renaud Dehousse, « Fédéralisme, asymétrie et interdépendance : Aux origines de l'action internationale des composantes de l'État fédéral », *Études internationales*, vol. 20, n° 2, juin 1989, p. 308.

19. André Lecours, « Paradiplomacy : Reflections on the Foreign Policy and International Relations of Regions », *International Negotiation*, vol. 7, 2002, p. 102.

20. Ivo Duchacek, Daniel Latouche et Gart Stevenson (dir.), *Perforated Sovereignties and International Relations : Trans-Sovereign Contacts of Subnational Governments*, New York, Greenwood Press, 1988.

au Québec[21]. L'action internationale du Québec résultait de la volonté de croissance étatique qui caractérise la Révolution tranquille[22]. Cette action, contrairement à ce qui se fait ailleurs au Canada, répondait à une raison d'État. Selon Gordon Mace, Louis Bélanger et Ivan Bernier : « Les actions internationales du Québec ne peuvent être vraiment comprises que dans le contexte du processus subtil, mais incessant, de transformation [pendant la Révolution tranquille] d'une société canadienne-française à une société québécoise[23]. »

LES ORIGINES DE LA PARADIPLOMATIE IDENTITAIRE AU QUÉBEC

Comme on l'a vu au chapitre précédent, les relations internationales du Québec ne prennent pas naissance avec la Révolution tranquille. Toutefois, force est de constater que les efforts internationaux du Québec sont, avant 1960, plutôt modestes[24]. Au Québec, avant 1960, seule l'Église catholique s'était dotée d'un réseau international significatif. Pour comprendre l'émergence de la paradiplomatie identitaire québécoise, il faut la replacer dans son contexte historique. La Révolution tranquille représente une période de transformations et d'effervescence politique, économique et sociale intense qui façonne durablement le Québec contemporain. Les mots clés de l'époque sont « libération économique », « rattrapage » et « maître chez nous ». La Révolution tranquille marque notamment le début de l'interventionnisme étatique, la reprise en charge de leur économie par les Canadiens français, le passage à l'âge adulte des *baby-boomers*, le déclin rapide de la pratique religieuse, la

21. Paul PAINCHAUD, « L'État du Québec et le système international », dans Gérard BERGERON et Réjean PELLETIER (dir.), *L'État du Québec en devenir*, Montréal, Boréal Express, 1980, p. 374-379.
22. Louis BÉLANGER, « The Domestic Politics of Quebec's Quest for External Distinctiveness », *The American Review of Canadian Studies*, vol. 32, n° 2, été 2002, p. 200.
23. Gordon MACE, Louis BÉLANGER et Ivan BERNIER, « Canadian Foreign Policy and Quebec », dans Maxwell A. CAMERON et Maureen Appel MOLOT (dir.), *Canada Among Nations, 1995 : Democracy and Foreign Policy*, Ottawa, Carleton University Press, 1995, p. 121.
24. Louise BEAUDOIN, « Origines et développement du rôle international du gouvernement du Québec sur la scène internationale », dans Paul PAINCHAUD (dir.), *Le Canada et le Québec sur la scène internationale*, Sainte-Foy, Presses de l'Université du Québec/ CQRI, p. 441-470.

montée du féminisme, de la question nationale et le réveil de l'indépendantisme.

Cette expansion de l'État québécois lors de la Révolution tranquille aura pour effet de provoquer une confrontation avec trois institutions dominantes dans la société québécoise : l'Église catholique dans les domaines de la santé et de l'éducation ; la bourgeoisie anglophone de Montréal et de Toronto dans la sphère économique et financière ; et le gouvernement fédéral sur le plan politique. La confrontation avec l'Église se fera sans trop de problèmes : en 1965, le ministère de l'Éducation voit le jour et, en 1971, le gouvernement québécois met en place un système complet d'assurance-maladie. La montée d'une bourgeoisie québécoise favorise une reprise de l'économie québécoise par les francophones autrefois confinés aux fonctions subalternes. La modernisation de l'État québécois se heurte plus durablement au gouvernement fédéral. Le partage des compétences et la reconnaissance de la nation québécoise sont au cœur du conflit qui n'est toujours pas réglé à ce jour.

Dans les premières années de la Révolution tranquille, quatre initiatives importantes structurent les nouveaux rapports du Québec avec le monde : il s'agit de l'ouverture de la Maison du Québec à Paris en octobre 1961, de la conclusion de la première « entente » avec l'État français en matière d'éducation le 27 février 1965, de la formulation de la doctrine Gérin-Lajoie le 12 avril suivant, et finalement de la participation du Québec à des conférences internationales de pays francophones portant sur l'éducation. L'accumulation de ces précédents permettra au Québec d'obtenir une personnalité internationale inédite à l'époque pour un État fédéré. C'est largement grâce à l'appui de la France, et notamment du général de Gaulle, que tout cela est possible[25].

Pour justifier leurs actions internationales, les représentants du Québec ne mettent pas uniquement de l'avant des arguments de nature économique, ils adoptent aussi un ton résolument nationaliste. Dans son discours d'inauguration de la Maison du Québec à Paris, Jean Lesage souligne, par exemple, le fait que le Québec est plus qu'une simple province au sein du Canada. Il

---

25. Sur les relations avec la France, voir Dale C. THOMPSON, *De Gaulle et le Québec*, Montréal, Éditions du Trécarré, 1990 ; Frédéric BASTIEN, *Relations particulières. La France face au Québec après de Gaulle*, Boréal, Montréal, 1999 ; et Frédéric BASTIEN, *Le poids de la coopération : le rapport France-Québec*, Montréal, Québec Amérique, 2006.

présente « l'État du Québec » – et non plus la province de Québec – comme un levier servant à contrer la menace d'assimilation dans le contexte nord-américain. Pour Lesage, la Maison du Québec à Paris « sera le prolongement de l'action que nous avons entreprise dans le Québec même[26] ».

Il ne faut pas cependant croire que l'objectif de Lesage était de réaliser en secret l'indépendance du Québec. Le Parti libéral du Québec est sans aucun doute fédéraliste. Selon Claude Morin, alors sous-ministre, les actions internationales du Québec ne sont pas le fruit de politiciens et de fonctionnaires qui préparent en silence l'indépendance. La volonté d'être actif sur la scène internationale répond à des déterminants internes et les décisions québécoises en matière internationale étaient « reliées à des problèmes ou à des besoins concrètement ressentis en ce temps-là[27] ».

Un des facteurs importants et très présents chez les politiciens et les fonctionnaires, selon Morin, était un désir d'ouverture sur le monde. Le néo-nationalisme québécois naissant dans les années 1960 cherche à rompre avec le nationalisme traditionnel. On voulait ouvrir le Québec sur le monde afin de se démarquer des politiques de l'Union nationale et de la période de la Grande Noirceur, selon l'expression consacrée.

> À certains moments de cette période intense, on aurait parfois dit que tout ce qui ne s'était pas encore fait, ou même tout ce qui était interdit ou peu recommandable auparavant, devenait soudainement essentiel, urgent et possible. D'une idéologie faisant du repli sur soi une vertu, de la conservation de l'acquis une vocation et de la suspicion envers les influences étrangères une stratégie, on passa sans trop de discernement, à l'autre extrémité du pendule[28].

Beaucoup d'intellectuels québécois souhaitaient avant cette période sincèrement établir avec l'étranger des contacts plus étroits. Le gouvernement canadien, qui pratiquait ce que plusieurs considéraient comme une politique de discrimination à l'endroit des francophones, n'était pas une option attrayante et c'est pourquoi on mettait beaucoup d'espoir sur l'État québécois. C'est naturellement du côté de la France que le gouvernement du

---

26. Cité dans Luc BERNIER, *De Paris à Washington. La politique internationale du Québec*, Sainte-Foy, Presses de l'Université du Québec, 1996, p. 30.
27. Claude MORIN, *L'art de l'impossible. La diplomatie québécoise depuis 1960*, Montréal, Boréal, 1987, p. 35.
28. *Ibid.*, p. 36

Québec se tourna, car une partie de l'élite québécoise, généralement très francophile, y avait séjourné pour y faire des études. Les Québécois, qui sont très majoritairement francophones, n'auraient pas compris que l'on s'intéresse d'abord à un autre pays, que ce soit les États-Unis ou la Grande-Bretagne. De plus, le Québec n'aurait pas obtenu, dans ces pays, un accueil très chaleureux.

L'État du Québec était en chantier en 1960 et son rapprochement, avec la France était perçu comme un outil important de *nation-building*. Le Québec faisait face à des problèmes que la collaboration avec un pays comme la France pouvait contribuer à résoudre. C'est ainsi que les premières ententes internationales vont porter sur des questions de coopération et d'éducation. Le monde de l'éducation se transformait rapidement depuis l'arrivée au pouvoir de Jean Lesage. C'est d'ailleurs sous les libéraux que sera créé le premier ministère de l'Éducation. Les lacunes en ce domaine étaient donc nombreuses, en particulier sur le plan technique. Des politiques de coopération avec l'État français allaient permettre au Québec de combler son retard beaucoup plus rapidement. La France avait les moyens et les ressources pour fournir au Québec les spécialistes nécessaires à son développement[29].

Dès le début des années 1960, le Québec édifiera donc un ensemble de politiques de coopération avec la France et les autres pays francophones pour renforcer le statut de la langue française et le développement de la nation québécoise[30]. Ces échanges et importations de modèles de développement ne se limitent pas seulement aux questions culturelles. La Caisse de dépôt et placement, aujourd'hui l'une des plus importantes institutions financières au pays, est également le fruit du rapprochement et de la coopération France-Québec. André Marier, économiste et artisan de la Révolution tranquille, s'est inspiré de la Caisse des dépôts et consignations de France, avec la complicité des élites françaises, et l'a adaptée à la situation particulière du Québec des années 1960. L'institution financière française, créée en 1816, devait, à partir des consignations et des fonds de retraite des fonctionnaires, soutenir les emprunts de l'État français. Au Québec, le rôle de la Caisse sera de faire des Québécois un peuple de propriétaires, de favoriser la création d'une bourgeoisie francophone et de libérer le gouvernement du Québec des contraintes

29. *Ibid.*, p. 37.
30. Louis BÉLANGER, « La diplomatie culturelle des provinces canadiennes », *Études internationales*, vol. 25, n°3, septembre 1994, p. 425.

économiques imposées par le syndicat financier de Montréal essentiellement contrôlé par la bourgeoisie anglophone. Ce syndicat avait notamment refusé de financer le projet de nationalisation de l'électricité et ainsi forcé le gouvernement du Québec à se tourner vers les financiers de Wall Street.

L'émergence des relations internationales du Québec est également liée à l'internationalisation, autre facteur mentionné par le ministre Paul Gérin-Lajoie dans son célèbre discours devant les membres du corps consulaire de Montréal, le 12 avril 1965. Ce discours, appelé aujourd'hui la « Doctrine Gérin-Lajoie du prolongement externe des compétences internes du Québec », est fondamental, car, pour la première fois, un ministre affirmait devant des dignitaires étrangers « la détermination du Québec de prendre dans le monde contemporain la place qui lui revient[31] ». Il est depuis le fondement de l'action internationale du Québec[32].

Le contenu de ce discours s'explique par le contexte de l'époque. Puisque plusieurs ententes étaient en préparation, il devenait impératif de formuler un argumentaire juridique afin de donner une assise légale aux relations internationales du Québec. Dans son argumentaire, Paul Gérin-Lajoie affirme qu'il :

> fut un temps où l'exercice exclusif par Ottawa des compétences internationales n'était guère préjudiciable aux intérêts des États fédérés, puisque le domaine des relations internationales était assez bien délimité. Mais de nos jours, il n'en est plus ainsi. Les rapports interétatiques concernent tous les aspects de la vie sociale. C'est pourquoi, dans une fédération comme le Canada, il est maintenant nécessaire que les collectivités membres, qui le désirent, participent activement et personnellement à l'élaboration des conventions internationales qui les intéressent directement.

Le vice-premier ministre du Québec répond ainsi à un malaise qui s'accroît parmi les politiciens et fonctionnaires. Jusqu'à la Deuxième Guerre mondiale, les enjeux de politique internationale étaient généralement dominés par des questions qui relevaient que très peu des champs de compétence des provinces canadiennes. Les rapports internationaux concernaient essen-

---

31. Dans les faits, cette formulation historique ne sera évoquée qu'en 1967 par Paul Gérin-Lajoie lors d'un débat à l'Assemblée nationale qui portait sur la mise sur pied du ministère des Affaires intergouvernementales.
32. Robert AIRD, *André Patry et la présence du Québec dans le monde*, Montréal, VLB éditeur, 2005.

tiellement les problèmes de paix et de guerre, les questions commerciales ou de stabilité des monnaies. À partir des années 1960, la situation se modifie : les pays souverains signent des traités sur les questions d'éducation, de santé, d'énergie et de ressources naturelles, d'environnement, d'emploi et de conditions de travail, même de culture[33].

Ainsi, la doctrine Gérin-Lajoie a une facture clairement nationaliste, puisqu'elle prêche un rôle accru pour le Québec en matière de relations internationales, car son inaction laisserait le champ libre au gouvernement fédéral. Comme le souligne Renaud Dehousse :

> Accepter les prétentions du pouvoir central au contrôle exclusif des relations internationales équivaudrait pour les autorités régionales à lui permettre d'intervenir par ce biais dans les domaines qui leur sont traditionnellement réservés. Leur réaction face à ce qu'elles perçoivent comme une menace pour leur existence est unanimement négative[34].

La sous-représentation des francophones dans la fonction publique fédérale, le manque d'intérêt pour les questions de la francophonie internationale et le peu de connaissance des enjeux politiques québécois engendreront une réaction d'urgence chez les dirigeants québécois.

Selon Claude Morin, le Québec des années 1960 pouvait choisir parmi trois solutions :

1. Le gouvernement du Québec pourrait accepter, comme c'était le cas dans certaines fédérations, d'être automatiquement lié, à la suite d'un amendement constitutionnel ou autrement, par les accords internationaux que signerait le gouvernement du Canada, et ce, même lorsque ces accords concernent exclusivement les champs de compétence des provinces.

2. On pourrait créer des mécanismes fédéraux-provinciaux de coordination de la politique étrangère du Canada. Ce qui impliquait les provinces dans le processus de prise de décisions de la politique étrangère

---

33. Nelson MICHAUD et Isabelle RAMET, « Québec et politique étrangère : contradiction ou réalité ? », *International Journal*, vol. 59, n° 2, printemps 2004, p. 305.
34. Renaud DEHOUSSE, *op. cit.*, p. 301.

du Canada. En échange de cette participation, les provinces s'enga-
geraient à appliquer les traités.

3. Enfin, le Québec conclurait lui-même les accords internationaux dans
ses champs de compétence en s'assurant que sa propre politique étrangère est conforme aux grandes orientations et aux engagements du
gouvernement du Canada[35].

La première option, qui était et reste encore aujourd'hui l'option privilégiée par les représentants du gouvernement fédéral, aurait reconnu à celui-ci
un nouveau pouvoir constitutionnel : le droit d'ingérence dans des questions de politique provinciale au nom de sa nouvelle capacité internationale.
Le gouvernement fédéral aurait pu ainsi prendre prétexte de tel ou tel accord
international pour modifier une politique provinciale dans ses champs de
compétence. Cette solution est exclue pour le Québec puisqu'elle implique
un abandon de ses attributions constitutionnelles. Elle est, de plus, contraire
à l'esprit de la Révolution tranquille et du néonationalisme québécois. Comme
le souligne Paul Gérin-Lajoie, le gouvernement du Québec a pris « conscience de sa responsabilité dans la réalisation du destin particulier de la
société québécoise, il n'a nulle envie d'abandonner au gouvernement fédéral le pouvoir d'appliquer les conventions dont les objets sont de compétence provinciale ».

La deuxième option est plus intéressante pour le gouvernement du Québec,
car elle ressemble à un compromis. Elle est cependant mal reçue au gouvernement fédéral et ne suscite aucun intérêt de la part des autres provinces.

La troisième solution, qui sera retenue par le gouvernement du Québec
et mieux connue sous l'appellation de doctrine Gérin-Lajoie, est jugée inacceptable par les autorités fédérales qui considèrent détenir le monopole des
affaires étrangères au Canada. Le Québec, selon Claude Morin, élabore une
politique internationale dans ses champs de compétence parce que l'inaction
dans ce domaine aurait signifié pour le gouvernement fédéral une invitation
à y faire irruption[36].

---

35. Claude MORIN, *op. cit.* p. 38
36. *Ibid.*, p. 39

**EXTRAIT DU DISCOURS PRONONCÉ
PAR PAUL GÉRIN-LAJOIE LE 12 AVRIL 1965**

Le Québec n'est pas souverain dans tous les domaines : il est membre d'une fédération. Mais il forme, au point de vue politique, un État. Il en possède tous les éléments : territoire, population, gouvernement autonome. Il est, en outre, l'expression politique d'un peuple qui se distingue, à nombre d'égards, des communautés anglophones habitant l'Amérique du Nord. [...]

J'aimerais faire état d'un exemple qui nous touche de très près. Il y a un peu plus d'un mois, j'ai signé à Paris, avec les représentants du gouvernement de la République française, une entente sur des questions d'éducation. Depuis, on a fait grand état de cette entente et de nombreux observateurs se sont montrés étonnés de la « nouveauté » qu'elle représentait sur les plans diplomatique et constitutionnel. En réalité, cet événement a surtout démontré la détermination du Québec de prendre dans le monde contemporain la place qui lui revient et de s'assurer, à l'extérieur autant qu'à l'intérieur, tous les moyens nécessaires pour réaliser les aspirations de la société qu'il représente. [...]

J'ai mentionné, il y a un instant, la surprise qu'a causée la signature, par la France et le Québec, d'une entente sur l'éducation. Cette entente est tout à fait conforme à l'ordre constitutionnel établi. Face au droit international, en effet, le gouvernement fédéral canadien se trouve dans une position unique. S'il possède le droit incontestable de traiter avec les puissances étrangères, la mise en œuvre des accords qu'il pourrait conclure sur des matières de juridiction provinciale échappe à sa compétence législative. Ainsi en a décidé, il y a près de trente ans, un jugement du comité judiciaire du Conseil privé, jugement qui n'a jamais été infirmé.

Au moment où le gouvernement du Québec prend conscience de sa responsabilité dans la réalisation du destin particulier de la société québécoise, il n'a nulle envie d'abandonner au gouvernement fédéral le pouvoir d'appliquer les conventions dont les objets sont de compétence provinciale. De plus, il se rend bien compte que la situation constitutionnelle actuelle comporte quelque chose d'absurde.

Pourquoi l'État qui met un accord à exécution serait-il incapable de le négocier et de le signer lui-même ? Une entente n'est-elle pas conclue dans le but essentiel d'être appliquée et n'est-ce pas à ceux qui doivent la mettre en œuvre qu'il revient d'abord d'en préciser les termes ?

En ce qui concerne les compétences internationales, la Constitution canadienne est muette. Si l'on excepte l'article 132, devenu caduc depuis le Statut de Westminster de 1931, il n'est dit nulle part que les relations internationales ressortissent uniquement à l'État fédéral. Ce n'est donc pas en vertu du droit écrit, mais plutôt de pratiques répétées depuis 40 ans, que le gouvernement central a assumé l'exclusivité des rapports avec les pays étrangers.

Il fut un temps où l'exercice exclusif par Ottawa des compétences internationales n'était guère préjudiciable aux intérêts des États fédérés, puisque
le domaine des relations internationales était assez bien délimité.

Mais de nos jours, il n'en est plus ainsi. Les rapports interétatiques concernent tous les aspects de la vie sociale. C'est pourquoi, dans une fédération comme le Canada, il est maintenant nécessaire que les collectivités
membres, qui le désirent, participent activement et personnellement à l'élaboration des conventions internationales qui les intéressent directement.

Il n'y a, je le répète, aucune raison pour que le droit d'appliquer une convention internationale soit dissocié du droit de conclure cette convention.
Il s'agit des deux étapes essentielles d'une opération unique. *Il n'est plus
admissible non plus que l'État fédéral puisse exercer une sorte de surveillance et de contrôle d'opportunité sur les relations internationales du
Québec.*

À côté du plein exercice d'un *jus tractatuum* limité que réclame le Québec,
il y a également le droit de participer à l'activité de certaines organisations internationales de caractère non politique. Un grand nombre d'organisations interétatiques n'ont été fondées que pour permettre la solution,
au moyen de l'entraide internationale, de problèmes jugés jusqu'ici de nature purement locale.

De plus, la multiplication des échanges de toutes sortes entre les pays a
rendu nécessaire l'intervention directe ou indirecte de l'État moderne
afin de faire de ces échanges l'un des éléments essentiels du progrès, de la
compréhension et de la paix entre les peuples. Dans plusieurs domaines,
qui ont maintenant acquis une importance internationale, le Québec veut
jouer un rôle direct, conforme à son vrai visage. [...]

Source : Tiré du texte de l'allocution prononcée par Paul Gérin-Lajoie, vice-président du Conseil et ministre de
l'Éducation, devant les membres du corps consulaire de Montréal, le 12 avril 1965. Le passage en italique a été
ajouté par Paul Gérin-Lajoie lui-même au discours qu'avait préparé André Patry (entretien avec André Patry,
janvier 2006).

LES FACTEURS EXPLIQUANT L'ÉMERGENCE
DE LA PARADIPLOMATIE QUÉBÉCOISE

Le problème de la sous-représentation des francophones dans la haute fonction publique canadienne, notamment sur le plan des Affaires extérieures,
a souvent été évoqué pour expliquer l'émergence d'une paradiplomatie québécoise. Des études présentées lors de la Commission sur le bilinguisme et le
biculturalisme tendent cependant à confirmer ce phénomène. Le ministère des
Affaires extérieures cherche même à torpiller le travail de deux universitaires
québécois (dont André Patry, l'auteur de la doctrine Gérin-Lajoie) qui ont

reçu le mandat officiel par la Commission d'enquêter sur le respect par le Ministère de la dualité culturelle du Canada. Gilles Lalande, un des enquêteurs, écrira sur cette affaire :

> Non sans malveillance, la direction du ministère (des Affaires extérieures) nous a donné de nombreuses illustrations de la méfiance qu'elle entretient à l'égard de ceux de l'extérieur, y compris les chercheurs accrédités, qui désirent consulter les dossiers officiels, voire les moins confidentiels, portant sur la politique étrangère du Canada. Au mépris du mandat de la Commission, le Ministère nous a refusé l'accès à tous ses dossiers de travail, même quand ils étaient de caractère général, prétextant pour certains qu'ils contenaient des renseignements confidentiels et, pour d'autres, qu'ils renfermaient des documents secrets. C'est de haute lutte que nous avons arraché l'autorisation de parcourir les documents, pourtant essentiels à notre étude, produits par la commission Glassco. Cette concession ne nous fut faite cependant sans qu'on l'assortît des restrictions suivantes : nous ne pouvions avoir accès à ces documents qu'en présence d'un représentant du Ministère et il nous était défendu de prendre des notes… Les limites déjà imposées n'étant pas suffisamment embarrassantes, les autorités ont chargé un représentant du Ministère de parcourir et d'épurer tous les documents que l'on nous destinait, même ceux qui n'avaient qu'un intérêt historique[37].

Dans son rapport, Lalande en arrive à la conclusion qu'il est « pour le moins étonnant que la loi du nombre n'ait pas permis à un seul agent de carrière de langue française d'être chef de mission dans la très grande majorité des pays où les intérêts canadiens sont jugés les plus importants[38] ». Patry, auteur de la seconde étude pour la Commission, révèle que l'anglais est toujours la langue de communication du ministère des Affaires extérieures avec les organisations internationales, y compris avec l'Union postale universelle dont la seule langue officielle est pourtant… le français ! Ceci expliquant cela, le gouvernement du Québec considérait être le seul gouvernement qui pouvait légitimement parler au nom des francophones du Canada. C'est ce qui favorisa le développement d'une politique internationale vers les pays francophones.

D'autres facteurs favorisent également cette émancipation internationale du gouvernement du Québec. Les relations internationales sont, en théorie, le fait de nations souveraines. L'acquisition du statut d'acteur international

---

37. Reproduit dans André PATRY, *Le Québec dans le monde*, Montréal, Leméac, 1980, p. 79.
38. *Ibid.*

constitue donc un symbole très fort, et tenir des rencontres avec les chefs d'État de ce monde représente une perspective très séduisante pour les entrepreneurs identitaires[39]. La projection internationale peut également être une stratégie pour renforcer le sentiment identitaire au Québec même. Présenter le premier ministre québécois dans un contexte international a pour effet de rehausser son image et son prestige en politique intérieure. Le développement de relations bilatérales fortes avec un pays souverain comme la France est également un élément primordial. Le Québec entretient de meilleures relations avec la France en tant qu'entité subétatique que le Canada n'en a avec la Grande-Bretagne en tant que pays ! Le discours du général de Gaulle en 1967 et l'obtention d'une place lors de conférences internationales réunissant des pays souverains ont transformé la psychologie de la nation au Québec. Plus celui-ci prenait de l'importance sur la scène internationale et moins les Québécois se percevaient en « porteurs d'eau nés pour un petit pain », pour reprendre une image traditionnelle.

Le désir des Québécois d'ouverture sur le monde qui apparaît dans les années 1960 sera accentué par la mondialisation qui va provoquer un changement dans la nature de son nationalisme et favoriser le développement de stratégies internationales[40]. Comme l'avance Alain Dieckhoff, le nationalisme au Québec ne se résume pas à un simple mouvement d'humeur ou au réveil d'une force tribale primitive, mais plutôt à une manifestation centrale de la modernité[41]. Le nationalisme québécois, autrefois à tendance protectionniste et autarcique, est aujourd'hui plus libre-échangiste. Les dirigeants québécois ont justifié leur appui à l'intégration régionale par leur nationalisme. Comme le souligne Pierre Martin : « Le Québec n'a pas endossé le libre-échange en dépit de son nationalisme ; le Québec a choisi le libre-échange à cause de son nationalisme[42]. » Le Québec ne se borne pas à un rôle d'obser-

---

39. André LECOURS et Luis MORENO, « Paradiplomacy and Stateless Nations : a Reference to the Basque Country », *Working Paper 01-06*, Unidad de Politicas Comparadas (CSCI), 2001, p. 4.
40. Michael KEATING, *Les défis du nationalisme moderne*, Montréal/Bruxelles, Presses de l'Université de Montréal/Presses interuniversitaires européennes, 1997 ; Stéphane PAQUIN, *La revanche des petites nations. Le Québec, l'Écosse et la Catalogne face à la mondialisation*, Montréal, VLB éditeur, 2001.
41. Alain DIECKHOFF, *La nation dans tous ses États. Les identités nationales en mouvements*, Paris, Flammarion, 2000.

vateur passif de la mondialisation, il en est un promoteur en appuyant le développement de l'ALE et l'ALENA, et la libéralisation des échanges. Il a également été un des promoteurs importants de la Convention de l'UNESCO sur la protection et la promotion de la diversité des expressions culturelles.

LA RÉACTION FÉDÉRALE

Un trait significatif du nationalisme est la définition des besoins ou des intérêts de la nation. Lorsque les États fédérés interviennent en relations internationales, ils sont obligés de se définir un « intérêt national » qui peut entrer en contradiction avec celui de l'État fédéral. La culture de chaque État et la définition de cet intérêt ont également un impact sur le choix des interlocuteurs internationaux. En établissant des liens forts avec la France, le gouvernement du Québec forcera celui du Canada à inclure l'Hexagone dans ses priorités internationales. Mais surtout cette définition d'un intérêt national québécois fera réagir les autorités fédérales, qui en viendront à se demander si le Québec n'était pas en train de servir au Canada ce que ce dernier avait fait à Londres dans le premier tiers du XXᵉ siècle. On craignait, à Ottawa, que l'accumulation de ces précédents conduise inévitablement vers l'indépendance du Québec.

Dans un premier temps, le gouvernement fédéral a encouragé les initiatives internationales du Québec. Les autorités fédérales sont même intervenues pour faciliter l'ouverture de la Maison du Québec à Paris, et le premier délégué du Québec à Paris était un ancien fonctionnaire du gouvernement fédéral. Les autorités canadiennes ne semblaient donc pas trop se préoccuper du traitement extraordinaire réservé par le gouvernement français au nouveau corps diplomatique québécois[43]. Si l'ouverture de la Maison du Québec et le voyage d'inauguration de Jean Lesage ne provoquent pas réellement de réactions de la part du gouvernement fédéral, c'est aussi parce que Lesage est un ancien politicien fédéral. Mais à partir de 1965, la situa-

---

42. Pierre MARTIN, « When Nationalism Meets Continentalism : The Politics of Free Trade in Quebec », *Regional & Federal Studies* , vol. 5, nᵒ 1, printemps 1995, p. 2.
43. Louis BALTHAZAR, « The Quebec Experience : Success or Failure ? », dans Francisco ALDECOA et Michael KEATING, *Paradiplomacy in Action. The Foreign Relations of Subnational Governments*, Londres, Frank Cass Publishers, 1999.

tion change à la suite de la conclusion de l'entente en matière d'éducation et plus durablement après le discours de Paul Gérin-Lajoie[44].

L'idée formulée dans ce discours allait trop loin aux yeux d'Ottawa. Tous les gouvernements qui se sont succédé au Québec depuis lors ont cependant maintenu leur adhésion à cette thèse et en ont fait la base de l'action internationale du Québec[45]. Lorsque l'on demanda à Lester Pearson, alors premier ministre du Canada, sa réaction au discours de Gérin-Lajoie, il répondit : « *Paul doesn't mean it*[46] », mais peu de ses conseillers seront en accord avec lui. L'attitude du gouvernement fédéral commence dès lors à se durcir. La réaction ne se fait pas attendre. Le ministre Paul Martin (père) réplique le 20 avril 1965 :

> La situation constitutionnelle au Canada en ce qui concerne le pouvoir de conclure des traités est claire. Le Canada ne possède qu'une seule personnalité internationale au sein de la communauté des nations. Il n'y a aucun doute que seul le gouvernement canadien a le pouvoir ou le droit de conclure des traités avec d'autres pays [...]. Le gouvernement fédéral est le seul responsable de la direction des affaires extérieures qui constitue une partie intégrante de la politique nationale intéressant tous les Canadiens[47].

Le 22 avril 1965, le ministre Gérin-Lajoie prononça un second discours sur la question devant un groupe d'universitaires français et suisses. Il y affirmait que lorsque Ottawa conclut des traités dans les champs de compétence des provinces, ce sont ces dernières qui doivent les mettre en œuvre. Puisqu'il en était ainsi, Gérin-Lajoie estimait que le gouvernement du Québec devait également pouvoir les négocier. Il adoptait ensuite un ton plus nationaliste en avançant que le Québec devait également établir sa propre politique

---

44. Stéphane PAQUIN, « Les relations internationales du Québec sous les libéraux de Jean Lesage, 1960-1966 », dans Stéphane PAQUIN (dir.) (avec la coll. de Louise BEAUDOIN), *Histoire des relations internationales du Québec*, Montréal, VLB éditeur, 2006, p. 18-31.

45. Stéphane PAQUIN (dir.), *Les relations internationales du Québec depuis la doctrine Gérin-Lajoie (1965-2005). Le prolongement externe des compétences internes*, Sainte-Foy, Presses de l'Université Laval, 2006 ; François LEDUC et Marcel CLOUTIER, *Guide de la pratique des relations internationales du Québec*, ministère des Relations internationales, Gouvernement du Québec, Québec, 2000, p. 78.

46. J. L. GRANATSTEIN et Robert BOTHWELL, *op. cit*, 1990, p. 16.

47. Cité dans Claude MORIN, *op. cit.*, p. 28.

internationale, car il n'était pas assez bien représenté par le gouvernement fédéral. Un rapprochement entre le Québec et les pays de la Francophonie devenait une nécessité, car la diplomatie fédérale s'en souciait peu. Par exemple, seulement 0,4 % de son budget d'aide extérieure était consacré aux pays francophones. Puisque l'avenir du français au Canada dépendait du statut du français dans le monde, cette politique était fondamentale pour le gouvernement du Québec. En somme, pour Gérin-Lajoie, le Québec n'est pas une province comme les autres et en élaborant une politique internationale, ce dernier ne ferait qu'occuper un champ politique jusque-là négligé.

Cette interprétation québécoise de la Constitution canadienne n'est pas partagée par les autorités fédérales. Le 23 avril suivant, le gouvernement fédéral propose la solution suivante :

> Une fois qu'il est décidé ce qu'une province veut accomplir en concluant un accord avec un pays étranger en matière d'éducation ou en toute autre sphère de compétence provinciale et compatible avec la politique étrangère canadienne, les autorités provinciales peuvent en discuter directement avec les autorités compétentes en cause. Toutefois, lorsqu'il s'agit de conclure formellement un accord international, les pouvoirs fédéraux relatifs à la signature des traités et à la conduite générale des affaires étrangères doivent nécessairement entrer en jeu[48].

Cette dernière exigence des autorités fédérales est inacceptable pour le Québec. Elle avait pour effet d'affirmer la suprématie du gouvernement central sur les domaines de compétence provinciale. Selon Québec, Ottawa pourrait superviser la conclusion d'une entente en plus de se réserver un droit de veto sur une politique de compétence provinciale.

La formulation d'une politique étrangère par le gouvernement du Québec ne fait pas réagir que les politiciens. Les fonctionnaires du ministère des Affaires extérieures étaient hostiles à l'entrée en scène de ce nouvel acteur potentiellement très encombrant, et ce, pour deux raisons. Tout d'abord, les actions du Québec entraient en concurrence avec celles du gouvernement fédéral, ce qui avait pour incidence de mettre en péril leurs efforts et leur légitimité. Ensuite, certains francophones qui venaient d'accéder au sommet de la hiérarchie de ce ministère étaient outrés que les représentants du

---

48. *Ibid.*, p. 29.

gouvernement du Québec puissent prétendre que les intérêts du Canada français n'étaient pas représentés convenablement[49].

À la suite de la formulation de la doctrine Gérin-Lajoie, le gouvernement fédéral passe à l'offensive. À la fin des années 1960, il publie deux livres blancs dans lesquels il affirme sa souveraineté en matière de politique étrangère. Le phénomène est suffisamment rare pour qu'il mérite d'être souligné. Le fédéral réaffirme sa position selon laquelle il est le seul ordre de gouvernement qui puisse conclure des traités internationaux au Canada. Dans le livre blanc *Fédéralisme et relations internationales* de 1968, au chapitre 2, intitulé « Les responsabilités du fédéral », on peut lire ce qui suit :

> Selon le droit international, la conduite des relations étrangères est la responsabilité des membres pleinement indépendants de la communauté internationale. Parce que les membres constituant une union fédérale ne répondent pas à ce critère, la direction et la conduite des relations étrangères dans les États fédéraux sont reconnues comme relevant des autorités centrales. En conséquence, les membres des États fédéraux n'ont pas le pouvoir indépendant et autonome de conclure des traités, de devenir membres de plein droit d'organismes internationaux, ni d'accréditer ou de recevoir des agents diplomatiques et consulaires[50].

Le gouvernement fédéral produira un autre document, *Fédéralisme et conférences internationales sur l'éducation*, dans lequel il soutient être le seul ordre de gouvernement à pouvoir représenter le Canada dans son ensemble sur la scène internationale, y compris dans les champs de compétence des provinces comme l'éducation[51]. En somme, pour le fédéral, la politique étrangère est indivisible ; seul le gouvernement central a la capacité de conclure de véritables traités internationaux et de parler au nom du Canada.

Le gouvernement du Québec soutient pour sa part la position inverse. Aujourd'hui, la question n'est toujours pas réglée. La situation s'est même complexifiée en 2002 lorsque l'Assemblée nationale du Québec a adopté à l'unanimité une loi qui oblige son approbation pour tout accord international

49. Dale C. THOMPSON, *op. cit.*, p. 190.
50. GOUVERNEMENT DU CANADA, *Fédéralisme et relations internationales*, Secrétaire d'État aux Affaires extérieures, Ottawa, 1968.
51. GOUVERNEMENT DU CANADA, *Fédéralisme et Conférences internationales sur l'éducation*, Secrétaire d'État aux Affaires extérieures, Ottawa, 1968, p. 13.

important du Canada s'il touche les champs de compétence du Québec[52]. En juin 2004, elle a approuvé deux traités internationaux qu'avait conclus Ottawa : l'un avec le Chili, pourtant en vigueur depuis sept ans, et l'autre avec le Costa Rica, conclu par Ottawa en 2001. Même si les libéraux ont approuvé ces traités, le Parti québécois a voté contre en arguant le fait que les deux traités incluaient des dispositions comparables au controversé chapitre 11 de l'ALENA[53]. L'Assemblée nationale du Québec a également été le premier parlement au monde, avant même celui du Canada, à approuver la Convention sur la protection et la promotion de la diversité des expressions culturelles de l'UNESCO.

Le 14 septembre 2005, le gouvernement du Québec a rendu public un document qui précise ses demandes face à Ottawa sur une place pour le Québec dans les forums internationaux. Ces demandes sont en fait un approfondissement de la doctrine Gérin-Lajoie. Dans un certain sens, elles vont plus loin, car elles concernent également la présence du gouvernement du Québec dans certaines organisations à caractère clairement politique, comme l'Organisation mondiale du commerce[54]. Enfin, en mai 2006, une entente a été conclue entre Stephen Harper et Jean Charest sur la participation du Québec, au sein de la délégation canadienne, aux travaux de l'UNESCO[55].

LA PARTICIPATION DU QUÉBEC À DES CONFÉRENCES INTERNATIONALES SUR L'ÉDUCATION

À partir de 1965, les rapports Québec-Ottawa se dégradent sur la question des relations internationales du Québec. Après la visite du général de Gaulle et la participation du Québec à des conférences internationales sur l'éducation, ces relations deviennent extrêmement conflictuelles.

En septembre 1967, Marcel Masse, ministre dans le gouvernement de l'Union nationale, apprend par Alain Peyrefitte, ministre français de

---

52. Projet de loi n° 52, Loi modifiant la Loi sur le ministère des Relations internationales et d'autres dispositions législatives, Assemblée nationale, 2ᵉ session, 36ᵉ législature, Éditeur officiel du Québec, 2001. Cette loi a été adoptée à l'été 2002.
53. Éric DESROSIER, « Les temps changent », *Le Devoir*, 5 juin 2004, p. C3.
54. Ce document est reproduit dans Stéphane PAQUIN (dir.), *Les relations internationales du Québec depuis la doctrine Gérin-Lajoie, op. cit.*, annexe III.
55. Ce document est reproduit dans *ibid.*, annexe IV.

l'Éducation, l'existence d'une structure permanente des ministres de l'Éducation de la France et des pays africains francophones (CONFENEM). Le général de Gaulle avait exprimé le souhait que le gouvernement du Québec participe à cette conférence, mais sans la présence d'Ottawa. Le Québec y était également favorable. Le premier ministre du Québec, Daniel Johnson, se fait même très direct :

> Comme il s'agit d'éducation, le Québec doit être invité directement, sans truchement ou canal fédéral, et si Ottawa, par diverses manœuvres, réussit à s'emparer d'une invitation qui nous est destinée pour, ensuite, nous la transmettre avec son paternalisme usuel, nous ne l'accepterons pas, même si on propose au ministre québécois la présidence de la délégation canadienne[56].

Puisque les relations France-Québec s'intensifient depuis la visite du général, l'aide de la France est bien accueillie par Québec. Cette rencontre doit avoir lieu au Gabon qui est alors, davantage que la plupart des anciennes colonies françaises, sous l'influence (pour ne pas dire la tutelle) de Paris. Les gouvernements français et gabonais conviendront, en janvier 1968, d'une participation directe du gouvernement du Québec, c'est-à-dire sans la présence d'Ottawa. La tension monte à Ottawa où l'on cherche plutôt à exclure le Québec. Les relations se détériorent si rapidement que Jean-Guy Cardinal, ministre de l'Éducation du Québec, s'envole pour le Gabon avec en poche un sauf-conduit français, car il craignait d'être arrêté à son retour et emprisonné pour « haute trahison »[57] !

Les conflits avec le gouvernement fédéral se jouent également sur le plan symbolique. En effet, à Libreville, les drapeaux du Canada ont été remplacés par ceux du Québec. Ce geste, qui coïncide avec une importante conférence constitutionnelle à Ottawa, ne manque pas d'être souligné par les journalistes. Cet événement, répété plusieurs fois par la suite, constitue la première « guerre de drapeaux » entre Québec et Ottawa. À noter que, lors de cette conférence, le ministre québécois de l'Éducation va être le seul, avec Alain Peyrefitte, à loger dans la résidence de la présidence de la République du Gabon. Il sera placé sur l'estrade au moment de la photo et décoré de la

---

56. Cité dans Claude MORIN, *op. cit.*, p. 116.
57. Pierre GODIN, *La révolution tranquille*. Tome 1 : *La fin de la grande noirceur*, Montréal, Boréal Compact, 1991, p. 325.

plus haute distinction gabonaise. Cela en dit moins long sur l'importance du Québec sur la scène internationale que sur la puissance de la France au sein de la Francophonie[58].

Par mesure de représailles, le gouvernement du Canada suspend ses relations diplomatiques avec le Gabon, chose qu'il n'a pas faite depuis la Deuxième Guerre mondiale ! Ce geste spectaculaire démontre bien combien Ottawa prend au sérieux cette atteinte à l'intégrité du Canada[59]. Comme le soutient Ivan Head, qui sera le conseiller spécial du premier ministre canadien Pierre Trudeau en matière de relations internationales, l'invitation du gouvernement du Gabon était « une des plus sérieuses menaces à l'intégrité du Canada que le pays n'ait jamais connues… Elle contenait les graines de la destruction du Canada en tant que membre de la communauté internationale[60]. » On pense appliquer la même mesure à la France, mais comme le souligne le diplomate québécois Jean Chapdelaine, « il eut été pour le moins cocasse que le Canada rappelât son ambassadeur à Paris et y laissât la place libre au délégué général du Québec[61] » ! Daniel Johnson annonce que le gouvernement du Québec apportera une aide technique au Gabon malgré le fait qu'Ottawa n'entretient plus de relations diplomatiques avec ce pays.

À la suite de cette conférence, une nouvelle rencontre est convoquée à Paris le 22 avril 1968. Le gouvernement du Canada fait pression à plusieurs reprises pour normaliser la situation et réaffirmer la suprématie du gouvernement fédéral en ce qui concerne les relations internationales. Lester Pearson écrit à Daniel Johnson pour lui signifier que la participation du Québec à la deuxième conférence « se concilie mal avec la survivance de notre pays comme entité internationale[62] ». Le premier ministre du Canada suggère que le Conseil

---

58. Stéphane PAQUIN, « La relation triangulaire Québec-Ottawa-Paris et l'avènement de l'Organisation internationale de la Francophonie (1965-2005) », *Guerres mondiales et conflits contemporains*, n° 223, 2006, p. 157-181.

59. John P. SCHLEGEL, « Containing Quebec Abroad : The Gabon Incident, 1968 », dans Don MUNTON et John KIRTON (dir.), *Canadian Foreign Policy, Selected Cases*, Scarborough, Prentice-Hall, 1992, p. 156.

60. Luc BERNIER, *op. cit.*, p. 63.

61. Jean CHAPDELAINE, « Les relations France-Québec », dans *La politique étrangère de la France*, Québec , Centre québécois des relations internationales, 1984, p. 121.

62. GOUVERNEMENT DU CANADA, *Fédéralisme et relations internationales, op. cit.*, p. 63-73.

des ministres de l'Éducation du Canada, organisme interprovincial dont est membre le Québec, se réunisse afin d'élaborer des recommandations sur la composition de la délégation canadienne. Johnson refuse[63]. Le premier ministre du Canada hausse le ton une nouvelle fois en avançant qu'il ne fait pas de différence entre les grandes et les petites puissances si la souveraineté du Canada n'est pas respectée. Le Canada proteste auprès de la France et menace de lui infliger des sanctions. Rien n'y fait, le Québec est, encore une fois, invité seul.

À Paris, les ministres de l'Éducation décident que la prochaine rencontre aura lieu à Kinshasa au Zaïre (aujourd'hui République démocratique du Congo). Cette fois, les choses se passent différemment, car, à la suite d'un arrangement conclu avec le président Mobutu, le Canada sera formellement invité. Cet arrangement visait à réaffirmer la prééminence du fédéral en matière de relations internationales. Le gouvernement fédéral insiste pour qu'il n'y ait qu'une seule délégation canadienne et que cette dernière n'ait qu'une seule voix. À Québec, le nouveau premier ministre et successeur de Daniel Johnson, Jean-Jacques Bertrand, plus conciliant que son prédécesseur et moins intéressé par les questions internationales, accepte les termes de l'entente conclue par le gouvernement fédéral.

Par ailleurs, afin d'accroître son influence en Afrique francophone, le gouvernement canadien augmente ses programmes d'aide au développement par l'entremise de l'Agence canadienne de développement international (ACDI) créée en 1968. Cette agence fédérale voit son mandat et son budget considérablement augmenter. Pendant un temps, l'ACDI a même plus d'argent que de projets à réaliser! Le budget pour l'aide financière en Afrique passe de 300 000 à 14 000 000 $. La stratégie consiste à démontrer que le Québec n'a pas les moyens d'une telle générosité[64]. Pierre Trudeau nomme également Paul Gérin-Lajoie, le père de la diplomatie québécoise, à la tête de l'ACDI afin de renforcer la légitimité du fédéral face à celle du Québec.

Si le Québec avait réussi à se tailler une place dans les conférences internationales d'éducation, cet acquis était mis en péril par un projet que nour-

---

63. Renée Lescop, *Le pari québécois du général de Gaulle*, Montréal, Boréal Express, 1981, p. 260. Voir également Alain Peyrefitte, *De Gaulle et le Québec*, Montréal, Stanké, 2000.
64. J. L. Granatstein et Robert Bothwell, *op. cit.*, p. 130.

rissaient de nombreux chefs d'État africains, c'est-à-dire la création d'une institution de coopération multilatérale qui ne s'occuperait pas uniquement des questions d'éducation. Cette institution devait réunir plusieurs pays souverains de langue française et aurait un mandat qui déborderait les champs de compétence du Québec. La question qui se pose alors est de savoir si le Québec pourra y avoir une place et, le cas échéant, à quelle condition. Puisque cet organisme traiterait de bien d'autres choses que d'éducation, Ottawa se retrouvait en position de force.

L'Agence de coopération culturelle et technique (ACCT) est fondée le 20 mars 1970 à l'initiative du président du Sénégal, Léopold Sédar Senghor, du président tunisien, Habib Bourguiba, et du président du Niger, Hamani Diori. Deux conférences sont organisées en 1969 et en 1970 afin de créer l'ACCT. Ces conférences sont connues sous le nom de Niamey I et Niamey II. Le gouvernement français intervient, encore une fois, pour assurer au Québec une invitation à la conférence de Niamey I. Mais au Niger, on craint que le Canada ne coupe l'aide promise, soit 2 800 000 $, si le Québec est invité. Les autorités françaises prendront l'engagement de dédommager le Niger pour toute action de rétorsion du gouvernement canadien liée à une invitation adressée au gouvernement du Québec, et ce, jusqu'à concurrence de 10 millions de francs[65] !

Après de multiples revirements et confrontations dans le triangle Québec-Ottawa-Paris, le gouvernement du Québec se voit finalement accorder le droit d'être admis comme « gouvernement participant » au sein de l'ACCT. Pour conclure cet épisode, Jean-Marc Léger, premier secrétaire général de l'ACCT, déclare au sujet de l'attitude du gouvernement du Canada, qu'il « aura consacré au moins autant d'énergie à tenter d'empêcher avec acharnement l'émergence du Québec qu'à apporter sa propre contribution aux institutions francophones[66] ».

65. Claude MORIN, *op. cit.*, p. 183.
66. Jean-Marc LÉGER, *La Francophonie : grand dessein, grande ambiguïté*, Montréal, Hurtubise HMH, 1987, p. 131.

LA PROTODIPLOMATIE QUÉBÉCOISE EN 1980 ET 1995

Les nationalistes s'accordent tous sur un point : le droit à l'autodétermination de leur nation. Puisque la souveraineté est de nature intersubjective en relations internationales, il faut qu'elle soit reconnue par les pays souverains de la scène internationale. Les nationalistes doivent donc établir des contacts avec ces pays afin d'obtenir leur appui pour clore le processus de sécession.

L'arrivée au pouvoir du Parti québécois en 1976 marque une escalade des conflits entre Québec et Ottawa. Le fédéral est, à juste titre, convaincu que le gouvernement souverainiste recherchera des appuis à l'étranger. En 1978, René Lévesque affirme que « le Québec ne saurait laisser à un autre gouvernement, fût-ce Ottawa, le soin de le représenter à l'étranger[67] ».

L'élection provoque une radicalisation du gouvernement fédéral, comme le relate un haut fonctionnaire du gouvernement du Québec :

> Quant au rôle international du Québec, compte tenu du fait qu'on avait un gouvernement souverainiste qui venait de prendre le pouvoir, indépendantiste, donc sécessionniste dans l'esprit des fédéralistes, chaque geste international du Québec prenait une nouvelle connotation. Les mêmes gestes que ceux qui étaient posés avant, comme ceux d'ouvrir une nouvelle représentation ou de conclure une entente, prenaient une importance beaucoup plus grande. Parce que chaque geste risquait de constituer une tentative de recherche de reconnaissance par les gouvernements étrangers. Tout était beaucoup plus lourd de signification à partir de 1976, alors qu'on s'en allait vers le référendum sur la souveraineté-association[68].

Cette radicalisation s'en ressent au palier de la haute fonction publique québécoise. André Dufour, sous-ministre adjoint au ministère des Affaires intergouvernementales de 1970 à 1977, témoigne de ce changement.

> La première directive que nous avons eue, c'était « toutes les réunions que vous avez avec Ottawa, c'est terminé ». C'est parce qu'on avait établi une bonne relation entre les deux gouvernements. Ça ne se fait pas seulement entre les deux premiers ministres, entre les ministres, entre les hauts fonctionnaires, mais

67. Pierre GODIN, *René Lévesque. L'espoir et le chagrin*, Montréal, Boréal, 2001, p. 376.
68. Shiro NODA, *Entre l'indépendance et le fédéralisme. La décennie marquante des relations internationales du Québec*, Québec, Les Presses de l'Université de Laval, 2001, p. 178.

entre les fonctionnaires dans les dossiers très sectoriels. Et nous, on nous donne la directive : « plus de réunions ». Ça venait de couper les ponts[69].

En réaction à l'élection du Parti québécois, Ottawa multiplie les embûches. On nomme à titre d'ambassadeur à Paris l'ancien ministre fédéral Gérard Pelletier, un proche du premier ministre Trudeau, afin de contrer la présence du Québec en France. Le gouvernement fédéral refuse de donner son accord à l'ouverture d'une délégation du Québec à Dakar, au Sénégal, qui aurait servi à favoriser la coopération culturelle et technique en Afrique francophone. Le même phénomène se reproduit au Venezuela. On coupe court au projet d'ouverture d'une délégation à Washington, mais on y tolérera un bureau de tourisme. Enfin, Ottawa fait en sorte que des rencontres importantes avec les autorités américaines soient refusées au Québec.

Le gouvernement fédéral rédige un code de procédure afin de préciser les actions à suivre lorsque ses fonctionnaires traitent avec les provinces. Ces directives sont envoyées à toutes les ambassades canadiennes. Ottawa insiste pour que, lors de rencontres officielles de représentants québécois à l'étranger, ces derniers soient accompagnés d'un fonctionnaire fédéral qui devra s'assurer que le contenu des discussions est lié aux compétences provinciales et que les autres sujets ne soit pas abordés. Ce fonctionnaire a aussi pour mission de rétablir les « faits », si nécessaire, au sujet de la politique interne du Canada.

En plus des relations avec les États étrangers, les représentants du gouvernement fédéral craignent que le Québec ne cherche à s'intégrer dans des organisations internationales. En 1977, le ministère des Affaires étrangères envoie une note à la délégation canadienne à l'Organisation pour la coopération et le développement économiques (OCDE) à Paris lui demandant d'interdire l'accès de représentants du Québec à cette organisation. La province s'intéressait également, depuis un certain temps déjà, aux travaux de l'UNESCO en raison de ses compétences constitutionnelles dans les domaines de l'éducation, de la science et de la culture. Le gouvernement fédéral n'apprécie pas et impose que l'on rectifie la situation[70].

---

69. *Ibid.*
70. Stéphane PAQUIN et Louise BEAUDOIN, « Le premier Sommet de la Francophonie », dans Stéphane PAQUIN (dir.) (avec la coll. de Louise BEAUDOIN), *op. cit.*, p. 228-243.

LA RELATION FRANCE-QUÉBEC SOUS LE PARTI QUÉBÉCOIS

L'élection du Parti québécois est accueillie avec prudence à l'Élysée. Le président français Valéry Giscard d'Estaing ne veut pas créer de problèmes avec Ottawa. Les choses commenceront à changer en 1977 lorsque Jacques Chirac, le maire de Paris et le principal adversaire à droite de Giscard d'Estaing, fait du cas québécois un enjeu politique. Sentant le vent tourner, Giscard d'Estaing fait parvenir au premier ministre René Lévesque une lettre où il affirme que la France veut seconder les efforts du Québec. Au cours d'une visite à Paris quelque temps après, Claude Morin, le ministre des Affaires intergouvernementales, confirme la tendance. En mars 1977, Giscard d'Estaing nomme Alain Peyrefitte au poste de garde des Sceaux (ministre de la Justice), un gaulliste proquébécois qui proposera une rencontre annuelle des premiers ministres du Québec et de la France[71]. Deux semaines après la visite de Morin, le premier ministre du Canada se rend en France. Selon Frédéric Bastien, l'accueil à Paris est glacial[72]. Durant la rencontre entre Giscard d'Estaing et Trudeau, on ne parle pas des relations France-Québec, mais le message est clair : la France aura des relations avec le Québec, et ce, malgré Ottawa.

René Lévesque se rend à son tour en France du 2 au 4 novembre 1977 et sa visite est un triomphe. Il est invité à s'adresser aux parlementaires, ce qui attire de vives protestations d'Ottawa. Paris change le programme pour donner encore plus d'éclat à la visite du chef souverainiste. Lévesque parlera à la Salle des fêtes du palais Bourbon, dans l'édifice même de l'Assemblée nationale. On ouvre pour l'occasion un escalier qu'empruntait jadis Napoléon, puis une porte fermée durant 150 ans. Giscard d'Estaing multiplie les marques d'accueil pour son invité à l'Élysée. René Lévesque sera élevé au rang de Grand Officier de la Légion d'Honneur, et ce, sans consulter le gouvernement canadien. Ottawa, outré, annonce que ce geste est illégal, car toute remise de décoration étrangère doit recevoir l'aval d'Ottawa. Giscard d'Estaing fera également comprendre aux Québécois que la France reconnaîtra un vote favorable à l'indépendance[73]. Il déclare :

---

71. Frédéric BASTIEN, *op. cit.* 1999, p. 139.
72. *Ibid.*, p. 145.
73. *Ibid.*, p. 152.

Vous déterminerez vous-mêmes, sans ingérence, le chemin de votre avenir. Vous en avez le droit et vous en avez la capacité. Ce que vous attendez de la France – je le sais pour avoir vécu parmi vous –, c'est sa compréhension, sa confiance et son appui. Vous pouvez compter qu'ils ne vous manqueront pas le long de la route que vous déciderez de suivre[74].

En affirmant cette politique de « non-ingérence et non-indifférence », le chef d'État français allait très loin. Comme le souligne Jean-François Lisée : « La diplomatie américaine, qui s'y connaît en signaux » note dans un bilan de la visite que « sauf à reconnaître le Québec comme un État souverain, on voit mal comment la France aurait pu aller plus loin[75] ».

LES RELATIONS QUÉBEC-ÉTATS-UNIS ET LA QUESTION NATIONALE

Selon Louis Balthazar et Alfred O. Hero, « il n'existe pas à proprement parler de relations politiques entre le Québec et les États-Unis pour la bonne raison que Washington n'a jamais voulu s'adresser au Québec comme à un acteur politique autonome. Pour le gouvernement américain, il n'y a pas d'autre interlocuteur canadien que le gouvernement fédéral du Canada[76]. » John Ciaccia, ex-ministre des Affaires étrangères sous le gouvernement Bourassa, confirme que « [s]i le Québec veut aller à Washington, il faut qu'il y aille avec le gouvernement canadien ». Les relations du Québec avec les États-Unis sont à l'opposé de celles qu'il entretient avec la France.

S'il est vrai que le gouvernement du Québec inaugure au cours de la Deuxième Guerre mondiale une représentation à New York, ce n'est qu'avec la Révolution tranquille qu'il cherche à articuler une politique internationale à l'égard des États-Unis. Dès 1962, le statut de la représentation de New York est élevé au titre de délégation générale du Québec. Ce nouvel intérêt pour le voisin du Sud n'est pas étranger aux projets visant à finaliser la nationalisation de l'électricité grâce à des capitaux américains.

---

74. Cité dans Philippe POULIN, « Les relations franco-québécoise sous Lévesque, 1976-1985 », dans Stéphane PAQUIN (dir.) (avec la coll. de Louise BEAUDOIN), *op. cit.*, p. 131.
75. *Ibid.*, p. 131.
76. Louis BALTHAZAR et Alfred O. HERO, *Le Québec dans l'espace américain*, Montréal Québec Amérique, 1999, p. 65.

Le gouvernement de Jean Lesage cherche également à établir des liens avec les Cajuns. Le premier ministre se rend à Lafayette afin de renforcer les liens entre la Louisiane et le Québec. Il visite les États-Unis à cinq reprises à titre de premier ministre. Ces voyages correspondent à un désir de faire connaître le Québec moderne, celui de la Révolution tranquille.

En avril 1965, André Patry se rend à Washington rencontrer deux cadres du State Department sans prévenir les autorités canadiennes. Le consul général à Montréal favorise cette démarche. Patry cherche ainsi à réitérer la demande de Jean Lesage pour que la délégation du Québec à New York obtienne les avantages fiscaux que l'on réserve normalement aux consulats. Cette demande sera de nouveau rejetée par les Américains. Washington ne traite qu'avec les États souverains, répond-on au représentant québécois. Le Québec ne constitue pas une préoccupation pour les Américains et le State Department ne souhaite pas, contrairement à la France, lui conférer de statut particulier.

Daniel Johnson, successeur de Lesage, se rend également à New York à deux reprises afin de rencontrer les investisseurs pour les rassurer sur les orientations économiques du gouvernement du Québec, notamment à la suite de la visite du général de Gaulle. Sous Robert Bourassa, une ébauche de politique américaine se prépare. Le projet du premier ministre d'ériger un immense barrage hydroélectrique dans le Grand Nord du Québec nécessitera de nombreux capitaux étrangers qui proviendront essentiellement de New York. Les diverses représentations du Québec aux États-Unis vont alors s'institutionnaliser. Le premier ministre lui-même effectue sept visites aux États-Unis.

À la suite de l'élection du Parti québécois le 15 novembre 1976, la question des relations du Québec avec les États-Unis est réévaluée. Même si peu de députés du PQ ont des affinités avec les États-Unis, avec la notable exception de René Lévesque qui a servi comme journaliste dans l'armée américaine, il devenait impératif de s'intéresser au voisin au Sud. C'est ainsi que, sous la gouverne du Parti québécois, la politique internationale vis-à-vis des États-Unis se développera le plus.

L'intensification de la politique américaine du Québec naît dans l'urgence, car à la suite de l'élection du Parti québécois, les petits investisseurs institutionnels et des compagnies d'assurances mineures se mettent à brader les titres d'Hydro-Québec et du gouvernement Québec. En agissant de la sorte, il devient de plus en plus coûteux pour Hydro et pour l'État québécois d'emprunter sur la place new-yorkaise. Puisque l'essentiel de la présence du Québec aux États-Unis sert à faciliter les négociations relatives à la vente d'obligations et autres opérations financières de la part du gouvernement du Québec, il faut corriger le tir. De plus, pour un gouvernement qui souhaite réaliser la souveraineté, il est impératif de rassurer le voisin du Sud et de clarifier ses positions en matière de relations internationales.

René Lévesque, comme ses prédécesseurs, se rend à New York dans les semaines suivant son accession au pouvoir pour prononcer, entre autres, un discours au prestigieux Economic Club de New York. Compte tenu du contexte, cette première mission en sol américain est très importante. Jusqu'à l'élection du Parti québécois, très peu d'Américains s'intéressaient à la politique québécoise. À partir de novembre 1976, une certaine nervosité s'installe aux États-Unis.

Le séjour à New York de René Lévesque est une véritable catastrophe en deux temps. Le 24 janvier, la veille du grand discours, le premier ministre et son ministre des finances, Jacques Parizeau, sont les invités du Links Club de New York où sont réunis les 25 Américains qui, ensemble, ont le plus de pouvoir économique sur le Québec. Parmi eux figurent les représentants de la Prudential Insurance et de la Metropolitan Life qui sont de grands consommateurs d'obligations d'Hydro-Québec et du Trésor québécois. Sans eux, il serait impossible de financer les énormes projets hydroélectriques et les augmentations de salaire des travailleurs du secteur public consentis par l'ancien premier ministre Bourassa. Ce qu'ils veulent entendre, ce n'est pas un plaidoyer en faveur de l'indépendance du Québec, mais des assurances pour leurs investissements colossaux. Lévesque crée la consternation. Comme le relate Jean-François Lisée : « Leur trouble ne pourrait être plus profond. Lévesque leur parle d'indépendance. Eux voient défiler sur leurs terminaux intérieurs des colonnes de chiffres à l'encre rouge, des courbes qui piquent du nez[77]. » La faillite, si elle se produisait, serait historique. À la suite de cette conférence, certains ressortent convaincus qu'un Québec souverain ne pourrait payer ses dettes.

---

77. Jean-François Lisée, *Dans l'œil de l'aigle : Washington face au Québec*, Montréal, Boréal, 1990, p. 218.

Si cette performance est décevante, la prestation donnée à l'Economic Club est pire encore. Le discours de Lévesque, retransmis en direct au Canada, est à la hauteur de la catastrophe appréhendée. Les Américains n'ont pas de sympathie particulière pour le nationalisme en général, et pour le projet souverainiste québécois en particulier. Lorsque Lévesque affirme que la souveraineté du Québec se compare à la guerre d'indépendance américaine, il ne convainc personne. Le vice-président de la grande banque Manufacturers Hanover Trust déclare à la sortie de la conférence : « Nous pensions avoir des garanties que nos investissements au Québec étaient en sécurité. À la place, il nous a fourgué une citation de notre Déclaration d'indépendance[78] » et de poursuivre que la souveraineté du Québec est plutôt comparable à la guerre de Sécession. Pour certains, Lévesque est « cinglé », sa volonté est comparable à celle du Kenya, de l'Éthiopie ou des États de l'Afrique de l'Ouest ! De plus, les relations particulières du Québec avec la France ne sont pas de nature à plaire aux autorités américaines. Les Canadiens anglophones qui sont sur place sont en état de choc. L'un d'entre eux, qui dirige une firme de courtage canadienne (A. E. Ames) et qui représente les intérêts québécois sur les places financières de Montréal, Toronto et Vancouver, avance que « dans le temps, des gens comme le premier ministre auraient été pendus haut et court pour des déclarations aussi insurrectionnelles[79] ».

Dès le lendemain, les marchés financiers larguent le Québec. Les détenteurs d'actions de la firme américaine John Manville, le plus gros producteur d'amiante au Québec, se départissent d'un demi-million de leurs titres en une journée. On a entendu le premier ministre parler de nationalisation. Les porteurs d'obligations d'Hydro-Québec et du gouvernement du Québec cherchent donc à vendre.

Afin de bien souligner l'impair des souverainistes, Pierre Trudeau considère le moment propice pour faire un court voyage aux États-Unis. Le premier ministre, chef de gouvernement d'un pays souverain, reçoit l'accueil réservé aux personnalités de son rang. Lorsque le président Jimmy Carter rencontre Trudeau, le courant passe et le président américain est prêt à aider son voisin du Nord. Lors d'une entrevue au réseau CTV, Carter déclare : « La

---

78. Cité dans *ibid.*, p. 223.
79. Cité dans *ibid.*, p. 225.

stabilité du Canada est d'une importance cruciale pour nous » et poursuit en affirmant que « si j'étais celui qui devait prendre la décision, je donnerais la préférence à la Confédération. [...] Mais c'est une décision que le peuple canadien doit prendre[80]. »

Cette déclaration est la base de la doctrine politique américaine vis-à-vis du mouvement souverainiste québécois. Selon Louis Balthazar, ce « mantra » de la politique américaine est composé de trois éléments :

1. Les États-Unis n'entendent pas intervenir dans les affaires intérieures du Canada. En conséquence, ils ne prendront pas position dans le débat constitutionnel canadien.
2. Les États-Unis favorisent tout ce qui peut renforcer l'unité canadienne et expriment donc leur préférence pour un Canada uni plutôt que pour la sécession du Québec.
3. Il appartient aux Canadiens de décider de l'avenir de leur pays. Les États-Unis respecteront donc la volonté populaire des citoyens du Canada[81].

Le lendemain de cette entrevue, Trudeau est invité à prononcer un discours sur l'unité canadienne devant les deux Chambres du Congrès réunies. Ce privilège est réservé aux alliés exceptionnels. L'occasion est historique, car c'est la première fois que l'on invite un premier ministre canadien à s'adresser de la sorte aux élus américains. Lors de son discours, également retransmis en direct au Canada, Trudeau va lancer sa tirade devenue célèbre : « La plupart des Canadiens comprennent que le fractionnement de leur pays serait une aberrante entorse aux normes qu'ils ont eux-mêmes fixées, un crime contre l'Histoire de l'Humanité[82]. » Le lendemain, Trudeau déclare devant des journalistes réunis au National Press Club que la sécession du Québec serait beaucoup plus grave que la crise des missiles de Cuba.

---

80. Cité dans *ibid.*, p. 262.
81. Louis BALTHAZAR, « Les relations avec les États-Unis sous Lévesque, 1976-1985 », dans Stéphane PAQUIN (dir.) (avec la coll. de Louise BEAUDOIN), *op. cit.*, p. 158. Sur le « mantra », voir également David T. JONES, « An Independent Quebec : Looking into the Abyss », *Washington Quarterly*, vol. 20, n° 3, printemps 1997, p. 21-36.
82. Jean-François LISÉE, *op. cit.*, p. 265.

Cette sortie diplomatique de Trudeau est couronnée de succès. Pourtant, à Ottawa, on craignait le pire. Un petit signe de sympathie souverainiste de la part des autorités américaines et la désintégration du pays aurait été, croyait-on, assurée. Comme le dit Allan Gotlieb, sous-secrétaire d'État aux Affaires extérieures : « Ç'aurait été si facile [...]. Nul besoin pour le président de se prononcer publiquement. Il aurait suffi qu'un diplomate quelconque lâche quelques mots d'encouragement [...] La capacité des Américains de semer le trouble était gigantesque, gigantesque[83]. » L'ancien ambassadeur du Canada aux États-Unis, Charles Ritchie, se demandait même si les Américains ne souhaitaient pas l'éclatement du Canada, qui deviendrait alors plus facile à dominer.

Le fondement de ces craintes à Ottawa remonte au début des années 1970 quand le ministre canadien des Affaires extérieures, Mitchell Sharp, met fin à la relation spéciale entre les États-Unis et le Canada. Sharp et Trudeau s'efforcent de diversifier le commerce international du Canada en accroissant les échanges avec l'Europe et l'Asie. Ce virage, aux accents antiaméricains et nationalistes, est mal reçu aux États-Unis. Que le Canada ait reconnu la Chine communiste avant les États-Unis, passe encore, mais que Trudeau soit allé scander en 1976 « Vive Castro » à la Havane, cela est inacceptable. L'ambassadeur américain au Canada tiendra des propos anticanadiens, durant une réception de départ, sur la politique de l'énergie, sur l'agence de tamisage chargée d'évaluer les investissements étrangers, essentiellement américains[84].

C'est dans ce contexte que le premier ministre du Québec et le ministre des Affaires intergouvernementales élaborent l'Opération Amérique. Pragmatiques, Lévesque et Morin croient que les Québécois ne se prononceront pas en faveur de la souveraineté si les États-Unis s'y opposent trop ouvertement. L'objectif de l'Opération Amérique n'est pas d'obtenir l'appui des Américains, mais de les rassurer sur la viabilité d'un Québec souverain, sur le profond attachement des Québécois envers la règle de droit et la démocratie et, bien sûr, sur le respect des obligations, notamment financières, du gouvernement en cas d'indépendance[85].

---

83. Cité dans *ibid.*, p. 199.
84. *Ibid.*
85. Luc BERNIER, *op. cit.*, p. 98.

L'Opération Amérique constitue un blitz d'interventions auprès des médias, du personnel politique, des investisseurs et des universitaires. Plusieurs ministres du Parti québécois se rendent aux États-Unis. Le premier ministre ira à Boston, New York, Chicago et dans les États de la Nouvelle-Angleterre. On cherche à convaincre les Américains que les Québécois sont des alliés potentiels et qu'ils sont ouverts aux affaires. Un bureau sera inauguré à Atlanta, et pendant un temps, on va songer à ouvrir une délégation générale à Washington. Ottawa s'y opposera fermement. On ouvrira finalement un bureau de tourisme qui pourra également donner, du moins selon ce qu'affirme René Lévesque, des informations politiques. Le Parti québécois se fait ainsi très attentif aux relations avec les États-Unis et cette tendance se poursuit sous le second mandat du parti (1981-1985)[86].

LA POLITIQUE INTERNATIONALE D'UN QUÉBEC SOUVERAIN

À la suite de l'Opération Amérique, le Parti québécois réécrit également son programme afin d'y expurger les passages les plus contentieux vis-à-vis des États-Unis. Au moment de son accession au pouvoir, la politique internationale d'un Québec souverain n'avait pas été élaborée de façon systématique et prêchait souvent par excès d'idéalisme. C'était notamment le cas de la politique de défense. En pleine Guerre froide, cet aspect de la politique internationale d'un Québec souverain a attiré l'attention de plusieurs observateurs étrangers. Le programme du PQ avance qu'un Québec souverain sera pacifiste, sans armée et qu'il n'adhérera pas à des organisations multilatérales de défense comme l'Organisation du Traité de l'Atlantique Nord (OTAN) ou le Commandement de la défense aérienne de l'Amérique du Nord (NORAD). La volonté affichée du Parti québécois de réduire les dépenses militaires et de se tourner vers les pays du Tiers-Monde donnait l'impression que le Québec allait devenir un pays non aligné.

De 1977 à 1979, le Parti québécois modifie graduellement son programme qui affirme désormais qu'un Québec souverain disposera de « forces armées

---

86. Sur « l'Opération Amérique », voir Jean-François LISÉE, *op. cit.*, p. 312-332 ; Louis BALTHAZAR, « Les relations Québec-États-Unis », dans Louis BALTHAZAR, Louis BÉLANGER et Gordon MACE (dir.), *Trente ans de politique extérieure du Québec (1960-1990)*, Québec, Septentrion/CQRI, p. 90-91 ; Luc BERNIER, *op. cit.*, p. 107.

de taille modérée » et qu'il veillera à « l'établissement des modalités de sa participation à des organismes de sécurité tels que l'OTAN et NORAD[87] ». Ce changement de politique semble marquer la reconnaissance du fait que le Québec devra faire face à des problèmes stratégiques semblables à ceux du Canada, et donc que les solutions appliquées par le second devraient l'être par le premier. Toutefois, tout indique que la réflexion sur les questions de sécurité militaire n'a jamais été poussée très loin par les dirigeants du Parti québécois et qu'ils ont préféré s'en tenir à une politique assez conformiste à ce sujet[88]. En fait, la principale motivation derrière ce changement de cap paraît avoir été l'obligation de rassurer les observateurs étrangers, en particulier les Américains, et de briser l'image de « Cuba du Nord » qu'un Québec souverain risquait de projeter aux États-Unis[89].

Ces garanties ont été offertes pour la première fois dans les documents officiels fournis à l'électorat pour appuyer l'option souverainiste lors du référendum de 1980 : le gouvernement Lévesque a publié un livre blanc sur la souveraineté-association qui comprenait une section complète sur la politique étrangère d'un Québec souverain[90]. Toutes les notions simplistes que le PQ avait appuyées jusqu'à la fin des années 1970 – la démilitarisation du Québec, une politique de non-alignement et un rapprochement avec le Tiers-Monde – en étaient absentes. Au contraire, le gouvernement s'engageait à demeurer membre de l'OTAN, du NORAD, et même, ironiquement, du Commonwealth. Cette empreinte plus internationaliste et plus conservatrice sur la politique étrangère a probablement heurté les éléments plus radicaux

---

87. Cité dans Stéphane ROUSSEL (avec la coll. de Chantal ROBICHAUD), « L'élargissement virtuel : un Québec souverain face à l'OTAN (1968-1995) », *Les cahiers d'histoire*, vol. 20, n° 2, hiver 2001, p. 161.
88. Stéphane ROUSSEL et Charles-Alexandre THÉORÊT, « Une stratégie distincte ? La culture stratégique canadienne et le mouvement souverainiste québécois (1968-1996) », dans Stéphane ROUSSEL (dir.), *Culture stratégique et politique de défense. L'expérience canadienne*, Montréal, Athéna, 2007, p. 169-199.
89. Anne LEGARÉ, *Le Québec otage de ses alliés : les relations du Québec avec la France et les États-Unis*, Montréal, VLB éditeur, 2003, p. 22-23.
90. CONSEIL EXÉCUTIF, *La nouvelle entente Québec-Canada : proposition du gouvernement du Québec pour une entente d'égal à égal : la souveraineté-association*, Québec, Éditeur Officiel, 1979, p. 104-105.

du PQ, mais son but était de démontrer symboliquement que le gouvernement souverainiste était à la fois responsable et compétent[91].

LA STRATÉGIE INTERNATIONALE DU PARTI QUÉBÉCOIS ET LE RÉFÉRENDUM DE 1995

Le Parti québécois est élu en 1994 avec la promesse de tenir un référendum sur la souveraineté le plus rapidement possible et, comme en 1976, il s'attendait à un durcissement des relations avec les libéraux de Jean Chrétien au pouvoir depuis l'année précédente. Le nouveau premier ministre du Québec s'attendait à des manifestations de sympathie de la part de la France et à des réactions inverses des autorités américaines. Les souverainistes peuvent compter sur un nouvel allié sur la scène fédérale, le Bloc québécois. Créé en 1990 à la suite du rejet de l'accord du lac Meech (qui devait consacrer l'adhésion du Québec à la Constitution de 1982), le Bloc devint, après les élections de 1993 marquées par l'effondrement du Parti conservateur, l'opposition officielle. Le chef du Bloc est Lucien Bouchard, ancien ambassadeur canadien à Paris et ministre dans le gouvernement Mulroney.

Comme en 1980, le Parti québécois cherche à rassurer la communauté internationale sur la politique étrangère d'un Québec souverain. L'entente tripartite (pour le partenariat Québec-Canada) entre le PQ, le BQ et l'Action démocratique du Québec (ADQ), rendue publique en juin 1995, met l'accent sur plusieurs domaines où le Canada et un Québec souverain pourraient entreprendre des actions communes, comme des missions de maintien de la paix. L'entente soulignait même la possibilité de « parler *d'une seule voix* au sein d'instances internationales[92] ». En septembre, le gouvernement diffuse le texte qui allait être soumis à l'approbation des électeurs le mois suivant. L'article 17 du Projet de loi sur l'avenir du Québec de 1995 stipule notamment que :

> [l]e gouvernement prend les mesures nécessaires pour que le Québec continue de participer aux alliances de défense dont le Canada est membre. Cette participation doit cependant être compatible avec la volonté du Québec d'accorder la

---

91. Sur cette évolution, voir Stéphane ROUSSEL (avec la coll. de Chantal ROBICHAUD), *op. cit.*, p. 147-193.
92. Pour le texte officiel de l'entente, voir le site Internet <http://www.cric.ca/fr_html/guide/referendum/referendum1995_ententetripartite.html>.

priorité au maintien de la paix dans le monde sous l'égide de l'Organisation des Nations Unies.

La stratégie internationale de Parizeau s'appuie notamment sur la France. Alors qu'il est chef de l'opposition, Jacques Parizeau est reçu en juillet 1994 par Alain Juppé, ministre français des Affaires étrangères. Lors de cette rencontre, le chef du Parti québécois demande à Juppé si la France sera au rendez-vous en cas de victoire référendaire. Celui-ci répond que « [d]ans l'éventualité où une majorité de Québécois se prononçait pour la souveraineté, la France ne laisserait pas tomber le Québec et se manifesterait rapidement dans la reconnaissance d'un Québec souverain ». À l'approche du résultat référendaire, le chef d'État français, Jacques Chirac, confirme la position de Juppé, et, le 23 octobre 1995, invité à l'émission de Larry King sur le réseau CNN, il indique clairement que, dans l'éventualité d'un référendum positif, la France reconnaîtra le résultat. On connaît aujourd'hui le plan de match français. Comme l'écrit Pierre Duchesne :

> À Paris, au milieu de la nuit, la Délégation du Québec informerait Philippe Séguin (le président de l'Assemblée nationale et conseiller de Chirac sur la question du Québec) des résultats. Le président de l'Assemblée nationale française se rendrait à la résidence du Délégué général du Québec, vers 7 h 30, pour prendre le petit-déjeuner. À 10 h, Jacques Parizeau s'entretiendrait au téléphone avec le Président français. L'Élysée publierait ensuite ce communiqué :
> La France prend acte de la volonté démocratiquement exprimée par le peuple du Québec, le 30 octobre 1995, de devenir souverain après avoir formellement offert au Canada un nouveau partenariat économique et politique. Lorsque l'Assemblée nationale du Québec en viendra à proclamer la souveraineté du Québec selon la démarche prévue par la question référendaire et maintenant entérinée majoritairement par le peuple québécois, la France en tirera amicalement les conséquences. Soucieuse que ce processus se déroule dans les meilleures conditions, la France tient à réaffirmer son amitié au Canada et à son gouvernement. Ils peuvent être assurés de notre volonté de maintenir et d'approfondir les excellentes relations qui nous lient[93].

Jacques Parizeau souhaite également que certains pays membres de la Francophonie, à la suite d'une reconnaissance d'un Québec souverain par Paris, emboîtent le pas afin de provoquer un effet d'entraînement, en espérant

---

93. Pierre DUCHESNE, « Diplomatie préréférendaire », dans Stéphane PAQUIN (dir.) (avec la coll. de Louise BEAUDOIN), *op. cit.*, p. 202-203.

que des pays plus influents suivront. On croyait également que la France mettrait en œuvre une « diplomatie infernale », notamment sur le plan européen, afin que d'autres pays reconnaissent le résultat du référendum.

Comme en 1980, le gouvernement du Québec ne croit pas possible d'obtenir un appui des États-Unis à la cause souverainiste ; Parizeau souhaite cependant rassurer Washington sur les politiques d'un Québec souverain avec l'espoir que ces derniers restent neutres lors de la campagne. L'ambassadeur des États-Unis au Canada, James Blanchard, est cependant hostile au projet souverainiste. Lors du référendum, Blanchard reprend les termes du mantra : « Les États-Unis entretiennent d'excellentes relations avec un Canada fort et uni. Mais c'est aux Canadiens eux-mêmes qu'il appartient de décider de leur avenir[94]. » Mais dans les faits, cet ami de Clinton usera de son influence afin de nuire au projet souverainiste[95].

Lorsque Bill Clinton vient à Ottawa en février 1995, les termes du mantra changent. Le président souligne que « dans un monde assombri par les conflits ethniques qui déchirent littéralement les pays, le Canada demeure pour tous un modèle qui montre que des gens de différentes cultures peuvent vivre et travailler ensemble dans la paix ». La réponse du président aux questions sur une éventuelle accession du Québec à l'ALENA est plus directe : « Cela dépend de questions légales nombreuses et compliquées. Les États-Unis n'ont donné aucune garantie à qui que ce soit sur l'accession au traité[96]. »

Deux semaines avant le référendum et alors que le OUI est en pleine progression, le secrétaire d'État américain, Warren Christopher, durcit la position américaine et déclare que l'on ne pouvait tenir pour acquis que des ententes telles que l'ALENA demeureraient inchangées si le Québec devait accéder à l'indépendance. Bernard Landry, alors ministre des Affaires internationales du Québec, écrit à Christopher pour le mettre en garde contre de possibles retombées négatives d'une ingérence des États-Unis dans la campagne référendaire.

Le 25 octobre, après la prestation de Jacques Chirac à CNN, Bill Clinton répond en direct de la Maison-Blanche à une question d'un journaliste sur

---

94. Cité dans *The Globe and Mail*, 29 septembre 1995.
95. James BLANCHARD, *Behind the Embassy Door. Canada, Clinton, and Quebec*, Toronto, McClelland & Stewart, 1998.
96. *The Globe and Mail*, 29 septembre 1995.

le Québec. Il s'empresse de faire remarquer qu'un « Canada fort et uni avait été un partenaire merveilleux pour les États-Unis, ainsi qu'un citoyen du monde important et constructif. Le Canada, poursuit Clinton, a été un grand modèle pour le reste du monde, et je souhaite que cela continue[97]. » En somme, les États-Unis ont voté NON en 1995[98].

La stratégie du Parti québécois pour la reconnaissance d'un Québec souverain en 1995 était fondée sur le fait que l'essentiel de la partie se joue-rait en politique intérieure. La reconnaissance internationale de la souverai-neté du Québec par des pays tiers est largement conditionnée par l'attitude du gouvernement fédéral. À Québec, on savait que si le OUI l'emportait, ce ne serait que par quelques milliers de votes, ce qui est trop peu. L'objectif du gouvernement québécois est de faire en sorte que dans les 10 jours suivant le vote, l'appui à la souveraineté augmente dans les sondages d'opinion. Ce ne serait plus 50,2 % des Québécois, mais 54, 57 ou 58 % d'entre eux qui devraient être favorables à la souveraineté. Une des stratégies de ralliement est de miser sur l'appui de personnalités identifiées au camp fédéraliste qui se rallieraient au résultat du vote. On envisageait de tenir une conférence de presse avec certaines personnalités comme Claude Castonguay, Yves Séguin, Gérald Tremblay, le cardinal Jean-Claude Turcotte. Pierre Bourque, le maire de Mont-réal, devait publier un communiqué pour entériner la décision des Québécois. Un grand rassemblement était prévu au stade olympique qui aurait rassemblé des partisans du OUI et des personnalités identifiées au NON. Lors de cette occasion, ces derniers se rallieraient alors publiquement[99].

Parizeau anticipait également de la turbulence politique à Ottawa. On sait même que Preston Manning, le chef du Parti de la réforme, souhaitait que les négociations démarrent rapidement au lendemain d'un OUI. Il avait prévu déposer en Chambre une motion pour exiger la démission de Jean Chrétien, mais pas du Parti libéral. Cette situation ouvrait la porte à un gouvernement de coalition puisque certains ministres du Canada anglophone, dont Brian Tobin et John Manley, ne croyaient pas qu'un premier ministre provenant

---

97. Cité dans James BLANCHARD, *op. cit.*, p. 248.
98. Sur ces événements, voir Mario CARDINAL, *Point de rupture*, Montréal, Bayard, 2005.
99. Pierre DUCHESNE, *Jacques Parizeau. Le régent*, tome 3, Montréal, Québec Amérique, p. 470 et 471.

du Québec puisse représenter le Canada dans cette négociation. Comme le souligne Tobin : « Est-ce que les ministres du Québec, qui occupaient à peu près tous les postes importants du Cabinet du gouvernement du Canada pouvaient former l'équipe qui négocierait la souveraineté du Québec ? La réponse est non[100]. »

L'autre volet de la grande stratégie référendaire est connu sous le nom de « Plan o ». Cette opération, montée par le ministre des Finances et ex-PDG de la Caisse de dépôt et placement du Québec, Jean Campeau, consistait à réunir 17 milliards de dollars en liquidités, qui provenaient pour l'essentiel de la Caisse de dépôt et placement, du ministère des Finances et d'Hydro-Québec. Trois autres institutions financières, le Mouvement Desjardins, la Banque nationale et la Banque Laurentienne avaient des réserves de 20 milliards de dollars supplémentaires à la disposition du gouvernement. Ces liquidités auraient servi à faire face aux tentatives de déstabilisation financière des spéculateurs. Ainsi, le gouvernement du Québec aurait pu éviter que ne s'effondrent sur les marchés internationaux le dollar canadien et les titres et obligations du gouvernement et d'Hydro-Québec en cas de vente massive, ainsi que de compenser les retraits bancaires au cours de l'année où se dérouleraient les négociations sur la souveraineté. Cette opération se serait naturellement réalisée avec la complicité du ministre des Finances à Ottawa et de la banque centrale canadienne.

LES RELATIONS INTERNATIONALES DU QUÉBEC, SYNONYME DE CONFLITS ?

Dans la documentation existante sur la paradiplomatie, deux hypothèses s'opposent. La première suggère que l'émergence de cette pratique améliore significativement la politique étrangère des États-nations[101]. La paradiplomatie favoriserait une meilleure coordination des activités internationales entre le gouvernement central et les gouvernements régionaux, ce qui est susceptible d'encourager l'unité nationale et d'améliorer l'efficacité de la politique étrangère. Elle pourrait donc agir comme régulateur de la politique étrangère de

---

100. Cité dans Pierre DUCHESNE, « Diplomatie préréférendaire », dans Stéphane PAQUIN (dir.) (avec la coll. de Louise BEAUDOIN), *op. cit.*, p. 205.
101. Panayotis SOLDATOS et Hans J. MICHELMANN, *Federalism and International Relations. The Role of Subnational Units*, Oxford, Oxford Press, 1990, p. 45.

l'État en limitant l'effet destructeur des conflits[102]. Pour Jacques Palard, par exemple, le développement de la paradiplomatie est « un jeu à somme positive, dans la mesure où l'érosion du niveau étatique et la perte de centralité qu'il subit sont au total moins importantes que les gains en termes de position désormais acquise sur la scène internationale et de capacité de participation au processus de décision dont bénéficient les acteurs régionaux[103] ».

Pour d'autres, le développement de relations internationales sur le plan subétatique est synonyme de tensions et de luttes de pouvoir. La situation est encore plus conflictuelle lorsque les acteurs sont animés par une conscience minoritaire comme en Flandre, au Québec ou en Catalogne. Les mouvements nationalistes subétatiques, faute de pouvoir orienter les politiques du gouvernement central, seraient tentés d'établir des relations internationales qui échappent partiellement au contrôle de l'État central[104]. Les conflits internes sont alors souvent exportés, ce qui accentue les tensions et a des conséquences nuisibles sur l'unité du pays et la crise de l'État. Sur le plan interne, une lutte de pouvoir s'installe entre un gouvernement central, qui cherche à conserver son monopole de la représentation extérieure, et les mouvements nationalistes subétatiques, qui s'efforcent de se libérer, du moins partiellement, de la tutelle de l'État[105].

Le cas du Québec dans le Canada ne permet pas de trancher définitivement entre ces deux hypothèses. La paradiplomatie identitaire du Québec complète parfois, appuie souvent, approfondit à l'occasion, mais fait double emploi également et menace de temps à autre la politique étrangère du Canada.

La réponse des autorités fédérales face à cette paradiplomatie du Québec varie. Elle alterne de l'accommodement à l'intransigeance en fonction de

---

102. Eric PHILIPPART, « Le Comité des Régions confronté à la "paradiplomatie" des régions de l'Union européenne », dans Jacques BOURRINET (dir.), *Le Comité des Régions de l'Union européenne*, Paris, Économica, 1997, p. 23.

103. Jacques PALARD, « Les régions européennes sur la scène internationale : condition d'accès et systèmes d'échanges », *Études internationales*, vol. 30, n° 4, décembre 1999, p. 668.

104. Renaud DEHOUSSE, *Fédéralisme et relations internationales*, Bruxelles, Bruylant, 1991 ; et Renaud DEHOUSSE, *op. cit.* (1989).

105. Brian HOCKING, « Les intérêts internationaux des gouvernements régionaux : désuétude de l'interne et de l'externe ? », *Études internationales*, vol. 25, n° 3, septembre 1994, p. 405-420 et suivantes.

l'identité de ceux qui sont au pouvoir dans les deux capitales et des sujets de discorde. Dans un premier temps, le premier ministre Pearson a fait preuve d'une certaine ouverture vis-à-vis des actions internationales du Québec. L'attitude du gouvernement fédéral change à la suite de la conclusion d'une entente France-Québec en matière d'éducation puis de la formulation de la doctrine Gérin-Lajoie en 1965. Pierre Elliott Trudeau pensait, pour sa part, que la politique étrangère du Canada devait servir l'intérêt national des Canadiens et plus particulièrement être au service de l'unité nationale. Les conflits sont à leur paroxysme à la suite de l'élection du Parti québécois en 1976. L'arrivée des conservateurs de Brian Mulroney au pouvoir marquera une période d'accalmie dans les relations Québec-Ottawa, que ce soit avec le Parti québécois ou le Parti libéral du Québec, mais le retour des libéraux de Jean Chrétien (1993) et l'élection du Parti québécois (1994) font renaître les conflits. L'élection des libéraux provinciaux de Jean Charest en 2003 et des conservateurs de Stephen Harper en 2006 marquent l'ouverture d'une nouvelle ère de collaboration.

Les relations Québec-Ottawa sont généralement très conflictuelles lorsqu'il est question de sujets sensibles comme les rapports politiques avec des pays souverains, tels la France et les pays de la Francophonie. En effet, sur ces questions, une lutte est instituée entre le gouvernement fédéral, qui cherche à préserver ce qu'il considère être ses prérogatives internationales en combattant activement les actions internationales du gouvernement du Québec, et ce dernier qui, lui, cherche à se construire une identité d'acteur international propre qui échapperait partiellement au contrôle du gouvernement fédéral. Compte tenu de la place prépondérante des relations avec la France et la Francophonie dans la paradiplomatie identitaire du Québec, les relations Québec-Canada en relations internationales sont à l'image des rapports entre Québec et Ottawa en politique intérieure. Malgré certaines exceptions, les relations Québec-Ottawa tendent vers le conflit. Il s'agit ainsi d'un « prolongement international des conflits internes[106] ».

---

106. Stéphane PAQUIN, « Le prolongement externe des conflits internes ? Les relations internationales du Québec et l'unité nationale », *Bulletin d'histoire politique*, vol. 10, n° 1, 2001, p. 85-98.

Même si les relations Québec-Ottawa tendent vers les conflits lorsqu'il est question des relations internationales du Québec, il arrive qu'elles soient plutôt bonnes, par exemple, sur les questions d'immigration, de commerce et d'investissement. Selon un proche de l'ancien premier ministre Lucien Bouchard, il est fréquent d'avoir de bons rapports avec le gouvernement fédéral lors de missions commerciales[107]. De plus, comme le soutient Graham Fraser, « souvent, dans les postes moins sensibles que Paris, les relations entre la Délégation du Québec et l'Ambassade du Canada sont caractérisées par l'amitié et la coopération[108] ». On pourrait ajouter que, même à Paris, il existe des relations d'amitié.

Il est vrai que l'émergence de la paradiplomatie peut potentiellement créer des conflits, mais, dans l'ordre international actuel, ces activités sont inévitables, voire indispensables, ne serait-ce que pour favoriser l'attraction d'investissements étrangers, le développement économique ou la défense des champs de compétence d'une province. En conséquence, du point de vue national, les États ne doivent pas traiter les actions internationales des entités subétatiques comme une menace pour l'intégrité de leur politique étrangère. Ils doivent plutôt chercher à créer de nouveaux modes de collaboration, de nouveaux partenariats et un meilleur partage des rôles en relations internationales.

La meilleure façon de limiter les conflits est de clarifier les responsabilités de chacun tout en accordant un rôle suffisamment important aux entités subétatiques pour qu'elles puissent profiter de la mondialisation. Il est donc important de repenser les relations fédérales-provinciales sur les questions de relations internationales afin de favoriser la coopération et la coordination des différents ordres de gouvernement. C'est la création d'institutions de coopération et de coordination qui a favorisé une normalisation des relations entre Barcelone et Madrid, entre la Flandre et le gouvernement fédéral belge. C'est également ce manque de coordination et de coopération qui crée de nombreux conflits dans les relations Québec-Ottawa au Canada.

---

107. Vincent MARISSAL, « Équipe Canada en Chine. Une synergie exemplaire entre Québec et Ottawa », *La Presse*, 12 février 2001.
108. Préface de Graham FRASER dans Luc BERNIER, *op. cit.*, p. XII.

BIBLIOGRAPHIE ET SOURCES D'INFORMATION SUR LA POLITIQUE ÉTRANGÈRE CANADIENNE

On trouvera une bibliographie mise à jour tous les six mois sur le site <www.pedc.uqam.ca>.

REVUES ANNUELLES

Pour la période 1939-1984, le chercheur pourra se référer à la série publiée par l'ICAI intitulée *Canada in World Affairs*. Le dernier volume de cette série couvre les années du gouvernement Trudeau[1]. Pour la période contemporaine, il faut se tourner vers la collection *Canada Among Nations*. Chaque année depuis 1984, ces ouvrages collectifs offrent un ensemble d'essais portant sur les débats et les questions qui ont marqué la politique étrangère canadienne[2]. Il n'existe malheureusement aucun équivalent en français de ces collections.

---

1. J. L. GRANATSTEIN et Robert BOTHWELL, *Pirouette. Pierre Trudeau and Canadian Foreign Policy*, Toronto, University of Toronto Press, 1990.
2. À titre d'exemple, les volumes les plus récents sont les suivants : David CARMENT, Fen Osler HAMPSON et Norman HILLMER (dir.), *Canada Among Nations 2004. Setting Priorities Straight*, Montréal/Kingston, McGill-Queen's University Press, 2005 ; Andrew F. COOPER et Dane ROWLANDS (dir.), *Canada Among Nations, 2005. Split Images*, Montréal/Kingston, McGill-Queen's University Press, 2005 ; Andrew F. COOPER et Dane ROWLANDS (dir.), *Canada Among Nations, 2006. A State of Minorities*, Montréal/Kingston, McGill-Queen's University Press, 2006.

En matière de défense, force est de constater qu'aucune source n'est venue combler le vide laissé par la disparition du guide sur les politiques canadiennes que publiait annuellement l'ICPSI jusqu'à sa disparition en 1992[3]. La collection « Les conflits dans le monde », aussi publiée annuellement depuis 1980 sous la direction d'Albert Legault et Michel Fortmann (autrefois sous celle de John Sigler), constitue cependant une alternative intéressante, dans la mesure où le portrait que brossent les auteurs de la situation dans chaque région est complété par une revue des politiques du Canada. On pourra également avoir recours aux séries « Canadian Strategic Forecast » et « Canadian Defence and Foreign Policy » qui reprennent les communications présentées lors du séminaire annuel de l'Institut canadien d'études stratégiques (Canadian Institute of Strategic Studies [CISS]) basé à Toronto. L'importance du traitement accordé à des problématiques spécifiquement canadiennes varie cependant d'un volume à l'autre.

PÉRIODIQUES

La plupart des périodiques scientifiques canadiens portant sur les relations internationales publient régulièrement des articles qui traitent de la politique étrangère ou de sécurité canadienne. À cet égard, les principales sources sont l'*International Journal* de l'Institut canadien des Affaires internationales (ICAI/CIIA, <www.ciia.org>), la *Revue canadienne de science politique*, publiée par l'Association canadienne de science politique, *Études internationales*, que publie l'Institut québécois des hautes études internationales (IQHEI) à l'Université Laval, et la revue *Canadian Foreign Policy/La politique étrangère canadienne*, publiée par la NPSIA (<www.carleton.ca/npsia/cfpj>), et dont les articles paraissent dans l'une ou l'autre des deux langues. D'autres périodiques, par exemple l'*American Review of Canadian Studies*, de l'Association for Canadian Studies in the United States (ACSUS), présentent un intérêt certain, quoique ponctuel. Des articles plus courts et plus orientés vers l'actualité peuvent être trouvés dans des périodiques tels que *Bout de papier*, le bulletin de l'Association professionnelle des agents du service étran-

---

3. *Introduction aux politiques canadiennes relatives à la limitation des armements, au désarmement, à la défense et à la solution des conflits*, Ottawa, ICPSI, 1986 à 1992.

ger, *Options politiques*, publié par l'Institut de recherche en politiques publiques (IRPP) et disponible en ligne (<www.irpp.org>), ou encore *Behind the Headlines*, de l'ICAI. En matière de défense, la *Revue militaire canadienne* est certainement l'une des plus utiles et a le mérite d'être publiée dans les deux langues tête-bêche.

MÉMOIRES ET BIOGRAPHIES

De nombreux dirigeants, fonctionnaires et diplomates ont publié leurs mémoires, journaux professionnels ou autobiographies. C'est notamment le cas de Lester B. Pearson, Paul Martin (père), Arnold Heeney, Escott Reid, Mitchell Sharp et Pierre Trudeau (qui, outre ses mémoires, a rédigé avec Ivan Head un ouvrage sur la politique étrangère)[4]. On doit également mentionner *The Mackenzie King Record* (4 volumes), mémoires colligés par J. W. Pickersgill et D. Foster[5]. Des généraux, tel Jean Allard[6], ont également publié leurs mémoires.

Plusieurs biographies sont disponibles. Un portrait de Pearson a été brossé par John English. John Diefenbaker a fait l'objet de deux biographies importantes, soit celle de Basil Robinson, son ancien officier de liaison des Affaires extérieures, et celle de Denis Smith. Parmi les textes portant sur Pierre Trudeau,

4. Lester B. PEARSON, *Mike: The Memoirs of the Right Honourable Lester B. Pearson*. vol. 1 : *1897-1948*, Toronto, University of Toronto Press, 1972 et *Mike: The Memoirs of the Right Honourable Lester B. Pearson*, vol. 2 : *1948-1957 The International Years*, Toronto, University of Toronto Press, 1973 ; Paul MARTIN, *The London Dairies 1975-1979*, Ottawa, Ottawa University Press, 1988 ; Arnold HEENEY, *The Things That Are Caesar's. Memoirs of a Canadian Public Servant*, Toronto, University of Toronto Press, 1972 ; Escott REID, *Radical Mandarin. The Memoirs of Escott Reid*, Toronto, Toronto University Press, 1989 ; Mitchell SHARP, *Which Reminds Me... A Memoir*, Toronto, University of Toronto Press, 1993 ; Ivan L. HEAD et Pierre Elliott TRUDEAU, *The Canadian Way: Shaping Canada's Foreign Policy 1968-1984*, Toronto, McClelland & Stewart, 1995.
5. John Whitney PICKERSGILL et Donald F. FORSTER, *The Mackenzie King Record*, Toronto, University of Toronto Press, 1960 (4 vol.). Parmi les ouvrages traduits en français portant sur Mackenzie King, mentionnons Jack L. GRANATSTEIN, *W. L. Mackenzie King*, Montréal/Québec, Lidec, 1978 ; Charles P. STACEY, *La vie doublement secrète de Mackenzie King*, Montréal, éd. P. Tisseyre, 1979.
6. Jean V. ALLARD (avec la coll. de Serge BERNIER), *Mémoires*, Montréal, Éditions de Mortagne, 1985 ; Maurice A. POPE, *Soldiers and Politicians: The Memoirs of Lt. Gen. Maurice A. Pope*, Toronto, University of Toronto Press, 1962.

signalons celui de J. L. Granatstein et Robert Bothwell, ainsi que celui de Christina McCall et Stephen Clarkson[7]. Granatstein est également l'auteur d'un ouvrage dressant la biographie des hauts fonctionnaires du ministère des Affaires étrangères de 1935 à 1957, et d'un autre traitant des généraux canadiens de la Deuxième Guerre mondiale[8].

SOURCES PREMIÈRES

Le ministère des Affaires étrangères publie un grand nombre de textes destinés aux chercheurs désireux de travailler à partir de sources premières. Ces documents sont généralement disponibles sur demande à la bibliothèque du Ministère (Édifice Lester-Pearson, 125 Sussex Drive, Ottawa) ou sur son site électronique. L'une des sources les plus utilisées demeure la série « Déclaration et discours » qui reprend les déclarations ministérielles. On trouve des publications semblables au ministère de la Défense et à l'ACDI, également disponibles sur les sites électroniques.

Sur le plan historique, la série « Documents relatifs aux relations extérieures du Canada », publiée par le ministère des Affaires étrangères, constitue une mine de renseignements incontournables. Cette collection reprend une partie de la correspondance (comptes rendus, rapports, notes, etc.) des diplomates canadiens déposée dans les archives. Vingt-cinq volumes, qui couvrent la période 1909-1958, ont, jusqu'à présent, été publiés et sont disponibles sur le site <www.dfait-maeci.gc.ca/department/history/dcer/browse-fr.asp>. Par ailleurs, on trouvera une sélection de textes et de décla-

---

7. John ENGLISH, *Shadow of Heaven: The Life of Lester Pearson*. Vol. 1: *1897-1948*, Toronto, Lester & Orpen Dennys, 1989 et *The Worldly Years: The Life of Lester Pearson*. Vol. 2: *1949-1972*, Toronto, Knopf Canada, 1992; H. Basil ROBINSON, *Diefenbaker's World: A Populist in Foreign Affairs*, Toronto, University of Toronto Press, 1989; Denis SMITH, *Rogue Tory: The Life and Legends of John G. Diefenbaker*, Toronto, Macfarlane Walter & Ross, 1995; Christina McCALL et Stephen CLARKSON, *Trudeau*, Montréal, Boréal, (2 vol.) 1990 et 1995; J. L. GRANATSTEIN et Robert BOTHWELL, *Pirouette. Pierre Trudeau and Canadian Foreign Policy*, Toronto, University of Toronto Press, 1990.
8. J. L. GRANATSTEIN, *The Ottawa Men. The Civil Service Mandarins, 1935-1957*, Toronto, Oxford University Press, 1982; *The Generals. The Canadian Army's Senior Commanders in the Second World War*, Toronto, Stoddard, 1993.

rations qui ont marqué l'évolution de la politique étrangère canadienne dans les cinq ouvrages composant la série « Canadian Foreign Policy »[9].

SOURCES ÉLECTRONIQUES

Les sites Internet qui offrent des sources portant sur la politique étrangère et la sécurité canadienne tendent à se multiplier. Les pages Web suivantes constituent d'excellents points de départ pour avoir accès à une large gamme de documents et de « portes » vers d'autres sites pertinents (un peu d'exploration est cependant nécessaire) :

Ministère des Affaires étrangères et du Commerce international
<http://www.dfait-meaci.gc.ca>

Ministère de la Défense nationale et des Forces armées
<http://www.dnd.ca>

Agence canadienne de développement international
<http://www.acdi-cida.gc.ca>

Comités parlementaires de la Chambre des communes et du Parlement (Affaires étrangères et Commerce international ; Défense nationale et Anciens Combattants ; Sécurité publique)
<http: //www.parl.gc.ca>

Ministère des Affaires internationales du Québec. Publications disponibles sur le site <www.mai.gouv.qc.ca>

---

9. Walter A. RIDDELL (dir.), *Documents on Canadian Foreign Policy, 1917-1939*, Toronto, Oxford University Press, 1962 ; Robert A. MACKAY, *Canadian Foreign Policy, 1945-1954*, Toronto, McClelland & Stewart, 1971 ; Arthur E. BLANCHETTE, *Canadian Foreign Policy 1966-1976 : Selected Speeches and Documents*, Ottawa, Institute of Canadian Studies, Carleton University, 1980 ; Arthur E. BLANCHETTE, *Canadian Foreign Policy 1955-1965 : Selected Speeches and Documents*, Toronto/Ottawa, McClelland & Stewart/Institute of Canadian Studies, Carleton University, 1977 ; Arthur E. BLANCHETTE, *Canadian Foreign Policy 1977-1992 : Selected Speeches and Documents*, Ottawa, Carleton University Press, 1994.

BIBLIOGRAPHIE INDICATIVE

I. SUR L'ÉTUDE DE LA POLITIQUE ÉTRANGÈRE EN GÉNÉRAL

BATTISTELLA, Dario, *Théories des relations internationales*, Paris, Presses de Sciences Po, 2006, chapitre 10, « La politique étrangère », p. 323-357.

CHARILLON, Frédérick, *Politique étrangère : nouveaux regards*, Paris, Presses de Sciences Po, 2002.

CLARKE, Michael et Brian WHITE (dir.), *Understanding Foreign Policy. The Foreign Policy Systems Approach*, Aldershot, Edward Algar, 1989.

COHEN, Samy, « Décision, pouvoir et rationalité dans l'analyse de la politique étrangère », dans Marie-Claude SMOUTS (dir.), *Les nouvelles relations internationales*, Paris, Presses de Science Po, 1998, p. 75-101.

ÉTHIER, Diane (avec la coll. de Marie-Joëlle ZAHAR), *Introduction aux relations internationales*, Montréal, Les Presses de l'Université de Montréal, 2003, chap. 3, « La politique étrangère des États », p. 126-179.

GARRISON, Jean A., Juliet KAARBO, Douglas FOŸLE, Mark SCHAFER et Eric K. STERN, « Foreign Policy Analysis in 20/20 : A Symposium », *International Studies Review*, vol. 5, n° 2, juin 2003, p. 155-202.

HERMANN, Charles F., Charles W. KEGLEY Jr. et James ROSENAU (dir.), *New Directions in the Study of Foreign Policy*, Boston, Allen and Unwin, 1987.

LIGHT, Margot, « Foreign Policy Analysis », dans A. J. R. GROOM et Margot LIGHT (dir.), *Contemporary International Relations : A Guide to Theory*, Londres, Pinter, 1994, p. 93-108.

NOSSAL, Kim Richard, « Opening up the Black Box : The Decision-Making Approach to International Politics », dans David G. HAGLUND et Michael K. HAWES, *World Politics. Power, Interdependence and Dependence*, Toronto, Harcourt Brace Jovanovich, 1990, p. 531-552.

PAQUIN, Stéphane, *Paradiplomatie et relations internationales*, Bruxelles, P.I.E./Peter Lang, 2004.

PAQUIN, Stéphane, *Économie politique internationale*, Paris, Montchrétien, 2005.

ROOSENS, Claude, Valérie ROSOUX et Tanguy DE WILDE D'ESTAMAEL (dir.), *La politique étrangère. Le modèle classique à l'épreuve*, Berne, Peter Lang, 2004.

ROSE, Gideon, « Neoclassical Realism and Theories of Foreign Policy », *World Politics*, vol. 51, octobre 1998, p. 144-172.

ZELIKOW, Philip, « Foreign Policy Engineering : From Theory to Practice and Back Again », *International Security*, vol. 18, n° 4, printemps 1994, p. 143-171.

II. SUR LA POLITIQUE ÉTRANGÈRE DU CANADA ET DU QUÉBEC

BLAND, Douglas L., *Canada's National Defence* (vol. 1 : *Defence Policy* ; vol. 2 : *Defence Organization*), Kingston, SPS, 1997, 360 p. et 1998, 509 p.

CHAPNICK, Adam, « The Canadian Middle Power Myth », *International Journal*, vol. 55, n° 2, printemps 2000, p. 188-206.

DEWITT, David B. et David LEYTON-BROWN (dir.), *Canada's International Security Policy*, Scarborough, Prentice-Hall, 1995.

DEWITT, David B., « Directions in Canada's International Security Policy », *International Journal*, vol. 55, n° 2, printemps 2000, p. 167-187.

DONNEUR, André, *Politique étrangère canadienne*, Montréal, Guérin, 1994.

DONNEUR, André P. et Panayotis SOLDATOS (dir.), *Le Canada à l'ère de l'après-guerre froide et des blocs régionaux : une politique étrangère de transition*, North York, Captus Press, 1993.

EAYRS, James, *In Defence of Canada*, Toronto, University of Toronto Press, 1964 à 1980 (4 tomes).

ENGLISH, Allan D., *Understanding Military Culture. A Canadian Perspective*, Montréal/ Kingston, McGill-Queen's University Press, 2004.

FORTMANN, Michel, « La politique de défense canadienne », dans Paul PAINCHAUD (dir.), *De Mackenzie King à Pierre Trudeau, quarante ans de diplomatie canadienne (1945-1985)*, Québec, Presses de l'Université Laval, 1988, p. 471-523.

GERVAIS, Myriam et Stéphane ROUSSEL, « De la sécurité de l'État à celle de l'individu : l'évolution du concept de sécurité au Canada (1990-1996) », *Études internationales*, vol. 29, n° 1, mars 1998, p. 25-52.

GRANATSTEIN, J. L., *Canada's Army. Waging War and Keeping the Peace*, Toronto, University of Toronto Press, 2002.

GRANATSTEIN, J. L. (dir.), *Canadian Foreign Policy since 1945 : Middle Power or Satellite ?*, Toronto, Copp Clark Publishing Company, 1973.

GRANT, Shelagh D., *Sovereignty or Security ? Government Policy in the Canadian North, 1936-1950*, Vancouver, University of British Columbia Press, 1988.

HAGLUND, David G., « Are *We* the Isolationists ? », *International Journal*, vol. 58, n° 1, hiver 2002-2003, p. 1-23.

HAGLUND, David G., *The North Atlantic Triangle Revisited. Canadian Grand Strategy at Century's End*, Toronto, CIIA, 2000.

HILLIKER, John, *Le ministère des Affaires extérieures du Canada* (vol. 1 : *Les années de formation, 1909-1946*), Québec, Presses de l'Université Laval/Institut d'administration publique du Canada, 1990.

HILLIKER, John et Donald BARRY, *Le ministère des Affaires extérieures du Canada* (vol. 2 : *L'essor, 1946-1968*), Québec, Presses de l'Université Laval/Institut d'administration publique du Canada, 1995.

KEATING, Tom, *Canada and World Order. The Multilateralist Tradition in Canadian Foreign Policy*, Toronto, McClelland & Stewart, 2003 (2ᵉ éd.).

MELAKOPIDES, Costas, *Pragmatic Idealism. Canadian Foreign Policy, 1945-1995*, Montréal/Kingston, McGill-Queen's University Press, 1998.

MORTON, Desmond, « Defending the Indefensible : Some Historical Perspectives on Canadian Defence 1867-1967 », *International Journal*, vol. 42, n° 4, automne 1987, p. 627-644.

MORTON, Desmond, *Une histoire militaire du Canada 1608-1991*, Montréal, Septentrion, 1992.

MORTON, Desmond, *Understanding Canadian Defence*, Montréal, Penguin/McGill Institute, 2003.

NOSSAL, Kim Richard, « Seeing Things ? The Adornment of Security in Canada and Australia », *Australian Journal of International Affairs*, vol. 49, n° 1, mai 1995, p. 33-47.

PAQUIN, Stéphane, « Les nouvelles relations internationales : le Québec en comparaison », Dossier thématique du *Bulletin d'histoire politique*, vol. 10, n° 1, hiver 2001, p. 7 à 150.

ROUSSEL, Stéphane et Chantal ROBICHAUD, « L'État post-moderne par excellence ? Internationalisme et promotion de l'identité internationale du Canada », *Études internationales*, vol. 35, n° 1, mars 2004, p. 149-170.

SIMPSON, Erika, *NATO and the Bomb : Canadian Defenders Confront Critics*, Montréal/Kingston, McGill-Queen's University Press, 2001.

SOKOLSKY, Joel J., « Clausewitz à la mode canadienne ? », *Revue militaire canadienne*, vol. 3, n° 3, automne 2002, p. 3-10.

STACEY, C. P., *Canada and the Age of Conflict. A History of Canadian External Policies*, Toronto, Macmillan Canada, 1977 (vol. 1) et 1981 (vol. 2).

THOMPSON, John Herd et Stephen J. RANDALL, *Canada and the United States : Ambivalent Allies*, Montréal/Kingston, McGill-Queen's University Press, 2002 (3ᵉ éd.).

INDEX

Department of Homeland Security, 308

Dépendance économique, 77-78, 103, 123-126, 130-131, 134, 296, 430, 468

Dépendance périphérique (théorie de), 123, 160, 196

Dépenses militaires, voir *Budget, Ministère de la Défense*

Dépression de 1929, 73, 542

Députés, 218, 290, 310, 371, 437-438, 443-463, 473 ; libéraux, 447, 463, 450 ; réformistes, 470

Désarmement, 9, 15, 30, 187, 194, 198, 360, 380. Voir aussi *Contrôle des armements*

Desjardins, Mouvement, 597 ; International, 205

Desjardins, Alphonse, 384

Destruction mutuelle assurée (MAD), 195

Détente, 261

Déterminants de la politique étrangère, 11, 40

Deuxième Guerre mondiale, 61, 68, 94, 109, 115-116, 123, 142, 165, 176-178, 208, 243, 253-255, 257, 295, 383, 395, 467, 542, 585, 604

Développement et Paix, 204

Dewitt, David, 13, 128, 129-130

Dialogue sur la politique étrangère (2003), 462

Dialogues sur la coopération en matière de sécurité, 362

Dieckhoff, Alain, 572

Diefenbaker, gouvernement, 245, 372, 380 ; et les armes nucléaires, 196, 225, 447, 472 ; minoritaire, 447

Diefenbaker, John G., 241 n23, 245, 316, 454, 603 ; crise des missiles de Cuba, 80 ; création du NORAD, 384, 426 ; cumul la charge de ministre des Affaires étrangères, 359-360, 361, 384 ; Afrique du Sud, 331 ; relations avec John F. Kennedy : 346-347 ; relations avec la Chine, 190 ; relations avec le ministre des Affaires extérieures, 360 ; relations avec les États-Unis, 468

Dieppe, raid de, 109

Dilemme de l'action collective, 171

Dion, Stéphane, 316, 374

Diori, Hamani, 334, 581

Diplomate, 101, 108-109, 115-116, 144, 158, 161, 257, 288-289, 319, 389, 391, 394-395, 403, 408-409, 411, 430, 498 ; Rangs diplomatiques, 109 n8

Diplomatie tranquille (*Quiet Diplomacy*), 124, 161

Diplomatie, 118, 157-159, 353, 388-389, 401, 417, 507 ; active, 100-101, 116, 118, 121-122, 131, 234, 263, 298 ; à paliers multiples, 502 ; publique, 162

Dissuasion, 195, 229

Distant Early Warning (DEW), 64

Diversification commerciale (politique de), 35, 77-78, 126, 155, 268-269, 273, 299, 357, 374, 407, 430, 468-469, 590

Diversité culturelle, 485 ; Convention de l'UNESCO sur la, 573, 577

Doern, Bruce G., 156

Dominion, 108, 241-243, 291-292, 294, 327-328, 330, 390, 395, 490-493

Douglas, Tommy, 225

Douste-Blazy, Philippe, 338

Drapeau, Jean, 148 n109, 411

Drapeaux, guerre des, 578

Droit à l'autodétermination, 234, 557-558, 582

Droit de la mer, 88

Droit international, 101, 256, 259, 343, 479-482

Droits d'un État souverain, 479-480

Droits de la personne, respect des, 31, 78, 90, 101, 155, 157, 169, 192, 203, 207-211, 214, 219-220, 262, 269, 271-272, 298, 304, 306, 363 ; en Afrique du sud, 209 ; en Argentine, 151 ; au Cambodge, 209 ; en Chine, 132-133, 363 ; en Indonésie, 210 ; par Israël, 363 ; au Nigeria, 338 ; au Pakistan, 181 ; par le Japon 207-208 ; par l'URSS, 301 ; dans la francophonie, 338-339 ; rôle des provinces, 503-504, 513

Duchesne, Pierre, 594

Dufour, André, 582

Duhamel, Ronald, 371

Dumbarton Oaks, 111-112

Duplessis, Maurice, 178, 542

Dupuy, Michel, 548

Duvalier, Jean-Claude et François, 176

Dyer, Gwynne, 197

H

Q

Quartier général de la Défense, 422

Quatre moteurs pour l'Europe, 552

Québec ; à l'ACCT, 336 ; agents généraux à l'étranger, 391, 541-542 ; Assemblée nationale, 551, 554, 576-577, 584, 59 ; attitude de la population, 67, 177-179, 240 n21, 241-242, 253, 451, 472, 483 ; budget consacré aux relations internationales, 514, 553 ; commerce international, 189, 520-521, 527, 529, 532-533 ; délégation à l'étranger, 553 ; à Dakar, 583 ; à New York, 585-586 ; à Paris, 573, 594 ; à Washington, 583, 591 ; députés du, 260, 316, 372-373, 446, 447 ; échanges universitaires, 522-523 ; élection de 1939, 178 ; Empire britannique, 238-239 ; environnement, 533-534, 535 ; étude de la politique étrangère et de la défense, 12, 15 ; exportations, 531 ; fonctionnaires et bureaucratie, 507, 545-546, 553-554 ; guerre au Liban (2006), 198, 337, 472 ; immigration, 523, 541 ; investissements étrangers, 525-526, 528-529, 530, 541, 586 ; livre blanc en matière de relations internationales, 526 ; mouvement pacifiste, 196, 197 ; nation, 557, 559, 565, 572 ; paradiplomatie, 507, 562, 569, 560, 598-599 ; place dans les forums internationaux, 335-337, 502, 339, 514, 575, 554-555, 577-581, 583 ; premier ministre, 507, 514 ; relations avec le gouvernement fédéral, 335, 351, 508, 547, 567-568, 573-577, 583, 584, 588-590, 597-599 ; relations avec les États africains, 153 ; relations avec les États américains, 487, 536-537, 550, 551-552 ; relations avec les États-Unis, 525, 547, 550, 585-586 ; santé publique, 521, 538 ; sécurité, 536-537 ; volonté de devenir un acteur international, 334, 483, 502, 516, 555-556, 561-567, 571-572. Voir aussi, *France, Lac Meech, Libre-échange, Souveraineté du Québec*

Québec, ville de ; conférences de 1943 et 1944, 117, 320 ; émeute de 1918, 148, 178, 242, 293 ; Jeux Olympiques de 2002, 547 ; sommet de 1985, 162, 340 ; sommet de 2001, 321

Quebecor, 527

Quemoy et Matsu, 118

Quito, 413

R

Radio-Canada ; Société, 398 ; International, 398

Rae, Bob, 544

Rainbow Warrior, 152

Rainforest Action Network, 533, 535

Ralston, James, 382

Rambouillet, 321

Randall, Stephen J., 13, 469

Rapport des Trois Sages, 95

Rat Pack, 463

Ready, aye, ready, 244-245

Reagan, Ronald ; relations avec Mulroney, 81, 126, 162, 300, 340, 343-345, 351 ; relations avec Trudeau, 298, 345 ; relations avec Turner, 340 ; Arctique, 343-344 ; attaque contre la Libye, 81 ; course aux armements, 195-196 ; embargo contre l'URSS, 191 ; IDS, 67, 197, 302 ; libre-échange, 82, 156 ; pluies acides, 162-163 ; réaction au programme énergétique national, 77 n55, 156, 163

Recherche et sauvetage, 147

Rechner, Patrick, 453

Réciprocité, traité de (1911), 224, 391

Référendum sur la souveraineté du Québec ; de 1980, 196, 582, 592, 595 ; de 1995, 9, 314, 374, 593-597

Regina, 508

Régionalisme, 233, 266-270, 275

Régions du Canada, 310, 439

Règlement 17, 177

Reid, Escott, 115, 158, 257-258, 260, 267, 295, 394, 428, 603

Reine d'Angleterre, 298 ; Victoria, 236

Reisman, Simon, 410, 431

Relations Nord-Sud, 88, 324-325, 333, 362

Religion, 172

Rémillard, Gil, 336

Renan, Ernest, 559

Rencontre des chefs d'État et de gouvernement du Commonwealth (RCGC), 329

Renseignement, 397

Représailles, 79, 153-154

TABLE DES MATIÈRES